Collection

SIRIUS

Physique Chimie

Programme 2012

Term S
Enseignement spécifique

**Sous la direction de
Valéry Prévost et Bernard Richoux**

Claire Ameline
Lionel Bernard
Claire Boggio
Georges Chappuis
Maud Chareyron
Nicolas Coppens
Laure Fort
Frédéric Grün
Angélique Johann-Dieudonné
Thomas Johann

Anne Juillard-Condat
Hélène Monin-Soyer
Michel Montangerand
Laure Morin
Bernard Renaud
Hélène Richoux
Christiane Salvetat
Marie-Thérèse Sapé
Hélène Simon
Vincent Villar

Nous remercions Gilbert Gastebois, professeur de physique-chimie, pour l'intégration de ses animations au manuel numérique.

Le papier de cet ouvrage est composé de fibres naturelles, renouvelables et fabriquées à partir de bois provenant de forêts gérées de manière responsable.

SOMMAIRE

THÈME 1 — Ondes et matière

© Nathan 2015, pour la présente édition
ISBN : 978-2-09-172376-1

THÈME 3 Défis du XXIᵉ siècle

DÉCOUVREZ VOTRE MANUEL

Ouverture

- Une photographie pour introduire la problématique du chapitre.
- La **liste des compétences exigibles** du programme, et des renvois vers l'activité expérimentale concernée ou vers des exercices.

Activités

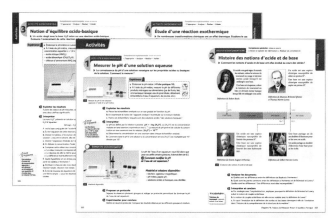

- **Les activités** s'appuient sur des documents historiques ou d'actualité, des ressources multimédias, utilisent une démarche d'investigation…

Portez une blouse de laboratoire, des lunettes de sécurité, des gants de protection.

Cours

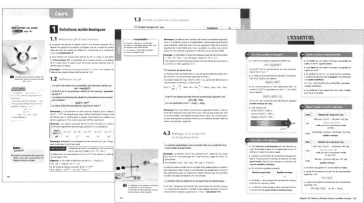

- **Le cours** est illustré d'exemples et d'applications simples.

- **L'essentiel** résume les résultats à retenir.

Objectif BAC

- Dans chaque chapitre, **deux exercices** pour préparer le BAC.

Objectif BAC Exploiter des documents

- Dans chaque chapitre, un exercice pour préparer l'épreuve d'évaluation des compétences expérimentales.

Un exercice sur la **rédaction d'une synthèse** de documents, qui exploite des ressources disponibles sur le site élève.

Un exercice d'analyse de document.

Exercices

Deux pages d'exercices d'application pour mobiliser les compétences exigibles du programme et les compétences générales.

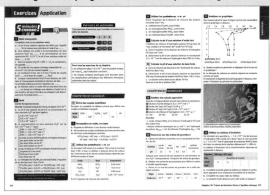

Les corrigés des « Parcours en autonomie » sont disponibles en fin de manuel ou sur le site élève.

Les exercices corrigés en fin de manuel sont indiqués par une boîte plus claire 7 .

Deux pages d'exercices de méthode pour l'accompagnement personnalisé.

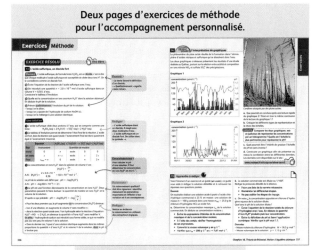

Un exercice résolu, un exercice « Zoom sur… » qui porte sur un point particulier du chapitre et un exercice « Apprendre à rédiger ».

3 à 6 pages d'exercices d'entraînement et de synthèse.

Des exercices de synthèse à la fin de chaque thème.

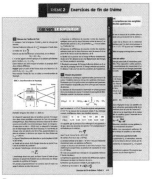

Des exercices « Cap vers le Supérieur » préparent aux études supérieures.

• **Un dossier de 48 pages** comprenant :
– deux sujets complets pour découvrir l'épreuve d'évaluation des compétences expérimentales (ECE) ;
– des exercices pour s'entraîner au BAC.

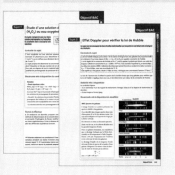

• Des ressources multimédias (exercices interactifs, animations, etc.) pour **vérifier ses acquis** avant de commencer un chapitre.

• Les animations et vidéos nécessaires pour répondre aux questions de certaines **activités**.

Pour se tester   Rendez-vous sur **www.nathan.fr/siriuslycee/eleves-termS.**

Parcours en autonomie

Trois parcours d'exercices pour travailler en autonomie selon ses besoins.

• Les corrigés détaillés des **parcours en autonomie** « Préparer l'évaluation » et « Approfondir ».

Maîtriser les bases   3   6   7   8

Préparer l'évaluation   13   16

Approfondir   25   26

• Des ressources à exploiter (texte, schéma, vidéo, animation, etc.) pour certains **exercices d'entraînement ou de synthèse.**

23 L'effet photoélectrique

Compétence générale : *Effectuer un raisonnement scientifique*

Cet exercice s'appuie sur des ressources disponibles sur le site élève : **www.nathan.fr/siriuslycee/eleve-termS.**

Une plaque métallique (ou cathode) notée K, placée dans le vide, est éclairée par une lumière monochromatique de longueur d'onde dans le vide λ, et d'intensité lumineuse réglable. Un générateur de tension impose une tension U_{AK} permettant aux électrons émis par la cathode d'atteindre une électrode (ou anode) notée A. Un ampèremètre mesure l'intensité du courant notée I, intensité qui est proportionnelle au nombre d'électrons atteignant l'électrode A par seconde.

L'animation « l'effet photoélectrique ».

• Un deuxième exercice résolu, pour travailler en autonomie.

30 Objectif BAC   *Rédiger une synthèse de documents*   **Dossier BAC, page 546**

Cet exercice s'appuie sur des ressources disponibles sur le site élève : **www.nathan.fr/siriuslycee/eleve-termS.**

Télécharger le dossier « Ressources pour l'exercice 30 » du chapitre 22.
Ce dossier comporte :
– la fiche technique d'un appareil de mesure utilisé en aquariophilie ;
– une fiche technique décrivant les conditions de survie d'une espèce de poisson ;
– un document sur la notion de dureté d'une eau.

→ À partir de l'étude de ces documents, rédiger une synthèse de 20 lignes afin d'expliquer pourquoi il est nécessaire de mesurer la dureté d'une eau d'un aquarium et comment cette mesure peut être réalisée rapidement.

Le texte rédigé devra être clair et structuré, et l'argumentation reposera sur les documents proposés.

Poissons Néon (Paracheirodon innes).

• Les documents à exploiter pour l'exercice « Rédiger une synthèse de documents ».

LES COMPÉTENCES GÉNÉRALES ET EXPÉRIMENTALES

● Nous nous sommes appuyés sur le programme pour établir la liste des **neuf compétences générales** mises en œuvre dans le manuel, auxquelles on peut ajouter la compétence « Utiliser les TICE ».

Les tableaux complets sont téléchargeables sur le site compagnon : **www.nathan.fr/siriuslycee**

Compétences générales	Exemples de compétences contextualisées (non exhaustifs)
Extraire et/ou exploiter des informations	– Rechercher des informations sur Internet – Extraire et exploiter les informations pertinentes d'un article, d'une vidéo, d'un graphique, d'un protocole, etc. – Exploiter un spectre de RMN du proton
Réaliser un … (schéma, graphique, etc.)	– Réaliser un schéma modélisant un dispositif expérimental
Proposer et/ou justifier un protocole expérimental	– Proposer et/ou justifier un protocole – Préciser les règles de sécurité
Restituer ses connaissances	– Associer un groupe caractéristique à une fonction – Connaître l'expression de l'énergie cinétique
Effectuer et/ou justifier un raisonnement scientifique	– Démontrer ou exploiter une loi – Effectuer une analyse dimensionnelle – Proposer un résultat sous forme littérale
Effectuer et/ou justifier un calcul	– Effectuer un calcul simple avec ou sans calculatrice – Évaluer un ordre de grandeur
Commenter un résultat	– Évaluer la précision d'un résultat – Identifier les sources d'erreurs d'une mesure – Calculer un écart-type
Communiquer et argumenter ou Rédiger une synthèse de documents	– En utilisant des moyens de communication appropriés (traitement de texte, diaporama, etc.), rédiger une synthèse de documents, présenter un exposé à l'oral, etc.
Être autonome et/ou Faire preuve d'initiative	– Travailler seul ou en équipe – Prendre des initiatives
Utiliser les TICE	– Utiliser la calculatrice, un tableur-grapheur, un logiciel (Chemsketch, Dozzzaqueux, logiciel de pointage…)

● À partir de la session du Baccalauréat de juin 2013, seront évaluées au moins deux compétences parmi les **cinq compétences expérimentales** suivantes : S'approprier – Analyser – Réaliser – Valider – Communiquer. La compétence « Être autonome et faire preuve d'initiative » est transversale et mobilisée sur l'ensemble de l'épreuve. Vous trouverez dans le tableau ci-dessous quelques exemples de compétences contextualisées.

Compétences expérimentales	Exemples de capacités et d'attitudes (non exhaustifs)
S'approprier	– Rechercher, extraire et organiser l'information en lien avec une situation donnée – Énoncer une problématique – Définir des objectifs
Analyser	– Formuler une hypothèse – Choisir, concevoir ou justifier un protocole ou un dispositif expérimental – Évaluer l'ordre de grandeur d'un phénomène et de ses variations
Réaliser	– Évoluer avec aisance dans l'environnement du laboratoire – Suivre un protocole – Utiliser le matériel (dont l'outil informatique) de manière adaptée – Effectuer des mesures avec précision – Effectuer un calcul simple
Valider	– Exploiter et interpréter des observations, des mesures – Utiliser les symboles et unités adéquats – Valider ou infirmer une information, une hypothèse, une propriété, une loi, etc. – Analyser des résultats de façon critique
Communiquer	– Utiliser les notions et le vocabulaire scientifique adaptés – Présenter, formuler une proposition, une argumentation, une synthèse ou une conclusion de manière cohérente, complète et compréhensible
Être autonome, faire preuve d'initiative	– Travailler seul – Demander une aide pertinente

Ondes et matière

Le Soleil, un émetteur radio, une galaxie, un téléphone portable, un dauphin, une étoile… tous ces exemples ont un point commun : ce sont tous des sources d'ondes.

Comment définir une onde ?
Quelles sont les propriétés des ondes ?
Quelle information sur leur source nous donnent-elles ?
Comment les utiliser pour analyser la matière et le monde qui nous entoure ?

Onde impressionnante, ce mascaret remonte la Garonne.

Analyse d'un spectre de RMN à deux dimensions d'une protéine.

FICHE

A ## Signal périodique

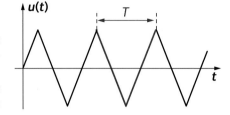

- La **période T** d'un signal périodique est la plus petite durée au bout de laquelle le signal se reproduit identique à lui-même.
- Pour un même signal périodique, on observe une répétition d'un motif élémentaire : la durée d'un motif élémentaire est égale à la période T.
- La **fréquence f** correspond au nombre de périodes par unité de temps :

$$f = \frac{1}{T} \quad \text{ou} \quad T = \frac{1}{f} \quad \left| \begin{array}{l} f \text{ en Hz} \\ T \text{ en s} \end{array} \right.$$

FICHE

B ## Les ondes

- La **vitesse de propagation d'une onde** peut se déterminer par la relation :

$$v = \frac{d}{\Delta t} \quad \left| \begin{array}{l} v : \text{vitesse de propagation (m·s}^{-1}) \\ d : \text{distance parcourue par l'onde (m)} \\ \Delta t : \text{durée du parcours (s)} \end{array} \right.$$

- Les vitesses de propagation dépendent du milieu et du type d'onde.

- Une onde sonore se propage dans un milieu matériel solide, liquide ou gazeux mais **ne se propage pas dans le vide**.
Une valeur approchée de la vitesse de propagation d'une onde sonore dans l'air aux températures usuelles est :

$$v = 340 \text{ m·s}^{-1}$$

- **L'oreille humaine est un récepteur sensible à des ondes sonores** dont la fréquence est comprise entre environ 20 Hz

et 20 kHz, domaine situé entre celui des infrasons et celui des ultrasons.

- Dans le vide ou dans l'air, la vitesse de propagation de la lumière, comme pour toute onde électromagnétique, est :

$$c = 3{,}00 \times 10^8 \text{ m·s}^{-1}$$

- **L'œil humain est un récepteur de lumière**, onde électromagnétique dont la fréquence appartient à un domaine très restreint, compris entre celui des infrarouges (IR) et celui des ultraviolets (UV).

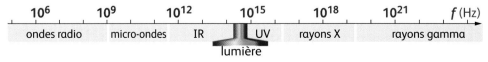

Domaines de fréquence des ondes électromagnétiques.

C Sources de lumière

● Une **source de lumière** est un objet qui produit la lumière qu'il émet.

Si la lumière n'est pas décomposable, elle est **monochromatique**. Elle correspond à **une radiation**.

Si la lumière est décomposable, elle est **polychromatique**. C'est un ensemble de **plusieurs radiations**.

● Chaque radiation peut être caractérisée par sa longueur d'onde dans le vide, notée λ. L'unité de λ dans le système international est le mètre.

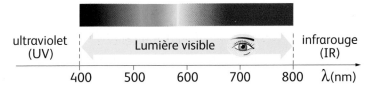

Domaine visible des ondes électromagnétiques.

D Longueur d'onde et indice de réfraction

● L'**indice de réfraction** n d'un milieu transparent est égal au rapport de la vitesse de propagation c de la lumière dans le vide et de la vitesse de propagation v de la lumière dans le milieu :

$$n = \frac{c}{v}$$

● La **longueur d'onde dans le vide** λ d'une radiation monochromatique de fréquence ν est donnée par la relation :

$$\lambda = \frac{c}{\nu} \qquad \begin{array}{l} c \text{ en m·s}^{-1} \\ \nu \text{ en Hz} \\ \lambda \text{ en m} \end{array}$$

E Spectres d'émission

● Un **spectre d'émission** est le spectre de la lumière directement issue de la source.

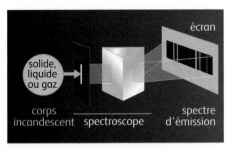

F Spectres d'absorption

● Le **spectre d'absorption** d'une substance est le spectre de la lumière obtenue après traversée de cette substance par la lumière blanche.

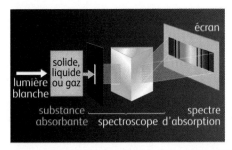

G Espèces de la matière colorée

● **L'absorbance** A_λ est une grandeur positive ou nulle, sans unité, liée à l'intensité de la lumière absorbée par une espèce en solution à la longueur d'onde λ.

● L'absorbance est mesurée par un **spectro-photomètre**.

● Le graphique représentant A_λ en fonction de λ est appelé **spectre d'absorption de la solution**.

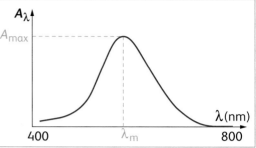

La longueur d'onde λ_m correspond à l'absorbance maximale A_{max} de la solution.

● L'absorbance A_λ d'une solution introduite dans une cuve de largeur ℓ, contenant une espèce de la matière colorée de concentration c, suit la loi de Beer-Lambert :

$$A_\lambda = \varepsilon_\lambda \, \ell \, c$$

ε_λ en $mol^{-1} \cdot L \cdot cm^{-1}$
ℓ en centimètre (cm)
c en $mol \cdot L^{-1}$
A_λ sans unité

ε_λ est le **coefficient d'absorption molaire** de l'espèce à la longueur d'onde λ.

● La loi de Beer-Lambert est **additive** : s'il y a n espèces absorbantes en solution, l'espère B_i étant en concentration c_i et de coefficient d'absorption molaire $\varepsilon_{\lambda,i}$, alors l'absorbance de la solution est : $A_\lambda = \sum_{i=1}^{n} \varepsilon_{\lambda,i} \, \ell \, c_i$.

H Groupes caractéristiques et classes fonctionnelles

Groupe caractéristique		Classe fonctionnelle	Formule générale
—(OH)	groupe hydroxyle	alcool	R—OH
O‖C	groupe carbonyle	aldéhyde	$R - C \begin{smallmatrix} O \\ \\ H \end{smallmatrix}$
		cétone	$R - C \begin{smallmatrix} O \\ \\ R' \end{smallmatrix}$ Ni R ni R' ne peuvent être un atome d'hydrogène.
C=O OH	groupe carboxyle	acide carboxylique	$R - C \begin{smallmatrix} O \\ \\ OH \end{smallmatrix}$

Pour se tester Rendez-vous sur www.nathan.fr/siriuslycee/eleve-termS.

Ondes et particules, supports d'information

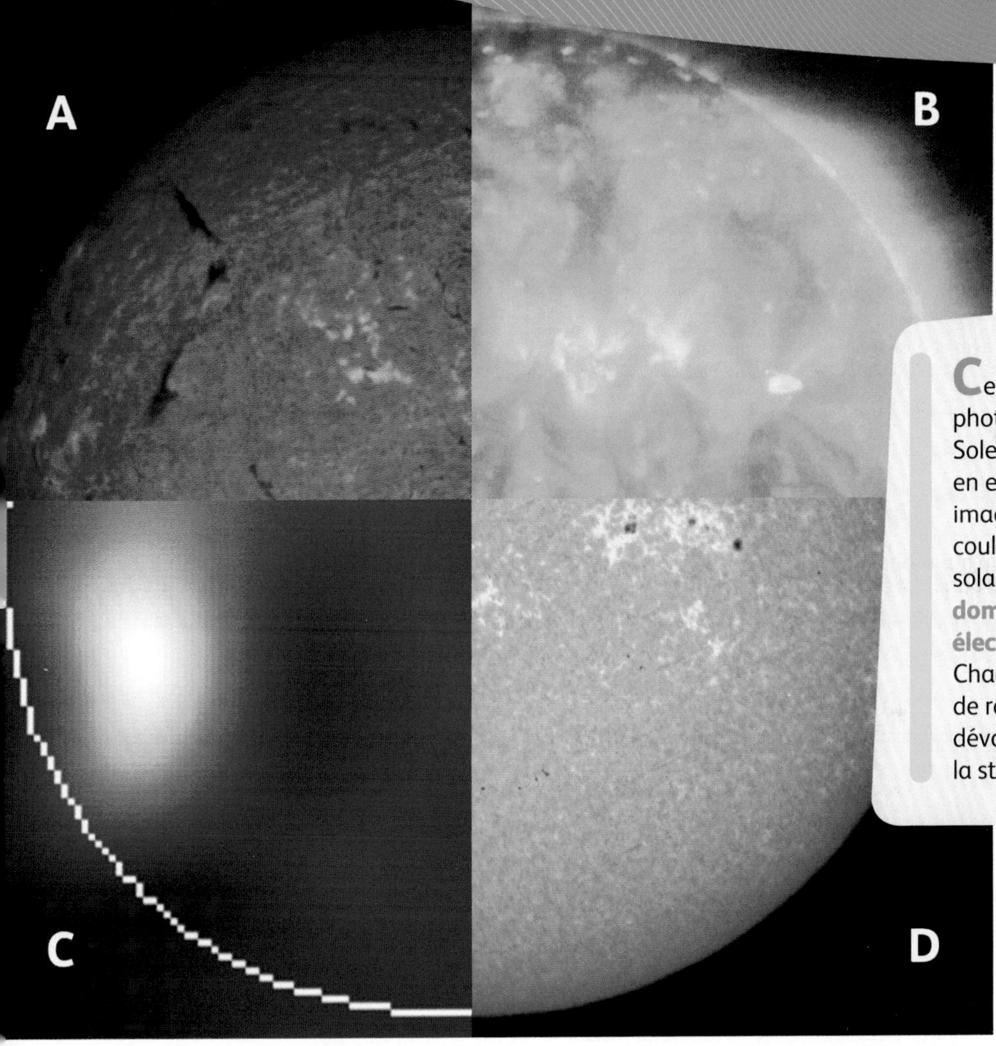

A

B

Ce montage photographique du Soleil a été obtenu en enregistrant les images (en fausses couleurs) du disque solaire dans **quatre domaines d'ondes électromagnétiques**. Chaque domaine de rayonnement dévoile une part de la structure du Soleil.

C

D

COMPÉTENCES EXIGIBLES

- Extraire et exploiter des informations sur l'absorption de rayonnements par l'atmosphère terrestre et ses conséquences sur l'observation des sources de rayonnements dans l'Univers.
  → *Activité documentaire 1 et exercice d'application 8*

- Connaître des sources de rayonnements radio, infrarouge et ultraviolet.
  → *Activité documentaire 2 et exercice d'application 3*

- Extraire et exploiter des informations sur les manifestations des ondes mécaniques dans la matière. → *Activité documentaire 4 et exercices d'application 10 et 11*

- Extraire et exploiter des informations sur des sources d'ondes et de particules et leurs utilisations ainsi que sur un dispositif de détection. → *Exercices d'application 7 et 12 et exercice d'entraînement 23*

- Mettre en œuvre un capteur ou un dispositif de détection. → *Activité expérimentale 5*

Compétences générales mises en œuvre

ACTIVITÉ DOCUMENTAIRE • *Extraire et exploiter des informations* • *Restituer ses connaissances*

1 Atmosphère et rayonnements dans l'Univers

▶ **Par quels moyens nous parviennent les informations qui nous font connaître l'Univers ?**

La Terre reçoit de toutes les directions de l'espace des rayonnements électromagnétiques ainsi qu'une pluie de particules qui constitue le rayonnement cosmique. Si ce flot ininterrompu n'était pas en grande partie arrêté par l'atmosphère, ses effets destructeurs interdiraient toute vie.

Ces rayonnements et ces particules sont les seuls supports des informations qui nous parviennent de l'Univers (distances, vitesses, constitution des étoiles ou des autres objets célestes).

Dans la deuxième moitié du xxᵉ siècle, l'invention du radiotélescope, sur le modèle du radar, puis la possibilité d'envoyer des télescopes spatiaux au-delà des couches denses de l'atmosphère, ont permis aux astronomes d'exploiter beaucoup plus largement le domaine des ondes électromagnétiques.

1 *Atmosphère et observation astronomique.*

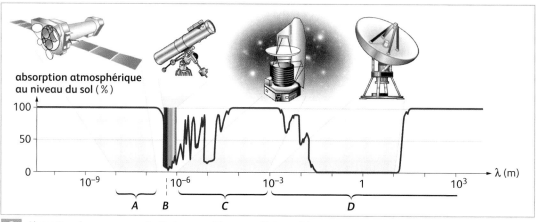

2 *Absorption des rayonnements électromagnétiques par l'atmosphère.*

❶ Analyser les documents

a. Que représente la grandeur portée en ordonnée sur la **figure 2** ? Préciser notamment la signification 0 % et 100 % pour les points ayant cette ordonnée.

b. Quelle grandeur est représentée en abscisse ? Expliquer comment est construite l'échelle utilisée et ajouter les valeurs manquantes devant chaque graduation.

c. Nommer les domaines de rayonnements électromagnétiques, qui sont repérés par les lettres A, B, C et D.

d. Quel est le lien entre les illustrations (les instruments d'observation) et leur position sur la représentation graphique ?

❷ Conclure

a. Donner les domaines de longueurs d'onde des rayonnements électromagnétiques en provenance de l'Univers qui peuvent être étudiés directement avec des instruments au sol. Nommer ces instruments.

b. Préciser à quels domaines des ondes électromagnétiques ces rayonnements appartiennent.

2 L'astronomie de l'invisible

▶ **Les astronomes s'intéressent beaucoup aux rayonnements électromagnétiques appartenant aux domaines non visibles. Justifions cet intérêt par quelques exemples.**

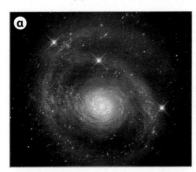

Les photographies ci-contre représentent la Galaxie M94 en lumière visible ⓐ, infrarouge ⓑ, et ultraviolette ⓒ à la même échelle. Sur la photographie ⓒ : les UV proches sont en jaune, les UV lointains sont en bleu.

L'espace entre les étoiles est rempli de gaz et de poussières. La densité de cette matière est extrêmement faible mais, à plusieurs centaines d'années de lumière, il suffit de quelques molécules par cm³ pour observer des nuages opaques à la lumière visible sur la photographie ⓐ.

Le rayonnement infrarouge, de longueur d'onde plus grande que celle de la lumière visible, peut traverser cette matière parce qu'il subit peu la diffusion (absorption et réémission des rayonnements dans toutes les directions). Des étoiles, dont la lumière visible est cachée par ces nuages, apparaissent en observation dans l'infrarouge. D'autre part, les nuages de poussières, échauffés par le rayonnement des étoiles voisines, émettent eux-mêmes un rayonnement d'origine thermique qui les rend brillants dans l'infrarouge sur la photographie ⓑ.

Le rayonnement ultraviolet permet de révéler d'autres aspects de l'Univers. De jeunes étoiles très brillantes dans ce domaine apparaissent sur la photographie ⓒ, là où gaz et poussières sont en faible densité.

3 *Observation astronomique dans l'ultraviolet et l'infrarouge.*

La photographie ⓓ a été obtenue en superposant l'image de la galaxie Centaurus A en lumière visible (couleur blanche) et dans le domaine radio (en orange).

Le rayonnement radio de l'Univers est souvent émis par des particules chargées, animées de mouvements rapides sous l'effet, par exemple, de l'activité d'un trou noir, au centre de la galaxie Centaurus A.

4 *Observation astronomique dans le domaine radio.*

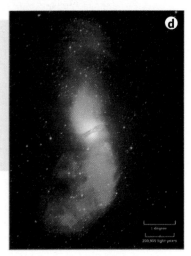

Exploiter les documents

a. Sur les photographies, pourquoi la galaxie M 94 paraît moins étendue sur la photographie ⓐ que sur les ⓑ et ⓒ ?

b. Qu'est-ce que le rayonnement thermique ? Pourquoi les nuages de poussière sont-ils brillants sur la photographie ⓑ et non sur la photographie ⓐ ?

c. À quoi reconnaît-on les étoiles les plus chaudes sur la photographie ⓒ ?

d. Le document 4 fait mention d'un « trou noir ». À l'aide d'une recherche documentaire, expliquer en quelques lignes en quoi consiste ce type d'objet.

e. Estimer la longueur de la zone d'émission radio autour du trou noir de Centaurus A.

f. Justifier la nécessité d'exploiter les rayonnements électromagnétiques invisibles pour étudier l'Univers.

g. À l'aide des documents et d'une recherche documentaire, dresser un tableau présentant des sources riches en rayonnements infrarouge, ultraviolet et radio dans l'Univers.

ACTIVITÉ DOCUMENTAIRE • *Extraire et exploiter des informations*

3

Les particules dans l'Univers

▶ **La Terre reçoit un flot incessant de particules de grande énergie. D'où provient-il ?**

En 1912, on découvre que la Terre reçoit en permanence un rayonnement ionisant provenant de l'espace. Ce rayonnement cosmique est constitué de particules chargées de grande énergie en provenance du Soleil ou
5 d'astres lointains (particules galactiques ou extragalactiques). Dans le « vide » spatial, ce rayonnement est surtout constitué de protons et de noyaux d'hélium.

Au voisinage de la Terre, ces particules sont déviées par la magnétosphère. Si leur énergie est insuffisante,
10 elles ne peuvent pas atteindre l'atmosphère, sauf dans les régions polaires où les lignes de champ s'incurvent vers la surface terrestre. C'est le cas pour les particules solaires, tandis que les particules galactiques, plus énergiques, ne sont pas arrêtées par le champ
15 magnétique terrestre.

Lorsqu'une particule du rayonnement cosmique atteint les couches supérieures de l'atmosphère, elle interagit avec les atomes voisins en perturbant leur nuage électronique, en arrachant des électrons ou
20 en provoquant des réactions nucléaires. Les aurores polaires proviennent de la désexcitation des atomes ou des molécules de l'air, excités ou ionisés par les particules solaires. Si l'énergie apportée par la particule est suffisante, les produits de ces transformations
25 interagissent à leur tour avec le milieu et il se produit finalement une « gerbe » de particules secondaires qui finissent par atteindre le sol (**figure 5**).

Les particules d'origine solaire sont issues de réactions nucléaires produites au sein de notre étoile. Elles
30 sont donc des témoins du fonctionnement interne du Soleil. Les autres, dont l'origine est encore mal connue, sont probablement les conséquences de phénomènes déployant des énergies considérables dans l'Univers

35 lointain, l'action d'un trou noir ou l'explosion d'une supernova par exemple.

Les rayons cosmiques ont constitué une source de diverses particules très utile aux physiciens s'intéressant à la structure intime de la matière. Ils l'exploitent encore dans leurs recherches mais ils disposent
40 maintenant des accélérateurs de particules. Dans ces appareils, des particules accélérées par des champs électriques et guidées par des champs magnétiques sont violemment projetées les unes contre les autres. Ces chocs donnent naissance à des gerbes de parti-
45 cules et c'est en examinant les résultats que l'on peut comprendre le fonctionnement de la matière.

6   *Le rayonnement cosmique.*

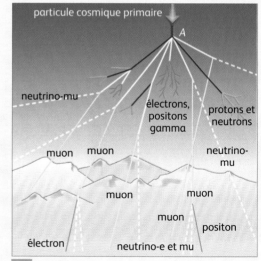

5   *Gerbes de particules issues du rayonnement cosmique.*

❶ Analyser le document

a. À l'aide d'une recherche, expliquer les expressions surlignées du texte.

b. Quelle information du texte est illustrée par la **figure 5** ? Que se passe-t-il au point noté *A* ?

c. Trouver des avantages aux accélérateurs de particules par rapport aux rayons cosmiques pour réaliser des expériences avec des particules.

❷ Conclure

Quelles informations scientifiques les chercheurs peuvent-ils attendre de l'étude des particules cosmiques ? Même question pour les particules produites dans les accélérateurs.

Activités

ACTIVITÉ DOCUMENTAIRE

4 À l'écoute de la Terre

▶ Les séismes, sources de tragédies, permettent aussi d'explorer l'intérieur du globe terrestre. Examinons quelques informations transmises par les ondes sismiques.

Date	Heure	Lieu	Latitude	Longitude	Profondeur	Magnitude
13/01/2010	05:02:53	Haïti région	18,39°	–72,95°	10 km	5,6

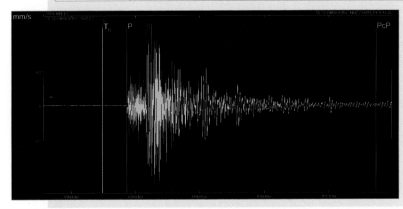

Le sismogramme ci-contre représente plusieurs trains d'ondes successifs.

Les ondes P (primaires) et S (secondaires) se propagent à l'intérieur du globe, dans toutes les directions. Les ondes P sont des ondes de compression tandis que les ondes S sont des ondes de cisaillement.

7 *Données sur un séisme fournies par une station sismique.*

La magnitude d'un séisme est une grandeur sans unité qui mesure l'énergie libérée au foyer (point où se produit la rupture à l'origine du séisme). L'échelle des valeurs de la magnitude est connue sous le nom d'échelle de Richter.

L'échelle de Richter est logarithmique : lorsque la magnitude M augmente d'une unité, l'énergie libérée $\mathscr{E}$ est multipliée par 31,6.

8 *Magnitude d'un séisme.*

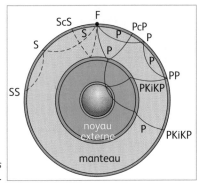

9 ▶ *Propagation de quelques ondes sismiques dans le globe terrestre.*

Éviter des erreurs

Ne pas confondre foyer et épicentre.

Le **foyer** d'un séisme est le point situé à l'intérieur de l'écorce terrestre où se produit la rupture à l'origine du séisme.

L'**épicentre** est le point de la surface terrestre situé à la verticale du foyer.

❶ Analyser les documents

a. Expliquer en quoi consistent les informations chiffrées associées au séisme sur le **document 7** ?

b. Quelles grandeurs sont portées en abscisse et en ordonnée sur le sismogramme ?

c. D'après l'ensemble des documents, l'énergie libérée par un séisme reste-elle localisée au voisinage du foyer ?

❷ Interpréter des données et conclure

a. Laquelle des deux ondes S ou P est la plus rapide ?

b. Par analogies avec la propagation de la lumière, décrire et expliquer les phénomènes subis par les ondes sismiques au cours de leur propagation.

c. Quel chemin a suivi, dans le globe terrestre, le signal qui débute à l'instant repéré par l'index noté PcP sur le **document 7** ? Quelle distance caractéristique de la structure du globe terrestre pourrait-on mesurer en exploitant ce signal ?

d. Réaliser un bilan des données dont dispose un sismologue pour étudier un séisme. Quels renseignements un géologue peut-il tirer de ces résultats ?

Activités

5 Un capteur de lumière

▶ Modélisons un des nombreux dispositifs de la vie courante utilisant un capteur de lumière : le lecteur de code-barres.

Un code-barres est constitué d'une succession de bandes sombres et claires. Il existe de nombreux systèmes de codages différents. Dans les codes les plus simples, chaque caractère alphanumérique est représenté par un nombre donné de barres qui se répartissent en deux catégories, les bandes « étroites » et les bandes « larges ». Toutes les bandes étroites ont la même largeur ; la largeur des bandes larges est un multiple de la largeur des bandes étroites. C'est la succession des bandes larges et étroites qui définit chaque caractère.

Le système de lecture, utilisant un laser, doit détecter les variations sombres et claires et reconnaître la répartition en barres étroites et larges. Sur le système fixe des caisses de magasin, le faisceau laser, dévié par un bloc de miroirs tournants, balaye le code-barres. La lumière réfléchie est captée par un récepteur de lumière et transformée en signal électrique qui est analysé par un système informatique.

10 *Principe de lecture d'un code-barres.*

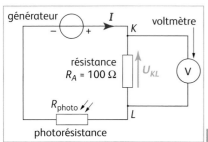

11 ◀ *Montage à réaliser.*

Expérience

Le capteur de lumière utilisé est une photorésistance.
■ **Étape 1.** Brancher un ohmmètre aux bornes de la photorésistance et faire varier son éclairement avec une lampe de poche.
■ **Étape 2.** Réaliser le montage de la **figure 11**. Faire à nouveau varier l'éclairement de la photorésistance.

❶ Observer
Lorsque l'on fait varier l'éclairement de la photorésistance, comment évoluent sa résistance **(étape 1)** et la tension U_{KL} **(étape 2)** ?

❷ Interpréter
a. Rappeler la relation qui existe entre U_{KL} et l'intensité du courant I.
b. Expliquer l'évolution de U_{KL} décrite à la question ❶.

❸ Élaborer un protocole
On dispose, en plus du circuit précédent, du matériel suivant :
– sources de lumière : lampe de poche, lampe de bureau, diode laser, éclairage de la salle ;
– modèle de code-barres dessiné sur transparent et divers supports ;
– ordinateur et interface d'acquisition.

a. Rédiger le protocole d'une expérience destinée à modéliser l'acquisition par un lecteur des données d'un code-barres.
b. Après validation du protocole par le professeur, enregistrer un signal.

❹ Exploiter les résultats
a. Sur l'enregistrement, qu'est-ce qui permet de distinguer une bande sombre d'une bande claire ? Comment peut-on également distinguer une bande large d'une bande étroite ?
b. En répétant plusieurs fois l'expérience avec le même code, est-on certain de produire des enregistrements identiques ? Sinon, quels facteurs interviennent sur le résultat de l'enregistrement et doivent être pris en compte par un système informatique qui doit identifier le code ?

❺ Faire une recherche
Chercher d'autres exemples de systèmes utilisant un capteur de lumière ou d'image.

L'ESSENTIEL

 Ondes et particules : supports d'information

- C'est grâce à l'analyse des **ondes** ou des **particules** que les scientifiques peuvent étudier les objets de l'Univers.

- La lumière visible, les rayonnements ultraviolets et infrarouges, les ondes radio, etc. sont des **ondes électromagnétiques**, qui peuvent se propager sans support matériel.

Exemple

La composition chimique des étoiles est connue via l'analyse du spectre du rayonnement émis (visible, ultraviolet et infrarouge).

- Le son, les ondes sismiques, la houle, etc. sont des **ondes mécaniques** : ce sont des perturbations qui se propagent dans la matière.

Exemple

L'étude des ondes sismiques permet d'analyser la structure interne de la Terre.

La magnitude d'un séisme est généralement mesurée selon l'échelle de Richter. C'est une échelle logarithmique de mesure de l'énergie libérée au foyer du séisme, indépendamment du lieu d'observation. C'est une grandeur sans unité.

- Les particules apportent des informations sur l'Univers et sur la structure intime de la matière.

Exemple

Les particules qui constituent les **rayons cosmiques** apportent des informations sur le Soleil et certains astres lointains.

Elles sont en partie arrêtées par le champ magnétique terrestre.

Ces particules de grande énergie peuvent être produites dans les accélérateurs de particules pour étudier la structure intime de la matière.

 Sources de rayonnements ultraviolets, infrarouge et radioélectrique

Rayonnement	Ultraviolet	Infrarouge	Radioélectrique
Longueur d'onde dans le vide	10 nm à 400 nm	750 nm à 1 mm	supérieures à 1 mm
Exemples de sources dans l'Univers	– étoiles très chaudes – nuages de gaz excités par des étoiles ces rayonnements sont fortement absorbés par l'atmosphère : l'observation se fait essentiellement avec des télescopes spatiaux	objets « froids » (température inférieure à 3 000 K) : poussières interstellaires, planètes, astéroïdes, etc	– hydrogène neutre des gaz interstellaires – radiosources lointaines – rayonnement fossile : rayonnement baignant tout l'Univers (résultat actuel du rayonnement thermique que l'Univers émettait au début de son évolution)
Exemples de sources dans la vie pratique	– Soleil : bronzage – décharge électrique dans de la vapeur de mercure : lampe UV (bronzage ; détection de faux billets), lampes fluocompactes.	– diodes infrarouges : télécommandes – filaments de chauffage : chauffage domestique, dessication industrielle	émetteurs radio : antennes de stations radio, téléphones portables, appareils Wi-Fi

5 minutes CHRONO !

MANUEL NUMÉRIQUE — EXERCICES INTERACTIFS

1 Mots manquants

Compléter avec un ou plusieurs mots.

a. Le son, la houle, les ondes sismiques sont des ondes ....

b. L'échelle de Richter est une échelle ....

c. Les télescopes .... permettent d'observer sans atténuation le ciel dans les domaines infrarouge et ultraviolet.

d. Les étoiles très chaudes émettent un rayonnement riche en ....

e. Pour étudier la structure intime de la matière, on produit des particules de grandes .... dans des ....

2 QCM

Cocher la réponse exacte.

a. Un rayonnement électromagnétique de longueur d'onde dans le vide $\lambda = 10$ m appartient au domaine des :
- ☐ infrarouges ☐ ultraviolets ☐ ondes radio

b. Une onde électromagnétique de longueur d'onde dans le vide 300 nm appartient au domaine :
- ☐ visible ☐ infrarouge ☐ ultraviolet

c. La magnitude d'un séisme :
- ☐ a pour unité le Richter
- ☐ n'a pas d'unité
- ☐ peut s'exprimer en joule

d. La magnitude d'un séisme :
- ☐ est proportionnelle à l'énergie libérée au foyer
- ☐ est multipliée par 2 si l'énergie libérée au foyer est multipliée par 100
- ☐ augmente d'une unité si l'énergie libérée au foyer est multipliée environ par 30

e. Le rayonnement cosmique est un :
- ☐ flux de particules
- ☐ rayonnement ultraviolet
- ☐ rayonnement radio

f. Un objet « froid » de l'Univers (hors du système solaire) tel qu'un nuage de poussière interstellaire, est plus facilement étudié en lumière :
- ☐ infrarouge ☐ ultraviolette ☐ visible

g. Le rayonnement ultraviolet provenant de l'espace est en grande partie :
- ☐ arrêté par le champ magnétique terrestre
- ☐ arrêté par l'atmosphère
- ☐ transmis par l'atmosphère

h. L'épicentre d'un séisme est :
- ☐ le point à l'origine du séisme
- ☐ le point de la surface terrestre à la verticale du foyer
- ☐ le point de la surface où les dégâts sont les plus importants

→ **Solutions détaillées en fin de manuel pour vérifier vos réponses et comprendre vos erreurs.**

Parcours en autonomie

Trois parcours d'exercices pour travailler en autonomie selon ses besoins.

- **Maîtriser les bases** — 3 – 4 – 7
- **Préparer l'évaluation** — 14 – 17 – 19
- **Approfondir** — 23 – 26 – 27

COMPÉTENCES EXIGIBLES

3 Connaître des sources de rayonnements

Donner un ou plusieurs exemples de sources de rayonnements de l'Univers dans chacun des domaines suivants :

a. infrarouge ; **b.** ultraviolet ; **c.** radio.

4 Connaître des sources de particules

Donner un ou plusieurs exemples de sources naturelles et artificielles de particules de grande énergie.

5 Reconnaître des sources de rayonnements

Faire la liste des ondes qui transmettent successivement la voix depuis la bouche d'un correspondant jusqu'à l'oreille de son interlocuteur lorsque l'on communique avec un téléphone portable.

6 À l'abri des ondes ?

Léo est étendu sur le sable d'une île déserte. Il pense : « Ici au moins, je suis à l'abri de toute onde électromagnétique (à part celles venant du Soleil) et de toute particule. »
Confirmer ou réfuter cette affirmation.

7 Citer des capteurs d'ondes électromagnétiques

Donner deux ou trois exemples d'appareils de la vie courante comportant :

a. un capteur d'ondes radio ;

b. un capteur de lumière visible ;

c. un capteur de lumière infrarouge.

8 Comprendre le rôle de l'atmosphère terrestre

Trouver des arguments pour justifier l'affirmation suivante : « L'astronomie spatiale a permis d'explorer un Univers insoupçonné. »

► *Un astronome du XVIe siècle essaie de découvrir les secrets de la Voie lactée.*

COMPÉTENCES GÉNÉRALES

9 Effectuer un calcul

On place un compteur Geiger au voisinage d'une source radioactive. On réalise une série de comptages de particules détectées pendant des durées égales à 10 s. Les résultats sont fournis dans le tableau ci-dessous où n est le nombre d'événements détectés pendant une mesure, et f est le nombre de mesures ayant donné le même résultat.

n	10	11	12	13	14	15	16	17	18	19	20
f	0	3	11	20	25	18	14	6	3	0	0

a. Calculer la valeur moyenne du nombre d'événements détectés en 10 s.

b. Quel est l'intérêt de la valeur moyenne pour exploiter les résultats ?

10 Utiliser une échelle logarithmique

Pour estimer la magnitude d'un séisme, on peut utiliser le système de graduations donné sur la figure ci-dessous, appelé **abaque**.

On repère sur les échelles correspondantes :
– l'amplitude maximale de l'onde S (second train d'ondes), c'est-à-dire le déplacement maximal du sol détecté ;
– la distance séparant le sismographe de l'épicentre du séisme.

La magnitude est lue à l'intersection du segment joignant ces deux points avec la graduation centrale.

Distance (km)	Magnitude	Amplitude (mm)
800	8	500
700		200
600	7	100
500		50
400	6	
	5	20
300		10
	4	5
200		
	3	2
100		1
60	2	0,5
40		0,2
30	1	0,1
20		

a. Parmi ces trois échelles, quelle est celle qui est linéaire ? celle qui est logarithmique ?

b. L'amplitude maximale de l'onde S d'un séisme enregistrée à 250 km de l'épicentre est 60 mm.
Déterminer graphiquement la magnitude de ce séisme.

c. Prévoir graphiquement l'amplitude maximale de l'onde S provenant du même séisme pour un sismographe identique se trouvant à 500 km de l'épicentre.

11 Effectuer un calcul

La différence des magnitudes M_1 et M_2 de deux séismes est donnée par l'expression :

$$M_2 - M_1 = \frac{2}{3} \log\left(\frac{\mathscr{E}_2}{\mathscr{E}_1}\right)$$

où $\mathscr{E}_1$ et $\mathscr{E}_2$ désignent les énergies libérées par chaque séisme. La fonction **log(x)**, appelée **fonction logarithme décimal** est définie pour x positif. Elle est souvent notée log sur les calculatrices. D'autre part : $y = \log(x) \Leftrightarrow x = 10^y$; la fonction 10^y est définie pour y réel quelconque.

a. Si $\frac{\mathscr{E}_2}{\mathscr{E}_1} = 500$, si $M_1 = 5,6$, quelle est la valeur de M_2 ?

b. Si $M_1 = 6,0$ et $M_2 = 6,5$, que vaut le rapport $\frac{\mathscr{E}_2}{\mathscr{E}_1}$?

12 Extraire et exploiter des informations

Pour détecter les faux billets, certains commerçants disposent d'un appareil émettant un rayonnement ultraviolet. Sur un billet en euros, certaines images sont imprimées avec des pigments fluorescents invisibles en lumière blanche mais visibles sous rayonnement ultraviolet.

Au recto d'un billet en euros, le drapeau européen et la signature du président de la BCE passent du bleu au vert et les étoiles du drapeau, du jaune à l'orange. Au verso, la carte de l'Europe, le pont et les chiffres indiquant la valeur du billet apparaissent en jaune.

a. Rappeler comment s'explique la couleur d'un objet éclairé en lumière blanche.

b. En termes de longueurs d'ondes, expliquer l'effet des pigments fluorescents sur le rayonnement ultraviolet.

13 Exploiter des informations

Le signal infrarouge émis par la télécommande d'un téléviseur est envoyé sur un capteur (phototransistor) placé dans un circuit qui délivre un signal électrique dépendant de l'éclairement.

L'enregistrement du signal réalisé avec un système d'acquisition informatique est reproduit ci-dessous.

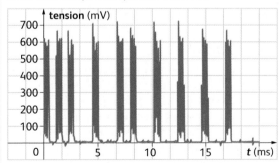

a. Les durées des créneaux peuvent être réparties en durées « courtes » ou « longues ». Donner une valeur approchée de chacune de ces durées.

b. Comment doit-on modifier les réglages du système d'acquisition pour observer en détail l'évolution du signal dans un seul créneau ?

EXERCICE RÉSOLU

14 Le rayonnement fossile de l'Univers

Énoncé

Selon la théorie du Big Bang, il y a 13,7 milliards d'années, l'Univers était extrêmement dense et chaud. Il était constitué d'une « soupe » de particules. Dans cette « soupe », les photons étaient en interaction continuelle avec les particules chargées. Leur quantité et leurs longueurs d'onde obéissaient aux propriétés du rayonnement thermique d'un corps dense.

Lorsque l'âge de l'Univers a atteint approximativement 370 000 ans, sa température n'était plus que de 3 000 K et les électrons ont pu se lier aux protons pour donner les premiers atomes.

Contrairement aux particules chargées, les atomes neutres laissent librement voyager les photons. Les physiciens avaient prévu que, si la théorie du Big Bang était vraie, ces photons devraient remplir l'Univers actuel d'un rayonnement électromagnétique, se propageant dans toutes les directions. Ce résidu du rayonnement thermique de l'Univers primordial devrait obéir aux mêmes lois que le rayonnement initial sauf que, à cause de l'expansion de l'Univers, il devrait correspondre maintenant à une température très basse, estimée à 5 K environ.

En 1965, deux radioastronomes américains, Arno Penzias et Robert Wilson, découvrirent un rayonnement électromagnétique provenant de toutes les directions de l'espace, dont le maximum d'intensité est celle d'un rayonnement thermique pour une température d'environ 3 K (la valeur actuellement admise est 2,73 K). La communauté scientifique l'identifia rapidement comme étant le rayonnement fossile attendu.

Radiotélescope de Nançay (région Centre).

Donnée. Un corps dense à la température T émet un rayonnement thermique dont la longueur d'onde correspondant au maximum d'émission est donnée par la loi de Wien : $\lambda_{max} = \dfrac{2,9 \times 10^{-3}}{T}$, avec T en kelvin et λ_{max} en mètre.

❶ Que signifie l'expression « soupe de particules » utilisée dans le texte ?

❷ Justifier le nom de « rayonnement fossile » que l'on donne souvent au rayonnement décrit ci-dessus.

❸ Quelle propriété indiquée par le texte permet de distinguer ce rayonnement d'un signal produit par un objet de la Voie lactée par exemple ?

❹ Calculer la longueur d'onde du maximum d'émission du rayonnement fossile.

Rédiger

Il faut traduire en termes précis la signification de cette image.

Rédiger

Il faut faire référence à des indications précises du texte.

Raisonner

Le rayonnement fossile conserve les propriétés du rayonnement thermique primordial même s'il ne peut plus être interprété comme tel.

Une solution

❶ L'expression « soupe de particules » indique sous forme imagée que la matière est constituée de particules diverses non liées entre elles mais assez proches les unes des autres.

❷ Le rayonnement est le reste d'un rayonnement très ancien, trace d'une structure de l'Univers primordial, de même qu'un fossile est la trace d'un animal ou d'une plante disparus.

❸ Le rayonnement fossile provient de toutes les directions de l'espace, ce qui ne serait pas le cas s'il était émis par un objet ayant une position déterminée.

❹ La longueur d'onde λ_{max} correspondant au maximum d'intensité du rayonnement fossile est celle du rayonnement thermique pour une température $T = 2,7$ K.

D'où : $\lambda_{max} = \dfrac{2,9 \times 10^{-3}}{T} = 1,1 \times 10^{-3}$ m.

On place un compteur Geiger au voisinage d'une source radioactive. On réalise une série de mesures du nombre n de particules détectées pendant des durées égales à 10 s. Les résultats de 36 mesures, effectuées dans les mêmes conditions, sont rassemblés dans le tableau suivant.

110	127	108	102	128	104
109	107	116	100	119	85
104	113	116	113	129	115
101	118	109	135	102	127
129	122	104	142	102	105
103	111	107	114	112	87

a. Dans un tableur, entrer les valeurs du tableau sur une colonne.

b. En utilisant les fonctions statistiques du tableur, calculer la valeur moyenne $\bar{n}$ de n.

> **Conseils** La moyenne d'une série de mesures est la valeur la plus pertinente pour estimer la grandeur mesurée.

c. Estimer le nombre $n_{attendu}$ de détections attendues pour un enregistrement qui durerait 1 000 s. Le résultat sera donné avec deux chiffres significatifs.

d. Faire calculer sur une deuxième colonne les écarts $\Delta n = n - \bar{n}$ pour chaque mesure.
Quel résultat peut-on prévoir si l'on calcule la moyenne de ces écarts ? Vérifier en réalisant le calcul.

> **Conseils** L'écart-type permet d'apprécier la dispersion des résultats, c'est-à-dire l'étalement de l'ensemble des résultats de part et d'autre de la moyenne.
> L'incertitude sur une mesure est étroitement liée à l'écart-type.
> La moyenne et l'écart-type d'une série de mesures sont obtenus très facilement avec un tableur.
> Ils se calculent avec les fonctions du tableur « moyenne » et « écart type » selon la méthode décrite dans le dossier « Mesures et incertitudes ».

e. Pour caractériser la dispersion des mesures, on peut utiliser l'**écart-type expérimental**. Cette grandeur statistique est donnée par la formule suivante :

$$s_{exp} = \sqrt{\frac{\sum (\Delta n^2)}{N - 1}}$$

où N désigne le nombre total de mesures effectuées.
Calculer l'écart-type expérimental (fonction « **écart type** » d'un tableur) pour la série de mesures précédente.

---

16 Apprendre à rédiger

Voici l'énoncé d'un exercice et un guide (en bleu) ; ce guide vous aide à rédiger la solution détaillée et à retrouver les réponses aux questions posées.

Énoncé

Les neutrinos sont des particules neutres, de masse très faible, peut-être nulle. Chaque fois qu'au cœur du Soleil quatre protons donnent un noyau d'hélium, deux neutrinos sont produits. La production est gigantesque : environ 10^{38} neutrinos par seconde. Mais ces particules interagissent si peu avec la matière qu'elles peuvent traverser la Terre comme si elle n'existait pas. Au cours d'une telle traversée, un seul neutrino sur 10 milliards en moyenne réagit avec un atome. Une particule aussi discrète est bien difficile à détecter : les détecteurs de neutrinos sont de grands réservoirs contenant des milliers de m³ d'eau, entourés de photomultiplicateurs captant les émissions lumineuses provoquées par les interactions attendues.

a. Comment se nomment les réactions nucléaires résumées par le texte surligné ?
▸ Expliquer en quoi consiste la transformation puis indiquer pourquoi c'est une réaction de fusion.

b. En s'appuyant sur une indication du texte, indiquer de quelle région du Soleil on peut obtenir des informations à partir de l'étude des neutrinos solaires.
▸ Bien cerner le renseignement utile. Rédiger la réponse en rappelant la partie du texte contenant ce renseignement.

c. D'après les renseignements donnés dans le texte, combien de noyaux d'hélium se forment en 1 s dans le Soleil ?
▸ Repérer les renseignements utiles. Les citer avant de faire le calcul. Pour présenter le résultat numérique, remarquer que les données ne sont que des ordres de grandeurs. Comme le résultat est $0,5 \times 10^{38}$, on peut arrondir à 10^{38}.

d. Pour détecter les neutrinos, comment compense-t-on la très faible interactivité du neutrino avec la matière ?
▸ Rédiger une explication en citant le renseignement utile, lié à l'épaisseur de matière traversée.

17 Les rayons ultraviolets A, B et C

Compétences générales *Extraire et exploiter des informations*

Cet exercice s'appuie sur des ressources disponibles sur le site élève :

www.nathan.fr/siriuslycee/eleve-termS

Télécharger le fichier de l'exercice 17 du chapitre 1 afin de répondre aux questions suivantes.

a. Définir les trois domaines de rayonnements ultraviolets : UV A, UV B et UV C.

b Quel est l'intérêt de cette répartition concernant les effets biologiques ?

c. Citer des effets biologiques utiles et des effets néfastes pour chacun de ces domaines.

d. Quelle est la principale cause d'absorption des rayons ultraviolets par l'atmosphère ?

e. Comparer l'absorption atmosphérique pour les trois domaines de rayonnements UV.

18 Voyageurs grippés ?

Compétence générale *Restituer ses connaissances*

Pour prévenir la diffusion de la grippe, on détecte les personnes malades dans les aéroports en filmant les voyageurs avec une caméra thermique.

a. À quel type de rayonnement doit être sensible le capteur d'une telle caméra ?

b. Comment cette opération permet-elle de repérer les voyageurs malades ?

19 ★ Échelle de Richter

Compétences générales *Effectuer et justifier un calcul*

La magnitude d'un séisme mesurée sur l'échelle de Richter est une fonction logarithmique de l'amplitude maximale (déplacement maximal) du mouvement du sol en un point (mesurée dans des conditions bien définies) ou de l'énergie libérée par le séisme. Elle caractérise le séisme sans dépendre du lieu où s'effectue la mesure.

Elle se traduit par les relations suivantes pour les magnitudes de deux séismes :

$$M_2 - M_1 = \log\left(\frac{A_2}{A_1}\right)$$

avec A_1 et A_2 les amplitudes des deux séismes ; ou :

$$M_2 - M_1 = \frac{2}{3}\log\left(\frac{\mathcal{E}_2}{\mathcal{E}_1}\right)$$

avec $\mathcal{E}_1$ et $\mathcal{E}_2$ les énergies libérées.

Aide. La fonction log(x), appelée fonction **logarithme décimal** est définie pour x positif. Elle est notée log sur les calculatrices. Elle vérifie les propriétés :

$\log(a/b) = \log(a) - \log(b)$; $y = \log(x) \Leftrightarrow x = 10^y$.

a. Quelle est la différence des magnitudes de deux séismes dont le rapport des amplitudes est égal à 100 ?

b. Quelle est la différence des magnitudes entre deux séismes pour lesquels le rapport des énergies libérées est égal à 100 ?

c. Les magnitudes dépassent rarement 9 pour les séismes les plus puissants.

Quel est le rapport des amplitudes mesurées dans les mêmes conditions et à la même distance du foyer pour deux séismes de magnitudes 5 et 9 ?

d. Quel est le rapport des énergies libérées pour deux séismes de magnitudes 5 et 9 ?

e. Pourquoi utilise-t-on une échelle logarithmique plutôt qu'une échelle linéaire ?

20 Science in English

In 1932, James Chadwick bombarded beryllium (Be) with alpha particles. He allowed the radiation emitted by beryllium to hit a block of paraffin wax. It was found that protons were shot out from the paraffin wax. People began to look for what was in the "beryllium radiations".

Some people suggested that the radiations may be gamma radiation. However, Chadwick found that it could not be gamma radiation since energy was not conserved in its production. He showed that all the observations could be explained if the radiation consisted of neutral particles of mass approximately equal to that of the proton. This neutral particle was named neutron.

D'après le site Internet
http://library.thinkquest.org/27954/neutron.html

a. Comment sont produits les neutrons émis dans l'expérience de Chadwick ?

b. Comment ont-ils été détectés dans cette expérience ?

c. Les rayons gamma sont constitués de photons de grande énergie.

Quelle propriété commune peut expliquer la confusion qui a pu être faite entre rayons gamma et neutrons ?

d. Quelle loi fondamentale de la physique a permis à Chadwick de réfuter l'hypothèse que les radiations du béryllium étaient des rayons gamma ?

21 ★ La Voie lactée

Compétences générales *Extraire et exploiter des informations*

L'image ci-dessous est une vue d'artiste de notre galaxie, la Voie lactée.

a. Que représente le personnage et la figure dessinée sur le cylindre ?

b. Proposer une explication à la bande sombre qui sépare en deux parties la Voie lactée.

c. Quel domaine des ondes électromagnétiques est le mieux adapté pour observer cette partie de la Voie lactée ?

22 ★ Art et particules

Compétences générales *Extraire et exploiter des informations*

Les méthodes d'analyse par faisceaux de particules allient une très grande sensibilité à une totale innocuité pour les objets
5 patrimoniaux. Ces avantages ont amené, vers la fin des années 1980, à doter le laboratoire de recherche des musées de France du système AGLAE (Accélérateur Grand
10 Louvre d'Analyse Élémentaire) qui permet d'analyser des œuvres d'art tel que le scribe égyptien ci-contre.

Des particules légères (protons, noyaux de deutérium ou particules alpha), sont portées à des énergies de quelques MeV par l'accélérateur. Ces particules sont
15 semblables à celles émises par des sources radioactives, mais l'accélérateur permet d'en choisir à volonté le nombre, et l'énergie. Guidé avec précision, le faisceau de particules accélérées percute un détail de la cible à étudier. Le long de leur court parcours, elles vont
20 perturber le cortège électronique d'un grand nombre d'atomes ou provoquer des réactions nucléaires.

Plusieurs techniques d'analyse sont alors mises en jeu. Entre autres, les atomes perturbés émettent des photons dont les énergies sont caractéristiques de l'élément. On
25 détecte ceux qui sont assez pénétrants pour sortir de la cible : les rayons X.

On a appliqué cette technique à la recherche de la nature des pigments jaunes utilisés pour les manuscrits égyptiens du VIIe siècle. Les pigments utilisés à cette époque
30 étaient l'orpiment (sulfure d'arsenic) ou le massicot (contenant l'élément plomb). L'étude d'un manuscrit égyptien a permis d'obtenir le diagramme ci-dessous.

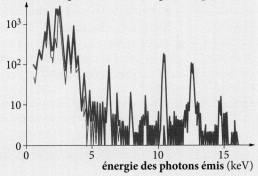

a. Quelles sont les qualités de la méthode décrite ?

b. Pourquoi faut-il accélérer les particules ?

c. Pourquoi le faisceau de particules ne peut-il pas être remplacé par un rayonnement radioactif ?

d. À l'aide du tableau ci-dessous donnant les énergies caractéristiques des photons X émis par l'arsenic et le plomb, identifier le pigment présent utilisé dans l'échantillon du manuscrit.

Élément caractéristique	Énergies caractéristiques (keV)
arsenic	10,5 ; 11,7
plomb	9,0 ; 10,5 ; 12,5 ; 14,5

23 ★ Le sismographe

Compétences générales *Extraire et exploiter des informations*

Un sismographe comporte :
– un socle solidaire du sol ;
– un système oscillant constitué d'une « masse » reliée au socle par une liaison élastique et un amortisseur ;
– un système enregistreur.

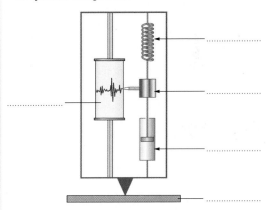

Principe d'un sismographe.

a. Reproduire un schéma simplifié du principe d'un sismographe et l'annoter.

b. Dire si, au passage d'une onde sismique, le socle, le cylindre enregistreur et la « masse » sont immobiles dans le référentiel terrestre.

c. Répondre à la même question en prenant le socle pour référentiel.

d. L'amortisseur est un dispositif qui agit en créant des frottements. Si les frottements étaient très grands, il se comporterait comme une tige rigide. Que pourrait-on prévoir alors pour le résultat de l'enregistrement ?

e. Quelles qualités peut-on attendre du dispositif de détection d'un sismographe ?

f. Une station sismologique doit comporter au minimum trois sismographes enregistrant des mouvements dans trois directions de l'espace. Expliquer pourquoi.

g. Afin de vérifier les réponses aux questions précédentes, utiliser l'animation « Principe du sismographe » du chapitre 1, disponible sur le site élève :

www.nathan.fr/siriuslycee/eleve-termS.

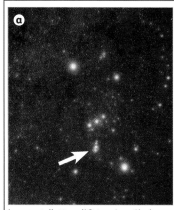
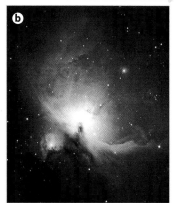

La constellation d'Orion. La nébuleuse d'Orion est signalée par la flèche.

La nébuleuse d'Orion en lumière visible.

Le cœur de la nébuleuse d'Orion photographié en lumière visible ⓒ *et en infrarouge* ⓓ.

Une pouponnière d'étoiles

La Nébuleuse d'Orion est l'une des rares nébuleuses visibles à l'œil nu. Située à environ 1 400 années de lumière de la Terre, elle intéresse beaucoup les astrophysiciens parce qu'elle constitue une région d'intense production stellaire facilement accessible à l'observation.

5 Il s'agit d'un nuage de gaz et de poussières, s'étendant sur une trentaine d'années de lumière, abritant des étoiles jeunes (moins d'un million d'années) ou en cours de formation.

Au cœur de la nébuleuse se trouve un amas d'étoiles, dont quatre étoiles géantes bleues qui donnent à elles seules la plus grande partie de l'énergie 10 qui illumine le nuage.

En lumière visible (photographie ⓑ), la couleur rouge dominante est due aux atomes d'hydrogène présents en abondance dans le nuage. Les quatre géantes bleues émettent un intense rayonnement ultraviolet qui ionise les atomes d'hydrogène. Les électrons ainsi libérés se recombinent avec les noyaux d'hy-15 drogène pour former des atomes excités qui se désexcitent progressivement avec émission de photons pour retourner à l'état fondamental. La couleur rouge est due à la raie de longueur d'onde dans le vide $\lambda = 656$ nm.

Les poussières sont des particules solides dont les dimensions sont de l'ordre du micromètre. Elles diffusent fortement la lumière visible, 20 dissimulant aux astronomes la plupart des étoiles qu'abrite le nuage. Le rayonnement infrarouge étant beaucoup moins diffusé, le nuage devient transparent dans ce domaine de radiations.

C'est au sein de tels nuages que se forment les étoiles. Dans les régions où le nuage est légèrement plus dense, la matière se contracte sous l'effet de 25 l'interaction gravitationnelle. En même temps, la température et la pression augmentent. Si la masse de cet amas de matière appelé proto-étoile est suffisante (supérieure à 0,07 masse solaire), la température en son centre finit par dépasser 10 MK, ce qui permet aux réactions de fusions nucléaires de se déclencher : une étoile est née. Sinon, elle finit en « naine brune », 30 étoile froide, visible seulement dans le domaine des infrarouges. La nébuleuse d'Orion contient plusieurs de ces objets.

Données. Constante de Planck : $h = 6,63 \times 10^{-34}$ J·s.
Célérité de la lumière dans le vide : $c = 3,00 \times 10^8$ m·s^{-1} ; 1 eV = $1,6 \times 10^{-19}$ J.

1. La couleur de la nébuleuse d'Orion

a. Quelle est la source d'énergie qui permet au nuage d'émettre un rayonnement lumineux ?

b. Expliquer les termes « état fondamental » et « atomes excités ».

c. Rappeler la transformation que subit un atome lorsqu'il émet un photon.

d. En choisissant pour origine des énergies le niveau ionisé, l'énergie du niveau fondamental est −13,6 eV.
Calculer la longueur d'onde maximale des radiations susceptibles d'ioniser un atome d'hydrogène initialement dans son état fondamental. Quelle information du texte confirme le résultat ?

2. Image de la nébuleuse dans l'infrarouge

a. Expliquer en quoi consiste le phénomène de diffusion de la lumière.

b. Les couleurs de la photographie ⓓ sont-elles de vraies couleurs ?

c. Comparer les deux aspects de la nébuleuse d'Orion présentés sur les photographies ⓒ et ⓓ. Expliquer leur différence.

d. Certaines étoiles visibles sur la photographie ⓓ n'émettent pas de lumière visible. Quelle en est la cause et pourquoi apparaissent-elles sur cette photographie ?

3. La formation des étoiles

a. Quelle interaction est responsable de la première phase de formation d'une étoile ?

b. D'où provient l'énergie des étoiles en activité ?

c. Quelle condition est nécessaire pour que ce mode de production d'énergie soit possible ?

25 Apprendre à chercher

La résolution de cet exercice nécessite de trouver les étapes du raisonnement.
→ **Une aide est disponible en fin de manuel.**
On relève les renseignements suivants sur un site Internet : le Soleil émet dans toutes les directions 2×10^{38} neutrinos par seconde. Ils sont produits en permanence par les réactions nucléaires qui se déroulent au coeur de cette étoile. Chaque seconde sur Terre, 65 milliards de neutrinos solaires traversent une surface d'aire $s = 1$ cm² (surface d'un ongle) suivant sa perpendiculaire.

→ *Vérifier la compatibilité de ces deux quantités de neutrinos.*

Données
Distance Terre-Soleil : $R = 1,5 \times 10^{11}$ m.
Aire de la surface d'une sphère de rayon r : $4\pi r^2$.

26 ★★ Protonthérapie

Compétences générales *Extraire et exploiter des informations*

Les accélérateurs de particules ont de nombreuses applications médicales. La **protonthérapie** en est un exemple.

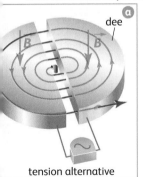

Il s'agit d'une technique de pointe qui est destinée à traiter des tumeurs par rayonnement ionisant dans les cas où la proximité d'organes sensibles rendrait dangereux les traitements classiques de radiothérapie.

Des protons sont accélérés dans un accélérateur de particules appelé cyclotron. Son principe de fonctionnement est décrit sur la figure **a**. Les deux « dees » sont des demi-cylindres métalliques creux séparés l'un de l'autre par un petit espace. Une haute tension alternative est appliquée entre les dees. Les protons sont accélérés à chaque passage dans l'espace séparant les dees. À l'intérieur des dees, leur trajectoire est courbée par un champ magnétique et ils décrivent des arcs de cercles de rayons croissants. Lorsqu'ils ont atteint l'énergie maximale, ils sont éjectés et dirigés vers la cible.

Lorsqu'ils pénètrent dans les tissus du patient, les protons cèdent de l'énergie à la matière environnante en l'ionisant. Ceci a pour effet de détruire les cellules. L'intérêt des protons est que l'énergie qu'ils délivrent est maximum en fin de parcours, juste avant de s'arrêter. En ajustant l'énergie des particules incidentes, on peut choisir la profondeur de pénétration pour provoquer le maximum de dégâts au niveau de la tumeur sans affecter les tissus situés à l'arrière.

La représentation graphique **b** représente l'évolution de « l'énergie déposée » dans un tissu sur son trajet par un rayonnement X ou γ, par un faisceau de protons natifs (c'est-à-dire non modifiés à la sortie de l'accélérateur) et par un faisceau de protons modulés (c'est-à-dire d'énergie variable).

En ordonnée, l'énergie déposée (par unité de masse de matière) est exprimée en pourcentage par rapport à son maximum.

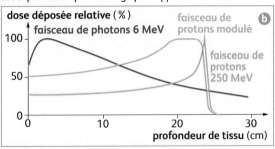

1. Fonctionnement d'un cyclotron
a. Quel type de force permet aux protons d'acquérir de l'énergie dans le cyclotron ?
b. La tension entre les dees pourrait-elle être une tension continue ?
c. À quoi sert le champ magnétique ?
d. Quel est l'intérêt de courber la trajectoire ?

2. L'énergie déposée
a. Expliquer la signification de l'expression « énergie déposée ».
b. Que devient « l'énergie déposée » par le faisceau de protons ?
c. En comparant, avec les tracés de la figure **b**, l'évolution de l'énergie déposée par le rayonnement électromagnétique et un faisceau de protons natif, justifier les avantages de ce dernier.
d. D'après la même figure, comment est modifiée la pénétration d'un faisceau modulé par rapport à un faisceau natif ? Quel est l'intérêt du faisceau modulé pour agir sur une tumeur ?
e. Dans le cas du faisceau natif présenté sur la figure **b**, à quelle profondeur se trouve la tumeur traitée ?
f. Dans le cas du faisceau modulé présenté sur la figure **b**, quelle est l'épaisseur maximum de la tumeur traitée ?

3. Pouvoir ionisant et vitesse du proton
a. Au cours de son trajet dans les tissus, l'énergie du proton augmente-t-elle ou diminue-t-elle ?
b. Même question concernant la vitesse.
c. D'après les propriétés étudiées à la question **2.**, le pouvoir ionisant du proton augmente-t-il ou diminue-t-il lorsque sa vitesse augmente ?

27 ★★ Les détecteurs gazeux de particules

Compétences générales *Extraire et exploiter des informations – Effectuer un raisonnement scientifique*

Les détecteurs gazeux constituent l'une des nombreuses méthodes de détection des particules.

L'animation interactive « Détecteur gazeux »
analyse le principe de cette méthode.
Elle est disponible sur le site élève :
www.nathan.fr/siriuslycee/eleve-termS

L'exemple le plus simple de détecteur gazeux est le compteur Geiger, encore très utilisé pour détecter les rayonnements radioactifs. Le schéma de principe du compteur Geiger est le suivant.

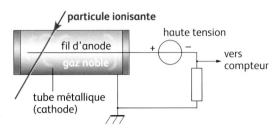

En 1968, Georges Charpak met au point la chambre proportionnelle multifils qui lui vaut le prix Nobel en 1992. Ce détecteur est aussi un détecteur gazeux mais le fil d'anode est remplacé par des plans de fils parallèles. Chaque plan d'anodes est placé entre deux autres plans de fils plus gros : les plans de cathodes.

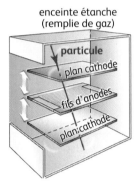

enceinte étanche (remplie de gaz)

Le passage d'une particule à proximité d'un fil d'anode déclenche dans celui-ci un signal. Les fils sont reliés à un ordinateur et les signaux produits sont traités de façon à déterminer les positions successives de la particule et de connaître ainsi sa trajectoire.

Cette invention a été un progrès considérable dans l'étude des particules car elle permet d'analyser rapidement un grand nombre d'événements.

1. Fonctionnement d'un détecteur de particules gazeux
Lire les commentaires au début de l'animation.
Réaliser plusieurs expériences avec des particules différentes de même énergie.
Réaliser plusieurs expériences avec des particules identiques et d'énergies différentes.
a. Quelle propriété commune possèdent les particules qui déclenchent un signal ?
b. Si un signal est détecté, dépend-il de la particule qui l'a déclenché ?
c. Lorsqu'un courant est détecté, quels sont les porteurs de charges dans le gaz ? Dans quel sens se déplacent-ils ?
d. L'amplitude du signal dépend-elle de l'énergie de la particule détectée ?

2. Principe du fonctionnement
a. D'où proviennent les particules chargées qui apparaissent dans le gaz sur le trajet d'une particule ?
b. Le petit nombre de particules chargées, libérées directement par la particule incidente seule sur son trajet, lors des chocs avec des atomes, ne peut pas produire un courant d'intensité suffisante pour être détecté. Comment expliquer alors l'apparition d'un nombre de particules assez important pour déclencher un signal.

3. Cas du compteur Geiger
Dans le cas du compteur Geiger, le gaz est ionisé au maximum à chaque détection. Peut-on alors analyser les énergies des particules détectées ?

4. Chambre proportionnelle à fils
a. Relever une indication du texte justifiant le fait que le dispositif permet d'obtenir des informations sur la position de la particule détectée.
b. Expliquer l'intérêt de la présence d'un grand nombre de fils dans l'appareil.
c. Proposer une explication au qualificatif « proportionnelle » employé dans le nom de l'appareil.

28 **Objectif BAC** *Rédiger une synthèse de documents*   Dossier BAC, page 546

Cet exercice s'appuie sur des ressources disponibles sur le site élève : www.nathan.fr/siriuslycee/eleve-termS.

Télécharger le dossier « Ressources pour l'exercice 28 » du chapitre 1 sur la technique de la thermographie infrarouge.
Ce dossier comporte :
– des informations sur les caméras thermiques et leurs applications ;
– des informations sur le diagnostic thermique et les difficultés d'interprétation d'une image thermique ;
– des images thermiques.
➔ **L'objectif de cet exercice est de rédiger une synthèse de documents afin d'expliquer en quoi consiste la thermographie et son intérêt dans le domaine du bâtiment, et pourquoi l'image donnée par une caméra thermique ne suffit pas à elle seule à repérer les températures.**
Le texte rédigé (de 25 à 30 lignes) devra être clair et structuré, et reposera sur les différentes informations issues des documents proposés.

Des chercheurs utilisent une caméra thermique.

Chapitre 2

Caractéristiques des ondes

Le 11 mars 2011, le Japon est frappé par un terrible séisme. Lors d'un tremblement de terre, les **ondes sismiques se propagent** dans toutes les directions depuis le foyer et transportent de l'énergie qui provoque de nombreux dégâts. Les sismologues étudient les ondes sismiques afin de mieux comprendre leur propagation et pouvoir mettre au point des infrastructures résistantes à ce phénomène dévastateur.

COMPÉTENCES EXIGIBLES

✔ Définir une onde progressive à une dimension.
→ *Exercices d'application 3 et 4*

✔ Connaître et exploiter la relation entre retard, distance et vitesse de propagation (célérité).
→ *Exercices d'application 5 et 10*

✔ Étudier qualitativement et quantitativement un phénomène de propagation d'une onde.
→ *Activité expérimentale 3*

✔ Déterminer la période, la fréquence, la longueur d'onde et la célérité d'une onde progressive sinusoïdale.
→ *Activités expérimentales 4 et 5*

✔ Connaître et exploiter, pour une onde progressive sinusoïdale, la relation entre la période ou la fréquence, la longueur d'onde et la célérité.
→ *Exercices d'application 7 et 12*

Activités

ACTIVITÉ DOCUMENTAIRE

Compétences générales mises en œuvre
• *Extraire et exploiter des informations* • *Effectuer un raisonnement scientifique*

1 Définir une onde progressive

▸ **Étudions la propagation d'une perturbation et observons différentes ondes.**

1 *La ola dans un stade.*

2 *Le fouet du dompteur.*

1 Analyser les documents

En physique, une **perturbation** est la modification temporaire et locale des propriétés d'un milieu. Une ola (document 1) présente des similitudes avec une onde, comme celle qui se propage le long d'un fouet (document 2).

a. Quel mouvement effectue un participant d'une ola ?

b. Dans une ola, les spectateurs restent-ils à leur place après le passage de la « perturbation » ?

c. Y a-t-il un transport de matière dans la direction de propagation au cours d'une ola ? Y a-t-il un transport de matière le long d'un fouet lorsque le dompteur donne une impulsion à ce dernier (document 2) ?

d. L'énergie communiquée au fouet par le dompteur s'est-elle propagée le long du fouet ?

2 Conclure

La **propagation de la perturbation** le long du fouet est un exemple d'**onde progressive**.

a. À l'aide des réponses aux questions précédentes, définir une onde progressive. Les mots « propagation », « transport », « perturbation », « matière » et « énergie » doivent apparaître dans la définition.

b. La ola illustre certaines propriétés d'une onde, mais ce n'est pas une onde : pourquoi ?

c. Parmi les photographies du document 3, indiquer les situations qui correspondent à une onde progressive.

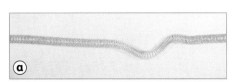
(a)

(b)

(c)

(d)

(e)

(f)

3 (a) *Perturbation le long d'un ressort.* (b) *Rivière.* (c) *Antenne de téléphonie.* (d) *Surface de l'eau.* (e) *Séisme.* (f) *Mur du son.*

Compétences générales mises en œuvre

• *Extraire et exploiter des informations* • *Justifier un raisonnement scientifique*

2 Comprendre la propagation d'une onde

▶ **Déterminons la vitesse de propagation (ou célérité) d'une onde à partir d'images issues d'une vidéo et d'un logiciel de pointage.**

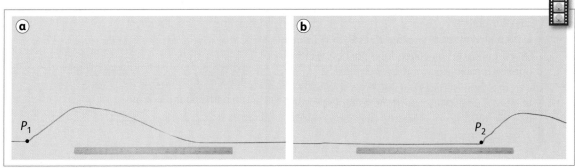

4 *Deux images extraites d'une vidéo sur la propagation d'une perturbation le long d'une corde.*
P_1 *et* P_2 *repèrent la fin de la perturbation.*
ⓐ *Position de la perturbation sur l'image n° 1.* ⓑ *Position de la perturbation sur l'image n° 5.*

Vocabulaire

Une onde est **transversale** si la perturbation s'effectue dans une direction perpendiculaire à celle de la propagation de l'onde. Elle est **longitudinale** si ces directions sont parallèles.

1 Analyser les documents

a. D'après le **document 4**, dans quelle direction se déplace un point de la corde lors du passage de la perturbation ?

b. Quelle est la direction de propagation de la perturbation ?

2 Interpréter les informations

a. Cette onde est-elle **transversale** ou **longitudinale** ?

b. La règle jaune sur les photographies a une longueur totale de 102 cm.
Déterminer la distance d parcourue par la perturbation entre les images n° 1 et n° 5.

c. La vidéo a été réalisée avec 30 images par seconde, quelle est la durée τ écoulée entre les images n° 1 et n° 5 ?

d. Donner l'expression littérale de la vitesse de propagation (ou célérité) v de l'onde en fonction de la distance d parcourue par la perturbation et de la durée τ, puis calculer sa valeur.

3 Réinvestir

Répondre à l'ensemble des questions précédentes pour déterminer la célérité v' d'une onde le long d'un ressort à l'aide du **document 5** ci-dessous.

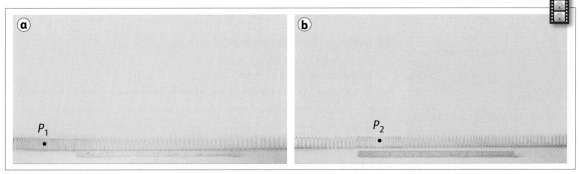

5 *Deux images extraites d'une vidéo sur la propagation d'une perturbation le long d'un ressort.*
P_1 *et* P_2 *repèrent le milieu de la perturbation.*
ⓐ *Position de la perturbation sur l'image n° 1.* ⓑ *Position de la perturbation sur l'image n° 5.*

3

Le phénomène de propagation d'une onde

▶ Utilisons un oscilloscope pour étudier la propagation d'une onde ultrasonore.

DISPOSITIF ■ Un émetteur *E* émet de courtes salves d'ultrasons.

■ Deux récepteurs d'ultrasons R_1 et R_2 transforment les vibrations de l'air engendrées par l'onde ultrasonore en tension électrique (**document 6**).

■ R_1 et R_2 sont séparés par une distance $d = 0{,}60$ m et reliés à un oscilloscope, dont les réglages sont :
$a_1 = 50$ mV/div, $a_2 = 50$ mV/div, $b = 2$ ms/div.

→ **Fiche pratique 1**

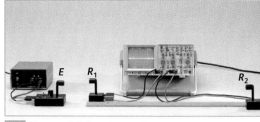

6   *Dispositif de l'expérience 1.*

Expérience 1   Affiner les réglages de l'oscilloscope de façon à visualiser convenablement les deux tensions issues des récepteurs.

❶ Observer

a. Schématiser la figure obtenue sur l'écran de l'oscilloscope.

b. Déterminer la durée τ séparant la réception du signal ultrasonore par les récepteurs R_1 et R_2.

❷ Exploiter la mesure

a. Pourquoi les deux tensions issues de R_1 et de R_2 ont-elles des valeurs maximales différentes ? Comment peut-on nommer ce phénomène ?

b. Donner l'expression littérale de la vitesse de propagation (ou célérité) *v* de l'onde en fonction de la distance *d* et de la durée τ. Calculer *v*.

DISPOSITIF ■ Un émetteur *E* émet des salves courtes d'ultrasons dans une boîte (de longueur 24 cm dans le **document 7**).

■ Un récepteur *R* est placé à côté de l'émetteur et est relié à un oscilloscope dont les réglages sont :
$a_1 = 20$ mV/div et $b = 500$ µs/div.

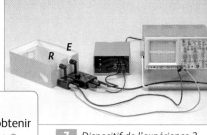

Expérience 2   ■ Réaliser le montage du **document 7**.
■ Affiner les réglages de l'oscilloscope de façon à obtenir un oscillogramme semblable à celui du **document 8**.

7   *Dispositif de l'expérience 2.*

---

❸ Exploiter l'oscillogramme

a. Mesurer la durée Δ*t* séparant le début du premier signal et le début du deuxième signal observé sur l'écran.

b. Calculer la distance parcourue par l'onde ultrasonore pendant la durée Δ*t*.

c. Comparer cette distance à la longueur de la boîte et interpréter le résultat.

d. Nommer le phénomène étudié précédemment, puis citer des applications pratiques qui l'utilisent.

❹ Imaginer et mettre en œuvre un protocole

Proposer une expérience permettant de justifier que l'acoustique d'un théâtre antique extérieur est meilleure que celle d'une salle de spectacle couverte, puis réaliser l'expérience.

8   *Écran de l'oscilloscope.*

4 Double périodicité d'une onde sinusoïdale

▶ **Déterminons les caractéristiques d'une onde progressive sinusoïdale.**

DISPOSITIF Une cuve à ondes est un dispositif permettant de visualiser la propagation des ondes à la surface de l'eau, grâce à une projection sur un écran dépoli **(figure 9)**.

Les crêtes des vaguelettes agissent comme des lentilles convergentes et concentrent la lumière sur l'écran, ce qui crée des zones brillantes. Les creux se comportent comme des lentilles divergentes et donnent des zones sombres **(figure 10)**.

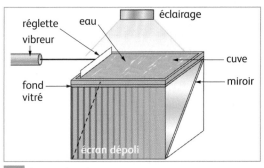

9 *La cuve à ondes.*

10 *Coupe de la surface de l'eau.*

Expérience 1

- Créer une perturbation périodique de fréquence 16 Hz à la surface de l'eau.
- Déposer au fond de la cuve à ondes un objet de taille connue pour déterminer le grandissement du dispositif.
- Filmer à 30 images par seconde l'écran dépoli de la cuve, marqué en son centre d'un point repère *M*.
- En visionnant l'enregistrement image par image, compter le nombre d'images à faire défiler pour observer le passage de 10 rides brillantes sur le point *M*.

❶ Interpréter la période temporelle

L'alternance périodique des rides brillantes et sombres observée au point *M* traduit la propagation de la perturbation périodique créée par le vibreur à la surface de l'eau.

a. Déterminer la plus petite durée *T* pour qu'un point de la surface de l'eau se retrouve dans un même état vibratoire. Cette durée est appelée **période temporelle**.

b. En déduire la fréquence *f* de l'onde progressive périodique.

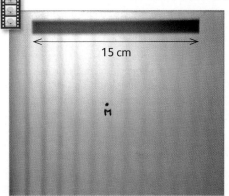

11 *Photographie de la propagation d'une onde progressive sinusoïdale à la surface de l'eau.*

Expérience 2

Isoler une image de la vidéo précédente.

❷ Interpréter la période spatiale

Le **document 11** montre l'état vibratoire de **tous les points de la surface de l'eau à un instant précis**.

a. Vérifier que la perturbation qui se déplace dans le milieu est périodique dans l'espace.

b. La distance entre deux zones brillantes consécutives est appelée **période spatiale** ou **longueur d'onde** dans le cas des ondes sinusoïdales.

Calculer la longueur d'onde de l'onde créée dans l'expérience 1 ou à défaut celle du **document 11**.

Activités

5 Caractéristiques d'une onde sinusoïdale

▶ Utilisons l'oscilloscope pour déterminer la période, la fréquence, la longueur d'onde et la célérité d'une onde ultrasonore.

DISPOSITIF ■ Un émetteur E émet des ultrasons en continu.
■ Un récepteur R, situé à proximité de l'émetteur E, est relié à un oscilloscope, dont les réglages sont:
$$a_1 = 200 \text{ mV/div et } b = 5 \text{ µs/div (document 12).}$$

Expérience 1

■ Si cela est possible, régler la fréquence de E afin d'obtenir une tension maximale aux bornes de R.
■ Modifier le réglage de l'oscilloscope de façon à visualiser un peu plus d'une période de la sinusoïde.

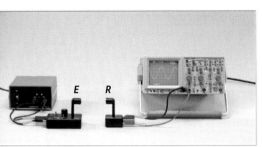

12 Dispositif de l'expérience 1.

1 Exploiter

a. Mesurer, avec la plus grande précision possible, la **période T** de la tension visualisée.

b. Évaluer l'incertitude absolue, puis l'incertitude relative sur la mesure de la période T (**dossier «Mesures et incertitudes»**).

c. Comparer, en calculant un écart relatif, la période T déterminée expérimentalement à la valeur approchée de la période des ultrasons donnée par le fabriquant: $T' = 25 \text{ µs}$.

d. Déterminer la **fréquence f** du signal ultrasonore.

DISPOSITIF ■ Un émetteur E émet des ultrasons en continu.
■ Deux récepteurs R_1 et R_2 sont reliés à un oscilloscope, dont les réglages sont:
$a_1 = 50 \text{ mV/div, } a_2 = 50 \text{ mV/div et } b = 5 \text{ µs/div (document 13).}$

Expérience 2

■ Déplacer le récepteur R_2 par rapport au récepteur R_1, maintenu fixe, jusqu'à ce que les sinusoïdes des voies 1 et 2 soient en **coïncidence**.
■ Éloigner R_2 de R_1, maintenu fixe, jusqu'à ce que l'on ait compté 10 nouvelles coïncidences. Mesurer le déplacement de R_2.

13 Dispositif de l'expérience 2.

Vocabulaire

Deux signaux sont en **coïncidence** s'ils suivent les mêmes variations aux mêmes instants.

2 Interpréter

a. Comment appelle-t-on la distance parcourue par l'onde entre deux points du milieu présentant le même état vibratoire? Calculer sa valeur en utilisant le déplacement de R_2.

b. Comment améliorer la précision de la mesure de cette valeur?

3 Conclure

a. Des **expériences 1 et 2**, déduire la valeur de la **célérité v** de l'onde ultrasonore.

b. Calculer la valeur théorique v' de la célérité de l'onde ultrasonore en $\text{m} \cdot \text{s}^{-1}$ à partir de la formule $v' = \sqrt{(\alpha \times T)}$ avec $\alpha = 402 \text{ J} \cdot \text{kg}^{-1} \cdot \text{K}^{-1}$ et $T(\text{K}) = \theta(°\text{C}) + 273$ la température de l'air en kelvin.

c. Déterminer l'écart relatif entre les valeurs expérimentale et théorique de la célérité des ultrasons.

1 Propagation des ondes progressives

Pour vérifier ses acquis
→ **FICHES A, B et D** page 12

1.1 Perturbation et propagation

● Lorsque l'on jette une pierre sur un plan d'eau, on crée localement une **perturbation** qui se traduit par une déformation de la surface (**document 14**). Cette déformation se **propage** de proche en proche sur toute la surface grâce aux propriétés élastiques du milieu.

Une perturbation qui s'accompagne d'une déformation de la matière est une perturbation mécanique.

● La lumière est aussi un exemple de propagation d'une perturbation mais elle ne produit pas de déformation de matière et elle peut se propager dans le vide. Il s'agit d'une perturbation de champs électrique et magnétique, une perturbation électromagnétique.

14 *Onde à la surface de l'eau.*

1.2 Propagation d'une onde progressive

Reprenons l'exemple d'une perturbation à la surface de l'eau.

Après le passage de la perturbation, la surface de l'eau retrouve son état d'équilibre, les points du milieu n'ont pas suivi la propagation de la perturbation : **une onde progressive ne transporte pas de matière.**

Lorsqu'un point de l'eau est atteint par la perturbation, ce point subit un déplacement. Il acquiert donc momentanément de l'énergie mécanique : **une onde progressive transporte de l'énergie.**

Dans le cas des vagues sur la mer, cette énergie peut être récupérée pour fournir de l'énergie électrique (**document 15**).

> Une onde progressive est le phénomène de propagation d'une perturbation sans transport de matière, mais avec transport d'énergie.

Exemples. ● L'écoulement de l'eau d'une rivière ou le vent ne constituent pas des ondes progressives, car il y a transport de matière.
● La lumière, le son ou un séisme sont des ondes progressives.

> **Vocabulaire**
>
> Le qualificatif « **progressif** » traduit la propagation de « proche en proche » de l'onde. Il est nécessaire car il existe d'autres types d'onde. Par exemple, on rencontrera des ondes dites « stationnaires » dans l'étude du laser (**chapitre 19**).

15 *Champ de Pélamis offshore en Écosse : le Pélamis utilise la houle pour produire de l'énergie électrique.*

1.3 Caractéristiques

● Une onde se propage dans toutes les directions de l'espace qui lui sont offertes par le milieu à partir d'un point source. Mais si le milieu, du fait de sa structure, ne permet qu'**une seule direction** de propagation, alors l'onde est dite à **une dimension**.

Exemples. ● La propagation d'une perturbation le long d'une corde est une onde progressive à **une dimension**.
● Les ronds observés à la surface de l'eau illustrent une onde à **deux dimensions**.
● Le son émis par une flûte peut être entendu dans toutes les directions ; c'est une onde à **trois dimensions**.

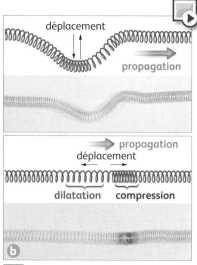

16 *Onde sur un ressort.*
a *Onde transversale.*
b *Onde longitudinale.*

Physique & nature

Certains animaux, comme le dauphin, utilisent le retard entre l'émission et la réception de l'écho d'une onde ultrasonore pour se diriger.

18 *Le son se propage plus vite dans l'acier que dans l'air. (Goscinny et Morris, La Ballade des Daltons, © Lucky Comics).*

• On peut comparer la direction du déplacement d'un point du milieu lors du passage de la perturbation à la direction de la propagation. Ainsi, une onde est **transversale** si le déplacement s'effectue dans une direction perpendiculaire à celle de la propagation de l'onde (figure 16 **a**). Elle est **longitudinale** si ces directions sont parallèles (figure 16 **b**).

1.4 Célérité et retard

A Définition

• On se limitera ici aux **ondes progressives à une dimension** et celles dont l'étude peut être ramenée à celle d'une onde à une dimension. C'est le cas par exemple de la propagation de rides rectilignes et parallèles à la surface de l'eau.

La vitesse de propagation de l'onde est appelée **célérité** pour éviter toute confusion avec la vitesse d'un point matériel.

• Soient deux points M et M' atteints successivement par une onde progressive à une dimension. M' subit la même perturbation que M avec un **retard** τ (figure 17).

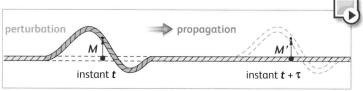

17 *Propagation d'une perturbation le long d'une corde.*

La célérité d'une onde entre deux points M et M' du milieu de propagation, tel que le point M' soit atteint par la perturbation après un **retard** τ, est définie par la relation :

$$v = \frac{MM'}{\tau}$$

MM' en mètre (m)
τ en seconde (s)
v en m·s^{-1}

B Influence du milieu de propagation

Les ondes se propagent à des célérités différentes suivant :
– les caractéristiques du milieu : densité, rigidité, etc (document 18) ;

Milieu	air à température ambiante	eau	acier
Célérité (m·s^{-1})	340	$1,5 \times 10^3$	$5,6 \times 10^3$ à $5,9 \times 10^3$

19 *Célérité des ondes sonores en fonction du milieu de propagation.*

– le type d'onde : dans un même milieu, une onde transversale n'a pas la même célérité qu'une onde longitudinale.

Remarque. Quand la perturbation se déplace, le milieu peut absorber une partie de l'énergie qu'elle transporte : on dit qu'il y a **amortissement** et l'onde est alors modifiée. Pour déterminer la célérité d'une telle onde, on choisira comme référence le début ou la fin de la perturbation.

2 Les ondes progressives sinusoïdales

2.1 Définition

Lorsque la **source d'une onde** est une perturbation périodique par rapport au temps, l'onde progressive créée est aussi périodique.

Si cette perturbation est décrite par une fonction sinusoïdale du temps (document 20), l'onde progressive est dite **sinusoïdale**.

> Une onde progressive sinusoïdale est la propagation d'une perturbation décrite par une fonction **sinusoïdale du temps**.

Exemple

Le cylindre du document 20 décrit un mouvement caractérisé par son **élongation**, qui repère la position du cylindre par rapport à sa position de repos. L'élongation est une fonction sinusoïdale du temps, de période temporelle T et sa valeur maximale est l'**amplitude** (figure 21).

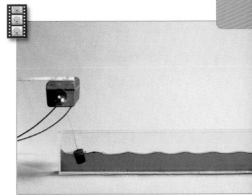

20 *Un moteur tournant à vitesse constante impose au cylindre un mouvement périodique entraînant une onde sinusoïdale à la surface de l'eau.*

2.2 La double périodicité

A La périodicité temporelle

> La **période temporelle** T d'une onde progressive sinusoïdale correspond à la plus petite **durée** pour que chaque point du milieu se retrouve dans le même **état vibratoire**. Elle s'exprime en seconde.

La période temporelle T peut se déterminer à partir de l'enregistrement **en fonction du temps** du mouvement d'un **point** du milieu (figure 21).

> La **fréquence** d'une onde progressive sinusoïdale correspond au nombre de périodes temporelles T par unité de temps. La fréquence est donc la grandeur inverse de la période, telle que :
> $$f = \frac{1}{T} \quad \begin{array}{l} T \text{ en seconde (s)} \\ f \text{ en hertz (Hz)} \end{array}$$

La période temporelle, et donc la fréquence, sont imposées par la source de la perturbation.

21 *Évolution de l'élongation en fonction du temps.*

B La périodicité spatiale

> La **période spatiale** d'une onde progressive périodique à une dimension correspond à la plus petite distance séparant deux points du milieu présentant le même **état vibratoire**. Elle s'exprime en mètre dans le SI.
> Pour une onde progressive **sinusoïdale**, la période spatiale s'appelle la **longueur d'onde** notée λ (document 22).

La période spatiale peut se déterminer à partir de l'enregistrement de l'état vibratoire de **tous les points** du milieu à **une date donnée**, par exemple en réalisant une photographie lorsque cela est possible.

--- **Vocabulaire** ---

Phase et déphasage :
deux points d'un milieu dans le même **état vibratoire** sont dits « en phase » ; leur déphasage temporel est nul ou multiple de la période T.

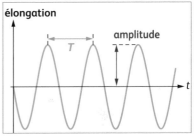

22 *Longueur d'onde λ d'une onde sinusoïdale à la surface de l'eau.*

C Relation entre période, longueur d'onde et célérité

● Lors de la propagation d'une onde de M à M', M' reproduit le mouvement de M avec un retard $\tau = \dfrac{MM'}{v}$ (**§1.4 A**).

Si $MM' = \lambda$, alors M et M' sont dans le même état vibratoire et le retard τ est égal à T. Ainsi, $T = \dfrac{\lambda}{v}$.

> Dans le cas d'une onde progressive sinusoïdale, la célérité v de l'onde est liée à la longueur d'onde λ et à la période temporelle T (ou à la fréquence f) de l'onde :
>
> $$v = \dfrac{\lambda}{T} = \lambda \times f \qquad \begin{array}{l} \lambda \text{ en m} \\ T \text{ en s} \\ f \text{ en Hz} \\ v \text{ en m·s}^{-1} \end{array}$$

La relation précédente, écrite sous la forme $\lambda = v \times T$, permet d'énoncer autrement la définition de la longueur d'onde : la longueur d'onde λ est égale à la distance parcourue par l'onde, à la célérité v, pendant une durée égale à la période T.

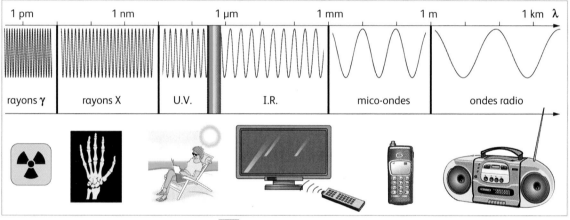

23 Les différents domaines d'ondes électromagnétiques en fonction de la longueur d'onde.

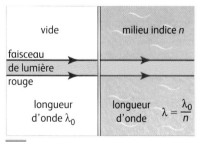

24 La longueur d'onde d'une onde incidente dépend de l'indice n du milieu traversé.

● Dans le cas d'une **onde lumineuse** sinusoïdale (appelée lumière monochromatique), la couleur est associée à sa longueur d'onde **dans le vide** que l'on notera λ_0. Comme $\lambda_0 = \dfrac{c}{f}$, la couleur ne dépend que de la fréquence f de l'onde. Celle-ci est imposée par la source et ne dépend pas des milieux traversés.

Par contre, la célérité v de la lumière dans un **milieu quelconque** dépend du milieu traversé (l'indice de réfraction du milieu $n = \dfrac{c}{v}$ traduit cette dépendance). Il en est donc de même pour la longueur d'onde **(figure 24)** :

$$\lambda = \dfrac{v}{f} = \dfrac{\left(\dfrac{c}{n}\right)}{f} = \dfrac{c}{f} \times \dfrac{1}{n}$$

$$\lambda = \dfrac{\lambda_0}{n}$$

Remarque. Pour les ondes lumineuses, la fréquence est souvent notée par la lettre grecque ν (nu) et non f.

L'ESSENTIEL

 Ondes progressives

- Une **onde progressive** est le phénomène de **propagation d'une perturbation** sans transport de matière, mais avec transport d'énergie.

- Une onde se propage dans toutes les directions de l'espace qui lui sont offertes par le milieu à partir d'un point source.
Si le milieu ne permet qu'une seule direction de propagation, alors l'onde est dite à **une dimension**.

 Célérité et retard

- La **célérité** d'une onde entre deux points M et M' du milieu de propagation, tel que le point M' soit atteint par la perturbation après un **retard** τ, est définie par la relation :

$$v = \frac{MM'}{\tau}$$

MM' en mètre (m)
τ en seconde (s)
v en m·s^{-1}

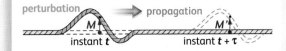

 Ondes progressives sinusoïdales

Une **onde progressive sinusoïdale** est la propagation d'une perturbation décrite par une fonction sinusoïdale du temps.

Périodicité temporelle

- La période temporelle T d'une onde progressive sinusoïdale correspond à la plus petite durée pour que chaque point du milieu se retrouve dans le même état vibratoire. Elle s'exprime en seconde.

- La fréquence d'une onde progressive sinusoïdale correspond au nombre de périodes temporelles T par unité de temps. La fréquence est donc la grandeur inverse de la période, telle que :

$$f = \frac{1}{T}$$

T en seconde (s)
f en hertz (Hz)

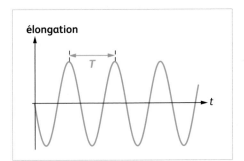

Élongation d'un point du milieu parcouru par une onde en fonction du temps.

Périodicité spatiale

- La période spatiale d'une onde progressive périodique à une dimension correspond à la plus petite distance séparant deux points du milieu présentant le même état vibratoire.
Pour une onde progressive sinusoïdale, la période spatiale s'appelle la **longueur d'onde notée** λ.

- Dans le cas d'une onde progressive sinusoïdale, la célérité v de l'onde est liée à la longueur d'onde λ et à la période temporelle T (ou à la fréquence f) de l'onde :

$$v = \frac{\lambda}{T} = \lambda \times f$$

λ en mètre (m)
T en seconde (s)
f en hertz (Hz)
v en m·s^{-1}

Photographie d'une onde à la surface de l'eau d'une cuve à ondes prise à un instant t.

Exercices / Application

5 minutes CHRONO!

MANUEL NUMÉRIQUE — EXERCICES INTERACTIFS

1 Mots manquants

Compléter avec un ou plusieurs mots.

a. Une onde est le phénomène de propagation d'une perturbation sans transport ...., mais avec transport ....

b. Si une onde progressive ne se propage que dans une seule direction, alors l'onde est dite à ....

c. Lorsque la direction de la perturbation et celle de la propagation sont perpendiculaires, alors l'onde est ....

d. La plus petite durée nécessaire pour qu'un point d'un milieu parcouru par une onde progressive se retrouve dans le même état vibratoire est la ....

e. La .... correspond à la distance parcourue par une onde progressive sinusoïdale, à la célérité v, pendant une durée égale à une période.

2 QCM

Cocher la réponse exacte.

Données : $c = 3{,}00 \times 10^8$ m·s^{-1} et $v_{son} = 340$ m·s^{-1}.

a. Le phénomène suivant n'est pas une onde progressive :
☐ la lumière des phares d'une voiture
☐ une bourrasque de vent
☐ le son émis par un piano

b. Le phénomène suivant n'est pas une onde progressive sinusoïdale :
☐ les vaguelettes de sable dans le désert
☐ la lumière émise par un laser
☐ le son d'un diapason

c. Lors d'un orage, on voit l'éclair 30 secondes avant d'entendre le tonnerre. À quelle distance de l'observateur se produit l'orage ?
☐ $1{,}0 \times 10^4$ m   ☐ 11 m   ☐ 88 m

d. La fréquence f d'une onde progressive sinusoïdale de période $T = 250$ ms est :
☐ 4,00 Hz
☐ $4{,}00 \times 10^{-3}$ Hz
☐ 0,250 Hz

e. La périodicité spatiale d'une onde progressive sinusoïdale est caractérisée par :
☐ sa fréquence
☐ sa longueur d'onde
☐ sa période

f. La fréquence f d'une onde progressive sinusoïdale est liée à sa longueur d'onde λ et à sa célérité v par la relation :
☐ $v = \dfrac{\lambda}{f}$ ☐ $\lambda = \dfrac{v}{f}$ ☐ $f = \lambda \times v$

→ **Solutions détaillées en fin de manuel pour vérifier vos réponses et comprendre vos erreurs.**

Parcours en autonomie

Trois parcours d'exercices pour travailler en autonomie selon ses besoins.

Maîtriser les bases — 3 ~ 7 ~ **10** ~ 11

Préparer l'évaluation — 18 ~ 22 ~ 24 ~ **25**

Approfondir — 28 ~ 29

Pour tous les exercices de ce chapitre :

• la vitesse de propagation des ondes sonores et ultrasonores dans l'air, à température ordinaire, est $v = 340$ m·s^{-1} ;

• les autres valeurs numériques utiles sont disponibles dans les rabats.

COMPÉTENCES EXIGIBLES

3 Définir une onde progressive

a. On observe une onde progressive à la surface de l'eau d'une mare sur laquelle flottent quelques brindilles. Comment peut-on vérifier que l'onde ne transporte pas de matière ?

b. Donner un exemple de la vie quotidienne montrant qu'une onde progressive (mécanique ou électromagnétique) transporte de l'énergie.

4 Définir une onde à une dimension

Indiquer parmi les situations suivantes celle(s) qui correspond(ent) à une onde progressive à une dimension :

a. une perturbation se déplaçant le long d'un ressort d'amortisseur de voiture ;

b. les cercles sur l'eau créés lors de la chute d'une feuille ;

c. le son émis par un diapason.

5 Exploiter la célérité d'une onde

Le mascaret est une vague qui se produit lors des marées montantes et qui remonte un fleuve. Elle est très attendue par les surfeurs au moment des équinoxes. Cette onde se propage en moyenne à une célérité :
$v = 20$ km·h^{-1}.

Mascaret sur la Garonne.

Le passage du mascaret étant observé sur la commune A à 17 h 57, à quelle heure arrivera-t-il sur la commune B, située en aval du fleuve à une distance $d = 12$ km ?

6 Exploiter la célérité d'une onde

Le Titanic a fait naufrage en 1912 dans l'Atlantique, mais son épave n'a été localisée qu'en 1985 grâce à l'utilisation d'un sonar. La durée entre l'émission et la réception du signal ultrasonore envoyé par ce sonar a été de $\Delta t = 5{,}0$ s.
Calculer la profondeur h à laquelle gît le Titanic.

Donnée : la célérité des ultrasons dans l'eau est $v = 1{,}5 \times 10^3$ m·s^{-1}.

Le Titanic à quai (Southampton, 1912).

7 Définir une onde sinusoïdale

Par temps calme, un océanologue mesure la distance crête à crête entre deux vagues et obtient une valeur de 40 m environ. Ces vagues rectilignes peuvent être modélisées par une onde progressive sinusoïdale qui se propage dans une seule direction à la célérité $v = 5{,}5$ m·s^{-1}.

a. Comment appelle-t-on une onde progressive qui se propage dans une seule direction ?

b. À quelle grandeur caractéristique de ce type d'onde est associée le terme « distance crête à crête » ? Définir ce terme.

c. Définir la période d'une onde progressive sinusoïdale. Calculer la période des vagues.

d. Rappeler la définition de la fréquence. Calculer la fréquence des vagues.

8 Exploiter des relations

Compléter le tableau ci-dessous.

Onde périodique sinusoïdale	Fréquence f	Période T	Longueur d'onde λ
ultrason		25 µs	
note « La$_3$ »	440 Hz		
micro-onde			5,0 cm

COMPÉTENCES GÉNÉRALES

9 Justifier un calcul

Pour savoir à quelle distance en kilomètre un orage est localisé, une astuce est de compter les secondes entre l'éclair et le tonnerre, puis de diviser par trois.
Justifier le calcul proposé.

10 Extraire et exploiter des informations

On souhaite déterminer la vitesse de propagation d'une onde progressive à une dimension se propageant sur une corde tendue. La perturbation a lieu à l'instant de date $t_0 = 0$ s à la source O. L'allure de la corde à l'instant de date $t_1 = 0{,}2$ s est schématisée ci-après. M est situé à 1,00 m de la source O.

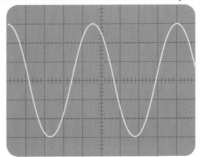

a. L'onde décrite est-elle longitudinale ou transversale ? Justifier.

b. Calculer la célérité de l'onde.

c. Calculer le retard τ entre le passage de la perturbation en un point N et son passage en M.

11 Extraire et exploiter des informations

Le son émis par un diapason est une onde sonore périodique sinusoïdale. On transforme le signal sonore en signal électrique que l'on visualise à l'aide d'un oscilloscope.

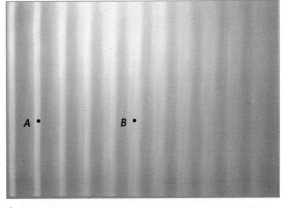

Réglages de l'oscilloscope
– Sensibilité : $a = 200$ mV·div^{-1}.
– Durée de balayage : $b = 500$ µs·div^{-1}.

a. Le signal visualisé permet-il d'obtenir la valeur de la période spatiale ou de la période temporelle ?

b. Déterminer cette valeur.

c. En déduire la valeur de l'autre période.

12 Effectuer un calcul

Le vibreur d'une cuve à ondes crée à la surface de l'eau une onde progressive sinusoïdale. On réalise une photographie du phénomène observé.

Échelle : les points A et B sont distants de 4,0 cm sur l'écran dépoli de la cuve à onde.

a. Calculer avec précision la longueur d'onde λ de l'onde progressive sinusoïdale.

b. Cette onde a été produite par un vibreur animé à la fréquence $f = 15$ Hz. En déduire sa période.

c. Calculer la célérité de cette onde.

EXERCICE RÉSOLU

Site élève

13 La houle : une onde progressive sinusoïdale

Énoncé On peut modéliser la houle par une onde progressive sinusoïdale **transversale**. Voici ci-dessous la représentation aux instants de date $t_0 = 0{,}0$ s (trait plein) et $t_1 = 1{,}0$ s (trait en pointillés) de cette houle se propageant vers la droite.
Un bout de bois flotte à la surface de l'eau.

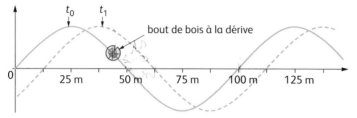

La houle est un mouvement ondulatoire de la surface de la mer formé par le vent.

① Définir une onde progressive.

② Dessiner la position du bout de bois à $t_1 = 1{,}0$ s.

③ À l'aide de la figure ci-dessus, calculer la célérité v de l'onde.

④ Définir la longueur d'onde λ de la houle, puis la déterminer à l'aide de la figure.

⑤ Définir la période T de l'onde puis calculer sa valeur.

⑥ Définir la fréquence f de l'onde, puis calculer sa valeur.

Une solution

① Une onde progressive est le phénomène de propagation d'une perturbation sans transport de matière, mais avec transport d'énergie.

② Voici ci-dessous la représentation de la position du bout de bois à $t_1 = 1{,}0$ s.

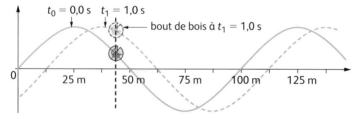

L'onde est transversale, la direction de propagation est horizontale donc le bout de bois se déplace aussi selon une verticale.

③ La perturbation s'annule (en décroissant) à la graduation 50 m à $t_0 = 0{,}0$ s, puis 1,0 seconde plus tard, s'annule de nouveau (en décroissant) à la graduation 62,5 m. L'onde arrive donc avec un retard $\tau = t_1 - t_0 = 1{,}0$ s à la graduation 62,5 m, car elle a dû parcourir la distance $d = 62{,}5 - 50 = 12{,}5$ m. La célérité est $v = \dfrac{d}{\tau} = \dfrac{12{,}5}{1{,}0}$ m·s^{-1} soit, en ne conservant que deux chiffres significatifs, 13 m·s^{-1}.

④ La longueur d'onde λ de la houle est la plus petite distance qui sépare deux points du milieu dans le même état vibratoire.
La plus petite distance séparant deux points dans le même état vibratoire est 100 m (points du milieu situés aux graduations 0 et 100 m) donc $\lambda = 100$ m.

⑤ La période T de l'onde est la durée écoulée lorsque l'onde parcourt une distance égale à la longueur d'onde. $v = \dfrac{\lambda}{T}$ donc $T = \dfrac{\lambda}{v} = \dfrac{100}{12{,}5} = 8{,}0$ s.

⑥ La fréquence est l'inverse de la période. A.N. : $f = \dfrac{1}{T} = \dfrac{1}{8{,}0} = 0{,}125$ Hz, soit 0,13 Hz.

Raisonner
L'onde étant progressive, il faut utiliser la relation entre le retard τ, la distance parcourue par l'onde et la célérité de l'onde.

Commenter un résultat
Il faut conserver tous les chiffres dans les calculs intermédiaires, et arrondir le résultat final en tenant compte des chiffres significatifs.

Rédiger
Énoncer la définition de la longueur d'onde afin de justifier la lecture faite sur le schéma.

Connaissances
Rappeler la définition de la période permettant de faire le lien avec la longueur d'onde déterminée juste avant.

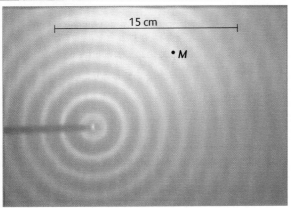

15 cm

• M

Une onde progressive sinusoïdale se définit par deux périodes : sa période temporelle T et sa période spatiale, ou longueur d'onde λ.

Voici ci-contre une photographie issue de l'enregistrement de la propagation d'une onde progressive sinusoïdale à deux dimensions, à la surface de l'eau d'une cuve à ondes. L'enregistrement a été réalisé avec une image toutes les 1/30 s.

La période temporelle T

a. On visionne l'enregistrement image par image : le point M sur l'écran est atteint par une ride brillante sur l'image n° 0. La dixième ride brillante suivante atteint M sur l'image n° 19.
Déterminer la valeur de la période temporelle T.

La période spatiale ou longueur d'onde λ

b. Donner deux définitions possibles de la période spatiale λ d'une onde progressive sinusoïdale.

c. Déterminer, à l'aide de la photographie, la longueur d'onde λ d'une onde progressive sinusoïdale à la surface de l'eau d'une cuve à ondes.

Conseils La définition de la période temporelle de l'onde permet de relier la donnée du texte à l'étude de l'enregistrement.

d. Dans un bassin de houle, des panneaux commandés par ordinateurs oscillent périodiquement à une fréquence $f = 1$ Hz pour créer une houle régulière à la surface de l'eau se propageant à la vitesse $v = 6$ m·s^{-1}.
Déterminer les périodes spatiale et temporelle de la houle, modélisée par une onde progressive sinusoïdale.

---

15 **Apprendre à rédiger**

Voici l'énoncé d'un exercice et un guide (en bleu) ; ce guide vous aide à rédiger la solution détaillée et à retrouver les réponses aux questions posées.

Énoncé

Un émetteur E et un récepteur R d'ultrasons sont placés l'un en face de l'autre. L'émetteur envoie une onde ultrasonore progressive sinusoïdale. Les tensions de sortie de l'émetteur et du récepteur sont observées sur l'écran d'un oscilloscope, schématisé ci-contre.

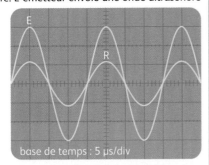

base de temps : 5 μs/div

a. Définir la période T et déterminer la fréquence f des ultrasons émis.
 ▶ Donner la définition de la période puis justifier la méthode de mesure sur l'oscillogramme.

 ▶ Rappeler si nécessaire la relation entre la fréquence et la période temporelle avant de passer à l'application numérique.
 ▶ Réponse : $T = 20$ μs et $f = 50$ kHz.
Ajouter un commentaire sur la vraisemblance de la valeur numérique trouvée.

b. On éloigne lentement le récepteur. On constate que le signal reçu se décale vers la droite, puis les deux signaux se retrouvent de nouveau en phase, le récepteur a alors été éloigné d'une distance $d = 6{,}8$ mm de l'émetteur. Définir la longueur d'onde λ, puis calculer sa valeur.
 ▶ Utiliser la définition de la longueur d'onde permettant de justifier la valeur annoncée dans la deuxième partie de la question.
 ▶ Réponse : $\lambda = 6{,}8$ mm.

c. Calculer la célérité v des ultrasons dans l'air.
 ▶ Écrire la relation entre la longueur d'onde, la fréquence et la célérité des ultrasons. Justifier le nombre de chiffres significatifs dans l'application numérique (sans oublier l'unité).
 ▶ Réponse : $v = 3{,}4 \times 10^2$ m·s^{-1}.

16 Mesure de la célérité du son en TP

Compétences générales *Effectuer un raisonnement scientifique – Extraire des informations*

À l'aide d'un clap de cinéma, on produit un son bref devant deux micros alignés avec la source. Ces micros sont séparés d'une distance $d = 68$ cm et reliés à un système d'acquisition, grâce auquel on obtient l'enregistrement ci-dessous.

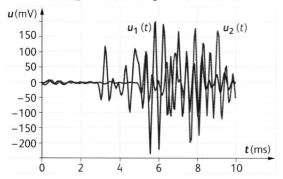

Déterminer la célérité v du son dans les conditions de cette expérience.

17 Le sonar du dauphin

Compétence générale *Effectuer un raisonnement scientifique*

Le dauphin dispose d'un sonar très efficace. Il émet des clics ultrasonores lors de ses déplacements. Ces ondes réfléchies par des obstacles sont interprétées par son cerveau.
Un dauphin, effrayé par une orque, s'enfuit avec une vitesse $v_A = 20$ m·s⁻¹ et se dirige droit vers un navire de pêche immobile en émettant une impulsion ultrasonore, alors qu'il se trouve à $d = 100$ m du navire.
a. Si le dauphin continue à nager droit vers le navire, au bout de quelle durée Δt_1 va-t-il le percuter ?
b. La célérité de l'onde ultrasonore dans l'eau est égale à $v_B = 1{,}5 \times 10^3$ m·s⁻¹. On supposera que la position du dauphin est quasiment restée la même entre l'émission et la réception de l'onde ultrasonore. Au bout de quelle durée Δt_2 le dauphin reçoit-il l'écho ?
c. Peut-il éviter le navire, sachant que son temps de réaction est de 500 ms ?

18 Goutte à goutte

Compétence générale *Effectuer un raisonnement scientifique*

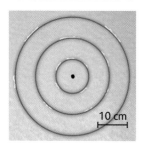

On fait tomber, à intervalles de temps réguliers des gouttes d'huile à la surface de l'eau d'une cuve à ondes. À un instant donné, la surface de la cuve présente l'aspect schématisé ci-contre.
a. Déterminer la distance d entre les rayons des différents cercles. Que représente-t-elle ?

b. Dans cette expérience, la vitesse de propagation des ondes à la surface de l'eau est $v = 0{,}38$ m·s⁻¹.
Calculer la fréquence à laquelle les gouttes d'huile tombent à la surface de l'eau.

19 Cuve à ondes

Compétences générales *Effectuer et justifier un raisonnement scientifique*

Pour étudier l'influence de la profondeur h de l'eau sur la célérité des ondes, on place sur le fond de la cuve une plaque transparente.

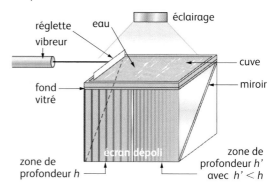

Montrer que la célérité des ondes dépend de la profondeur de l'eau.

20 Science in English

How does reverse parking system work ?
The system is automatically activated when you engage reverse gear. Small sensors are recessed to the rear of the vehicle, they send and receive ultrasonic radio waves, which bounce off obstacles and alert you to their presence. There is an internal buzzer that gradually increases in frequency as you approach the object. A continuous tone indicates that you are within 0.35 m of the obstacle.

D'après le site internet http://www.backup-sensors.com

a. Quel est le type d'onde utilisée pour les radars de recul ?
b. Calculer la durée Δt séparant l'émission de la réception de l'onde sachant qu'elle se propage à une célérité $v = 340$ m·s⁻¹ dans l'air, lorsque le buzzer émet un son continu.

21 Le SOS du papillon

Compétences générales *Extraire et exploiter des informations – Effectuer un raisonnement scientifique*

Un petit papillon tombé à l'eau est une proie facile pour son ennemi le gerris. Prisonnier de la surface de l'eau, le papillon crée, en se débattant, des trains d'ondes sinusoïdales. La fréquence de battements des ailes est de 5 Hz, ce qui génère des ondes de même fréquence à la surface de l'eau.

a. Déterminer la longueur d'onde de l'onde émise par le papillon en utilisant l'agrandissement à l'échelle 2 de la surface de l'eau ci-après.

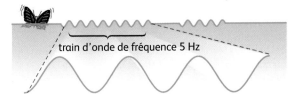

train d'onde de fréquence 5 Hz

b. Montrer que la célérité de cette onde est de 4,8 cm.s⁻¹.

22 ✶ D'un milieu à l'autre

Compétences générales *Effectuer et justifier un calcul*

Une onde lumineuse monochromatique se propage dans plusieurs milieux transparents.
Compléter le tableau ci-dessous.

	Vide	Eau	Verre
λ (nm)	550		
Célérité v (m·s⁻¹)		$2,25 \times 10^8$	$2,0 \times 10^8$
Fréquence υ (Hz)			
Couleur	Vert		

23 ✶ Un marégraphe

Compétences générales *Extraire et exploiter des informations – Effectuer un raisonnement scientifique*

Depuis 1992, l'enregistrement des hauteurs des marées sur les côtes françaises se fait à l'aide de marégraphes numériques permanents, appelés MCN (Marégraphes Côtiers Numériques).
Le MCN est équipé d'un télémètre constitué d'un émetteur et d'un récepteur d'ultrasons placés au-dessus de l'eau. Il émet des salves courtes d'ultrasons et détecte le signal réfléchi par la surface de l'eau. Le temps écoulé entre l'émission et la réception du signal est alors traduit en hauteur d'eau.
Le schéma de l'observatoire de Brest-Penfeld ci-dessous illustre ce principe.

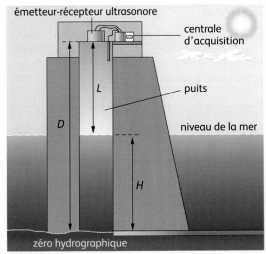

Principe du marégraphe.

a. Exprimer la durée Δt écoulée entre l'émission et la réception d'une salve d'ultrasons, en fonction de L et v, où v désigne la célérité du son dans l'air.

b. La hauteur H de la marée est repérée par rapport à une référence appelée «zéro hydrographique».
Établir l'expression de H en fonction de D, v et Δt.

c. Le télémètre est placé à 10 mètres au-dessus du zéro hydrographique. Le tableau ci-dessous donne un extrait des hauteurs de marées mesurées le dimanche 31 juillet 2005 à Fort-Mahon.

Date	Heure	Hauteur
Dimanche 31/07/05	03 h 19	3,07 m
	09 h 00	7,50 m
	15 h 52	3,20 m
	21 h 32	7,63 m

Calculer la durée Δt_1 qui a permis de calculer la hauteur d'eau à marée basse à 15 h 52.

d. Un élève décide de mettre en œuvre, avec le matériel du lycée (une grande éprouvette, un dispositif d'acquisition, un émetteur et un récepteur d'ultrasons en mode salves), le principe du marégraphe à ultrasons.
Il réalise le dispositif ci-dessous.

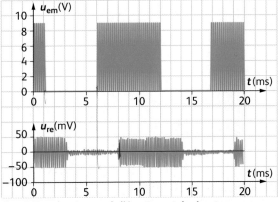

Montage de l'élève.

L'enregistrement des tensions u_{em} (émetteur) et u_{re} (récepteur) apparaît sur le document ci-dessous.

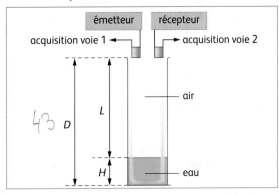

Acquisition des signaux de l'émetteur et du récepteur.

Calculer la hauteur d'eau que l'élève a placée dans l'éprouvette.

Données : $v_{son} = 340$ m·s⁻¹ ; $D = 43$ cm pour la question **d.**.

24 ✶ **L'ingénieur du son et la ligne de retard**

Compétences générales *Effectuer un calcul – Effectuer un raisonnement scientifique*

Lors d'un concert en plein air, le son est émis par des haut-parleurs situés en façade de la scène.

Concert de nuit.

a. Calculer la durée Δt au bout de laquelle des spectateurs, situés à une distance $d = 150$ m de la scène, devraient entendre le son, si celui-ci se propage à $v = 340$ m·s^{-1}.

b. À cette distance d, les spectateurs ont du mal à percevoir le son. Que s'est-il passé lors de la propagation du son sur cette distance importante ?

c. Pour éviter ce problème, l'ingénieur du son ajoute un haut-parleur relié aux microphones de la scène, juste à côté de ces spectateurs.

Les premiers tests font apparaître un écho que l'on ne remarquait pas précédemment.

Quelle est l'origine de cet écho ?

d. L'ingénieur du son règle alors un dispositif électronique appelé **ligne de retard** qui permet de décaler le départ du son au niveau de l'enceinte de rappel.

Quel retard l'ingénieur du son va-t-il programmer pour que les spectateurs ne soient plus gênés par l'écho ?

25 **ECE** **Évaluation des compétences expérimentales**

Cet exercice permet de travailler les compétences expérimentales suivantes : ● S'approprier ● Analyser

Proposer une expérience à réaliser en séance de travaux pratiques pour illustrer le principe de la mesure de distances par ultrasons.

Vous présenterez un protocole permettant d'étudier :
– la réflexion d'un signal ultrasonore sur des obstacles fixes,
– l'influence des matériaux constituant l'obstacle,
– les sources d'erreur.

Enfin, à l'aide d'un schéma du montage, vous expliquerez le principe de la mesure de distance (émetteur – obstacle fixe) en détaillant les relations nécessaires à l'obtention du résultat.

26 **Objectif BAC** *Exploiter des documents* → **Dossier BAC, page 546**

Lors d'un séisme, la Terre est mise en mouvement par des ondes de différentes natures, qui occasionnent des secousses plus ou moins violentes et destructrices en surface.

5 On distingue :
– les ondes *P*, les plus rapides, se propageant dans les solides et les liquides ;
– les ondes *S*, moins rapides, ne se propageant que dans les solides.

10 L'enregistrement de ces ondes, par des sismographes à la surface de la Terre, permet de déterminer l'épicentre du séisme (point de la surface de la Terre à la verticale du lieu de naissance de la perturbation).

15 Un séisme s'est produit à San Francisco (nord de la Californie) en 1989. La figure ci-contre représente le sismogramme obtenu lors de ce séisme à la station *Eureka* située au nord de la Californie.

L'origine du repère ($t = 0$ s) a été choisie à la date du
20 début du séisme à San Francisco. Le sismogramme présente deux trains d'ondes repérées par *A* et *B*.

→ **L'étude de la propagation de différents types d'ondes sismiques permet de construire des «modèles» afin de prévoir le déclenchement d'un séisme. Étudions les ondes *P* et *S*.**

a. À quel type d'onde (*S* ou *P*) correspond chaque train ? Justifier votre réponse à l'aide de l'énoncé.

b. Sachant que le début du séisme a été détecté à *Eureka* à 8 h 15 min 20 s TU (Temps Universel), déterminer l'heure TU (h min s) à laquelle le séisme s'est déclenché à San Francisco (épicentre du séisme).

c. Sachant que les ondes *P* se propagent à une célérité moyenne de 10 km·s^{-1}, calculer la distance *d* séparant l'épicentre du séisme de la station *Eureka*.

d. Calculer la célérité *v* moyenne des ondes *S*.

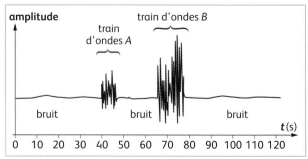

Sismogramme obtenu lors du séisme à la station Eureka.

27 Apprendre à chercher

La résolution de cet exercice nécessite de trouver les étapes du raisonnement.
→ Une aide est disponible en fin de manuel.

Énoncé

L'extrait du sismogramme ci-dessous montre l'enregistrement des ondes sismiques à une station d'enregistrement. On distingue les ondes sismiques P de célérité $v_P = 6,0 \ km \cdot s^{-1}$, et les ondes sismiques S de célérité $v_S = 3,5 \ km \cdot s^{-1}$.
On note t_S et t_P les durées nécessaires aux ondes S et P pour parcourir la distance d.

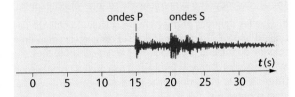

→ Établir l'expression littérale de la distance d séparant la station d'enregistrement du lieu où le séisme s'est produit.

28 ✶✶ GPS et incertitude

Compétences générales *Effectuer un calcul – Commenter un résultat*

Le Global Positioning System (GPS) permet de repérer un lieu géographique à la surface de la Terre avec une précision voisine de 20 mètres.
Ce dispositif utilise des satellites émettant toutes les millisecondes des ondes radio de fréquences de l'ordre de 1,5 GHz, dont la réception au sol permet de calculer la position du récepteur. Cette précision sur la mesure chute avec la vitesse du récepteur si celui-ci est en mouvement.

Donnée : les ondes radio sont des ondes électromagnétiques se propageant à la célérité $c = 3,00 \times 10^8 \ m \cdot s^{-1}$ dans le vide ou dans l'atmosphère.

a. Calculer la longueur d'onde λ dans le vide des ondes émises par les satellites.
b. Quelle est la durée t mise par le signal pour aller du satellite S au récepteur R, si le satellite est situé à la verticale de R à l'altitude $h = 20\,180 \ km$?
c. Pour une mesure unique, l'incertitude sur la distance verticale est de $\Delta d = 20$ mètres.
Calculer l'incertitude Δt sur la durée de propagation du signal. Comparer t et Δt et commenter.
d. Pour une série de N mesures, les lois de la statistiques montrent que l'incertitude est divisée par un facteur $\sqrt{N}$.
Calculer N pour que l'incertitude passe de $\Delta d = 20$ m à $\delta d = 20$ cm.
e. Le signal GPS étant émis toutes les millisecondes, calculer la durée nécessaire pour effectuer ces N mesures.
Peut-on obtenir une telle précision avec un récepteur mobile ayant une grande vitesse ?

29 ✶✶ Cuve à ondes et oscilloscope

Compétences générales *Justifier un protocole expérimental – Extraire et exploiter des informations*

Pour étudier la propagation des ondes à la surface de l'eau, on utilise le dispositif schématisé ci-dessous.

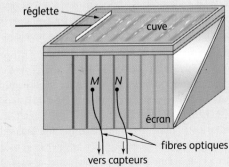

Une cuve à ondes est parcourue par une onde pratiquement sinusoïdale générée par la vibration d'une réglette. Les extrémités de deux fibres optiques sont placées contre l'écran de la cuve où la succession de zones sombres et brillantes permet l'étude de la propagation des ondes à la surface de l'eau. La lumière captée sur l'écran est transmise vers des capteurs photosensibles qui délivrent des tensions en fonction de l'intensité lumineuse reçue.
Les deux extrémités des fibres étant d'abord en contact en un point M, on éloigne l'une des fibres progressivement jusqu'à un point N où l'on observe l'oscillogramme donné ci-dessous. La distance entre M et N sur l'écran vertical de la cuve vaut alors $MN = 1,8$ cm.
Les tensions délivrées par ces capteurs sont étudiées sur les deux voies d'un oscilloscope : le passage d'une ride brillante correspond à un pic sur l'oscillogramme.
Le grandissement du système optique est $\gamma = 1,7$.
La sensibilité horizontale de l'oscilloscope est 20 ms/div.

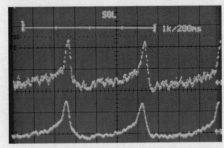

a. Quel est le rôle des fibres optiques ?
b. Proposer un protocole permettant de déterminer le grandissement du système optique.
c. Dans le cas de l'oscillogramme fourni ci-dessus, que peut-on dire de l'état vibratoire des points de la surface de l'eau correspondant aux points M et N sur l'écran ?
d. En déduire la longueur d'onde, la fréquence et la célérité de l'onde.

30 ✱✱ Le *Moho*

Compétences générales *Extraire et exploiter des informations – Justifier un raisonnement scientifique*

1. La découverte du Moho

Le 8 octobre 1909, le géophysicien yougoslave Mohorovicic observe sur ses instruments l'enregistrement d'un séisme. Il constate l'arrivée d'un train d'ondes *P* puis d'ondes *S* (deux types d'ondes émises par les séismes, se propageant à des vitesses différentes), puis de nouveau des ondes *P* et de nouveau des ondes *S*. Les ondes se sont dédoublées.

Les deux groupes de trains d'ondes *P* et *S* sont partis en même temps du foyer du séisme et s'ils sont arrivés avec un décalage, c'est donc qu'ils ont dû emprunter deux chemins différents. Le deuxième groupe d'ondes *P* et *S* a dû rencontrer un milieu de densité différente qui l'a réfléchi. Cette hypothèse a été confirmée : une discontinuité sépare la partie superficielle du globe terrestre appelée la « croûte terrestre » d'une zone inférieure plus dense appelée le « manteau ». Cette discontinuité est appelée le *Moho*.

2. Étude sismique du sol d'une carrière

On effectue un tir de mine dans une carrière et on enregistre les ondes sismiques produites sur plusieurs sismographes disposés aux alentours. Chaque sismographe enregistre l'arrivée de deux trains d'ondes *P*. Le tableau ci-dessous regroupe quelques données.

Sismographe	Distance à la carrière (L_1 en km)	Durée de propagation depuis la carrière	
		1er train d'ondes *P*	2e train d'ondes *P*
1	10,0	1,82	13,09
2	30,0	5,48	14,18
3	60,0	10,90	16,72
4	90,0	16,35	21,09

On se propose de calculer la profondeur du *Moho* dans la zone voisine du tir.

a. On fait l'hypothèse que les deux trains d'ondes *P* se propagent à une même vitesse constante.
Quelle propriété devrait vérifier la densité de la croûte terrestre dans la zone étudiée pour justifier cette hypothèse ?

b. Sur un schéma, représenter la surface terrestre supposée plane au voisinage du tir et le *Moho* (supposé aussi plan localement). Préciser par une légende la position de la croûte terrestre et du manteau. Ajouter la position de la carrière (notée *O*) et la position d'un sismographe (notée *S*).

c. Sur le même schéma, tracer le trajet des deux trains d'ondes *P*, depuis leur émission en *O* jusqu'à leur détection par un sismographe en *S*, en admettant que la réflexion de l'onde sismique suit les mêmes lois que celles des rayons lumineux.

Aide. Un rayon incident et son rayon réfléchi sont symétriques par rapport à la normale à la surface réfléchissante.

d. Quelles données permettent de calculer la célérité des trains d'ondes *P* ? Réaliser les calculs et compléter la deuxième colonne du tableau ci-dessous avec les valeurs obtenues.

e. Calculer les distances (notées L_2) parcourues par le second train d'ondes et compléter le tableau ci-dessous avec les valeurs obtenues.

f. Trouver une relation permettant de calculer la profondeur du *Moho* (notée *h*) en fonction des distances parcourues L_1 et L_2 par les deux trains d'ondes *P*.

Aide. Pour résoudre cette question, faire apparaître un triangle rectangle dans le schéma de la question **c**.

g. Faire les calculs et compléter le tableau ci-dessous avec les valeurs obtenues.

h. Quelle est la valeur moyenne de la profondeur du *Moho* dans la région du tir ?

Sismographe	Vitesse de propagation (km·s^{-1})	L_2 (km)	*h* (km)
1			
2			
3			
4			

31 Objectif **BAC** *Rédiger une synthèse de documents*

➡ **Dossier BAC, page 546**

Cet exercice s'appuie sur des ressources disponibles sur le site élève : www.nathan.fr/siriuslycee/eleve-termS.

Télécharger le dossier « Ressources pour l'exercice 31 » du chapitre 2, qui concerne l'étude de l'acoustique du théâtre antique d'Épidaure en Grèce. Ce dossier comprend :
– la présentation du théâtre antique d'Épidaure ;
– la description d'expériences réalisées sur une maquette de théâtre antique pour montrer l'influence du plafond, le rôle du mur et la dimension de la scène.

➡ **L'objectif de cet exercice est de rédiger une synthèse de documents afin d'expliquer comment les architectes de l'Antiquité ont réussi à donner à leurs théâtres une acoustique aussi remarquable.**
Le texte rédigé (de 25 à 30 lignes) devra être clair et structuré et l'argumentation reposera sur les informations issues des documents proposés.

Le théâtre d'Épidaure.

Lors d'un concert, une oreille bien exercée est capable de reconnaître la contribution de chacun des instruments car trois caractéristiques différencient les sons qu'ils émettent : **l'intensité, la hauteur et le timbre**. Mais attention à vos oreilles, le niveau sonore d'un concert peut être très élevé : plus de 100 dB (décibels), soit autant qu'un marteau-piqueur à moins de 5 mètres !

SIMULATION — **Compétences expérimentales** mises en œuvre
• *S'approprier* • *Analyser* • *Réaliser* • *Valider*

1

À propos de l'analyse spectrale

▶ Enregistrer, télécharger, mixer des sons, écouter de la musique en concert ou grâce à un baladeur, sont des activités contemporaines. Revenons sur l'origine de ces « avancées musicales ».

Les contributions scientifiques du physicien Joseph Fourier concernent de nombreux domaines. En fait, nous en profitons tous les jours, souvent sans le savoir : télécommunications, compression de son
5 (MP3) ou d'image, imagerie médicale... Dans le cas précis d'un son musical, la théorie de Fourier permet de mieux saisir la structure des sons complexes, en les interprétant comme la superposition de sons simples ou « purs ». Mathématiquement, un son
10 pur est une onde sinusoïdale [...]. Un son tenu, comme une voyelle que l'on chante à une hauteur

fixée, correspond en première approximation à un phénomène périodique de fréquence f : c'est une vibration de l'air qui se répète dans le temps. D'après
15 la théorie de Fourier, un tel son est interprété comme la superposition d'un son « pur » de fréquence f (appelé fondamental) et de sons « purs » de périodes $2f, 3f, 4f, 5f$, etc, qui sont les harmoniques. L'analyse de Fourier consiste donc à extraire les contributions
20 relatives de chacun des harmoniques.

D'après L'œuvre de Fourier et les mathématiques contemporaines, Emmanuel Ferrand.

1 *À l'origine de l'analyse spectrale des sons.*

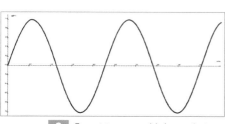

2 *Enregistrement u(t) du son émis par un diapason.*

❶ Analyser les documents

Comment qualifier le son émis par un diapason ?

SIMULATION ■ Lancer un logiciel qui permet de faire la somme de fonctions périodiques (Regressi, Généris…).
■ Sur une durée $t_{max} = 0,005$ s avec $2\,048$ points de mesures, écrire les dix tensions $u_n(t)$ correspondant aux dix premiers **harmoniques** de la note La$_3$ ($f = 440$ Hz), jouée par un instrument, et dont les valeurs maximales varient en $\dfrac{1}{n}$.

Étape 1 ■ Construire le signal $u(t) = u_1(t) + u_2(t) + ... + u_{10}(t)$ associé au son étudié, en considérant que ce son n'est constitué que des 10 harmoniques cités.
■ Afficher simultanément les courbes $u_1(t)$, $u_2(t)$ et $u(t)$.

Coup de pouce

On utilisera les relations
$u_n(t) = \dfrac{1}{n} \sin(2\pi f_n t)$
et $f_n = nf$ avec $n \in \mathbb{N}^*$.

❷ Observer

a. Pourquoi qualifier le son étudié de **son complexe** ?
b. La fréquence de $u(t)$ (donc du son étudié) est égale à celle de l'un des signaux (u_1, u_2, …) qui le constituent. Quel est ce signal ?
c. Comment, d'après le document 1, appelle-t-on le son pur correspondant à ce signal ?

Étape 2 Utiliser la fonction qui permet de réaliser l'analyse de Fourier des différents signaux précédents et observer, pour chacun d'eux, les figures obtenues, appelées **spectres**. Le spectre d'un signal prend la forme d'un diagramme en bâtons.

❸ Conclure

Que représentent l'abscisse et l'ordonnée de chaque bâton ?

ACTIVITÉ EXPÉRIMENTALE • S'approprier • Analyser • Réaliser • Valider

2 Analyse spectrale d'un son

▶ **Réalisons l'acquisition et l'analyse spectrale d'un son pour en caractériser la hauteur et le timbre.**

3 *Dispositif expérimental.*

DISPOSITIF Divers instruments de musique sont amenés en salle de TP **(document 3)**. Un microphone est branché à la carte d'acquisition ou à la carte son de l'ordinateur, selon le logiciel d'analyse spectrale utilisé.

Expérience

■ Réaliser, sur une durée d'environ 100 ms, quatre enregistrements de la tension aux bornes du microphone captant les sons émis par des instruments différents. Les deux premiers enregistrements [tensions $u_A(t)$ et $u_B(t)$] correspondent à la note La$_3$, le troisième [$u_C(t)$] à une note plus haute (c'est-à-dire plus aiguë), le dernier [$u_D(t)$] à une note moins haute (c'est-à-dire plus grave).

■ Réaliser le **spectre** $u(f)$ de chacune de ces tensions.

TICE

Le logiciel acquisonic est téléchargeable gratuitement à l'adresse suivante : www.scientillula.net/ logiciels/acquisonic/ acquisition.html

1 Observer

a. En modifiant si besoin l'échelle de l'enregistrement, mesurer avec précision la fréquence f_A de $u_A(t)$. Où retrouve-t-on cette valeur sur le spectre correspondant ?

b. Quelles sont donc les valeurs des fréquences des tensions $u_B(t)$, $u_C(t)$ et $u_D(t)$?

c. Observer les signaux $u_A(t)$, $u_B(t)$, $u_C(t)$ et $u_D(t)$ sur une durée de quelques périodes. Comparer la forme, la fréquence de ces signaux puis leur spectre. Quelles sont les différences observées ?

2 Interpréter

a. D'après les observations précédentes, à quoi peut-on voir sur les spectres que deux notes ont la même hauteur ? qu'une note est plus aiguë qu'une autre ?

b. On appelle **timbre** d'un son la propriété qui permet de distinguer deux mêmes notes jouées par des instruments différents. Comment se traduit une différence de timbre sur les spectres ?

c. Le **document 4** représente les enregistrements de la tension pendant toute la durée d'un son de même hauteur (la note sol) pour deux instruments différents. Repérer les **phases d'établissement (attaque)** et celles d'**extinction** du son. Comparer leurs durées.

3 Conclure

a. Quelle grandeur permet de caractériser la hauteur d'un son ? Cette grandeur est-elle plus élevée ou plus faible si un son est plus aigu qu'un autre ?

b. À partir des réponses précédentes, en utilisant leurs enregistrements et leurs spectres, expliquer comment distinguer deux sons de même hauteur mais de timbres différents.

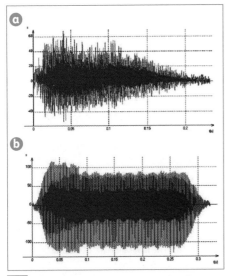

4 *Enregistrements u(t) de la note sol jouée :*
ⓐ *au piano ;*
ⓑ *à la flûte à bec.*

3 Découverte de l'effet Doppler

▶ Lorsqu'une source d'onde et un récepteur ne sont pas fixes l'un par rapport à l'autre, il se produit un effet Doppler. Découvrons ce phénomène.

Imaginez que vous êtes au bord d'une route de campagne. Tout est calme, jusqu'à ce qu'une voiture passe devant vous. Le son qu'elle émet est perçu comme étant plus aigu lorsqu'elle se rapproche, et semble plus grave lorsqu'elle 5 s'éloigne. Cette variation de la fréquence du son s'explique par l'effet Doppler. Découvert par Christian Doppler en 1842 dans le cadre de ses recherches concernant les ondes sonores, puis six ans plus tard par Hippolyte Fizeau dans

le cas des ondes lumineuses, cet effet est parfois également 10 appelé effet Doppler-Fizeau.

L'effet Doppler est la perception par un observateur d'une variation de fréquence d'une onde émise par une source en mouvement par rapport à cet observateur. L'effet Doppler s'applique à tous types d'ondes : sonores, ultra- 15 sonores, lumineuses, ou encore les ondes à la surface de l'eau.

D'après le site Internet http://effetdoppler.linkfanel.net/.

5 L'effet Doppler.

1 Comprendre le texte

a. D'après l'étude des ondes menée dans le **chapitre 2**, la fréquence de la vibration émise par la source et celle de la vibration détectée par le récepteur sont-elles différentes ou identiques lorsque la source et le récepteur sont « fixes » l'un par rapport à l'autre ?

b. D'après le **document 5**, en est-il de même lorsqu'une source et un récepteur sont en mouvement l'un par rapport à l'autre ?

c. En quoi l'effet Doppler explique-t-il la différence de sensation auditive lorsqu'une voiture se rapproche puis s'éloigne de vous ?

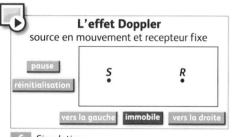

6 Simulation.

SIMULATION ■ La simulation « L'effet Doppler » est disponible sur le site élève **www.nathan.fr/siriuslycee/eleve-termS** .

■ Utiliser l'animation dans les situations suivantes :

① Source et récepteur au repos.
② Source qui s'approche d'un récepteur fixe.
③ Source qui s'éloigne d'un récepteur fixe.
④ Récepteur qui s'approche d'une source fixe.
⑤ Récepteur qui s'éloigne d'une source fixe.

2 Interpréter

a. Dans la situation ①, comparer les fréquences des vibrations émises par la source et détectées par le récepteur ?

b. La fréquence de vibration de la source est-elle la même dans chacune des situations ?

c. Dans la direction source-récepteur et entre les deux, la longueur d'onde de l'onde en situation ② et ③ est-elle la même, plus grande ou plus petite que celle de l'onde en situation ① ? Donner le résultat en faisant intervenir la fréquence.

d. La période de la vibration captée par le récepteur est-elle la même, plus grande ou plus petite que celle de la source en situation ④ et ⑤ ? Donner le résultat en faisant intervenir la fréquence.

3 Conclure

a. Dans quelles situations existe-t-il une différence non nulle entre la fréquence de l'onde émise par une source S et celle de l'onde détectée par un récepteur R ?

b. Lorsqu'une source S et un récepteur R se rapprochent l'un de l'autre, la fréquence de l'onde captée par le récepteur est-elle la même, plus grande ou plus élevée que celle de l'onde émise par la source ? Même question lorsque S et R s'éloignent l'un de l'autre.

4 Déterminer une vitesse avec l'effet Doppler

▶ **Mesurons un décalage Doppler de fréquence pour déterminer une valeur de vitesse.**

DISPOSITIF On dispose d'un émetteur à ultrason (source notée S, fixe) et d'un récepteur d'ultrason (noté R, mobile, placé sur le bord d'une roue). L'onde ultrasonore étant émise par S de manière très directive, R ne la captera de manière notable que lors de son passage juste devant S (**document 7**). Ce récepteur R est branché sur une carte d'acquisition et de traitement de données reliée à un ordinateur (→ **Fiche pratique 4**). La période de rotation de la roue est mesurée avec un chronomètre.

Expérience

■ Mesurer la distance OM entre le centre O de la roue et le centre M du récepteur.
■ Paramétrer le logiciel d'acquisition (la durée totale d'acquisition sera par exemple de 70 µs pour 1 000 points avec $\Delta t = 0{,}070$ µs).

Acquisition 1
■ Placer R devant S et réaliser l'acquisition en prenant soin de laisser R fixe par rapport à S.
■ Repérer la valeur maximale U_{max} de la tension enregistrée.
■ Compléter le paramétrage du logiciel d'acquisition en choisissant un seuil de déclenchement, par valeur croissante, et un peu inférieur à U_{max}.

Acquisition 2
■ Écarter R de S et lancer l'acquisition. Celle-ci ne débute que lorsque R passe devant S.
■ Faire tourner vivement la roue de telle sorte que R s'approche de S lorsque l'acquisition doit commencer. Simultanément, mesurer à l'aide d'un chronomètre la période de rotation $T_{rotation}$ de la roue.

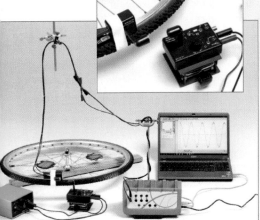

7 Dispositif expérimental et zoom sur le détecteur et l'émetteur à ultrason.

1 Observer

a. Mesurer la période T_S des ultrasons émis par S (acquisition 1) et en déduire leur fréquence f_S.
b. Mesurer avec précision la période T_R du signal (acquisition 2) et calculer la fréquence f_R de l'onde reçue par R.
c. Calculer le décalage Doppler de fréquence donné par la relation : $\Delta f = f_R - f_S$.

2 Interpréter

a. La **figure 8** ci-contre schématise la situation à une date où R détecte une **zone de compression**. Si R se rapproche de S, détectera-t-il la zone de compression suivante au bout d'une durée plus grande, plus petite ou égale à T_S ?
b. La réponse précédente est-elle en accord avec le signe de Δf ?

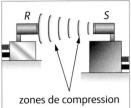

zones de compression

8 L'air est comprimé puis dilaté par l'émetteur S. Une couche d'air comprimée est une zone de compression.

3 Exploiter les résultats

Dans le cas étudié ici, on montre que $|\Delta f| = \dfrac{v_R}{v_{son}} \times f_S$ où v_R est la valeur de la vitesse de R dans le référentiel terrestre et v_{son} celle du son.
Déterminer v_R en prenant $v_{son} = 340$ m·s^{-1}. Cette valeur est-elle compatible avec celle calculée à partir des mesures de OM et de $T_{rotation}$?

Activités

5 L'effet Doppler en astrophysique

▶ Mesurons un décalage Doppler pour déterminer la période de rotation de Jupiter.

Le spectre ci-dessous est celui de la lumière du soleil diffusée par Jupiter et reçue par la Terre. La fente du spectroscope utilisé est dans le plan équatorial de Jupiter. Dans ce plan, à cause de la rotation de la
5 planète (période $T = 9$ h 55 min), le point O sur la figure ci-contre se rapproche du Soleil ou de la Terre, tandis que E s'en éloigne, et que S reste à la même distance.

Ainsi, ce spectre présente des raies d'absorption dues
10 aux éléments présents dans l'atmosphère du Soleil (raies inclinées ③ et ④) et de la Terre (raies non inclinées ①
et ②). $\lambda_① = 592{,}136$ nm et $\lambda_② = 590{,}101$ nm.

④ ③ ② ①

C'est l'effet Doppler-Fizeau qui permet d'expliquer l'in-
15 clinaison des raies : les raies d'absorption correspondant à la source O (se rapprochant de l'observateur) se décalent vers les courtes longueurs d'onde
20 (partie inférieure du spectre), tandis que celles correspondant au point E (partie supérieure du spectre) se décalent vers les grandes longueurs
25 d'onde. Celles correspondant à S ne subissent aucun décalage. La mesure du décalage $|\Delta\lambda|$ en longueur d'onde entre le bord supérieur (ou inférieur) d'une raie et son centre permet de calculer la
30 valeur v de la vitesse du point E (ou du point O) dans la direction de visée.

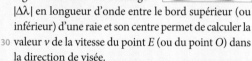

9 ▎ *L'effet Doppler en astrophysique.*

DISPOSITIF Lancer le logiciel de traitement d'images *SalsaJ* et ouvrir l'image du spectre de Jupiter, disponible sur le site élève **www.nathan.fr/siriuslycee/eleve-termS** .

Expérience

■ Dans la fenêtre contenant l'image du spectre, en utilisant la fonction zoom, tracer un segment horizontal reliant avec précision les raies d'absorption numérotées ① et ② sur le spectre de Jupiter **(document 9)**.

■ Dans la barre menu du logiciel, choisir « Analyse » puis « Indiquer l'échelle », cocher la case « Global » et compléter les informations demandées.

TICE

Le logiciel *SalsaJ* est téléchargeable gratuitement à l'adresse suivante : www.fr.euhou.net/

■ Sur le bord supérieur, tracer avec précision un trait horizontal partant du centre de la raie ① et allant jusqu'au centre de la raie ④. Dans la barre de menu, cliquer « Analyse » puis « Coupe ». Positionner le curseur sur le minimum d'intensité, dû à la raie ③. Noter la valeur de l'écart en longueur d'onde entre la raie ① et le bord supérieur de la raie ③. Pour plus de précision, rechercher ce minimum dans la « Liste » fournie par le logiciel.

■ Recommencer les deux opérations précédentes afin de déterminer l'écart en longueur d'onde entre la raie ① et le bord inférieur de la raie ③.

❶ Exploiter les résultats

a. En utilisant la valeur de $\lambda_①$ et celles notées pour les deux écarts, déterminer la valeur de $\lambda_③$ au centre du spectre et le décalage Doppler $|\Delta\lambda|$ décrit dans le texte.

b. Dans le cas étudié ici, on montre que $|\Delta\lambda| = \dfrac{2v}{c} \times \lambda_③$ où v est la valeur de la vitesse de E (ou de O) et c est celle de la lumière. Déterminer la valeur de v en prenant $c = 3{,}00 \times 10^8$ m·s⁻¹.

❷ Conclure

Le rayon de Jupiter est de $71{,}5 \times 10^3$ km. À partir de v, déterminer la valeur de la période de rotation de Jupiter et la comparer à celle donnée dans le **document 9**.

Cours

1 Propriétés des ondes sonores

Pour vérifier ses acquis
→ **FICHES A, B et D** page 12

● Lorsqu'un haut-parleur est soumis à une tension périodique convenablement réglée, celui-ci produit un **son**. Sa membrane vibre, ce qui entraîne une vibration de l'air, vibration qui se propage de proche en proche dans toutes les directions offertes par l'air (milieu à trois dimensions) sans transport de matière.

Une **onde sonore ou ultrasonore** est une onde mécanique longitudinale de compression-dilatation à trois dimensions. Lors du passage de la perturbation, chaque point du milieu vibre dans une direction parallèle à celle de la propagation de l'onde, créant une alternance de zone de compression et de dilatation du milieu (ou de « surpression » et de « dépression » pour les gaz comme l'air) **(figure 10)**.

● Dans ce **§ 1**, l'étude est restreinte aux ondes sonores et à trois propriétés : la hauteur, le niveau sonore et le timbre d'un son.

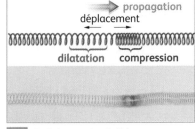

10 *Onde longitudinale le long d'un ressort.*

1.1 Hauteur d'un son

● La **hauteur d'un son** fait référence aux instruments de musique. Selon leur famille, ceux-ci produisent des sons par vibration mécanique d'une corde, d'une anche, d'une membrane, de l'air, etc. Au contraire d'un bruit, un son dit musical, c'est-à-dire émis par un instrument de musique jouant une seule note, a un caractère **périodique** sur une durée plus ou moins grande.

● La hauteur d'un son est la propriété qui donne la sensation que ce son est plus **aigu** ou plus **grave**.

L'analyse du signal délivré par un microphone qui capte ce son montre qu'un changement de note, donc un changement de hauteur, entraîne un changement de fréquence **(document 11)**.

L'oreille humaine est un récepteur sensible à des ondes sonores dont la fréquence est comprise entre environ 20 Hz et 20 kHz, domaine situé entre celui des ondes infrasonores et celui des ondes ultrasonores.

> La hauteur d'un son est mesurée par sa fréquence : un son est grave si sa fréquence est faible, il est aigu si sa fréquence est élevée.
>
> | infrasons | sons audibles par l'Homme | ultrasons |
> |---|---|---|
>
> 20 Hz ————— 20 kHz ————→ f
>
> ←—— de plus en plus graves ——— de plus en plus aigus ——→

Remarque. Les limites du domaine des sons audibles par l'homme dépendent également de la sensibilité d'une personne. Par ailleurs, une exposition prolongée à des sons intenses peut causer des dommages auditifs irréversibles et réduire le domaine audible.

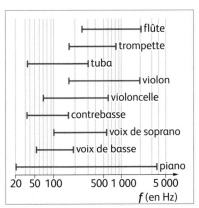

11 *Domaines de fréquence de voix et de certains instruments de musique. Un tuba émet des sons globalement plus graves qu'une flûte.*

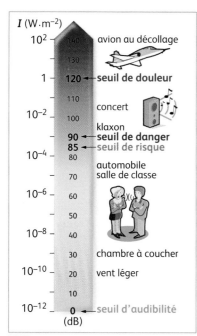

12 *Échelle d'intensité et de niveau sonores.*

1.2 Intensité et niveau sonores

A Intensité sonore

Les ondes sonores sont des ondes mécaniques. Elles transportent de l'**énergie** et le transfert d'une partie de cette énergie à notre système auditif est responsable de l'audition du son.

L'**intensité sonore** I est liée à la puissance P du transfert de l'énergie reçue au voisinage d'un point par un récepteur de surface Σ d'aire S, par la relation :

$$I = \frac{P}{S} \quad \begin{array}{l} P \text{ en watt (W)} \\ S \text{ en m}^2 \\ I \text{ en W·m}^{-2} \end{array}$$

B Niveau d'intensité sonore

La **sensation auditive** dépend de l'intensité sonore. La **figure 12** indique que le domaine d'intensité sonore perceptible par l'oreille humaine s'étend de 10^{-12} W·m^{-2} (seuil d'audibilité à 1 000 Hz) à environ 1 W·m^{-2} (seuil de douleur).

La sensation auditive ne varie pas pour autant dans les mêmes proportions que l'intensité sonore. Si deux sources génèrent chacune en un point un son d'intensité sonore égale à I_1, l'intensité du son résultant double ($I = 2I_1$). En revanche, un auditeur perçoit effectivement une augmentation de l'intensité sonore, mais il n'a pas la sensation que le niveau sonore double.

Point Maths

$$y = \log x \Leftrightarrow x = 10^y$$

Le **niveau d'intensité sonore L** (pour Level en anglais) ou simplement **niveau sonore**, est lié à l'intensité sonore I par la relation :

$$L = 10 \log \frac{I}{I_0} \quad \begin{array}{l} I \text{ en W·m}^{-2} \\ I_0 : \text{intensité sonore de référence,} \\ I_0 = 10^{-12} \text{ W·m}^{-2} \\ L \text{ en décibel (dB)} \end{array}$$

APPLICATION Un sonomètre mesure le niveau sonore $L_1 = 40$ dB. Calculer l'intensité sonore I_1 correspondante, puis calculer le niveau sonore L_2 correspondant à une intensité sonore $I_2 = 1,0 \times 10^{-5}$ W·m^{-2}.

Réponses

• $L_1 = 10 \log \dfrac{I_1}{I_0}$ soit $\dfrac{L_1}{10} = \log \dfrac{I_1}{I_0}$ d'où $10^{\frac{L_1}{10}} = \dfrac{I_1}{I_0}$.

Ainsi : $I_1 = I_0 \times 10^{\frac{L_1}{10}} = 10^{-12} \times 10^{\frac{40}{10}} = 1,0 \times 10^{-8}$ W·m^{-2}.

• $L_2 = 10 \log \dfrac{I_2}{I_1} = 10 \log \left(\dfrac{1,0 \times 10^{-5}}{10^{-12}} \right) = 10 \log (1,0 \times 10^7) = 70$ dB.

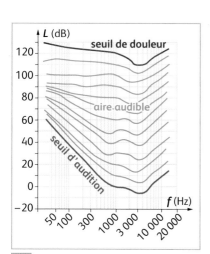

13 *Diagramme de Fletcher donnant les courbes d'égale sensation auditive.*

Remarque. La perception d'un son diffère selon sa fréquence **(figure 13)**. Un son de fréquence 1 000 Hz et de niveau sonore 10 dB peut être perçu comme ayant le même niveau qu'un son de fréquence 40 Hz de niveau sonore 60 dB. Parler plus haut permet donc de mieux se faire entendre. Néanmoins, il ne faut pas confondre fréquence et intensité.

1.3 Timbre d'un son

A Harmoniques et spectre d'un son

● L'enregistrement correspondant au son émis par un **diapason** est celui d'un signal **sinusoïdal**. Ce son est dit **pur**. La plupart des sons, tels que ceux produits en général par les instruments de musique jouant une seule note, ne sont pas purs mais présentent un caractère **périodique**. On parle alors de sons **complexes**.

Le mathématicien Joseph Fourier (1768-1830) a montré qu'un signal $u(t)$ périodique peut être décomposé en une somme de signaux sinusoïdaux $u_n(t)$ appelés **harmoniques**, dont les fréquences sont des multiples de la fréquence de $u(t)$.

● Un son périodique de fréquence f peut être décomposé en une somme de sons purs, appelés **harmoniques**, de fréquences :

$$f_n = nf_1 \quad \left| \begin{array}{l} n : \text{entier non nul} \\ f_n : \text{fréquence de l'harmonique} \\ \text{de rang } n \text{ en hertz (Hz)} \end{array} \right.$$

● Le son de fréquence f_1 est appelé le **fondamental**. Sa fréquence est égale à celle du son : $f_1 = f$.

● L'ensemble formé par le fondamental et ses harmoniques constitue le **spectre d'un son**. L'**analyse spectrale** est directement réalisée par un spectromètre ou par un logiciel spécialisé après un enregistrement.

L'analyse spectrale d'un son indique l'importance relative de chaque harmonique de ce son.

Le spectre d'un son peut prendre la forme d'un diagramme en bâtons **(figures 14)**. Les fréquences des harmoniques sont des multiples de la fréquence du fondamental qui indique la hauteur du son.

B Timbre et harmoniques d'un son

● Une note de hauteur donnée, par exemple celle de fréquence 440 Hz (note appelée La$_3$ en musique), n'est pas perçue de la même manière selon qu'elle est jouée par un diapason ou par un piano. Le timbre d'un son est la propriété liée à cette différence. Il est associé en partie à la **composition spectrale** (présence et importance relative des harmoniques).

● Des notes de même hauteur, jouées par des instruments identiques ou différents, peuvent aussi se distinguer par l'**évolution de l'enveloppe** (courbe qui relie les maxima).

L'étude de l'enveloppe du signal délivré par un microphone captant un son d'instrument met en évidence deux phases. Une première correspond à l'établissement du son, c'est l'**attaque du son**. Après une durée plus ou moins brève, le son s'atténue, c'est l'**extinction du son (figure 15)**.

Deux sons de même hauteur peuvent donner des sensations différentes en raison de leur timbre. Le timbre d'un son est lié à sa composition spectrale (présence, importance et durée des harmoniques) et à son évolution au cours du temps (attaque et extinction du son).

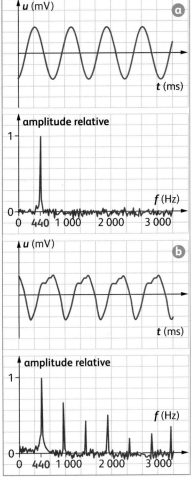

14 *Comparaison des signaux et des spectres associés.*
ⓐ *Signal et spectre d'un son pur (diapason).*
ⓑ *Signal et spectre d'un son complexe (guitare) jouant une même note de même hauteur.*

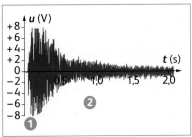

15 *Enregistrement d'une note de piano. On y distingue les phases d'attaque* ❶ *et d'extinction* ❷.

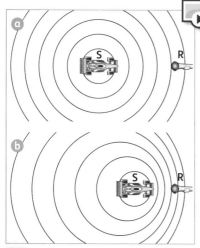

16 *Schéma simplifié en 2D d'une onde sonore.*

a *La source S est immobile.*

b *S s'approche de R.*

2 Effet Doppler

2.1 Description

● Une illustration de l'**effet Doppler** est donnée par le passage d'une voiture devant le microphone d'une caméra qui filme la course. À l'approche du véhicule, le son est plus aigu que lorsqu'il s'éloigne.

> L'effet Doppler correspond à un décalage $\Delta f = f_R - f_S$ non nul entre la fréquence f_R du signal reçu par un récepteur R, et la fréquence f_S du signal émis par la source S, lorsque R et S sont en mouvement l'un par rapport à l'autre.

● Lorsque la source S produit une onde sonore périodique, une succession de **zones de compression du milieu** (l'air par exemple) se propage à une vitesse v_{son} dans toutes les directions offertes par le milieu.

Si la source S est immobile, les zones de compression passent périodiquement en R à une fréquence identique à la fréquence de celles produites au niveau de la source **(figure 16 a)**.

Le déplacement de S vers R à la vitesse v_S (avec $v_S < v_{son}$) provoque un rapprochement des zones de compression successives (diminution de la longueur d'onde) entre S et R **(figure 16 b)**. Ceci entraîne en R une diminution de la durée de passage entre deux zones de compression consécutives. R capte chaque zone de compression plus fréquemment.

Un raisonnement similaire peut être mené dans d'autres situations (R qui s'éloigne de S immobile, etc.) et conduit aux résultats suivants.

> - Si R et S se rapprochent, $f_R > f_S$ ($\Delta f = f_R - f_S$ est positif).
> - Si R et S s'éloignent, $f_R < f_S$ ($\Delta f = f_R - f_S$ est négatif).
> - Si R et S sont immobiles, $f_R = f_S$ ($\Delta f = 0$: pas d'effet Doppler).

2.2 Applications

L'effet Doppler s'applique à toutes les ondes dans tous les milieux. Les expressions de Δf sont différentes selon les situations rencontrées (récepteurs et sources se rapprochant ou s'éloignant, dans la même direction ou dans des directions différentes). Mais dans tous les cas, le décalage Doppler Δf de fréquence dépend de la vitesse de la source ou du récepteur, ainsi que de la célérité de l'onde.

Exemples

● Dans le domaine des ondes ultrasonores, l'examen Doppler par échographie permet, par exemple, de mesurer la vitesse d'écoulement sanguin.

● Les radars autoroutiers utilisent, quant à eux, l'effet Doppler appliqué aux ondes électromagnétiques pour déterminer la vitesse des véhicules.

● Dans le cas d'une source lumineuse en mouvement, le décalage Δf se traduit par un déplacement des raies dans le spectre de la lumière, par rapport au spectre de la même source immobile. Appliqué à l'astrophysique, l'effet Doppler permet de mesurer les vitesses d'étoiles lointaines ou de galaxies.

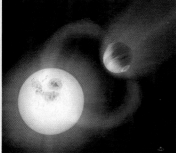

À quoi ça sert ?

L'effet Doppler en astrophysique

L'analyse spectrale de la lumière d'une étoile permet de déterminer la présence de certaines exoplanètes, surnommées Jupiter chauds ou Pégasides. En effet, celles-ci entraînent un léger mouvement de révolution de l'étoile et donc un décalage Doppler périodique des raies d'absorption dans le spectre de la lumière de l'étoile.

L'ESSENTIEL

→ Hauteur d'un son

• La **hauteur** d'un son est mesurée par sa fréquence : un son est grave si sa fréquence est faible, il est aigu si sa fréquence est élevée.

→ Timbre d'un son

• Deux sons de même hauteur peuvent donner des sensations auditives différentes en raison de leur **timbre**.

• Un son **complexe périodique**, de fréquence f peut être décomposé en une somme de sons purs sinusoïdaux appelés **harmoniques** dont les fréquences respectent la relation :

$$f_n = nf_1 \quad \begin{array}{l} n : \text{entier non nul} \\ f_1 \text{ et } f_n \text{ en Hz} \end{array}$$

Le son de fréquence f_1 est appelé le fondamental. Sa fréquence est égale à celle du son :

$$f_1 = f$$

• L'ensemble formé par le fondamental et ses harmoniques constitue le **spectre d'un son**. L'**analyse spectrale** indique l'importance relative de chaque harmonique de ce son.

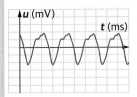

Signal de fréquence f. *Spectre.*

• Le timbre d'un son est lié à sa **composition spectrale** (présence, importance et durée des harmoniques) et à son **évolution au cours du temps** (attaque et extinction du son).

→ Intensité et niveau sonores

• L'**intensité sonore I** est liée à la puissance P du transfert de l'énergie reçue au voisinage d'un point par un récepteur de surface d'aire S, par la relation :

$$I = \frac{P}{S} \quad \begin{array}{l} P \text{ en watt (W)} \\ S \text{ en m}^2 \\ I \text{ en W·m}^{-2} \end{array}$$

• Le niveau d'intensité sonore L (ou simplement niveau sonore) est lié à l'intensité sonore I par la relation :

$$L = 10 \log \frac{I}{I_0} \quad \begin{array}{l} I \text{ en W·m}^{-2} \\ I_0 : \text{intensité sonore de référence} \\ I_0 = 10^{-12} \text{ W·m}^{-2} \\ L \text{ en décibel (dB)} \end{array}$$

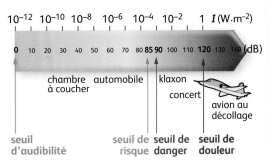

→ Effet Doppler

• L'effet Doppler correspond à un décalage :

$$\Delta f = f_R - f_S$$

non nul entre la fréquence f_R du signal reçu par un récepteur R, et la fréquence f_S du signal émis par la source S, lorsque R et S sont en mouvement l'un par rapport à l'autre :

– Si R et S se rapprochent, $\Delta f > 0$ et $f_R > f_S$;

– Si R et S s'éloignent, $\Delta f < 0$ et $f_R < f_S$;

– Si les R et S sont au repos, $f_R = f_S$ et $\Delta f = 0$ (pas d'effet Doppler).

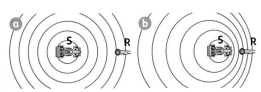

Schéma simplifié en 2D d'une onde sonore.

ⓐ *La source S est immobile.* ⓑ *S s'approche de R.*

MANUEL NUMÉRIQUE EXERCICES INTERACTIFS

1 Mots manquants

Compléter avec un ou plusieurs mots.

a. La hauteur d'un son est mesurée par sa ....

b. L'oreille humaine est sensible à des ondes sonores dont la fréquence est comprise entre environ .... et ....

c. Plus la fréquence d'un son est ...., plus il est aigu.

d. Deux sons de même hauteur et de même intensité peuvent donner des sensations auditives différentes en raison de leur ....

e. L'intensité sonore se mesure en .... et le niveau d'intensité sonore en ....

f. Un son complexe de fréquence $f = 220$ Hz est la superposition de sons .... ou sinusoïdaux de fréquences : $f_1 = ...$, $f_2 = ...$, $f_3 = ...$, etc. Le son de fréquence f_1 est appelé .... Les autres s'appellent des ....

g. Le timbre d'un son est lié à sa composition .... et à son évolution au cours du temps, c'est-à-dire à la présence, à l'importance et à la durée de chacun de ses ....

h. L'effet .... est la variation apparente de la fréquence d'une onde lorsque l'émetteur et le récepteur sont en .... relatif.

2 QCM

Cocher la réponse exacte.

a. Une onde sonore est une onde :
☐ longitudinale ☐ transversale
☐ de même nature que la lumière

b. La hauteur d'un son indique :
☐ son intensité sonore ☐ son timbre
☐ son caractère grave ou aigu

c. Si l'intensité sonore est de $1{,}0 \times 10^{-9}$ W·m⁻², le niveau d'intensité sonore est de :
☐ 30 dB ☐ 60 dB ☐ 90 dB

d. Si le niveau d'intensité sonore est de 50 dB, l'intensité sonore est de :
☐ $1{,}0 \times 10^{-12}$ W·m⁻²
☐ $1{,}0 \times 10^{-7}$ W·m⁻²
☐ $1{,}0 \times 10^{-5}$ W·m⁻²

e. Deux instruments identiques produisent chacun en un point un son de même intensité. Le niveau sonore global :
☐ double par rapport à celui d'un seul instrument
☐ croît de 3 dB par rapport à celui d'un seul instrument
☐ dépend de la hauteur des deux sons

f. Le spectre d'un son est la représentation de :
☐ l'amplitude relative en fonction du temps
☐ l'intensité sonore en fonction du temps
☐ l'amplitude relative en fonction de la fréquence

→ **Solutions détaillées en fin de manuel pour vérifier vos réponses et comprendre vos erreurs.**

Parcours en autonomie

Trois parcours d'exercices pour travailler en autonomie selon ses besoins.

Maîtriser les bases — 4 — 7 — 9 — **10**

Préparer l'évaluation — **14** **16** **17** **23**

Approfondir — **25** **26**

Pour tous les exercices de ce chapitre
• L'intensité sonore de référence est :
$$I_0 = 10^{-12} \text{ W·m}^{-2}.$$

COMPÉTENCES EXIGIBLES

3 Connaître les limites du domaine audible

Les éléphants communiquent à des dizaines de kilomètres en utilisant des ondes infrasonores.
Ces ondes sont-elles audibles par l'homme ?

4 Définir la hauteur d'un son

Quatre sons sont enregistrés. Les oscillogrammes ci-dessous sont obtenus avec les mêmes réglages de sensibilités horizontales et verticales.

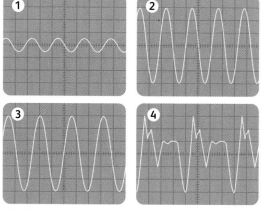

a. Quels oscillogrammes correspondent à des sons ayant la même hauteur ?

b. Les sons correspondant aux autres oscillogrammes sont-ils plus graves ou plus aigus ?

5 Exploiter une relation

Calculer le niveau sonore indiqué par un sonomètre captant les sons d'intensité sonore suivants :

a. $I_1 = 8{,}5 \times 10^{-8}$ W·m⁻² (pluie).

b. $I_2 = 1{,}4 \times 10^{-4}$ W·m⁻² (salle de restauration).

c. $I_3 = 5{,}5 \times 10^{-2}$ W·m⁻² (tondeuse à gazon).

6 **Déterminer une intensité sonore**

Déterminer la valeur de l'intensité sonore d'un son dont le niveau atteint 140 dB à proximité d'une piste d'aéroport au moment du décollage d'un avion.

7 **Relier le timbre d'un son à un oscillogramme**

Les oscillogrammes ci-dessous correspondent au son émis par un violon et un diapason. Les instruments ont des timbres différents.

a. Comment cela se traduit-il sur les oscillogrammes ?

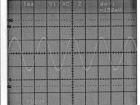

b. Représenter le spectre du son émis par le diapason.

8 **Comprendre le rôle du timbre d'un son**

L'enregistrement ⓐ correspond à neuf notes jouées consécutivement au piano.

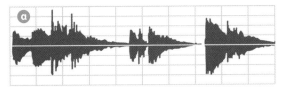

Un logiciel permet de retourner chacune des notes (l'enchaînement des notes reste le même), ce qui donne l'enregistrement ⓑ.

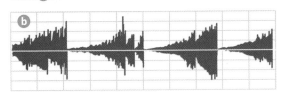

Le son correspondant à ce second enregistrement rappelle davantage un accordéon qu'un piano.
Comment expliquer cette différence de timbre ?

Cet enregistrement peut être écouté sur le site http://hal.archives-ouvertes.fr/docs/00/00/30/20/HTML/m_sons/etude5/ac_etud5.htm

9 **Connaître l'effet Doppler**

Le conducteur d'un véhicule active son klaxon.
a. Perçoit-il le son du klaxon de la même manière qu'un piéton à l'arrêt si le véhicule stationne à un feu rouge ?
b. Même question dans le cas où le véhicule s'éloigne du piéton. Si non, expliquer la différence de hauteur et préciser si le son est plus aigu pour le conducteur ou pour le piéton.

COMPÉTENCES GÉNÉRALES

10 **Effectuer un calcul**

L'intensité sonore I, en $W \cdot m^{-2}$, et le niveau d'intensité sonore L, en dB, sont liés par la relation : $L = 10 \log \dfrac{I}{I_0}$.

Données : $y = \log x \Leftrightarrow x = 10^y$.

a. Déterminer l'expression de I en fonction de L.
b. Calculer la valeur de l'intensité sonore pour les valeurs de $L = 0$ dB (silence) et $L = 110$ dB (marteau-piqueur).
c. Donner un argument expliquant l'intérêt d'utiliser le niveau d'intensité sonore plutôt que l'intensité sonore.

11 **Extraire et exploiter des informations**

L'oscillogramme du son émis par une guitare est donné sur la figure ci-contre.
a. Le son est-il pur ou complexe ?
b. La guitare est-elle accordée sur l'une des notes ci-dessous ?

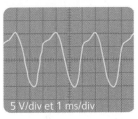

5 V/div et 1 ms/div

Note	Mi₃	La₃	Ré₄	Sol₄	Mi₅
Fréquence (Hz)	330	440	587	784	1 318

12 **Extraire et exploiter des informations**

Le spectre d'un son est donné sur la figure ci-contre.
a. Le son est-il pur ou complexe ?
b. Quelle note donnée dans le tableau ci-dessous peut-on attribuer à ce son ?

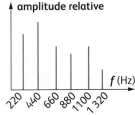

Note	La₂	Mi₃	La₃	Mi₄	La₄
Fréquence (Hz)	220	330	440	660	880

13 **Effectuer et justifier un calcul**

Installé sur les courts de tennis, un pistolet radar détermine la vitesse v de la balle au service. Pointé sur la ligne centrale, il est activé lorsqu'un joueur se prépare à servir.
Il envoie une onde de fréquence $f = 34,7$ GHz qui est réfléchie par la balle lorsque celle-ci est à un mètre de la raquette. La fréquence f' de l'onde réfléchie diffère de celle de l'onde incidente tel que : $f' = f + \Delta f$. Si la direction de propagation de l'onde radar est confondue avec celle de la balle, alors :

$$\Delta f = -\dfrac{2v}{c} f$$

où $c = 3,00 \times 10^8$ m·s⁻¹ et $v \ll c$.

a. Comment expliquer ce décalage de fréquence ?
b. Quelle est la vitesse de la balle en km·h⁻¹ si le décalage de fréquence est de $-13,0$ kHz ?
c. Pourquoi Δf est-il négatif ?

EXERCICE RÉSOLU

Site élève

14 Accorder une guitare

Énoncé Pour accorder son instrument, le guitariste utilise un diapason qui émet un son pur. Un dispositif d'acquisition a permis d'obtenir les enregistrements ci-dessous du diapason et de la guitare jouant seuls.

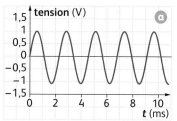

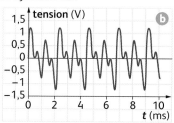

❶ Attribuer chaque courbe à son instrument en justifiant.

❷ Déterminer la fréquence du fondamental du son émis par la guitare.

❸ Quelle propriété du son est associée à cette fréquence ?

❹ La guitare et le diapason sont-ils accordés ?

❺ L'analyse spectrale du son de la guitare fournit la figure ⓒ ci-contre.
À quoi correspondent les différents pics ? Quelle propriété du son associe-t-on à leur présence et à leur amplitude relative ?

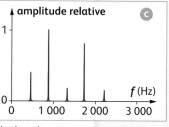

❻ Représenter le spectre du son émis par le diapason.

❼ Le guitariste produit un son qui atteint une intensité sonore I en un point M, situé à quelques mètres de la scène. Un deuxième guitariste produit un son de même intensité, également en M.
Déterminer la valeur du niveau d'intensité sonore que mesurerait un sonomètre au point M, sachant que $I = 1{,}0 \times 10^{-5}$ W.m^{-2}.

Une solution

❶ Le son produit par un diapason étant pur, le signal est sinusoïdal. La figure ⓐ correspond donc au son produit par un diapason et la figure ⓑ à celui émis par la guitare.

❷ D'après l'enregistrement de la figure ⓑ : $3T = 6{,}8$ ms soit $T = \dfrac{6{,}8}{3}$ ms.
$$f = \frac{1}{T} = \frac{3}{(6{,}8 \times 10^{-3})} = 4{,}4 \times 10^{2} \text{ Hz.}$$

❸ La fréquence du fondamental est associée à la hauteur du son.

❹ La période du diapason est donnée par $3{,}5\,T' = 8{,}0 \times 10^{-3}$ s, donc la fréquence est $f' = \dfrac{1}{T'} = \dfrac{3{,}5}{(8{,}0 \times 10^{-3})} = 4{,}4 \times 10^{2}$ Hz.
La guitare et le diapason sont accordés car ils ont la même hauteur (signaux de même fréquence).

❺ Les pics correspondent aux harmoniques. Leur présence et leur amplitude relative caractérisent le timbre du son.

❻ Le diapason émet un son pur, sans harmonique. Le spectre du diapason ne comprend que le pic relatif au fondamental (figure ⓓ).

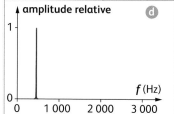

❼ Au point M, l'intensité du son est $I' = 2\,I$. Le niveau d'intensité sonore est donc :
$$L = 10 \log \frac{I'}{I_0} = 10 \log \frac{2I}{I_0}. \quad \text{A.N.:} \quad L = 10 \log \left(\frac{2 \times 1{,}0 \times 10^{-5}}{1{,}0 \times 10^{-12}} \right) = 73 \text{ dB.}$$

Raisonner
Mesurer la durée de plusieurs « motifs » élémentaires pour déterminer la période et la fréquence avec davantage de précision. Le résultat final est à écrire avec un nombre correct de chiffres significatifs.

Schématiser
Représenter le spectre d'un son sous forme de diagramme en bâtons. Le fondamental a la fréquence du son.

Raisonner
Les intensités sonores s'ajoutent, pas les niveaux d'intensité sonore.

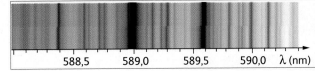

Les **raies spectrales** nous permettent d'obtenir des informations sur la composition du milieu traversé par le rayonnement. Ainsi, le spectre de la lumière solaire met en évidence deux raies d'absorption appelées «doublet du sodium» dues à la présence de l'élément sodium dans l'atmosphère du soleil.

Spectre de la lumière issue du Soleil.

Le document ci-contre juxtapose les spectres de la lumière issue du centre du Soleil pour le haut du spectre, de l'un des bords du Soleil pour le bas du spectre. Le décalage entre les raies nous indique un mouvement de rotation du Soleil. La lumière provenant du centre (qui est sans vitesse suivant l'axe de visée) ne subit pas de décalage dû à l'effet Doppler, ce qui n'est pas le cas de celle provenant du bord, qui s'éloigne de nous à la vitesse *v*.

Le décalage $\Delta\lambda$, subit par une longueur d'onde λ, suit la relation :

$$\frac{\Delta\lambda}{\lambda} = \frac{v}{c}$$

où *c* est la célérité de la lumière dans le vide.

a. Exprimer la longueur d'onde λ d'une radiation issue du centre du disque solaire (vitesse nulle suivant la direction de visée) en fonction de la célérité *c* de l'onde et de la période *T* de vibration de la source.

b. Si la source s'éloigne dans la direction de visée à la vitesse *v*, quelle distance aura-t-elle parcourue pendant *T*?
Quelle sera donc, en fonction de *c*, *v* et *T*, l'expression de la longueur d'onde λ' de la radiation perçue par l'observateur?

Conseils Penser à la définition de la longueur d'onde comme étant la distance parcourue par l'onde pendant une période de la source.
Appliquer cette définition à la radiation perçue par l'observateur, en tenant compte du déplacement de la source.

c. Retrouver la relation de l'énoncé.

d. Le Soleil effectue une rotation équatoriale en $\Delta t = 25$ jours. Sachant que le diamètre du Soleil est $D = 1,4 \times 10^6$ km, déduire le décalage $\Delta\lambda$ subit par une des raies du sodium de longueur d'onde 589,0 nm.

---

16 Apprendre à rédiger

Voici l'énoncé d'un exercice et un guide (en bleu) ; ce guide vous aide à rédiger la solution détaillée et à retrouver les réponses aux questions posées.

Un musicien dispose d'un diapason émetteur d'un son pur de fréquence 440 Hz et d'une guitare accordée selon les indications ci-dessous.

Corde	1	2	3	4	5	6
Fréquence (Hz)	82,5	110	147	196	247	330
Note	Mi «grave»	La	Ré	Sol	Si	Mi «aigu»

Les spectres, représentés ci-contre, sont ceux des sons émis par ces trois émetteurs : son 1 (diapason), son 2 (corde 2 à vide) et son 3 (corde 6 de longueur réduite par appui sur la corde).

a. Attribuer à chaque son le spectre correspondant.

▶ Donner, sans aucune ambiguïté, la justification du choix en se référant à des éléments précis du cours (fréquence, fondamental, harmoniques, sons purs…).

b. Les trois sons correspondent à des La, mais sont néanmoins différents. Quelle propriété distingue les sons 1 et 3 ? Quelles propriétés distinguent les sons 2 et 3 ? Justifier la réponse.

▶ Relever les différences (fréquence du fondamental, présence et importance des harmoniques) entre les spectres puis faire le lien avec la hauteur et le timbre du son.

c. Des sons 2 et 3, quel son est le plus grave ?

▶ Rappeler la condition selon laquelle un son donne la sensation qu'il est plus grave qu'un autre puis identifier lequel des deux sons est le plus grave.

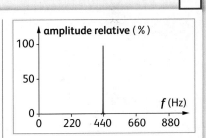

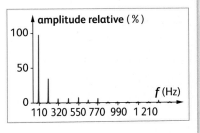

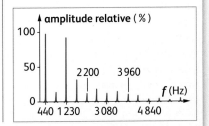

17 Concert et niveau sonore

Compétence générale *Effectuer un calcul*

Un «concert» est donné avec deux violons. Placé à 5 m des musiciens, on mesure, à l'aide d'un sonomètre, le niveau sonore produit séparément par chacun des deux instruments précédents.
Les mesures donnent :
$L_1 = 70$ dB et $L_2 = 76$ dB.

a. Déterminer les intensités sonores I_1 et I_2 émises respectivement par chacun des instruments à la distance $d = 5$ m.

b. Quelle est l'indication du sonomètre, placé à la distance $d = 5$ m des musiciens jouant simultanément ?

c. Combien de violons, produisant chacun en un point un son de niveau sonore 70 dB, faudrait-il pour que le niveau sonore résultant en ce point soit de 90 dB ?

18 Trompette et guitare

Compétences générales *Extraire et exploiter des informations*

Un trompettiste et un guitariste jouent alternativement la note La$_2$ (fréquence 220 Hz) avec leur instrument. Un auditeur enregistre séparément les deux instruments.

a. Les spectres des signaux seront-ils identiques ? Pourquoi ?

b. Donner un point commun et une différence que l'auditeur doit observer sur les oscillogrammes correspondant à chacun des deux instruments ?

c. Le spectre ci-dessous correspond à celui d'une note jouée à la trompette.
Pourquoi peut-on dire que ce n'est pas un La$_2$?
La note jouée est-elle plus aiguë ou plus grave qu'un La$_2$?

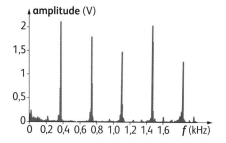

19 Quatuor d'instruments

Compétence générale *Restituer ses connaissances*

Quatre instruments différents sont placés devant un microphone relié à un ordinateur. On réalise une acquisition des sons émis par ces instruments (figures **a** à **d**).
Un son possède des propriétés physiologiques : intensité, hauteur, timbre. L'étude des courbes obtenues lors des acquisitions permet de retrouver certaines de ces propriétés.

a. Deux des sons étudiés correspondent à la même note. Quelle est alors leur propriété physiologique commune ? Nommer la grandeur physique associée.

b. Identifier les figures correspondant aux deux sons jouant cette même note.
Quelle est la propriété physiologique qui les différencie ?

c. Pour le son **b**, déterminer la fréquence du fondamental qui serait présent dans le spectre correspondant, et donner les fréquences des quatre harmoniques suivants.

d. Quelle différence présenterait le spectre d'un son de même hauteur mais issu de l'un des trois autres instruments ?

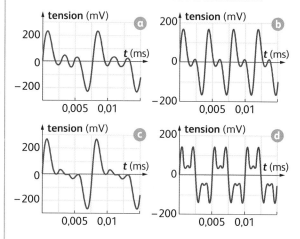

20 Science in English

In 1842, Christian Doppler pointed out that the observed wavelength of light is affected by the motion between the emitting source and the observer. We've all witnessed the acoustic corollary. An ambulance siren sounds at a higher pitched as it approaches us, then the pitch sounds lower as it speeds past us. In the same way, an approaching light source is seen as blueshifted as it approaches, and is redshifted when it moves away.
The equation quantifying this effect when the velocity v is not too relativistic (less than 10 % of light speed) is :

$$\frac{\Delta\lambda}{\lambda} = \frac{v}{c}$$

D'après le site :
http://www.asterism.org/tutorials/tut29-1.htm

Au laboratoire, la raie alpha de l'hydrogène (H$_\alpha$) correspond à une longueur d'onde $\lambda = 656{,}285$ nm. Dans le spectre d'une étoile, un astronome amateur détermine, pour cette raie, la valeur $\lambda' = 656{,}315$ nm. Il en conclut qu'il est en présence d'un «redshift».

a. Cet astronome a-t-il raison ou est-ce un «blueshift» ?

b. Compte tenu de l'article, que peut-il en déduire concernant le sens du mouvement de l'étoile par rapport à l'observateur ?

c. En utilisant la relation donnée dans l'article, calculer la valeur v de la vitesse de l'étoile par rapport à la Terre, suivant la direction de visée Terre-étoile.

21 Diagramme de Fletcher

Compétences générales *Extraire et exploiter des informations*

La sensibilité de l'oreille humaine varie avec la hauteur des sons. Le diagramme de Fletcher ci-dessous en rend compte. Les courbes sont des courbes d'égale sensation auditive.

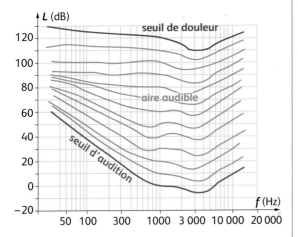

a. À $f = 1\,000$ Hz, quelle est la valeur de l'intensité I_{min} du son correspondant au seuil d'audition ?
Quelle est celle de l'intensité I_{max} correspondant au seuil de douleur ?

b. Un son de niveau sonore 30 dB est-il audible si sa fréquence est $f_1 = 100$ Hz ?
Et pour $f_2 = 500$ Hz ?

c. On considère un son de fréquence 500 Hz et de niveau sonore 40 dB.
Quel est le niveau sonore d'un son de fréquence 100 Hz donnant la même sensibilité auditive ?

d. Combien faut-il de machines, produisant un son de niveau sonore 40 dB à 500 Hz pour atteindre le seuil de douleur ?

e. À la télévision, les publicités nous paraissent souvent plus sonores que les films. Le niveau d'intensité sonore est pourtant réglementé. Certaines publicités jouent sur la sensibilité de l'oreille afin de paraître plus sonores, tout en respectant les normes en décibels.
En utilisant le diagramme de Fletcher, expliquer comment une publicité peut paraitre plus sonore tout en respectant la législation ?

22 Radar

Compétence générale *Effectuer un raisonnement scientifique*

Un radar fixe automatisé détermine la vitesse v d'un véhicule grâce à l'effet Doppler et prend une photographie du véhicule s'il est en infraction.
Le dispositif utilise une antenne qui émet une onde électromagnétique de fréquence $f = 34,0$ GHz. Celle-ci se propage avec une célérité c en direction du véhicule qui la réfléchit. Par effet Doppler, la fréquence de l'onde réfléchie diffère de celle de l'onde incidente.

En notant α l'angle entre la direction de la route et celle de la visée, l'écart de fréquence est donné par la relation :

$$|\Delta f| = \frac{2v\cos\alpha}{c}f$$

La valeur de α est ajustée lors de l'installation. Elle doit être de 25° pour un fonctionnement correct du radar.

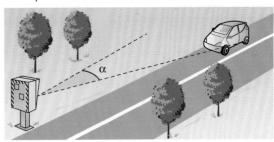

a. Un véhicule passe devant le radar à 98 km·h⁻¹, alors que la vitesse est limitée à 90 km·h⁻¹.
Calculer Δf pour les deux vitesses données.

b. Un radar identique a été mis en place sur une route voisine pour effectuer le même contrôle de vitesse. Lors de l'installation, la valeur de l'angle α n'a pas été respectée : 9,0° au lieu de 25°.
En quoi cela pose-t-il un problème ?

23 ★ Décalage Doppler en fréquence

Compétence générale *Effectuer un calcul*

Un émetteur E et un récepteur R se déplacent sur une droite. Trois référentiels sont à considérer :
– le référentiel 1 du milieu dans lequel se propage l'onde (par exemple l'atmosphère pour une onde sonore) ;
– le référentiel 2 lié à E ;
– le référentiel 3 lié à R.

Si f_E est la fréquence de l'onde émise dans le référentiel 2, alors on montre que le récepteur capte une onde de fréquence f_R dans le référentiel 3 qui suit la relation générale :

$$f_R = \frac{v - v_R}{v - v_E}f_E$$

Dans cette relation, v est la célérité de l'onde, v_E est la vitesse de E et v_R la vitesse du récepteur R, évaluées toutes trois par rapport au référentiel 1. v_E (ou v_R) est comptée comme positive si E (ou R) se déplace dans le sens de propagation de l'onde (de l'émetteur vers le récepteur).

Données
– Aux températures usuelles, une onde sonore se propage dans l'air à une vitesse proche de $v = 340$ m·s⁻¹.
– Dans la gamme tempérée, l'écart d'un demi-ton entre deux notes (entre le Si et le Do par exemple) correspond à une variation relative de fréquence d'environ 6 %.

a. Calculer une valeur approchée de la fréquence du son perçu par un autostoppeur stationnant au bord de la route lorsqu'une voiture active son klaxon ($f_E = 400$ Hz) en s'approchant de lui à la vitesse de 90,0 km·h⁻¹.

b. Que devient cette fréquence lorsque la voiture s'éloigne à la même vitesse ?

c. La différence est-elle perceptible ?

➔ L'objectif de cet exercice est de comparer le comportement acoustique des bouchons en mousse et des bouchons moulés, lorsque l'auditeur qui les porte écoute le son émis par une flûte à bec.

Les bouchons d'oreilles

Nos oreilles sont fragiles. Une trop grande intensité sonore peut les endommager de façon irréversible. Pour prévenir ce risque, il existe des protections auditives de natures différentes selon leur type d'utilisation. On peut distinguer, par exemple, deux catégories de bouchons d'oreilles :
– les bouchons en mousse, à usage domestique. Ce sont les plus courants. Ils sont généralement jetables, de faible coût

et permettent de s'isoler du bruit. Ils restituent un son sourd et fortement atténué ;
– les bouchons moulés en silicone, utilisés par les musiciens. Ils sont fabriqués sur mesure et nécessitent la prise d'empreinte du conduit auditif. Ils sont lavables à l'eau et se conservent plusieurs années. Ils conservent la qualité du son. Leur prix est relativement élevé.

D'après BAC, septembre 2009.

1. Un musicien joue la note La$_4$. À l'aide d'un système d'acquisition, on enregistre le son émis par la flûte. On obtient l'enregistrement du signal électrique (figure ⓐ).

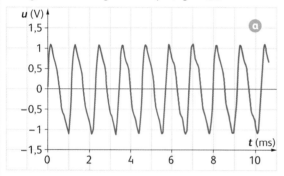

a. En utilisant l'enregistrement ⓐ, on a déterminé la fréquence du son émis : $f = 8,8 \times 10^2$ Hz.
Expliquer la démarche suivie pour obtenir cette valeur avec la plus grande précision possible.

b. Cette fréquence étant celle du fondamental, quelles sont les fréquences des harmoniques de rangs 2 et 3 ?

2. Sur un document publicitaire, un fabricant fournit les courbes d'atténuation correspondant aux deux types de bouchons (figure ⓑ). On représente ainsi la diminution du niveau sonore due au bouchon en fonction de la fréquence de l'onde qui le traverse. On remarquera que plus l'atténuation est grande plus l'intensité sonore est faible.

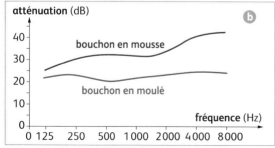

a. Une pratique musicale régulière d'instruments tels que la batterie ou la guitare électrique nécessite une atténuation du niveau sonore. Cependant, cette atténuation ne doit pas être trop importante afin que le musicien entende suffisamment ; elle ne doit donc pas dépasser 25 dB. Indiquer, pour chaque bouchon, si le critère précédent a été respecté.

b. En utilisant la courbe d'atténuation (figure ⓑ), indiquer si un bouchon en mousse atténue davantage les sons aigus ou les sons graves.
Commenter la phrase du texte introductif : « ils (les bouchons en mousse) restituent un son sourd ».

3. Un dispositif adapté permet d'enregistrer le son émis par la flûte et ceux restitués par les deux types de bouchons lorsqu'un musicien joue la note La$_4$. Les spectres en fréquence de ces sons sont représentés figures ⓒ, ⓓ et ⓔ.

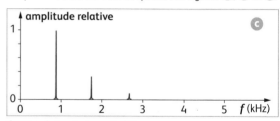

Spectre du La$_4$ émis par la flûte.

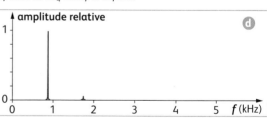

Spectre du La$_4$ restitué après passage par un bouchon en mousse.

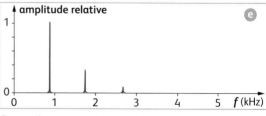

Spectre du La$_4$ restitué après passage par un bouchon moulé en silicone.

a. En justifiant, indiquer si le port de bouchon en mousse modifie la hauteur du son ? le timbre du son ?
Mêmes questions pour le bouchon moulé en silicone.

b. Commenter la phrase du texte introductif : « ils (les bouchons moulés) conservent la qualité du son ».

Synthèse Exercices

25 **Apprendre à chercher**

La résolution de cet exercice nécessite de trouver les étapes du raisonnement.
→ Une aide est disponible en fin de manuel.

Énoncé

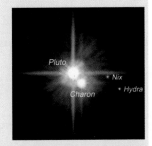

Deux raies d'absorption du calcium (notées K et H) ont été identifiées dans le spectre de la lumière issue de la galaxie Hydra. Leurs longueurs d'onde, lorsque la source de lumière est au repos, sont égales à 393,37 nm et 396,85 nm.

Le spectre de la lumière issue de la galaxie est donné ci-dessous. Il est entouré d'un spectre de référence dont les raies d'émission a, b, et g ont respectivement les longueurs d'ondes : 388,87 nm, 396,47 nm et 501,57 nm.

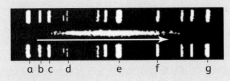

On observe que les deux raies d'absorption sont décalées vers les grandes longueurs d'onde en raison de l'expansion de l'univers (fuite des galaxies). Le décalage est matérialisé par la flèche blanche.

→ *En supposant que ce décalage n'est dû qu'à l'effet Doppler-Fizeau, déterminer la longueur d'onde de la raie K dans le spectre et en déduire la vitesse de la galaxie.*

Donnée : le décalage Doppler-Fizeau en longueur d'onde est donné par la relation : $\dfrac{\Delta\lambda}{\lambda} = \dfrac{v}{c}$.

---

26 ★ **Flûte traversière et synthétiseur**

Compétences générales *Extraire des informations – Effectuer un raisonnement scientifique*

Un élève de terminale se passionne pour la flûte traversière. Il décide d'étudier une note produite par son instrument de musique puis, curieux, il se demande pourquoi une même note produit par sa flûte traversière ou par son synthétiseur ne donne pas le même son.

1. Étude d'un son produit par une flûte traversière

À l'aide d'un dispositif d'acquisition, l'élève effectue un enregistrement de tension électrique $u_1(t)$ aux bornes d'un microphone placé devant la flûte traversière. Il obtient également l'analyse spectrale de la note produite (figures ⓐ et ⓑ).

a. À l'aide de la figure ⓐ, déterminer la valeur de la période T_1, et celle de la fréquence f_1 du fondamental.
Estimer l'incertitude sur T_1, et en déduire l'incertitude sur la valeur de f_1.

Donnée : si $x = \dfrac{1}{y}$, les incertitudes relatives de x et de y sont égales, soit :
$$\frac{\Delta x}{x} = \frac{\Delta y}{y}.$$

b. À l'aide de la figure ⓑ :
– Donner un encadrement de la fréquence du fondamental. La valeur trouvée question **1.a.** est-elle cohérente avec cet encadrement ?
– Déterminer les valeurs approchées des fréquences f_2 et f_3 des deux premiers harmoniques.

c. Écrire les relations théoriques existant entre f_2 et f_1 d'une part, f_3 et f_1 d'autre part. Vérifier la compatibilité avec les réponses précédentes.

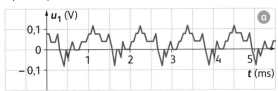

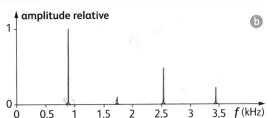

2. Des sons différents pour une même note

L'élève enregistre maintenant, en utilisant le même mode d'acquisition, la tension $u_2(t)$ pour un son émis par son synthétiseur lorsqu'il joue la même note de musique que celle étudiée précédemment avec sa flûte.

Il obtient les enregistrements des figures ⓒ et ⓓ.

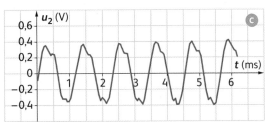

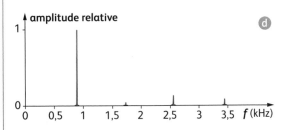

a. Quelle grandeur est commune dans les deux cas ?
b. Qu'est-ce qui permet de distinguer ces deux sons ?

27 ✴ Rotation du noyau d'une galaxie

Compétences générales *Extraire des informations – Effectuer un raisonnement scientifique*

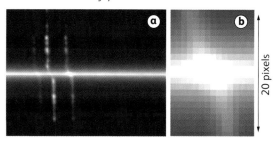

Le document **ⓐ** représente une partie du spectre de raies d'émission de la lumière émise par la galaxie NGC7083. La fente du spectroscope utilisé est dans le plan équatorial de la galaxie.

Le document **ⓑ** est un agrandissement de la zone située au voisinage du centre d'une raie. On y distingue clairement les pixels, mais surtout, contrairement au spectre d'émission habituel comme celui d'une lampe à vapeur d'hydrogène, les raies sont inclinées. Ceci est dû au fait que le noyau de la galaxie est en mouvement de rotation.

En effet, certains des points de la galaxie, comme *O* sur la figure **ⓒ**, s'approchent de la Terre pendant que d'autres, tels que *E*, s'en éloignent. Le point *S* n'a lui aucun mouvement suivant la direction de visée. Du fait de l'effet Doppler-Fizeau, les parties des raies d'émission correspondant à *O* se décalent dans un sens tandis que celles correspondant à *E* se décalent dans l'autre sens. Il s'ensuit une inclinaison des raies dans leur ensemble.

Sur les documents **ⓐ** et **ⓑ**, la longueur d'onde augmente de gauche à droite et l'échelle horizontale est de 0,099 nm par pixel. La valeur de la longueur d'onde au centre de la raie observée là où le décalage est nul sur le document **ⓐ** est de λ = 658,4 nm.

a. Dans la situation de la figure **ⓒ**, la partie supérieure du spectre du document **ⓑ** correspond-elle à la lumière émise par *O*, *S* ou *E* ? Même question pour la partie centrale.

b. Déterminer la valeur de la longueur d'onde λ' de la raie en bordure supérieure du spectre du document **ⓑ**.

c. En déduire, dans le référentiel terrestre, la valeur de la vitesse *v* du point *O* suivant la direction de visée.

Donnée. Le décalage Doppler-Fizeau Δλ entre λ et λ' respecte la relation :

$$\frac{|\Delta\lambda|}{\lambda} = \frac{v}{c}$$

avec $c = 3,00 \times 10^8$ m·s⁻¹.

28 ECE Évaluation des compétences expérimentales

Cet exercice permet de travailler les compétences expérimentales suivantes : • **S'approprier** • **Analyser** • **Réaliser** • **Valider**

L'exercice s'appuie sur des ressources disponibles sur le site élève :

www.nathan.fr/siriuslycee/eleve-termS.

Télécharger le dossier « Ressources pour l'exercice 28 » sur la détermination d'une loi relative à l'expansion de l'univers, appelée loi de Hubble, et l'application d'une méthode basée sur l'effet Doppler pour vérifier son application dans le cas de cinq galaxies.

Ce dossier comprend une fiche d'énoncé et de réponses du candidat, une grille d'évaluation et un cliché en format .jpeg d'une série de cinq spectres.

Cette activité nécessite l'utilisation de logiciels de traitement d'images et de données, téléchargeables gratuitement.

29 Objectif BAC *Rédiger une synthèse de documents*

➡ Dossier BAC, page 546

Cet exercice s'appuie sur des ressources disponibles sur le site élève : www.nathan.fr/siriuslycee/eleve-termS.

Télécharger le dossier « Ressources pour l'exercice 29 » qui concerne la détection d'une exoplanète par une méthode indirecte basée sur l'effet Doppler.

Ce dossier comprend :
– une présentation de la méthode ;
– une série de spectres de la lumière d'une étoile ;
– une exploitation graphique.

➔ **L'objectif de cet exercice est de rédiger une synthèse de documents afin d'expliquer comment l'effet Doppler permet de mettre en évidence la présence d'une exoplanète autour de l'étoile étudiée.**

Le texte rédigé, de 25 à 30 lignes, devra être clair et structuré, et l'argumentation reposera sur les données graphiques et numériques issues des documents proposés.

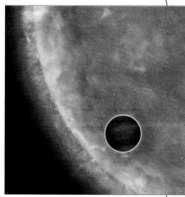

Exoplanète appelée « Jupiter chaud » ou « Pégaside ».

Chapitre 4

Diffraction des ondes

À marée basse, le port de San Sebastiàn, au Pays Basque espagnol, est témoin d'un phénomène naturel : **la diffraction des ondes à la surface de l'eau**. Les vagues créées par la houle subissent un phénomène de diffraction au passage des rochers proches du littoral.

COMPÉTENCES EXIGIBLES

- Connaître l'influence de la taille a de l'ouverture ou de l'obstacle et de la longueur d'onde λ sur le phénomène de diffraction. → *Exercices d'application 4 et 8*

- Connaître et exploiter la relation $\theta = \dfrac{\lambda}{a}$.
  → *Exercices d'application 5 et 6*

- Identifier les situations physiques où il est pertinent de prendre en compte le phénomène de diffraction.
  → *Exercices d'application 3 et 7*

- Étudier ou utiliser le phénomène de diffraction dans le cas des ondes lumineuses.
  → *Activités expérimentales 3 et 4.*

Activités

ACTIVITÉ DOCUMENTAIRE

Compétences générales mises en œuvre
• *Extraire et exploiter des informations* • *Effectuer un raisonnement scientifique*

1 Une propriété des ondes

▶ Analysons le comportement d'une onde ultrasonore lorsqu'elle rencontre une fente.

Un émetteur d'ultrasons est alimenté en mode continu et placé face à un récepteur, relié à un oscilloscope (**document 2**).

Le récepteur est déplacé d'un angle α sur un arc de cercle. Tous les 10°, l'amplitude U de la tension aux bornes du récepteur est mesurée.

On trace U en fonction de α (**figure 3**) pour les trois situations suivantes :
– **série n° 1** : sans obstacle devant l'émetteur ;
– **série n° 2** : une fente, de largeur 20 mm, est placée devant l'émetteur ;
– **série n° 3** : une fente, de largeur 4 mm, est placée devant l'émetteur.

1 *Étude du comportement d'une onde ultrasonore.*

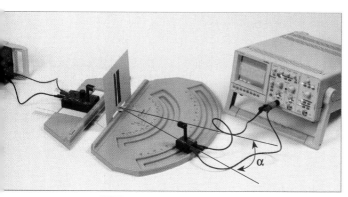

2 *Dispositif expérimental.*

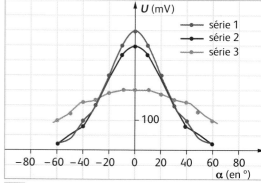

3 *Courbes U = f(α) de l'amplitude de la tension mesurée en fonction de l'angle α.*

① Analyser les documents

a. Pour quelle valeur de l'angle α, la valeur de l'amplitude de la tension mesurée U est-elle la plus élevée ?
Noter la valeur de cette amplitude maximale U_{max} pour chacune des courbes.

b. Sur la **figure 3**, pour les trois cas, décrire la forme des courbes $U = f(α)$.

② Interpréter

a. Proposer une explication à la variation de U_{max}.

b. Comment peut-on décrire l'influence de la fente sur la propagation de l'onde ultrasonore ?

c. Comment influe la largeur de la fente sur le phénomène observé ?
En quoi ces résultats sont-ils inattendus ?

③ Conclure

a. Le phénomène mis en évidence lors de cette expérience est un phénomène de **diffraction des ondes**.
Proposer une définition de ce terme.

b. À l'aide d'une recherche documentaire, indiquer plusieurs situations de la vie courante où le phénomène de diffraction intervient, dans le domaine des ondes sonores et dans le domaine des ondes radio.

2

Ondes et obstacles

▶ **Que se passe-t-il lorsqu'une onde à la surface de l'eau franchit une fente ?**

> **DISPOSITIF** Dans une cuve à ondes **(document 4)**, une onde progressive périodique est créée par un dispositif (pointe ou réglette) dont on peut régler la fréquence **(documents 5 et 6)**.

Expérience
- Placer sur le chemin de l'onde progressive périodique une fente d'ouverture réglable.
- Filmer les expériences, dans le cas de la pointe puis de la réglette, en faisant varier l'ouverture de la fente.

4 Cuve à ondes.

5 Onde circulaire créée par la pointe.

6 Onde rectiligne créée par la réglette.

❶ Étude préalable
D'après vous, quelle sera la forme de l'onde circulaire après avoir franchi la fente ?
Même question pour l'onde rectiligne. Argumenter les réponses en s'appuyant sur des schémas.

❷ Observer
a. Décrire le phénomène observé lors de l'expérience et réaliser un schéma (l'enregistrement vidéo de l'expérience pourra être utilisé).
b. Comparer le résultat de l'expérience aux prévisions faites en ❶, en corrigeant éventuellement l'argumentation utilisée.

❸ Exploiter
a. Comment influe la largeur de la fente sur le phénomène ?
b. On observant une image extraite de l'enregistrement de l'expérience, préciser si le franchissement de l'obstacle modifie la longueur d'onde.

❹ Conclure
Le phénomène étudié s'appelle la **diffraction**.
Résumer les propriétés de la diffraction mises en évidence dans cette expérience.

3 Diffraction de la lumière par un fil

▶ **Étudions l'influence de la dimension de l'objet diffractant sur la figure de diffraction.**

DISPOSITIF ■ Le faisceau d'une diode laser est dirigé vers un écran. Un fil vertical est placé sur le trajet du faisceau laser à une distance $D = 2{,}0$ m de l'écran **(figure 7)**.

■ On dispose de plusieurs fils de différents calibres.

Attention !
Ne jamais regarder le faisceau de la diode laser dans l'axe de visée.
Sécurité

Expérience Pour chaque fil de diamètre a, mesurer la largeur L de la tache centrale de diffraction, délimitée par les milieux des deux premières extinctions **(figure 8)**.

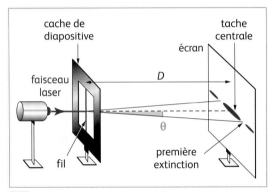

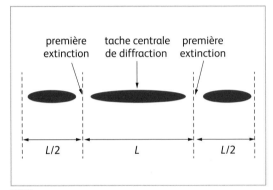

7 *Dispositif expérimental : l'écart angulaire de diffraction correspond au demi-angle θ du faisceau et caractérise la tache centrale de diffraction.*

8 *Figure de diffraction obtenue avec un fil vertical de diamètre a.*

1 Observer et exploiter

a. Préciser le sens de variation de la largeur de la tache centrale L lorsque le diamètre a augmente.

b. Dans un logiciel de traitement des données, créer une représentation graphique avec le diamètre a en abscisse et la largeur L en ordonnée, en affichant les points représentatifs.

Vérifier que l'on peut modéliser cet ensemble de points par la fonction $L = \dfrac{k}{a}$.

2 Interpréter

Dans les conditions de cette expérience, la largeur de la tache centrale L est donnée par la relation suivante : $L = \dfrac{2\lambda D}{a}$.

a. Déduire de la question **1 b.** la valeur de la longueur d'onde λ du faisceau de la diode laser.

b. Comparer avec la valeur de la longueur d'onde annoncée par le constructeur.

3 Conclure

a. Proposer puis réaliser un protocole pour mesurer le diamètre (inconnu) a' d'un fil.

b. Déterminer la moyenne et l'écart type de la série de mesures réalisées par l'ensemble de la classe. À l'aide du **dossier mesures et incertitudes**, déterminer l'incertitude sur la mesure du diamètre du fil et présenter le résultat.

4 Diffraction de la lumière blanche par une fente

▶ Étudions l'influence de différents paramètres, notamment la longueur d'onde, sur la figure de diffraction obtenue avec une fente.

Activités

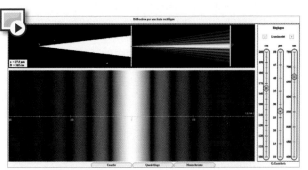

9 Simulation de l'étude de la diffraction d'ondes lumineuses.

DISPOSITIF

Cette activité s'appuie sur une simulation disponible sur le site élève :
www.nathan.fr/siriuslycee/eleve-termS

Télécharger ou visionner la simulation « Diffraction de la lumière par une fente » du chapitre 4. La simulation proposée **(figure 9)** permet d'étudier la figure de diffraction par une fente de la lumière blanche ou d'une lumière monochromatique **(figure 10)**. Le résultat du calcul est présenté sous forme de **taches ou franges de diffraction**, ou encore sous forme de répartition de l'intensité lumineuse. Les paramètres modifiables sont : la valeur de la largeur de la fente a, la distance D entre la fente et l'écran, et la longueur d'onde λ.

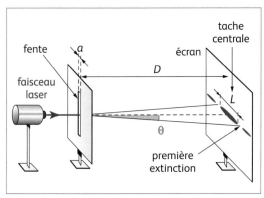

10 Dispositif expérimental de la diffraction par une fente en lumière monochromatique, étudiée dans la simulation.

• Expression de l'écart angulaire de diffraction :

$$\theta = \frac{\lambda}{a}$$

• Expression de la largeur de la tache centrale de la figure de diffraction par une fente en lumière monochromatique :

$$L = \frac{2\lambda D}{a}$$

11 Expressions de l'écart angulaire et de la largeur de la tache centrale de diffraction.

❶ Formuler des hypothèses

a. Quels paramètres peuvent influer sur la largeur de la tache centrale de diffraction par une fente en **lumière monochromatique** ?

b. À l'aide des données du **document 11**, prévoir comment évolue la largeur de la tache centrale lorsque l'on augmente successivement la valeur de ces paramètres.

c. Vérifier vos prévisions à l'aide de la simulation.

❷ Interpréter

a. Quelles sont les valeurs limites des longueurs d'onde des radiations visibles ? Quelles sont les couleurs qui correspondent à ces longueurs d'onde ?

b. Comment évoluent la largeur de la tache centrale et l'écart angulaire en fonction des longueurs d'onde comprises entre ces deux limites ?

❸ Conclure

On éclaire la fente en **lumière blanche**.

a. Prévoir la figure de diffraction observée.

b. Vérifier la prévision à l'aide de la simulation.

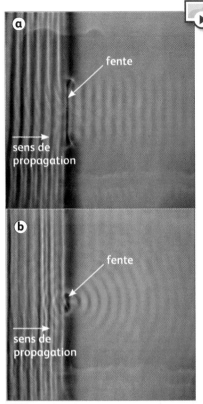

12 *Étude, à l'aide d'une cuve à ondes, du franchissement d'une fente par une onde plane à la surface de l'eau :*

ⓐ *lorsque la fente est large ;*

ⓑ *lorsque la fente est réduite.*

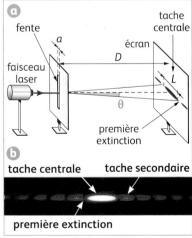

13 ⓐ *Étude du franchissement d'une fente par une onde lumineuse monochromatique (laser).*

ⓑ *Après avoir franchi la fente, le faisceau laser est diffracté.*

1 La diffraction

Toutes les ondes, qu'elles soient électromagnétiques (IR, lumière visible, UV, rayons X, etc.) ou mécaniques (ondes sonores, ondes à la surface de l'eau, etc.) peuvent subir le phénomène de diffraction. La **diffraction** est une signature de la nature ondulatoire d'un phénomène.

1.1 Définition

> La diffraction est une propriété des ondes qui se manifeste par un étalement des directions de propagation de l'onde, lorsque celle-ci rencontre une ouverture ou un obstacle.

Dans le phénomène de diffraction, une onde contourne les bords de l'ouverture ou de l'obstacle. Elle conserve sa fréquence f qui est caractéristique de la source. Si le milieu de propagation est le même de part et d'autre de l'obstacle, la célérité v n'est pas modifiée. Ainsi, la longueur d'onde $\lambda = \frac{v}{f}$ d'une onde progressive sinusoïdale conserve la même valeur.

Exemples

• Une **onde rectiligne** à la surface de l'eau franchit une fente. Sur le **document 12** ⓐ, la fente (d'ordre de grandeur 1 cm) arrête partiellement l'onde, on dit que l'onde est **diaphragmée**.

• Sur le **document 12** ⓑ, la largeur de la fente a été diminuée : il y a étalement des directions de propagation de l'onde, on dit que l'onde est **diffractée**. Dans certaines circonstances telles que sur le **document 12** ⓑ, une onde rectiligne peut générer une **onde circulaire** : l'onde diffractée ne se propage plus seulement dans la direction initiale, mais dans plusieurs directions.

• Une onde lumineuse monochromatique franchit une fente (d'ordre de grandeur 10^{-1} mm) **(figure 13 ⓐ)**. Sur le **document 13 ⓑ**, on observe une tache centrale très lumineuse, encadrée par des taches secondaires moins intenses.

1.2 Conditions d'observation

L'importance du phénomène de diffraction est liée au rapport de la longueur d'onde λ d'une onde progressive sinusoïdale aux dimensions de l'ouverture ou de l'obstacle.

> • Pour toutes les ondes, la diffraction est nettement observée lorsque la dimension de l'ouverture ou de l'obstacle est du même ordre de grandeur, ou inférieure, à la longueur d'onde.
>
> • Dans le cas des ondes lumineuses, le critère est moins restrictif : le phénomène est encore bien apparent avec des ouvertures ou des obstacles de dimensions jusqu'à 100 fois plus grandes que la longueur d'onde (en ordre de grandeur).

APPLICATION **a.** Une onde sonore de fréquence $f = 100$ Hz et de célérité dans l'air $v = 340$ m·s⁻¹ est-elle diffractée par une ouverture de porte de largeur $a = 1,0$ m ?

b. Une onde lumineuse de longueur d'onde $\lambda = 633$ nm est-elle diffractée par un trou de diamètre $a = 10$ μm **(document 14)** ?

Réponses. a. Il s'agit de calculer la longueur d'onde de l'onde sonore pour la comparer à la largeur de la fente : $\lambda = \dfrac{v}{f}$ soit $\lambda = \dfrac{340}{100} = 3,4$ m.

La largeur a de l'ouverture de la porte est inférieure à la longueur d'onde, l'onde sonore est diffractée.

b. $\dfrac{\lambda}{a} = \dfrac{0,633}{10} = 6,33 \times 10^{-2}$ donc $\dfrac{a}{\lambda} = 16$.

Le diamètre a est 16 fois supérieur à la longueur d'onde, la diffraction est donc visible.

1.3 L'écart angulaire de diffraction

L'importance du phénomène de diffraction est mesurée par l'**écart angulaire de diffraction**, angle entre la direction de propagation de l'onde en l'absence de diffraction, et la direction définie par le milieu de la première extinction **(figures 15)**.

Cet écart angulaire de diffraction, souvent noté θ, dépend de la longueur d'onde et de la taille de l'élément diffractant.

> L'écart angulaire de diffraction θ augmente lorsque la longueur d'onde λ de l'onde progressive sinusoïdale augmente et lorsque la dimension a de l'obstacle ou de l'ouverture diminue.

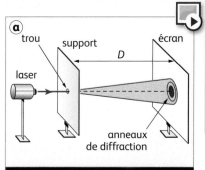

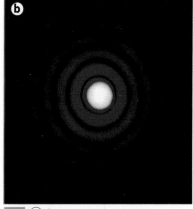

14 **ⓐ** *Étude de l'effet d'un trou circulaire de petit diamètre sur un faisceau laser.*
ⓑ *Figure de diffraction obtenue.*

2 Diffraction des ondes lumineuses par une fente

En plaçant une fente fine sur la trajectoire d'un faisceau de lumière, la diffraction provoque un étalement du faisceau dans une direction normale à la fente : selon la dimension du faisceau, on obtient des taches ou des franges de diffraction **(figures 15)**, dont l'aspect dépend de la lumière utilisée.

2.1 Cas d'une lumière monochromatique

Dans le cas de la diffraction d'une onde lumineuse monochromatique, de longueur d'onde λ, par une fente de largeur a (ou un fil de diamètre a), l'écart angulaire de diffraction θ a pour expression :

$$\theta = \frac{\lambda}{a} \quad \begin{vmatrix} \lambda \text{ en mètre (m)} \\ a \text{ en mètre (m)} \\ \theta \text{ en radian (rad)} \end{vmatrix}$$

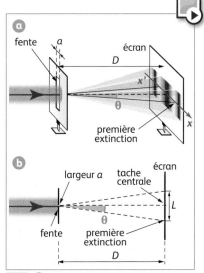

15 **ⓐ** *Étude du franchissement d'une fente par une onde lumineuse monochromatique.*
ⓑ *Dispositif d'étude vu de dessus.*

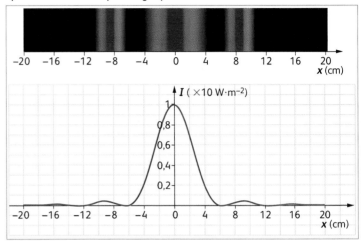

On étudie, dans les conditions d'observation usuelles (par exemple : $D = 2{,}0$ m, $a = 20$ µm, $\lambda = 633$ nm), l'intensité lumineuse de la figure de diffraction sur l'axe $(x'x)$ **(figure 15 ⓐ)**. On observe que la tache lumineuse centrale concentre presque la totalité de l'intensité lumineuse et qu'elle est deux fois plus large que les taches secondaires.

Figure de diffraction et intensité lumineuse sur l'axe (x'x).

2.2 Cas de la lumière blanche

La lumière blanche est une lumière polychromatique composée de toutes les lumières colorées visibles.

Dans le cas de la diffraction de la lumière blanche par une fente ($D = 2{,}0$ m, $a = 20$ µm), la figure de diffraction obtenue présente une tache centrale blanche (superposition de toutes les lumières colorées visibles) et des taches latérales irisées.

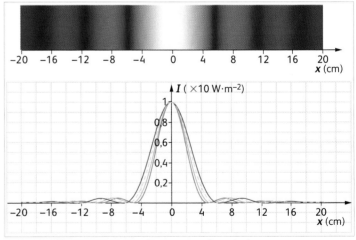

Figure de diffraction et intensité lumineuse sur l'axe (x'x).

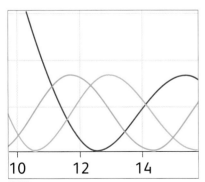

16 *Zoom de la courbe I = f(x) pour les couleurs R, V, B. Pour x = 14 cm le mélange R + V donne du jaune dans la figure de diffraction.*

En simplifiant, on peut restreindre la lumière blanche à la superposition de lumières rouge, verte et bleue. Les courbes ci-dessus montrent que les différentes radiations se superposent dans des proportions proches dans la tache centrale, ainsi elle apparaît blanche. Mais ce n'est pas forcément le cas de part et d'autre de la tâche centrale, ce qui explique les irisations observées **(document 16)**.

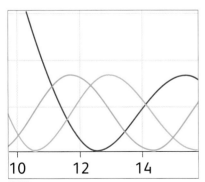

L'ESSENTIEL

 La diffraction

● La **diffraction** est une propriété des ondes qui se manifeste par un étalement des directions de propagation de l'onde, lorsque celle-ci rencontre une ouverture ou un obstacle.

● Pour toutes les ondes, la diffraction est nettement observée lorsque la dimension de l'ouverture ou de l'obstacle est du même ordre de grandeur ou inférieure à la longueur d'onde.

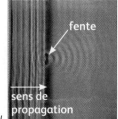

Ondes à la surface de l'eau.

● Dans le cas des ondes lumineuses, le critère est moins restrictif, le phénomène est encore bien apparent avec des ouvertures ou des obstacles de dimensions jusqu'à 100 fois plus grandes que la longueur d'onde (en ordre de grandeur).

Onde lumineuse monochromatique.

● L'**écart angulaire de diffraction, noté** θ, est l'angle entre la direction de propagation de l'onde en l'absence de diffraction et la direction définie par le milieu de la première extinction.

Il augmente lorsque la longueur d'onde λ de l'onde progressive sinusoïdale augmente et lorsque la dimension a de l'obstacle ou de l'ouverture diminue.

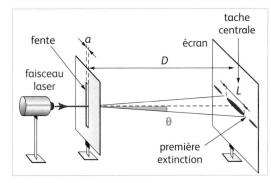

Cas d'une onde lumineuse monochromatique.

 La diffraction des ondes lumineuses

● Dans le cas de la **diffraction d'une onde lumineuse monochromatique**, de longueur d'onde λ, par une fente de largeur a (ou un fil de diamètre a), la diffraction provoque un étalement du faisceau dans une direction normale à la fente et l'écart angulaire de diffraction θ a pour expression :

$$\theta = \frac{\lambda}{a}$$

λ en mètre (m)
a en mètre (m)
θ en radian (rad)

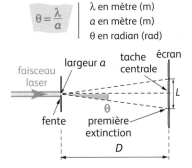

● Dans le cas de la **diffraction de la lumière blanche** par une fente, la figure de diffraction présente une tache centrale blanche (superposition de toutes les lumières colorées visibles) et des taches latérales irisées.

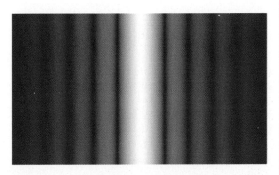

Exercices Application

MANUEL NUMÉRIQUE   EXERCICES INTERACTIFS

1 Mots manquants

Compléter avec un ou plusieurs mots.

a. La .... se manifeste par un étalement des directions de propagation de l'onde lorsque celle-ci rencontre une ouverture ou un obstacle.

b. L'importance du phénomène de diffraction est liée au rapport de la .... de l'onde diffractée aux dimensions de l'ouverture ou de l'obstacle.

c. Pour toutes les ondes, la diffraction est nettement observée lorsque la dimension de l'obstacle ou de l'ouverture est du même ordre de grandeur ou .... à la longueur d'onde.

d. L' .... de .... θ est l'angle entre la direction de propagation en l'absence de diffraction et la direction donnée par le milieu de la première extinction. Il augmente lorsque la longueur d'onde λ de l'onde progressive sinusoïdale .... et lorsque la dimension a de l'obstacle ou de l'ouverture ....

e. Dans le cas de la diffraction de la .... , la figure de diffraction présente une tache centrale blanche et des taches latérales irisées.

2 QCM

Cocher la réponse exacte.

a. Lorsqu'une onde progressive sinusoïdale rencontre un obstacle ou une ouverture dont la dimension est du même ordre de grandeur que la longueur d'onde, elle est :
☐ dispersée   ☐ réfléchie   ☐ diffractée

b. Sur le chemin d'une onde lumineuse monochromatique, on place un fil horizontal d'épaisseur a. On obtient une figure de diffraction :
☐ verticale, composée d'une tache centrale très lumineuse et de taches latérales symétriques moins lumineuses
☐ horizontale, composée d'une tache centrale très lumineuse et de taches latérales symétriques moins lumineuses
☐ composée d'un disque central très lumineux

c. Dans le cas de la diffraction d'une onde lumineuse monochromatique, de longueur d'onde λ, par une fente (ou un fil opaque) de largeur a, l'écart angulaire de diffraction θ a pour expression :
☐ $\frac{a}{\lambda}$ ☐ $\frac{\lambda}{a}$ ☐ $\lambda \times a$

d. L'écart angulaire de diffraction θ est plus important pour une onde de longueur d'onde :
☐ $\lambda = 400\,nm$ ☐ $\lambda = 600\,nm$ ☐ $\lambda = 800\,nm$

e. La figure de diffraction de la lumière blanche présente une tache centrale :
☐ blanche   ☐ noire   ☐ colorée

→ **Solutions détaillées en fin de manuel pour vérifier vos réponses et comprendre vos erreurs.**

Parcours en autonomie

Trois parcours d'exercices pour travailler en autonomie selon ses besoins.

Maîtriser les bases — 4 - 6 - 7 - 10

Préparer l'évaluation — 13 - 15 - 19 - 21

Approfondir — 24 - 28 - 30

COMPÉTENCES EXIGIBLES

3 Identifier un phénomène de diffraction

Sur le trajet d'un faisceau laser, on interpose un trou (document (**a**)) puis un autre trou de dimension différente (document (**b**)). Le cas particulier d'un trou parfaitement circulaire donne une figure de diffraction, appelée **tache d'Airy**.

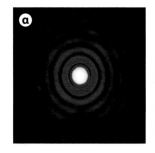
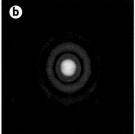

a. Identifier la situation où le phénomène de diffraction est le plus important.

b. Que peut-on en déduire sur les dimensions des trous des deux situations ?

4 Connaître le phénomène de diffraction

Une ouvreuse est assise derrière la porte d'une salle de concert, restée ouverte d'une largeur $a = 80$ cm. Elle ne voit pas les musiciens mais elle entend tout de même la musique, alors que les parois de la salle sont parfaitement insonorisées.

a. Quel phénomène permet à l'ouvreuse d'entendre le son ?

b. Ce phénomène est-il plus ou moins important pour un son aigu de longueur d'onde $\lambda_a = 0,11$ m que pour un son grave de longueur d'onde $\lambda_g = 3,0$ m ?

5 Exploiter l'écart angulaire de diffraction

a. Comment évolue l'écart angulaire de diffraction dans le cas de la diffraction par une fente si :
– on augmente la largeur de la fente ?
– on augmente la longueur d'onde ?

b. Avec une fente de largeur a, l'écart angulaire de diffraction d'une lumière rouge sera-t-il plus grand que celui d'une lumière violette ?

6 Connaître l'écart angulaire de diffraction

a. Donner la définition de l'écart angulaire de diffraction θ dans le cas du dispositif d'étude schématisé ci-dessous.

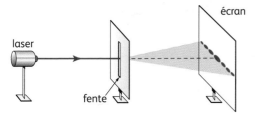

b. Reproduire la figure ci-dessus et compléter les annotations.

c. Donner l'expression de l'écart angulaire de diffraction θ, puis le repérer sur la figure.

Exercices

COMPÉTENCES GÉNÉRALES

7 Réaliser un schéma

La houle prend naissance loin des côtes sous l'effet du vent. Elle est formée de vagues rectilignes parallèles dont les sommets sont espacés de 230 mètres.
Cette houle arrive sur un port dont l'ouverture entre deux jetées a une largeur a = 200 m.

a. Dans cette situation, est-il pertinent de prendre en compte le phénomène de diffraction ?

b. Représenter l'aspect de l'onde après le passage par l'ouverture entre les jetées.

8 Proposer un protocole expérimental

On souhaite montrer l'influence de la dimension de l'ouverture ou de l'obstacle sur le phénomène de diffraction d'une onde ultrasonore.

a. Faire une liste du matériel nécessaire.

b. Décrire l'expérience.

9 Effectuer un raisonnement scientifique

On interpose sur le trajet horizontal d'un faisceau laser une fente normale au faisceau. Suite à ses observations, un élève conclut que l'onde lumineuse a été diffractée.

a. Décrire précisément la figure observée par l'élève lorsque la fente est verticale.

b. Qu'observe l'élève si la fente est horizontale ?

c. Qu'observe l'élève lorsqu'il tourne la fente, dans le plan normal au faisceau, dans le sens des aiguilles d'une montre ?

10 Extraire et exploiter des informations

Le laser Hélium-Néon émet une lumière rouge de longueur d'onde dans le vide λ = 633 nm.
Une fente de largeur a est placée sur le trajet du faisceau lumineux produit par le laser.

Un écran est placé à la distance D = 2,00 m de la fente.

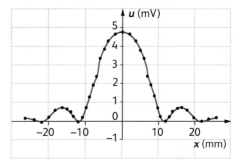

On déplace une cellule photoélectrique le long de l'axe (x'x) d'origine O. Cette cellule délivre une tension u proportionnelle à l'intensité lumineuse au point M, d'abscisse x. On obtient la courbe de mesures ci-dessous.

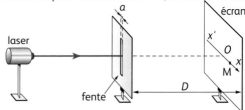

a. Déterminer, à l'aide la courbe, la largeur de la tache centrale.

b. La largeur L de la tache centrale de diffraction est donnée par la relation $L = \dfrac{2\lambda D}{a}$.
Déterminer la valeur de la largeur de la fente.

c. Sachant que le phénomène de diffraction des ondes lumineuses est encore visible lorsque la largeur de l'ouverture est de l'ordre de grandeur de 100 λ, le résultat est-il cohérent ?

11 Restituer ses connaissances

Lorsqu'une pluie fine est éclairée par le soleil, on observe un arc-en-ciel.
En spectroscopie, on utilise un prisme qui décompose une lumière polychromatique en ses différentes radiations.
Lorsque l'on observe une source de lumière blanche à travers un rideau fin, il apparaît des étoiles colorées disposées selon une géométrie très rigoureuse.
Quelle situation fait intervenir le phénomène de diffraction ?

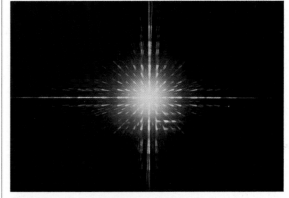

Observation d'un faisceau de lumière blanche à travers un rideau fin.

EXERCICE RÉSOLU

 Site élève

12 Détermination d'une longueur d'onde

Énoncé On dispose d'une source monochromatique de longueur d'onde λ. On interpose entre la source et l'écran, une fente verticale de largeur a (figure **ⓐ**). Sur l'écran situé à une distance D par rapport à la fente, on observe, dans la direction perpendiculaire à la fente, une figure de diffraction (document **ⓑ**).

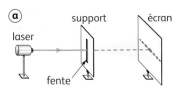

Données : $a = 0{,}10$ mm, $D = 2{,}0$ m et $L = 1{,}6$ cm.

❶ Quelle propriété des ondes est mise en évidence ?

❷ Sur un schéma, faire apparaître : la largeur a de la fente, la distance fente-écran D, la largeur L de la tache centrale et l'écart angulaire de diffraction θ.

❸ L'angle θ est assez petit pour que l'on puisse confondre par approximation θ en radian avec $\tan\theta$. Exprimer θ en fonction de L et de D.

❹ Donner l'expression de l'écart angulaire de diffraction en fonction de λ et a.

❺ En déduire l'expression de la longueur d'onde en fonction de L, D et a.

❻ Déterminer la valeur de la longueur d'onde. À quelle couleur correspond-elle ?

❼ Comment évolue la largeur de la tache centrale si on diminue la largeur de la fente ? Justifier.

Une solution

❶ C'est la diffraction qui est mise en évidence lors de cette expérience. Elle se manifeste par un étalement des directions de propagation de l'onde lorsque celle-ci rencontre une ouverture (ou un obstacle).

❷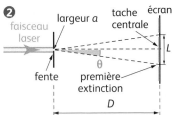

❸ Par trigonométrie, l'expression de $\tan\theta$ est : $\tan\theta = \dfrac{L/2}{D} \approx \theta$.

❹ Dans cette situation, l'expression de l'écart angulaire de diffraction θ est donné par la relation $\theta = \dfrac{\lambda}{a}$.

❺ En utilisant les deux expressions précédentes, on peut écrire :
$$\frac{\lambda}{a} = \frac{L}{2D} \text{ donc } \lambda = \frac{La}{2D}.$$

❻ La valeur de la longueur d'onde est :
$$\lambda = \frac{1{,}6 \times 10^{-2} \times 0{,}10 \times 10^{-3}}{2 \times 2{,}0} = 4{,}0 \times 10^{-7} \text{ m}.$$
Les valeurs limites des longueurs d'onde des radiations visibles sont $\lambda_{violet} \approx 400$ nm et $\lambda_{rouge} \approx 800$ nm. La source monochromatique utilisée émet une lumière violette.

❼ Si on diminue la largeur de la fente, le phénomène de diffraction est plus important. L'écart angulaire de diffraction, et donc la largeur de la tache centrale, augmente.

Énoncé
Bien identifier les différentes grandeurs données dans l'énoncé et sur la figure.

Schématiser
Pour plus de précision, réaliser un schéma vu de dessus.

Connaissances
Il faut connaître l'expression de l'écart angulaire de diffraction.

Application numérique
Attention aux changements d'unité.

Connaissances
Il faut connaître les valeurs limites des longueurs d'onde des radiations du domaine visible.

On dispose de six fentes fines, de largeur connue avec précision, pour étudier le phénomène de diffraction d'une lumière monochromatique. On mesure la largeur L de la tache centrale de diffraction pour chaque fente et on regroupe les résultats dans un graphique, avec $\dfrac{1}{a}$ en abscisse et L en ordonnées (figure **a**). L est proportionnelle à $\dfrac{1}{a}$ et la droite de proportionnalité est tracée.

a. À partir de la représentation graphique donnée (figure **a**), établir la relation numérique entre les variables L et $\dfrac{1}{a}$.

b. On envisage ensuite de mesurer la longueur d'onde d'une lumière monochromatique. L'écart angulaire de diffraction θ a pour expression :

$$\theta = \dfrac{\lambda}{a}.$$

Sur la représentation graphique **b**, θ est en ordonnée et $\dfrac{1}{a}$ en abscisse.

Réutiliser la méthode précédente pour déterminer la valeur de la longueur d'onde.

> **Conseils**
> • Lorsque la courbe étudiée est une droite qui passe par l'origine, son équation est de la forme $Y = mX$.
> Il suffit donc de calculer son coefficient directeur $\dfrac{Y(B) - Y(A)}{X(B) - X(A)}$, en choisissant A à l'origine et B sur la droite, le plus loin possible de A.
> • Le coefficient directeur m a souvent une unité en physique qu'il faut préciser dans le résultat. Ici, c'est le quotient de l'unité de la grandeur Y sur l'unité de la grandeur X.
> • Dans cet exemple, L correspond à Y et $\dfrac{1}{a}$ correspond à X.

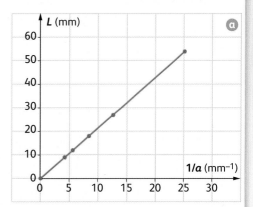

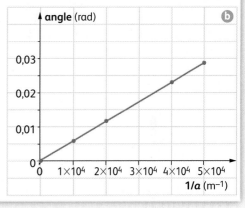

14 Apprendre à rédiger

Voici l'énoncé d'un exercice et un guide (en bleu) ; ce guide vous aide à rédiger la solution détaillée et à retrouver les réponses aux questions posées.

Énoncé

Des vagues arrivent toutes les 5,0 s sur une digue rectiligne, coupée par un chenal de largeur $a = 30$ m qui ferme une vaste baie. La célérité des vagues est de 58 km·h^{-1}.

a. Déterminer la longueur d'onde de l'onde.
> ▸ Préciser la signification des grandeurs qui interviennent dans la relation de définition de la longueur d'onde.
> ▸ Faire attention aux unités et donner le résultat avec le bon nombre de chiffres significatifs, soit 81 m.

b. Quel phénomène peut-on observer ?
> ▸ Ne pas se contenter de donner le nom du phénomène, préciser pourquoi il peut être observé dans ces conditions.

c. Réaliser un schéma de la situation avant et après la digue.
> ▸ Réaliser un schéma précis en précisant le sens de propagation de l'onde.
> ▸ Indiquer sur ce schéma la longueur d'onde de l'onde avant et après le chenal.

15 À la surface de l'eau

Compétences générales *Restituer ses connaissances – Utiliser les TICE*

Sur le trajet d'une onde progressive sinusoïdale, on interpose une fente de largeur *a*.

Les photographies ci-dessous présentent l'aspect de la surface de l'eau.

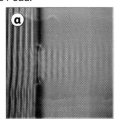 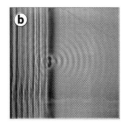

1. Sur quelle photographie doit-on tenir compte du phénomène de diffraction?

2. Utiliser la simulation «Diffraction à la surface de l'eau» du chapitre 4 sur le site élève:

www.nathan.fr/siriuslycee/eleve-termS

a. Modifier les deux paramètres (fréquence de l'onde avant l'obstacle et largeur de la fente), puis décrire leur influence sur la figure de diffraction.

b. La diffraction modifie-t-elle la longueur d'onde de l'onde incidente? La longueur d'onde a-t-elle une influence sur le phénomène de diffraction? Si oui, de quelle manière?

16 Les ondes radio

Compétences générales *Extraire et exploiter des informations*

Un élève consulte Internet pour récolter des informations sur les ondes radio.

Il lit: «Lorsqu'une onde rencontre un obstacle de grande dimension par rapport à la longueur d'onde, celle-ci pourra être arrêtée par cet obstacle. Ce sera le cas d'une colline, d'une montagne, etc. Cependant, dans une certaine mesure, l'onde pourra contourner l'obstacle et continuer à se propager derrière celui-ci. Ainsi, une onde ne sera pas entièrement arrêtée par une montagne, mais pourra continuer à se propager à partir du sommet de la montagne, vers la plaine qui se trouve derrière. Ce franchissement de l'obstacle se fera avec une atténuation, parfois très importante.

Les fréquences jouent un rôle important dans ce phénomène: une émission kilométrique (ordre de grandeur 10^5 Hz) n'aura pas de difficulté pour franchir une montagne, alors qu'une émission décimétrique sera pratiquement arrêtée. Une émission centimétrique sera arrêtée même par une petite colline.»

a. Proposer une explication à la dernière phrase.

b. Une onde radio, de fréquence 162 kHz, telle qu'émise par la station radio France Inter sur les grandes ondes (GO), arrive à l'entrée d'une vallée.

Calculer la longueur d'onde de l'onde radio.

c. On considère que la largeur de l'entrée de la vallée est de l'ordre du kilomètre.

Expliquer pourquoi il est prévu d'utiliser la radio France Inter (GO) pour prévenir tous les habitants en France en cas d'alerte nationale.

Un village isolé dans les montagnes peut-il recevoir la radio?

17 Fentes de différentes largeurs

Compétence générale *Justifier un protocole expérimental*

On considère une fente de largeur $a = k\lambda$, où λ est la longueur d'onde d'une onde lumineuse monochromatique.

a. Calculer l'écart angulaire de diffraction θ en radian puis en degré pour les valeurs de *k* suivantes: 1, 10, 100.

b. Pour quelle valeur de *k* le phénomène de diffraction est-il le plus important?

c. On utilise un laser Hélium–Néon ($\lambda = 633$ nm) et on dispose de deux fentes de largeur respectives 0,5 cm et 50 μm.

Chaque fente peut-elle donner lieu à un phénomène de diffraction?

18 Courbes d'intensité

Compétence générale *Effectuer un raisonnement scientifique*

Sur le trajet d'une source lumineuse monochromatique, on interpose successivement des fentes de différentes largeurs *a*.

On relève l'intensité de l'onde lumineuse diffractée pour $a_1 = 0,2$ mm, $a_2 = 0,5$ mm et $a_3 = 2$ mm.

Les courbes de l'évolution de l'intensité en fonction de l'angle sont données ci-dessous.

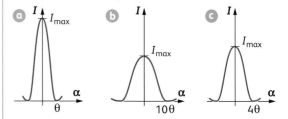

Quelle courbe correspond à la fente n° 1? à la fente n° 2? à la fente n° 3?

19 Informations sur une notice

Compétences générales *Extraire et exploiter des informations – Commenter un résultat*

Orion Series laser instructions

The Orion Series laser, available from 200 mW to over 500 mW, is the world's most powerful portable red laser. At 658 nm the Orion emits in the deep red portion of the visible spectrum. Ideal for maximum portability whether in the lab or in the field.

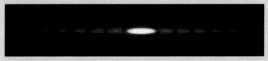

Expected Life : 5 000 hours
Wavelength : 658 nm (red)
Key Feature : High output power red laser
Package Includes : Portable laser, aluminum carrying case, instructions/warranty
Warranty : 6 Month Standard/12 Month Extended

Ce pointeur laser est utilisé dans le dispositif expérimental suivant : une fente verticale, de largeur a très petite, est placée sur le trajet du faisceau et un écran est placé à la distance D de la fente.

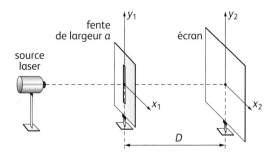

On réalise plusieurs expériences en utilisant un autre laser, dont les résultats sont réunis dans le tableau ci-dessous.

	λ de la source	Largeur de la fente	Distance à l'écran	Largeur de la tache centrale
1	λ_1	a	D	$L_1 = 3{,}4$ cm
2	$\lambda_2 = 405$ nm	a	D	$L_2 = 2{,}1$ cm
3	$\lambda_2 = 405$ nm	$a_3 = \dfrac{a}{2}$	D	$L_3 = 2L_2$
4	$\lambda_2 = 405$ nm	a	$D_4 = \dfrac{D}{2}$	$L_4 = \dfrac{L_2}{2}$

On propose trois expressions de la largeur L de la tache centrale : $L = 2\lambda aD$; $L = \dfrac{2\lambda}{Da}$; $L = \dfrac{2\lambda D}{a}$.

a. À partir des expériences, éliminer deux des trois expressions.

b. Vérifier par une analyse dimensionnelle que celle retenue est pertinente.

c. Établir une relation entre λ_1, λ_2, L_1 et L_2.

d. Calculer la valeur de la longueur d'onde λ_1.

e. Le résultat est-il en accord avec la notice du fabricant ? Calculer l'écart relatif.

20 Diffraction par une fente

Compétence générale *Effectuer un calcul*

Si on interpose sur le trajet d'une source monochromatique de longueur d'onde λ, une fente horizontale de largeur a, située à une distance D d'un écran, l'expression de la largeur L de la tache centrale de diffraction est : $L = \dfrac{2\lambda D}{a}$.

Données : $a = 50$ µm, D = 2,50 m.

a. Calculer la largeur de la tache centrale pour les longueurs d'onde suivantes : $\lambda_{\text{violet}} = 400$ nm, $\lambda_{\text{vert}} = 550$ nm et $\lambda_{\text{rouge}} = 800$ nm.

b. Décrire la figure de diffraction obtenue si la source de lumière monochromatique est remplacée par une source de lumière blanche.

21 ★ Échographie

Compétence générale
Effectuer un raisonnement scientifique

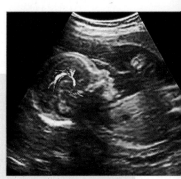

L'échographie est une méthode d'imagerie médicale utilisant les ondes ultrasonores qui ont une très bonne directivité et le pouvoir de se réfléchir lors des changements de milieu.

Lorsque l'onde incidente est de courte durée, l'onde réfléchie s'appelle un écho, d'où la dénomination générale d'échographie pour les méthodes d'imagerie ultrasonore.

Cette onde ultrasonore se propage dans l'ensemble du corps humain à des vitesses variées selon le milieu traversé.

Milieu	Vitesse de propagation (m·s⁻¹)
Air	$3{,}3 \times 10^2$
Eau	$1{,}5 \times 10^3$
Tissus mous	$1{,}45 \times 10^3 - 1{,}7 \times 10^3$
Os	$3 \times 10^3 - 4 \times 10^3$

Dans l'imagerie, une des priorités est l'amélioration des techniques pour avoir une plus belle qualité d'image. Mais il y a toujours des phénomènes parasites qui viennent perturber la qualité de la restitution. Pour les ultrasons, la résolution de l'image est limitée par les phénomènes de diffraction qui interviennent lorsque la taille des objets qui interfèrent avec le faisceau est du même ordre de grandeur que la longueur d'onde du faisceau.

Par exemple, une onde ultrasonore de 1 MHz ne permettra pas de détecter dans les tissus mous des détails inférieurs à environ $1{,}6 \times 10^{-3}$ m.

a. Calculer un encadrement de la longueur d'onde d'une onde ultrasonore de fréquence 1,0 MHz se propageant dans des tissus mous.

b. Proposer une explication pour justifier la dernière phrase du document.

c. Sera-t-il plus avantageux d'utiliser des ultrasons de fréquences plus faibles ou plus grandes ?

d. Faire une recherche sur les différentes fréquences utilisées lors des échographies.

22 ✶ Une ouverture circulaire

Compétences générales *Réaliser un schéma – Effectuer un raisonnement scientifique*

On éclaire une ouverture circulaire de diamètre *a* par une lumière monochromatique de longueur d'onde λ émise par un laser. La figure de diffraction est observée sur un écran placé à une distance *D* de l'ouverture. Cette figure présente une tache centrale circulaire de rayon *r*.

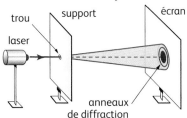

Dans le cas étudié, l'écart angulaire de diffraction θ a pour expression :

$$\theta = 1,22\,\frac{\lambda}{a}.$$

a. Faire apparaître sur un schéma *a*, *D*, *r*, θ.

b. L'angle θ est assez petit pour que l'on puisse confondre θ en radians avec $\tan\theta$.
Exprimer θ en fonction de *r* et *D* puis en déduire que :

$$r = 1,22\,\frac{\lambda D}{a}.$$

c. Avec un laser rouge de longueur d'onde $\lambda_1 = 633$ nm, on obtient une tache de rayon $r_1 = 9,7$ mm.
Avec un laser vert, de longueur d'onde $\lambda_2 = 560$ nm, on obtient, dans les mêmes conditions, une tache de rayon r_2.
La valeur du rayon r_2 sera-t-elle plus grande ou plus petite que celle du rayon r_1 ?
Calculer la valeur du rayon r_2.

23 Objectif BAC *Justifier un calcul*

Dossier BAC, page 546

➜ **L'objectif de cet exercice est de mesurer l'épaisseur inconnue d'un fil en s'appuyant sur des données expérimentales.**

Pour cela, on utilise un laser, produisant une lumière de longueur d'onde λ, placé devant une fente de largeur *a*.
On observe sur un écran, placé à la distance *D* de la fente, une figure de diffraction représentée sur la figure ⓐ, constituées de taches lumineuses.
La largeur de la tache centrale *L* sur l'écran varie lorsque l'on fait varier :
– la longueur d'onde λ de la source monochromatique ;
– la largeur *a* de la fente ;
– la distance *D* entre la fente et l'écran.

Plusieurs séries d'expériences sont menées, les résultats sont les suivants :
– si la longueur d'onde augmente, alors la largeur de la tache centrale augmente ;
– si la distance *D* augmente, alors la largeur de la tache centrale augmente.

Lorsque l'on fait varier la largeur *a* de la fente. On obtient les courbes ⓑ et ⓒ.

1. a. Quel phénomène est mis en évidence ?

b. À l'aide de l'ensemble des résultats expérimentaux donnés en énoncé, retrouver la bonne expression de *L* (*k* est une constante sans dimension) :

☐ $L = kaD\lambda$ ☐ $L = \dfrac{aD}{\lambda}$ ☐ $L = k\,\dfrac{\lambda D}{a}$

☐ $L = k\,\dfrac{\lambda D^2}{a^2}$ ☐ $L = k\,\dfrac{\lambda a}{D}$

c. Déduire de l'une des courbes la valeur de *k*, sachant que c'est un entier et que l'on a fait les mesures pour $\lambda = 633$ nm et $D = 1,60$ m.

2. On remplace la fente précédente par un fil d'épaisseur inconnue *a'* (la figure de diffraction d'un fil est identique à celle d'une fente). On se place dans les conditions suivantes : $\lambda = 633$ nm et $D = 1,60$ m. La valeur de la tache centrale mesurée sur l'écran est $L = 20$ mm.
Déterminer l'épaisseur *a'* du fil.

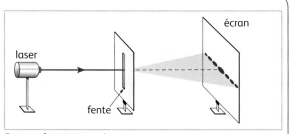

Dispositif expérimental.

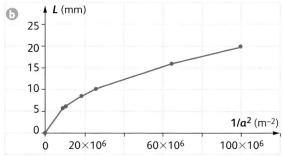

Largeur de la frange centrale en fonction de $\dfrac{1}{a^2}$.

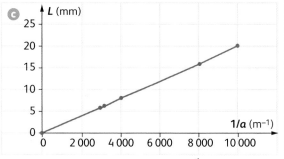

Largeur de la frange centrale en fonction de $\dfrac{1}{a}$.

24 **Apprendre à chercher**

La résolution de cet exercice nécessite de trouver les étapes du raisonnement.
→ **Une aide est disponible en fin de manuel.**

Énoncé

Lors d'un TP, Enzo dispose de deux sources monochromatiques différentes, la première des sources utilisées a une longueur d'onde $\lambda_1 = 633$ nm. La longueur d'onde de la deuxième n'est pas indiquée. Il dispose d'un fil d'épaisseur a situé à une distance D d'un écran.

Il mesure la largeur de la tache centrale de diffraction pour les deux sources, il obtient $L_1 = 25$ mm et $L_2 = 22$ mm.

→ *Comment Enzo peut-il procéder pour déterminer la longueur d'onde de la seconde source ?*

25 ★ **La houle**

Compétences générales *Extraire et exploiter des informations – Effectuer un calcul*

La houle est formée par le vent, c'est un phénomène périodique, se présentant sous l'aspect de vagues parallèles avec une longueur d'onde λ de l'ordre de 100 m au large, lorsque la profondeur moyenne de l'océan est d'environ 4 000 m.

On peut classer les ondes de surface en fonction de leurs caractéristiques, et de celles du milieu de propagation, en « ondes courtes » et en « ondes longues ».

Les ondes courtes lorsque la longueur d'onde λ est faible par rapport à la profondeur locale h de l'océan ($\lambda < 0{,}5$ h).

Leur célérité v est donnée par : $v = \sqrt{\dfrac{g\lambda}{2\pi}}$.

Les ondes longues lorsque la longueur d'onde λ est très grande par rapport à la profondeur h de l'océan ($\lambda > 10$ h).

Leur célérité v est donnée par : $v = \sqrt{gh}$.

a. Au large (avec $h_1 = 4000$ m), la houle est-elle classée en ondes courtes ou en ondes longues ?

b. Évaluer la célérité v_1 d'une houle de longueur d'onde $\lambda_1 = 80$ m, ainsi que la période T de ses vagues.

c. En arrivant près d'une côte sablonneuse (profondeur d'eau $h_2 = 3{,}0$ m), la longueur d'onde de la houle devient grande par rapport à la profondeur, elle rentre donc dans la catégorie des ondes longues.

Sachant que sa période T ne varie pas, évaluer alors sa nouvelle célérité v_2, ainsi que sa nouvelle longueur d'onde λ_2.

d. Sur ces fonds ($h_2 = 3{,}0$ m), les vagues de houle arrivent parallèlement à deux digues protégeant une baie.

Que se passe-t-il si l'ouverture entre les deux digues est de 100 m et si elle est de 30 m ?

Donnée : *g* est l'intensité du champ de pesanteur terrestre, on prendra $g = 10$ m·s^{-2}.

26 ★★ **En lumière blanche**

Compétences générales *Extraire et exploiter des informations*

Une fente verticale de largeur $a = 40$ µm est éclairée en lumière blanche.

Si on étudie l'intensité de la figure de diffraction obtenue, sur un axe $(x'x)$ perpendiculaire à la fente, on obtient la figure ci-dessous.

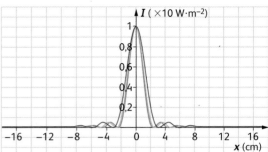

a. Relever les valeurs de l'intensité pour les courbes rouge, verte et bleue lorsque $x = 0$; $x = 5{,}5$; $x = 6$ et $x = 7$ cm.

b. Pour chaque valeur de x, déterminer la couleur observée sur l'écran.

c. Le vérifier sur la figure de diffraction ci-dessous.

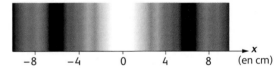

27 ★★ **Figures de diffraction**

Compétence générale *Réaliser une figure*

Sur le trajet d'un faisceau laser rouge, on interpose une fente horizontale de largeur a. La distance entre la fente et l'écran est $D = 2{,}50$ m.

On déplace une cellule photoélectrique le long de l'axe vertical $(y'y)$ d'origine O. Cette cellule délivre une tension U proportionnelle à l'intensité lumineuse.

On obtient les résultats ci-dessous.

y (mm)	0	±2	±4	±5	±6	±7	±8	±9	±10	±11
U (V)	2,4	2,3	2,2	1,9	1,7	1,2	1,0	0,66	0,36	0,12

y (mm)	±12	±13	±14	±15	±16	±18	±20	±22	±24	±26
U (V)	0	0,12	0,24	0,33	0,36	0,30	0,12	0	0,06	0,09

a. Tracer la courbe $U = f(y)$.

b. Sous la courbe, tracer, en respectant l'échelle, la figure de diffraction observée. Commenter cette figure.

c. Définir l'écart angulaire de diffraction et donner son expression.

d. Sachant que la largeur de la tache centrale a pour expression $L = \dfrac{2\lambda D}{a}$, déterminer la valeur de l'écart angulaire de diffraction θ.

28 ✱✱ Critère de Rayleigh

Compétences générales *Extraire et exploiter des informations*

Tout instrument d'optique a une résolution limitée par la diffraction.

L'image d'un point n'est pas un point mais une tache due à la diffraction de la lumière par l'instrument d'optique utilisé.

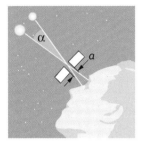

Un observateur regarde deux étoiles dont les lignes de visées forment un angle α.

Si α est suffisamment grand, l'observateur verra deux taches mais si α est trop faible, alors l'observateur ne verra plus qu'une seule tache.

Le **critère de Rayleigh** est le suivant : on considère qu'il n'y a plus qu'une seule tache à partir du moment où le centre de la tache de diffraction de la seconde étoile est situé sur le premier anneau sombre de la tache de diffraction de la première étoile.

Dans ce cas, l'angle limite est donné par :

$$\alpha_{lim} = 1,22 \frac{\lambda}{a}$$

avec λ la longueur d'onde en m, *a* le diamètre de l'objet diffractant en m, et α_{lim} en rad.

a. Associer chaque figure de diffraction aux courbes d'intensité correspondantes ci-contre.

b. Préciser dans chaque cas si α est inférieur, supérieur ou égal α_{lim}.

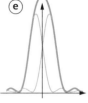
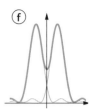

c. Calculer la valeur de α_{lim} en radian, si λ = 550 nm et si a = 5,0 m. Convertir en seconde d'arc sachant qu'une seconde d'arc notée 1'' est définie comme suit :

$$1'' = \frac{1}{3600}^{\circ}.$$

d. On observe avec cet instrument deux cratères sur la lune, distants de 2 km. Les deux images seront-elles séparées ?

29 ECE Évaluation des compétences expérimentales

Cet exercice permet de travailler la compétence expérimentale suivante : ● Analyser

Proposez un protocole expérimental pour déterminer l'épaisseur d'un fil.

Vous justifierez vos choix en vous appuyant de schémas et détaillerez le matériel utilisé.

30 Objectif BAC *Rédiger une synthèse de documents*

Dossier BAC, page 546

Cet exercice s'appuie sur des ressources disponibles sur le site élève : www.nathan.fr/siriuslycee/eleve-termS.

Télécharger le dossier « Ressources pour l'exercice 30 » du chapitre 4, qui contient un dossier d'étude sur la microscopie acoustique.

➔ L'objectif de cet exercice est de rédiger une synthèse de documents (de 25 à 30 lignes) afin d'expliquer le principe de fonctionnement du microscope à ultrasons.

L'argumentation tiendra compte des points suivants :
– le principe et le domaine d'utilisation du microscope à ultrasons ;
– la résolution spatiale d'un microscope utilisant ces ultrasons ;
– la diffraction, facteur limitant du pouvoir de résolution spatiale de l'instrument.

Le texte rédigé devra être clair et structuré, et l'argumentation reposera sur les différentes données issues des documents proposés.

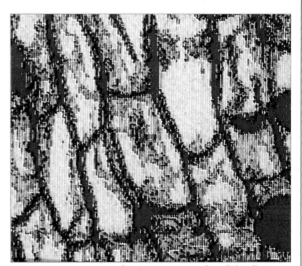

Image acoustique de cellules d'oignons réalisée avec un microscope à ultrasons.

Interférences

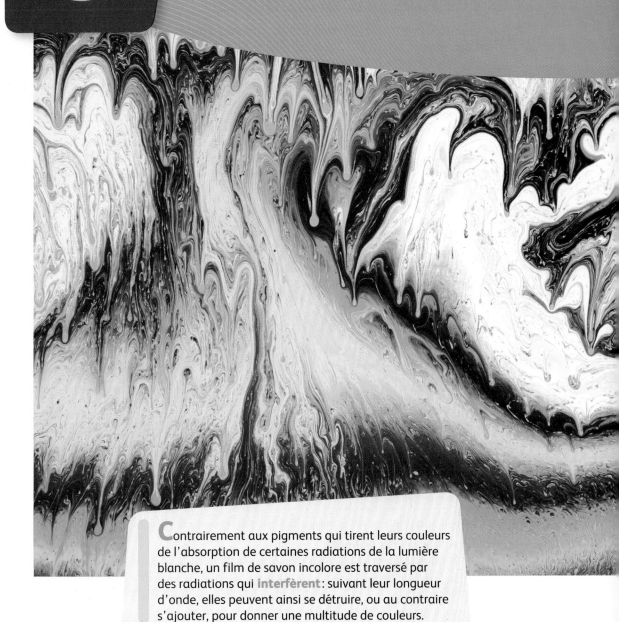

Contrairement aux pigments qui tirent leurs couleurs de l'absorption de certaines radiations de la lumière blanche, un film de savon incolore est traversé par des radiations qui **interfèrent** : suivant leur longueur d'onde, elles peuvent ainsi se détruire, ou au contraire s'ajouter, pour donner une multitude de couleurs.

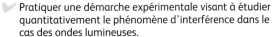

COMPÉTENCES EXIGIBLES

Connaître et exploiter les conditions d'interférences constructives et destructives pour des ondes monochromatiques.
→ *Exercices d'application 4 et 7 et exercice de méthode 14*

Pratiquer une démarche expérimentale visant à étudier quantitativement le phénomène d'interférence dans le cas des ondes lumineuses.
→ *Activité expérimentale 4, exercice de méthode 12 et exercices d'entraînement 15 et 23*

ACTIVITÉ DOCUMENTAIRE

• Extraire et exploiter des informations

1

Les casques antibruit actifs

▶ **Pour se protéger du bruit, on peut utiliser des matériaux poreux isolants phoniques. On peut également détruire le bruit par le bruit. Les casques antibruit actifs reposent sur ce principe. Comment fonctionnent-ils ?**

Pour réduire le bruit par le port d'un casque, la première solution consiste à utiliser les propriétés acoustiques des matériaux fibreux ou poreux (fibres, mousses). Malheureusement, ces matériaux ne sont efficaces qu'à partir de 600 Hz environ. Pour augmenter l'efficacité des casques, on ajoute depuis quelques années à ce système passif, un système actif. Grâce à l'évolution des filtres et des systèmes numériques, on a pu mettre à profit l'idée de l'ingénieur allemand Paul Lueg en 1933 : ajouter au son exactement le même son, mais en « opposition de phase », comme le montrent les courbes ❶ et ❷ de la **figure 1**.

Le bruit peut être considéré comme une somme de sons purs. L'air oscille sous l'effet de ces ondes sonores, c'est-à-dire que sa pression augmente puis diminue régulièrement. Dans le casque actif, on ajoute au bruit ❶ un second signal ❷ de telle sorte que la surpression de l'air due au bruit coïncide avec la dépression due au son ajouté : le signal ❷ est alors en opposition de phase avec le bruit ❶, et la pression globale est quasiment constante. Le bruit ❸ qui parvient à l'oreille est alors atténué.

Les systèmes antibruit des casques reposent sur des composants électroniques. Dans les oreillettes, de minuscules microphones ont pour fonction de capter le bruit venant de l'extérieur. Un circuit électronique se charge d'analyser les sons perçus par le microphone afin de déterminer le bruit indésirable et de générer un signal en opposition de phase.

Le temps de calcul nécessaire pour créer l'onde antibruit et sa transduction (transfert vers la membrane du haut-parleur) posent certaines limites qui font que les systèmes actuels réduisent considérablement le bruit (environ 25 à 30 dB) sans le supprimer totalement.

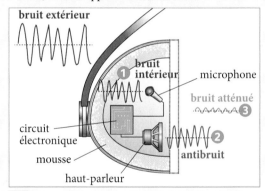

1 *Intérieur d'un casque antibruit actif de chantier.*

2 *Principe du casque antibruit actif.*

❶ Analyser les documents

a. Quels sont les trois éléments d'un casque antibruit actif et quelles sont leurs fonctions ?

b. Comment évolue la pression de l'air à proximité de la membrane d'un haut-parleur émettant un son ?

c. Un son est une succession de surpressions et de dépressions.
Si l'émission d'un son commence par une surpression, par quoi commence l'émission d'un son « en opposition de phase ». Comment les courbes ❶ et ❷ traduisent-elles cette propriété ?

❷ Conclure

a. Le son produit par le haut-parleur arrive-t-il toujours en opposition de phase avec le bruit intérieur quelle que soit la distance entre le haut-parleur et l'oreille ? En déduire où doit se situer le micro pour que le casque soit le plus efficace.

b. Peut-on, avec ce système, supprimer le bruit dans une pièce ?

c. Pourquoi les casques antibruit sont-ils surtout efficaces dans les basses fréquences ?

2

Addition d'ondes

▶ Étudions, à l'aide d'un tableur, l'addition de deux fonctions sinusoïdales de même période représentant la superposition en un point de deux ondes sinusoïdales de même nature et de même période.

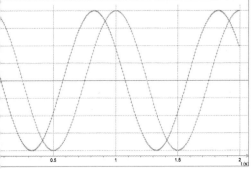

3 *Les deux fonctions sinusoïdales sont décalées : elles présentent un déphasage.*

DISPOSITIF Un ordinateur muni d'un tableur généraliste ou dédié aux sciences physiques.

Manipulation **1**

- Créer les paramètres T (période), φ (nommé déphasage) et Y_{max} (amplitude) et leur donner les valeurs : $T = 1$ s, $\varphi = 0,5$ rad, $Y_{1max} = 2$ unités et $Y_{2max} = 2$ unités ; $y(t)$ est l'élongation (l'unité n'est pas précisée car elle dépend de la nature de l'onde).
- Créer la fonction $y_1(t) = Y_{1max} \times \cos \dfrac{2\pi t}{T}$.
- Créer la fonction $y_2(t) = Y_{2max} \times \left(\cos \dfrac{2\pi t}{T} + \varphi\right)$.
- Afficher les deux graphes à l'écran **(document 3)**.
- Modifier la valeur du paramètre φ. Donner en particulier les valeurs 0, $\dfrac{\pi}{2}$ et π.

Vocabulaire

Déphasage :
deux fonctions sinusoïdales sont déphasées lorsque la différence des arguments de la fonction sinus n'est pas un multiple de 2π.

❶ Observer

Décrire l'évolution de la courbe $y_2(t)$ par rapport à $y_1(t)$ quand le paramètre φ augmente.

❷ Interpréter

a. φ est appelé le **déphasage** de la courbe 2 par rapport à la courbe 1.
Comment sont les courbes lorsque le déphasage est nul ?

b. Quelles sont les autres valeurs de φ qui donnent la même disposition des deux courbes ?

c. Lorsque $\varphi = 0$, les deux courbes sont en « **phase** » alors que lorsque $\varphi = \pi$, les deux courbes sont en « **opposition de phase** ». Justifier ces expressions.

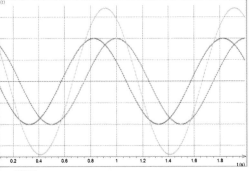

4 *Superposition des trois fonctions sinusoïdales.*

Manipulation **2**

- Créer la grandeur $y(t) = y_1(t) + y_2(t)$ qui représente l'élongation de l'onde résultante en un point et afficher la courbe avec les deux précédentes **(document 4)**.
- Faire varier φ. Lui donner en particulier les valeurs 0, $\dfrac{\pi}{2}$, π et observer l'amplitude de la fonction $y(t)$.
- Modifier l'amplitude de la fonction $y_1(t)$ en lui donnant la valeur $Y_{1max} = 3$ unités, puis faire varier à nouveau φ.

❸ Interpréter

a. Décrire l'évolution de l'amplitude de $y(t)$ lorsque φ varie.

b. Pour quelles valeurs de φ l'amplitude de $y(t)$ est-elle maximale ? minimale ? nulle ?

❹ Conclure

Lorsque deux ondes sinusoïdales se croisent, à chaque instant leurs élongations s'ajoutent. On dit qu'elles **interfèrent**.

Pour quelles valeurs du déphasage les interférences sont-elles **constructives** (amplitude de l'onde résultante maximale) ou **destructives** (amplitude de l'onde résultante minimale ou nulle) ?

ACTIVITÉ EXPÉRIMENTALE • *S'approprier* • *Analyser* • *Réaliser* • *Valider*

Activités

3 Interférences avec des ultrasons

▶ Deux ondes ultrasonores de même fréquence peuvent interférer.
Étudions ce phénomène en différents points de l'espace.

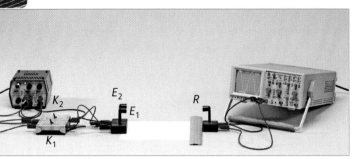

5 Dispositif expérimental.

DISPOSITIF ■ Deux émetteurs ultrasonores sont branchés sur le même GBF qui délivre une tension alternative sinusoïdale de fréquence $f = 40$ kHz. Deux interrupteurs K_1 et K_2 permettent d'alimenter ensemble ou séparément les deux émetteurs E_1 et E_2.
■ Un récepteur R, relié à la voie 1 d'un oscilloscope, peut se déplacer le long d'une règle, perpendiculaire à l'axe de symétrie du montage (**document 5**).

Expérience

Coup de pouce

L'amplitude d'une tension sinusoïdale variant de U_{min} à U_{max} est égale à :
$\dfrac{U_{max} - U_{min}}{2}$.

Noter dans le tableau ci-dessous la valeur de l'amplitude du signal mesurée à l'oscilloscope à chaque étape de l'expérience.

■ **Étape 1.** Les deux interrupteurs étant fermés, positionner le récepteur sur l'axe de symétrie du montage de manière à obtenir sur l'écran de l'oscilloscope le signal de plus grande amplitude. Ouvrir l'interrupteur K_1. Le refermer puis ouvrir l'interrupteur K_2.

■ **Étape 2.** Les deux interrupteurs étant fermés, déplacer le récepteur ultrasonore le long de la règle jusqu'à obtenir le signal de plus petite amplitude, puis réaliser l'expérience précédente.

Sans modifier la position du récepteur, mesurer avec soin les distances qui séparent le récepteur de chacun des deux émetteurs.

	K_1 et K_2 fermés	K_1 ouvert et K_2 fermé	K_1 fermé et K_2 ouvert
Étape 1			
Étape 2			

❶ Interpréter

a. Interpréter les résultats de la première colonne du tableau.

b. Les deux émetteurs étant branchés sur le même GBF, les deux signaux sont émis **en phase**. Arrivent-ils en phase sur le récepteur dans le cas de l'**étape 1** ? dans le cas de l'**étape 2** ?

c. D'où provient le **déphasage** lorsqu'il existe ?

d. Calculer la longueur d'onde λ des ondes ultrasonores et comparer sa valeur à la différence des deux distances mesurées dans l'**étape 2**.

Donnée : célérité des ondes ultrasonores $v = 340$ m·s^{-1}.

e. Que devient l'amplitude du signal lorsque la différence des distances est égale à λ ? Justifier par un raisonnement puis vérifier expérimentalement en déplaçant le récepteur.

f. Pourquoi ne pas avoir réalisé l'expérience avec des ondes sonores ?

❷ Conclure

Proposer une relation entre la différence des distances parcourues par les ondes et la longueur d'onde, relation qui généralise les résultats expérimentaux :
– lorsque les signaux sont en phase à l'arrivée (les interférences sont alors **constructives**) ;
– lorsque les signaux sont en opposition de phase (interférences **destructives**).

ACTIVITÉ EXPÉRIMENTALE • *S'approprier* • *Analyser* • *Réaliser* • *Valider*

4 Interférences lumineuses

▶ Lorsque deux ondes lumineuses interfèrent, on observe sur un écran une succession de taches alternativement noires et colorées que l'on appelle franges d'interférence. Étudions quantitativement ce phénomène.

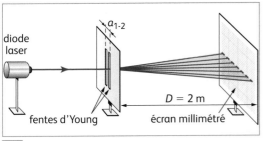

6 *Dispositif expérimental.*

DISPOSITIF ■ Deux fentes fines et parallèles (fentes d'Young) distantes de a_{1-2}, sont éclairées par une diode laser. On observe les interférences sur un écran placé à la distance D des fentes, dans la partie commune des taches de diffraction des deux fentes (**figure 6**).

■ L'écran millimétré est photographié à l'aide d'une webcam et l'image est affichée sur l'écran d'un ordinateur pour effectuer des mesures. On dispose de plusieurs fentes d'Young d'écartements a_{1-2} différents.

Expérience Éclairer différentes fentes d'Young avec la diode laser rouge puis avec la diode laser verte (**documents 7 et 8**).

7 *Interférences en lumière rouge.*

8 *Interférences en lumière verte.*

❶ Observer

a. Décrire les **franges d'interférence**. Vérifier qu'elles sont équidistantes.

La distance i (interfrange) entre deux franges consécutives dépend-elle de la lumière ? de la distance a_{1-2} entre les fentes ?

b. Mesurer l'interfrange pour les différentes fentes et les deux diodes laser puis présenter les résultats dans un tableau.

❷ Interpréter

a. Comment évolue l'interfrange pour les différentes valeurs de la distance a_{1-2} entre les fentes ?

b. Quelle est l'influence de la longueur d'onde λ sur l'interfrange ?

c. L'interfrange est donné par la relation :

$$i = \frac{\lambda D}{a_{1-2}}$$

Les mesures effectuées sont-elles en accord avec cette expression ?

d. Quel est l'intérêt d'utiliser une distance D grande ?

❸ Formuler des hypothèses

a. Quelle figure d'interférence obtiendrait-on en lumière polychromatique ?

b. Imaginer la figure d'interférence que l'on obtiendrait avec une source émettant deux radiations, l'une de couleur rouge et l'autre verte.

❹ Débattre

Débattre en groupes et proposer la figure d'interférence que l'on doit observer.

❺ Expérimenter pour conclure

Vérifier la validité de la figure proposée avec l'expérience réalisée par le professeur.

1 Interférences de deux ondes de même fréquence

1.1 Superposition de deux ondes

● Un point M se trouvant simultanément sur le passage de deux ondes qui se croisent se déplace sous l'effet des deux perturbations : la perturbation résultante en ce point correspond à la « somme » des deux perturbations. Après le croisement, les deux perturbations continuent sans être modifiées **(figure 9)**, c'est le principe de **superposition des petites vibrations**.

● Lorsque deux ondes sinusoïdales de même fréquence se superposent en un point M, l'élongation résultante est la somme des élongations des deux ondes en ce point. On dit que les ondes **interfèrent** au point M.

> Il y a **interférence** en tout point d'un milieu où deux ondes de même fréquence se superposent. L'élongation résultante en un point est la somme des élongations des deux ondes en ce point.

1.2 Sources cohérentes

Il existe un **déphasage** entre deux fonctions sinusoïdales lorsqu'elles sont décalées dans le temps **(figure 11)**.

> Deux sources sont **cohérentes** si elles émettent des ondes sinusoïdales de même fréquence et si le retard de l'une par rapport à l'autre ne varie pas au cours du temps : elles gardent alors un **déphasage constant**.

Si le décalage est nul ou multiple de la période, les deux courbes sont superposées : elles sont en **phase**. Si le maximum de l'une coïncide avec le minimum de l'autre, les deux courbes sont en **opposition de phase**.

Nous supposerons dans la suite que ce déphasage est nul, c'est-à-dire que les sources sont en phase.

1.3 Interférences constructives et destructives

Ⓐ Définitions

Deux ondes issues de deux sources cohérentes interfèrent en un point M du milieu.

$y_1(t)$ est l'élongation au point M due à la source S_1 fonctionnant seule.

$y_2(t)$ est l'élongation du même point M due à la source S_2 fonctionnant seule.

Dans le cas choisi, les deux ondes arrivent en M en phase. L'amplitude de l'onde $y_1(t) + y_2(t)$ est alors maximale en M.

Pour vérifier ses acquis
→ **FICHES B, C et D** page 12

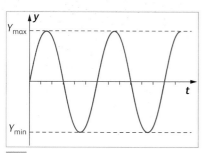

9 Superposition de deux ondes sur un ondoscope (de haut en bas).

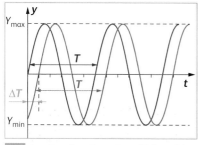

10 L'élongation $y(t)$ d'une fonction sinusoïdale est la valeur de cette fonction à l'instant t. Elle vérifie $y_{min} \leqslant y(t) \leqslant y_{max}$, l'amplitude étant défini par $\dfrac{y_{max} - y_{min}}{2}$.

11 Les deux fonctions sinusoïdales $y_1(t)$ et $y_2(t)$ présentent un décalage Δt.

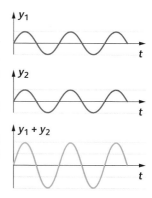

Lorsque les deux ondes arrivent en P en opposition de phase, à chaque instant en ce point P l'élongation $y_1(t)$ due à la source S_1 est opposée à l'élongation $y_2(t)$ due à la source S_2.

L'amplitude de $y_1(t) + y_2(t)$ est alors nulle en P (ou minimale si les amplitudes des ondes 1 et 2 ne sont pas égales).

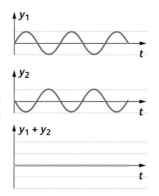

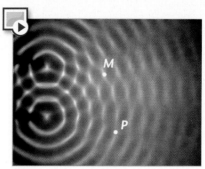

12 *Interférences constructives et destructives sur une cuve à onde.*

• Il y a **interférence constructive** en un point M lorsque deux ondes provenant de deux sources cohérentes arrivent en phase en ce point M : l'amplitude de la vibration résultante en M est maximale.

• Il y a **interférence destructive** en un point P si les deux ondes arrivent en opposition de phase en ce point P : l'amplitude de la vibration résultante est minimale ou nulle (**document 12**).

Remarque. Si les deux sources ne sont pas cohérentes, le phénomène d'interférence existe toujours mais il n'est pas observable, car en un point du milieu de propagation, le déphasage entre les deux ondes change continuellement comme le déphasage entre les deux sources.

B Relation entre retard et période

• Soient deux sources cohérentes S_1 et S_2 de même période T vibrant en phase. Un point M du milieu de propagation reproduit la vibration de la source S_1 avec un retard τ_1 qui dépend de sa distance d_1 à la source S_1, et la vibration de la source S_2 avec un retard τ_2 qui dépend de sa distance d_2 par rapport à la source S_2 (**figure 13**).

• Si au point M, la différence des retards $\Delta\tau = \tau_2 - \tau_1$ est nulle ou multiple de la période T, les deux ondes arrivent en phase et l'amplitude de l'onde résultante est maximale.

• Au contraire, si la différence des retards $\Delta\tau = \tau_2 - \tau_1$ est un multiple impair de la demi-période, les deux ondes arrivent en opposition de phase et l'amplitude de l'onde résultante est minimale ou nulle.

13 *La différence de marche $\delta = d_2 - d_1$.*

Les interférences sont :
• **constructives** si $\Delta\tau = \tau_2 - \tau_1 = kT$, avec $k \in \mathbb{Z}$;
• **destructives** si $\Delta\tau = \tau_2 - \tau_1 = (2k+1)\dfrac{T}{2}$, avec $k \in \mathbb{Z}$.

C Différence de marche

• On appelle **différence de marche δ** en un point M (**figure 13**) la différence entre les deux distances d_1 et d_2, distances entre chacune des deux sources et le point M :
$$\delta = d_2 - d_1 = S_2M - S_1M$$
δ peut prendre des valeurs positives ou négatives.

• Si v est la célérité des ondes dans le milieu de propagation :

$d_2 = v\tau_2$ et $d_1 = v\tau_1$ et $\delta = d_2 - d_1 = v(\tau_2 - \tau_1)$.

Il y a interférence constructive si $\tau_2 - \tau_1 = kT$ soit $d_2 - d_1 = kvT = k\lambda$, car $\lambda = vT$.

> • Il y a interférence constructive en tout point où $\delta = k\lambda$, avec $k \in \mathbb{Z}$.
> • Il y a interférence destructive en tout point où $\delta = (2k+1)\dfrac{\lambda}{2}$, avec $k \in \mathbb{Z}$.

2 Interférences en lumière monochromatique

2.1 Obtention de deux sources cohérentes

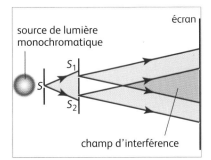

source de lumière monochromatique

S

S_1

S_2

écran

champ d'interférence

14 *Dispositif des fentes d'Young.*

Pour obtenir deux sources lumineuses cohérentes, il faut utiliser deux sources secondaires créées à partir d'une source unique. Les **fentes d'Young**, par exemple, utilisent ce principe **(figure 14)**.

Une fente de petite dimension diffracte la lumière d'une source monochromatique : cette fente joue le rôle d'une source S de lumière monochromatique, et éclaire deux fentes très proches l'une de l'autre. Ces deux fentes se comportent comme deux sources S_1 et S_2 cohérentes, en phase si la fente source est sur l'axe de symétrie du dispositif. Les faisceaux, diffractés par les deux fentes, interfèrent dans leur partie commune.

Remarque. Lorsque la source lumineuse est un laser, la première fente n'est pas indispensable car le laser est une source de lumière cohérente **(chapitre 19)**.

15 *Les franges d'interférence apparaissent dans la figure de diffraction des fentes.*

2.2 Franges d'interférence

Sur un écran, placé de manière orthogonale par rapport à l'axe de symétrie du système, on observe une succession de franges équidistantes alternativement sombres et brillantes **(document 15)**. Ces franges sont visibles quelle que soit la distance qui sépare l'écran des sources et sont dues à la superposition des ondes provenant des deux sources. Au milieu d'une frange brillante, les interférences sont constructives :

$$\delta = k\lambda, \text{ avec } k \in \mathbb{Z}$$

Au milieu d'une frange sombre au contraire, les interférences sont destructives :

$$\delta = (2k+1)\dfrac{\lambda}{2}, \text{ avec } k \in \mathbb{Z}$$

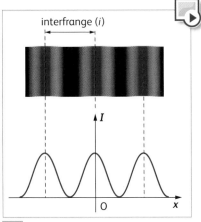

interfrange (i)

I

O

x

16 *Intensité lumineuse I sur l'écran.*

La distance qui sépare les milieux de deux franges consécutives de même nature est appelée **interfrange i (figure 16)** :

$$i = \dfrac{\lambda D}{a_{1-2}}$$

λ : longueur d'onde dans le milieu (m)
D : distance entre les fentes et l'écran (m)
a_{1-2} : distance entre les fentes (m)
i : interfrange (m)

APPLICATION Établir l'expression de l'interfrange en supposant que $D >> a_{1-2}$ et $D >> x$ **(figure 17)**.

Réponse. Calculons la différence de marche pour le point M en utilisant le théorème de Pythagore dans les triangles S_1H_1M et S_2H_2M :

$$d_2^2 = D^2 + \left(x + \frac{a_{1-2}}{2}\right)^2 \text{ et } d_1^2 = D^2 + \left(x - \frac{a_{1-2}}{2}\right)^2 ;$$

$$d_2^2 - d_1^2 = \left(x + \frac{a_{1-2}}{2}\right)^2 - \left(x - \frac{a_{1-2}}{2}\right)^2 ;$$

$$d_2^2 - d_1^2 = \left(x + \frac{a_{1-2}}{2} + x - \frac{a_{1-2}}{2}\right)\left(x + \frac{a_{1-2}}{2} - x + \frac{a_{1-2}}{2}\right) = 2x a_{1-2} ;$$

$$d_2^2 - d_1^2 = (d_2 - d_1)(d_2 + d_1) = 2\delta D \text{ car } 2D \approx d_1 + d_2 ;$$

$$2D\delta = 2x a_{1-2} \text{ donc } \delta = \frac{x a_{1-2}}{D}.$$

Le point M est au centre d'une frange brillante si la différence de marche est un multiple entier de la longueur d'onde $\delta = k\lambda$.

$$k\lambda = \frac{x a_{1-2}}{D} \Rightarrow x = \frac{k\lambda D}{a_{1-2}}$$

Entre deux franges brillantes consécutives, il y a donc :

$$i = \frac{(k + 1)\lambda D}{a_{1-2}} - \frac{k\lambda D}{a_{1-2}} = \frac{\lambda D}{a_{1-2}}$$

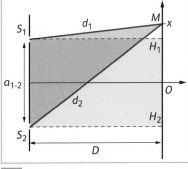

17 *Calcul de l'interfrange i.*

Remarque. La longueur d'onde λ, qui intervient dans toutes les relations précédentes, est la longueur d'onde dans le milieu traversé. Dans l'air, dont l'indice n est très voisin de l'unité, on confond λ et λ_0, longueur d'onde dans le vide.

Dans un autre milieu que l'air, comme $n = \frac{c}{v}$ et $\lambda = \frac{\lambda_0}{n}$, la relation dans le cas des interférences constructives devient :

$$nd_2 - nd_1 = k\lambda_0, \text{ avec } k \in \mathbb{Z}$$

3 Lumière blanche et couleurs interférentielles

3.1 Interférences en lumière blanche

La lumière blanche émise par une source incandescente est formée d'une infinité de radiations monochromatiques de couleurs différentes. Chaque radiation forme une figure d'interférence, mais des radiations de fréquences différentes n'interfèrent pas entre elles. La figure d'interférence observée est donc l'addition des figures d'interférence de toutes les radiations **(document 18)**.

L'interfrange n'étant pas le même pour chaque radiation car il dépend de λ, la figure d'interférence observée sur l'écran ne présente qu'une frange blanche (la frange centrale). On observe quelques franges brillantes irisées de part et d'autre.

18 *Franges d'interférence en lumière blanche.*

La **figure 19** représente l'intensité lumineuse sur l'écran pour une source émettant trois radiations rouge, verte et bleue de même intensité.

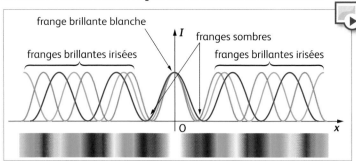

19 *Intensité et franges d'interférence en lumière RVB.*

3.2 Couleurs interférentielles

Certains objets ont des couleurs vives qui varient suivant l'angle sous lequel on les regarde. C'est le cas des ailes de certains papillons, des bulles de savon, des taches d'huile sur un sol mouillé ou encore des couches anti-reflets des objectifs photographiques.

Toutes ces couleurs ont une origine commune : des **interférences destructives**.

Ⓐ Couleurs d'une bulle de savon

Lorsqu'un rayon de lumière arrive sur une bulle, il subit de multiples réflexions sur les deux faces extérieure et intérieure de la bulle **(figure 20)**. Seuls les deux premiers rayons réfléchis 1 et 2 ont une intensité lumineuse non négligeable et très voisine. Ces deux rayons, issus de la même source peuvent interférer.

La différence de marche dépend de l'épaisseur de la bulle, qui n'est pas uniforme, et de l'angle d'incidence. Pour certaines longueurs d'onde, l'interférence est destructive. La lumière réfléchie n'est plus blanche mais colorée.

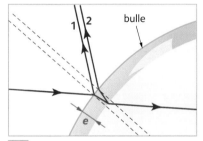

20 *Réflexion de la lumière dans une bulle de savon.*

Ⓑ Filtres interférentiels

Les filtres interférentiels sont des lames qui fonctionnent sur le même principe qu'une bulle de savon : la lame, dont les faces sont planes et sont recouvertes d'une couche à fort pouvoir réfléchissant, a une épaisseur e rigoureusement constante.

Compte tenu du traitement des faces, le nombre de rayons qui interfèrent est très important, en transmission comme en réflexion.

Le choix de l'épaisseur e permet de rendre ces filtres interférentiels très sélectifs en créant des interférences constructives pour une seule valeur du produit $k\lambda$. Ainsi, la lumière qui traverse ces filtres interférentiels est pratiquement monochromatique.

Ⓒ Couche anti-reflet

C'est une couche transparente d'épaisseur e qui est placée sur les lentilles d'un objectif ou sur les verres correcteurs de lunettes **(figure 21)**.

En incidence normale, la différence de marche vaut $2ne$. L'épaisseur e est choisie pour donner des interférences destructives pour les longueurs d'onde situées au milieu du spectre visible (plus grande sensibilité de l'œil).

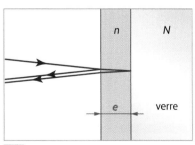

21 *Couche anti-reflet.*

L'ESSENTIEL

→ Interférence de deux ondes

- Il y a **interférence** en tout point d'un milieu où se superposent deux ondes de même fréquence. L'élongation résultante est la somme des élongations produites par chacune des ondes.

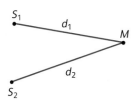

- Si les sources sont **cohérentes** (déphasage constant), l'amplitude de la vibration résultante en M ne dépend que de la position du point M.

- Il y a **interférence constructive** (amplitude maximale) si la différence de marche $\delta = d_2 - d_1$ vérifie la relation :

$$\delta = k\lambda \quad \text{avec } k \in \mathbb{Z}$$

- Il y a **interférence destructive** (amplitude nulle ou minimale) si la différence de marche δ vérifie la relation :

$$\delta = \frac{(2k + 1)\lambda}{2} \quad \text{avec } k \in \mathbb{Z}$$

→ ... en lumière monochromatique

- La figure d'interférence obtenue sur un écran placé à la distance D est constituée de franges équidistantes alternativement brillantes ou noires.

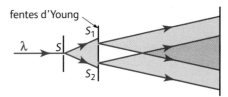

fentes d'Young

- Le milieu de chaque frange brillante vérifie la relation :

$$\delta = k\lambda \quad \text{avec } k \in \mathbb{Z}$$

L'**interfrange** (distance entre les milieux de deux franges consécutives) vaut :

$$i = \frac{\lambda D}{a_{1-2}} \quad \text{avec } a_{1-2} = S_1 S_2$$

→ ... en lumière blanche

- La lumière blanche est constituée d'une infinité de radiations. Chaque radiation de longueur d'onde λ donne une figure d'interférence indépendante des autres.

- L'interfrange n'étant pas le même pour chaque radiation car il dépend de λ, la figure d'interférence observée sur l'écran ne présente qu'une frange blanche (la frange centrale). On observe quelques franges brillantes irisées de part et d'autre.

→ Couleurs interférentielles

- Lorsqu'une couche transparente de très faible épaisseur est éclairée par de la lumière blanche, la lumière subit des réflexions sur les deux faces de la couche. Les rayons réfléchis interfèrent et l'interférence est destructive pour certaines longueurs d'onde : des couleurs apparaissent.

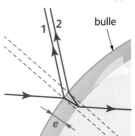

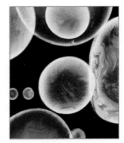

- Ces couleurs dépendent de l'épaisseur e de la couche et de l'angle d'incidence puisque la différence de marche entre les deux rayons en dépend.

1 Mots manquants

Compléter avec un ou plusieurs mots.

a. Deux ondes peuvent se croiser sans ....

b. Lorsque deux vibrations sont en phase en un point, l'onde résultante a une amplitude .... Les interférences sont ....

c. Lorsque deux vibrations sont en .... de phase, l'onde résultante a une amplitude minimale. Les interférences sont ....

d. En un point où .... est égale à $k\lambda$, les interférences sont ....

e. Deux sources d'ondes de même fréquence sont .... si elles gardent un .... constant dans le temps.

f. .... est la distance qui sépare deux franges .... de même nature.

g. Les interférences .... sont à l'origine des couleurs des bulles de savon.

2 QCM

Cocher la réponse exacte.

a. Dans la figure d'interférence obtenue avec des fentes d'Young en lumière monochromatique, la frange centrale est :
☐ deux fois plus large que les franges latérales
☐ de même largeur que les autres franges
☐ beaucoup plus lumineuse que les autres franges

b. Pour observer la figure d'interférence obtenue avec des fentes d'Young en lumière monochromatique, il faut placer l'écran :
☐ à n'importe quelle distance des fentes
☐ à une distance précise qui dépend de la longueur d'onde
☐ à une distance précise qui dépend de la distance qui sépare les fentes

c. Pour observer une figure d'interférence en lumière monochromatique, il faut :
☐ deux lampes monochromatiques identiques indépendantes
☐ deux lampes monochromatiques identiques branchées sur le même générateur
☐ une seule lampe monochromatique munie d'une fente et un système permettant d'obtenir deux sources secondaires

d. Lorsque l'on réalise des interférences en lumière blanche, on observe :
☐ des franges alternativement blanches et noires
☐ une frange blanche et des franges irisées
☐ des franges de toutes les couleurs

→ **Solutions détaillées en fin de manuel pour vérifier vos réponses et comprendre vos erreurs.**

Parcours en autonomie

Trois parcours d'exercices pour travailler en autonomie selon ses besoins.

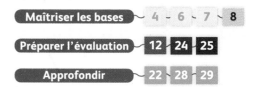

Maîtriser les bases — 4 – 6 – 7 – 8
Préparer l'évaluation — 12 – 24 – 25
Approfondir — 22 – 28 – 29

Pour tous les exercices de ce chapitre

L'interfrange i en lumière monochromatique est donné par :

$$i = \frac{\lambda D}{a_{1-2}}$$

λ : longueur d'onde dans le milieu (m)
D : distance entre les fentes et l'écran (m)
a_{1-2} : distance entre les fentes (m)

COMPÉTENCES EXIGIBLES

3 Connaître le phénomène d'interférence

On produit au même instant aux deux extrémités d'une corde une perturbation de même amplitude.

a. À quel endroit de la corde les deux déformations vont-elles se croiser ? Justifier.

b. Pour les deux cas ci-dessous, représenter l'aspect de la corde à l'instant où les deux déformations se croisent, puis après le croisement.

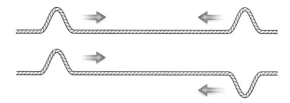

4 Connaître les conditions d'interférences

Deux émetteurs ultrasonores E_1 et E_2 branchés sur le même GBF émettent des ondes de fréquence $f = 4,25 \times 10^4$ Hz.

Donnée : célérité des ondes ultrasonores $v = 340$ m·s^{-1}.

a. Calculer la longueur d'onde des ondes ultrasonores.

b. Justifier que l'on peut observer un phénomène d'interférence dans la partie commune aux deux faisceaux.

c. À quelle condition les interférences sont constructives en un point ? destructives ?

d. Le tableau ci-dessous donne la distance entre les deux émetteurs et trois points M, N et P.
Indiquer en chacun de ces points si les interférences sont constructives ou destructives.

Points	M	N	P
Distance à E_1 (en mm)	234	252	312
Distance à E_2 (en mm)	226	256	328

5 Connaître l'influence de la longueur d'onde

Les deux photographies ci-dessous représentent, à la même échelle, les figures d'interférence obtenues avec des fentes d'Young et deux diodes laser dont les longueurs d'onde, indiquées par le constructeur, sont :
- λ_V = 532 nm pour la diode laser verte ;

- λ_R = 650 nm pour la diode laser rouge.

Vérifier, qu'aux erreurs de mesure près, l'interfrange est proportionnel à la longueur d'onde.

6 Expliquer les couleurs interférentielles

Lorsqu'une route mouillée est recouverte d'huile ou d'essence, on observe des irisations à sa surface.

a. Comment peut-on expliquer ces couleurs ?
b. Pourquoi les couleurs changent-elles lorsque l'on déplace la tête verticalement ?

7 Exploiter les conditions d'interférence

Avec deux émetteurs et un récepteur ultrasonores on réalise le montage schématisé ci-dessous. Les deux émetteurs sont branchés sur le même GBF (non représenté sur le schéma). Le récepteur est relié à la voie 1 d'un oscilloscope.
Dans les conditions de l'expérience, la longueur d'onde des ondes ultrasonores est λ = 8,0 mm.

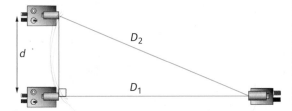

a. Quelle relation les distances D_1 et D_2 doivent-elles vérifier pour que la courbe observée sur l'oscilloscope ait une amplitude maximale ?
b. En déduire la distance d minimale entre les deux émetteurs dans le cas où D_1 = 20 cm.
c. Mêmes questions pour observer sur l'écran de l'oscilloscope une courbe ayant une amplitude minimale. Pourquoi, dans ce cas, l'amplitude n'est-elle pas nulle ?

8 Exploiter un graphique

Sur le graphique ci-dessous, deux courbes représentent les fonctions $i = f(D)$ obtenues avec le même dispositif interférentiel, pour une diode laser de longueur d'onde λ = 650 nm et pour un laser vert de longueur d'onde λ_V.
Donnée : $\lambda_V < \lambda_R$.

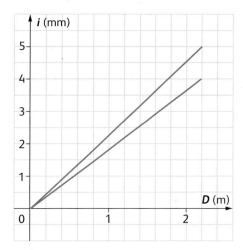

a. Justifier l'allure des tracés.
b. Associer chaque courbe au laser correspondant.
c. Calculer la longueur d'onde λ_V du laser vert.
d. Quelle est la distance entre les deux fentes ?

9 Commenter un résultat

a. Quel est l'ordre de grandeur de la longueur d'onde d'une radiation monochromatique de couleur rouge ?
b. En déduire l'ordre de grandeur de la distance a_{1-2} entre les deux fentes d'Young qui donne sur un écran, placé à D = 1 m des fentes, un interfrange i = 1 mm.
c. Peut-on observer un phénomène d'interférence si la distance entre les fentes est de l'ordre de 1 cm, pour la même distance D et pour la même radiation ?

10 Effectuer un raisonnement scientifique

À l'aide de fentes d'Young et d'une diode laser rouge, on réalise une figure d'interférence sur un écran placé à la distance D des fentes.
Indiquer sans calcul s'il faut rapprocher ou éloigner l'écran pour obtenir le même interfrange avec une diode laser verte.
Donnée : $\lambda_V < \lambda_R$.

11 Estimer la précision d'une mesure

On cherche à déterminer la distance a_{1-2} qui sépare les deux fentes d'Young en mesurant l'interfrange i des interférences sur un écran placé devant les fentes à la distance D.
Des trois grandeurs D, λ et i, quelle est celle qui limite la précision sur a_{1-2} ? Indiquer avec quelle précision est connue chacune de ces grandeurs en justifiant votre méthode.

EXERCICE RÉSOLU

Site élève

12 Interférences et diffraction

Énoncé Lorsque l'on réalise des interférences à l'aide de fentes d'Young, les deux fentes étant très proches l'une de l'autre, leurs figures de diffraction sont superposées sur l'écran. Les franges d'interférence sont visibles, en particulier dans la tache centrale de diffraction.

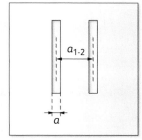

Les fentes d'Young.

On compte 11 franges brillantes dans la tache centrale de diffraction.

❶ La largeur ℓ de la tache centrale de diffraction ne dépend que de la largeur a des fentes :

$$\ell = \frac{2\lambda D}{a}\text{, }D \text{ étant la distance qui sépare les fentes de l'écran.}$$

Exprimer littéralement le rapport $\frac{a_{1-2}}{a}$ en fonction de ℓ et de i, interfrange des interférences.

❷ Calculer sa valeur dans le cas de l'expérience photographiée ci-dessus.

❸ Sans utiliser la relation établie à la question ❶, mais en raisonnant sur les phénomènes physiques qui interviennent, expliquer comment doit évoluer le nombre de raies brillantes dans la tache centrale de diffraction lorsque l'on augmente la largeur a des fentes sans changer la distance a_{1-2} qui les sépare.

❹ Vérifier l'évolution proposée à l'aide de la relation établie en ❶.

❺ Pour obtenir sur l'écran un grand nombre de franges brillantes, comment doit-on choisir les fentes ?

Une solution

❶ Calculons le rapport $\frac{\ell}{i}$: $\frac{\ell}{i} = \frac{\dfrac{2\lambda D}{a}}{\dfrac{\lambda D}{a_{1-2}}} = \frac{2\lambda D}{a} \times \frac{a_{1-2}}{\lambda D} = 2\frac{a_{1-2}}{a}$.

On en déduit : $\frac{a_{1-2}}{a} = \frac{\ell}{2i}$.

❷ Le rapport $\frac{\ell}{i}$ représente le nombre d'interfranges dans la tache centrale.

Puisqu'il y a 11 interfranges, on en déduit : $\frac{a_{1-2}}{a} = \frac{11}{2} = 5{,}5$.

La distance entre les fentes est 5,5 fois plus grande que la largeur des fentes.

❸ Le phénomène de diffraction est d'autant plus marqué que la largeur des fentes est petite. Si on augmente la largeur a des fentes, on diminue la largeur de la tache centrale de diffraction sans changer l'interfrange i, qui ne dépend que de la distance a_{1-2} entre les fentes. Il y aura donc moins de franges brillantes dans la tache centrale.

❹ On retrouve ce résultat à partir de l'expression établie en ❶. Si on augmente a, le rapport $\frac{a_{1-2}}{a}$ diminue. Il en est de même du rapport $\frac{\ell}{i}$ qui donne le nombre de franges dans la tache centrale.

❺ On ne voit bien sur l'écran que les franges qui sont situées dans la tache centrale de diffraction. Il faut choisir des fentes fines (a petit) pour élargir la tache de diffraction, et assez éloignées l'une de l'autre (d grand) pour avoir un interfrange petit. Mais attention, plus les fentes sont fines moins la figure de diffraction est lumineuse. Si en plus les franges sont très serrées, il sera difficile de les voir.

Connaissances

La relation $\ell = \frac{2\lambda D}{a}$ rappelée dans l'énoncé a été établie dans une leçon précédente à partir de la relation $\theta = \frac{\lambda}{a}$.

Rédiger

Expliquer en quelques mots la signification du résultat numérique.

Raisonner

Comme le demande l'énoncé, raisonner sur le phénomène physique de diffraction et son évolution en fonction de la largeur des fentes

Rédiger

Donner la réponse la plus complète possible en citant les avantages et les inconvénients du choix effectué.

13 ZOOM SUR... les équations aux dimensions

L'interfrange, distance qui sépare les milieux de deux franges d'interférence consécutives est donnée par la relation établie dans le cours :

$$i = \frac{\lambda D}{a_{1-2}}$$

Un élève cherche à vérifier l'homogénéité de cette relation par analyse dimensionnelle.

a. Rappeler ce qu'est la dimension d'une grandeur.

b. Vérifier l'homogénéité de cette relation.

Conseil Utiliser les règles de calcul applicables aux dimensions des grandeurs, rappelées dans la **Fiche méthode 3**.

c. Peut-on affirmer :
– que la relation est juste si elle est homogène ? Donner un exemple à partir de la relation précédente ;
– que la relation est fausse si elle n'est pas homogène ?

d. L'analyse dimensionnelle permet également de trouver la dimension d'une grandeur si on connaît une relation dans laquelle cette grandeur intervient.

On cherche la dimension d'une énergie. Rappeler les différentes expressions vues en 1re S dans lesquelles intervient l'énergie (énergie cinétique, énergie potentielle de pesanteur, énergie nucléaire…).

Conseil Il est préférable de ne pas utiliser une relation dans laquelle figure une constante possédant une dimension. Par exemple, la relation $\mathscr{E} = h\nu$, avec h constante de Planck, ne permet pas de déterminer la dimension de l'énergie.

e. Utiliser l'une de ces relations pour déterminer la dimension de l'énergie.

f. En déduire la dimension de la constante de Planck.

Donnée : $\nu = \dfrac{1}{T}$, avec ν en hertz et T en seconde.

14 Apprendre à rédiger

Voici l'énoncé d'un exercice et un guide (en bleu) ; ce guide vous aide à rédiger la solution détaillée et à retrouver les réponses aux questions posées.

Énoncé

On réalise une expérience d'interférence en éclairant deux fentes d'Young par une diode laser de longueur d'onde $\lambda = 650$ nm. La diode laser est placée sur l'axe de symétrie du système. Les franges d'interférence sont observées sur un écran parallèle au plan des fentes.

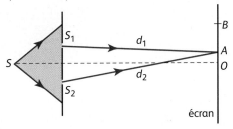

a. Au point A, la différence de marche $\delta = d_2 - d_1$ est telle que $\delta = 2{,}60$ µm.
Le point A est-il au centre d'une frange sombre ou d'une frange brillante ? Justifier.

▶ Rappeler les conditions d'obtention d'interférences constructives et destructives. Ne pas se contenter de faire le calcul du rapport $\dfrac{\delta}{\lambda}$, indiquer par une phrase que A est au milieu d'une frange brillante.

b. On s'éloigne du centre de l'écran jusqu'au point B où $\delta = 3{,}90$ µm. Combien de franges brillantes a-t-on rencontré entre A et B ?

▶ Préciser qu'on utilise la même méthode qu'à la question **a.** pour déterminer la position du point B par rapport aux franges.

▶ Représenter sur un schéma les franges qui se trouvent entre A et B, avant de conclure sur le nombre de franges brillantes entre A et B (une seule, sans compter celle en A ni celle en B).

c. On déplace S parallèlement aux deux fentes jusqu'à ce que les deux sources émettent en opposition de phase. Qu'observe-t-on aux points A et B définis dans les questions précédentes ?

▶ Indiquer comment sont modifiées les différences de marche avant de conclure en indiquant que la nature des franges est inversée.

15 Interfrange

Compétences générales *Extraire et exploiter des informations – Effectuer un calcul*

Pour mesurer avec précision l'interfrange d'une figure d'interférence obtenue avec des fentes d'Young et la lumière rouge d'une diode laser, un élève photographie l'écran à l'aide d'une webcam.

Il traite ensuite la photographie obtenue avec un logiciel analysant l'intensité de chaque point de la photo selon sa position sur une droite et obtient la courbe ci-dessous.

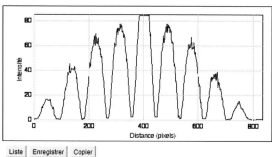

a. Indiquer sur ce schéma où se situe le milieu des franges sombres et le milieu des franges brillantes.

b. Calculer l'interfrange en pixels avec la précision maximale en expliquant la méthode utilisée.

c. Sachant que 1 000 pixels sur la photo couvrent 3,0 cm sur l'écran, calculer l'interfrange en mm.

16 Interférences en lumière jaune

Compétences générales *Effectuer un raisonnement scientifique – Restituer ses connaissances*

Une source de lumière jaune émet en réalité deux radiations :
– une de couleur rouge de longueur d'onde $\lambda_R = 650$ nm ;
– une de couleur verte de longueur d'onde $\lambda_V = 520$ nm.
Représenter l'allure de la figure d'interférence obtenue sur un écran blanc.

17 Interférences en lumière blanche

Compétence générale *Restituer ses connaissances*

La photographie ci-dessous représente des franges d'interférence en lumière blanche.

a. Qu'est-ce que la lumière blanche ?

b. Indiquer sur le schéma la frange centrale.

c. Justifier que la frange centrale est blanche.

d. Expliquer les couleurs observées sur les autres franges.

e. Expliquer pourquoi la lumière blanche est souvent utilisée pour régler les interféromètres.

18 Interférences lumineuses

Compétences générales *Effectuer un calcul – Restituer ses connaissances*

Des fentes d'Young, distantes de $a_{1-2} = 0,20$ mm, sont éclairées par un faisceau laser de longueur d'onde dans le vide (et dans l'air) $\lambda = 680$ nm. Les deux sources émettent en phase. On observe la figure d'interférence sur un écran placé à 1,20 m du plan des fentes.

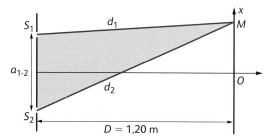

a. La frange centrale (point O sur le schéma) est-elle noire ou brillante ? Justifier.

b. En un point M d'abscisse x, la différence de marche est donnée par la relation : $\delta = \dfrac{a_{1-2}x}{D}$.
À quelle distance x du point O se trouve le milieu de la première frange sombre ? En déduire l'interfrange.

19 ✴ Trous d'Young

Compétences générales *Effectuer un raisonnement scientifique – Restituer ses connaissances*

L'expérience d'interférence des fentes d'Young peut être réalisée en remplaçant les fentes par deux petits trous placés très près l'un de l'autre. La figure de diffraction de la lumière par un trou est formée d'une tache circulaire très lumineuse (appelée tache d'Airy) entourée d'anneaux de moins en moins lumineux. Les deux figures de diffraction sont pratiquement superposées sur l'écran.

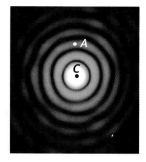

a. Justifier que ce dispositif permet d'obtenir des interférences.

b. Les deux trous sont situés sur une horizontale et émettent sans déphasage. Que vaut la différence de marche au centre C de la figure de diffraction ?

c. Même question au point A sur la verticale passant par C.

d. En déduire la figure d'interférence et dessiner les franges sans souci d'échelle.

20 ✶ Précision d'une mesure

Compétence générale *Commenter un résultat*

On dispose d'un mètre ruban de deux mètres de long, gradué en mm, pour mesurer l'interfrange d'une figure d'interférence obtenue avec des fentes d'Young. On admet que ce mètre ruban permet de mesurer au mm près une longueur inférieure ou égale à 2 mètres.

On veut déterminer avec le maximum de précision la distance a_{1-2} qui sépare les deux fentes en mesurant l'interfrange i sur un écran placé à un mètre des fentes.

La diode laser utilisée a une longueur d'onde $\lambda = 650$ nm.

a. Parmi les trois grandeurs i, D et λ indiquées dans l'énoncé, quelle est celle qui est connue avec, probablement, la plus faible précision ?

b. Choisir, entre les deux propositions ci-dessous, celle qui permet de déterminer a_{1-2} avec le maximum de précision, sachant que le nombre de franges brillantes observables est notée N. Justifier votre choix.

– 1ʳᵉ proposition : placer l'écran à un mètre des fentes et mesurer un interfrange sur l'écran à différents endroits de la figure d'interférence. Faire une moyenne des N résultats obtenus ;

– 2ᵉ proposition : placer l'écran à un mètre des fentes et mesurer la distance qui sépare les deux franges sombres extrêmes. Diviser ce résultat par le nombre N de franges brillantes pour obtenir l'interfrange.

Aide. Voir le **Dossier « Mesures et incertitudes ».**

21 ✶ Mathématiques à la surface de l'eau

Compétences générales *Restituer ses connaissances – Effectuer un raisonnement scientifique*

En mathématiques, l'hyperbole est le lieu géométrique des points d'un plan dont la différence des distances à deux points fixes du plan, appelés foyers, est une constante non nulle. L'hyperbole possède deux branches symétriques l'une de l'autre par rapport à l'axe de symétrie des deux foyers :

$$F_2M - F_1M = C; \text{ de même : } F_2M' - F_1M' = C.$$

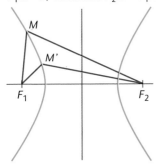

On crée deux ondes circulaires à la surface de l'eau d'une cuve à onde à l'aide d'un vibreur muni de deux pointes.
Le mouvement des deux pointes est vertical et leur élongation est une fonction sinusoïdale du temps.

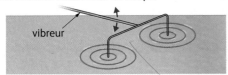

vibreur

a. Peut-on observer un phénomène d'interférence stable à la surface de l'eau ? Justifier.

b. L'axe de symétrie des deux sources à la surface de l'eau correspond-il à un maximum ou à un minimum d'amplitude pour les ondes qui interfèrent ?

c. Quelle est la forme des franges d'amplitude maximale ? Faire un schéma approximatif.

d. La distance qui sépare les deux sources est $a_{1-2} = 5\lambda$. Combien y a-t-il de franges d'amplitude maximale entre les deux sources ?

22 ✶ Largeur de la fente source

Compétences générales *Extraire et exploiter des informations – Effectuer un raisonnement scientifique*

On réalise une expérience d'interférence en lumière monochromatique avec deux sources secondaires S_1 et S_2 éclairées par une source placée derrière une fente S très fine.

Dans un premier temps, la fente S est sur l'axe de symétrie des sources secondaires S_1 et S_2.

Données : $\lambda = 650$ nm, $D = 2,0$ m et $a_{1-2} = 0,20$ mm.

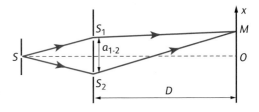

a. Les sources S_1 et S_2 émettent-elles en phase ? Justifier.

b. Dans ces conditions, les interférences sont-elles constructives ou destructives au point O ?

c. Calculer l'interfrange.

d. Le point M, d'abscisse $x = 13$ mm, est-il au centre d'une frange brillante ou d'une frange sombre ?

Dans un deuxième temps, on déplace la fente-source S, parallèlement au plan des sources secondaires vers le haut.

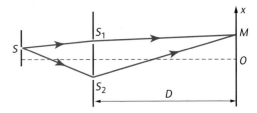

e. Les deux sources secondaires émettent-elles toujours en phase ?

f. Quelle est la source qui est en retard par rapport à l'autre ?

g. On suppose que le déplacement de la fente-source S correspond à un retard d'une demi-période d'une source secondaire par rapport à l'autre.
Quelle est maintenant la nature de la frange située en O ? Justifier.

h. L'interfrange est-il modifié ?
Que se passe-t-il si on remplace la fente S par une source étendue, de largeur égale à la distance dont on a déplacé la fente S ?

23 **ECE** **Évaluation des compétences expérimentales**

Cet exercice permet de travailler les compétences expérimentales suivantes : • S'approprier • Analyser • Valider

Au cours d'une séance de travaux pratiques, les élèves doivent étudier l'influence de la distance qui sépare les fentes d'Young sur l'interfrange. Ils disposent pour cela d'un jeu de fentes d'Young sur support, d'un écran, d'un mètre ruban et d'une diode laser rouge de longueur d'onde $\lambda = 650$ nm.

a. À partir du matériel mis à disposition, élaborer un protocole expérimental permettant de répondre quantitativement à la question posée.

b. Une fois le protocole validé par le professeur, les élèves placent l'écran à 1,000 m du plan des fentes d'Young et mesurent l'interfrange pour chaque jeu de fentes. Les résultats sont consignés dans le tableau ci-dessous.

Distance a_{1-2} (mm)	0,10	0,20	0,30	0,40
Interfrange (mm)	6,5	3,3	2,2	1,6

c. Comment faut-il procéder pour obtenir l'interfrange avec le maximum de précision ?

d. Quelle courbe est-il intéressant de tracer pour vérifier que l'interfrange est inversement proportionnel à la distance qui sépare les fentes ?

e. Tracer ce graphique et conclure.

f. Le professeur fait remarquer aux élèves qu'en modifiant la position de l'écran, ils pouvaient obtenir des résultats encore plus précis. Justifier cette remarque.

---

24 **Objectif** **BAC** *Exploiter des documents*

Dossier BAC, page 546

→ L'objectif de cet exercice est de mesurer une longueur d'onde.

DOC 1. Principe de fonctionnement de l'interféromètre.

L'interféromètre mis au point par Michelson fut utilisé en 1887 pour montrer l'invariance de la célérité de la lumière dans un changement de référentiel, invariance qui constitue l'un des postulats de la relativité restreinte énoncée par Einstein en 1905.

Un interféromètre de Michelson est composé de deux miroirs plans M_1 et M_2, orthogonaux et d'une lame séparatrice semi-réfléchissante S inclinée à 45° par rapport aux plans des miroirs.

Le faisceau lumineux monochromatique de longueur d'onde λ émis par une source vient frapper la lame semi-réfléchissante au point B.

Les faisceaux transmis ou réfléchis par S arrivent sur les miroirs sous incidence normale aux points notés A_1 et A_2. À la sortie du dispositif, deux faisceaux parallèles, qui ont parcouru des trajets différents, peuvent interférer : leur état d'interférence est contrôlé par un photocapteur relié à une chaîne électronique de comptage.

On suppose que les faisceaux transmis ou réfléchis ont la même intensité.

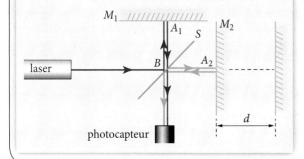

DOC 2. Interféromètre de Michelson vu de dessus.

a. Exprimer la différence de marche δ entre les deux faisceaux qui interfèrent depuis leur séparation en B sur la lame S jusqu'à leur retour en ce point.

On pose $L_1 = BA_1$ et $L_2 = BA_2$.

b. On suppose qu'initialement $L_1 = L_2$.

Le photocapteur enregistre-t-il une plage sombre ou une plage brillante ?

c. On recule le miroir M_2 d'une distance d. Quand le miroir s'immobilise, le photocapteur détecte une plage brillante et le compteur a enregistré le défilement de 526 plages sombres.

Exprimer la nouvelle différence de marche entre les deux faisceaux en fonction de d.

d. Rappeler la relation entre la différence de marche et la longueur d'onde dans le cas d'une interférence constructive.

e. En déduire la longueur d'onde de la lumière émise par la source sachant que le miroir a été reculé de $d = 0,150$ mm.

25 **Apprendre à chercher**

La résolution de cet exercice nécessite de trouver les étapes du raisonnement.
→ **Une aide est disponible en fin de manuel.**

Énoncé

Deux haut-parleurs, alimentés par le même GBF, sont placés face à face à $L = 1$ m environ l'un de l'autre.

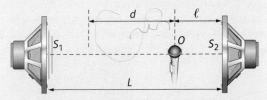

Un petit micro, branché sur la voie 1 d'un oscilloscope, peut être déplacé entre les deux haut-parleurs. Lorsque le micro est dans la position initiale, à la distance ℓ de S_2, l'amplitude de la courbe observée sur l'oscilloscope est maximale.
On déplace lentement le micro vers la gauche. La courbe sur l'oscilloscope passe par un minimum puis un maximum et ainsi de suite huit fois. Quand on arrête le micro, il a été déplacé de $d = 0,500$ m.
→ *Sachant que le GBF délivre une tension alternative sinusoïdale de fréquence f = 2 720 Hz, calculer la célérité des ondes sonores dans l'air.*

26 **★ Sources synchrones ou cohérentes**

Compétences générales *Communiquer et argumenter*

Pour réaliser une figure d'interférence à la surface de l'eau lors d'une séance de TPE, un élève a le choix entre deux dispositifs :
– utiliser deux vibreurs indépendants mais vibrant à la même fréquence, chaque vibreur étant muni d'une pointe (figure **ⓐ**) ;
– utiliser un seul vibreur à deux pointes (figure **ⓑ**).

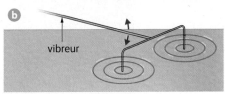

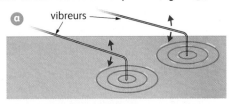

N'ayant pas vu le phénomène d'interférence en classe de 1re S, l'élève a lu dans un livre qu'il doit obtenir des sources cohérentes mais il ne comprend pas la différence entre les deux dispositifs. Il demande alors à son professeur de lui expliquer le matériel qu'il doit choisir.
Indiquer en quelques lignes la réponse du professeur.

27 **★★ Longueur de cohérence**

Compétences générales *Extraire et exploiter des informations – Effectuer un raisonnement scientifique*

Dans une source de lumière monochromatique, comme par exemple une lampe à vapeur de sodium qui émet une radiation jaune, les atomes excités par une décharge électrique émettent une onde de très courte durée $\tau = 10^{-11}$ s environ. On parle alors de trains d'onde. La source émet de façon continue car elle renferme un très grand nombre d'atomes qui se désexcitent puis sont à nouveau excités avant de se désexciter. Deux trains d'onde émis successivement par le même atome ne sont pas cohérents car le déphasage entre les deux trains est aléatoire. Les trains d'ondes émis par les autres atomes de la source sont également incohérents.

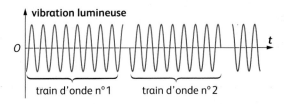

Pour observer un phénomène d'interférence sur l'écran, il faut que les trains d'onde issus des sources S_1 et S_2 qui interfèrent proviennent du même train d'onde initial. Chaque train d'onde produit la même figure d'interférence ce qui rend visible le phénomène.

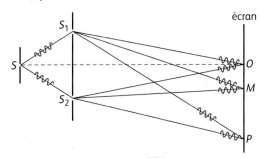

a. La durée d'émission d'un train d'onde par un atome est appelée durée de cohérence. Justifier cette expression.
b. Quelle est la longueur d'un train d'onde appelée longueur de cohérence ?
Donnée : célérité des ondes lumineuses $c = 3,0 \times 10^8$ m·s^{-1}.
c. Calculer un ordre de grandeur du nombre d'oscillations d'un train d'onde.
Donnée : longueur d'onde de la raie jaune du sodium $\lambda = 589$ nm.
d. Sur le schéma ci-dessus, y a-t-il interférence visible en O, en M ou en P ? Justifier.
e. Expliquer la phrase : « chaque train d'onde produit la même figure d'interférence ce qui rend visible le phénomène ».
f. La largeur de la bande dans laquelle le phénomène d'interférence est visible sur l'écran est-elle plus grande lorsque les fentes sont proches l'une de l'autre ou lorsqu'elles sont plus distantes ? Justifier qualitativement.

28 ★★ Couleurs d'une bulle de savon

Compétences générales *Effectuer un raisonnement scientifique – Effectuer un calcul*

Lorsque la lumière arrive sur la surface de séparation de deux milieux transparents, elle subit une réfraction et une réflexion. Le pourcentage de lumière réfléchie ou transmise dépend de l'indice des deux milieux et de l'angle d'incidence. Pour une incidence normale (rayon incident normal à la surface) et une surface de séparation air-eau, 98 % de l'intensité lumineuse est transmise et 2 % est réfléchie.

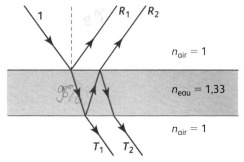

Pour rendre plus claires les notations, la figure ci-dessus n'est pas représentée en incidence normale.

a. En notant 1 l'intensité lumineuse du rayon incident, calculer l'intensité lumineuse des deux premiers rayons réfléchis (R_1 et R_2) et des deux premiers rayons transmis (T_1 et T_2).

b. Les rayons réfléchis interfèrent. Il en est même des rayons transmis.

Pour quel couple de rayons la différence d'intensité lumineuse entre les interférences constructives et les interférences destructives est-elle le plus marquée ? Justifier sans calcul.

c. Voit-on mieux les couleurs d'une bulle de savon lorsqu'on observe la lumière réfléchie par la bulle ou la lumière transmise ?

29 ★★ Couche antireflet

Compétences générales *Effectuer un raisonnement scientifique – Effectuer un calcul*

On utilise un laser de longueur d'onde dans le vide $\lambda_0 = 650$ nm pour éclairer l'intérieur d'une cuve dont les parois sont en verre d'indice $N = 1,5$. Pour éviter les réflexions du faisceau laser sur la face d'entrée du dispositif, on désire la recouvrir d'une couche antireflet.

L'objectif de cet exercice est de déterminer l'indice et l'épaisseur de la couche transparente à appliquer sur le verre pour annuler la réflexion de la lumière du laser en incidence normale (rayon incident normal à la surface).

Pour plus de lisibilité, les rayons ont été représentés légèrement inclinés par rapport à la normale sur la figure ci-dessous.

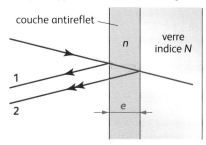

a. Pour supprimer le reflet, les interférences des rayons 1 et 2 doivent-elles être constructives ou destructives ?

b À quelle condition l'amplitude de l'onde résultante est-elle nulle ?

c. On admet que cette condition est réalisée lorsque $n = \sqrt{N}$. Calculer l'indice n de la couche antireflet.

d. Montrer que la différence de marche entre les deux rayons en incidence normale est $\delta = 2ne$.

e. Pour le laser utilisé, calculer la plus petite valeur de e de cette couche antireflet.

30 Objectif **BAC** *Rédiger une synthèse de documents*

➤ Dossier BAC, page 546

Cet exercice s'appuie sur des ressources disponibles sur le site élève : **www.nathan.fr/siriuslycee/eleve-termS**.

Télécharger le dossier « Ressources pour l'exercice 30 » du chapitre 5 qui concerne la couleur des animaux.

Ce dossier contient :

– un document issu du CNRS sur la vision des couleurs, étudiée en classe de 1ʳᵉ ;

– un document issu du site Internet *Futura-Sciences* sur les couleurs structurales des animaux ;

– un article sur les couleurs des ailes transparentes des petits insectes.

→ **L'objectif de cet exercice est de rédiger une synthèse de documents afin d'exposer les différents phénomènes physiques à l'origine de la couleur des animaux.**

Le texte rédigé (de 25 à 30 lignes) devra être clair et structuré et reposera sur les informations issues des documents proposés.

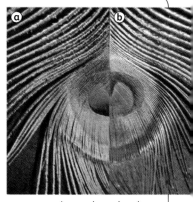

Les couleurs des plumes de paon varient en fonction de l'angle d'observation.

Spectres UV-visible et IR

Des matériaux tels que l'ivoire, l'os, la corne, ou encore certains matériaux synthétiques, sont parfois difficiles à distinguer à l'œil ou au toucher. On utilise alors la spectroscopie infrarouge, qui permet par exemple d'identifier **la nature du matériau qui constitue les pièces de ce jeu d'échec**.

COMPÉTENCES EXIGIBLES

- Utiliser la représentation topologique des molécules organiques. → *Exercices d'application 3, 4 et 6*

- Associer un groupe caractéristique à une classe fonctionnelle.
  → *Exercice d'application 4*

- Connaître les règles de nomenclature des principales classes fonctionnelles en chimie organique.
  → *Exercices d'application 5 et 6*

- Caractériser une espèce colorée.
  → *Activité expérimentale 2*

- Exploiter un spectre UV-visible.
  → *Exercice d'application 7*

- Exploiter un spectre IR pour déterminer des groupes caractéristiques à l'aide de tables de données ou de logiciels.
  → *Exercices d'application 8 et 11*

ACTIVITÉ DOCUMENTAIRE

1

Représenter et nommer des molécules

▶ Mettons un peu d'ordre dans le méli-mélo proposé ci-dessous, grâce à nos connaissances de 1re S et à un peu de bon sens !

Formule semi-développée

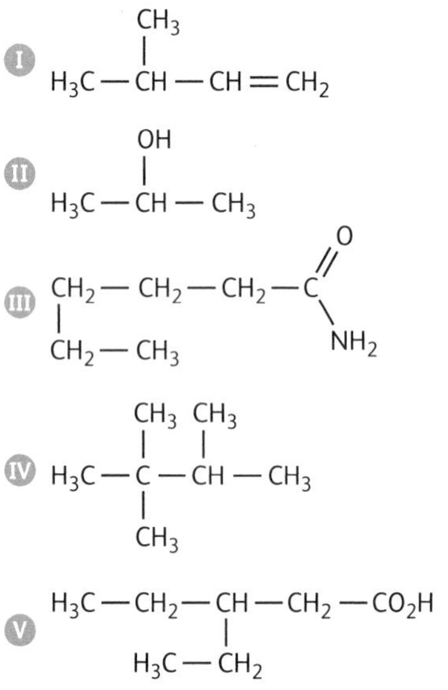

Ⅰ
$$H_3C - \overset{\overset{\displaystyle CH_3}{|}}{CH} - CH = CH_2$$

Ⅱ
$$H_3C - \overset{\overset{\displaystyle OH}{|}}{CH} - CH_3$$

Ⅲ
$$\overset{\displaystyle CH_2 - CH_2 - CH_2 - C \overset{\displaystyle O}{\underset{\displaystyle NH_2}{\diagdown}}}{\underset{\displaystyle CH_2 - CH_3}{|}}$$

Ⅳ
$$H_3C - \overset{\overset{\displaystyle CH_3}{|}}{\underset{\underset{\displaystyle CH_3}{|}}{C}} - \overset{\overset{\displaystyle CH_3}{|}}{CH} - CH_3$$

Ⅴ
$$H_3C - CH_2 - \overset{\overset{\displaystyle }{|}}{\underset{\underset{\displaystyle H_3C - CH_2}{|}}{CH}} - CH_2 - CO_2H$$

Formule topologique

❶ (topological structure with OH and =O)

❷ (topological structure)

❸ (topological structure with =O and NH$_2$)

❹ (topological structure)

❺ (topological structure with OH)

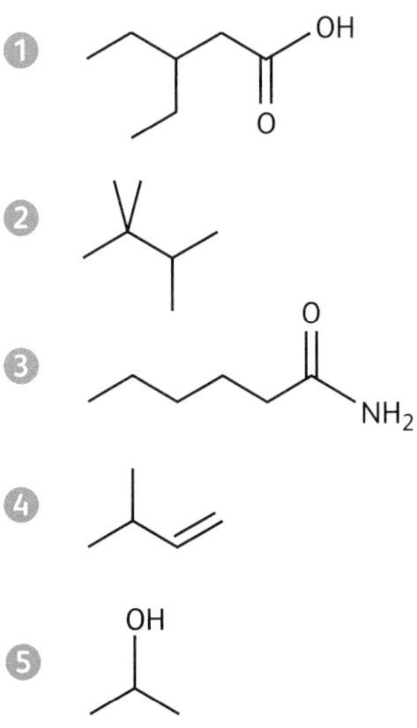

Nom

ⓐ 2,2,3-triméthylbutane

ⓑ acide 3-éthylpentanoïque

ⓒ 3-méthylbut-1-ène

ⓓ propan-2-ol

ⓔ hexanamide

Classe fonctionnelle

Ⓐ alcool

Ⓑ alcane

Ⓒ amide

Ⓓ acide carboxylique

Ⓔ alcène

• Dans la formule topologique d'une molécule organique, la chaîne carbonée est représentée par une ligne brisée, et seuls les atomes autres que ceux de carbone et d'hydrogène sont écrits, ainsi que les atomes d'hydrogène liés à ces autres atomes. Les doubles liaisons sont représentées par un double trait.

• La formule topologique permet de représenter une molécule de façon concise et de distinguer plus facilement ses groupes caractéristiques.

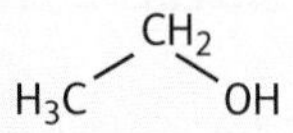

$$H_3C \overset{\displaystyle CH_2}{\diagup} \overset{\displaystyle }{\diagdown} OH$$

Formule semi-développée de l'éthanol

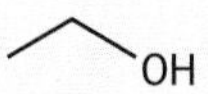

(topological formula with OH)

Formule topologique de l'éthanol

1 *Qu'est-ce qu'une formule topologique ?*

❶ Analyser les documents

Une molécule possédant une double liaison entre deux atomes de carbone appartient à la **classe fonctionnelle des alcènes**.

a. Relier les formules semi-développées aux formules topologiques correspondantes.

b. Recopier les formules topologiques, puis entourer et nommer les groupes caractéristiques étudiés en 1re S.

c. Identifier les classes fonctionnelles vues en 1re S, et associer à chacune la formule topologique correspondante. Associer les formules topologiques restantes aux autres classes fonctionnelles.

d. Attribuer le nom correspondant à chacune des espèces proposées.

❷ Utiliser la représentation topologique

a. Écrire les formules semi-développée et topologique du 2-éthylbutan-1-ol.

b. Écrire la formule semi-développée et le nom de la molécule correspondant à la formule topologique ci-contre.

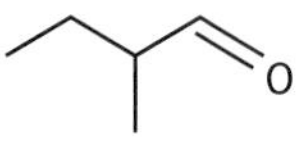

ACTIVITÉ EXPÉRIMENTALE — Compétences expérimentales mises en œuvre • *S'approprier* • *Analyser* • *Réaliser* • *Valider*

Activités

2

Utiliser un spectrophotomètre UV-visible

▶ **L'œil est un détecteur de couleurs très efficace, mais il ne permet pas toujours de distinguer des espèces colorées. On utilise alors un spectrophotomètre.**

Démarche d'investigation

Les confiseurs utilisent des colorants alimentaires pour que la couleur de leurs confiseries reflète la couleur de la matière première, ou la couleur habituellement associée à un produit.

L'Union Européenne fixe, pour tous les colorants alimentaires, des valeurs de dose journalière admissible (DJA). Voici les DJA, en mg de produit absorbable par kg de masse corporelle et par jour, de trois colorants alimentaires bleus.

Colorant	Bleu patenté E131	Indigotine E132	Bleu brillant E133
DJA (mg/kg/jour)	2,5	5,0	10,0
Masse molaire (g·mol⁻¹)	560	420	747

➡ *Quel est le colorant bleu présent dans un bonbon Schtroumpf® ? Quelle masse de ce colorant est contenue dans un bonbon ?*

Coup de pouce

En spectroscopie UV-visible, lorsqu'on utilise un appareil du lycée, on doit travailler avec :
• une solution limpide ;
• $0,1 < A_\lambda < 2$, où A_λ est l'absorbance mesurée à la longueur d'onde λ.

Matériel et solutions disponibles :
– dispositif de chauffage ;
– spectrophotomètre visible (entre 500 nm et 750 nm) ;
– bécher, fioles et pipettes jaugées ;
– papier-filtre, entonnoir, couteau ;
– solutions bleues, chacune contenant l'un des colorants du tableau ci-dessus à une concentration connue.

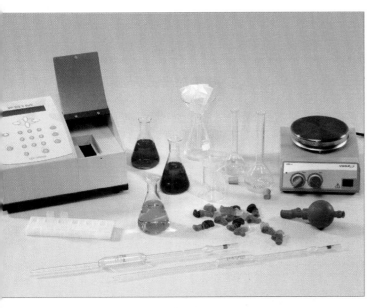

1 **Formuler des hypothèses**
Proposer un protocole permettant de répondre aux deux questions à la fois.

2 **Expérimenter**
Mettre en œuvre la (les) expérience(s) proposée(s).

3 **Conclure**
Conclure pour estimer le nombre maximal de bonbons Schtroumpf® que peut consommer par jour une personne de 60 kg, sans dépasser la DJA en colorant alimentaire bleu (en supposant que les bonbons Schtroumpf® soient le seul apport en cet additif alimentaire).

2 ◀ *Matériel et solutions disponibles pour caractériser le colorant bleu présent dans un bonbon Schtroumpf®.*

ACTIVITÉ DOCUMENTAIRE • *Extraire et exploiter des informations*

3 Étude de spectres infrarouges

▶ **Comment exploiter un spectre infrarouge (ou spectre IR) pour identifier la présence de liaisons particulières au sein d'une molécule ?**

Doc. 1 Cinq spectres IR

• Tout comme la spectroscopie UV-visible, la spectroscopie IR est une spectroscopie d'absorption.

• Les spectres représentent l'intensité de l'absorption du rayonnement électromagnétique par une molécule en fonction du nombre d'onde de ce rayonnement.

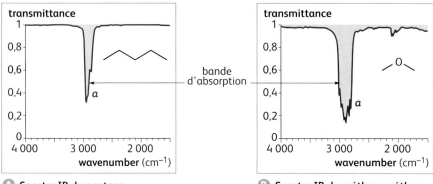

Ⓐ Spectre IR du pentane

Ⓑ Spectre IR du méthoxyméthane H₃C–O–CH₃

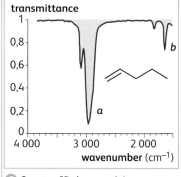

Ⓒ Spectre IR du pent-1-ène

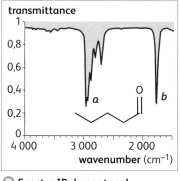

Ⓓ Spectre IR du pentanal

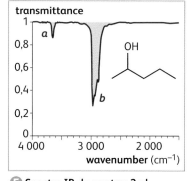

Ⓔ Spectre IR du pentan-2-ol

Remarque. Les abscisses de ces cinq spectres IR d'espèces en **phase gazeuse** sont comprises entre 1 500 cm⁻¹ et 4 000 cm⁻¹.

1 Observer le document 1

a. Identifier la grandeur représentée en ordonnée. Quelle est son unité ?

b. Dans quel sens est orientée une bande d'absorption sur un spectre IR ?

c. Quelle est l'unité de la grandeur portée en abscisse ?

d. Quelle est la particularité de l'axe des abscisses ?

e. Quelle bande d'absorption est commune à chacun des spectres ?

❷ Analyser le document 1

Le **nombre d'onde**, noté σ, est l'inverse de la longueur d'onde λ.

a. Vérifier que les spectres du **document 1** ont été réalisés à des longueurs d'onde appartenant au domaine de l'infrarouge.

b. En spectroscopie IR, chaque bande d'absorption est caractéristique d'une liaison particulière. Identifier la nature de la liaison responsable de la bande d'absorption commune à tous les spectres (en comparant par exemple les spectres Ⓐ et Ⓑ).

c. Déduire de la comparaison des spectres les valeurs approchées des nombres d'onde caractéristiques des absorptions relatives aux liaisons C–H, C=O, C=C et O–H.

Doc. 2 **Spectres IR de deux alcools isomères**

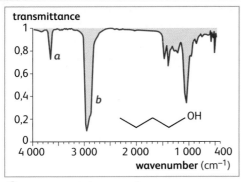

Ⓕ Spectre IR du butan-1-ol   Ⓖ Spectre IR du butan-2-ol

Remarque. Les abscisses de ces deux spectres IR d'alcools isomères en **phase gazeuse** sont comprises entre 400 et 4 000 cm^{-1}.

❸ Observer le document 2

a. Comparer les spectres Ⓕ et Ⓖ.
Quels sont leurs points communs et leurs différences ?

b. Comparer les spectres Ⓕ et Ⓖ avec le spectre Ⓔ du **document 1**.
Quels sont leurs points communs ?

❹ Analyser le document 2

a. Vérifier que l'intégralité des valeurs en abscisse se trouvent dans la gamme de l'IR.

b. Quelle information peut-on extraire de la partie des spectres du **document 2** comprenant les plus grandes valeurs de nombres d'onde (supérieures à 1 500 cm^{-1}) ?

c. Quel renseignement supplémentaire peut-on a priori extraire de la partie du spectre relative aux « petits » nombres d'onde (valeurs inférieures à 1 500 cm^{-1}) ?

❺ Mise en évidence d'une interaction

a. En comparant les spectres des **documents 2 et 3**, dire quelle est l'influence de l'état physique de l'échantillon sur la bande d'absorption attribuée à la liaison O–H.

b. Quelle interaction, présente en phase condensée mais pas en phase gazeuse, pourrait être à l'origine de ce phénomène ?

Doc. 3 **Spectre IR du butan-1-ol**

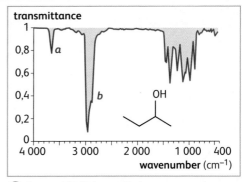

Remarque. Les abscisses de ce spectre IR du butan-1-ol en **phase liquide** sont comprises entre 1 500 cm^{-1} et 4 000 cm^{-1}.

Pour vérifier ses acquis
→ **FICHES G et H** page 14

1 Les molécules organiques

1.1 Formule topologique d'une molécule

Dans la **formule topologique** d'une molécule organique :
– la chaîne carbonée est représentée par une ligne brisée ;
– seuls les atomes autres que ceux de carbone et d'hydrogène sont écrits, ainsi que les atomes d'hydrogène liés à ces autres atomes.
Les doubles liaisons sont représentées par un double trait.

Exemple

Formule semi-développée
de la lidocaïne

Formule topologique
de la lidocaïne

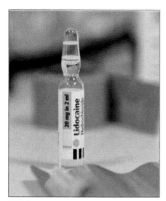

3 La lidocaïne est un anesthésique local.

4 Le polyéthylène, un alcane issu de la polymérisation d'un alcène, a été utilisé pour la construction du Bibigloo par l'artiste plasticien Bibi.

1.2 Diversité des molécules organiques

● Les molécules organiques ne contenant que des atomes de carbone et d'hydrogène se divisent en plusieurs classes fonctionnelles, parmi lesquelles on distingue :
– les **alcanes**, qui ne possèdent que des liaisons simples ;
– les **alcènes**, qui possèdent une double liaison carbone-carbone $C = C$.

● Lorsque la chaîne carbonée possède un groupe caractéristique, la molécule appartient à une ou plusieurs classes fonctionnelles autres que celles des alcanes et des alcènes. En classe de 1re S, nous avons vu plusieurs classes fonctionnelles (→ **fiche méthode 7**). Les nouvelles classes fonctionnelles des amines, des amides et des esters sont présentées dans le tableau ci-dessous.

Classe fonctionnelle	Groupe caractéristique	Exemple
amine	$-N$	NH_2 **pentan-1-amine** odeur nauséabonde
amide	$C - N$ avec O	**diméthylformamide** solvant
ester	$C - O$ avec O	**éthanoate de butyle** additif alimentaire

2 Nomenclature des molécules organiques

Les règles de nomenclature des classes fonctionnelles des alcanes, alcools, aldéhydes, cétones et acides carboxyliques, vues en 1re S, sont détaillées dans la **fiche méthode 7**.

2.1 Nomenclature des alcènes

● Pour nommer un alcène, on détermine d'abord la chaîne carbonée la plus longue qui contient la double liaison, appelée **chaîne principale**. Le numéro du premier atome de carbone de la double liaison est le plus petit possible. Lorsque la chaîne carbonée est ramifiée, les groupes alkyle figurent en préfixe **(tableau 5)**.

● Le nom de l'alcène est obtenu en substituant le **suffixe -ane** du nom de l'alcane correspondant à la chaîne carbonée principale par le **suffixe -ène**, précédé du numéro du premier atome de carbone engagé dans la double liaison.

n	Formule	Nom du groupe
1	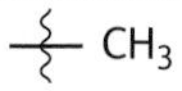 $\overset{\xi}{\diagup}$ CH$_3$	méthyle
2		éthyle
3	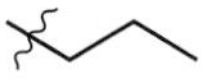	propyle
4	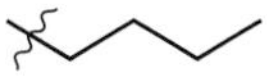	butyle
5	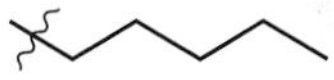	pentyle
6		hexyle

5 *Groupes alkyle linéaires à n atome(s) de carbone.*

Exemple

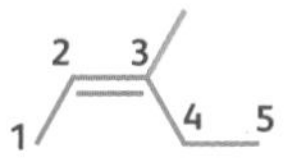

3-méthylpent-2-ène

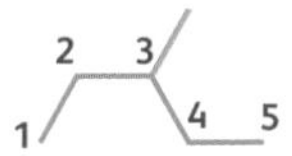

Alcane de même chaîne carbonée
principale : 3-méthylpentane

2.2 Nomenclature des amines, des amides et des esters

● **Nomenclature des amines possédant le groupe amino –NH$_2$**

La construction du nom d'une amine possédant le groupe –NH$_2$ est similaire à celle d'un alcool. On remplace le suffixe **-ol** par le suffixe **-amine**.

Exemple

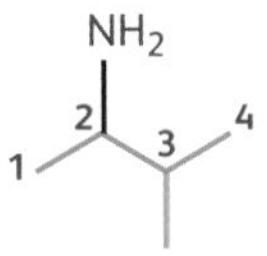

3-méthylbutan-2-amine

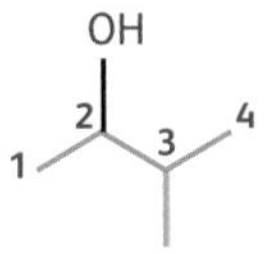

Alcool correspondant :
3-méthylbutan-2-ol

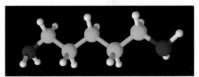

6 *Les amines ont souvent des odeurs nauséabondes. Leur nom courant évoque ces odeurs : ainsi, la pentane-1,5-diamine s'appelle aussi la cadavérine.*

● **Nomenclature des amides possédant le groupe –C(=O)NH$_2$**

La construction du nom d'un amide possédant le groupe –C(=O)NH$_2$ est similaire à celle d'un aldéhyde. On remplace le suffixe **-al** par le suffixe **-amide**.

Exemple

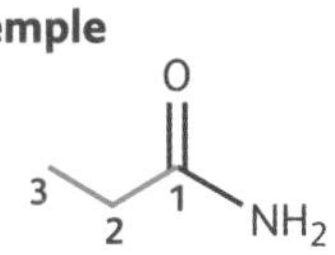

propanamide

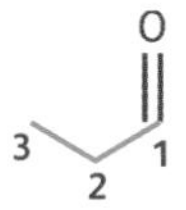

Aldéhyde correspondant :
propanal

7 *Le benzoate d'éthyle $C_6H_5-C(=O)O-C_2H_5$ est utilisé en parfumerie et dans l'industrie agroalimentaire en raison de son odeur de cerise.*

● **Nomenclature des esters**

Le nom d'un ester est constitué de deux termes :

– le premier dérive du nom de l'acide carboxylique correspondant à la chaîne carbonée liée à l'atome de carbone du groupe caractéristique. Le suffixe **-oïque** est remplacé par le suffixe **-oate**.

– le second correspond au **groupe alkyle** lié à l'atome d'oxygène du groupe caractéristique.

Exemple

éthan**oate de propyle**

Acide carboxylique correspondant : **acide éthanoïque**

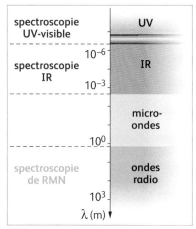

8 *Domaines spectraux et spectroscopies d'absorption.*

3 Spectroscopies d'absorption

Les spectroscopies d'absorption sont des méthodes d'analyse chimique non destructives, utilisées afin d'identifier une espèce chimique (on parle alors d'analyse qualitative) et/ou d'en mesurer la concentration en solution (on parle alors d'analyse quantitative).

3.1 Principe

● En classe de 1re S, nous avons vu que certaines molécules absorbent des radiations électromagnétiques dans le domaine du visible. La plupart des espèces chimiques peuvent par ailleurs absorber des radiations dans le domaine de l'ultraviolet ou de l'infrarouge.

● Deux grandeurs sans dimension, liées à l'intensité lumineuse, sont usuellement employées pour quantifier l'absorption du rayonnement : l'**absorbance A_λ**, une grandeur positive, et la **transmittance T_λ**, telle que $T_\lambda = 10^{-A_\lambda}$. Par conséquent : $0 < T_\lambda \leqslant 1$.

3.2 Spectroscopie UV-visible

● En 1re S, nous avons vu que les molécules organiques possédant au moins sept doubles liaisons conjuguées sont des espèces de la matière colorée, car elles absorbent des rayonnements dans le domaine du visible (λ compris entre 400 nm et 800 nm environ).

● Les molécules organiques possédant entre une et six doubles liaisons conjuguées, incolores, absorbent des rayonnements dans le domaine de l'ultraviolet ($\lambda < 400$ nm). Certaines espèces inorganiques, telles que des ions dissous (ion permanganate MnO_4^- (aq), ion cuivre (II) Cu^{2+} (aq), etc.) ou des molécules (I_2, O_3, etc.), absorbent également des rayonnements dans le domaine UV-visible.

● Les spectrophotomètres UV-visible permettent de caractériser l'absorption des ondes électromagnétiques d'une espèce. Le spectre obtenu représente en général l'absorbance de l'espèce (ordonnée A_λ) en fonction de la longueur d'onde du rayonnement (abscisse λ).

Éviter des erreurs

○ Plus l'absorption est forte, plus l'absorbance est grande, plus la transmittance est faible.

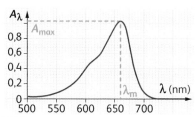

9 *Spectre d'absorption d'une solution de bleu de méthylène à la concentration $c = 2,0 \times 10^{-5}$ mol·L^{-1}.*

● Le spectre d'une espèce unique dissoute dans un solvant donné contient une ou plusieurs larges bandes d'absorption. Chaque bande est caractérisée par :

– l'**abscisse de son maximum**, λ_m. Pour une espèce absorbant dans le visible, cette abscisse est directement liée à la couleur de cette espèce. L'œil perçoit en effet la couleur complémentaire de celle absorbée par l'échantillon.

– **la valeur du coefficient d'absorption molaire** ε_{max} de l'espèce au maximum de l'absorbance A_{max}. D'après la loi de Beer-Lambert $A_\lambda = \varepsilon_\lambda \ell c$:

$$\varepsilon_{max} = \frac{A_{max}}{\ell c} \quad \begin{vmatrix} A_{max} \text{ sans unité} \\ \ell \text{ en cm} \\ c \text{ en mol·L}^{-1} \\ \varepsilon_{max} \text{ en L·mol}^{-1}\text{·cm}^{-1} \end{vmatrix}$$

où c est la concentration de l'espèce dissoute en solution et ℓ la largeur de la cuve.

Le coefficient d'absorption molaire caractérise l'intensité de l'absorption de l'espèce, indépendamment de la largeur ℓ de la cuve et de la concentration c.

Les espèces fortement absorbantes sont caractérisées par une valeur de ε_{max} supérieure à 10^3 L·mol^{-1}·cm^{-1}, tandis que les espèces faiblement absorbantes sont caractérisées par une valeur de ε_{max} inférieure à 10^2 L·mol^{-1}·cm^{-1}.

Exemple

Une solution aqueuse de bleu de méthylène apparaît beaucoup plus intensément colorée qu'une solution aqueuse de sulfate de cuivre de même concentration (**document 11**).

En effet, on peut déterminer que, dans l'eau et à 25 °C, pour le sulfate de cuivre,

$$\varepsilon_{max} = 10 \text{ L·mol}^{-1}\text{·cm}^{-1} \quad \text{pour} \quad \lambda_m = 810 \text{ nm,}$$

tandis que, pour le bleu de méthylène :

$$\varepsilon_{max} = 5{,}6 \times 10^4 \text{ L·mol}^{-1}\text{·cm}^{-1} \text{ pour } \lambda_m = 666 \text{ nm.}$$

> Le couple (λ_m ; ε_{max}) caractérise une espèce chimique absorbante dissoute dans un solvant donné et à une température donnée.

La spectroscopie UV-visible permet ainsi d'identifier une espèce chimique de façon qualitative.

3.3 Spectroscopie infrarouge (IR)

A Allure et exploitation des spectres IR

● Les spectres IR présentent généralement :

– en abscisse, le **nombre d'onde** $\sigma = \dfrac{1}{\lambda}$, exprimé en cm^{-1}. L'échelle est orientée vers la gauche. Cette échelle n'est pas toujours linéaire.

– en ordonnée, la **transmittance** (ou parfois l'absorbance).

Les spectres IR sont constitués d'une série de **bandes d'absorption**.

> Chaque bande d'absorption est associée à un type de liaison, principalement caractérisé par les deux atomes liés et par la multiplicité de la liaison.

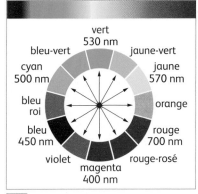

10 *Spectre de la lumière blanche et cercle chromatique indiquant les couleurs complémentaires diamétralement opposées.*

11 *Solutions aqueuses de sulfate de cuivre (II) et de bleu de méthylène de même concentration ($1{,}0 \times 10^{-2}$ mol·L^{-1}).*

12 *Les spectromètres infrarouges sont très courants dans les laboratoires. Il est possible d'envoyer un échantillon à une université pour obtenir le spectre IR d'une espèce chimique.*

● Comprenons sur un exemple quelles informations peuvent être extraites d'un spectre IR.

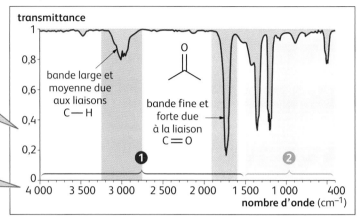

> Une faible valeur de transmittance correspond à une forte absorption. Les bandes sont donc orientées vers le bas.

> L'axe des abscisses est orienté vers la gauche.

13 Spectre IR de la propanone en phase gazeuse.

On distingue deux zones principales dans un spectre IR.

❶ Nombre d'onde compris entre 1 500 et 4 000 cm^{-1}

Cette zone ne contient qu'un nombre limité de bandes, correspondant à des types de liaisons particulières. Chaque bande est caractérisée par :
– sa **position** dans le spectre, c'est-à-dire par la valeur du nombre d'onde du minimum de transmittance ;
– sa **largeur** (bande large ou fine) ;
– son **intensité** (faible, moyenne ou forte), correspondant à la valeur minimale de la transmittance.

❷ Nombre d'onde compris entre 400 et 1 500 cm^{-1}

Il s'agit d'une zone très riche en bandes d'absorption pour les molécules organiques possédant plusieurs atomes de carbone. Elle n'est généralement exploitée qu'en comparaison avec un spectre de référence. Cette zone s'appelle l'**empreinte digitale** de la molécule.

● Pour déterminer le type de liaison correspondant à une bande d'absorption, on relève la position de la bande, puis on s'intéresse à l'allure de la bande (largeur, intensité).

● Une table des absorptions caractéristiques des liaisons dans le domaine de l'IR donne les fourchettes des nombres d'onde et l'allure des bandes pour différents types de liaison.

14 Tout comme un individu peut être identifié par ses empreintes digitales, une molécule organique peut être identifiée par son spectre IR.

Type de liaison	Nombre d'onde σ (cm^{-1})	Largeur de la bande	Intensité d'absorption
O–H en phase gazeuse	3500-3700	fine	moyenne
O–H en phase condensée	3200-3400	large	forte
N–H en phase gazeuse	3300-3500	fine	faible
N–H en phase condensée	3100-3300	large	forte
C–H	2900-3100	large	moyenne à forte
C=O	1700-1800	fine	forte
C=C	1500-1700	variable	moyenne à forte

15 Table simplifiée des absorptions caractéristiques des liaisons en spectroscopie infrarouge.

Une table de données plus complète est présentée dans les rabats.

La spectroscopie IR permet d'identifier la présence de certains types de liaison au sein d'une molécule et, la plupart du temps, d'en déduire la nature des groupes caractéristiques de cette molécule.

Exemple

On étudie la réaction d'oxydation du butan-2-ol en butanone, par les ions permanganate. Les spectres IR en phase condensée du réactif et du produit organique sont donnés ci-dessous. Attribuons chaque spectre à la molécule correspondante.

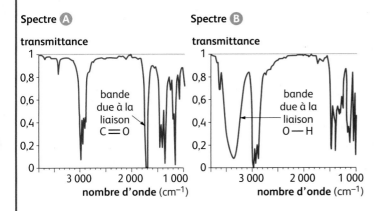

Sur le spectre **A**, on reconnaît aux environs de 1 700 cm^{-1} la bande fine et de forte absorption, caractéristique de la liaison C=O.

Sur le spectre **B**, on reconnaît la bande large et de forte absorption centrée sur 3 350 cm^{-1}, due à la liaison O–H. On en déduit donc que le spectre **A** est celui de la butanone et le spectre **B** celui du butan-2-ol.

B Mise en évidence de la liaison hydrogène

● En pratique, différents facteurs (tels que la masse des atomes, la conjugaison du système de doubles liaisons, etc.) influencent plus ou moins fortement la position et l'allure des bandes d'absorption.

● Ainsi, la bande fine et de faible absorption due à la liaison O–H et observée en phase gazeuse aux alentours de 3 600 cm^{-1} s'accompagne, en phase condensée, d'une bande très large et de très forte absorption autour de 3 300 cm^{-1} **(document 17)**. Cette très grande modification au sein du spectre IR met en évidence la présence de liaisons hydrogène entre plusieurs molécules d'un même échantillon en phase condensée. Les liaisons hydrogène peuvent mettre en jeu des liaisons O–H et/ou N–H.

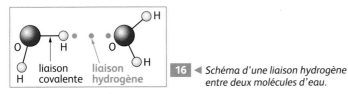

16 ◀ Schéma d'une liaison hydrogène entre deux molécules d'eau.

La présence de **liaisons hydrogène** au sein d'un échantillon est mise en évidence sur un spectre IR par la présence d'une bande très large et de très forte absorption autour de 3 300 cm^{-1}.

TICE

Une banque de données de spectres IR comprenant les exemples du manuel est disponible à l'adresse suivante : www.chimsoft.com

Éviter des erreurs

○ En phase condensée (c'est-à-dire solide ou liquide), la bande large et de forte absorption due à la liaison O–H se superpose à la bande fine et d'absorption moyenne de cette même liaison, et la recouvre souvent.

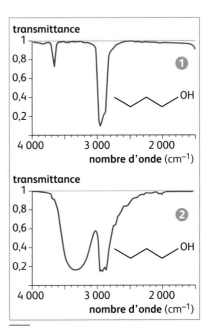

17 Spectres IR du butan-1-ol :
❶ en phase gazeuse ;
❷ en phase liquide.

L'ESSENTIEL

 Formule topologique

● Dans une **formule topologique**, la chaîne carbonée est représentée par une ligne brisée, et seuls les atomes autres que ceux de carbone et d'hydrogène sont écrits, ainsi que les atomes d'hydrogène liés à ces autres atomes. Les doubles liaisons sont représentées par un double trait.

formule semi-développée de l'éthanol

formule topologique de l'éthanol

 Classes fonctionnelles et groupes caractéristiques en chimie organique

Classe fonctionnelle	Groupe caractéristique		Exemple	
alcane	—			2-méthylbutane
alcène	—			4-méthylpent-1-ène
alcool	―OH	groupe hydroxyle		propan-2-ol
aldéhyde	C=O	groupe carbonyle		éthanal
cétone				pentan-2-one
acide carboxylique	C avec O et OH	groupe carboxyle		acide butanoïque
amine	―N			pentan-1-amine
amide	C avec O et N			hexanamide
ester	C avec O et O―			éthanoate de butyle

● **Nomenclature des molécules organiques : fiche méthode 7.**

Exploitation d'un spectre UV-visible

● Un spectre UV-visible renseigne sur deux grandeurs caractéristiques d'une espèce chimique dissoute dans un solvant donné :

– la **longueur d'onde** λ_m correspondant à l'absorption maximale. Elle renseigne sur la couleur d'une espèce qui absorbe dans le visible ;

– le **coefficient d'absorption molaire** ε_{max} de l'espèce au maximum d'absorbance A_{max}. Il renseigne sur l'intensité de l'absorption de l'espèce.

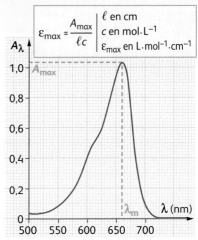

$$\varepsilon_{max} = \frac{A_{max}}{\ell c} \quad \begin{array}{l} \ell \text{ en cm} \\ c \text{ en mol·L}^{-1} \\ \varepsilon_{max} \text{ en L·mol}^{-1}\text{·cm}^{-1} \end{array}$$

Spectre d'absorption d'une solution aqueuse de bleu de méthylène ($c = 2,0 \times 10^{-5}$ mol·L^{-1} ; $\ell = 1,0$ cm).

Exploitation d'un spectre IR

Axe des ordonnées en transmittance
Une faible valeur de transmittance correspond à une forte absorption. Les bandes d'absorption sont donc orientées vers le bas.

Empreinte digitale
Elle permet d'identifier une molécule par comparaison avec un spectre de référence.

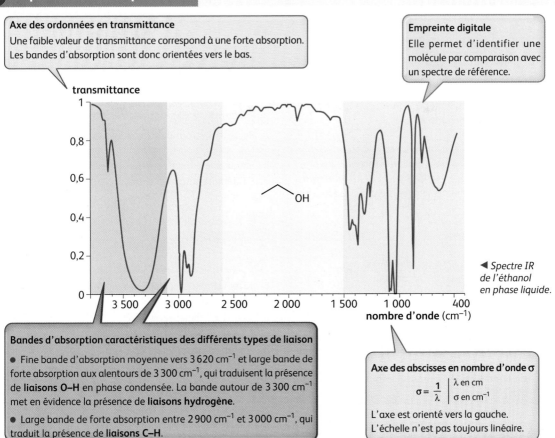

◄ *Spectre IR de l'éthanol en phase liquide.*

Bandes d'absorption caractéristiques des différents types de liaison

● Fine bande d'absorption moyenne vers $3\,620$ cm^{-1} et large bande de forte absorption aux alentours de $3\,300$ cm^{-1}, qui traduisent la présence de **liaisons O–H** en phase condensée. La bande autour de $3\,300$ cm^{-1} met en évidence la présence de **liaisons hydrogène**.

● Large bande de forte absorption entre $2\,900$ cm^{-1} et $3\,000$ cm^{-1}, qui traduit la présence de **liaisons C–H**.

Axe des abscisses en nombre d'onde σ

$$\sigma = \frac{1}{\lambda} \quad \begin{array}{l} \lambda \text{ en cm} \\ \sigma \text{ en cm}^{-1} \end{array}$$

L'axe est orienté vers la gauche.
L'échelle n'est pas toujours linéaire.

Exercices Application

MANUEL NUMÉRIQUE ▶ EXERCICES INTERACTIFS

1 Mots manquants

a. Dans une formule ...., les atomes de carbone et les atomes d'hydrogène liés aux atomes de carbone ne sont pas écrits explicitement, et la chaîne carbonée est représentée par une ....

b. Les molécules de la classe fonctionnelle des alcènes possèdent une liaison .... entre deux atomes de carbone.

c. Les alcools sont caractérisés par la présence du groupe caractéristique ....

d. La formule topologique d'une molécule est représentée ci-dessous.

Cette molécule appartient à la classe fonctionnelle des ....

e. Un spectre UV-visible permet de caractériser une espèce chimique solubilisée dans un solvant donné à partir de la détermination de la .... au maximum d'absorption et du .... d'absorption molaire correspondant.

2 QCM

Cocher la réponse exacte.

a. La formule topologique d'une molécule est représentée ci-contre.
Son nom est :
- ☐ 2-méthylbutan-3-one
- ☐ 3-méthylbutan-2-one
- ☐ 3-méthylbutan-2-ol

b. Les aldéhydes et les cétones sont des classes fonctionnelles qui ont en commun le groupe caractéristique :
- ☐ hydroxyle   ☐ carboxyle   ☐ carbonyle

c. Le butanoate de méthyle appartient à la classe fonctionnelle des :
- ☐ amides
- ☐ esters
- ☐ aldéhydes

d. L'abscisse d'un spectre IR est généralement :
- ☐ le nombre d'onde
- ☐ la longueur d'onde
- ☐ la fréquence

e. La spectroscopie IR permet :
- ☐ d'identifier la présence de certains types de liaisons
- ☐ d'identifier la nature de toutes les liaisons d'une molécule
- ☐ de connaître le nombre d'atomes de carbone présents dans une molécule

→ **Solutions détaillées en fin de manuel pour vérifier vos réponses et comprendre vos erreurs.**

Parcours en autonomie

Trois parcours d'exercices pour travailler en autonomie selon ses besoins.

Maîtriser les bases — 3 – 6 – 7 – 8

Préparer l'évaluation — 13 – 16

Approfondir — 25 – 26

> **Pour tous les exercices de ce chapitre,** on utilisera la table de données IR présentée dans les rabats.

COMPÉTENCES EXIGIBLES

3 Utiliser la représentation topologique

Écrire les formules brutes des molécules suivantes.

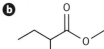

ⓐ   ⓑ

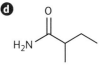

ⓒ   ⓓ

4 Identifier des classes fonctionnelles

a. Recopier les formules topologiques de chaque molécule de l'exercice 3 qui possède un groupe caractéristique.

b. Entourer le groupe caractéristique correspondant.

c. En déduire la classe fonctionnelle de chacune de ces molécules.

5 Nommer des molécules organiques

Nommer les molécules représentées dans l'exercice 3 .

6 Écrire des formules topologiques

Écrire les formules topologiques des molécules suivantes.

a. 4-méthylhexan-3-ol

b. 3-éthyl-2,3-diméthylheptanal

c. 3,3,4-triméthylpentan-2-one

d. 2-méthylpropan-2-amine

e. 2-éthylpentanoate de butyle

7 Exploiter un spectre UV-visible

Le spectre de l'éosine Y (colorant et désinfectant), en solution dans l'éthanol à la concentration $c = 1{,}0 \times 10^{-5}$ mol·L^{-1}, est représenté ci-après. La largeur de la cuve traversée vaut $\ell = 1{,}0$ cm.

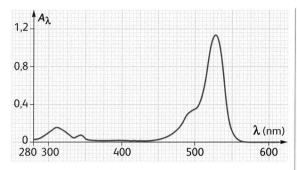

a. Déterminer approximativement les trois longueurs d'onde correspondant à un maximum d'absorption.

b. Quelle est la couleur de la solution aqueuse d'éosine?

c. Déterminer la valeur du coefficient d'absorption molaire ε_{max} de l'éosine Y dans l'éthanol au maximum d'absorption correspondant à une radiation dans le domaine du visible.
En déduire l'intensité de la coloration de l'éosine Y.

8 Exploiter un spectre infrarouge

Le spectre infrarouge du propan-1-ol en solution est représenté ci-dessous.

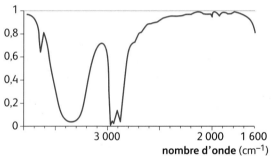

a. Caractériser la forme de la bande aux alentours de $3\,350\ cm^{-1}$ (fine/large; intense/peu intense).
Quelle liaison au sein du propan-1-ol est responsable de cette bande d'absorption?

b. Le spectre du propan-1-ol en phase gazeuse est représenté ci-dessous.

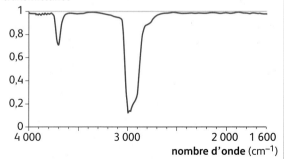

Quelle différence majeure observe-t-on entre ce spectre et le spectre précédent pour des nombres d'onde supérieurs à $1\,500\ cm^{-1}$?
Comment l'interpréter?

COMPÉTENCES GÉNÉRALES

9 Rédiger un protocole

Décrire les différentes étapes nécessaires à la réalisation du spectre UV-visible d'une solution aqueuse de concentration connue de tartrazine (colorant alimentaire E102) à partir du solide pur.

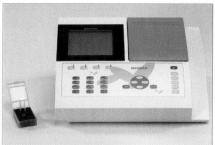

Spectrophotomètre UV-visible.

10 Utiliser une banque de données

a. Rechercher le spectre IR de l'acide méthanoïque (aussi appelé acide formique) en utilisant le logiciel Spirex (téléchargeable sur le site:
http://spirex.ccdmd.qc.ca).

b. La représentation de spectres IR et l'assignation des bandes par ce logiciel est-elle rigoureuse? Comment l'améliorer?

Certaines fourmis peuvent projeter de l'acide formique sur leur adversaire.

11 Utiliser une table de données IR

On dispose du spectre IR en phase condensée d'une espèce chimique de formule brute $C_2H_4O_2$ qui ne possède pas de double liaison carbone-carbone. Il est constitué, entre autres, de deux bandes de très forte absorption: l'une, très large, aux alentours de $3\,080\ cm^{-1}$ et l'autre, beaucoup plus fine, au voisinage de $1\,710\ cm^{-1}$.

a. Justifier que deux molécules peuvent a priori correspondre à la formule brute $C_2H_4O_2$: l'une de la classe fonctionnelle des esters, et l'autre de la classe fonctionnelle des acides carboxyliques. Écrire les formules topologiques correspondantes, et nommer les deux molécules.

b. Conclure sur la nature de l'espèce chimique grâce à la table de données IR.

12 Exercer son esprit critique

Sur une fiole jaugée permettant de préparer une solution pour réaliser un spectre UV-visible, on peut lire «25 mL» et, dessous, «± 0,05 mL». Une boîte de cuves de spectrophotométrie porte la mention: «largeur 1 cm».

a. Quel sens donner à l'inscription «± 0,05 mL»?

b. Proposer aux fabricants de matériel des améliorations à apporter aux écritures des grandeurs physiques.

Exercices / Méthode

Site élève

EXERCICE RÉSOLU

13 Identification d'une molécule organique

Énoncé Une molécule organique, notée M, a pour formule brute C_4H_8O.
On sait qu'il ne s'agit pas d'une molécule cyclique.

❶ Quels sont les groupes caractéristiques connus qui sont compatibles avec la présence d'un seul atome d'oxygène dans la molécule M ?

❷ Par comparaison avec la formule brute du butan-1-ol, confirmer la présence d'une liaison double au sein de la molécule, soit entre deux atomes de carbone, soit entre un atome de carbone et un atome d'oxygène.

❸ Le spectre IR de l'espèce chimique en phase condensée est représenté ci-dessous.

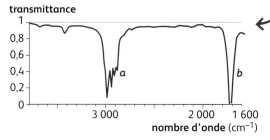

a. Quel renseignement supplémentaire ce spectre fournit-il ?

b. Écrire les formules topologiques des trois molécules envisageables, puis les nommer.

❹ La molécule a été obtenue par oxydation d'un alcool secondaire. Conclure.

Une solution

❶ A priori, seuls les groupes hydroxyle et carbonyle correspondent à la présence d'un unique atome d'oxygène dans la molécule et à l'absence d'atome d'azote.

❷ La formule semi-développée du butan-1-ol est : $CH_3-CH_2-CH_2-CH_2-OH$. La formule brute de cette molécule est donc : $C_4H_{10}O$. La molécule étudiée possède donc deux atomes d'hydrogène de moins que le butan-1-ol. Pour respecter la règle de l'octet, l'atome de carbone doit être entouré de quatre liaisons : cela implique nécessairement la présence d'une double liaison $C=C$ ou $C=O$ au sein de la molécule, car la molécule n'est pas cyclique.

❸ **a.** On reconnaît la bande fine et de forte absorption au voisinage de $1\,710\ cm^{-1}$, caractéristique d'une liaison $C=O$. On constate par ailleurs l'absence, en phase condensée, d'une large bande de forte absorption au voisinage de $3\,300\ cm^{-1}$. Il n'y a donc pas de liaison O–H dans la molécule M. Elle contient donc le groupe

carbonyle $\diagdown C = O$.

b. Trois isomères peuvent correspondre à cette molécule :

ⓐ butanal   **ⓑ** 2-méthylpropanal   **ⓒ** butan-2-one

❹ Un alcool secondaire s'oxyde en cétone. La molécule M est donc la cétone **ⓒ**, nommée butan-2-one.

Énoncé
● Repérer les informations de l'énoncé concernant la structure et la formule de la molécule M.
● Sur le spectre IR fourni, seule la partie relative à l'identification des différents types de liaison apparaît (entre 1 600 et 3 800 cm^{-1}).

Utiliser une table de données IR
Avant d'extraire des informations d'une table de données IR, on relève la valeur du nombre d'onde correspondant au minimum de transmittance de la bande d'absorption, puis on s'intéresse à l'allure de la bande (largeur, intensité d'absorption).

Schématiser
Lorsque l'on représente la formule topologique d'une molécule, on n'écrit pas les atomes de carbone, ni les atomes d'hydrogène liés à des atomes de carbone.

Connaissances
En 1re S, nous avons vu qu'un alcool primaire s'oxyde en aldéhyde puis en acide carboxylique, et qu'un alcool secondaire s'oxyde en cétone.

Le spectre IR d'une espèce en phase gazeuse est représenté ci-dessous. On cherche à identifier le(s) groupe(s) caractéristique(s) de cette molécule.

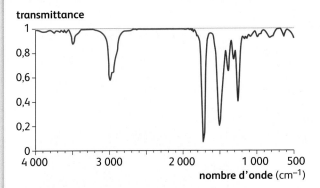

transmittance — nombre d'onde (cm^{-1})

a. Exploiter ce spectre pour déterminer les différents types de liaison potentiellement présents dans la molécule.

Conseils Pour identifier l'origine d'une bande d'absorption, on procède par étapes : on relève dans un premier temps la position de la bande, puis on s'intéresse à la largeur de la bande et à l'intensité de l'absorption. Seules les bandes positionnées au-delà de 1 500 cm^{-1} sont exploitables.

b. Prouver qu'une information complémentaire concernant la composition de la molécule est nécessaire pour conclure quant à l'origine de la bande aux environs de 3 500 cm^{-1}.

c. La molécule étudiée contient un atome d'azote et un atome d'oxygène. En déduire les différents types de liaison présents dans la molécule.

d. Justifier qu'il reste néanmoins une ambiguïté quant à la nature du (ou des) groupe(s) caractéristique(s) présent(s) dans la molécule.

---

15 Apprendre à rédiger

Voici l'énoncé d'un exercice et un guide (en bleu) ; ce guide vous aide à rédiger la solution détaillée et à retrouver les réponses aux questions posées.

Énoncé

L'eau de Dakin est un antiseptique local contenant deux oxydants : les ions permanganate et les ions hypochlorite. Sa couleur est rose pâle. On dispose au laboratoire de solutions étalons d'hypochlorite de sodium (incolore) et de permanganate de potassium (violette) de concentration $c = 1,5 \times 10^{-2}$ mol·L^{-1}.

a. Pour vérifier l'origine de la couleur de l'eau de Dakin, on dilue 100 fois la solution étalon de permanganate de potassium, puis on réalise le spectre de la solution diluée.

Rédiger le protocole de cette expérience.

▸ Indiquer les étapes successives de la dilution, et la verrerie à utiliser. Ne pas oublier de préciser qu'il faut préparer le spectrophotomètre (c'est-à-dire « faire le blanc »).

b. Les spectres de la solution étalon diluée 100 fois et de l'eau de Dakin, obtenus grâce à l'utilisation d'un spectrophotomètre et d'une cuve de 1,0 cm de largeur, sont représentés ci-contre. Conclure sur l'origine de la couleur de l'eau de Dakin.

▸ Comparer les deux spectres.

▸ Discuter de l'influence de la concentration sur la couleur perçue et conclure.

c. Estimer la valeur de la concentration molaire c' en ions colorés dans l'antiseptique.

▸ Rappeler la loi de Beer-Lambert.

▸ En déduire la valeur de ε_{max} en faisant attention au nombre de chiffres significatifs.

▸ En déduire la valeur approximative de la concentration en ions colorés dans l'eau de Dakin : $c' = 6,4 \times 10^{-5}$ mol·L^{-1}.

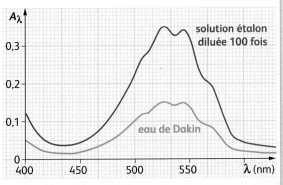

16 Caractérisation du paracétamol

Compétence générale *Exploiter des informations*

Le paracétamol est le médicament le plus prescrit en France. Sa formule topologique et ses spectres UV-visible et infra-rouge sont représentés ci-dessous.

DOC 1. Spectre UV-visible du paracétamol en solution aqueuse

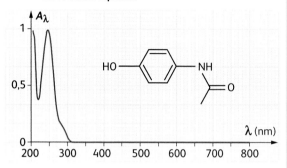

DOC 2. Spectre IR du paracétamol en phase gazeuse

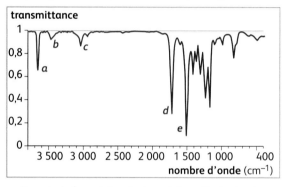

a. Recopier la formule topologique de la molécule et entourer ses groupes caractéristiques.

b. Citer le nom du groupe caractéristique –OH.

c. À quelle classe fonctionnelle cette molécule appartient-elle du fait du groupe caractéristique contenant l'atome d'azote ?

d. Le paracétamol est-il une espèce de la matière colorée ?

e. Attribuer les bandes caractéristiques *a*, *b*, *c*, *d* et *e* du spectre IR aux liaisons correspondantes de la molécule.

f. Comment ce spectre IR sera-t-il modifié en phase condensée ?

17 Utiliser une banque de spectres IR

Compétences générales *Restituer ses connaissances – Extraire et exploiter des informations*

a. Écrire les formules semi-développées et topologiques de l'acide pentanoïque et du propanoate d'éthyle. À quelles classes fonctionnelles ces molécules appartiennent-elles ?

b. Justifier que l'acide pentanoïque et le propanoate d'éthyle sont deux molécules isomères.

c. Trouver les spectres IR de ces deux espèces chimiques sur le site **http://spirex.ccdmd.qc.ca**.

Chacun de ces spectres IR peut-il être facilement attribué à une molécule ?

18 Étude de la vanilline

Compétences générales *Extraire et exploiter des informations*

Cet exercice s'appuie sur des ressources disponibles sur le site élève :
www.nathan.fr/siriuslycee/eleve-termS.

Visionner la vidéo de l'exercice 18 du chapitre 6 qui concerne l'obtention du spectre de la vanilline par un spectrophoto-mètre UV-visible.

Fleur de vanille.

a. Décrire les différentes étapes de la réalisation d'un spectre UV-visible.

b. La molécule dont on enregistre le spectre est la vanilline, dont la formule topologique est représentée ci-contre. Identifier et nommer les groupes caractéristiques connus présents dans cette molécule.

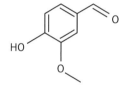

c. La solution de vanilline est-elle colorée ? Est-ce cohérent avec les connaissances acquises en classe de 1re S sur les doubles liaisons conjuguées ?

d. Caractériser l'absorption dans le domaine UV-visible de la solution de vanilline grâce au spectre obtenu expérimentalement.

e. Déterminer la formule brute de cette molécule, puis trouver son spectre IR dans la banque de données du logiciel Spirex (**http://spirex.ccdmd.qc.ca**).

f. Quels types de liaison de la vanilline peut-on facilement identifier grâce au spectre IR ?

19 ★ Vulgariser ses connaissances

Compétences générales *Communiquer et argumenter*

a. Les émissions télévisées scientifiques présentent parfois des formules topologiques de molécules.

Rédiger un texte court et illustré d'exemples permettant d'expliquer cette représentation à un public non scientifique, qui connaît toutefois les notions d'atome et de liaison.

b. Rédiger un texte court permettant d'expliquer ce qu'est un spectre d'absorption UV-visible à un public non scientifique, qui connaît toutefois la notion de longueur d'onde d'une radiation lumineuse.

20 ✴ Couleur et conjugaison : l'effet bathochrome

Compétence générale *Effectuer un raisonnement scientifique*

Pour les spectres UV-visible des alcènes conjugués, la longueur d'onde λ_m au maximum d'absorption dépend du nombre de doubles liaisons conjuguées. Le tableau suivant regroupe des valeurs de λ_m pour différentes espèces chimiques.

Formule topologique de l'espèce chimique	λ_m (nm)
═	160
⌇⌇	220
⌇⌇⌇	250
⌇⌇⌇	300

a. Quelle tendance empirique peut-on déduire de ces données ?
Il s'agit de l'effet **bathochrome** de la conjugaison sur l'absorption du rayonnement électromagnétique.

La couleur du flamant rose est due à une molécule issue du β-carotène présent dans son alimentation.

b. Rechercher l'étymologie du mot « bathochrome ».

c. Rechercher la signification scientifique du terme « bathochrome ».

d. Commenter le critère suivant, retenu en 1ʳᵉ S : « Une molécule organique possédant un système conjugué d'au moins sept doubles liaisons forme le plus souvent un matériau coloré. »

e. Pour le β-carotène (représenté ci-dessous), la longueur d'onde d'absorption maximale se situe à 450 nm.

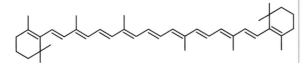

Cet exemple confirme-t-il l'effet bathochrome précédemment étudié ?

f. De quelle couleur est le β-carotène ?

21 ✴ Influence de la conjugaison en IR

Compétence générale *Exploiter des informations*

On se propose de comparer les spectres IR de deux molécules organiques : le but-2-énal ($CH_3-CH=CH-CHO$) et le but-3-énal ($CH_2=CH-CH_2-CHO$).

a. Citer le nom du groupe caractéristique présent dans ces deux molécules. Citer les deux classes fonctionnelles auxquelles ces molécules appartiennent.

b. L'une de ces molécules possède deux doubles liaisons conjuguées. Laquelle ?

c. Le spectre IR du but-2-énal présente trois bandes importantes : a (vers $2\,900\ cm^{-1}$), b (à $1\,695\ cm^{-1}$) et c (à $1\,639\ cm^{-1}$). À quelle liaison peut-on attribuer chacune de ces bandes ?

d. Le spectre IR du but-3-énal est très semblable à celui du but-2-énal, mais les bandes b et c sont décalées : b est située autour de $1\,715\ cm^{-1}$ et c autour de $1\,670\ cm^{-1}$.
En déduire l'influence de la conjugaison sur la position des bandes d'absorption des liaisons concernées.

22 ✴ Science in English 🇬🇧

IR-spectroscopy is a very powerful analytical tool. Chemists are not the only ones interested in it. Art specialists may use IR-spectroscopy to determine the age of an object. For example, the structure of wood changes as it gets older. IR-spectra at different ages poplar wood are given below.

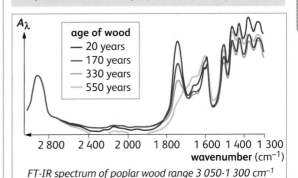
FT-IR spectrum of poplar wood range 3 050-1 300 cm⁻¹

Préparation de lamelles de bois au laboratoire pour effectuer une datation spectroscopique.

a. Identifier la grandeur représentée sur l'axe des ordonnées. Quel est l'impact de cette représentation sur l'aspect des bandes d'absorption IR ?

b. Quels sont les types de liaison a priori identifiables sur les spectres ?

c. D'après le graphique, quel type de liaison est a priori le plus affecté par le vieillissement du bois ?

d. Proposer un protocole d'exploitation des spectres pour dater un morceau de bois de peuplier.

23 ⒺⒸⒺ Évaluation des compétences expérimentales

Cet exercice permet de travailler les compétences expérimentales suivantes : • **S'approprier** • **Analyser**

Protocole 1

Préparer une solution aqueuse de bleu de méthylène de concentration $c = 1{,}5 \times 10^{-5}\ mol \cdot L^{-1}$. Préparer le spectrophotomètre (« faire le blanc ») avec une cuve d'eau. Enregistrer le spectre d'absorption de la solution de bleu de méthylène.

Protocole 2

Dissoudre quelques grains de bleu de méthylène dans un erlenmeyer rempli d'eau distillée. Préparer le spectrophotomètre (« faire le blanc ») avec une cuve d'eau. Enregistrer le spectre d'absorption de la solution de bleu de méthylène.

a. Un expérimentateur désire caractériser la solution aqueuse de bleu de méthylène par la longueur d'onde λ_m au maximum d'absorption. Quel protocole réalise-t-il ? Justifier.

b. Un expérimentateur désire caractériser la solution aqueuse de bleu de méthylène par la longueur d'onde λ_m au maximum d'absorption ainsi que par son coefficient d'absorption molaire maximal ε_{max}. Quel protocole réalise-t-il ? Justifier.

---

24 Objectif BAC *Exploiter des documents*

Dossier BAC, page 546

→ Comme pour les alcools, les amines existent sous forme de trois classes. Cependant, la classe d'une amine n'est pas liée au nombre d'atomes de carbone liés à l'atome de carbone porteur du groupe caractéristique. Elle est liée au nombre d'atomes de carbone liés à l'atome d'azote. Étudions ces trois classes d'amine ainsi que leurs propriétés en spectroscopie IR.

1. Structure des amines

a. Rappeler la formule du groupe caractéristique des amines.

b. On peut classer les amines en trois catégories :
– les amines primaires, possédant une seule chaîne carbonée liée à l'atome d'azote ;
– les amines secondaires, possédant deux chaînes carbonées liées à l'atome d'azote ;
– les amines tertiaires, possédant trois chaînes carbonées liées à l'atome d'azote.
Déterminer la classe des trois amines suivantes.

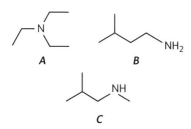

c. Préciser le nom de l'amine *B*.

d. Les deux autres amines ont pour nom : *N*-méthyl-2-méthylpropan-1-amine et *N*,*N*-diéthyléthanamine. Attribuer leur nom aux deux amines *A* et *C*.

2. Spectroscopie IR

a. Comment les trois spectres IR se distinguent-ils au-delà de $3\,000$ cm^{-1} ?

b. À quel type de liaison les éventuelles bandes observées correspondent-elles ?

c. En déduire l'amine correspondant au spectre ❶.

d. En exploitant le document 2, expliquer comment distinguer une amine primaire d'une amine secondaire par son spectre IR.

e. En déduire à quelle molécule correspond le spectre ❷, puis le spectre ❸.

DOC 1. Spectres IR en phase condensée des trois amines *A*, *B* et *C*

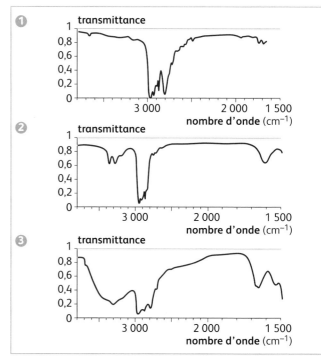

DOC 2. IR et vibration des liaisons

• Un modèle permettant d'expliquer que les molécules absorbent les radiations infrarouges consiste à considérer que les liaisons des molécules vibrent : lorsque la molécule absorbe la radiation, la longueur de la liaison oscille dans le temps.

• Certains groupes caractéristiques, comme celui des amines primaires, peuvent posséder deux modes de vibration :
– un mode symétrique, où les longueurs de deux liaisons sont toujours égales ;
– un mode antisymétrique, où une liaison est à sa longueur maximale lorsque l'autre est à sa longueur minimale.

vibration symétrique   **vibration antisymétrique**

À chaque mode de vibration correspond une énergie et donc une radiation absorbée.

25 Apprendre à chercher

La résolution de cet exercice nécessite de trouver les étapes du raisonnement.
→ **Une aide est disponible en fin de manuel.**

Énoncé. Le spectre IR d'une espèce chimique en phase condensée est représenté ci-dessous.

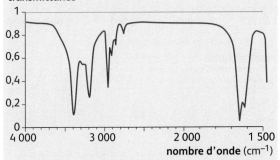

transmittance

→ S'agit-il de l'éthanoate de propyle, du 3-méthylpentan-3-ol, de la 2,2-diméthylpropanamide ou du pentanal ?

26 ✷✷ Couleur et spectres UV-visible

Compétences générales *Exploiter des informations – Commenter des résultats*

Associer la couleur perçue à la couleur complémentaire de celle correspondant au maximum d'absorption est une première approche. Étudions deux cas pourtant très classiques pour lesquels ce critère ne suffit pas.

1. Influence de la concentration sur la couleur perçue
On dispose de cinq solutions aqueuses d'ions triiodure I_3^-, de concentrations :
$c_1 = 1,6 \times 10^{-4}$ mol·L^{-1} ; $c_2 = 8,0 \times 10^{-4}$ mol·L^{-1} ;
$c_3 = 4,0 \times 10^{-3}$ mol·L^{-1} ; $c_4 = 2,0 \times 10^{-2}$ mol·L^{-1} ;
$c_5 = 1,0 \times 10^{-1}$ mol·L^{-1}.

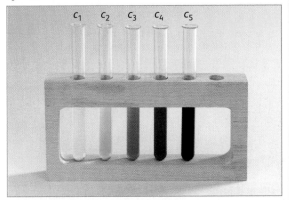

a. Peut-on parler de « la » couleur des ions triiodure en solution aqueuse ?
b. On donne ci-après le spectre UV-visible d'une solution aqueuse d'ions triiodure à $2,6 \times 10^{-4}$ mol·L^{-1}, contenue dans une cuve de 1,0 cm de largeur.

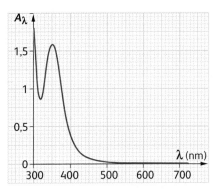

Déterminer les paramètres caractéristiques de l'absorption UV-visible des ions triiodure en solution aqueuse : λ_m et ε_{max}.
c. Justifier, par le critère habituel, la couleur jaune de la solution contenant les ions triiodure en solution aqueuse diluée.
d. Comment évoluerait le spectre d'absorption d'une solution d'ions triiodure si on augmentait sa concentration ?
e. En déduire la raison pour laquelle les solutions d'ions triiodure virent au rouge-brun foncé lorsqu'elles deviennent concentrées.

2. Existence de plusieurs bandes dans le spectre
Le spectre d'absorption UV-visible du sulfate de nickel à 0,25 mol·L^{-1} en solution aqueuse est représenté ci-dessous.

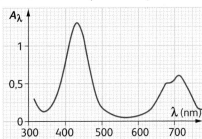

a. Quels sont les paramètres caractéristiques de l'absorption UV-visible du sulfate de nickel en solution aqueuse ?
b. Quelle devrait être, selon le critère usuel, la couleur d'une solution de sulfate de nickel ?
c. Cette absorption est-elle intense ?
d. La photographie ci-contre représente une solution de nitrate de nickel à 0,10 mol·L^{-1}. Cela correspond-il à l'analyse précédente du spectre d'absorption ? Conclure.

Solution de nitrate de nickel
C = 1,0 × 10^{-1} mol.L^{-1}

27 ✴✴ Un modèle mécanique en IR

Compétence générale *Effectuer un calcul*

L'absorption du rayonnement électromagnétique IR par les molécules peut être modélisée par les oscillations mécaniques de la liaison responsable de l'absorption. Dans ce modèle, le nombre d'onde d'absorption de la liaison A–B est proportionnelle à $\dfrac{1}{\sqrt{\mu}}$, où μ, appelée **masse réduite**, est telle que :

$$\frac{1}{\mu} = \frac{1}{m_A} + \frac{1}{m_B} \ ,$$

m_A et m_B étant les masses respectives des atomes A et B.
Le spectre IR du diméthylsulfoxyde CH_3–$S(=O)$–CH_3 fait apparaître une bande à $2\,975\ cm^{-1}$, attribuée à la liaison C–H. Calculer la valeur du nombre d'onde d'absorption de la liaison C–D du diméthylsulfoxyde deutéré CD_3–$S(=O)$–CD_3, D étant le deutérium, isotope de l'atome d'hydrogène de noyau ^2_1H.

28 ✴✴ Réarrangement de Beckmann suivi par IR

Compétence générale *Exploiter des informations*

L'éthanaloxime, dont la formule semi-développée est représentée ci-contre, est une molécule organique obtenue par réaction de l'éthanal avec l'hydroxylamine NH_2OH.

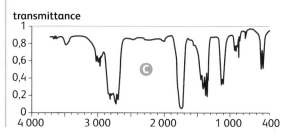

a. En analysant des formules brutes, déduire quelle petite molécule est aussi formée lors de cette réaction.
Écrire l'équation de la réaction correspondante en utilisant des formules topologiques.

b. L'éthanaloxime peut subir un « réarrangement de Beckmann » en présence d'un acide. On obtient alors de l'éthanamide.
Écrire l'équation de cette réaction. Pourquoi qualifie-t-on ce réarrangement de réaction d'isomérisation ?

c. Les spectres IR en phase gazeuse de l'éthanal, de l'éthanal-oxime et de l'éthanamide sont représentés ci-contre.
Attribuer chaque spectre à la molécule correspondante, en justifiant le raisonnement.

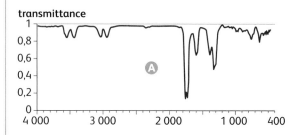

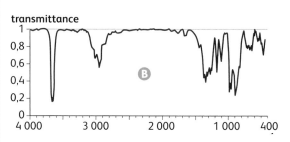

29 Objectif **BAC** *Rédiger une synthèse de documents*

→ **Dossier BAC, page 546**

Cet exercice s'appuie sur des ressources disponibles sur le site élève : **www.nathan.fr/siriuslycee/eleve-termS.**

Télécharger le dossier « ressources pour l'exercice 29 » du chapitre 6, qui concerne l'effet de serre.
Ce dossier comporte :
– les spectres d'émission du Soleil et de la Terre ;
– le spectre d'absorption de l'atmosphère ;
– un document sur le principe de l'effet de serre ;
– un document sur les conséquences de l'effet de serre.

a. Quelle est la température moyenne à la surface de la Terre, en °C ?

b. L'atmosphère absorbe-t-elle le rayonnement solaire et/ou le rayonnement tellurique ?

c. Quelle molécule présente dans l'atmosphère absorbe massivement le rayonnement ultraviolet émis par le Soleil ?

d. L'activité humaine est-elle à l'origine de l'effet de serre ?

e. Rédiger une synthèse de l'ensemble de ces documents afin de mettre en évidence le rôle de quelques gaz dans l'effet de serre.

L'expression « effet de serre » est utilisée par analogie entre l'atmosphère terrestre et les vitres d'une serre.

Chapitre

7

Spectres de RMN

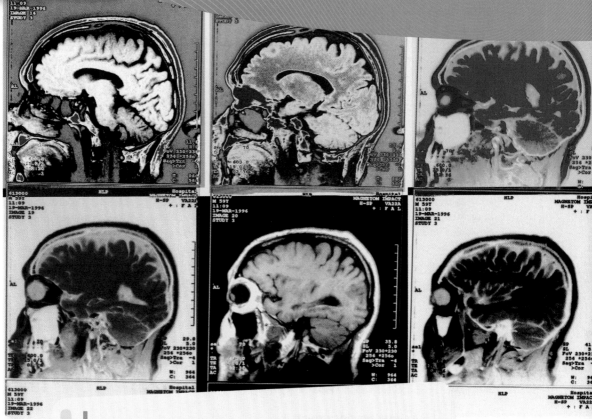

L e phénomène de résonance magnétique nucléaire (RMN)
a été découvert après la Seconde Guerre mondiale.
Cette découverte a donné naissance à la spectroscopie de RMN
et a permis de développer une nouvelle technique d'imagerie
médicale, **l'imagerie par résonance magnétique (IRM)**.

COMPÉTENCES EXIGIBLES

✔ Relier un spectre de RMN simple à une molécule
organique donnée à l'aide de tables de données
ou de logiciels. → *Exercice d'application 3*

✔ Identifier les protons équivalents.
→ *Exercices d'application 4 et 5*

✔ Relier la multiplicité du signal au nombre de voisins.
→ *Exercices d'application 6, 7 et 8*

✔ Extraire et exploiter des informations sur différents
types de spectres et sur leurs utilisations.
→ *Activité documentaire 4*

Compétence générale mise en œuvre
• *Extraire des informations*

1 Principe physique de la RMN

▶ **Les chimistes utilisent la spectroscopie de RMN pour identifier les molécules organiques. Sur quel principe physique cette technique repose-t-elle ?**

• Certains noyaux, comme le noyau ^{1}H de l'atome d'hydrogène, sont sensibles à la présence d'un champ magnétique. Ces noyaux ont un comportement magnétique analogue à celui d'aiguilles aimantées. Nous utiliserons cette analogie pour nous familiariser avec le phénomène de résonance magnétique nucléaire.

• En l'absence de tout champ magnétique, une aiguille aimantée s'oriente de façon quelconque. En présence d'un champ magnétique, elle s'oriente dans la même direction et le même sens que ce champ magnétique. Pour modifier cette orientation, il faut apporter de l'énergie à l'aiguille aimantée, par exemple sous forme d'énergie mécanique en déplaçant l'aiguille manuellement.

• Le phénomène est similaire avec les noyaux ^{1}H d'une molécule : leur propriété magnétique, analogue à celle d'une aiguille aimantée, est orientée dans le même sens que le champ magnétique d'un spectromètre. Pour modifier cette orientation, il faut apporter au noyau ^{1}H un quantum d'énergie grâce à une onde électromagnétique de fréquence particulière, appelée fréquence de résonance. Ce phénomène s'appelle résonance magnétique nucléaire (RMN).

• La spectroscopie de RMN utilise ce phénomène. Dans un spectro-mètre de RMN, l'échantillon conte-nant l'espèce étudiée est soumis à un champ magnétique intense et est traversé par des ondes électro-magnétiques. L'appareil mesure les fréquences de résonance des différents noyaux contenus dans l'espèce étudiée. Il les convertit en une grandeur, appelée dépla-cement chimique, qui ne dépend pas du champ magnétique de l'ap-pareil de mesure, contrairement à la fréquence de résonance. Plus le champ magnétique du spec-tromètre utilisé est grand, plus le spectre obtenu est précis.

1 *Une analogie pour comprendre le principe de la RMN.*

2 ◀ *Aiguilles aimantées à proximité d'un aimant.*

Vocabulaire

Résonance : phénomène lié à la sensibilité à certaines fréquences de systèmes physiques (électriques, mécaniques…). À l'intérieur d'un noyau atomique, elle résulte des transitions entre les niveaux d'énergie.

❶ Analyser les documents

a. Le phénomène de RMN implique-t-il le noyau et/ou les électrons de certains atomes ?

b. Quelle est la nature du champ utilisé pour observer le phénomène de RMN ?

c. Pourquoi le noyau cité dans le **document 1** est-il intéressant pour l'utilisation de la RMN en chimie organique ?

❷ Interpréter

a. La différence d'énergie $\Delta \mathcal{E}$ entre les niveaux d'énergie d'un noyau d'atome d'hydrogène du méthane CH_4 dans un champ magnétique est proportionnelle à la valeur B de ce champ magnétique : $\Delta \mathcal{E} = k \times B$, avec $k = 2{,}82 \times 10^{-26}$ J·T^{-1}.
Calculer la fréquence de résonance ν d'un noyau d'hydrogène si $B = 4{,}70$ T. Faire une recherche pour savoir à quel domaine de longueurs d'onde électromagnétique appartient cette radiation.

Données. Le quantum d'énergie $\Delta \mathcal{E}$ est associé à une radiation de fréquence ν par la relation $\Delta \mathcal{E} = h\nu$. La valeur de la constante de Planck est : $h = 6{,}63 \times 10^{-34}$ J·s.

b. Quel peut être l'inconvénient de travailler avec une grandeur comme la fréquence de réso-nance d'un noyau d'atome d'hydrogène ?

c. En analysant l'expression de ν trouvée à la question **a.**, par quelle grandeur faudrait-il diviser ν pour obtenir une grandeur qui ne dépend pas du choix du spectromètre ?

d. Faire une recherche pour déterminer la valeur du champ magnétique B utilisé par les spec-tromètres performants.

2 Première lecture d'un spectre de RMN

▶ La fréquence de résonance du noyau d'un atome d'hydrogène dépend des autres atomes de la molécule. Cela se traduit par la présence de plusieurs signaux sur le spectre.

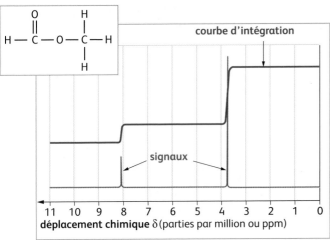

3 *Spectre de RMN du proton et formule développée du méthanoate de méthyle.*

• L'abscisse d'un spectre de RMN représente une grandeur liée à la fréquence de résonance des noyaux d'hydrogène, appelée déplacement chimique. La grandeur de l'axe des ordonnées n'est usuellement pas indiquée, car elle n'apporte pas d'information particulière.
• Le spectromètre permet de tracer deux courbes utilisant le même axe des abscisses :
– l'une est formée des signaux de résonance des noyaux d'hydrogène de la molécule, qui n'ont pas tous la même valeur de déplacement chimique ;
– l'autre courbe, appelée courbe d'intégration, est formée de paliers. La hauteur d'un saut entre deux paliers est proportionnelle au nombre de noyaux responsables du signal correspondant.

4 *Les informations d'un spectre de RMN.*

1 Observer les documents

a. Quelle est la particularité de l'orientation de l'axe des abscisses d'un spectre de RMN ?

b. Mesurer la hauteur h_a du plus grand saut de la courbe d'intégration et celle, h_b, du plus petit saut. Calculer le rapport $\dfrac{h_a}{h_b}$.

2 Exploiter le spectre

a. Construire le modèle moléculaire du méthanoate de méthyle à l'aide d'une boîte de modèles moléculaires ou d'un éditeur de molécules. Identifier sur ce modèle les atomes d'hydrogène ayant le même environnement chimique et les entourer sur la formule développée de la molécule. Ces atomes sont appelés **atomes d'hydrogène équivalents**.

b. Ce résultat est-il cohérent avec le nombre de signaux observés sur le spectre ?

c. Utiliser la courbe d'intégration pour associer à chaque signal un groupe d'atomes d'hydrogène de la molécule.

3 Pour aller plus loin

TICE

Un logiciel de simulation de spectres de RMN est téléchargeable à l'adresse suivante : www.chimsoft.com

À l'aide d'un logiciel de simulation, réaliser une simulation du spectre de RMN du proton pour chacune des molécules suivantes :

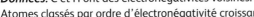

2,2-diméthylpropane **2-méthoxy-2-méthylpropane** **triméthylamine**

a. Reprendre les questions du paragraphe **2** pour chacune de ces molécules.

b. Quelle est l'influence de la présence d'un atome électronégatif sur le déplacement chimique d'un noyau d'atome d'hydrogène ^1H situé à proximité de celui-ci ?

Données. C et H ont des électronégativités voisines.

Atomes classés par ordre d'électronégativité croissante : C ; N ; O.

3 Multiplicité d'un signal sur un spectre de RMN

▶ Essayons de comprendre comment la structure d'un signal peut donner des informations sur l'environnement des atomes d'hydrogène responsables de ce signal.

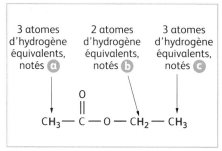

3 atomes d'hydrogène équivalents, notés **a**   2 atomes d'hydrogène équivalents, notés **b**   3 atomes d'hydrogène équivalents, notés **c**

$$CH_3—C—O—CH_2—CH_3$$

5 *Identification des groupes d'atomes d'hydrogène équivalents de l'éthanoate d'éthyle, solvant couramment utilisé en chimie organique.*

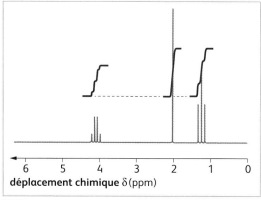

déplacement chimique δ (ppm)

6 *Spectre de RMN du proton de l'éthanoate d'éthyle.*

1 Exploiter les documents

a. Pourquoi peut-on attribuer le signal à 4,1 ppm aux noyaux des atomes d'hydrogène **b** ?

b. Le signal à 1,3 ppm est formé de trois pics : un tel signal est appelé **triplet**.
Observer les deux autres signaux et proposer un nom pour chacun.

c. Des atomes d'hydrogène séparés par trois liaisons (simples ou multiples) sont dits **voisins**.
Identifier les atomes d'hydrogène voisins deux à deux. On observe qu'il y a deux groupes d'atomes d'hydrogène voisins, identifier ces deux groupes.

d. On peut montrer que si un atome d'hydrogène n'a pas d'atomes d'hydrogène voisins, le signal de son noyau est un pic fin et unique. Attribuer le pic observé à 2,0 ppm aux noyaux d'atomes d'hydrogène responsables de ce signal, et en déduire l'attribution du signal à 1,3 ppm.

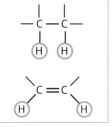

7 *Exemples d'atomes voisins, entourés en bleu.*

2 Interpréter la multiplicité des signaux

a. Recopier et compléter le tableau suivant.

Atomes d'hydrogène	notés **a**	notés **b**	notés **c**
Déplacement chimique			
Nombre de pics dans le signal			
Nombre d'atomes d'hydrogène équivalents voisins			

b. Proposer une relation simple entre le nombre d'atomes d'hydrogène voisins d'un noyau d'atome d'hydrogène et le nombre de pics du signal de ce noyau.

ACTIVITÉ DOCUMENTAIRE   • *Extraire et exploiter des informations*

4 La RMN au service de la biologie

▶ Dans cette interview, Fabien Ferrage, jeune chercheur du CNRS, explique les apports de la physique et de la chimie à la biologie grâce à la spectroscopie de RMN.

Quel est votre poste actuel ?

F. Ferrage Je suis chargé de recherche au CNRS. Je travaille au sein du laboratoire des biomolécules, au département de chimie de l'École normale supérieure, à Paris.

Pourquoi vous êtes-vous intéressé à la spectroscopie de RMN ?

Côté applications, j'étais fasciné depuis le lycée par les protéines, leur structure et le côté « Meccano » de la description de leur fonction à l'échelle moléculaire. Côté fondements théoriques, la RMN se modélise par la mécanique quantique, et j'aimais beaucoup les mathématiques qui sous-tendent les expériences de RMN.

Quels sont les principaux apports récents de la RMN à la chimie ?

La RMN donne accès à la structure atomique des molécules, c'est-à-dire à leur formule développée et à l'agencement de leurs atomes dans l'espace. À ce titre, elle est aujourd'hui indispensable à la chimie de synthèse pour caractériser les produits après chaque réaction. D'autre part, la RMN en phase solide s'impose comme un outil de choix pour déterminer la structure à l'échelle atomique de matériaux ou de surfaces, comme par exemple les verres, le béton ou les batteries au lithium. Cette connaissance permet d'élaborer de nouveaux matériaux encore plus performants.

Vos découvertes en RMN ont-elles eu des applications ? si oui, dans quel domaine ?

J'ai développé de nouvelles méthodes pour accéder à de nouvelles informations sur la structure tridimensionnelle et la dynamique des protéines. J'ai mesuré l'échelle de temps de mouvements qui sont importants pour la fonction d'une petite protéine, l'ubiquitine, qui est un marqueur (une sorte de petit drapeau) qui se fixe à d'autres protéines dans des mécanismes aussi divers que ceux de la dégradation des protéines ou de la réponse immunitaire. J'ai également identifié, sur une autre protéine, la calbindine, les réactions acido-basiques qui ont lieu, à l'équilibre, entre les groupes carboxyle des chaînes latérales d'acides α-aminés et l'eau. Un groupe de chercheurs a aussi utilisé l'une de mes méthodes pour vérifier qu'une chaîne naissante de protéine était encore accrochée au ribosome qui l'avait synthétisée !

La RMN est-elle un secteur de recherche prometteur ?

Bien sûr ! Les apports de la RMN ne se limitent pas à la chimie. Ils sont très importants en biologie, pour déterminer la structure tridimensionnelle de protéines ou d'acides nucléiques (ADN et ARN) et, de plus en plus, pour comprendre le rôle majeur des mouvements de ces macromolécules dans leur fonction. Enfin, n'oublions pas l'imagerie par résonance magnétique nucléaire (IRM), qui s'impose de plus en plus comme un moyen de diagnostic efficace en médecine.

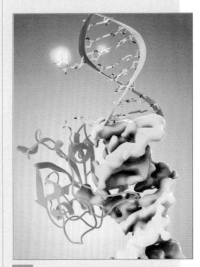

8 *Vue d'artiste de l'interaction d'une protéine (en vert) et d'un brin d'ADN (en jaune).*

❶ Exploiter le document

a. À quel domaine des sciences physiques fait-on appel pour modéliser le phénomène de RMN ?

b. D'après le texte, à quels types d'information la RMN peut-elle permettre d'accéder ?

c. Citer des espèces chimiques qui peuvent aujourd'hui être analysées par RMN.

❷ Rédiger une synthèse

À partir de cette interview et de vos connaissances en SVT, rédiger un texte d'environ 10 lignes montrant en quoi les chimistes contribuent à la compréhension des processus biologiques.

9 *L'espèce à analyser est dissoute dans un solvant sans atome d'hydrogène, puis versée dans un tube en verre et introduite dans un spectromètre de RMN.*

Usuellement, on ne précise pas la grandeur en ordonnée car on compare des grandeurs relatives.

L'axe des abscisses est orienté vers la gauche, la grandeur associée est le déplacement chimique δ (ppm).

1 Qu'est-ce qu'un spectre de RMN ?

• La spectroscopie IR renseigne sur la présence et la nature de certaines liaisons dans une molécule. Pour avoir plus d'informations sur la structure de la chaîne carbonée, les chimistes utilisent couramment, depuis les années 1960, la **spectroscopie de résonance magnétique nucléaire** (RMN).

• Dans ce chapitre, nous allons étudier la spectroscopie de RMN du noyau d'atome d'hydrogène ^1H, qui est la plus utilisée en chimie organique. On l'appelle couramment **spectroscopie de RMN du proton**. En effet, en RMN, les noyaux des atomes d'hydrogène d'une molécule sont appelés protons car le noyau ^1H n'est constitué que d'un proton.

1.1 Comment obtenir un spectre de RMN ?

• Un noyau d'atome d'hydrogène ^1H d'une molécule placée dans un champ magnétique peut absorber un quantum d'énergie lorsqu'il est exposé à certaines ondes électromagnétiques : la fréquence associée à ce quantum est appelée **fréquence de résonance**. Ce phénomène est appelé résonance magnétique nucléaire.

• La fréquence de résonance dépend du champ magnétique intense produit par l'aimant supraconducteur du spectromètre. Afin que les spectres tracés soient indépendants du spectromètre utilisé, les chimistes convertissent cette fréquence en une grandeur appelée **déplacement chimique**, qui ne dépend pas du champ magnétique de fonctionnement du spectromètre.

1.2 Un exemple de spectre de RMN

Voici un exemple de spectre de RMN du proton.

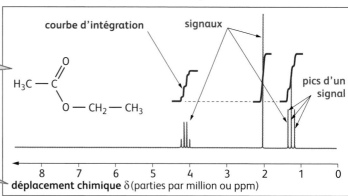

Les atomes d'hydrogène d'une molécule n'ont pas tous la même fréquence de résonance, ce qui se traduit sur le spectre par la présence de plusieurs signaux. L'analyse de ces signaux permet de déterminer la structure de la molécule.

2 Les informations d'un spectre

2.1 Déplacement chimique

Pour repérer un signal sur un spectre de RMN, on utilise la valeur de la grandeur représentée en abscisse : **le déplacement chimique δ**. Il s'agit d'une grandeur sans dimension, exprimée en parties par million (ppm).

Science in English

Chemical shift : déplacement chimique.
NMR spectroscopy (nuclear magnetic resonance spectroscopy) : spectroscopie de RMN.

A Influence de l'environnement

Les électrons proches d'un noyau d'hydrogène génèrent un champ magnétique de faible valeur, qui modifie localement le champ magnétique créé par le spectromètre. Le champ magnétique subi par le proton dépend donc de l'environnement chimique dû aux autres atomes de la molécule. Par conséquent, la fréquence de résonance, et donc le déplacement chimique de chaque proton, dépendent des autres atomes de la molécule. Par exemple, plus un noyau est proche d'atomes électronégatifs, plus son déplacement chimique est grand.

Exemple. Sur le spectre de RMN du proton de l'éthane (CH_3–CH_3), on observe un signal à 1,25 ppm **(figure 10)**. Sur celui du méthoxyméthane (CH_3–O–CH_3), on observe un signal à 3,24 ppm. Les protons du méthoxyméthane ont donc un déplacement chimique supérieur à ceux de l'éthane. En effet, le méthoxyméthane possède un atome d'oxygène, plus électronégatif que les atomes de carbone et d'hydrogène.

Point Math

1 ppm signifie 1 pour 1 000 000.

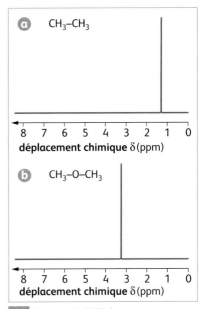

a CH_3–CH_3

8 7 6 5 4 3 2 1 0
déplacement chimique δ (ppm)

b CH_3–O–CH_3

8 7 6 5 4 3 2 1 0
déplacement chimique δ (ppm)

10 *Spectres de RMN du proton :*
a de l'éthane ;
b du méthoxyméthane.

B Protons équivalents

• Dans une molécule, les noyaux des atomes d'hydrogène sont **équivalents** s'ils ont le même environnement chimique.
• Des protons équivalents ont le même déplacement chimique. Ils sont donc représentés par le même signal sur le spectre. Par conséquent, le nombre de signaux dans un spectre de RMN est égal au nombre de groupes de protons équivalents dans la molécule étudiée.

En première approximation, on pourra considérer que :
– des atomes d'hydrogène liés à un même atome de carbone engagé uniquement dans des liaisons simples sont équivalents ;
– des atomes d'hydrogène liés à des atomes différents sont équivalents s'il existe entre eux une relation de symétrie simple.

APPLICATION Prévoir le nombre de signaux que devrait comporter le spectre de RMN du proton de la propanone, en utilisant le modèle moléculaire du **document 11**.

Réponse. Les trois atomes d'hydrogène d'un groupe méthyle sont liés à un même atome de carbone engagé dans des liaisons simples : ils sont donc équivalents. Les deux groupes méthyle sont symétriques par rapport à un plan contenant le groupe carbonyle : les six protons sont donc équivalents. Or, des protons équivalents ont le même déplacement chimique : le spectre de RMN du proton de la propanone ne comportera donc qu'un seul signal.

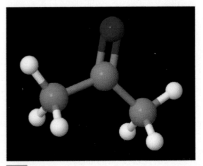

11 *Modèle moléculaire de la propanone.*

Cours

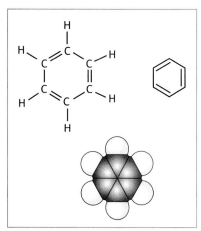

12 *La structure en cycle hexagonal avec trois doubles liaisons carbone-carbone C=C se retrouve dans de nombreuses molécules organiques, comme le benzène.*

C Table de valeurs de déplacement chimique

Pour relier les signaux d'un spectre de RMN aux protons d'une molécule donnée, on peut utiliser une **table de valeurs de déplacement chimique**.

Cette table présente des intervalles de déplacement chimique qui dépendent de l'environnement chimique du proton, et notamment de la présence d'atomes plus ou moins électronégatifs à proximité.

Type de proton	Exemple	δ (ppm)
Proton d'un alcane ou d'une chaîne carbonée éloignée d'atomes électronégatifs	$CH_3{-}CH_2{-}CH_2{-}CH_3$	0,8 – 2,5
Proton sur un atome de carbone lié à un atome électronégatif	$CH_3{-}OH$ $CH_3{-}CH_2{-}O{-}CH_3$ $CH_3{-}CH_2{-}Cl$	3,1 – 5,0
Proton lié à une double liaison C=C : – d'un alcène ; – d'un dérivé du benzène (document 12).	$CH_3{-}CH{=}CH_2$	4,5 – 6,0 6,5 – 8,2
Proton lié à l'atome de carbone d'un groupe carbonyle	$CH_3{-}CH{=}O$	9,5 – 11
Proton du groupe carboxyle	$CH_3{-}CO_2H$	10,5 – 12
Proton du groupe hydroxyle	$CH_3{-}OH$	0,5 – 5,5
Proton d'un groupe amino	$CH_3{-}NH_2$	0,5 – 5,5

13 *Table simplifiée de valeurs de déplacement chimique.*

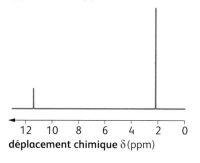

14 *L'acide éthanoïque est responsable de l'acidité du vinaigre. (Enluminure du XIVᵉ siècle.)*

Exemple

Le spectre de RMN de l'acide éthanoïque $CH_3{-}CO_2H$ présente deux signaux, à 11,42 ppm et à 2,10 ppm.

déplacement chimique δ (ppm)

La valeur de déplacement chimique 11,42 ppm appartient à l'intervalle [10,5 ; 12] qui correspond, d'après la table simplifiée de valeurs de déplacement chimique **(tableau 13)**, au proton d'un groupe carboxyle. L'autre signal correspond aux protons du groupe méthyle –CH₃.

2.2 Courbe d'intégration

L'aire sous la courbe d'un signal de RMN est proportionnelle au nombre de protons responsables de ce signal. Le spectromètre permet de tracer la **courbe d'intégration** du spectre, constituée de paliers, sur le graphique du spectre.

> La hauteur de chaque saut vertical de la courbe d'intégration, c'est-à-dire la hauteur entre deux paliers, est proportionnelle au nombre de protons équivalents responsables du signal correspondant.

On peut ensuite retrouver le nombre de protons associés à chaque signal en analysant la structure de la molécule.

Exemple

Le spectre du méthanoate de méthyle **(figure 15)** présente deux signaux. Le saut de la courbe d'intégration correspondant au signal à 3,8 ppm est trois fois plus grand que le saut correspondant au signal à 8,1 ppm. Dans la molécule étudiée, il y a donc trois fois plus de protons en résonance à 3,8 ppm qu'à 8,1 ppm.

La formule semi-développée de la molécule est représentée ci-dessous.

$$H - C \overset{\displaystyle O}{\underset{\displaystyle O - CH_3}{\big\|}}$$

On en déduit l'attribution des deux signaux : à 3,8 ppm, il s'agit des trois protons du groupe méthyle $-CH_3$. À 8,1 ppm, il s'agit du proton lié à l'atome de carbone du groupe caractéristique.

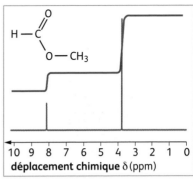

15 Spectre de RMN du proton du méthanoate de méthyle.

Nombre de pics du signal	Nom du signal
1	singulet
2	doublet
3	triplet
4	quadruplet
5	quintuplet
6	sextuplet
7	septuplet
nombre non précis	massif

16 Nom de différents signaux rencontrés couramment sur les spectres de RMN.

2.3 Multiplicité des signaux

Le signal de résonance n'est pas toujours un pic fin et unique ; il peut comporter plusieurs pics et est alors appelé **multiplet**. Cette démultiplication des signaux est due aux interactions entre des protons voisins non équivalents.

> Deux protons sont dits **voisins** s'ils sont séparés par trois liaisons, simples ou multiples.
>
> protons voisins   protons non voisins

Règle des $(n + 1)$-uplets

Un groupe de protons équivalents ⓐ ayant pour voisins n protons ⓑ non équivalents à ⓐ présente un signal de résonance sous forme d'un multiplet de $(n + 1)$ pics.

Éviter des erreurs

Dans un $(n+1)$-uplet, les hauteurs des p-ièmes pics sont proportionnelles aux coefficients binomiaux $\begin{pmatrix} n \\ p-1 \end{pmatrix}$ avec la même constante de proportionnalité. Par exemple, pour un doublet $(n = 1)$, les pics ont des hauteurs de $\begin{pmatrix} 1 \\ 0 \end{pmatrix} = 1$ et $\begin{pmatrix} 1 \\ 1 \end{pmatrix} = 1$. Pour un quadruplet $(n = 3)$, les pics ont des hauteurs de $\begin{pmatrix} 3 \\ 0 \end{pmatrix} = 1$; $\begin{pmatrix} 3 \\ 1 \end{pmatrix} = 3$; $\begin{pmatrix} 3 \\ 2 \end{pmatrix} = 3$ et $\begin{pmatrix} 3 \\ 3 \end{pmatrix} = 1$.

Ainsi, il ne faut pas confondre un quadruplet et deux doublets très proches.

deux doublets proches   un quadruplet

δ (ppm)

Exemple. Le spectre de RMN du proton du chloroéthane CH_3–CH_2–Cl est représenté ci-dessous. Il est constitué de deux signaux : un quadruplet (en bleu) et un triplet (en vert). Le déplacement chimique de chaque signal est mesuré au milieu de chaque signal. On a donc ici un triplet à 1,5 ppm et un quadruplet à 3,5 ppm.

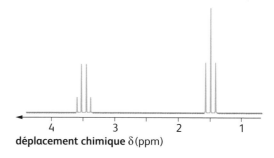

déplacement chimique δ(ppm)

Le signal représenté en bleu étant un quadruplet, on en déduit qu'il correspond à un groupe de protons équivalents possédant trois voisins. Le signal représenté en vert étant un triplet, on en déduit qu'il correspond à un groupe de protons équivalents possédant deux voisins. Cette observation permet donc d'attribuer le signal bleu aux protons du groupe CH_2 et le signal vert aux protons du groupe CH_3. Les observations sont résumées dans le tableau ci-dessous.

Protons équivalents	Déplacement chimique	Nombre de protons voisins	Nombre de pics du signal
Protons du groupe CH_3	1,5 ppm	2	2 + 1 = 3 pics (triplet)
Protons du groupe CH_2	3,5 ppm	3	3 + 1 = 4 pics (quadruplet)

Remarque. Les signaux sont parfois plus compliqués que des multiplets : on parle alors de **massif** (document 18). Cette situation est fréquente pour les signaux des atomes d'hydrogène des dérivés du benzène.

2.4 Méthode d'analyse d'un spectre de RMN

Voici une méthode pour analyser un spectre de RMN.

❶ **Compter le nombre de signaux** pour déterminer le nombre de groupes de protons équivalents.

❷ **Utiliser la courbe d'intégration** pour déterminer la proportion de protons associée à chaque signal.

❸ **Analyser la multiplicité d'un signal** pour dénombrer les protons équivalents voisins des protons responsables d'un signal.

❹ **Utiliser une table de valeurs de déplacement chimique** pour vérifier la formule de la molécule obtenue à l'issue des étapes ❶ à ❸ ou pour identifier la formule de la molécule s'il reste des ambiguïtés.

17 *Spectromètre du Centre de RMN de Lyon. Pour analyser la structure fine de la matière, ce spectromètre est refroidi à des températures extrêmes (de l'ordre de −270 °C).*

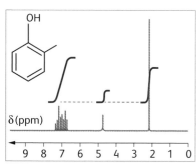

18 *Les atomes d'hydrogène liés au cycle de l'orthocrésol ont un signal de RMN vers 7 ppm sous forme d'un massif, non interprétable.*

TICE

Un logiciel de simulation de spectres de RMN est téléchargeable à l'adresse suivante :

www.chimsoft.com

L'ESSENTIEL

Le spectre de RMN du proton d'une molécule de formule brute $C_4H_8O_2$ est donné ci-dessous.

À laquelle de ces trois molécules isomères ce spectre correspond-il ?

$CH_3-CH_2-CH_2-CO_2H$
acide butanoïque A

$CH_3-CH_2-C(=O)O-CH_3$
propanoate de méthyle B

$CH_3-C(=O)O-CH_2-CH_3$
éthanoate d'éthyle C

- La grandeur représentée en abscisse est le déplacement chimique.
- Deux **protons équivalents** ont le même déplacement chimique.

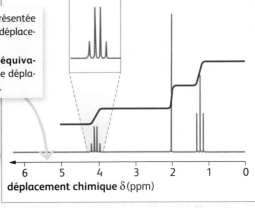

déplacement chimique δ (ppm)

Compter le nombre de signaux

- Le nombre de signaux est égal au nombre de groupes de protons équivalents.

- Ici, on observe 3 signaux, la molécule comporte donc 3 groupes de protons équivalents. Il ne s'agit donc pas de la molécule A.

Utiliser la courbe d'intégration

- La hauteur de chaque saut vertical est proportionnelle au nombre de protons équivalents responsables de ce signal.

δ (ppm)	Hauteur (mm)	Nombre de protons équivalents
1,3	6	3
2,0	6	3
4,1	4	2

Analyser la multiplicité d'un signal

- **Règle des $(n + 1)$-uplets**
Un groupe de protons équivalents Ⓐ ayant pour voisins n protons Ⓑ non équivalents à Ⓐ présente un signal sous forme d'un multiplet de $(n + 1)$ pics.

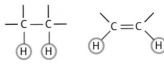

protons voisins

protons non voisins

δ (ppm)	Nombre de pics	Nombre de protons voisins
1,3	3	2
2,0	1	0
4,1	4	3

Conclure

- Les molécules B et C peuvent correspondre à ce spectre.

- En utilisant une **table de valeurs de déplacement chimique**, on peut identifier la molécule recherchée : le quadruplet du groupe CH_2 a un déplacement chimique de 4,1 ppm, caractéristique d'un proton sur un atome de carbone lié à un atome d'oxygène. La molécule est donc l'**éthanoate d'éthyle C**.

Exercices Application

1 Mots manquants

Compléter avec un ou plusieurs mots.

a. La grandeur représentée en abscisse d'un spectre de RMN est ....

b. Deux protons sont dits .... s'ils ont le même environnement chimique.

c. Dans un spectre de RMN, la hauteur de chaque saut de la courbe d'intégration est .... au nombre de protons équivalents responsables du signal correspondant.

d. Un signal en forme de quintuplet correspond à des noyaux d'atomes d'hydrogène voisins de .... protons équivalents entre eux.

2 QCM

Cocher la réponse exacte.

Le spectre de RMN du chlorure de propanoyle, de formule brute C_3H_5ClO, est représenté ci-contre.

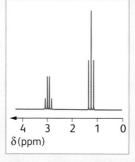

δ(ppm)

On rappelle que l'atome d'oxygène et l'atome de chlore sont plus électronégatifs que les atomes de carbone et d'hydrogène.

a. L'observation du spectre de RMN permet de dire que :
☐ tous les atomes d'hydrogène sont équivalents
☐ il y a deux groupes d'atomes d'hydrogène équivalents
☐ il y a sept groupes d'atomes d'hydrogène équivalents

b. Les protons responsables du signal à 2,93 ppm :
☐ sont plus proches des atomes de chlore et d'oxygène que les protons donnant le signal à 1,24 ppm
☐ sont plus éloignés des atomes de chlore et d'oxygène que les protons donnant le signal à 1,24 ppm
☐ sont situés à même distance des atomes de chlore et d'oxygène que les protons donnant le signal à 1,24 ppm

c. Le signal à 2,93 ppm est :
☐ un triplet   ☐ un quadruplet ☐ un quintuplet

d. Les protons du signal à 1,24 ppm sont voisins de :
☐ deux protons ☐ trois protons ☐ quatre protons

e. La formule semi-développée de la molécule étudiée est :
☐ $CH_3-CH_2-C(=O)-Cl$
☐ $CH_3-C(=O)-CH_2-Cl$
☐ $CH_3-CH=CCl-OH$

→ **Solutions détaillées en fin de manuel pour vérifier vos réponses et comprendre vos erreurs.**

Parcours en autonomie

Trois parcours d'exercices pour travailler en autonomie selon ses besoins.

Maîtriser les bases — 3 - 5 - 6

Préparer l'évaluation — 18 - 20 - 23

Approfondir — 28 - 34 - 35

COMPÉTENCES EXIGIBLES

3 Identifier une molécule

Le spectre de RMN du proton d'une molécule de formule brute C_2H_4O est constitué de deux signaux, l'un à 9,79 ppm et l'autre à 2,21 ppm.

a. Quelles sont les formules semi-développées possibles correspondant à la formule brute de la molécule ?

b. En utilisant la table de valeurs de déplacement chimique présentée dans les rabats, identifier la molécule étudiée.

4 Identifier les protons équivalents

Le méthoxyméthane est actuellement étudié par des firmes pétrolières pour servir de carburant. Son spectre de RMN comporte un seul signal, à 3,24 ppm.

a. En déduire le nombre de groupes de protons équivalents.

b. Vérifier que la réponse à la question **a.** est cohérente avec la formule semi-développée de la molécule : CH_3-O-CH_3.

5 Identifier les protons équivalents

Le spectre de RMN de l'éthanol est représenté ci-dessous.

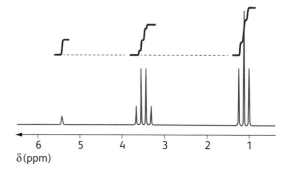

δ(ppm)

a. Dénombrer les groupes de protons équivalents en utilisant le spectre. Est-ce cohérent avec la formule de la molécule ?

b. Le plus souvent, un atome d'hydrogène porté par un atome d'oxygène n'est pas considéré comme voisin d'autres atomes d'hydrogène.
Utiliser la courbe d'intégration pour attribuer à chaque signal un groupe de protons équivalents de la molécule.

6 Déterminer le nombre de voisins

Le spectre de RMN de l'éthanol donné dans l'exercice **5** comporte trois signaux, dont deux multiplets.

a. Combien de pics comporte chaque multiplet du spectre ?

b. En déduire le nombre de voisins des protons correspondant à chacun des deux multiplets. Est-ce cohérent avec la formule de l'éthanol ?

7 Tracer l'allure d'un spectre de RMN

Le spectre de RMN du propanoate de méthyle est constitué de trois signaux dont les valeurs du déplacement chimique sont de 3,67 ppm, 2,32 ppm et 1,15 ppm. L'attribution de ces signaux est donnée ci-dessous.

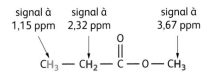

a. Prévoir la multiplicité de chaque signal.

b. Dessiner une allure possible pour le spectre de RMN de cette molécule.

8 Utiliser un logiciel de simulation

a. Parmi les espèces chimiques suivantes, identifier les atomes d'hydrogène qui seront responsables d'un multiplet sur un spectre de RMN : CH_3–C(=O)–OH ; CH_3–CH_2–$N(CH_3)_2$; Br–CH_2–CH_2–Br ; CH_3–CHCl–CH_3.

b. Vérifier les prévisions en utilisant le logiciel de simulation de spectres de RMN du proton disponible à l'adresse www.chimsoft.com.

COMPÉTENCES GÉNÉRALES

9 Commenter un tableau

Commenter les valeurs de déplacement chimique des noyaux d'atomes d'hydrogène du fluorométhane CH_3F, du chlorométhane CH_3Cl, du bromométhane CH_3Br et de l'iodométhane CH_3I.

Molécule	CH_3F	CH_3Cl	CH_3Br	CH_3I
Déplacement chimique (ppm)	4,1	3,05	2,68	2,17

Donnée. Classement des atomes par électronégativité croissante : I ; Br ; Cl ; F.

10 Faire une recherche

a. Rechercher et commenter l'ordre de grandeur de la valeur du champ magnétique créé par un spectromètre de RMN.

b. Comment produit-on un tel champ magnétique ?

11 Exercer son esprit critique

En RMN, on utilise couramment le mot « protons » pour désigner des noyaux d'atomes d'hydrogène.
Justifier ce vocabulaire.

12 Analyser des données

Le tableau suivant renseigne sur les propriétés magnétiques de certains noyaux.

Noyau	^1H	^2H	^{12}C	^{13}C	^{16}O	^{17}O
Actif en RMN	oui	oui	non	oui	non	oui
Abondance naturelle (%)	99,99	0,02	98,89	1,11	99,76	0,037

a. Deux noyaux isotopes peuvent-ils avoir des propriétés magnétiques différentes ?

b. Quel est le noyau le plus étudié par spectroscopie de RMN en chimie organique ? Justifier à l'aide des données du tableau.

c. Proposer un autre noyau qui pourrait, en RMN, apporter des informations sur la structure de molécules organiques.

13 Formuler des hypothèses

Avant d'étudier une espèce en RMN du proton, on la dissout dans un solvant.

Pourquoi utilise-t-on généralement comme solvant le chloroforme deutéré $CDCl_3$ et non le chloroforme $CHCl_3$?

Donnée : les noyaux de deutérium D = ^2H ont des déplacements chimiques très différents de ceux des protons ^1H.

14 Interpréter un texte de vulgarisation

Jean-Marie Lehn, lauréat du prix Nobel de chimie en 1987, revient sur l'importance de la RMN dans son parcours :

« En 1960, j'entrais donc à l'Institut de chimie de Strasbourg pour effectuer ma thèse sous la direction de Guy Ourisson. Ce dernier venait d'obtenir les crédits pour acheter un appareil d'analyse par résonance magnétique nucléaire (RMN) et il me mit immédiatement en charge de le faire fonctionner. […] j'ai eu la chance de collaborer avec des chimistes du monde entier qui nous envoyaient leurs échantillons à des fins d'analyses et j'ai ainsi pu participer à un grand nombre de publications. J'aimais en particulier le côté « Sherlock Holmes » de l'analyse par RMN, ou le « détective » doit, à partir d'indices révélés par l'appareil (le spectre RMN), tenter de remonter la piste jusqu'à la détermination de la structure de la molécule analysée. »

Eastes R.-E., Kleinpeter E., *Comment je suis devenu chimiste*, Le Cavalier Bleu, 2004.

Quels sont ces « indices » révélés par l'appareil ?

EXERCICE RÉSOLU

15 Chacun cherche son spectre

Énoncé Un technicien travaillant dans un laboratoire de chimie a réalisé les spectres de RMN du proton de deux molécules : l'acide propanoïque et la butanone. Les spectres sont représentés ci-dessous.

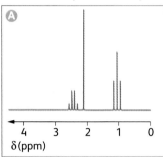

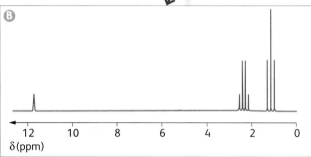

Énoncé
L'objectif de cet exercice est de relier chaque spectre à la molécule qui lui correspond.

➊ Écrire la formule semi-développée de chacune de ces molécules.

➋ Dénombrer les signaux sur chaque spectre de RMN. Ce décompte permet-il d'attribuer une molécule à chaque spectre ?

➌ Analyser la multiplicité des signaux de chaque spectre. Cette analyse permet-elle de relier chaque spectre à une molécule ?

➍ L'utilisation de la table de valeurs de déplacement chimique présentée dans les rabats permet-elle de conclure ?

➎ La courbe d'intégration aurait-elle permis de lever l'ambiguïté sans utiliser la table de données ?

Une solution

➊

$CH_3 — CH_2 — C \overset{O}{\underset{OH}{\big\langle}}$

acide propanoïque

$CH_3 — \overset{O}{\overset{\|}{C}} — CH_2 — CH_3$

butanone

Connaissances
Il ne faut pas confondre les notions de pic et de signal. Un signal peut être constitué de plusieurs pics.

➋ Chacun des deux spectres est constitué de trois signaux, correspondant à trois groupes de protons équivalents. Le simple décompte des signaux ne permet donc pas d'attribuer une molécule à chaque spectre.

➌ Chaque spectre comporte un quadruplet, un triplet et un singulet. Cette analyse ne permet donc pas d'attribuer les spectres.

➍ D'après la table de valeurs de déplacement chimique, le singulet à 11,7 ppm correspond au proton d'un groupe carboxyle : le spectre Ⓑ est donc celui de l'acide propanoïque et le spectre Ⓐ celui de la butanone.

➎ Les groupes de protons équivalents de l'acide propanoïque sont composés de 3, 2 et 1 protons alors que ceux du butanone sont composés de 3, 2 et 3 protons.

$$CH_3–CH_2–COOH \quad CH_3–C(=O)–CH_2–CH_3$$
acide propanoïque   **butanone**

Comme la hauteur de chaque saut de la courbe d'intégration est proportionnelle au nombre de protons équivalents du signal, la courbe d'intégration peut permettre de conclure sans que l'on ait besoin d'utiliser une table de données.

Connaissances
La hauteur de chaque saut vertical de la courbe d'intégration est proportionnelle au nombre de protons équivalents responsables de ce signal.

DOC 1. Spectre de RMN du proton
d'une molécule de formule brute $C_3H_6O_2$

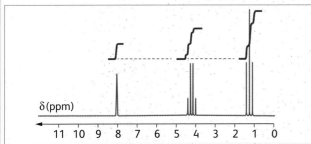

δ (ppm)

11 10 9 8 7 6 5 4 3 2 1 0

DOC 2. Spectre IR de la molécule étudiée

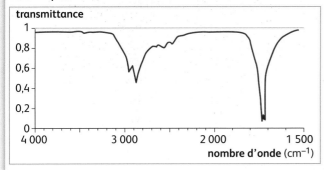

transmittance

nombre d'onde (cm⁻¹)

a. Dénombrer les groupes de protons équivalents en utilisant le spectre du document 1.

b. Utiliser la courbe d'intégration pour trouver le nombre de protons correspondant à chaque signal.

c. Analyser la multiplicité des signaux.

d. Proposer une formule semi-développée pour la molécule étudiée, puis la nommer.

> **Conseils** Pour rassembler les résultats,
> construire un tableau comportant les cinq
> entrées suivantes pour chaque signal :
> – δ (ppm) ;
> – nombre de protons responsables du signal ;
> – multiplicité ;
> – nombre de protons voisins ;
> – hypothèse sur la partie de la molécule
> correspondante.

e. Le spectre IR en phase gazeuse de la molécule étudiée est-il en accord avec la formule semi-développée trouvée à la question **d.** ?
Justifier.

---

17 **Apprendre à rédiger**

Voici l'énoncé d'un exercice et un guide (en bleu) ; ce guide vous aide à rédiger la solution détaillée et à retrouver les réponses aux questions posées.

Énoncé

La formule semi-développée de la 4-méthoxybutan-2-one est représentée ci-dessous.

$$CH_3 — \overset{\overset{\displaystyle O}{\|}}{C} — CH_2 — CH_2 — O — CH_3$$

a. Identifier les groupes de protons équivalents sur la formule semi-développée.

▶ Recopier la formule semi-développée de la molécule, entourer les groupes de protons équivalents en les repérant par des couleurs ou des lettres différentes, puis conclure.

▶ Vérifier que la molécule comporte quatre groupes de protons équivalents.

b. Prévoir la multiplicité des signaux.

▶ Pour chaque groupe de protons, dénombrer ses protons voisins. En déduire la multiplicité du signal correspondant.

c. Le spectre de RMN de la molécule est représenté ci-dessous.

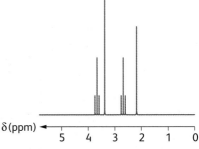

δ (ppm)

5 4 3 2 1 0

Ces observations sont-elles cohérentes avec les prévisions des questions **a.** et **b.** ?

▶ Faire le lien entre les prévisions de la question **b.** et les données du spectre.

d. Comment attribuer chaque signal à un groupe de protons ?

▶ Tenir compte de l'électronégativité des atomes. Rassembler les informations dans un tableau puis conclure.

Donnée : l'atome d'oxygène est plus électronégatif que ceux de carbone et d'hydrogène.

Pour les exercices d'entraînement et de synthèse, utiliser si nécessaire le classement des atomes par électronégativité croissante suivant :

$$Si ; H ; C ; N ; Cl ; O ; F.$$

18 Utiliser un logiciel de simulation de spectres

Compétence générale *Utiliser les TICE*

a. Utiliser un logiciel de simulation de spectres de RMN pour obtenir le spectre de RMN du proton du propane $CH_3–CH_2–CH_3$ et celui du 2-bromopropane $CH_3–CHBr–CH_3$.

b. Commenter l'allure des spectres obtenus.

19 À qui appartiennent ces spectres ?

Compétence générale *Exploiter des informations*

On dispose des spectres de deux molécules. Le spectre *A* contient un seul signal à 9,60 ppm.
Le spectre *B* est constitué de deux signaux, l'un à 3,43 ppm, et l'autre à 3,66 ppm.

a. Écrire les formules semi-développées de ces molécules, sachant qu'elles comportent chacune un atome de carbone, un atome d'oxygène et des atomes d'hydrogène. Nommer ces deux molécules.

b. Donner deux arguments permettant d'attribuer un spectre de RMN à chacune de ces molécules. On s'aidera de la table simplifiée de valeurs de déplacement chimique présentée dans les rabats.

L'une des deux molécules analysées s'hydrate pour donner du formol, utilisé notamment pour la conservation de spécimens animaux.

20 Relier un spectre à une molécule

Compétence générale *Exploiter des informations*

Ci-dessous figure le spectre de RMN d'une molécule de formule brute C_3H_8O.

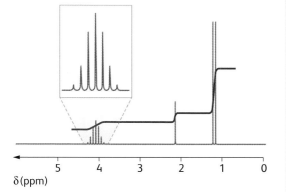

δ(ppm)

S'agit-il du propan-1-ol, du propan-2-ol ou du méthoxyéthane ? Pour répondre, on suivra la méthode d'analyse d'un spectre de RMN suivante :
– interprétation du nombre de signaux ;
– utilisation de la courbe d'intégration ;
– analyse de la multiplicité des signaux ;
– si nécessaire, utilisation de la table de valeurs de déplacement chimique présentée dans les rabats.

Donnée : la formule semi-développée du méthoxyéthane est $CH_3–O–CH_2–CH_3$.

Aide. Le plus souvent, un atome d'hydrogène porté par un atome d'oxygène n'est pas considéré comme voisin d'autres atomes d'hydrogène.

21 Amines

Compétence générale *Restituer ses connaissances*

On donne ci-dessous les formules topologiques de deux amines : la triméthylamine **ⓐ** et la triéthylamine **ⓑ**.

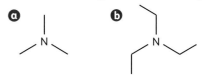

a. Combien de signaux différents le spectre de RMN du proton de la triméthylamine comporte-t-il ? Même question pour la triéthylamine. Pour justifier les réponses, on pourra s'aider d'un éditeur de molécules.

b. Prévoir la multiplicité des signaux pour la triméthylamine et la triéthylamine.

c. À l'aide d'un logiciel de simulation de spectres, tracer les spectres de RMN du proton de ces deux amines, et vérifier les prévisions.

d. Interpréter les écarts de déplacement chimique des signaux dans le cas de la triéthylamine.

22 ★ Identification d'une molécule

Compétence générale *Exploiter des informations*

Le spectre de RMN d'une molécule de formule brute $C_4H_{10}O$ est constitué de deux signaux : un quadruplet à 3,4 ppm et un triplet à 1,1 ppm.
La courbe d'intégration présente un saut de hauteur 2 cm au-dessus du quadruplet et un saut de hauteur 3 cm au-dessus du triplet.

a. Dénombrer les protons équivalents pour chaque signal.

b. Proposer une formule semi-développée pour la molécule étudiée.

23 ★ Cétones

Compétence générale *Exploiter des informations*

On dispose des spectres de RMN du proton de deux cétones : la 4,4-diméthylpentan-2-one et la 3-méthylbutan-2-one.
Le spectre *A* présente un septuplet à 2,58 ppm, un singulet à 2,14 ppm et un doublet à 1,11 ppm. Le spectre *B* présente trois singulets : à 1,02 ppm, 2,13 ppm et 2,33 ppm.

a. Écrire les formules semi-développées des deux cétones étudiées.

b. Représenter l'allure de ces spectres.

c. Attribuer un spectre à chacune des deux cétones.

d. Pour chaque spectre, analyser la multiplicité des signaux et interpréter l'écart des déplacements chimiques.

24 ✶ Composé de référence historique

Compétence générale *Argumenter*

Dans les échantillons étudiés en RMN, les chimistes introduisaient une espèce chimique de référence pour repérer les positions des pics dans le spectre. Aux débuts de l'utilisation de la RMN en chimie, cette espèce était le tétraméthylsilane (TMS), de formule $(CH_3)_4Si$.

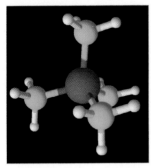

a. Prévoir le nombre de signaux de ce composé-référence sur son spectre de RMN du proton.

b. Comparer le déplacement chimique des protons du TMS $(CH_3)_4Si$ à ceux des protons dans la plupart des molécules organiques.

Modèle moléculaire du TMS.

c. Conclure sur le choix du TMS comme référence en RMN du proton.

Donnée : le carbone et le silicium ont presque la même électronégativité.

25 ✶ IRM ou scanner ?

Compétences générales *Extraire et exploiter des informations*

La tomodensitométrie (TDM), dite aussi scanographie, ou simplement scanner, et l'imagerie par résonance magnétique (IRM) sont deux techniques d'imagerie médicale permettant d'obtenir des vues en deux dimensions ou en trois dimensions de l'intérieur du corps.

La tomodensitométrie consiste à mesurer l'absorption des rayons X par le corps du patient ; un traitement informatique permet ensuite de construire une image des organes étudiés. Cette technique est particulièrement adaptée pour visualiser les os ; les autres tissus peuvent être observés après injection d'un produit absorbant les rayons X, dit « produit de contraste ». Les précautions à prendre pour un tel examen sont les mêmes que celles de la radiologie en général : la durée d'exposition doit être limitée, et le personnel médical est protégé par des vitres en verre plombé.

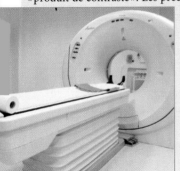

Tomodensitomètre.

L'IRM a d'abord été appelée « imagerie par résonance magnétique nucléaire » (IRMN). Cette technique utilise les propriétés magnétiques des noyaux d'hydrogène ^1H (ou protons) des molécules d'eau du corps. Dans l'appareil d'IRM, souvent désigné sous le nom de *scanner*, les protons sont soumis à un champ magnétique puissant et à des ondes radio ; le traitement des signaux émis permet ensuite de visualiser les organes. L'administration de produits de contraste avant l'examen peut améliorer la qualité des images. L'IRM ne permet pas la recherche fine de fractures osseuses, mais est très utilisée pour le cerveau, les muscles, le cœur et les tumeurs, les images étant plus contrastées que celles obtenues en tomodensitométrie. Cet examen n'est pas nocif, mais est contre-indiqué en cas de port d'un stimulateur cardiaque ou de présence d'un corps étranger métallique (comme une prothèse).

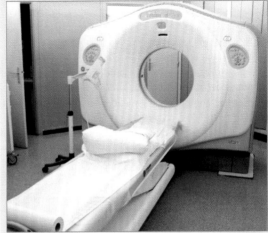

Scanner IRM.

a. Donner plusieurs raisons expliquant la confusion fréquente entre la tomodensitométrie et l'IRM dans l'opinion publique.

b. Pourquoi a-t-on choisi comme appellation « IRM » (Imagerie par Résonance Magnétique) et non « IRMN » (Imagerie par Résonance Magnétique Nucléaire) ?

c. Pourquoi a-t-on choisi la RMN du noyau d'atome d'hydrogène pour l'imagerie des organes ?

d. L'IRM et la tomodensitométrie sont-elles prescrites pour les mêmes examens ? Laquelle de ces deux techniques d'imagerie a le plus d'effets secondaires sur le patient et le personnel médical ?

e. Citer et expliquer une contre-indication à un examen par IRM.

f. Sur un site Internet destiné au grand public, on peut lire :

« Comme l'échographie, l'IRM n'émet pas de radiations ionisantes », souligne la radiologue. Cette technique d'imagerie n'utilise donc pas de radioactivité, contrairement au scanner et à la radiologie classique.

Faire une recherche pour trouver le domaine de fréquences des ondes utilisées pour chacune des techniques citées. Conclure, et commenter la deuxième phrase de l'extrait ci-dessus.

26 ✶ Quand la spectroscopie IR ne suffit pas...

Compétence générale *Exploiter des informations*

Les spectres IR de l'hexan-2-one et de l'hexan-3-one sont représentés ci-dessous.

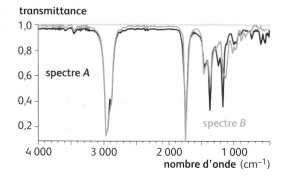

a. Écrire la formule semi-développée de l'hexan-2-one et celle de l'hexan-3-one.

b. La spectroscopie IR permet-elle de différencier l'hexan-2-one de l'hexan-3-one ?

c. Quelle(s) différence(s) entre ces deux molécules pourrai(en)t permettre de les identifier plus facilement par une autre spectroscopie comme la RMN du proton ?

d. À l'aide d'un logiciel de simulation de spectres de RMN, tracer le spectre de RMN des deux molécules.

e. Sans interpréter tous les signaux, citer au moins un signal qui permet d'attribuer sans ambiguïté l'un des deux spectres de RMN à l'hexan-2-one. Justifier la réponse.

27 ✶ Plusieurs noyaux pour un spectromètre

Compétences générales *Extraire et exploiter des informations*

La théorie quantique établit que la fréquence de résonance d'un noyau est proportionnelle au champ magnétique B appliqué, mais aussi à une grandeur caractéristique du noyau étudié, son rapport gyromagnétique γ.

D'une fréquence de 1 GHz, ce spectromètre est le plus puissant au monde.

La fréquence de résonance d'un proton dans un spectromètre de RMN générant un champ magnétique $B = 4{,}70$ T est $\nu = 200$ MHz. Le spectromètre porte alors, quel que soit le noyau étudié, l'indication « 200 MHz », qui est également notée sur les spectres réalisés avec cet appareil.

1. Quelle indication figure sur un spectromètre permettant de créer un champ magnétique de 2,12 T ?

2. Les spectromètres utilisés en RMN du proton peuvent servir pour d'autres noyaux que celui de l'atome d'hydrogène, comme celui de l'atome de carbone 13. Cet isotope du carbone a une abondance de l'ordre de 1 % sur Terre, ce qui justifie l'utilisation de la RMN du carbone.

a. La fréquence de résonance du noyau de l'atome de carbone 13 est-elle la même que celle du proton, dans un même champ magnétique ?

b. Calculer la fréquence de résonance d'un noyau de carbone 13 dans un spectromètre dit « à 300 MHz », en supposant que le champ magnétique créé par un spectromètre a toujours la même valeur.

Données. Rapports gyromagnétiques (en $\text{rad} \cdot \text{s}^{-1} \cdot \text{T}^{-1}$) :
$\gamma_{\text{proton}} = 2{,}675 \times 10^8$; $\gamma_{\text{carbone } 13} = 6{,}725 \times 10^7$.

28 ✶ Intérêt du déplacement chimique

Compétences générales *Extraire et exploiter des informations*

Au début des années 1950, la découverte du déplacement chimique et celle de sa sensibilité à l'environnement d'un noyau ont permis le développement de la spectroscopie de RMN en chimie, ce qui aurait suscité le commentaire suivant du physicien Felix Bloch : « Quand les chimistes pénètrent dans un domaine, il est temps d'en sortir ! »

1. Le tableau ci-dessous donne les valeurs de fréquences de résonance ν et des déplacements chimiques δ correspondants pour un spectromètre de RMN dit « à 200 MHz ».

ν ($\times 10^8$ Hz)	1,900 00	1,900 01	1,900 02	1,900 03	1,900 04
δ (ppm)	0,00	4,00	8,00	12,00	16,00

a. Exploiter ces données pour montrer que la représentation de δ en fonction de ν peut être modélisée par une droite. On pourra utiliser un tableur-grapheur et la fonction « courbe de tendance ». On recommande d'indiquer la fréquence en hertz sur l'axe correspondant.

b. Quelle est l'unité du coefficient directeur de cette droite ? En déduire une relation possible entre le coefficient directeur et la fréquence indiquée sur le spectromètre étudié (200 MHz).

2. Ci-après figurent trois spectres de RMN de la même molécule réalisés avec trois spectromètres produisant des champs magnétiques de différentes valeurs.

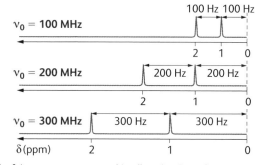

La fréquence ν_0 correspond à celle indiquée sur le spectromètre et est directement liée à la valeur du champ magnétique créé.

a. Commenter cette présentation des spectres, et en particulier la nature des grandeurs qui apparaissent.

b. Quel est l'intérêt de travailler avec le déplacement chimique d'un proton au lieu de travailler directement avec sa fréquence de résonance ?

29 ✴ 1-hydroxypropanone

Compétence générale *Argumenter*

Le spectre de la 1-hydroxypropanone et la formule semi-développée de cette molécule sont donnés ci-dessous.

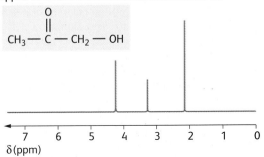

Analyser ce spectre.

Aide. Le plus souvent, un atome d'hydrogène porté par un atome d'oxygène n'est pas considéré comme voisin d'autres atomes d'hydrogène.

30 ✴ Science in English

NMR spectra are usually obtained by dissolving the sample in an appropriate solvent. Because the solvent is present in much higher concentration than the sample, protons in the solvent would overwhelm the resonance peaks for the sample. For this reason, deuterated solvents are used in NMR spectroscopy. Completely deuterated solvents are very difficult to make and expensive. In almost all cases, residual protons in the deuterated solvent will cause a resonance peak (or peaks) to appear in the spectrum.

www.chemistry.ccsu.edu

a. Faire une recherche pour déterminer ce qu'est le deutérium. Quel est son symbole usuel ?

b. Pourquoi les molécules étudiées en RMN doivent-elles être dissoutes dans un solvant deutéré ?

c. Le chloroforme deutéré $CDCl_3$ est le solvant le plus utilisé en RMN. Pourquoi tous les spectres réalisés en utilisant ce solvant font-il apparaître un singulet à 7,24 ppm ?

d. Pour quelle raison citée dans le texte les tubes de RMN contenant les échantillons à étudier ne contiennent pas plus de 0,5 mL de solvant ?

Donnée : la valeur du déplacement chimique du noyau de deutérium est très différente de celle des protons.

---

31 **Objectif BAC** *Exploiter des documents*

➡ **Dossier BAC, page 546**

➡ **Comment différencier le sésamol et la méthylanisole, présents dans certains aliments, à partir de leur spectre de RMN du proton ?**

DOC 1. Spectre de RMN du sésamol

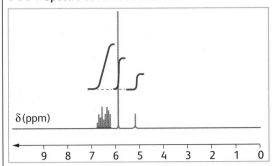

DOC 2. Spectre de RMN de la méthylanisole

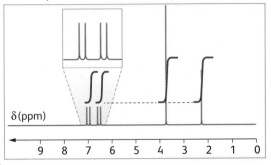

Le sésamol aurait des propriétés antioxydantes. La méthylanisole, utilisée comme additif alimentaire, est dérivée de l'anisole, qui a une odeur caractéristique d'anis.

a. En faisant l'analyse complète des deux spectres de RMN, attribuer ces spectres à chacune des deux molécules dont les formules topologiques sont représentées ci-dessous.

b. Quelle autre spectroscopie aurait permis de différencier ces deux molécules ? Comment ?

Le sésamol est présent dans les graines de sésame, très utilisées en cuisine.

32 Apprendre à chercher

Énoncé

L'addition de bromure d'hydrogène HBr sur du propène conduit majoritairement, selon les conditions opératoires, à l'un des isomères A et B de formule brute C_3H_7Br, dont les spectres de RMN sont donnés ci-dessous.

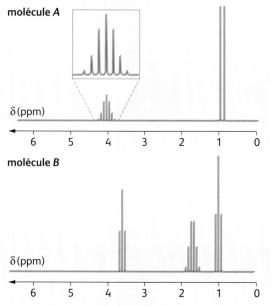

molécule A

δ(ppm)

molécule B

δ(ppm)

→ *Identifier les produits de réaction A et B en commentant précisément leurs spectres de RMN.*

33 ★ Animation sur l'IRM

Compétences générales *Extraire et exploiter des informations*

Cet exercice s'appuie sur des ressources disponibles sur le site élève :
www.nathan.fr/siriuslycee/eleve-termS.

Visionner l'animation du chapitre 7 sur l'imagerie par résonance magnétique (IRM).

a. Comment sont appelées les propriétés magnétiques des noyaux utilisés en RMN ou en IRM ?

b. Par quel symbole ces propriétés sont-elles représentées ?

c. Modifier la formulation de la phrase suivante pour qu'elle soit plus précise : « Dans un champ magnétique, le spin se comporte comme une aiguille aimantée qui s'oriente dans la direction du champ. » Que manque-t-il sur l'image correspondante ?

d. Quelle analogie est utilisée pour schématiser les ondes électromagnétiques ?

e. Sur la cinquième image de l'animation, à quoi correspond l'onde schématisée autour de la tête du patient ? celle schématisée en haut et à droite de l'image ? Quel signal l'appareil d'IRM analyse-t-il ?

f. Sur la dernière image, quelle est la différence entre les deux vues d'écran ?

34 ★★ Halogénoalcanes

Compétence générale *Exploiter des informations*

Le spectre de RMN du proton d'un bromoalcane A de formule brute $C_4H_8Br_2$ présente deux signaux, à 1,8 et 3,8 ppm. La courbe d'intégration présente un saut de 3 cm pour le signal à 1,8 ppm, et un saut de 1 cm pour l'autre signal.

Le spectre de RMN du proton d'un chloroalcane B de formule brute $C_5H_{11}Cl$ présente deux signaux, à 1,1 et 3,3 ppm. La courbe d'intégration présente un saut de 1 cm pour le signal à 3,3 ppm, et un saut de 4,5 cm pour l'autre signal.

a. Proposer une formule semi-développée pour chacune des molécules A et B.

b. Pour chacun des spectres, montrer que la comparaison des deux valeurs de déplacement chimique est cohérente avec la structure de la molécule correspondante.

c. Quelle est la multiplicité attendue pour chaque signal ?

35 ★★ Variations du déplacement chimique

Compétences générales *Exploiter des informations – Argumenter*

Pour étudier l'influence de l'électronégativité d'un atome sur le déplacement chimique des protons d'une molécule, on s'intéresse à quatre dérivés du butane, de formule générale : $CH_3–CH_2–CH_2–CH_2–X$ (X représentant F, Cl, Br, ou I).

Le graphique ci-dessous représente, pour chacune de ces quatre molécules, les variations du déplacement chimique des protons en fonction de leur position sur la chaîne carbonée.

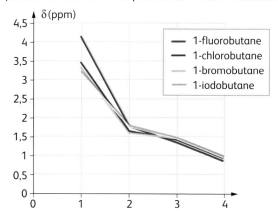

a. Quelle est l'indication manquante dans ce graphique ? Rétablir cette indication, en l'explicitant clairement.

b. Quel(s) facteur(s) influençant le déplacement chimique ce graphique permet-il d'étudier ?

c. Choisir l'une des quatre molécules étudiées : que peut-on conclure quant à l'influence de la position d'un atome électronégatif sur le déplacement chimique d'un proton ?

d. Que peut-on conclure sur l'influence de l'électronégativité de l'atome de la famille des halogènes ?

Données. Atomes d'halogène classés par électronégativité croissante : I ; Br ; Cl ; F.

Compétences générales *Extraire et exploiter des informations*

La RMN en champ terrestre est exploitée dans certains types de magnétomètre, en spectroscopie de RMN en champ terrestre (EFNMR) et imagerie par résonance magnétique nucléaire (IRM). Leur caractère portable rend ces instruments précieux pour utilisation sur le terrain.

Parmi les magnétomètres développés au Léti (Laboratoire d'électronique et des technologies de l'information) du CEA Grenoble, les magnétomètres à Résonance Magnétique Nucléaire (RMN) sont les
5 plus connus.
C'est ce type de magnétomètre qui a été utilisé par l'équipe de Franck Goddio pour les fouilles sous-marines dans la baie d'Aboukir et le port d'Alexandrie. Les magnétomètres RMN exploitent le comportement
10 des noyaux d'hydrogène, qui ont leur propre mouvement magnétique, appelé « spin ». Le spin se comporte comme une petite aiguille aimantée, dont l'orientation dépend du champ magnétique. […]
L'orientation de ces « aiguilles » diffère de celle du
15 champ et traduit des états énergétiques différents.
Ce sont ces changements d'état énergétique que vont mesurer les magnétomètres RMN.
La détection se fait par un capteur contenant un liquide, dont la concentration en protons et en élec-
20 trons a été artificiellement modifiée afin d'obtenir un signal mesurable (cette phase est appelée « polarisation dynamique »).

La réputation de la RMN développée au Léti réside dans la capacité de mesure de très faibles variations du
25 champ, ainsi que dans la possibilité d'utiliser le magnétomètre quelle que soit l'orientation du capteur.
D'après le dossier de presse du CEA « Les technologies du CEA au service du patrimoine », 2006.

a. Citer des avantages et inconvénients de la spectroscopie de RMN en champ terrestre.

b. Proposer une signification pour le sigle EFNMR.

c. Citer des applications possibles de la spectroscopie de RMN en champ terrestre.

d. Quelle grandeur est modifiée par la présence d'épaves sous-marines, permettant ainsi de les détecter par des mesures à l'aide d'un magnétomètre RMN ?

Fouilles sous-marines par l'équipe de Franck Goddio.

---

37 **Objectif** BAC *Rédiger une synthèse de documents*

Dossier BAC, page 546

Cet exercice s'appuie sur des ressources disponibles sur le site élève :
www.nathan.fr/siriuslycee/eleve-termS.

Télécharger le dossier « Ressources pour l'exercice 37 » du chapitre 7, qui concerne l'étude à haut champ de protéines.
Ce dossier comporte :
– deux spectres de RMN du proton du chloroéthane obtenus dans deux spectromètres différents (créant des champs magnétiques d'intensités différentes) ;
– un extrait sur le magnétisme à haut champ et la RMN ;
– un extrait d'un article sur les protéines ;
– des spectres de RMN d'une protéine (en une dimension et en deux dimensions).

a. Quel est l'intérêt de travailler à haut champ pour l'étude des protéines ?

b. Commenter la phrase suivante, issue de l'un des documents : « En augmentant les champs magnétiques appliqués, on augmente le déplacement chimique. »

c. À partir de l'étude des documents, rédiger une synthèse argumentée en 30 lignes maximum afin d'expliquer les intérêts et les limites de l'utilisation de champs de plus en plus intenses en spectroscopie de RMN. Le texte rédigé devra être clair et structuré et l'argumentation reposera sur les documents proposés.

Modèle moléculaire d'une protéine.

▶ Ces exercices concernent les chapitres 1 à 7 du manuel.
▶ Les exercices « Cap vers le Supérieur » font appel à des compétences non exigibles en Terminale S : ils ont pour objectif de préparer aux études supérieures.

1 L'écholocation chez la chauve-souris

Les chauves-souris se déplacent et chassent dans l'obscurité grâce à un système très perfectionné d'écholocation : elles émettent des signaux ultrasonores et en exploitent les échos. On se propose d'étudier quelques aspects de cette technique.
Donnée : célérité des ultrasons dans l'air, v_{son} = 340 m·s⁻¹.

DOC 1. L'écholocation des chauves-souris
Les cris
On classe les cris des chauves-souris en trois groupes : les émissions de fréquence constante (FC), les émissions de fréquence modulée décroissante (FM) et les émis-
5 sions mixtes (FC-FM). Ces dernières commencent par une émission assez longue de fréquence constante et s'achèvent par une émission décroissante. En général, ces ultrasons ne sont pas purs mais composés d'une fréquence fondamentale et de plusieurs harmoniques.
10 Pour qu'une proie soit détectable, elle doit avoir une dimension supérieure à la longueur d'onde du signal ultrasonore.

Détection des distances
Pour estimer la distance à un objet, les organes senso-
15 riels de la chauve-souris enregistrent le retard de l'écho par rapport à l'émission du signal.

Détection de la vitesse
La chauve-souris perçoit sa vitesse relative par rapport à un obstacle ou à une proie grâce au décalage de
20 fréquence du signal réfléchi dû à l'effet Doppler. Les battements d'aile d'un insecte produisent un décalage des fréquences par effet Doppler oscillant, qui se super- pose au décalage général engendré par les obstacles fixes environnants. Chez certaines espèces, pour facili-
25 ter la détection de ces oscillations, il existe un système de compensation : ces espèces modifient la fréquence d'émission pour que la fréquence du signal réfléchi par les obstacles fixes soit ramenée à une fréquence de réfé- rence, celle qui est émise lorsque l'animal est immobile,
30 et pour laquelle sa sensibilité est maximale.

DOC 2. Représentation graphique
des différents signaux ultrasonores émis par les chauves-souris

1. Propriété des signaux
a. Qu'appelle-t-on des ultrasons ?
b. Donner la significa- tion des expressions suivantes : « son pur » ; « fréquence fondamen- tale » ; « harmoniques ».
c. À quelle propriété la fréquence fondamen- tale d'un son est-elle associée ?
d. À quelle propriété la composition en harmo- niques d'un son est-elle associée ?

e. Si une chauve-souris émet un signal ultrasonore de fréquence fondamentale 30 kHz, quelles sont les fréquences des deux harmoniques les plus proches (rangs 2 et 3) ?
f. En utilisant les renseignements du **document 1**, associer les signaux ⓐ, ⓑ et ⓒ du **document 2** aux cris FC, FM et FC–FM des chauves-souris.
g. Quel phénomène empêche la détection d'un écho lorsque les dimensions de la cible sont inférieures à la longueur d'onde du signal ?
Calculer la dimension minimale d'un insecte détectable avec un signal de fréquence 30 kHz.

2. Détection des distances
Une chauve-souris se dirige vers un mur perpendiculaire- ment à celui-ci avec la vitesse v = 6,0 m·s⁻¹. Un signal émis lorsqu'elle se trouve à la distance D = 3,0 m du mur produit un écho qu'elle perçoit après une durée Δt.
a. Donner l'expression littérale de la distance d parcourue pendant Δt par la chauve-souris en fonction de v, v_{son} et Δt.
b. Donner l'expression littérale de la distance de propagation du signal pendant son aller-retour en fonction de D, v et Δt.
c. Déduire des questions précédentes une équation liant D, v, v_{son} et Δt, puis calculer Δt.
d. Donner une expression littérale de l'erreur relative que l'on commettrait sur la valeur de Δt en négligeant le déplacement de la chauve-souris pendant l'aller-retour du signal.
Faire le calcul numérique et commenter le résultat.

3. Détection de la vitesse
a. Rappeler en quoi consiste l'effet Doppler et illustrer la réponse par un exemple du quotidien. Donner un exemple d'utilisation de l'effet Doppler dans le domaine des ondes électromagnétiques.

b. Rédiger une explication de la cause de l'effet Doppler dans le domaine acoustique. On pourra considérer pour cela qu'une onde sonore est constituée de zones de compression et de dilatation émises avec la fréquence f.

c. Lorsqu'une chauve-souris se dirige vers un mur, l'écho perçu a-t-il une fréquence plus grande ou plus faible que le signal émis ?

d. On propose deux expressions pour la relation entre la fréquence perçue f_a et la fréquence d'émission f pour une chauve-souris se dirigeant vers un mur perpendiculairement à celui-ci avec la vitesse $v = 6,0\ \text{m·s}^{-1}$:

$$f_a = \frac{v_{\text{son}} - v}{v_{\text{son}} + v} f$$

$$f_a = \frac{v_{\text{son}} + v}{v_{\text{son}} - v} f$$

Laquelle de ces deux expressions est correcte ? Justifier la réponse.

Calculer la fréquence de l'écho d'un signal émis avec la fréquence 60 kHz.

e. Expliquer pourquoi les battements d'ailes d'un papillon provoquent « un décalage oscillant des fréquences par effet Doppler ».

f. Pour compenser le décalage Doppler dû à l'obstacle fixe, une chauve-souris qui chasse un papillon en se dirigeant vers un mur fait varier de 3,0 Hz la fréquence d'émission de l'harmonique de rang 2 (le plus proche de la fréquence fondamentale).

De quelle valeur doit-elle faire varier la fréquence fondamentale ? Doit-elle la diminuer ou l'augmenter ?

2 Sonnerie de téléphone inaudible ?

Certains élèves utilisent des sonneries de téléphone portable inaudibles par leurs professeurs.

1. Un enseignant de sciences physiques propose à ses élèves d'étudier le son émis par le téléphone.

L'enregistrement obtenu est représenté ci-dessous.

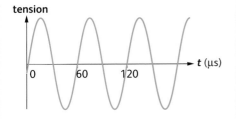

a. Le son est-il une onde progressive ? Justifier en rappelant la définition.

b. Rappeler la valeur v_{son} de la vitesse du son dans l'air.

c. Mesurer la période T de la tension visualisée.

d. Déterminer la fréquence f du signal.

e. Ce son est-il audible ? Est-il aigu ou grave ?

f. Représenter le spectre du son émis par le téléphone portable.

2. On place maintenant face au haut-parleur du téléphone deux récepteurs R_1 et R_2 reliés à un oscilloscope. On déplace le récepteur R_2 par rapport au récepteur R_1, maintenu fixe, jusqu'à ce que les courbes des voies 1 et 2 soient de nouveau en coïncidence.

a. Déterminer la distance entre les récepteurs R_1 et R_2.

b. Ces sonneries pour les jeunes sont dérivées d'une invention anglaise appelée Mosquito, et utilisée pour disperser des groupes de jeunes en Angleterre. Des haut-parleurs émettent des sons (jusqu'à 95 dB) de fréquences inaudibles pour les adultes, mais douloureux pour les oreilles des jeunes. À quelle grandeur physique la valeur 95 dB correspond-elle ?

c. Pourquoi les adultes ne sont-ils pas gênés par le Mosquito ?

3 Télémètre à pointeur laser

Voici un extrait du guide d'utilisation d'un télémètre ultrasonique à pointeur laser.

Caractéristiques
Mesure instantanée des distances de 60 cm à 18 m.

Observations
Un obstacle situé dans la zone de diffusion de ± 5° sera considéré comme cible et pourra fausser la mesure.
Une cible large, plane et dure générera des résultats d'une grande précision.
Pour mesurer une petite cible irrégulière ou un matériau absorbant, placer d'abord un écran carton devant.
L'appareil ne mesure pas à travers une vitre.
Pour mesurer des distances de 13,5 m jusqu'à 18 m, le taux d'humidité ambiante ne doit pas dépasser 50 % et la cible doit avoir une dimension libre de tout obstacle de 3 × 3 m.

Spécifications
Cellule laser, classe 3R – 630 – 660 nm.
Gamme de mesure : 60 cm à 18 m.
Précision de mesure : ± 0,5 %.
Angle d'ouverture ultrasonique : ± 5°.

a. De quelles natures sont les deux ondes qui interviennent dans cet appareil ?

b. Laquelle de ces ondes est utilisée pour la mesure de distance proprement dite ? Quelle est l'utilité de la deuxième ?

c. Expliquer brièvement le principe de la mesure d'une distance avec ce télémètre.

d. Pourquoi une mesure réalisée sur une surface dure possède-t-elle une grande précision ?

e. Pourquoi l'appareil ne mesure-t-il pas à travers une vitre ?

f. Expliquer les recommandations à suivre concernant les dimensions de la cible pour réaliser des mesures de distance allant de 13,5 m jusqu'à 18 m.

g. Calculer l'incertitude sur la mesure si le résultat affiché est : $d = 9,0$ m.

Cap vers LE SUPÉRIEUR

4 Hauteur d'un son et effet Doppler

Pourquoi la perception de la hauteur d'un son diffère-t-elle pour une personne immobile lorsqu'un émetteur se rapproche d'elle puis s'en éloigne?

Pour répondre à cette question, déterminons l'expression de la fréquence f_R du son perçu par une personne immobile lorsqu'une source E de vibration sonore sinusoïdale de fréquence f_E se déplace dans la direction de la personne R en se rapprochant d'elle, puis en s'en éloignant.

La valeur de la vitesse de E par rapport à R est notée v_E ; v_{son} désigne la célérité du son.

a. Exprimer la distance d_E parcourue par la source pendant une période T_E de la vibration sonore émise.

b. À l'instant de date $t_0 = 0$ s, la source E émet un maximum de vibration. Elle se trouve alors à une distance D de R. Exprimer la date t_1 à laquelle ce maximum atteint R.

c. Si la source se déplace vers la personne, exprimer la date t_2 à laquelle le maximum suivant, émis à l'instant de date $t_0 = T_E$, atteindra la personne.

d. En déduire la période T_R du signal sonore perçu par la personne.
Montrer que la fréquence de ce signal est donnée par :

$$f_R = \frac{v_{son}}{v_{son} - v_E} \times f_E$$

e. Que devient cette expression si la source E s'éloigne de la personne?

f. Calculer f_R dans les deux situations pour $v = 120$ km·h⁻¹ ; $f_E = 400$ Hz ; $v_{son} = 340$ m·s⁻¹.

g. La différence de hauteur entre les sons perçus lorsque E se rapproche puis s'éloigne est-elle perceptible?

Donnée : l'écart entre deux notes de la gamme tempérée séparées d'un demi-ton (Si et Do par exemple) correspond à une variation relative de fréquence de 6 %.

5 Réaction de Cannizzaro

La réaction de Cannizzaro produit deux espèces organiques que l'on peut séparer. L'objectif de cet exercice est de montrer comment les spectroscopies IR et de RMN permettent d'identifier chacun des produits obtenus.

1. Illustration de la réaction sur le benzaldéhyde

Le benzaldéhyde, dont la formule topologique est donnée ci-dessus, est un liquide incolore à odeur d'amande amère utilisé pour parfumer le kirsch ou encore le sirop d'orgeat.

La réaction du benzaldéhyde avec une solution d'hydroxyde de sodium conduit, après chauffage puis retour à un milieu acide, à deux produits organiques : A_1, de formule brute C_7H_8O, et A_2, de formule brute $C_7H_6O_2$.

Cette réaction est appelée **réaction de Cannizzaro**. Lors de cette réaction, le cycle à six atomes de carbone du benzaldéhyde n'est pas modifié.

DOC 1. Spectre IR en phase condensée du produit A_1

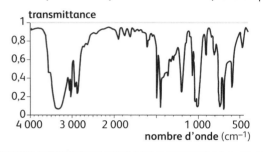

DOC 2. Spectre de RMN du produit A_1

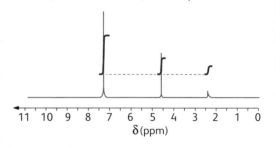

DOC 3. Spectre IR en phase condensée du produit A_2

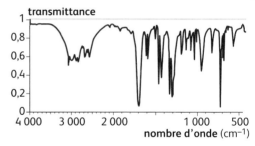

DOC 4. Spectre de RMN du produit A_2

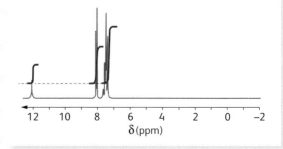

a. Quel(s) spectre(s) est-il judicieux d'analyser pour identifier la nature du (des) groupe(s) caractéristique(s) présent(s) dans chaque produit?

b. Quel groupe caractéristique est vraisemblablement présent dans le produit A_1? Justifier.

c. En déduire une formule topologique pour A_1.

d. En utilisant une démarche analogue, proposer une formule topologique pour la molécule A_2.

e. Analyser les spectres de RMN du proton des molécules A_1 et A_2 et vérifier qu'ils sont cohérents avec les formules topologiques proposées.

Aide. Le plus souvent, un atome d'hydrogène porté par un atome d'oxygène n'est pas considéré comme voisin d'autres atomes d'hydrogène.

f. Proposer une équation pour la réaction de Cannizzaro subie par le benzaldéhyde. On pourra s'aider des formules brutes des réactifs et produits.

2. La réaction de Cannizzaro subie par le glyoxal (ou éthanedial) conduit à un unique produit B, de formule brute $C_2H_4O_3$.

Pourquoi la réaction de Cannizzaro conduit-elle dans ce cas à une unique espèce chimique ? Proposer une formule semi-développée pour cette espèce.

6 La cuve à ondes

À la surface de l'eau d'une cuve à ondes, on crée des ondes progressives sinusoïdales. On réalise des photographies des ondes obtenues lorsque l'on fait varier la fréquence du vibreur, puis on mesure la longueur d'onde λ pour chacun des enregistrements.

Les résultats ont été rassemblés dans le tableau ci-dessous.

f (Hz)	12	24	48	96
λ (m)	0,018	0,0097	0,0059	0,0036

a. Calculer la célérité v de l'onde périodique pour chaque enregistrement.

b. Comment évolue cette célérité en fonction de la fréquence de l'onde ?

Ce phénomène s'appelle la dispersion. On le rencontre également en optique : dans quelles circonstances ? avec quel instrument ?

7 Départager des isomères par spectroscopie

L'objectif de cet exercice est de montrer que les spectroscopies IR et de RMN peuvent permettre d'identifier deux isomères.

Un chimiste dispose de deux molécules isomères A et B de formule brute C_3H_6O. Il sait que chaque formule topologique représentée ci-dessous correspond à l'un de ces isomères.

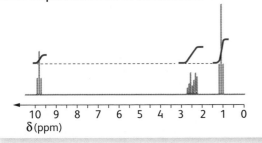

DOC 1. Spectre de RMN de la molécule A

DOC 2. Spectre de RMN de la molécule B

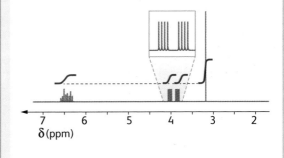

DOC 3. Spectre IR de l'un des deux isomères

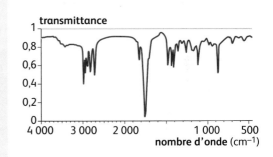

a. Vérifier que ces deux molécules sont bien isomères.

b. Laquelle est le propanal ?

c. Combien le propanal contient-il de groupes de protons équivalents ?

d. Écrire la formule développée correspondant à l'autre molécule. En déduire le nombre de groupes de protons équivalents dans cette molécule.

Aide. On rappelle que la rotation est impossible autour d'une double liaison C=C.

e. En déduire la formule de l'isomère A et celle de l'isomère B.

f. Le spectre de RMN de la molécule A ne comporte aucun singulet, contrairement à celui de la molécule B (**documents 1 et 2**).

Cette observation est-elle cohérente avec les formules proposées pour les isomères A et B ?

g. Comment une table de valeurs de déplacement chimique peut-elle permettre d'attribuer très rapidement chacun des deux spectres de RMN à l'un des deux isomères étudiés ?

h. Le spectre IR du **document 3** est-il celui de la molécule A ou de la molécule B ?

Justifier la réponse.

Lois et modèles

Le temps, notion intuitive mais difficile à définir, intervient fréquemment dans l'élaboration des modèles et l'expression des lois en sciences physiques.

Quelles sont les lois qui régissent les transformations de la matière ? Quels sont les modèles utilisés pour décrire la matière à l'échelle microscopique et à l'échelle macroscopique ?

Cadran de l'horloge du Musée d'Orsay, à Paris.

La beauté d'un feu d'artifice est due
à une réaction chimique très rapide.

SOMMAIRE

FICHE

A Étude d'un corps en mouvement

● Pour étudier le mouvement d'un corps, il faut préciser le solide choisi comme référence. Pour repérer un événement dans le temps, il faut aussi une horloge (ou un chronomètre) et une origine des dates. L'ensemble forme un **référentiel**.

● Dans un référentiel donné, on appelle **trajectoire** la ligne formée par l'ensemble des positions successives occupées par un point du corps étudié au cours de son mouvement.

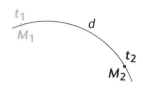

● Dans un référentiel donné, la vitesse moyenne v_m d'un point du corps entre deux instants de dates t_1 et t_2 est égale au quotient de la distance parcourue d par la durée du trajet $\Delta t = t_2 - t_1$.

$$v_m = \dfrac{d}{t_2 - t_1}$$

d en mètre (m)
$t_2 - t_1$ en seconde (s)
v_m en mètre par seconde (m·s⁻¹)

● Le **référentiel terrestre** est constitué par la Terre ou par tout objet fixe par rapport à la Terre.

● Le **référentiel géocentrique** est défini par le centre de la Terre et des étoiles lointaines considérées comme fixes.

● Le **référentiel héliocentrique** est défini par le centre du Soleil et des étoiles considérées comme fixes.

● La trajectoire et la vitesse du mouvement observé dépendent du référentiel choisi.

Exemple. Dans le référentiel héliocentrique, la planète Mars décrit un mouvement circulaire uniforme. Dans le référentiel terrestre, sa trajectoire n'est pas circulaire et la vitesse varie.

FICHE

B Modélisation d'une action mécanique

● Une action mécanique est modélisée par une force caractérisée par une direction, un sens et une valeur exprimée en newton (N).

● **L'interaction gravitationnelle** entre deux corps ponctuels A et B, de masses respectives m_A et m_B, séparés d'une distance d, est modélisée par des forces d'attraction gravitationnelle $\vec{F}_{A/B}$ et $\vec{F}_{B/A}$ dont les caractéristiques sont les suivantes :

– direction : la direction de la droite AB ;
– sens : vers le centre attracteur : vers A pour $\vec{F}_{A/B}$ et vers B pour $\vec{F}_{B/A}$;
– valeur :

$$F_{A/B} = F_{B/A} = G\dfrac{m_A\, m_B}{d^2}$$

m_A et m_B en kilogramme (kg)
d en mètre (m)
$F_{A/B}$ et $F_{B/A}$ en newton (N)

$G = 6{,}67 \times 10^{-11}$ N·m²·kg⁻² est la **constante de gravitation**.

$\vec{F}_{A/B}$: force d'attraction gravitationnelle exercée par le corps A sur le corps B.

$\vec{F}_{B/A}$: force d'attraction gravitationnelle exercée par le corps B sur le corps A.

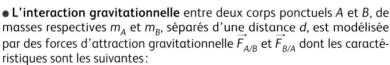

C Champ de gravitation

● La relation entre le champ de gravitation $\vec{\mathscr{G}}$ en un point A de l'espace et la force d'attraction gravitationnelle $\vec{F}$ qui s'exerce sur un objet ponctuel de masse m placé en ce point A, est :

$$\vec{\mathscr{G}} = \frac{\vec{F}}{m}$$

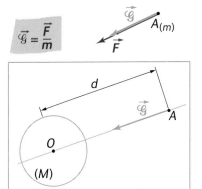

Champ de gravitation d'un solide à répartition sphérique de masse.

D Chromatographie sur couche mince

● La C.C.M. est une technique permettant d'analyser simplement le contenu d'un mélange. Les espèces chimiques, entraînées par l'éluant, migrent plus ou moins haut sur la plaque, ce qui permet de les identifier par comparaison avec un échantillon de référence.

Plaque de C.C.M. en cours d'élution.

E Champ de pesanteur

● La relation qui lie le champ de pesanteur $\vec{g}$ en un point A, et le poids $\vec{P}$ d'un objet de masse m placé en ce point, est : $\vec{g} = \dfrac{\vec{P}}{m}$

– l'origine de $\vec{g}$ est le point A ;
– la direction de $\vec{g}$ est verticale comme celle de $\vec{P}$;
– le sens de $\vec{g}$ est vers le bas ;
– la valeur de $\vec{g}$ est donnée par : $g = \dfrac{P}{m}$

P en newton (N)
m en kg
g en N·kg^{-1}

● Au voisinage de la Terre : $\vec{g} \approx \vec{\mathscr{G}}_{\text{Terre}}$.

● Le **champ de pesanteur local** est un champ uniforme.
Le champ de pesanteur local $\vec{g}$ est :
– dirigé selon la verticale du lieu ;
– orienté vers la Terre ;
– sa valeur dépend du lieu et s'exprime en N·kg^{-1}.

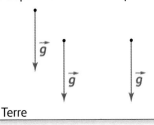

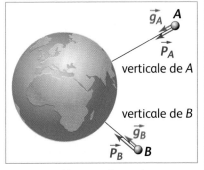

Vecteurs champ de pesanteur en deux points A et B, et vecteurs poids des solides de masse m situés en A et B.

F L'énergie mécanique

● **L'énergie cinétique** $\mathscr{E}_c$ d'un objet ponctuel de masse m est associée à sa vitesse v ; elle est donnée par la relation :

$$\mathscr{E}_c = \frac{1}{2}\, mv^2$$

m en kg
v en m·s^{-1}
$\mathscr{E}_c$ en joule (J)

Cette expression peut s'appliquer à un solide en mouvement de translation.

● **L'énergie potentielle de pesanteur** $\mathscr{E}_p$ d'un objet ponctuel de masse m dans le champ de pesanteur uniforme est une grandeur associée à sa position par rapport à la Terre. En choisissant $\mathscr{E}_p = 0$ J à $z = 0$ m, elle est donnée par la relation :

$$\mathscr{E}_p = mgz$$

m en kg
g : intensité de la pesanteur (N·kg^{-1})
z en m·s^{-1}
$\mathscr{E}_p$ en joule (J)

● **L'énergie mécanique.** Dans le cas de la **chute libre** d'un solide, l'énergie cinétique et l'énergie potentielle s'échangent l'une et l'autre de sorte que l'énergie mécanique $\mathscr{E}_m$ soit conservée :

$$\mathscr{E}_m = \mathscr{E}_c + \mathscr{E}_p = \text{constante}$$

● **Principe de conservation.** L'énergie est une grandeur qui ne peut être ni créée ni détruite.

G Le photon et les niveaux d'énergie de l'atome

● Les échanges d'énergie entre la matière et la lumière sont quantifiées : les échanges se font par paquets d'énergie appelés photons. L'énergie du photon ne dépend que de la fréquence de la radiation associée et vaut $h\nu$ ou hc/λ (la formule de Planck), avec ν en hertz (Hz), λ en mètre (m), $h = 6{,}63 \times 10^{-34}$ J·s (constante de Planck).

● **Les niveaux d'énergie** de l'atome sont **quantifiés** : les énergies accessibles à un atome au repos ont des **valeurs discrètes**.

La variation d'énergie accompagnant une transition peut se faire par échange d'un photon et d'un seul : un photon est émis si l'atome passe à un niveau d'énergie inférieur ⓐ, un photon est absorbé si l'atome passe à un niveau d'énergie supérieur ⓑ.

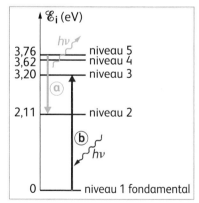

Diagramme des premiers niveaux d'énergie de l'atome de sodium. Le niveau de référence choisi est le niveau fondamental.

Exemples

– Émission d'un photon par transition du niveau 5 au niveau 2 :
$$\mathscr{E}_5 - \mathscr{E}_2 = h\nu = 3{,}76 - 2{,}11 = 1{,}65 \text{ eV.}$$

– Absorption d'un photon par transition du niveau fondamental au niveau 3 :
$$\mathscr{E}_3 - \mathscr{E}_1 = h\nu = 3{,}20 - 0 = 3{,}20 \text{ eV.}$$

H Champ électrique

● La relation entre le champ électrique $\vec{E}$ en un point A et la force électrostatique $\vec{F}$ qui s'exerce sur un objet ponctuel portant une charge q et placé en ce point A est :

$$\vec{E} = \frac{\vec{F}}{q}$$

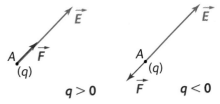

$q > 0$

$q < 0$

– l'origine de $\vec{E}$ est le point A ;
– la direction de $\vec{E}$ est la même que celle de $\vec{F}$;
– les sens de $\vec{E}$ et $\vec{F}$ sont les mêmes si $q > 0$, opposés si $q < 0$;

– la valeur de $\vec{E}$ est donnée par : $E = \dfrac{F}{|q|}$

F en newton (N)
q en coulomb (C)
E en $N \cdot C^{-1}$

● Le champ électrique $\vec{E}$ à l'intérieur d'un **condensateur plan** est **uniforme** :

– dirigé orthogonalement aux plaques ;
– orienté de la plaque chargée positivement vers la plaque chargée négativement ;
– sa valeur dépend de la tension U entre les plaques et de la distance d entre celles-ci.

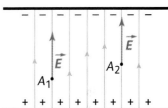

I Structure des molécules organiques

● Une liaison covalente entre deux atomes est assurée par la mise en commun de deux électrons de valence des atomes. Elle est symbolisée par un tiret appelé **doublet liant**.

● Les électrons de valence non engagés dans les liaisons covalentes sont regroupés en **doublets non liants**.

● Au sein d'une molécule, les atomes (autre que l'atome d'hydrogène) s'entourent de huit électrons de valence afin de satisfaire la règle de l'octet. L'atome d'hydrogène s'entoure de deux électrons de valence (règle du « duet »).

Atome	carbone C	azote N	oxygène O	hydrogène H
Doublets liants entourant l'atome	4	3	2	1
Doublets non liants entourant l'atome	0	1	2	0

● La représentation des atomes, des doublets liants et des doublets non liants d'une molécule s'appelle la **formule de Lewis** de la molécule.

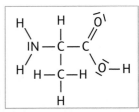

Formule de Lewis
de l'alanine.

J Isomérie *Z/E*

● Les molécules possédant une double liaison carbone-carbone C = C peuvent présenter une isomérie dans l'espace, appelée **isomérie *Z/E***. Pour que cette isomérie existe, il est nécessaire que chaque atome de carbone engagé dans cette double liaison soit lié à deux groupes d'atomes différents.

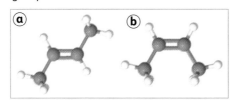

Modèles moléculaires :
(a) du (E)-but-2-ène ; (b) du (Z)-but-2-ène.

K Électronégativité et liaison polarisée

● L'électronégativité d'un atome traduit sa capacité à attirer à lui les électrons d'une liaison dans laquelle il est engagé.

● Dans une liaison *A–B*, si l'atome *B* est plus électronégatif que l'atome *A*, le doublet liant est plus proche de l'atome *B* que de l'atome *A* ; l'atome *B* possède alors une charge partielle négative δ^- et l'atome *A* possède une charge partielle positive δ^+. La liaison *A–B* est dite **polarisée** ; elle est notée $A^{\delta^+}–B^{\delta^-}$.

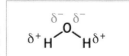

Polarisation des liaisons de la molécule d'eau.

L Évolution d'un système chimique

● L'avancement x est une grandeur, exprimée en mole, qui permet de suivre l'évolution des quantités des réactifs et des produits au cours d'une transformation. Le tableau d'évolution décrit l'évolution de ces quantités de matière de l'état initial à l'état final.

Chaque ligne décrit la composition du système chimique dans l'état considéré.

La quantité de réactif consommée se calcule en multipliant x par le nombre stœchiométrique situé devant la formule de ce réactif dans l'équation de la réaction chimique.

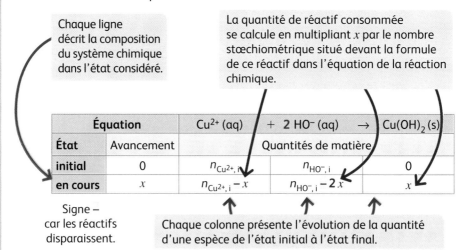

Équation		Cu^{2+} (aq)	$+$ 2 HO^- (aq)	$\rightarrow$	$Cu(OH)_2$ (s)
État	Avancement		Quantités de matière		
initial	0	$n_{Cu^{2+}, i}$	$n_{HO^-, i}$		0
en cours	x	$n_{Cu^{2+}, i} - x$	$n_{HO^-, i} - 2x$		x

Signe – car les réactifs disparaissent.

Chaque colonne présente l'évolution de la quantité d'une espèce de l'état initial à l'état final.

Lorsqu'au moins un réactif est entièrement consommé, ce réactif est appelé **réactif limitant**. L'avancement x est alors maximal, il est noté x_{max}.

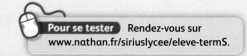

Pour se tester Rendez-vous sur www.nathan.fr/siriuslycee/eleve-termS.

Chapitre 8

Principe d'inertie et quantité de mouvement

Quel point commun existe-t-il entre le **décollage de la navette et le déplacement d'une pieuvre ?** La navette comme la pieuvre se propulsent par réaction.
En effet, la pieuvre éjecte de l'eau par une fente située du côté ventral du corps et elle est ainsi propulsée dans la direction opposée. De même, les moteurs de la navette éjectent des gaz vers l'arrière et la navette est propulsée vers l'avant.

COMPÉTENCES EXIGIBLES

Étudier l'évolution de la définition de la seconde.
→ *Activité documentaire 1*

Choisir un référentiel d'étude.
→ *Exercice d'application 3*

Décrire le mouvement d'un point au cours du temps.
→ *Exercice d'application 5*

Définir et reconnaître un mouvement rectiligne uniforme. → *Exercice d'application 4*

Connaître et exploiter le principe d'inertie.
→ *Exercice d'application 6*

Définir la quantité de mouvement d'un point matériel.
→ *Exercice d'application 7*

Étudier le mode de propulsion par réaction.
→ *Activité expérimentale 4*
et exercice d'application 8

1

Mesurer le temps

▶ La mesure du temps a évolué au cours des siècles avec l'invention d'instruments permettant des mesures de plus en plus précises. La définition de la seconde a suivi cette évolution.

Dans l'Antiquité, l'observation des astres a fourni les premières échelles de temps : le jour, le mois et l'année. Vers 1 500 av J.–C., les gnomons et les cadrans solaires apparaissent (photographie ci-contre) permettant de fractionner la journée et de rythmer la vie sociale et religieuse.

5 Au Moyen Âge, le temps est fractionné en parties de plus en plus petites : les clepsydres, les sabliers puis les premières horloges mécaniques apparaissent mais sont peu précises et n'indiquent pas les secondes.

À partir du XVIIe siècle, pour répondre aux besoins de la navigation maritime et commerciale mais aussi à la demande des hommes de sciences comme
10 Newton, l'horlogerie de précision se développe. Huyghens (1629-1695) révolutionne la technique des horloges en introduisant un oscillateur mécanique.

1 *De l'antiquité au XVIIe siècle : l'évolution des horloges.*

À partir du XVIIIe siècle, la seconde est définie comme la fraction 1/86 400 du jour solaire terrestre moyen (24 h). Mais la durée de rotation de la Terre varie de quelques millièmes de secondes par jour
5 en fonction, entre autres, des saisons. Alors qu'une horloge mécanique est incapable de détecter une si faible variation, l'horloge à quartz qui apparaît au XXe siècle peut le faire.

En conséquence, la définition de la seconde est
10 modifiée en 1956 et fait référence au mouvement de révolution de la Terre autour du Soleil : une seconde correspond à 1/31 556 925,9747 de l'année tropique 1 900 (durée séparant deux équinoxes de printemps successifs).

2 *1956 : définition de la seconde comme fraction d'une année de référence.*

Un nouveau saut technologique est réalisé au milieu du XXe siècle avec la mise au point des horloges atomiques utilisant une transition électronique particulière de l'atome de césium 133. Ces horloges
5 sont capables de déceler des variations de moins de 0,01 s par siècle de la durée d'une révolution de la Terre autour du soleil.

La définition actuelle de la seconde est donnée en 1967 et la référence temporelle n'est plus astrono-
10 mique mais atomique.

La seconde est la durée de 9 192 631 770 périodes de la radiation correspondant à la transition entre deux niveaux hyperfins de l'état fondamental de l'atome de césium 133.

3 *1967 : utilisation d'une référence atomique pour définir la seconde.*

❶ Analyser les documents

a. Quelle est la différence essentielle entre la définition actuelle de la seconde et les définitions précédentes ?

b. Justifier l'évolution de la définition de la seconde.

❷ Exploiter

a. Relever le nom des horloges citées dans le texte. Quelles sont celles qui utilisent un phénomène périodique ? Rechercher l'ordre de grandeur de leur période.

b. Galilée (1564-1642) fut le premier scientifique à étudier le mouvement des objets en fonction du paramètre temps. Pourquoi utilisait-il ses pulsations cardiaques comme moyen de mesure ? De quels instruments disposait-il pour effectuer des mesures ?

ACTIVITÉ EXPÉRIMENTALE   • S'approprier • Analyser • Réaliser • Valider

2 Référentiels et principe d'inertie

▶ Mettons en évidence un point particulier d'un solide appelé centre d'inertie, et le rôle du référentiel d'étude dans la description du mouvement de ce point.

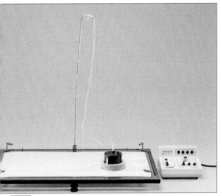

4 Dispositif expérimental.

DISPOSITIF Un mobile autoporteur muni de traceurs est placé sur une table horizontale. Un générateur d'impulsions permet de marquer à intervalles de temps égaux la position des traceurs sur un papier conducteur **(document 4)**.

Expérience 1

■ Poser sur la table le mobile muni d'un traceur central A et d'un traceur B à la périphérie ; mettre en marche la soufflerie.
■ Lancer le mobile en lui donnant un mouvement de rotation sur lui-même et déclencher l'acquisition.

Point Math

Pour un cylindre tel que le mobile autoporteur,
G se trouve sur l'axe de symétrie (OO').

1 Observer

a. Numéroter les positions $A_0, A_1, \ldots A_n$, repérant le traceur central.
Ces points sont-ils alignés ? Relever la distance entre quelques couples de points consécutifs.
b. Reprendre les observations avec les positions $B_0, B_1, \ldots B_n$ du traceur périphérique.

2 Interpréter

a. Dresser l'inventaire des actions mécaniques qui s'exercent sur le mobile.
b. Dans les conditions de l'expérience, les forces qui s'exercent sur le mobile autoporteur se compensent : le mobile constitue un système isolé. Représenter ces forces.
c. Lorsqu'un solide est en mouvement, il existe un point particulier de ce solide, appelé centre d'inertie et noté G, qui décrit un mouvement plus simple que les autres. Quel est le mouvement du centre d'inertie du mobile ?

5 Réalisation de l'expérience 2.

Expérience 2

Effectuer l'enregistrement du mouvement du traceur central, simultanément sur une feuille fixe (F1) scotchée sur la table et sur une feuille mobile (F2) que l'on tire par un côté :
■ soit en communiquant à la feuille (F2) un mouvement de translation à vitesse constante ;
■ soit en lui donnant un mouvement quelconque **(document 5)**.

3 Observer

Noter les différences entre les enregistrements obtenus sur les deux feuilles, suivant le mode de déplacement de la feuille (F2).

4 Interpréter et conclure

a. Quelle est la nature du mouvement du traceur central par rapport à la feuille fixe (F1) ? Par rapport à la feuille mobile (F2) ?
b. Montrer que les résultats expérimentaux sont en cohérence avec l'énoncé du principe d'inertie suivant : « Dans certains référentiels appelés référentiels galiléens, le centre d'inertie d'un système isolé est soit immobile soit en mouvement rectiligne uniforme ».

Activités

3

La quantité de mouvement et sa conservation

▶ À l'aide d'un logiciel de simulation, étudions le choc entre deux objets et introduisons une nouvelle grandeur et sa conservation : la quantité de mouvement.

SIMULATION ■ Un cube A_1 de masse m_1 animé d'une vitesse $\vec{v}_1$ vient heurter et s'accrocher à un cube A_2 de masse m_2 se déplaçant à la vitesse $\vec{v}_2$. Chaque cube constitue un système isolé.
Les déplacements se font sur un axe horizontal $x'x$. Des curseurs permettent de modifier les valeurs des masses et les valeurs v_1 et v_2 des vitesses initiales des deux cubes **(document 6)**.
Des « compteurs » affichent les valeurs algébriques des vitesses des deux cubes en fonction du temps.
■ Les fichiers simulation *Interactive Physics* (IP) de cette activité sont disponibles sur le site élève : **www.nathan.fr/siriuslycee/eleve-termS**

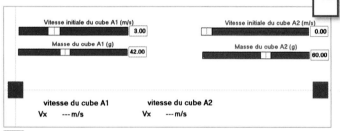

6 | *Capture d'écran de la simulation.*

Étape 1

Lancer la simulation, A_2 étant initialement immobile. Modifier les paramètres pour étudier comment varie la valeur de la vitesse $\vec{v}'$ de l'ensemble des deux cubes $\{A_1, A_2\}$ accrochés après le choc de A_1 sur A_2 :
– lorsque l'on fait varier uniquement la valeur de la vitesse $\vec{v}_1$;
– lorsque l'on fait varier uniquement la valeur de la masse m_2.

1 Observer et analyser

a. Relever les résultats des deux cas étudiés.

b. Représenter ces résultats sous forme de schémas faisant apparaître les deux situations : $\{A_1, A_2\}$ avant l'accrochage et $\{A_1, A_2\}$ après l'accrochage.

c. Proposer une relation entre les masses m_1, m_2 et les vitesses $\vec{v}_1$ et $\vec{v}'$ qui lie les deux situations du système $\{A_1, A_2\}$, avant et après accrochage.

d. Après discussion en groupe, noter la relation retenue.

2 Interpréter

La simulation s'appuie sur une grandeur de la mécanique appelée « **quantité de mouvement** » définie pour chaque cube par la relation $\vec{p} = m\vec{v}$ où m représente la masse du cube et $\vec{v}$ sa vitesse.

a. Établir les expressions de la quantité de mouvement $\vec{p} = \vec{p}_1 + \vec{p}_2$ de l'ensemble $\{A_1, A_2\}$ avant l'accrochage et $\vec{p}'$ après l'accrochage.

b. Exprimer la relation retenue en **1 d.** en fonction de $\vec{p}$ et $\vec{p}'$. Vérifier que dans le cas des accrochages étudiés, la quantité de mouvement du système $\{A_1, A_2\}$ reste constante.

Étape 2

Lancer une nouvelle simulation pour explorer différents cas de chocs avec accrochage avec $\vec{v}_2 \neq \vec{0}$, puis de chocs avec rebond.

3 Interpréter et conclure

Vérifier, pour chacun des chocs réalisés, que le vecteur quantité de mouvement du système $\{A_1, A_2\}$ est constant (en direction, sens et valeur).
Résumer en une phrase les résultats obtenus pour l'ensemble des situations de chocs étudiées.

ACTIVITÉ EXPÉRIMENTALE • *S'approprier* • *Analyser* • *Réaliser* • *Valider*

4

La propulsion par réaction

▶ Mettons en évidence le phénomène de propulsion par réaction et interprétons-le en termes de quantité de mouvement.

DISPOSITIF Un ballon de baudruche, gonflé et fermé par un bouchon, est fixé sur une voiture-jouet. L'ensemble est posé sur un sol horizontal **(document 7)**.

Expérience **1**

Ôter le bouchon qui obture le ballon.

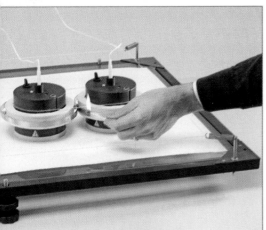

7 *Voiture-jouet équipée d'un ballon.*

1 Observer et interpréter

a. Comparer la direction de déplacement de la voiture et celle de l'éjection de l'air initialement emprisonné dans le ballon. Justifier les termes : « propulsion par réaction ».

b. Rechercher d'autres exemples de propulsion par réaction.

DISPOSITIF ▪ Deux mobiles autoporteurs A et B sont posés sur une table horizontale. Ils sont munis de bagues élastiques et liés ensemble par un fil. Les bagues sont ainsi comprimées **(document 8)**.

▪ Un générateur d'impulsions associé à un papier conducteur permet de marquer la position du traceur central de chaque mobile repérant la position de son centre d'inertie.

Expérience **2**

Lancer l'enregistrement et brûler le fil qui maintient ensemble les deux mobiles. On étudiera les deux cas suivants :
▪ A et B ont même masse ;
▪ la masse de A est supérieure à celle de B.

8 *Dispositif avant rupture.*

2 Observer et exploiter

Sur les enregistrements, observer les points repérant les positions successives des centres d'inertie de A et de B. Noter les caractéristiques des mouvements des deux centres d'inertie.

3 Interpréter

a. Dans le référentiel terrestre, le système constitué par les deux mobiles autoporteurs est qualifié d'isolé. Justifier ce qualificatif.

b. Avant l'éclatement du système quelle est la quantité de mouvement du système ?

c. Après l'éclatement du système, comparer les vecteurs quantité de mouvement de A et de B.

4 Conclure

Au cours de cette deuxième expérience de propulsion, montrer que la quantité de mouvement du système formé des deux mobiles est la même avant et après la séparation. On dit alors qu'il y a **conservation de la quantité de mouvement** du système.

Cette conclusion s'applique-t elle à la première expérience ?

Pour vérifier ses acquis
→ **FICHES A et E** page 158

Galileo Galilei, dit Galilée

Fondateur de la physique moderne

Galilée (1564-1642), physicien et astronome italien, est célèbre pour ses travaux en mécanique et en astronomie. Utilisant une démarche expérimentale, il étudia la chute des corps mais aussi les oscillations du pendule (solide suspendu à un fil), phénomène périodique qui sera utilisé dans les horloges mécaniques.

Les unités

L'unité de temps est la **seconde** (SI). **La seconde** est la durée de 9 192 631 770 périodes de la radiation correspondant à la transition entre deux niveaux hyperfins de l'état fondamental de l'atome de césium 133.

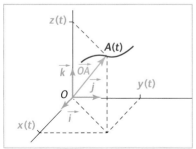

9 *Dans le repère d'espace* $(O ; \vec{i}, \vec{j}, \vec{k})$, *la position du point mobile A à la date t est repérée par ses trois coordonnées* $x(t)$, $y(t)$, *et* $z(t)$.

1 Étude cinématique

La **cinématique** est l'étude du mouvement indépendamment des causes qui le provoquent. En reliant vitesse et durée de chute, Galilée, au XVIIe siècle, fut le premier scientifique à considérer le temps comme une grandeur qui intervient dans la description du mouvement des corps.

La question d'une mesure précise du temps devient alors incontournable. Cette mesure qui, depuis Hughens, s'appuie sur des horloges à oscillateurs est devenue au cours des siècles de plus en plus précise entraînant une évolution de la définition de la seconde.

C'est également Galilée qui a établi que la description du mouvement des corps dépend de la référence choisie pour l'étudier.

1.1 Référentiel et repères

Le **référentiel** est le solide de référence par rapport auquel on étudie le mouvement d'un point.

À un référentiel sont associés :
– un **repère d'espace** qui donne la position du point **(figure 9)** ;
– un **repère de temps** qui permet d'associer une date à chaque position. L'origine des dates est fixée arbitrairement et un dispositif appelé horloge mesure la durée entre deux dates.

1.2 Vecteur position

La **position** d'un point A à la date t est donnée par le vecteur position $\vec{OA}$ **(figure 9)**.
Dans le repère $(O ; \vec{i}, \vec{j}, \vec{k})$:
$$\vec{OA}(t) = x(t)\vec{i} + y(t)\vec{j} + z(t)\vec{k}.$$

Les notations $x(t)$, $y(t)$ et $z(t)$ précisent que les coordonnées d'un point en mouvement sont des fonctions du temps.

L'ensemble des positions occupées successivement par le point A au cours du temps constitue la **trajectoire** de ce point.

La trajectoire dépend du référentiel d'étude.

1.3 Vecteur vitesse

● La **vitesse moyenne** d'un point A entre deux dates t_1 et t_2, est égale au quotient de la longueur parcourue $d = A_1A_2$ par la durée du trajet :
$$v_m = \frac{A_1A_2}{t_2 - t_1} = \frac{d}{\Delta t}$$

• Le **vecteur vitesse** donne la direction, le sens et la valeur de la vitesse à un instant de date donnée.

Pour définir le vecteur vitesse à la date $\vec{v}(t_0)$ à un instant de date t_0 quelconque, supposons que la position (notée $A(t)$) du point A est connue à la date t voisine de t_0.

Le vecteur $\dfrac{\overrightarrow{A(t_0)A(t)}}{t - t_0}$ est d'autant plus proche de $\vec{v}(t_0)$ que l'intervalle de

temps $t - t_0$ est petit. Ainsi $\vec{v}(t_0) = \lim\limits_{t \to t_0} \dfrac{\overrightarrow{A(t_0)A(t)}}{t - t_0}$.

Avec $\overrightarrow{A(t_0)A(t)} = \overrightarrow{OA}(t) - \overrightarrow{OA}(t_0)$, l'expression devient :

$$\vec{v}(t_0) = \lim\limits_{t \to t_0} \dfrac{\overrightarrow{OA}(t) - \overrightarrow{OA}(t_0)}{t - t_0}$$

Cette limite est la dérivée par rapport au temps, à la date t_0, du vecteur

position $\dfrac{\mathrm{d}\overrightarrow{OA}}{\mathrm{d}t} = \lim\limits_{t \to t_0} \dfrac{\overrightarrow{OA}(t) - \overrightarrow{OA}(t_0)}{t - t_0}$, de la même manière que la dérivée

d'une fonction f par rapport à x en x_0 est définie par $\dfrac{\mathrm{d}f}{\mathrm{d}x} = \lim\limits_{x \to x_0} \dfrac{f(x) - f(x_0)}{x - x_0}$.

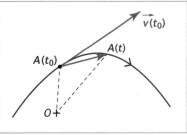

10 *Le vecteur vitesse de A à l'instant t_0 est la limite quand t tend vers t_0*

du vecteur $\dfrac{\overrightarrow{A(t_0)A(t)}}{t - t_0}$.

• Dans un référentiel donné, le vecteur vitesse du point A à la date t est égal à la dérivée par rapport au temps du vecteur position $\overrightarrow{OA}(t)$ à

cette date : $\vec{v}(t) = \dfrac{\mathrm{d}\overrightarrow{OA}}{\mathrm{d}t}$.

• Le vecteur vitesse est porté par la tangente à la trajectoire et orienté dans le sens du mouvement **(figure 10)**.

• L'unité de la valeur de la vitesse est m·s⁻¹.

Les coordonnées cartésiennes v_x, v_y et v_z du vecteur vitesse sont les dérivées par rapport au temps des coordonnées du vecteur position **(figure 11)**.

En effet : $\vec{v}(t) = \dfrac{\mathrm{d}\overrightarrow{OA}}{\mathrm{d}t} = \dfrac{\mathrm{d}[x(t)\vec{i} + y(t)\vec{j} + z(t)\vec{k}]}{\mathrm{d}t} = \dfrac{\mathrm{d}x}{\mathrm{d}t}\vec{i} + \dfrac{\mathrm{d}y}{\mathrm{d}t}\vec{j} + \dfrac{\mathrm{d}z}{\mathrm{d}t}\vec{k}$;

d'où : $v_x = \dfrac{\mathrm{d}x}{\mathrm{d}t}$; $v_y = \dfrac{\mathrm{d}y}{\mathrm{d}t}$; $v_z = \dfrac{\mathrm{d}z}{\mathrm{d}t}$.

La valeur de la vitesse (norme du vecteur) est $v = \sqrt{\left(v_x^2 + v_y^2 + v_z^2\right)}$.

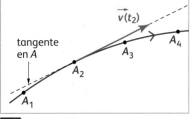

11 *L'expression approchée du vecteur vitesse à la date t_2, date de passage*

au point A_2 est : $\vec{v}(t_2) = \dfrac{\overrightarrow{A_1 A_3}}{2\Delta t}$,

Δt étant l'intervalle de temps entre deux marquages.

1.4 Mouvement rectiligne uniforme

Le mouvement est **rectiligne uniforme** si le vecteur vitesse est constant : $\vec{v} = \overrightarrow{\mathbf{cte}}$. Le vecteur vitesse $\vec{v}$ garde même direction, même sens et sa valeur est constante.

Exemple

Dans un repère $(O\,;\vec{i},\,\vec{j})$, les coordonnées du vecteur position d'un point A sont $x(t) = 2,0\,t$ et $y(t) = -4,0\,t + 1,0$ (x et y en mètre, t en seconde).

Les coordonnées du vecteur vitesse sont alors :

$$v_x = \dfrac{\mathrm{d}x}{\mathrm{d}t} = 2,0 \text{ m·s}^{-1} \text{ et } v_y = \dfrac{\mathrm{d}y}{\mathrm{d}t} = -4,0 \text{ m·s}^{-1}.$$

Le vecteur vitesse est un vecteur constant car ses coordonnées sont constantes : le mouvement du point A est rectiligne uniforme.

La valeur de la vitesse est donnée par $v = \sqrt{\left(v_x^2 + v_y^2\right)} = \sqrt{(2,0)^2 + (-4,0)^2}$
soit $v = 4,5$ m·s⁻¹.

Remarque. Le mouvement peut être uniforme sans être rectiligne : dans ce cas seule la valeur de la vitesse est constante.

Point Math

Soit un vecteur : $\overrightarrow{OA}(t) = x(t)\,\vec{i}$.

On note :

• $\dfrac{\mathrm{d}x}{\mathrm{d}t}$ la dérivée par rapport au temps

de $x(t)$;

• $\dfrac{\mathrm{d}\overrightarrow{OA}}{\mathrm{d}t}$ la dérivée par rapport au temps

du vecteur $\overrightarrow{OA}$ (t).

• $\dfrac{\mathrm{d}\overrightarrow{OA}}{\mathrm{d}t} = \dfrac{\mathrm{d}x}{\mathrm{d}t}\,\vec{i}$,

$\vec{i}$ étant un vecteur constant.

2 Principe d'inertie

À la différence de la cinématique, la **dynamique** étudie le lien entre le mouvement et les actions mécaniques, causes du mouvement. Le principe d'inertie constitue l'une des lois de la dynamique.

2.1 Système et milieu extérieur

● On appelle **point matériel** de masse m un objet dont la taille est suffisamment petite pour qu'il puisse être modélisé par un point.

● On appelle **système**, le point matériel ou l'ensemble de points matériels que l'on étudie. Tout ce qui n'appartient pas au système constitue le **milieu extérieur**.

2.2 Actions mécaniques et forces

Pour faire l'inventaire des interactions entre le système choisi et le milieu extérieur, on peut utiliser le diagramme objets-interactions ou DOI **(figure 12 ⓑ)**. Chaque action mécanique est ensuite modélisée par une force. Cette force est dite extérieure puisqu'elle est exercée par le milieu extérieur sur le système.

Exemple. Le système étudié est un mobile autoporteur posé sur une table horizontale ; il est en interaction avec la Terre, avec le coussin d'air et avec l'air ambiant **(figure 12 ⓐ)**.

● L'action exercée par la Terre est modélisée par le poids $\vec{P}$.
● L'action exercée par le coussin d'air est modélisée par la force $\vec{R}$, perpendiculaire au support en l'absence de frottement.
● La force exercée par l'air ambiant est négligeable devant les autres forces. On représente les forces appliquées en un même point A.

2.3 Principe d'inertie ou première loi de Newton

Ⓐ Énoncé

Le **principe d'inertie** a été ainsi énoncé par Newton en 1686 :

« Tout corps persévère dans son état de repos ou de mouvement rectiligne uniforme si les forces qui s'exercent sur lui se compensent. »

L'énoncé complet du principe d'inertie ou **première loi de Newton**, prend en compte les deux points suivants :
– le principe d'inertie n'est valable que dans certains référentiels que l'on appelle **galiléens**,
– le principe d'inertie ne s'applique qu'au mouvement d'un point remarquable du système étudié, appelé **centre d'inertie** et noté G **(document 13)**.

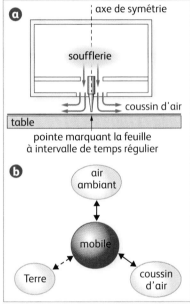

axe de symétrie
soufflerie
coussin d'air
table
pointe marquant la feuille à intervalle de temps régulier

air ambiant
mobile
Terre
coussin d'air

12 ⓐ *Schéma d'un mobile autoporteur.*
ⓑ *Diagramme objets-interactions.*

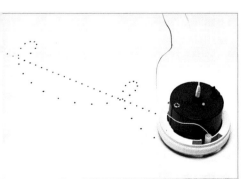

13 *Le mobile autoporteur lancé sur une table horizontale est soumis à des forces qui se compensent : seul son centre d'inertie est toujours en mouvement rectiligne uniforme.*

Dans un référentiel galiléen, si le vecteur vitesse du centre d'inertie G d'un système est un vecteur constant ($\vec{v}_G = \overrightarrow{\text{cte}}$), alors la somme vectorielle des forces qui s'exercent sur le système est nulle ($\sum \vec{F}_{\text{ext}} = \vec{0}$), et réciproquement. Un tel système est dit **isolé**.

Remarque. En toute rigueur, un système isolé est un système qui n'est soumis à aucune action mécanique. Mais comme l'interaction gravitationnelle est pratiquement toujours présente, on appelle aussi « système isolé » ou « pseudo-isolé » un système qui vérifie $\sum \vec{F}_{\text{ext}} = \vec{0}$.

B Référentiels galiléens

Le centre d'inertie d'un système isolé est donc soit au repos, soit en mouvement rectiligne uniforme dans un référentiel galiléen. Si ce n'est pas vérifié, alors le référentiel choisi n'est pas galiléen.

> Un **référentiel galiléen** est un référentiel dans lequel le principe d'inertie est vérifié.

Le **référentiel héliocentrique** défini par le centre du Soleil et des étoiles lointaines considérées comme fixes peut être considéré comme galiléen. Tous les référentiels animés d'un mouvement de translation rectiligne uniforme par rapport à lui sont également galiléens.

Le **référentiel géocentrique** défini par le centre de la Terre et des étoiles lointaines considérées comme fixes n'est pas galiléen ; il peut cependant être considéré galiléen si la durée de l'étude permet de ne pas tenir compte du mouvement de révolution de la Terre autour du Soleil.

Le **référentiel terrestre** constitué par la Terre ou tout objet fixe par rapport à la Terre n'est pas galiléen. On peut le considérer comme tel pour des mouvements de courte durée : c'est le cas du mouvement de chute d'un parachutiste **(document 14)**.

14 *Parachute ouvert, le parachutiste descend à vitesse constante. Si sa chute est rectiligne, le poids et le frottement de l'air se compensent : le système {parachute-parachutiste} est isolé.*

Cours

3 Quantité de mouvement

Lorsque le passager d'une barque saute hors de la barque, celle-ci s'éloigne, alors que s'il descend de la même façon d'une péniche, beaucoup plus massive, la péniche reste immobile **(document 15)**. Pour interpréter les mouvements du passager et de l'embarcation, on introduit une nouvelle grandeur nommée **quantité de mouvement** du système. Cette grandeur permet de tenir compte de l'effet de la masse dans la mise en mouvement d'un corps, et d'étudier des systèmes constitués de plusieurs corps.

15 *Le saut de la passagère hors de la barque communique un mouvement à l'embarcation.*

3.1 Vecteur quantité de mouvement

> Le vecteur quantité de mouvement $\vec{p}$ d'un point matériel de masse m animé de la vitesse $\vec{v}$ est :
>
> $$\vec{p} = m\vec{v} \quad \begin{array}{l} m \text{ en kg} \\ v \text{ en m·s}^{-1} \\ p \text{ en kg·m·s}^{-1} \end{array}$$
>
> $A \xrightarrow{\quad \overrightarrow{p_A} \quad}$
> $\overrightarrow{v_A}$

16 *Les quantités de mouvement de la fusée Ariane et des gaz éjectés sont opposés : la fusée est propulsée dans le sens contraire de celui de la vitesse des gaz.*

● Le vecteur quantité de mouvement d'un système constitué de n points matériels est égal à la somme des vecteurs quantité de mouvement de chaque point matériel, à un même instant :

$$\vec{p} = \vec{p}_1 + \vec{p}_2 + \dots = \sum_{i=1}^{n} \vec{p}_i.$$

● On démontre que le vecteur quantité de mouvement d'un système de masse constante M est égal au produit de sa masse par le vecteur vitesse $\vec{v}_G$ de son centre d'inertie :

$$\vec{p} = \sum_{i=1}^{n} \vec{p}_i = M\vec{v}_G.$$

3.2 Loi de conservation de la quantité de mouvement

La loi de conservation de la quantité de mouvement est une loi fondamentale de la mécanique qui permet d'étudier le cas d'un système isolé constitué de plusieurs corps, qu'il soit déformable ou pas.

Dans un référentiel galiléen, le vecteur quantité de mouvement d'un système isolé est un vecteur constant :

$$\vec{p} = \vec{p}_1 + \vec{p}_2 + \dots = \sum_{i=1}^{n} \vec{p}_i = \overrightarrow{\text{cte}}.$$

Remarque. Cette loi de conservation contient le principe d'inertie puisque, si la masse M du système isolé est constante, la relation $\vec{p} = M\vec{v}_G = \overrightarrow{\text{cte}}$ entraîne $\vec{v}_G = \overrightarrow{\text{cte}}$.

3.3 Application à la propulsion par réaction

Cette loi permet d'étudier les collisions et les phénomènes de recul ou de propulsion lors de l'explosion (ou éclatement) de systèmes **(document 16)**.

Lorsque l'on saute d'une barque immobile pour rejoindre la berge, la barque s'éloigne du bord : expliquons ce phénomène à l'aide de la loi de conservation de la quantité de mouvement.

Dans le référentiel terrestre, considéré galiléen pendant la durée de l'expérience, le système {personne (notée A) ; barque (notée B)} supposé immobile avant le saut, est isolé. La quantité de mouvement $\vec{p}$ de ce système est donc nulle puisqu'il est immobile :

$$\vec{p}_A = \vec{p}_B = \vec{0}, \text{ d'où } \vec{p} = \vec{p}_A + \vec{p}_B = \vec{0}.$$

Juste après le saut, on note $\vec{p}'_A$ la quantité de mouvement de la personne, $\vec{p}'_B$ celle de la barque et $\vec{p}'$ celle du système complet.

D'après la loi de conservation de la quantité de mouvement :

$$\vec{p} = \vec{p}' \text{ donc } \vec{p}_A + \vec{p}_B = \vec{p}'_A + \vec{p}'_B = \vec{0} \text{ et ainsi } \vec{p}'_A = -\vec{p}'_B.$$

Après le saut, les vecteurs quantité de mouvement de A et de B sont opposés, donc les vitesses de A et de B sont de sens opposés : la barque s'éloigne de la berge au moment du saut. On dit qu'il y a **propulsion par réaction (document 17)**.

Remarque. À quantité de mouvement identique communiquée à une barque ou à une péniche, l'influence de leur masse dans l'expression $p = mv$ explique la différence des reculs observés (important pour la barque, insignifiant pour la péniche).

17 *Conservation de la quantité de mouvement lors de la propulsion par réaction d'une barque.*

L'ESSENTIEL

 ## Référentiels

- Le **référentiel** est le solide de référence par rapport auquel on étudie le mouvement d'un point matériel.

- À un référentiel sont associés :
– un **repère d'espace** qui donne la position du point mobile ;

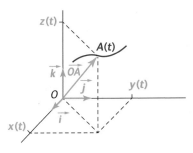

– un **repère de temps** qui associe une date à chaque position.

 ## Principe d'inertie (1re loi de Newton)

- Un **point matériel** est un objet dont la taille est suffisamment petite pour qu'il puisse être modélisé par un point.

- Un **système** est l'ensemble de points matériels que l'on étudie. Tout ce qui n'appartient pas au système constitue le milieu extérieur.

- **Principe d'inertie** : dans un référentiel galiléen, si le vecteur vitesse du centre d'inertie d'un système est un vecteur constant ($\vec{v}_G = \overrightarrow{cte}$), alors la somme vectorielle des forces qui s'exercent sur le système est nulle ($\sum \vec{F}_{ext} = \vec{0}$) et réciproquement. Un tel système est dit **isolé**.

- Le **centre d'inertie** d'un système isolé est donc, soit au repos, soit en mouvement rectiligne uniforme dans un référentiel galiléen.

- Un **référentiel galiléen** est un référentiel dans lequel le principe d'inertie est vérifié.

 ## Étude cinématique

- Dans le repère $(O ; \vec{i}, \vec{j}, \vec{k})$, le **vecteur position** du point A à la date t est $\overrightarrow{OA}(t) = x(t)\vec{i} + y(t)\vec{j} + z(t)\vec{k}$.

- La **trajectoire** d'un point est l'ensemble des positions occupées successivement par ce point au cours du temps.

- Dans un référentiel donné, le **vecteur vitesse** du point A à la date t est égal à la dérivée par rapport au temps du vecteur position à cette date :

$$\vec{v}(t) = \frac{d\overrightarrow{OA}}{dt}$$

tangente en A à la trajectoire

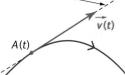

- Le mouvement est **rectiligne uniforme** si le vecteur vitesse est constant :

$$\vec{v} = \overrightarrow{cte}$$

Quantité de mouvement

- Le **vecteur quantité de mouvement** d'un point matériel de masse m et animé d'une vitesse $\vec{v}$ est :

$$\vec{p} = m\vec{v} \quad \begin{vmatrix} m \text{ en kg} \\ v \text{ en m·s}^{-1} \\ p \text{ en kg·m·s}^{-1} \end{vmatrix}$$

Le vecteur quantité de mouvement d'un système est égal à la somme des vecteurs quantité de mouvement des points matériels qui le constituent :

$$\vec{p} = \vec{p}_1 + \vec{p}_2 + \ldots = \sum_{i=1}^{n} \vec{p}_i$$

- Dans un référentiel galiléen, le vecteur quantité de mouvement d'un système isolé est un vecteur constant :

$$\vec{p} = \overrightarrow{cte}$$

On dit qu'il y a **conservation de la quantité de mouvement**.

- Pour un système isolé immobile qui se divise en deux parties A et B, lors d'une propulsion par réaction, la conservation de la quantité de mouvement impose :
$$\vec{p}_A + \vec{p}_B = \vec{0} \text{ soit } \vec{p}_A = -\vec{p}_B.$$

Exercices / Application

1 Mots manquants

Compléter avec un ou plusieurs mots.

a. Le référentiel est .... par rapport auquel on étudie le mouvement d'un point.

b. Un repère d'espace et un .... sont associés à un référentiel.

c. Un dispositif appelé .... mesure une durée, temps écoulé entre deux dates.

d. Dans un référentiel donné, le vecteur vitesse du point A à la date t est égal à. .... du vecteur .... par rapport au temps.

e. Le mouvement est rectiligne uniforme si .... est un vecteur constant.

f. Dans un référentiel galiléen, lorsqu'un point matériel est isolé, il est soit .... soit en mouvement rectiligne ....

g. Le vecteur quantité de mouvement d'un point matériel est le produit de sa masse par ....

h. Dans un référentiel galiléen, le vecteur quantité de mouvement d'un .... est un vecteur constant.

i. Un .... est un référentiel dans lequel le principe d'inertie est vérifié.

2 QCM

Cocher la réponse exacte.

a. La représentation de $x(t)$ pour un point en mouvement rectiligne uniforme selon l'axe $x'x$ est :

☐   ☐   ☐

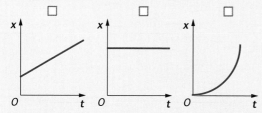

b. Un passager est assis dans un train se déplaçant à vitesse constante sur une voie rectiligne :

  ☐ le passager est immobile dans le référentiel terrestre

  ☐ le passager est en mouvement rectiligne uniforme dans le référentiel terrestre

  ☐ le passager est en mouvement rectiligne uniforme dans le référentiel du train

c. La valeur de la vitesse d'un point matériel de masse $m = 100$ g est $v = 36$ km·h^{-1}. La valeur de sa quantité de mouvement est égale à cet instant à :

  ☐ $3,6$ kg·m·s^{-1}

  ☐ $1,0 \times 10^3$ kg·m·s^{-1}

  ☐ $1,0$ kg·m·s^{-1}.

→ **Solutions détaillées en fin de manuel pour vérifier vos réponses et comprendre vos erreurs.**

Parcours en autonomie

Trois parcours d'exercices pour travailler en autonomie selon ses besoins.

Maîtriser les bases — 4 — 5 — 7 — 8

Préparer l'évaluation — 13 — 19 — 21

Approfondir — 24 — 25 — 26

Pour tous les exercices de ce chapitre :
• Intensité de la pesanteur : $g = 9,8$ N·kg^{-1}.

COMPÉTENCES EXIGIBLES

3 Choisir un référentiel d'étude

Illustrer par un exemple la phrase suivante : « la trajectoire d'un point mobile dépend du référentiel ».

4 Définir et reconnaître des mouvements

Un point mobile noté A se déplace dans un plan. L'étude est réalisée dans le repère d'espace $(O \,; \vec{i}, \vec{j})$.

L'enregistrement de son mouvement a permis d'obtenir l'expression de ses coordonnées en fonction du temps :

$x(t) = 5t + 1$ et $y(t) = 3$ (x et y en mètre et t en seconde).

a. Donner l'expression du vecteur position à l'instant de date $t_0 = 0$ s.

b. Déterminer les coordonnées du vecteur vitesse.

c. Préciser la trajectoire du point A et les caractéristiques de son mouvement.

5 Calculer et représenter la vitesse

Les positions successives d'un point mobile A sont enregistrées à intervalles de temps régulier $\tau = 40$ ms.

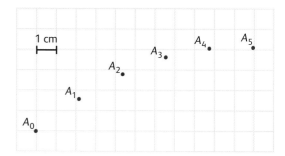

a. Définir le vecteur vitesse du point A à la date t.

b. L'expression approchée du vecteur vitesse de A à son passage au point n° 3 à l'instant de date t_3 est :

$$\vec{v}(t_3) = \frac{\overrightarrow{A_2A_4}}{2\tau}.$$

Déterminer les caractéristiques de ce vecteur.

6 Connaître et exploiter le principe d'inertie

L'enregistrement du mouvement d'un mobile autoporteur muni de deux traceurs, l'un placé à la verticale de son centre d'inertie et l'autre en périphérie, est reproduit ci-dessous.

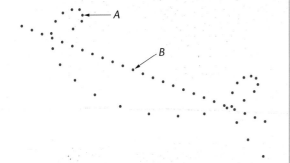

a. Identifier sur l'enregistrement le tracé correspondant au centre d'inertie du mobile.

b. Pourquoi peut-on affirmer que le mobile constitue un système isolé lors de cette expérience ?

c. Établir un diagramme objets-interactions et préciser les forces qui s'exercent sur le système étudié.

7 Définir la quantité de mouvement

a. Définir le vecteur quantité de mouvement d'un point et d'un système matériel.

b. Calculer la valeur de la quantité de mouvement d'une automobile de masse 1,0 tonne se déplaçant à la vitesse constante de 120 km·h^{-1}.

c. Quelle doit être la vitesse en km·h^{-1} d'un camion de masse 30 tonnes pour que la valeur de sa quantité de mouvement soit égale à celle de l'automobile ?

8 Interpréter un mode de propulsion par réaction

Deux patineurs notés A et B sont côte à côte et immobiles sur une patinoire horizontale. La masse de A est de 50 kg, la masse de B est de 80 kg. À un instant donné, les patineurs se repoussent mutuellement et s'éloignent alors l'un de l'autre. La valeur de la vitesse de A est alors de 4,0 m·s^{-1}.
Tous les frottements sont négligeables.

a. Définir le système qui permet d'étudier le mouvement des patineurs A et B puis choisir le référentiel d'étude.

b. On note $\vec{p}_A$ et $\vec{p}_B$ les quantités de mouvement de A et de B lorsqu'ils s'éloignent l'un de l'autre. Montrer que $\vec{p}_A = -\vec{p}_B$.

c. Comparer les directions, les sens et les valeurs des vitesses de A et de B, notées respectivement $\vec{v}_A(t)$ et $\vec{v}_B(t)$.

COMPÉTENCES GÉNÉRALES

9 Évaluer un ordre de grandeur

Pour réaliser la brièveté d'une femtoseconde (10^{-15} seconde), on peut effectuer la comparaison suivante : une femtoseconde est à une seconde ce qu'une seconde est à 32 millions d'années.
Vérifier la validité de cette comparaison.

10 Extraire et exploiter des informations

> Un jour que je traînais un chariot avec un ballon dedans, je courus vers mon père : « Quand je tire le chariot, le ballon va vers l'arrière, et quand je m'arrête brusquement, le ballon
> 5 se précipite à l'avant. Pourquoi ? » [...]
> Mon père me dit simplement :
> « Personne ne sait pourquoi. Pourtant, c'est très général et ça se passe toujours comme ça, et avec n'importe quoi. Une chose qui bouge a tendance à continuer
> 10 à bouger, et une chose qui ne bouge pas a toujours tendance à rester immobile. Si tu regardes bien, tu verras que le ballon ne recule pas… ».
>
> Richard Feynman, *La nature de la physique.*
> © Éditions du Seuil, 1980.

a. Dans quel référentiel Richard Feynman décrit-il ses observations (lignes 3 à 5) ?

b. Dans quel référentiel se place son père lorsqu'il répond « Si tu regardes bien, tu verras que le ballon ne recule pas… » ?

c. Interpréter les observations de Feynman et la réponse de son père à l'aide du principe de l'inertie.

11 Effectuer un raisonnement scientifique

Un gros poisson se déplace à la vitesse constante de 5 km·h^{-1}, selon une trajectoire rectiligne, lorsqu'il avale un petit poisson immobile.

En supposant isolé le système constitué par les deux poissons, montrer que si le rapport entre les masses des poissons est de 4, le gros poisson poursuit sa route à la vitesse de 4 km·h^{-1}.

12 Exploiter un enregistrement

Deux mobiles autoporteurs A et B, de masses différentes m_A et m_B sont lancés sur une table horizontale, avec la même quantité de mouvement $\vec{p}_A = \vec{p}_B$.
Leur position respective est relevée à intervalles de temps réguliers et on obtient les tracés ci-dessous.

Tracé pour le mobile A

1 cm

Tracé pour le mobile B

a. Quelle est la nature du mouvement des deux mobiles ?

b. Quel est le mobile qui a acquis la plus grande vitesse ?

c. De A et de B, quel est le mobile qui a la plus grande masse ?

Exercices Méthode

Site élève

13 Tir sportif

Énoncé Le biathlon est une épreuve combinant ski de fond et tir à la carabine. On étudie un aspect du parcours d'un athlète de masse $M = 75{,}0$ kg portant une carabine de masse $m_c = 4{,}0$ kg. Lors du tir, une balle de masse $m_b = 5{,}0$ g est expulsée de la carabine avec une vitesse $v_b = 310$ m·s^{-1}. La balle doit atteindre l'une des cinq cibles disposées sur un support.

❶ Calculer la quantité de mouvement de la balle à la sortie du canon.

❷ Comment peut-on déterminer la vitesse de recul $\vec{v}_c$ de la carabine ? On ne tiendra pas compte des gaz éjectés.

a. Calculer sa valeur dans le cas où le système étudié est constitué de la carabine et de la balle, système supposé isolé avant et après le tir.

b. En réalité, l'athlète tient fermement la carabine en appui sur son épaule. Comment est modifié le raisonnement précédent dans ce cas ?

❸ La balle arrive à la vitesse horizontale $\vec{v}$ sur l'une des cinq cibles noires. Sous l'impact de la balle, la cible noire se déplace, puis active un mécanisme qui fait basculer un cache blanc devant la cible. Le tireur sait ainsi qu'il a réussi son tir. En supposant isolé le système constitué par la cible noire et la balle incrustée, exprimer sa vitesse $\vec{v}'$ juste après l'impact et calculer son énergie cinétique.

Données : $v = 300$ m·s^{-1} ; masse de la cible noire $m_{cible} = 60$ g.

Épreuve de tir au biathlon.

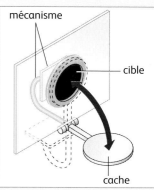

Déplacement de la cible sous l'impact d'une balle.

Une solution

❶ La quantité de mouvement de la balle est par définition : $\vec{p}_b = m_b\vec{v}_b$.
A.N. : $p_b = 5{,}0 \times 10^{-3} \times 310 = 1{,}6$ kg·m·s^{-1}.

❷ La conservation de la quantité de mouvement du système permet de déterminer la vitesse de recul.
a. Le système étudié est constitué de la carabine et de la balle. Avant le tir : le système étudié est immobile, la quantité de mouvement est donc nulle : $\vec{p}_{avant} = \vec{0}$.
Après le tir : la quantité de mouvement du système est la somme des quantités de mouvement de la balle et de la carabine : $\vec{p}_{après} = \vec{p}_b + \vec{p}_c$.
Dans le référentiel terrestre supposé galiléen, la conservation de la quantité de mouvement s'écrit : $\vec{p}_{avant} = \vec{p}_{après}$ soit $\vec{p}_b + \vec{p}_c = \vec{0}$.

On en déduit : $\vec{p}_c = -\vec{p}_b$ soit $\vec{v}_c = \dfrac{-m_b}{m_c}\vec{v}_b$, la vitesse de la carabine a la même direction mais un sens opposé à la vitesse de la balle. D'où $v_c = \dfrac{m_b}{m_c}v_b$.

A.N. : $v_c = \dfrac{5{,}0 \times 10^{-3} \times 310}{4{,}0} = 0{,}39$ m·s^{-1}.

b. Le raisonnement est identique lorsque la carabine est correctement épaulée mais le système à considérer comprend alors l'athlète. La masse totale du système est plus grande que dans le cas précédent et la vitesse de recul est plus faible.

❸ Avant l'impact, la quantité de mouvement du système balle-cible s'écrit :
$$\vec{p} = m_b\,\vec{v}.$$
Après l'impact : $\vec{p}' = (m_b + m_{cible})\vec{v}'$, la balle étant incrustée dans la cible.
La conservation de la quantité de mouvement s'écrit : $m_b\vec{v} = (m_b + m_{cible})\vec{v}'$

soit $\vec{v}' = \dfrac{m_b\,\vec{v}}{m_b + m_{cible}}$· La valeur de la vitesse est $v' = \dfrac{m_b\,v}{m_b + m_{cible}}$.

L'énergie cinétique du système {balle, cible} après l'impact est :
$$\mathscr{E}_c = \frac{1}{2}(m_{cible} + m_b)v'^2.$$

A. N. : $\mathscr{E}_c = \dfrac{1}{2} \times (60 + 5{,}0) \times 10^{-3} \times \left(\dfrac{5{,}0 \times 10^{-3} \times 300}{5{,}0 \times 10^{-3} + 0{,}060}\right)^2 = 17$ J.

Connaissances
Utiliser la loi de conservation de la quantité de mouvement pour comparer la quantité de mouvement avant et après le tir.

Énoncé
L'énoncé précise le système à étudier.

Raisonner
Tenir compte du caractère vectoriel de la quantité de mouvement.

ZOOM SUR... la détermination des caractéristiques d'une force

Un skieur descend à vitesse constante une piste enneigée rectiligne faisant un angle $\alpha = 20{,}0°$ avec le plan horizontal. Les frottements de l'air peuvent être modélisés par une force $\vec{f}$, parallèle à la pente, opposée au mouvement et dont la valeur augmente avec la vitesse du skieur. Les frottements des skis sur la neige sont négligeables.

Le système constitué par le skieur et son équipement est représenté par un point dont la masse m est celle du système.

Donnée : masse du skieur $m = 70$ kg.

a. Quelle est la nature du mouvement du système étudié dans le référentiel terrestre ?

b. Pourquoi peut-on affirmer que le système est isolé ?

c. Dresser l'inventaire des forces qui s'exercent sur le système.

> **Conseils** Construire un diagramme objets-interactions même s'il n'est pas demandé explicitement dans le texte pour ne pas oublier de forces.

d. Représenter ces forces sans souci d'échelle.

> **Conseils** Lorsqu'il n'y a pas de frottement, la force exercée par un support sur un objet en mouvement est toujours normale au support : les frottements de la neige sur les skis étant négligeables, la force exercée par la piste sur le système est normale à la piste.

e. Déterminer les caractéristiques de la force $\vec{f}$ exercée par l'air.

> **Conseils** L'application du principe d'inertie donne la relation vectorielle entre les forces.
> $\vec{F_1} + \vec{F_2} + \vec{F_3} = \vec{0}$ est équivalent à $\begin{cases} F_{1x} + F_{2x} + F_{3x} = 0 \\ F_{1y} + F_{2y} + F_{3y} = 0 \end{cases}$
> Choisir un repère orthonormé pour que les coordonnées des vecteurs soient les plus simples possibles : axe des x parallèle à la piste et axe des y normal à la piste.

---

15 Apprendre à rédiger

Voici l'énoncé d'un exercice et un guide (en violet) ; ce guide vous aide à rédiger la solution détaillée et à retrouver les réponses aux questions posées.

Énoncé

Un camion portant une échelle fixée sur son toit se déplace à vitesse constante sur une route rectiligne et horizontale (figure ❶).
La voiture qui précède le camion ralentit brusquement devant lui, obligeant le conducteur du camion à freiner à son tour.
Les liens de l'échelle, mal serrés, se détachent et l'échelle se déplace alors suivant une direction horizontale vers l'avant du camion (figure ❷) puis tombe sur le sol au moment du choc (figure ❸).

a. Quelle est la nature du mouvement de l'échelle avant que le conducteur du camion freine (figure ❶) :
– par rapport au référentiel terrestre ?
– par rapport au référentiel du camion ?
> ▶ **Reprendre les termes de l'énoncé relatif à la trajectoire et à la vitesse.**
> ▶ **Bien distinguer l'étude dans les deux référentiels.**

b. L'échelle est modélisée par un point, son centre d'inertie. Dresser l'inventaire des forces qui s'exercent sur l'échelle posée sur le toit du camion. Ces forces se compensent-elles ?
> ▶ **Préciser le système étudié.**

> ▶ **Rédiger en termes de système isolé ou non, dans un référentiel galiléen ou non. Appliquer alors le principe d'inertie.**

c. Justifier le déplacement de l'échelle sur le toit du camion lorsque son conducteur freine (figure ❷).
> ▶ **Reprendre la même démarche que pour la question b.**

d. Lorsque l'échelle n'est plus sur le camion, le mouvement de son centre d'inertie peut-il être rectiligne uniforme ?
> ▶ **Reprendre la même démarche que pour la question b.**

16 Éclatement d'un système

Compétences générales *Effectuer un raisonnement scientifique – Commenter un résultat*

Deux mobiles autoporteurs munis de bagues sont attachés l'un contre l'autre. Les bagues sont comprimées comme sur le dispositif ci-contre. L'ensemble des mobiles A et B est immobile sur une table horizontale.

Lorsque l'on brûle le fil qui les attache, A et B s'écartent l'un de l'autre : on dit que le système éclate.

Un traceur central marque la position du centre d'inertie des mobiles à intervalle de temps régulier, $\Delta t = 20$ ms. On obtient l'enregistrement ci-dessous.

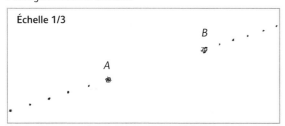

Échelle 1/3

A
B

a. À partir de l'enregistrement :
– déterminer avec le plus de précision possible la valeur de la vitesse de chacun des deux mobiles ;
– comparer la direction de leur vecteur vitesse.

b. Déterminer les caractéristiques des vecteurs quantités de mouvement de A et B.

c. Cette expérience illustre-t-elle la loi de conservation de la quantité de mouvement d'un système isolé ?

Données : masse de A, 720 g ; masse de B, 980 g.

17 Nature du mouvement

Compétences générales *Exploiter des informations expérimentales – Construire un graphique*

L'étude du mouvement d'un point mobile se déplaçant dans le repère d'espace $(O ; \vec{i}, \vec{j})$ est effectuée à l'aide d'un enregistrement vidéo et d'un logiciel de pointage qui fournit les résultats ci-dessous.

t (s)	0,00	0,10	0,20	0,30	0,50	0,70
x (m)	0,00	0,15	0,30	0,45	0,75	1,05
y (m)	1,00	1,00	1,00	1,00	1,00	1,00

a. Représenter $x(t)$ en fonction du temps. En déduire une expression algébrique de $x(t)$.

b. Déterminer les coordonnées $v_x(t)$ et $v_y(t)$ du vecteur vitesse.

c. Quelle est la nature du mouvement du point mobile ?

18 Objet au repos

Compétence générale *Effectuer un raisonnement scientifique*

Un livre de masse $m = 300$ g est posé sur une table. Faire l'inventaire des actions mécaniques qui s'exercent sur lui ; représenter les forces qui les modélisent dans les deux cas suivants :

a. la table est horizontale ;

b. la table est inclinée d'un angle de 10° par rapport à l'horizontale et le livre ne glisse pas.

19 Saut en parachute

Compétence générale *Effectuer un raisonnement scientifique*

Un parachutiste saute d'un hélicoptère en vol stationnaire. Quelques secondes après l'ouverture de son parachute, son mouvement devient rectiligne uniforme suivant une direction verticale.

a. Définir un mouvement rectiligne uniforme. Dans quel référentiel étudie-t-on le mouvement ?

b. Quelles sont les actions mécaniques qui s'exercent sur le système constitué par le parachutiste et son parachute ?

c. On note $\vec{F}$ la somme vectorielle des forces qui s'exercent sur le système, forces autres que le poids $\vec{P}$.
Donner toutes les caractéristiques des deux forces $\vec{F}$ et $\vec{P}$ et les représenter sur un schéma.

d. Lorsque la vitesse du parachutiste devient constante, il est à 400 m du sol. Sachant qu'il s'écoule 1 min 30 s avant qu'il touche le sol, calculer la valeur de sa vitesse.

Donnée : masse du parachutiste et de son équipement $m = 90$ kg.

20 Science in English

Which of the following statements are true about momentum?

a. Momentum is a vector quantity.

b. The standard unit for momentum is the Joule.

c. An object which is moving at a constant speed has momentum.

d. An object can be travelling eastward and slowing down; its momentum is westward.

e. Momentum is a conserved quantity; the momentum of an object is never changed.

f. The momentum of an object varies directly with the speed of the object.

g. Two objects of different mass are moving at the same speed; the more massive object will have the greatest momentum.

h. A less massive object can never have more momentum than a more massive object.

D'après le site Internet http://www.physicsclassroom.com

21 ✶ Accrochage de wagon

Compétence générale *Effectuer un raisonnement scientifique*

Une motrice de masse $m_1 = 100$ tonnes se déplace sur une voie rectiligne avec la vitesse constante de 4,0 km·h^{-1}. Elle vient heurter un wagon de masse $m_2 = 20$ tonnes.

Le wagon s'accroche à la motrice et le convoi se déplace alors à la vitesse v'. Le système étudié est constitué de l'ensemble {motrice, wagon}. Les frottements sont considérés comme négligeables.

On envisage les trois cas suivants :

– cas 1 : avant l'accrochage, le wagon est immobile ;

– cas 2 : avant l'accrochage, le wagon se déplace à la vitesse constante $v_2 = 2,0$ km·h^{-1} dans le même sens que la motrice ;

– cas 3 : avant l'accrochage le wagon se déplace à la vitesse constante $v_2 = 2,0$ km·h^{-1} en sens inverse de la motrice.

a. Dans le cas 1, calculer la quantité de mouvement du système étudié avant l'accrochage puis après l'accrochage. Justifier.

b. En déduire la vitesse du convoi formé par le wagon et la motrice.

c. Déterminer de même la vitesse du convoi pour les cas 2 et 3.

22 ECE Évaluation des compétences expérimentales

Cet exercice permet de travailler les compétences expérimentales suivantes : • Analyser • Réaliser • S'approprier • Valider

Hélène et Marc étudient la conservation de la quantité de mouvement au cours d'un choc entre deux mobiles.

L'expérience est réalisée sur un banc à coussin d'air horizontal : un mobile M_1 de masse m_1 et de vitesse $\vec{v_1}$ heurte un deuxième mobile M_2 immobile de masse m_2. Le mobile M_1 revient en arrière avec une vitesse $\vec{v_1}'$ alors que le mobile M_2 est poussé avec une vitesse $\vec{v_2}'$.

L'enregistrement du choc permet de connaître les valeurs des vitesses :

v_1 (m·s^{-1})	5,0
v_1' (m·s^{-1})	1,0
v_2' (m·s^{-1})	4,0

Proposer une exploitation de ces résultats pour répondre ensuite à la question : la quantité de mouvement du système constitué par les deux mobiles se conserve-t-elle au cours du choc ?

Données : $m_1 = 100$ g ; $m_2 = 150$ g.

23 Objectif BAC *Exploiter des documents*

➡ Dossier BAC, page 546

➡ **L'objectif de cet exercice est de mesurer la viscosité d'un liquide, le glycérol.**

Le glycérol est un liquide utilisé pour ses propriétés lubrifiantes notamment en cosmétologie et en pharmacie, propriétés liées à une viscosité élevée. La viscosité exprime la résistance du fluide à l'écoulement et l'une des techniques de mesure de cette viscosité consiste à étudier la chute d'une bille dans ce fluide : cet exercice en présente le principe.

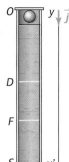

Un long tube *OS*, fermé aux deux extrémités, contient du glycérol de viscosité η (exprimée en Pa·s) et une bille en acier de rayon R et de volume V.

Le tube est retourné à l'instant $t = 0$, la bille se trouve alors en haut du tube sans vitesse initiale puis elle tombe verticalement dans le glycérol.

L'étude est effectuée dans le référentiel de laboratoire supposé galiléen. L'axe pour l'étude est l'axe $y'y$ vertical orienté vers le bas, de vecteur unitaire $\vec{j}$.

1. Au cours de sa chute, la bille, modélisée par un point, est soumise à trois forces :

– son poids $\vec{P}$;

– la poussée d'Archimède $\vec{F_A}$, force verticale, dirigée vers le haut. Dans un modèle simplifié, sa valeur est égale au poids du fluide déplacé : $F_A = \rho_{gly}Vg$;

– la force de frottement $\vec{f}$, verticale et de sens opposé à la vitesse. Sa valeur a pour expression $f = k\eta Rv$, où v est la valeur de la vitesse de la bille et k une constante sans dimension.

a. Donner l'expression vectorielle des trois forces.

b. Représenter ces forces sur un schéma sans souci d'échelle.

2. Lorsque la bille passe devant le trait D et au-delà, sa vitesse est constante : cette vitesse, appelée vitesse limite, est notée v_{lim}. La durée de chute Δt entre les deux traits D et F qui sont distants d'une hauteur L, est mesurée ; on trouve $\Delta t = 0,29$ s.

a. Quelle est alors la nature du mouvement de la bille ? Exprimer la vitesse v_{lim} en fonction de Δt et L.

b. Écrire la relation vectorielle entre les forces s'exerçant sur la bille lorsqu'elle se trouve entre les deux traits D et F. Justifier la réponse.

c. En déduire l'expression de la viscosité du glycérol :

$$\eta = C(\rho_s - \rho_{gly})\Delta t, \text{ avec } C = \frac{gV}{kRL}.$$

Calculer la valeur de η, sachant que $C = 7,84 \times 10^{-4}$ m^2·s^{-2}.

Données : intensité de la pesanteur $g = 9,81$ N·kg^{-1} ; masse volumique de l'acier $\rho_s = 7\,850$ kg·m^{-3} ; rayon de la bille $R = 6,0 \times 10^{-3}$ m ; masse volumique du glycérol $\rho_{gly} = 1\,260$ kg·m^{-3}.

Exercices Synthèse

24 Apprendre à chercher

La résolution de cet exercice nécessite de trouver les étapes du raisonnement.

→ Une aide est disponible en fin de manuel.

Énoncé. Un neutron animé de la vitesse $\vec{v}$ vient heurter un noyau d'hélium immobile. Le noyau d'hélium est projeté dans la direction et le sens de $\vec{v}$ avec la vitesse $\vec{v_1}$ alors que le neutron part en sens inverse de $\vec{v}$ avec la vitesse $\vec{v_2}$. Les valeurs des vitesses avant et après le choc sont les suivantes : $v = 1{,}0 \times 10^6 \, \text{m·s}^{-1}$; $v_1 = 4{,}0 \times 10^5 \, \text{m·s}^{-1}$; $v_2 = 6{,}0 \times 10^5 \, \text{m·s}^{-1}$.

→ *Déterminer la relation entre la masse du neutron et la masse du noyau d'hélium.*

25 ✶ Bateau pop pop

Compétence générale *Extraire des informations*

Un petit bateau jouet est équipé d'un moteur pop-pop, la dénomination « pop-pop » provenant du bruit caractéristique produit lors de son fonctionnement.

Le moteur comprend essentiellement un tube fin contenant de l'eau chauffée par une bougie.

a. Rechercher une description de ce moteur et son principe de fonctionnement.

b. Expliquer en terme de quantité de mouvement le démarrage du bateau.

http://fr.wikipedia.org/wiki/moteur_pop-pop

26 ✶✶ Détecteur d'impureté

Compétence générale *Effectuer un raisonnement scientifique*

Des méthodes d'analyse fine de la matière utilisent des faisceaux d'ions positifs légers entrant en collision avec des noyaux cibles. La modification du mouvement de l'ion projectile et du noyau cible constitue le phénomène de diffusion.

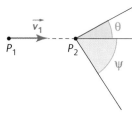

Une collision se produit entre un proton projectile P_1 animé d'une vitesse $\vec{v_1}$ suivant un axe $x'x$, et un proton cible P_2 initialement au repos.

Après ce choc, la trajectoire rectiligne de P_1 forme un angle $\theta = 30°$ avec l'axe $x'x$, alors que la trajectoire rectiligne de P_2 forme un angle ψ avec l'axe $x'x$.

On note $\vec{v_1}'$ et $\vec{v_2}'$ les vecteurs vitesse, respectivement de P_1 et de P_2 après le choc. Le système constitué des deux protons est considéré comme isolé dans le référentiel d'étude.

a. En appliquant la conservation de la quantité de mouvement du système avant et après le choc, écrire une première relation entre les vecteurs vitesse $\vec{v_1}$, $\vec{v_1}'$ et $\vec{v_2}'$.

b. Le choc est dit élastique : dans ce cas, il y a conservation de l'énergie cinétique du système.
En déduire une deuxième relation entre les valeurs des vitesses $\vec{v_1}$, $\vec{v_1}'$ et $\vec{v_2}'$.

c. Montrer que dans ces conditions : $\vec{v_1}' \cdot \vec{v_2}' = 0$. En déduire la valeur de l'angle ψ.

d. Lorsque la collision du proton P_1 a lieu avec un noyau d'aluminium, le proton étant toujours « diffusé » avec un angle $\theta = 30°$, la trajectoire rectiligne du noyau d'aluminium P_2 forme un angle $\psi_{Al} = 74°$ avec l'axe $x'x$.
Comment par ce procédé peut-on mettre en évidence la présence d'hydrogène dans une cible d'aluminium ?

27 Objectif BAC *Rédiger une synthèse de documents*

Dossier BAC, page 546

Cet exercice s'appuie sur des ressources disponibles sur le site élève : www.nathan.fr/siriuslycee/eleve-termS.

Télécharger le dossier « Ressources pour l'exercice 27 » du chapitre 8 qui concerne la propulsion par réaction.
Ce dossier comprend :
– un document présentant les différents moteurs à réaction ;
– un extrait d'un document sur les « jetpacks » ou l'homme-fusée
– une vidéo.

→ L'objectif de cet exercice est de rédiger une synthèse de documents (de 25 à 30 lignes) afin de présenter le principe de la propulsion par réaction et son application aux moteurs à réaction et notamment au moteur-fusée.
Le texte rédigé devra également préciser les principes physiques sur lesquels sont fondés les « jetpacks », et leurs limitations actuelles.

Utilisation d'un « jetpack ».

Chapitre 9

Lois de Newton

Le jongleur pense-t-il **aux lois de Newton** lorsqu'il crée ces arabesques de lumière ? Sans doute non, car son souci est de communiquer à ses accessoires la meilleure accélération pour obtenir la trajectoire artistique recherchée.

COMPÉTENCES EXIGIBLES

- Déterminer les caractéristiques d'un vecteur accélération.
  → *Exercices d'application 4 et 8*

- Reconnaître des mouvements rectilignes uniformément variés. → *Exercices d'application 3*

- Connaître et exploiter les trois lois de Newton.
  → *Exercices d'application 5, 6 et 7*

- Étudier un mouvement dans des champs de pesanteur et électrique uniformes.
  → *Activités expérimentales 3 et 4*

Compétences générales mises en œuvre
• *Extraire et exploiter des informations* • *Effectuer un calcul*

ACTIVITÉ DOCUMENTAIRE

1

Vitesse et accélération

▶ Pour battre des records de vitesse, accéder rapidement aux étages d'une tour, atteindre la Lune ou encore pour rechercher des émotions fortes, les accélérations doivent être supportables par un corps humain. Évaluons ces accélérations.

• En physique, le vecteur accélération, noté $\vec{a}$, d'un point en mouvement rend compte des variations du vecteur vitesse de ce point. Ainsi, la valeur de l'accélération moyenne se calcule par :

$$a_{\text{moyenne}} = \frac{|\Delta v|}{\Delta t}, \text{ avec } v \text{ en } \mathrm{m \cdot s^{-1}}, t \text{ en } \mathrm{s} \text{ et } a \text{ en } \mathrm{m \cdot s^{-2}} \text{ (SI)}.$$

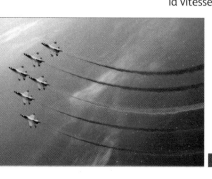

• Besoin de sensations fortes ? Le manège *Top thrill dragster* dans l'Ohio, est la montagne russe la plus haute du monde. Lors de sa descente, la vitesse du train peut passer de 0 à 190 km·h⁻¹ en 3,8 secondes ! C'est ce que l'on peut appeler une forte accélération !

• Un autre record de hauteur est détenu par la ville de Dubaï. La tour *Burj Khalifa* est la plus haute du monde, avec plus de 800 mètres de hauteur. La hauteur de la cage de l'ascenseur principal est aussi exceptionnelle car elle mesure 504 mètres ! La limite de la vitesse des ascenseurs de la tour fixée à 18 m·s⁻¹ est liée notamment aux limites physiologiques de ses occupants. En effet, l'accélération maximale recommandée, pour préserver le confort des occupants d'une cabine d'ascenseur, est de 1,2 m·s⁻².

Avec cette accélération, un ascenseur capable d'atteindre une vitesse de 18 m·s⁻¹ devra disposer de 135 mètres pour atteindre cette vitesse maximale, et autant pour décélérer jusqu'à s'arrêter. Dans une cage d'ascenseur de moins de 270 mètres, même sans arrêt intermédiaire, la cabine n'atteindra donc jamais sa vitesse maximale, ce qui n'est pas le cas de l'ascenseur principal de *Burj Khalifa*.

1 *D'étonnantes accélérations.*

❶ Analyser et exploiter les documents

a. À l'aide du **document 1**, calculer l'**accélération moyenne** du train du manège *Top thrill dragster* lors de la descente de sa montagne russe. Commenter ce résultat en le comparant à la limite recommandée pour un ascenseur.

b. On suppose que dans la phase d'accélération, l'ascenseur a une accélération constante, égale à la limite maximale conseillée. Déterminer la durée nécessaire pour que l'ascenseur atteigne la vitesse maximale donnée dans le **document 1**.

❷ Faire une recherche

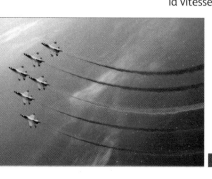

a. Rechercher la valeur des accélérations que supportent les pilotes d'avions de combat ou d'acrobatie aérienne (les pilotes parlent de 3G pour indiquer que l'accélération qu'ils subissent vaut $3 \times 9,8 \ \mathrm{m \cdot s^{-2}}$) **(document 2)**. Rechercher également celle que supportent des astronautes au cours de leur mise en orbite pour rejoindre une navette spatiale. Indiquer les moyens mis en œuvre pour supporter de telles accélérations.

b. Comparer ces valeurs à celles des exemples étudiés dans le **document 1**.

2 ▶ *Voltige aérienne.*

ACTIVITÉ EXPÉRIMENTALE • *S'approprier* • *Réaliser* • *Valider*

2 Mouvements rectilignes uniformément variés

▶ À l'aide d'un logiciel de simulation, étudions les caractéristiques d'un mouvement rectiligne uniformément varié, puis analysons un mouvement réel à partir d'une vidéo.

Le mouvement rectiligne d'un point est uniformément varié lorsque son vecteur accélération est constant (direction, sens et valeur). Ce mouvement est accéléré lorsque la valeur de la vitesse du point augmente, il est décéléré lorsque cette valeur diminue.

3 *Définition d'un mouvement rectiligne uniformément varié.*

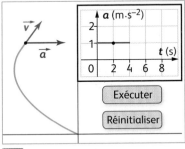

4 *Simulation 1.*

SIMULATION ■ Les simulations *Interactive Physics* (IP) proposées sont disponibles sur le site élève :
www.nathan.fr/siriuslycee/eleve-termS

Elles permettent d'étudier le mouvement d'un point matériel *A* dans un référentiel galiléen, mouvement dont l'accélération $\vec{a}$ est un vecteur constant.

■ Le point matériel *A* est lancé de l'origine *O* à l'instant de date $t_0 = 0$ s avec une vitesse notée $\vec{v_0}$. L'axe (Ox) est choisi colinéaire à $\vec{a}$.

■ Dans le repère choisi $(O ; \vec{i}, \vec{j})$, le logiciel calcule à chaque instant les coordonnées des vecteurs position, vitesse et accélération. Ces résultats peuvent être affichés sous forme de courbes.

Étape 1 ■ Ouvrir le fichier de simulation 1 **(figure 4)** et lancer la simulation et déterminer la ou les conditions que doivent vérifier $\vec{a}$ et $\vec{v}$ pour que le mouvement du point *A* soit rectiligne.

Étape 2 ■ Ouvrir le fichier de simulation 2 dans lequel le mouvement de *A* est rectiligne.
■ Lancer la simulation en donnant à v_{0x} différentes valeurs. Repérer pour chaque mouvement rectiligne uniformément varié les phases accélérée ou décélérée. Noter à chaque fois les sens des vecteurs $\vec{a}$ et $\vec{v}$ et les particularités des courbes $a_x(t)$ et $v_x(t)$.

❶ Interpréter

a. À partir de l'une des courbes $a_x(t)$ ou $v_x(t)$ et du **document 3**, expliquer comment reconnaître qu'un mouvement rectiligne est **uniformément varié**.

b. Lorsque le mouvement est rectiligne uniformément varié, indiquer comment reconnaître une phase accélérée ou une phase décélérée, à partir des vecteurs $\vec{a}$ et $\vec{v}$ et à partir des courbes.

DISPOSITIF ■ Télécharger la vidéo de l'activité 2 sur le site élève correspondant au lancement vertical et vers le haut d'une balle.
■ Un logiciel de pointage permet d'observer la séquence vidéo et de réaliser le pointage du centre de la balle sur chacune des images de la séquence (→ **Fiche pratique 3**).
■ Un logiciel de traitement de données permet de créer, à partir des coordonnées des points, de nouvelles grandeurs et d'afficher des courbes (→ **Fiche pratique 4**).

Coup de pouce

Créer : $v_y = \dfrac{dy}{dt}$.

❷ Exploiter et conclure

a. Après avoir explicité la méthode, obtenir les valeurs de v_y pour chacune des positions du centre *B* de la balle.

b. À partir de la courbe $v_y(t)$, étudier la nature du mouvement du centre de la balle (uniforme, uniformément varié), puis résumer toutes ses caractéristiques (trajectoire, vitesse et accélération).

ACTIVITÉ EXPÉRIMENTALE   • *S'approprier* • *Réaliser* • *Valider*

3

Chute dans un champ de pesanteur uniforme

▶ **Étudions sur une vidéo le mouvement d'une balle, lancée avec une vitesse non verticale.**

DISPOSITIF   ■ Une balle est lancée dans un plan parallèle à un écran. Une caméra, placée face à l'écran enregistre le mouvement de la balle.

■ Deux règles graduées sont placées horizontalement et verticalement pour permettre d'étalonner les axes lors du traitement de la vidéo **(document 5)**.

Expérience

■ Lancer la balle avec une vitesse non verticale et filmer son mouvement pour créer un fichier *.avi*.

■ À l'aide d'un logiciel de pointage et de traitement de données (→ **Fiches pratiques 3 et 4**) :
– étalonner les axes et choisir l'origine ;
– pointer les positions successives du centre B de la balle pour obtenir ses coordonnées $x(t)$ et $y(t)$ en fonction du temps, puis afficher la représentation graphique de y en fonction de x.

5 *Dispositif expérimental.*

❶ Observer

Reproduire le tableau ci-dessous et le compléter en utilisant les termes des listes **ⓐ** ou **ⓑ** :
ⓐ nulle, constante, augmente, diminue.
ⓑ uniforme, accéléré, retardé (décéléré), varié.

	Projeté de B sur l'horizontale		Projeté de B sur la verticale	
Situation	**Vitesse**	**Nature du mouvement**	**Vitesse**	**Nature du mouvement**
La balle s'élève en altitude	**ⓐ**	**ⓑ**	**ⓐ**	**ⓑ**
La balle redescend	**ⓐ**	**ⓑ**	**ⓐ**	**ⓑ**

❷ Analyser

a. Quel est le référentiel dans lequel on étudie le mouvement du point B ?

b. En utilisant les fonctionnalités du logiciel, calculer les coordonnées $v_x(t)$ et $v_y(t)$ du vecteur vitesse de B.

c. Afficher les représentations graphiques de $v_x(t)$ et $v_y(t)$. De l'observation de ces représentations, déduire la nature du mouvement du projeté du point B selon chacun des deux axes.

d. Retrouve-t-on les résultats qualitatifs établis en ❶ ?

❸ Interpréter

a. Obtenir par modélisation les équations de $v_x(t)$ et $v_y(t)$ en fonction du temps.

b. En déduire les caractéristiques du vecteur accélération du mouvement du point B.

c. Vérifier que le résultat est en cohérence avec la deuxième loi de Newton appliquée à la balle.

❹ Conclure

Compléter la phrase suivante : « Dans le champ de pesanteur uniforme, le mouvement du projeté d'un point matériel sur la direction horizontale est .... alors que le mouvement du projeté de ce point matériel sur la direction verticale est .... ».

4 Électrons dans un champ électrique

▶ Étudions le mouvement d'un électron dans un champ électrique uniforme.

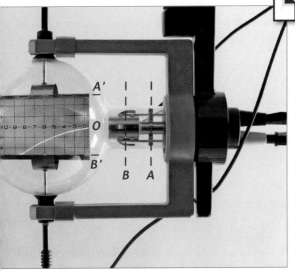

DISPOSITIF ■ Le tube à électrons (dans lequel un vide poussé a été réalisé) comprend **(document 6)** :
– un canon à électrons qui accélère et focalise les électrons émis par un filament, afin d'obtenir un faisceau rectiligne d'électrons de même vitesse (tension U entre les plaques A et B) ;
– deux plaques horizontales A' et B' (séparées par une distance $d = 5,2$ cm) entre lesquelles la même tension U permet de créer un champ électrique uniforme $\vec{E}$'. Le faisceau d'électrons qui pénètre au point O est dévié par ce champ $\vec{E}$' ;
– un écran gradué recouvert d'une substance fluorescente permet de matérialiser la trajectoire des électrons.

■ La photographie du tube à électrons est disponible sur le site élève :
www.nathan.fr/siriuslycee/eleve-termS

6 Tube à électrons.

1 Analyser le dispositif

Le canon à électrons

a. En s'appuyant sur la force électrique $\vec{f}$ qui s'exerce sur un électron dans le champ $\vec{E}$, créé entre les plaques A et B, établir les caractéristiques de la force $\vec{f}$, du champ $\vec{E}$ et de l'accélération $\vec{a}$ de l'électron.

b. Réaliser un schéma du canon à électrons, représenter ces trois vecteurs et indiquer le signe des plaques A et B.

Le dispositif de déviation du faisceau d'électrons

c. Répondre aux questions précédentes lorsque l'électron est entre les plaques A' et B'.

Expérience ■ Avec un logiciel de traitement d'images, relever sur la photographie les coordonnées d'environ 20 points du faisceau dans un repère $(O ; \vec{i}, \vec{j})$ (→ **Fiche pratique 3**).
■ Transférer les données dans un logiciel de traitement de données (→ **Fiche pratique 4**).

2 Exploiter puis conclure

Si on fait l'hypothèse que la vitesse d'entrée $\vec{v}_0$ des électrons est parallèle aux plaques A' et B' et qu'elle est identique à la vitesse de sortie du canon à électrons, lorsque les tensions accélératrice et de déviation sont égales, la deuxième loi de Newton permet d'établir l'équation de la trajectoire dans le repère $(O ; \vec{i}, \vec{j})$:

$$y_{\text{théorique}} = \frac{x^2}{4d}.$$

La trajectoire est une portion de parabole de sommet O.

a. Créer la grandeur $y_{\text{théorique}}$ et afficher la courbe $y_{\text{théorique}}(x)$ en superposition avec les points expérimentaux. La fonction $y_{\text{théorique}}(x)$ représente-t-elle correctement les résultats obtenus ?

b. Rechercher et relever l'équation de la parabole qui passe au mieux entre les points expérimentaux.

c. Formuler des hypothèses pour expliquer l'écart entre les modèles théorique et expérimental.

Pour vérifier ses acquis
→ **FICHES A, B, C, E et H** page 158

7 *Il ne viendrait pas à l'idée de ce skateboarder de parler d'accélération lorsque sa vitesse diminue. C'est pourtant ce que font les physiciens!*

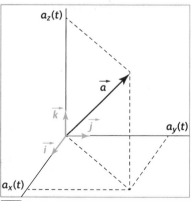

8 *Vecteur accélération dans un repère cartésien.*

Les unités

On note $\dfrac{d^2x}{dt^2}$ la dérivée seconde

de la fonction $x(t)$ par rapport
à la variable temps t.

1️⃣ De la vitesse à l'accélération

En physique, le sens du mot « accélération » n'est pas le même que dans la vie courante **(document 7)**. On parle d'**accélération** d'un point lorsqu'au moins une des caractéristiques de la vitesse de ce point (direction, sens, valeur) change.

1.1 Le vecteur accélération

Pour rendre compte de la variation de la vitesse par rapport au temps d'un point en mouvement, on définit un **vecteur accélération** $\vec{a}$.

A Définition

De même que $\vec{v}$ est la limite de $\dfrac{\Delta \overrightarrow{OA}}{\Delta t}$ quand $\Delta t \to 0$, le vecteur accélération $\vec{a}$ est la limite du vecteur $\dfrac{\Delta \vec{v}}{\Delta t}$ quand $\Delta t \to 0$: $\vec{a} = \lim\limits_{\Delta t \to 0} \dfrac{\Delta \vec{v}}{\Delta t}$.

Cette limite est la dérivée par rapport au temps du vecteur vitesse.

> Dans un référentiel donné, le vecteur accélération $\vec{a}$ d'un point à un instant t, est la dérivée par rapport au temps du vecteur vitesse $\vec{v}$ du point à cet instant :
>
> $$\vec{a}(t) = \frac{d\vec{v}}{dt}$$

B Unités

Cherchons la dimension de l'accélération :

$$\dim a = \frac{\dim v}{\dim t} = \frac{L\,T^{-1}}{T} = L\,T^{-2}$$

Dans le système international d'unités, la valeur de **l'accélération s'exprime en m·s⁻²** (→ Fiches méthodes 3 et 4).

C Expressions en coordonnées cartésiennes

Comme $\vec{v}(t) = v_x\,\vec{i} + v_y\,\vec{j} + v_x\,\vec{k}$, on obtient en dérivant par rapport au temps :

$$\vec{a}(t) = \frac{d\vec{v}}{dt} = \left[\frac{dv_x}{dt}\right]\vec{i} + \left[\frac{dv_y}{dt}\right]\vec{j} + \left[\frac{dv_z}{dt}\right]\vec{k}$$

Notons $a_x(t)$, $a_y(t)$ et $a_z(t)$ les coordonnées cartésiennes du vecteur accélération **(figure 8)**. On a ainsi : $\vec{a}(t) = a_x(t)\,\vec{i} + a_y(t)\,\vec{j} + a_z(t)\,\vec{k}$.

On obtient alors :

$$a_x(t) = \frac{dv_x}{dt} \qquad a_y(t) = \frac{dv_y}{dt} \qquad a_z(t) = \frac{dv_z}{dt}$$

Remarque. Le vecteur $\vec{v}$ est la dérivée par rapport au temps du vecteur $\overrightarrow{OA}$, le vecteur $\vec{a}$ est donc la dérivée seconde par rapport au temps du vecteur $\overrightarrow{OA}$. On peut écrire :

$$a_x(t) = \frac{d^2x}{dt^2} \qquad a_y(t) = \frac{d^2y}{dt^2} \qquad a_z(t) = \frac{d^2z}{dt^2}$$

1.2 Mouvements rectilignes uniformément variés

A Définition

Dans un référentiel donné, le vecteur accélération d'un point en mouvement rectiligne uniformément varié est un vecteur constant :
$$\vec{a}(t) = \overrightarrow{\text{cte}}.$$

- La direction du vecteur $\vec{a}$ est celle de la droite trajectoire du point **(figure 9)**, son sens et sa valeur sont constants : $\vec{a}(t) = \overrightarrow{\text{cte}}$ (ou constante).
- Le mouvement du point est accéléré quand les vecteurs $\vec{v}(t)$ et $\vec{a}(t)$ ont le même sens **(figure 10 ⓐ)**. Lorsqu'ils sont de sens contraire, le mouvement du point est décéléré (ou ralenti) **(figure 10 ⓑ)**.

B Représentations graphiques

- On choisit un repère $(O, \vec{i})$ tel que $x'x$ est confondu avec la trajectoire **(figure 11)**. Les représentations graphiques $a_x(t)$ et $v_x(t)$ permettent de reconnaître que le mouvement rectiligne du point est uniformément varié.

Dans le système d'axes (t, a_x), la représentation graphique $a_x(t) = \text{cte}$ est une droite parallèle à l'axe des temps :

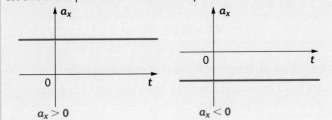

- Comme $\dfrac{dv_x}{dt} = a_x(t) = \text{cte}$, on en déduit que $v_x(t)$ est une fonction affine du temps.

Dans le système d'axes (t, v_x), la représentation graphique de $v_x(t)$ est une droite dont le coefficient directeur est a_x.

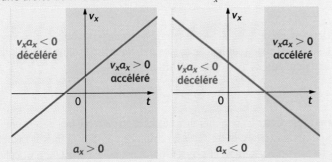

– mouvement accéléré $\rightarrow \vec{v}(t)$ et $\vec{a}(t)$ de même sens $\rightarrow a_x v_x > 0$;
– mouvement décéléré $\rightarrow \vec{v}(t)$ et $\vec{a}(t)$ de sens contraire $\rightarrow a_x v_x < 0$.

C Cas particulier du mouvement rectiligne uniforme

Lorsqu'un point est en **mouvement rectiligne uniforme**, le vecteur vitesse du point reste constant. Le vecteur accélération, dérivée par rapport au temps du vecteur vitesse, est donc nul : $\vec{a}(t) = \vec{0}$.

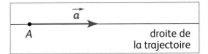

9 *Droite trajectoire et vecteur accélération du point A.*

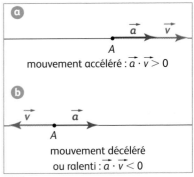

10 *Vecteurs vitesse et accélération au point A.*

11 *Repère d'étude.*

2 Les lois de Newton

2.1 La deuxième loi de Newton

La deuxième loi de Newton établit une relation entre le mouvement d'un point matériel et les **forces** qui s'exercent sur ce point.

A Énoncé

> Dans un référentiel galiléen, la somme vectorielle des forces qui s'exercent sur un point matériel est égale à la dérivée, par rapport au temps, du vecteur quantité de mouvement du point matériel :
> $$\Sigma \vec{F} = \frac{\mathrm{d}\vec{p}}{\mathrm{d}t}.$$

Cette deuxième loi de Newton est très générale et s'applique aux solides et aux systèmes matériels qu'ils soient déformables ou non, que leur masse soit constante ou non.

Cette loi permet de retrouver la première loi de Newton. En effet, si $\Sigma \vec{F} = \vec{0}$ alors, d'après la deuxième loi de Newton :

$$\frac{\mathrm{d}\vec{p}}{\mathrm{d}t} = \vec{0}, \text{ soit } \vec{p} = \overrightarrow{\mathrm{cte}}.$$

B Cas d'un point matériel de masse constante

D'après la définition de la quantité de mouvement d'un point matériel $\vec{p} = m\vec{v}$, on déduit l'expression :

$$\frac{\mathrm{d}\vec{p}}{\mathrm{d}t} = \left(\frac{\mathrm{d}m}{\mathrm{d}t}\right)\vec{v} + m\frac{\mathrm{d}\vec{v}}{\mathrm{d}t}.$$

Si la masse m est constante, $\frac{\mathrm{d}m}{\mathrm{d}t} = 0$. Comme l'accélération $\vec{a} = \frac{\mathrm{d}\vec{v}}{\mathrm{d}t}$, la relation $\Sigma \vec{F} = \frac{\mathrm{d}\vec{p}}{\mathrm{d}t}$ devient :

$$\Sigma \vec{F} = m\vec{a}.$$

> Dans un référentiel galiléen, la somme vectorielle des forces qui s'exercent sur un point matériel de masse constante est égale au produit de sa masse par son vecteur accélération :
> $$\Sigma \vec{F} = m\vec{a}.$$

Remarque. Cette loi se généralise au cas d'un système (solide, ensemble de points matériels, etc) : $\Sigma \vec{F}$ est remplacé par l'ensemble des forces extérieures au système, et l'accélération $\vec{a}$ est celle d'un point particulier, appelé **centre d'inertie G** du système.

$$\Sigma \vec{F}_{\mathrm{ext}} = m\vec{a}_G.$$

Le centre d'inertie d'un solide décrit le plus souvent un mouvement plus simple que les autres points du solide.

Si un solide homogène possède un centre de symétrie, le centre d'inertie est confondu avec celui-ci. Par exemple, le centre d'inertie G d'une boule sphérique homogène est confondu avec son centre.

Analyse dimensionnelle

De la relation $\Sigma \vec{F} = \frac{\mathrm{d}\vec{p}}{\mathrm{d}t}$, on peut déduire la dimension d'une force :

$$\dim F = \frac{\dim(mv)}{\dim t} = \frac{MLT^{-1}}{T}$$

$$\dim F = MLT^{-2}$$

Point Math

La règle de dérivation du produit du vecteur $\vec{u}$ par une fonction $h(t)$ scalaire est :

$$\frac{\mathrm{d}(h\vec{u})}{\mathrm{d}t} = \frac{\mathrm{d}h}{\mathrm{d}t}\vec{u} + h\frac{\mathrm{d}\vec{u}}{\mathrm{d}t}$$

Les unités

De la relation $\Sigma \vec{F} = m\vec{a}$, on peut déduire la définition du newton.

Le **newton** est la valeur de la force constante qui, appliquée à un point matériel de masse 1 kg, lui communique une accélération de valeur 1 m·s^{-2}.

2.2 Troisième loi de Newton

Deux objets sont en interaction si le mouvement, ou le repos, de l'un dépend de l'existence de l'autre. Prenons l'exemple de l'interaction gravitationnelle entre la Terre et le Soleil : la force exercée par le Soleil sur la Terre est opposée à celle exercée par la Terre sur le Soleil. Cet exemple illustre la **troisième loi de Newton** (ou **principe des actions réciproques**) qui s'applique à tous les objets en interaction **(figure 12)**.

> Quel que soit leur état de mouvement ou de repos, deux objets A et B en interaction exercent l'un sur l'autre des forces vérifiant la relation vectorielle : $\vec{F}_{A/B} = -\vec{F}_{B/A}$.

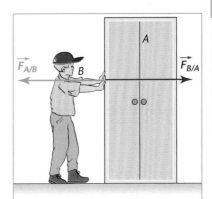

12 Deux corps en interaction : la force $\vec{F}_{B/A}$ exercée par le déménageur sur l'armoire est opposée à la force $\vec{F}_{A/B}$ exercée par l'armoire sur le déménageur.

3 Mouvement dans le champ de pesanteur uniforme

3.1 Champ de pesanteur uniforme

La Terre crée, en un point de son voisinage, un **champ de pesanteur** $\vec{g}$ défini par $\vec{g} = \dfrac{\vec{P}}{m}$ où $\vec{P}$ est le poids d'un objet de masse m placé en ce point. Les caractéristiques du champ de pesanteur $\vec{g}$ sont :
– sa direction, qui est la verticale du lieu ;
– son sens, vers la Terre ;
– sa valeur, qui dépend du lieu. Par exemple, $g = 9{,}81$ N·kg^{-1} à Paris.

> Le champ de pesanteur est considéré comme **uniforme** dans **une région de l'espace** lorsque sa direction, son sens et sa valeur sont les mêmes en tout point de cette région : $\vec{g} = \textbf{cte}$.

3.2 Mouvement d'un point matériel

En physique, l'étude du mouvement d'un point matériel A dans le seul champ de pesanteur uniforme (la seule force appliquée est le poids $\vec{P}$) est traditionnellement appelée « chute libre » **(document 13)**.

13 Un parachutiste en chute libre ne tombe pas en « chute libre » au sens du physicien.

Ⓐ Le vecteur accélération

Dans un référentiel terrestre considéré galiléen, la deuxième loi de Newton appliquée à un point matériel A de masse m, sur lequel ne s'exerce que son poids $\vec{P}$, s'écrit :

$$\Sigma \vec{F} = m\vec{a} \text{ soit } m\vec{g} = m\vec{a}, \text{ ainsi } \vec{g} = \vec{a} \text{ (figure 14)}.$$

> Le vecteur accélération $\vec{a}$ d'un point matériel A en mouvement dans un champ de pesanteur uniforme est égal au vecteur champ de pesanteur $\vec{g}$:
> $$\vec{a} = \vec{g} = \vec{\text{cte}}.$$

L'accélération ne dépend pas de la masse m du point matériel.

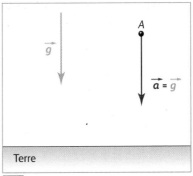

14 Vecteur accélération du point matériel A de masse m, dans le mouvement de chute libre.

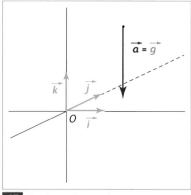

15 *Repère orthonormé et vecteur accélération.*

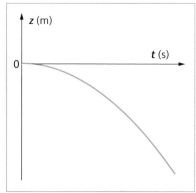

16 *La représentation graphique de z(t) est un arc de parabole.*

B Chute sans vitesse initiale

• À l'instant de date $t_0 = 0$ s, le point matériel A est lâché sans vitesse initiale d'un point O.

Dans le référentiel terrestre, on choisit un repère d'espace ortho-normé $(O\,; \vec{i}, \vec{j}, \vec{k})$ dans lequel l'axe vertical $(O\,; \vec{k})$ est dirigé vers le haut **(figure 15)**. La relation $\vec{a} = \vec{g}$ permet d'écrire les coordonnées du vecteur accélération :

$$a_x(t) = 0 \qquad a_y(t) = 0 \qquad a_z(t) = -g$$

• On détermine par intégration les coordonnées du **vecteur vitesse** $\vec{v}(t)$ à partir de la définition du vecteur accélération $\vec{a} = \dfrac{d\vec{v}}{dt}$:

$$\vec{a}(t) \begin{cases} \dfrac{dv_x}{dt} = 0 \\ \dfrac{dv_y}{dt} = 0 \\ \dfrac{dv_z}{dt} = -g \end{cases} \rightarrow \vec{v}(t) \begin{cases} v_x(t) = C_1 \\ v_y(t) = C_2 \\ v_z(t) = -gt + C_3 \end{cases} \rightarrow \vec{v}(t) \begin{cases} v_x(t) = 0 \\ v_y(t) = 0 \\ v_z(t) = -gt \end{cases}$$

Les constantes C_1, C_2 et C_3 sont déterminées à partir des conditions initiales suivantes : à $t_0 = 0$ s, $\vec{v}(t_0) = \vec{0}$ donc $C_1 = 0$, $C_2 = 0$ et $C_3 = 0$.

• On détermine par intégration les coordonnées du **vecteur position** $\overrightarrow{OA}$ à partir de la définition du vecteur vitesse $\vec{v} = \dfrac{d\overrightarrow{OA}}{dt}$:

$$\vec{v}(t) \begin{cases} \dfrac{dx}{dt} = 0 \\ \dfrac{dy}{dt} = 0 \\ \dfrac{dz}{dt} = -gt \end{cases} \rightarrow \overrightarrow{OA}(t) \begin{cases} x(t) = C_4 \\ y(t) = C_5 \\ z(t) = -\dfrac{1}{2}gt^2 + C_6 \end{cases} \rightarrow \overrightarrow{OA}(t) \begin{cases} x(t) = 0 \\ y(t) = 0 \\ z(t) = -\dfrac{1}{2}gt^2 \end{cases}$$

Les constantes C_4, C_5 et C_6 sont déterminées à partir des conditions initiales : à $t_0 = 0$ s, $\overrightarrow{OA}(t_0) = \vec{0}$ donc $C_4 = 0$, $C_5 = 0$ et $C_6 = 0$.

Lors de la chute sans vitesse initiale d'un point matériel A dans un champ de pesanteur uniforme, les coordonnées du vecteur position $\overrightarrow{OA}$ du point sont donc **(figure 16)** :

$$x(t) = 0 \qquad y(t) = 0 \qquad z(t) = -\frac{1}{2}gt^2$$

• $x(t) = 0$ et $y(t) = 0$ à chaque instant t montre que le mouvement du point matériel est rectiligne selon la verticale (axe Oz) ;
• $v_z(t) = -gt$ entraîne que $v_z(t)$ est négative, donc le vecteur $\vec{v}$ est dirigé vers la Terre ;
• la valeur $v = |v_z(t)| = |-gt|$ augmente au cours de la chute donc le mouvement est accéléré et uniformément, puisque $g = $ cte.

> Le mouvement de chute sans vitesse initiale d'un point matériel dans un champ de pesanteur uniforme est :
> – un mouvement rectiligne selon la verticale du point de lâcher ;
> – vers la Terre ;
> – uniformément accéléré d'accélération $\vec{a} = \vec{g}$.

En généralisant aux solides, les centres d'inertie de deux objets de masse différente ont le même mouvement de chute si toutes les forces exté-rieures autres que leur poids sont négligeables devant celui-ci.

Les unités

La relation $\vec{a} = \vec{g}$ montre que g est homogène à une accélération, et peut s'exprimer en $m \cdot s^{-2}$.

C Chute avec vitesse initiale

● À l'instant de date $t_0 = 0$ s, le point matériel A est lancé avec une vitesse non nulle $\vec{v}(t_0) = \vec{v}_0$ d'un point O.

Dans le référentiel terrestre, on choisit le repère $(O\,;\vec{i},\vec{j},\vec{k})$ de telle sorte que le vecteur $\vec{v}_0$ soit dans le plan $(O\,;\vec{i},\vec{k})$. L'angle que fait le vecteur $\vec{v}_0$ avec l'horizontale est noté α **(figure 17)**.
Les coordonnées de $\vec{v}_0$ sont :

$$v_{0x} = v_0 \cos\alpha \qquad v_{0y} = 0 \qquad v_{0z} = v_0 \sin\alpha$$

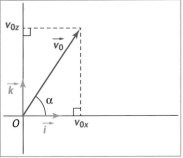

17 Le vecteur vitesse initiale $\vec{v}_0$ est situé dans le plan $(O\,;\vec{i},\vec{k})$.

● La relation $\vec{a} = \vec{g}$ **(§3.2 A)** permet d'écrire les coordonnées du vecteur accélération :

$$\vec{a}(t) \begin{cases} a_x(t) = 0 \\ a_y(t) = 0 \\ a_z(t) = -g \end{cases}$$

Par intégration, on détermine les coordonnées du vecteur vitesse, en tenant compte des conditions initiales sur $\vec{v}_0$:

$$\vec{v}(t) \begin{cases} v_x(t) = v_0 \cos\alpha \\ v_y(t) = 0 \\ v_z = -gt + v_0 \sin\alpha \end{cases}$$

Par intégration, on détermine les coordonnées du vecteur position, en tenant compte des conditions initiales sur $\overrightarrow{OA}(0)$:

$$\overrightarrow{OA}(t) \begin{cases} x(t) = (v_0 \cos\alpha)t \\ y(t) = 0 \\ z(t) = -\dfrac{1}{2}gt^2 + (v_0 \sin\alpha)t \end{cases}$$

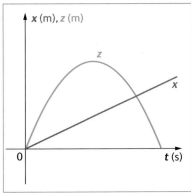

18 Représentations graphiques des coordonnées du vecteur position $\overrightarrow{OA}$ en fonction du temps.

● Lors de la chute d'un point matériel dans un champ de pesanteur uniforme, les coordonnées du **vecteur position** du point sont **(figure 18)** :
● $x(t) = (v_0 \cos\alpha)t$ indique que le mouvement du projeté de A sur (Ox) est rectiligne uniforme, de vitesse $v_x(t) = v_0 \cos\alpha$;
● $y(t) = 0$ indique que le mouvement du point A se fait dans le plan vertical contenant le vecteur vitesse $\vec{v}_0$;
● $z(t) = -\dfrac{1}{2}gt^2 + (v_0 \sin\alpha)t$ indique que le mouvement du projeté de A sur (Oz) est rectiligne uniformément varié d'accélération $a_z(t) = -g$.

● Comme le mouvement est dans le plan (xOz), l'**équation de la trajectoire** est obtenue en exprimant z en fonction de la variable x (en éliminant la variable t) **(figure 19)**.
De l'équation $x(t)$, on tire $t = \dfrac{x}{v_0 \cos\alpha}$.
On remplace t par cette expression dans l'équation $z(t)$:

$$z = \frac{-\frac{1}{2}gx^2}{(v_0\cos\alpha)^2} + \frac{(v_0\sin\alpha)\,x}{(v_0\cos\alpha)} \text{ soit } z = -\frac{1}{2}g\frac{x^2}{(v_0\cos\alpha)^2} + (\tan\alpha)\,x$$

> La trajectoire d'un point matériel, lancé dans le champ de pesanteur uniforme avec une vitesse initiale non verticale, est une portion de parabole dans le plan vertical contenant $\vec{v}_0$.

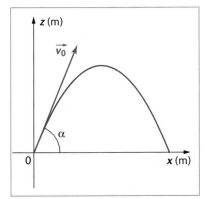

19 Représentation graphique de z en fonction de x, trajectoire du point matériel A.

Remarque. La trajectoire parabolique d'un point matériel en chute libre est toujours tourné dans le sens du champ $\vec{g}$, donc vers la Terre.

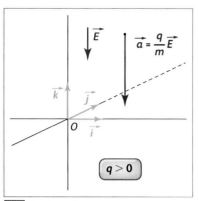

20 *Repère orthonormé et vecteur accélération.*

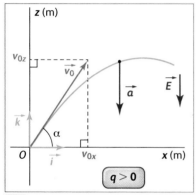

21 *Quand la particule porte une charge $q > 0$, la trajectoire parabolique est tournée dans le sens du champ $\vec{E}$.*

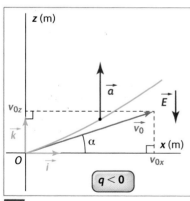

22 *Quand la particule porte une charge $q < 0$, la trajectoire parabolique est tournée dans le sens opposé au champ $\vec{E}$.*

4 Mouvement dans un champ électrique uniforme

● Une particule de masse m dont on étudie le mouvement porte une charge q. Placée dans un champ électrique uniforme $\vec{E}$, elle est soumise à une force électrique $\vec{f}$ définie par $\vec{f} = q\vec{E}$. Son poids est considéré comme négligeable devant la valeur de $\vec{f}$.

L'étude du mouvement de la particule est réalisée dans un référentiel terrestre considéré galiléen.

Appliquons à la particule la deuxième loi de Newton pour un point matériel de masse constante : $\Sigma\vec{F} = m\vec{a}$ soit $q\vec{E} = m\vec{a}$.

On obtient : $\vec{a} = \dfrac{q\vec{E}}{m}$ **(figure 20)**.

À l'instant de date $t_0 = 0$ s, la particule entre en O dans l'espace où règne le champ $\vec{E}$ avec une vitesse $\vec{v_0}$ faisant un angle α avec l'axe (Ox) **(figure 21)**. Les coordonnées de $\vec{v_0}$ sont :

$$v_{0x} = v_0 \cos\alpha \qquad v_{0y} = 0 \qquad v_{0z} = v_0 \sin\alpha$$

La relation $\vec{a} = \dfrac{q\vec{E}}{m}$ permet d'écrire les coordonnées du vecteur accélération, puis par intégration, celles du vecteur vitesse puis celles du vecteur position (le calcul est identique à celui du **§3.2** Ⓒ en remplaçant $\vec{g}$ par $\dfrac{q\vec{E}}{m}$ si $q > 0$ et $\vec{E}$ dirigé vers le bas) :

Dans le cas de la **figure 21**, on obtient :

$$\vec{a}(t) \begin{cases} a_x(t) = 0 \\ a_y(t) = 0 \\ a_z(t) = -\dfrac{qE}{m} \end{cases}$$

$$\rightarrow \vec{v}(t) \begin{cases} v_x(t) = v_0 \cos\alpha \\ v_y(t) = 0 \\ v_z = -\dfrac{qE}{m}t + v_0 \sin\alpha \end{cases} \rightarrow \overrightarrow{OA}(t) \begin{cases} x(t) = (v_0 \cos\alpha)\, t \\ y(t) = 0 \\ z(t) = -\dfrac{1}{2}\dfrac{qE}{m}t^2 + (v_0 \sin\alpha)\, t \end{cases}$$

Comme pour un point matériel lancé dans le champ de pesanteur uniforme, on établit que la trajectoire de la particule est une portion de parabole d'équation :

$$z = -\frac{1}{2}\frac{qE}{m}\frac{x^2}{(v_0 \cos\alpha)^2} + (\tan\alpha)\, x.$$

● On établit ainsi que :

– si la particule n'a pas de vitesse initiale, son mouvement est rectiligne et uniformément accéléré dans la direction du champ $\vec{E}$;

– si la particule a une vitesse initiale $\vec{v_0}$, sa trajectoire est une portion de parabole dans le plan parallèle au champ électrique $\vec{E}$ contenant le vecteur vitesse $\vec{v_0}$.

Remarque. Contrairement au cas de la chute libre d'un point matériel, selon le signe de la charge q, la trajectoire n'est pas toujours tournée dans le sens du champ **(figure 22)**.

Vecteur accélération $\vec{a}$

• Dans un référentiel donné, le **vecteur accélération** $\vec{a}$ d'un point à un instant t est la dérivée par rapport au temps du vecteur vitesse $\vec{v}$ du point à cet instant :

$$\vec{a}(t) = \frac{d\vec{v}}{dt}$$

La valeur de l'accélération s'exprime en $\mathbf{m \cdot s^{-2}}$.

• Dans un référentiel donné, le vecteur accélération d'un point en mouvement **rectiligne uniformément varié** est un **vecteur constant** :

$$\vec{a}(t) = \overrightarrow{cte}$$

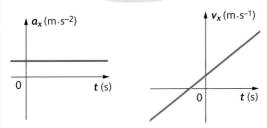

• Dans un référentiel donné, le vecteur accélération d'un point en mouvement **rectiligne uniforme** est un **vecteur nul** :

$$\vec{a}(t) = \vec{0}$$

Lois de Newton

Deuxième loi de Newton

• Dans un référentiel galiléen, la somme vectorielle des forces qui s'exercent sur un point matériel est égale à la dérivée par rapport au temps du vecteur quantité de mouvement du point matériel :

$$\Sigma\vec{F} = \frac{d\vec{p}}{dt}$$

• Si la masse m du point matériel reste constante, la deuxième loi devient :

$$\Sigma\vec{F} = m\vec{a}$$

Troisième loi de Newton

On considère deux corps A et B en interaction. $\vec{F}_{A/B}$ est la force exercée par A sur B et $\vec{F}_{B/A}$ la force exercée par B sur A.

Quel que soit l'état de mouvement ou de repos des deux corps, les deux forces vérifient toujours l'égalité vectorielle :

$$\vec{F}_{A/B} = -\vec{F}_{B/A}$$

Champ de pesanteur $\vec{g}$ uniforme

• L'application de la deuxième loi de Newton à un point matériel conduit à :

$$\vec{a} = \vec{g} = \overrightarrow{cte}$$

Champ électrique $\vec{E}$ uniforme

• L'application de la deuxième loi de Newton à une particule chargée conduit à :

$$\vec{a} = \frac{q\vec{E}}{m} = \overrightarrow{cte}$$

Mouvements dans un champ uniforme

• Si $\vec{v}_0$ est nul ou colinéaire au champ ($\vec{g}$ ou $\vec{E}$), la trajectoire d'un point matériel ou d'une particule chargée est une droite de même direction que le champ.
Si $\vec{v}_0$ est de direction quelconque, la trajectoire est une portion de parabole contenue dans le plan formé par $\vec{v}_0$ et le champ ($\vec{g}$ ou $\vec{E}$).

• Selon l'axe colinéaire au vecteur champ ($\vec{g}$ ou $\vec{E}$), le mouvement d'un point matériel ou d'une particule chargée est **uniformément varié**.

• Selon l'axe orthogonal au vecteur champ ($\vec{g}$ ou $\vec{E}$), le mouvement d'un point matériel ou d'une particule chargée est uniforme.

Exercices Application

 **5 minutes CHRONO!**

 MANUEL NUMÉRIQUE EXERCICES INTERACTIFS

1 Mots manquants

Compléter avec un ou plusieurs mots.

a. Le vecteur accélération d'un point en mouvement est égal à .... par rapport .... du vecteur vitesse de ce point.

b. Le vecteur accélération d'un point animé d'un mouvement rectiligne uniforme est ....

c. Dans un référentiel galiléen, la .... des forces qui s'exercent sur un point matériel est égale à la dérivée par rapport au temps de .... du point matériel.

d. Lorsqu'un champ (de pesanteur ou électrique) est ...., sa direction, son sens et sa valeur sont les mêmes en tout point.

e. Le mouvement de chute libre d'un point matériel dans un champ de pesanteur uniforme a une accélération $\vec{a} = $ ...., sa trajectoire est soit la verticale du point de lancement soit .... selon la vitesse de lancement.

2 QCM

Cocher la réponse exacte.

a. Au démarrage, un scooter passe de 0 à 36 km·h^{-1} en 10 s. Son accélération moyenne est de :
□ 3,6 m·s^{-2} □ 3,6 km·h^{-2} □ 1 m·s^{-2}

b. Le graphique ci-contre représente trois cas montrant l'évolution de la coordonnée v_x de la vitesse d'un point mobile, se déplaçant sur la droite orientée $x'x$. Le tracé correspondant à un mouvement :

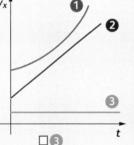

– uniforme est le n°
□❶ □❷ □❸

– accéléré sans être uniformément accéléré est le n°
□❶ □❷ □❸

– uniformément accéléré est le n°
□❶ □❷ □❸

c. La deuxième loi de Newton indique que pour un point matériel, de masse m constante et de vitesse $\vec{v}$:
□ $\vec{F} = \vec{0}$ □ $\vec{F} = m\dfrac{d\vec{v}}{dt}$ □ $\vec{F} = m\vec{v}$

d. Pour que la troisième loi de Newton ou loi des actions réciproques s'applique à deux corps A et B en interaction, il faut que :
□ les deux corps soient en contact
□ les deux corps aient la même masse
□ il n'y a pas de condition

→ **Solutions détaillées en fin de manuel pour vérifier vos réponses et comprendre vos erreurs.**

Parcours en autonomie

Trois parcours d'exercices pour travailler en autonomie selon ses besoins.

Maîtriser les bases ~ 6 ~ 9 ~ 10

Préparer l'évaluation ~ 13 ~ 17 ~ 21

Approfondir ~ 27 ~ 29 ~ 32

> **Pour les exercices de ce chapitre, on prendra :**
> • l'intensité de pesanteur $g = 9{,}8$ m·s^{-2} ;
> • la charge élémentaire $e = 1{,}6 \times 10^{-19}$ C ;
> • sauf indication contraire, les études seront faites dans le référentiel terrestre qui sera considéré galiléen.

COMPÉTENCES EXIGIBLES

3 Reconnaître un mouvement uniformément varié

La valeur de la vitesse d'un point se déplaçant dans le même sens sur une droite, est relevé à intervalles réguliers.

t (s)	0	10	20	30	40
v (m·s^{-1})	2	4	8	16	32

Le mouvement du point est-il uniformément varié ?

4 Calculer et représenter la vitesse et l'accélération

Un mobile A lancé à la vitesse de 20 m·s^{-1} ralentit et s'arrête en 10 s. On suppose que dans cette phase, son mouvement rectiligne est uniformément varié.

a. Calculer la valeur de son accélération.

b. Sur un schéma, représenter sans souci d'échelle, les vecteurs vitesse et accélération à deux dates différentes t_1 et t_2.

5 Caractériser la force et le mouvement

La position d'un point matériel est enregistrée à intervalles de temps réguliers, dans trois cas de figure différents.

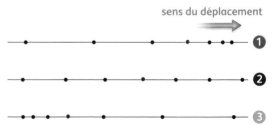

sens du déplacement

Pour chacun des cas, tracer sans souci d'échelle, les vecteurs représentant l'accélération $\vec{a}$ du point, sa vitesse $\vec{v}$ et la force $\vec{F}$ qui s'exerce sur lui lorsqu'il occupe la position marquée en rouge sur l'enregistrement.

6 Caractériser une accélération lors d'un saut

Lors d'un saut, selon la position et la vitesse d'un parachutiste, la valeur de la force exercée par l'air sur lui varie. Pour chacun des quatre exemples ci-dessous (①, ②, ③ et ④), la trajectoire est supposée verticale.

a. Déterminer les caractéristiques et représenter le vecteur accélération du parachutiste.

b. Préciser la nature du mouvement de chute (accéléré, décéléré ou uniforme).

Données : masse du parachutiste $m = 80$ kg ; $g = 10$ m·s^{-2}.

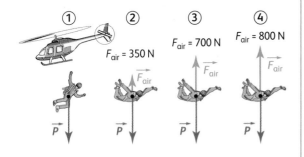

7 Caractériser des actions réciproques

Comparer les forces exercées par chacun des groupes de joueurs de rugby sur l'autre lors d'une mêlée lorsque :
– la mêlée est immobile ;
– la mêlée avance dans le camp rose.

8 Caractériser les vecteurs vitesse et accélération

La courbe ci-dessous représente la trajectoire d'un point matériel, lancé du point O avec une vitesse $\vec{v_0}$ et se déplaçant en chute libre.

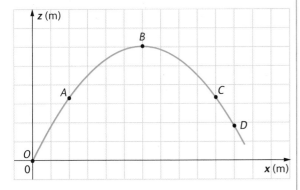

Reproduire cette figure et représenter pour les cinq positions O, A, B, C et D, les vecteurs vitesse et accélération du projectile. Cette représentation devra rendre compte de l'évolution de la valeur de ces vecteurs.

9 Étudier la force électrique et l'accélération

Un électron se déplace entre les plaques A et B d'un condensateur plan. La tension entre les plaques A et B est $U = 400$ V ; la masse de l'électron est $m = 9,1 \times 10^{-31}$ kg ; la distance entre les plaques est $d = 10$ cm.

La relation entre la tension U et la valeur E du champ électrique entre les plaques du condensateur plan est $E = \dfrac{U}{d}$.

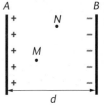

a. Déterminer les caractéristiques de la force électrique $\vec{f_e}$ qui s'exerce sur l'électron pour les deux positions M et N situées entre les deux plaques d'un condensateur plan.

b. Déterminer les caractéristiques de l'accélération $\vec{a}$ de l'électron en M et N en supposant son poids négligeable devant la force électrique.

c. Reproduire le schéma et représenter, sans souci d'échelle, les vecteurs $\vec{f_e}$ et $\vec{a}$.

COMPÉTENCES GÉNÉRALES

10 Réaliser et exploiter un graphique

Un mobile se déplace le long d'une droite. Les positions de passage à différentes dates sont relevées et la valeur de l'abscisse correspondante est notée. L'axe $(O ; \vec{i})$ a la direction de la trajectoire.

t (s)	0	1	2	3	4	5	6
x (cm)	0	2,5	10	22,5	40	62,5	90

a. En utilisant un logiciel de traitement des données, obtenir la représentation graphique de $x(t)$.

b. Créer la grandeur v_x correspondant à la coordonnée de la vitesse et afficher la courbe $v_x(t)$.

c. En déduire la nature du mouvement du mobile.

11 Effectuer un raisonnement scientifique

Sur une piste d'essai rectiligne, la voiture de série A, initialement à l'arrêt, atteint la vitesse de 100 km·h^{-1} en 10,0 s. Elle a alors parcouru 160 m.

L'accélération de la voiture a-t-elle été constante pendant l'essai ?

12 Extraire et exploiter des informations

On impose, entre les deux électrodes d'un tube à néon, une tension $U = 8,0 \times 10^2$ V. La distance entre les électrodes est $d = 120$ cm.

a. Calculer la valeur $f_e = \dfrac{|q|U}{d}$ de la force électrique qui s'exerce sur un ion Ne^{2+} de charge q.

b. Calculer la valeur de l'accélération $\vec{a}$ de l'ion si on néglige son poids devant $\vec{f_e}$.

Aide. La masse m d'un ion Ne^{2+} peut être calculée par le quotient de la masse molaire du néon par le nombre d'Avogadro N_A.

Exercices Méthode

EXERCICE RÉSOLU

 Site élève

13 Électron dans un champ électrique uniforme

Énoncé Un électron pénètre en un point O avec une vitesse $\vec{v_0} = v_0\vec{i}$ entre deux plaques A et B d'un condensateur plan où règne un champ électrique uniforme $\vec{E} = E\vec{k}$.
On étudie le mouvement de l'électron dans le référentiel terrestre considéré galiléen.

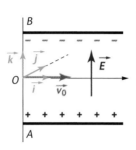

❶ Établir les caractéristiques du vecteur accélération $\vec{a}$ de l'électron, sachant que le poids de l'électron est négligeable devant la force électrique qui s'exerce sur lui.

❷ Établir les équations horaires $x(t)$, $y(t)$ et $z(t)$ de la position M de l'électron en prenant l'origine des dates $t_0 = 0$ s, à l'instant où l'électron passe au point O.

❸ En déduire l'équation de la trajectoire des électrons entre les deux plaques du condensateur. Quelle est sa nature ? Tracer l'allure de la trajectoire.

Une solution

❶ On choisit le système formé par un électron. Les forces qui s'exercent sur l'électron sont la force électrique $\vec{f_e} = q\vec{E}$ et son poids (négligeable devant $\vec{f_e}$).
La deuxième loi de Newton s'écrit pour un électron de masse constante et de charge $q = -e$:

$$\vec{f_e} = m\vec{a} \text{ soit } \vec{a} = \frac{-e\vec{E}}{m}.$$

Le vecteur accélération est donc un vecteur constant de même direction que $\vec{E}$, de sens opposé.

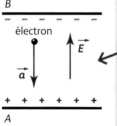

électron

> **Schématiser**
> Représenter le vecteur $\vec{a}$ sur un schéma.

❷ À partir de $\vec{a} = \dfrac{d\vec{v}}{dt}$ et $\vec{v} = \dfrac{d\overrightarrow{OM}}{dt}$, par intégrations successives, on obtient les coordonnées du vecteur $\vec{v}$ et du vecteur position $\overrightarrow{OM}$, en déterminant les valeurs des constantes à partir des conditions initiales (à $t = 0$ s, la seule coordonnée non nulle de la vitesse est $v_{0x} = v_0$ et les coordonnées de A sont nulles) :

> **Rédiger**
> Indiquer la méthode avant d'écrire les calculs.

$$\vec{a}(t) \begin{cases} a_x = 0 \\ a_y = 0 \\ a_z = \dfrac{-eE}{m} \end{cases} \qquad \vec{v}(t) \begin{cases} v_x = C_1 \\ v_y = C_2 \\ v_z = \dfrac{-eE}{m}t + C_3 \end{cases} \begin{array}{l} \text{avec } C_1 = v_0 \\ \text{avec } C_2 = 0 \\ \text{avec } C_3 = 0 \end{array}$$

$$\overrightarrow{OM}(t) \begin{cases} x = v_0 t + C_4 \\ y = C_5 \\ z = \dfrac{-1}{2}\left(\dfrac{eE}{m}\right)t^2 + C_6 \end{cases} \begin{array}{l} \text{avec } C_4 = 0 \\ \text{avec } C_5 = 0 \\ \text{avec } C_6 = 0 \end{array} \text{ soit } \begin{cases} x = v_0 t & \textbf{(1)} \\ y = 0 \\ z = \dfrac{-1}{2}\left(\dfrac{eE}{m}\right)t^2 & \textbf{(2)} \end{cases}$$

> **Vérifier**
> • En dérivant par rapport au temps les coordonnées de $\vec{v}$, vérifier que l'on retrouve les coordonnées de $\vec{a}$.
> • En dérivant par rapport au temps les coordonnées de $\overrightarrow{OM}$, vérifier que l'on retrouve les coordonnées de $\vec{v}$.

❸ Comme $y(t) = 0$, la trajectoire est dans le plan $(O ; \vec{i}, \vec{k})$ c'est-à-dire dans le plan perpendiculaire aux plaques contenant le vecteur $\vec{v_0}$.
En éliminant t entre les relations **(1)** et **(2)** on obtient :

$$t = \frac{x}{v_0} \text{ et } z = \frac{-1}{2}\left(\frac{eE}{m}\right)\frac{x^2}{v_0^2} \textbf{ (3)}$$

La relation **(3)** est l'équation d'une parabole tournée dans le sens négatif de l'axe $z'z$, soit dans le sens opposé au vecteur champ $\vec{E}$. L'allure de la trajectoire est schématisée ci-contre.

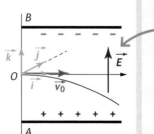

> **Raisonner**
> Les équations obtenues dépendent du repère choisi. Il est donc nécessaire de décrire la trajectoire par rapport aux données physiques de la situation.

ZOOM SUR... **la deuxième loi de Newton**

Dans le jeu de pelote basque appelé « raquette argentine », au cours des échanges, les joueurs lancent et récupèrent la balle au moyen d'une raquette en filet nommée *xare*.

On étudie ici une courte phase de lancement de la balle juste avant qu'elle ne quitte la raquette. La description de cette phase est la suivante :

– au point A, la balle est immobile ;
– entre A et B, la raquette exerce sur la balle une force $\vec{F}$ que l'on supposera constante, de direction AB ;
– la vitesse de la balle au passage en B est $\vec{v_B}$;
– à partir de B, la balle n'est plus en contact avec la raquette.
La balle est modélisée par un point matériel de masse m.

Données : masse de la balle $m = 80$ g ; $AB = 25$ cm ; $v_B = 126$ km·h^{-1}.

On supposera que dans cette phase de lancer entre A et B, les forces exercées par l'air sur la balle et le poids de la balle sont négligeables devant la force exercée par la raquette.

a. Déterminer la direction et le sens du vecteur accélération de la balle pendant la phase de lancement.

b. En déduire la nature du mouvement de la balle entre A et B.

Conseils Pour appliquer la deuxième loi de Newton dans cet exercice, le système est imposé (la balle), et le bilan des forces est déjà donné dans l'énoncé, il reste ainsi :
– à préciser le référentiel galiléen dans lequel on étudiera le mouvement ;
– à écrire l'expression vectorielle de cette loi, pour trouver les caractéristiques du vecteur accélération ;
– à conclure sur la nature du mouvement de la balle (uniforme, varié, uniformément varié…).

c. Calculer la valeur de la force $\vec{F}$.

Conseils Les données étant la position et la vitesse au point B, il faut, à partir de l'expression de l'accélération, établir les équations horaires $v(t)$ et $x(t)$ pour trouver une relation entre la position et la vitesse au point B et la valeur de $\vec{F}$.

---

15 Apprendre à rédiger

Voici l'énoncé d'un exercice et un guide (en violet) ; ce guide vous aide à rédiger la solution détaillée et à retrouver les réponses aux questions posées.

Énoncé

Abel et Maxime font du patinage à glace. Ils se déplacent côte à côte sur une trajectoire rectiligne horizontale à la vitesse de 18 km·h^{-1}. Pour jouer, Maxime pousse Abel dans le dos. Après cette « poussette », Abel se déplace, dans le même sens, à 26 km·h^{-1} sur la même trajectoire.

Données

– Masse de Abel $m_1 = 60$ kg et masse de Maxime $m_2 = 80$ kg.
– On considérera que tous les déplacements se font sans frottement.

a. Calculer la nouvelle vitesse de Maxime.
  ▶ Après avoir indiqué que le système choisi est formé de l'ensemble {Abel + Maxime}, représenter la situation sous forme de schémas.

▶ Préciser la loi de conservation qui sera utilisée.

▶ Indiquer les notations choisies pour les grandeurs intervenant dans la démonstration.

▶ Établir que la valeur de la vitesse de Maxime après la « poussette » est de 12 km·h^{-1}.

b. Calculer la valeur de la force moyenne avec laquelle Maxime a poussé Abel sachant que la "poussette" a duré 0,50 seconde.

  ▶ Préciser le nouveau système choisi.

  ▶ Indiquer la loi de Newton utilisée.

  ▶ Établir que la valeur moyenne de la force est de $2,7 \times 10^2$ N.

c. Calculer la force moyenne qui a agi sur Maxime pendant qu'il a poussé Abel.

  ▶ Indiquer la loi de Newton utilisée pour répondre à la question.

16 Étude cinématique du démarrage d'une voiture

Compétences générales *Réaliser un graphique – Effectuer un raisonnement scientifique*

Lors d'une séance d'essais, on filme une voiture pendant la phase de démarrage en ligne droite. Un traitement informatique des données permet d'obtenir le tableau ci-dessous donnant la valeur $v(t)$ de la vitesse du véhicule en fonction du temps.

t (s)	0	1	2	3	4	5	6
v (m·s^{-1})	0	2,0	4,0	6,0	8,0	9,5	10,5
t (s)	7	8	9	10	11	12	13
v (m·s^{-1})	11,3	11,6	11,8	11,9	12,0	12,0	12,0

a. Réaliser la représentation graphique de la vitesse en fonction du temps.

b. Cette courbe présente trois parties. Les identifier en relevant pour chacune les dates de début et de fin.

c. Déterminer la valeur de l'accélération du véhicule dans la première partie. Comment qualifie-t-on le mouvement du véhicule ?

d. Quelle est la valeur de l'accélération dans la troisième partie ? Comment qualifie-t-on le mouvement du véhicule ?

e. Calculer la valeur de l'accélération à l'instant de date $t = 7$ s.

17 Galilée à Pise

Compétence générale *Effectuer un raisonnement scientifique*

Une bille est lâchée sans vitesse initiale du sommet de la tour de Pise (hauteur $h = 54$ m), reproduisant ainsi des expériences qu'aurait faites Galilée. On modélise la bille par un point matériel de masse m.

a. En supposant la chute libre, établir l'équation horaire de son mouvement en choisissant l'axe vertical orienté vers le bas et l'origine O au point de départ de la bille.

b. Quelle est la durée de la chute jusqu'au sol ?

c. Quelle est la valeur de la vitesse juste avant l'arrivée sur le sol ?

18 Lancer vertical

Compétences générales *Effectuer un raisonnement scientifique – Effectuer un calcul*

Une petite bille, modélisée par un point matériel, est lancée verticalement à l'instant de date $t_0 = 0$ s.
Sur un axe (Oz) orienté vers le haut, la position de la bille est donnée à chaque instant par la relation :
$$z(t) = -\frac{1}{2}gt^2 + v_{0z}t + z_O$$
avec $v_{0z} = 5,0$ m·s^{-1} et $z_O = 1,2$ m.

a. Quelle est la position de la bille à l'instant de date t_0 ?

b. Établir l'expression, en fonction du temps, de la coordonnée $v_z(t)$ du vecteur vitesse. Quelle est sa valeur à l'instant de date t_0 ?

c. La bille est-elle lancée vers le haut ou vers le bas ? Justifier.

d. À quel instant de date t_1 la vitesse de la bille s'annule-t-elle ? Quelle est alors sa position ?

e. Établir l'expression en fonction du temps de la coordonnée $a_z(t)$ du vecteur accélération. Préciser les caractéristiques du vecteur accélération.
Comment qualifie-t-on un tel mouvement ?

19 Bille dans la glycérine

Compétences générales *Extraire et exploiter des informations*

À l'instant de date $t = 0$, Une petite bille est abandonnée, sans vitesse initiale dans une éprouvette contenant de la glycérine. Elle descend selon une verticale. L'expérience est filmée.
Lors du traitement informatique des images, on choisit un axe vertical $z'z$ et on obtient les représentations graphiques ci-dessous :

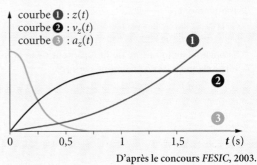

courbe ❶ : $z(t)$
courbe ❷ : $v_z(t)$
courbe ❸ : $a_z(t)$

D'après le concours FESIC, 2003.

Indiquer, en justifiant, si les affirmations suivantes sont justes ou fausses :
– À partir de $t = 1$ s, le mouvement de la bille est rectiligne uniforme.
– À $t = 1,5$ s, la bille a atteint le fond de l'éprouvette.
– Le mouvement de la bille est décéléré jusqu'à la date de $t = 0,75$ s.

20 Sécurité sur une piste

Compétence générale *Effectuer un raisonnement scientifique*

Une luge glisse sur une piste horizontale à la vitesse de $v_0 = 20$ km·h^{-1}. Pour éviter une collision, un pisteur exerce sur la luge une force constante $\vec{F}$ parallèlement à la piste, jusqu'à l'arrêt de la luge. On supposera que le déplacement de la luge se fait sans frottement.

a. Déterminer les caractéristiques de la force $\vec{F}$ que le pisteur exerce sur la luge pour l'arrêter en 5,0 s.

b. Déterminer la distance D parcourue par la luge pendant cette phase.

Donnée : masse de la luge $m = 60$ kg.

21 De Galilée à Newton

Compétences générales *Extraire et exploiter des informations*

• L'expérience courante montre que si on lâche des objets de formes et de masses différentes, ils tombent de façons différentes. Mais qu'en est-il si on les lâche dans le vide ? Galilée imagine une réponse à cette question et l'expose dans son ouvrage intitulé *Discours concernant deux sciences nouvelles* publié en 1638 (PUF).

Dans cet extrait, Salviati (qui énonce les théories de Galilée) répond à Simplicio (défenseur des positions les plus conservatrices de l'époque) :

« SIMPLICIO – Vous n'avez pas, je suppose, l'intention de nous prouver qu'une balle de liège tombe à la même vitesse qu'une balle de plomb ?

SALVIATI – […] Ayant vu, dis-je, tout cela, j'en arrive à la conclusion que si l'on éliminait complètement la résistance du milieu, tous les corps tomberaient à vitesse égale. »

• Aux alentours de 1670, Newton réalise une expérience pour valider l'hypothèse de Galilée : à l'aide d'une machine pneumatique, il fait le « vide » dans un long tube contenant une bille de fer, une boule de liège et une plume. Le tube est rapidement retourné et placé en position verticale : il observe alors la chute simultanée des trois objets.

a. Lorsque Salviati répond à Simplicio « tous les corps tomberaient à vitesse égale », faut-il comprendre à la même vitesse ? à vitesse constante ?

b. Traduire en termes de force l'extrait suivant : « si l'on éliminait complètement la résistance du milieu ».
Quelle hypothèse sur la chute des corps dans le vide Galilée formule-t-il par l'intermédiaire de son personnage ?

c. Montrer comment les choix expérimentaux de Newton permettent de valider l'hypothèse de Galilée.

d. Schématiser les résultats des expériences :
– en présence d'air dans le tube ;
– en l'absence d'air dans le tube.

22 Masse d'un solide et mouvement

Compétences générales *Extraire et exploiter des informations – Effectuer un raisonnement scientifique*

Un mobile autoporteur, posé sur une table horizontale est soumis à une force constante $\vec{F}$ dont la direction est parallèle au plan de la table. Le mobile se déplace alors dans un mouvement de translation rectiligne.

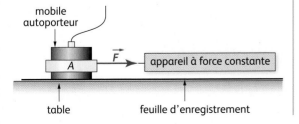

On réalise deux enregistrements du mouvement du traceur A situé au centre du socle du mobile.
Les enregistrements suivants sont partiellement reproduits sur la figure ci-dessous à l'échelle 1 :
– un enregistrement sans surcharge, masse du mobile $m = 740$ g ;
– un enregistrement avec surcharge, masse du mobile $m' = 1\,470$ g.
Dans les deux cas, la période des impulsions est réglée sur $\tau = 40$ ms et la valeur de $\vec{F}$ est la même.

a. Représenter les interactions entre le mobile et le milieu extérieur à l'aide d'un diagramme objet-interaction, puis dresser l'inventaire des forces qui s'exercent sur le mobile.

b. Montrer que la somme des forces appliquées au mobile se réduit à $\vec{F}$.

c. Pour chacun des enregistrements, calculer aux dates t_2 et t_4, la valeur de :
– la vitesse du point A ;
– la quantité de mouvement $\vec{p}$ du mobile (elle est identique à celle qu'aurait le point A de masse m ou m').

d. Comparer les valeurs $\dfrac{p_4 - p_2}{2\tau}$ pour les deux enregistrements. Le résultat est-il en accord avec les caractéristiques de l'expérience ? Sinon étudier les causes d'erreur.

e. En déduire la valeur de $\vec{F}$.

23 Science in English

Fish propulsion

Consider the propulsion of a fish through the water. A fish uses its fins to push water backwards. But a push on the water will only serve to accelerate the water. Since forces result from mutual interactions, the water must also be pushing the fish forwards, propelling the fish through the water.

D'après le site Internet www.physicsclassroom.com

a. À quelle loi fait référence la première phrase du texte ?

b. On a longtemps cru que la navigation spatiale était impossible car, l'espace étant dépourvu d'air, il n'y avait rien que les fusées puissent pousser.
En précisant la loi citée en **a.**, expliquer pourquoi, en éjectant des gaz vers l'arrière, une fusée sera propulsée vers l'avant.

c. Représenter sur un schéma le poisson dans l'eau et les deux forces citées dans le document.

d. Comme un poisson nage dans l'eau, une mouche vole dans l'air. Mais lorsqu'une mouche percute une vitre, qui de la vitre ou de la mouche exerce sur l'autre la force la plus élevée ? Répondre en précisant la loi utilisée. Pourquoi la vitre ne semble pas bouger alors que le mouvement de la mouche est notablement modifié ?

24 ★ Curling : le lancer de la pierre

Compétences générales *Effectuer un raisonnement scientifique – Réaliser un graphique*

Au curling, pendant la phase de « pousser et glisser », le joueur exerce sur la pierre, dont la vitesse initiale est nulle, une force $\vec{F}$ horizontale que l'on supposera constante (phase ❶). Le joueur lâche ensuite la pierre qui glisse sur la glace (phase ❷).

❶ Pousser et glisser   ❷ Lâcher la pierre

Un film vidéo tourné lors d'une compétition montre que la phase ❶ de pousser et glisser dure environ 5 secondes. Dans la phase ❷, lorsque la pierre est lâchée, on mesure une distance parcourue de $D = 25$ m pendant une durée de 25 secondes.

On supposera que le mouvement de la pierre sur la glace se fait sans frottement selon une droite horizontale. On pourra modéliser la pierre par un point matériel A de masse $m = 20$ kg.

a. Établir la nature du mouvement de A dans chacune des deux phases.

b. Tracer la courbe représentant la vitesse du point A en fonction du temps pour les phases ❶ et ❷.

c. Déterminer la valeur de la force $\vec{F}$ exercée par le joueur sur la pierre dans la phase ❶.

25 ECE Évaluation des compétences expérimentales

Cet exercice permet de travailler les compétences expérimentales suivantes : • **Valider** • **Analyser**

Nacéra et Léo doivent étudier la nature du mouvement de chute verticale d'une bille. Ils ont enregistré la valeur de la vitesse de la bille en différents points de la trajectoire et la date de passage t en ces points. Ils ont obtenu la représentation graphique suivante, avec en abscisse la date t et en ordonnée la valeur v de la vitesse de la bille.

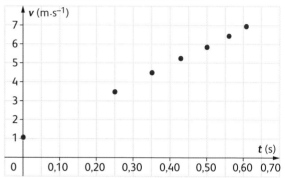

En observant cette représentation graphique, Léo affirme : « c'est évident, la bille a un mouvement uniformément accéléré ! ». Indiquer une méthode pour valider l'affirmation de Léo. Déterminer la valeur de l'accélération.

26 Objectif BAC *Exploiter des documents*

➡️ Dossier BAC, page 546

➡ Un oscilloscope permet de mesurer la tension électrique U grâce à la déviation d'un faisceau d'électrons. Quel est le principe de cette mesure ?

Donnée : dans cet exercice, on ne tiendra pas compte du poids de l'électron.

1. On suppose que le champ $\vec{E}$ est uniforme entre les plaques P_1 et P_2.
Déterminer les caractéristiques suivantes :
– la direction et le sens du champ $\vec{E}$ entre les plaques ;
– la direction, le sens et l'expression littérale de la valeur de l'accélération $\vec{a}$ d'un électron (en fonction de e, E, m) ;
– les coordonnées a_x et a_y du vecteur accélération.

2. a. Établir que l'équation de la trajectoire des électrons entre les plaques P_1 et P_2 est : $y = \left(\dfrac{eE}{2mv_0^2} \right) x^2$

b. Quelle est la nature de la trajectoire ?

c. Déterminer l'expression de la déviation y_S en fonction de e, m, U, d (distance entre les plaques) et ℓ (longueur des plaques). Vérifier que y_S est de la forme $y_S = kU$.

3. On montre que $y_A = y_S \times \dfrac{2L}{\ell}$.

a. Établir l'expression de y_A en fonction de U.

b. Qu'observe-t-on sur l'écran si U diminue sans changer de signe ? si U change de signe ?

Principe de l'oscilloscope

Le tube électronique est une enceinte où règne un vide poussé. Les électrons, accélérés dans un canon à électrons, pénètrent en O avec une vitesse $\vec{v_0}$ de direction horizontale entre les deux
5 plaques horizontales P_1 et P_2 d'un condensateur plan.
On impose entre les deux plaques une tension U qui dévie le faisceau d'électrons vers le haut. Les électrons sortent du condensateur au point S. Après le point S, les électrons ont un mouvement que l'on peut considérer rectiligne et uniforme. Ils
10 frappent l'écran au point A en formant un spot lumineux.
$y_A = O'A$ représente la déviation du spot sur l'écran.

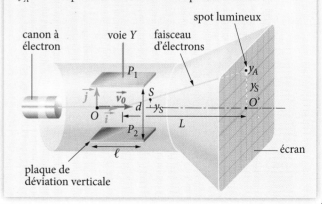

27 Apprendre à chercher

La résolution de cet exercice nécessite de trouver les étapes du raisonnement.
→ Une aide est disponible en fin de manuel.

Énoncé

Un singe et un enfant jouent à la balle. Le singe assis sur une branche d'un arbre voit que l'enfant lance la balle dans sa direction. Joueur et intuitif, il se laisse tomber à l'instant précis du lancer afin de rattraper la balle.

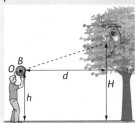

On modélise la balle et le singe par des points matériels B et S. La balle est lancée à la date $t = 0$ s du point O selon la direction OS_0, le point S_0 étant la position du singe à la date $t = 0$ s. On notera $\vec{v_0}$ la vitesse initiale de la balle.

→ Le singe va t-il rattraper la balle avant qu'elle touche le sol ? si oui, à quelle condition sur v_0 ?

Données : $h = 1,3$ m, $H = 5,1$ m et $d = 5,3$ m.

 Pour vérifier vos résultats, une simulation (fichier IP) est disponible sur le site élève :
www.nathan.fr/siriuslycee/eleve-termS

28 ✶ Ions de l'atmosphère

Compétences générales *Effectuer un raisonnement scientifique – Commenter un résultat*

Par temps calme, il existe un champ électrique $\vec{E}$ au voisinage de la Terre. Le sol et l'ionosphère se comportent comme les plaques d'un condensateur, la Terre étant chargée négativement. On admet que dans l'espace étudié, le champ $\vec{E}$ est uniforme et dirigé selon une verticale.
Bien qu'électriquement neutre, l'atmosphère terrestre contient de nombreux ions. Quel est leur comportement ?
On suppose qu'à l'instant de date $t_0 = 0$ s, le rayonnement cosmique crée un ion positif de charge $q = +e$ et de masse m. On le suppose immobile en un point O, origine de l'axe vertical Oz orienté vers le sol.
La vitesse de cet ion évolue au cours de son mouvement vers la Terre selon la représentation graphique $v_z(t)$ ci-dessous pour atteindre très rapidement une vitesse constante appelée vitesse limite.

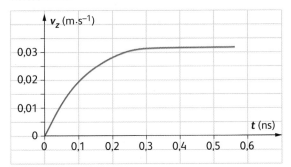

a. Déterminer, sans calcul, les caractéristiques de la force électrique $\vec{f_e}$ qui s'exerce sur cet ion positif. Représenter le champ $\vec{E}$ et la force $\vec{f_e}$ sur un schéma.
b. Vérifier numériquement que la valeur du poids de cet ion positif est négligeable devant la valeur de $\vec{f_e}$.
c. Si on fait l'hypothèse que seule la force électrique $\vec{f_e}$ est responsable du mouvement de cet ion, déterminer les caractéristiques de son vecteur accélération et la forme qu'aurait alors la courbe $v_z(t)$.
Comparer ce résultat à la courbe donnée et discuter la validité de l'hypothèse faite.
d. Lorsque l'ion positif atteint la vitesse limite, déterminer la valeur F de la somme des forces autres que $\vec{f_e}$, qui s'exercent sur lui. Proposer une explication pour l'origine de cette (ces) force(s).

Données : masse de l'ion positif $m = 4,8 \times 10^{-26}$ kg ; $E = 1,0 \times 10^2$ V·m^{-1}.

29 ✶✶ Service au tennis

Compétences générales *Effectuer un raisonnement scientifique – Effectuer un calcul*

Au service, un joueur de tennis lance la balle verticalement et la frappe avec sa raquette quand elle est à une hauteur $H = 2,50$ m du sol. Le joueur lui communique alors une vitesse horizontale de valeur $v_0 = 20,0$ m·s^{-1}. La balle passera-t-elle au dessus du filet ?

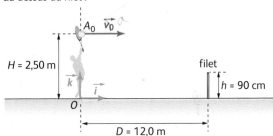

a. En appliquant la deuxième loi de Newton, établir l'expression du vecteur accélération $\vec{a}$ de la balle et en déduire les coordonnées $a_x(t)$ et $a_z(t)$ de la balle modélisée par un point matériel A.
b. Établir que les coordonnées du vecteur position $\overrightarrow{OA}$ de la balle sont les suivantes :
$$x(t) = v_0 t$$
$$z(t) = -\frac{1}{2}g t^2 + H$$
En déduire l'équation de la trajectoire de la balle.
c. La balle passera-t-elle au dessus du filet situé à $D = 12,0$ m de la position de lancement ? La hauteur du filet à cet endroit est $h = 90$ cm.

30 ✶✶ Flèche et portée

Compétences générales *Effectuer un raisonnement scientifique – Commenter un résultat*

Une balle de golf, que l'on modélisera par un point matériel A, est lancée d'un point O, situé au niveau du sol avec une vitesse $\vec{v_0}$, vecteur formant un angle α avec l'horizontale.

On appelle « flèche » l'altitude la plus élevée atteinte par le projectile et « portée » la distance entre le point de lancement O et le point d'impact I sur le sol.

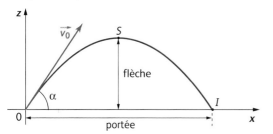

On suppose que les interactions de la balle avec l'air sont négligeables.

a. Donner l'expression des coordonnées v_{0x} et v_{0z} dans le repère $\{O\,;\,\vec{i},\vec{k}\}$ du vecteur vitesse $\vec{v_0}$ à l'instant $t_0 = 0$ s de lancement de la balle en fonction de v_0 et de α.

b. En appliquant la deuxième loi de Newton, établir l'expression du vecteur accélération $\vec{a}$ du projectile et en déduire les coordonnées a_x et a_z dans le repère $\{O\,;\,\vec{i},\vec{k}\}$.

c. Établir que les coordonnées du vecteur vitesse $\vec{v}$ du projectile sont :

$$v_x = v_0\cos\alpha \ \text{ et } \ v_z = -gt + v_0\sin\alpha.$$

d. Établir que les coordonnées du vecteur position $\vec{OA}$ du projectile sont les suivantes :

$$x = (v_0\cos\alpha)\,t$$
$$z = -\frac{1}{2}gt^2 + (v_0\sin\alpha)\,t$$

puis en déduire l'équation de la trajectoire du projectile.

e. La valeur de la vitesse est-elle nulle au point S ?

f. Déterminer l'expression de la flèche.

g. Établir les coordonnées du point d'impact I de la balle sur le sol et indiquer l'expression de la portée du tir.

h. Calculer la flèche et la portée quand $\alpha = 30°$ et $v_0 = 18$ m·s^{-1}.

i. En utilisant la simulation « Mouvement d'un projectile », disponible sur le site élève :

www.nathan.fr/siriuslycee/eleve-termS

– vérifier vos résultats numériques ;
– comparer la portée, pour une même valeur v_0 de la vitesse de lancement, lorsque les angles de tir sont complémentaires, et lorsque l'angle du tir est $\alpha = 45°$.

31 ★★ Lancer de ballon en GRS

Compétence générale *Effectuer un raisonnement scientifique*

Au cours d'un déplacement, la gymnaste lance le ballon au-dessus d'elle. Le rattrapera-t-elle systématiquement ?
On pose les hypothèses suivantes :
– la gymnaste se déplace en ligne droite avec une vitesse $\vec{V}$ constante ;
– elle lance le ballon verticalement à la vitesse $\vec{v}$.

a. Démontrer que la gymnaste récupère le ballon systématiquement (quelles que soient les valeurs de V et de v) à condition de maintenir son mouvement rectiligne uniforme.

b. Retrouver ce résultat en téléchargeant la simulation (fichier IP) de l'exercice 31 disponible sur le site élève :

www.nathan.fr/siriuslycee/eleve-termS

---

32 Objectif **BAC** *Rédiger une synthèse de documents*

➡ **Dossier BAC, page 546**

Cet exercice s'appuie sur des ressources disponibles sur le site élève : **www.nathan.fr/siriuslycee/eleve-termS.**

Télécharger le dossier « Ressources pour l'exercice 32 » du chapitre 9, qui concerne les **accélérateurs de particules**.
Ce dossier comprend :
– des données concernant deux grands instruments scientifiques que sont le « Large Hadron Collider » (LHC) et le synchrotron « Soleil » et leurs applications ;
– deux animations.
LHC et Soleil sont des accélérateurs de particules ayant des structures différentes et qui répondent à des objectifs différents.

➡ **L'objectif de cet exercice est de rédiger une synthèse de documents** afin d'expliquer :
– le rôle joué par les champs électriques et les champs magnétiques dans le mouvement des particules ;
– les points communs et les différences entre ces deux instruments (particules, expériences, objectifs) ;
– quelques exemples d'applications en recherche fondamentale et appliquée.

Le texte rédigé (25 à 30 lignes) devra être clair et structuré, et reposera sur les différentes informations issues des documents proposés.

Accélérateur linéaire de particules de Stanford.

Chapitre 10
Mouvements des satellites et planètes

Les anneaux de Saturne nous apparaissent comme une série de cercles formant un seul bloc, tel une portion de disque, tournant autour de Saturne. Mais ce n'est qu'une apparence. Un élément d'anneau proche de l'astre effectue le tour de celui-ci en une durée plus courte qu'un autre plus éloigné du centre : les anneaux ne peuvent donc pas être d'un seul tenant.

COMPÉTENCES EXIGIBLES

- Définir et reconnaître des mouvements circulaires uniformes et non uniformes.
  → *Exercice d'application 3*

- Donner les caractéristiques du vecteur accélération dans le cas d'un mouvement circulaire.
  → *Exercice d'application 4*

- Démontrer que, dans l'approximation des trajectoires circulaires, le mouvement d'un satellite, d'une planète, est uniforme. Établir l'expression de sa vitesse et de sa période. → *Exercices d'entraînement 18 et 21*

- Connaître les trois lois de Kepler ; exploiter la troisième dans le cas d'un mouvement circulaire.
  → *Exercices d'application 6, 7 et 8*

———— **Compétences expérimentales** mises en œuvre ————
• *S'approprier* • *Analyser* • *Réaliser* • *Valider*

ACTIVITÉ EXPÉRIMENTALE

1

Mouvement circulaire uniforme et accélération

▶ **Vérifions et exploitons les caractéristiques du vecteur accélération d'un point mobile en mouvement circulaire et uniforme.**

DISPOSITIF Lancer le logiciel qui permet de construire et d'afficher les positions de points mobiles à intervalles de temps d'une durée τ constante.

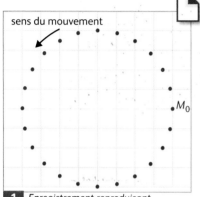

sens du mouvement

M_0

1 *Enregistrement reproduisant le mouvement d'un point M dans une centrifugeuse.*

Manipulation

■ On souhaite reproduire les positions d'un point M situé à $R = 5{,}0$ m du centre d'une centrifugeuse en mouvement circulaire uniforme. Réaliser puis imprimer le document en utilisant les indications suivantes :

– échelle des distances : 1/100 soit 1 cm pour 1 m ;

– durée entre deux positions consécutives : $\tau = 100$ ms ;

– durée d'un tour (période) : $T = 2{,}4$ s.

– équations horaires : $x(t) = R \cos\left(2\pi\dfrac{t}{T}\right)$;

et $y(t) = R \sin\left(2\pi\dfrac{t}{T}\right)$.

■ La **figure 1** est disponible en taille réelle sur le site élève :

www.nathan.fr/siriuslycee/eleve-termS

2 *Une centrifugeuse humaine.*

Longueur du bras	18 m
Vitesse maximale de rotation	38,6 tours/min
Accélération maximale	30-G

3 *Caractéristiques de l'une des centrifugeuses de la Cité des étoiles, près de Moscou.*

❶ Exploiter

a. Choisir six positions consécutives du mobile et les nommer M_0 à M_5.

b. Calculer les valeurs des vitesses $\vec{v_4}$ et $\vec{v_2}$ en M_4 et M_2 puis tracer les vecteurs $\vec{v_4}$ et $\vec{v_2}$ à l'échelle 1 cm pour 5 m·s⁻¹.

c. On considère que le vecteur accélération en M_3 s'exprime de la manière suivante : $\vec{a_3} = \dfrac{\vec{v_4} - \vec{v_2}}{2\tau}$. Tracer le vecteur $\vec{v_4} - \vec{v_2}$ au point M_3, en déduire la valeur a_3 du vecteur $\vec{a_3}$ puis le construire en précisant l'échelle utilisée.

❷ Interpréter et conclure

a. Pourquoi l'accélération d'un point en mouvement circulaire uniforme est-elle non nulle alors que la valeur v de la vitesse est constante ?

b. L'accélération d'un point en mouvement circulaire uniforme de rayon R est radiale, centripète et sa valeur est $a = \dfrac{v^2}{R}$.

Vérifier cette affirmation dans le cas du mouvement étudié.

c. Une centrifugeuse humaine est un dispositif utilisé pour préparer les membres d'équipage de véhicules spatiaux aux conditions d'accélération auxquelles ils seront soumis pendant leur mission **(document 2)**. Appliquer la relation précédente aux données du **tableau 3** pour calculer la valeur maximale de l'accélération de la cabine d'une centrifugeuse. Que signifie donc le « G » ?

Quel est l'intérêt de placer la cabine loin du centre ?

ACTIVITÉ EXPÉRIMENTALE • *S'approprier* • *Analyser* • *Réaliser* • *Valider*

2 Étude d'un mouvement circulaire

▶ Exploitons un enregistrement vidéo pour étudier les caractéristiques de l'accélération d'un mouvement circulaire.

DISPOSITIF Un ordinateur muni d'un logiciel de pointage vidéo et de traitement de données est utilisé pour étudier le mouvement d'un point mobile situé sur le bord d'une roue, enregistré à l'aide d'une webcam **(document 4)**.

4 *Dispositif d'enregistrement.*

Expérience

■ Ouvrir le fichier et visionner la séquence vidéo. La vidéo d'un enregistrement est disponible sur le site élève :

www.nathan.fr/siriuslycee/eleve-termS

■ Effectuer le paramétrage (→ **Fiche pratique 3**) en choisissant comme origine O le centre de la roue.

■ Étalonner l'échelle sur la règle (distance entre son milieu et une extrémité : 51 cm).

■ Démarrer le pointage vidéo et cliquer sur un point M du ruban adhésif placé en bordure de la roue.

■ Une fois la dernière position repérée, transférer les données vers un logiciel de traitement de données (→ **Fiche pratique 4**).

1 Observer

a. Afficher les différentes positions prises par M sur la courbe $y = f(x)$.

b. Le mouvement paraît-il uniforme ? Justifier.

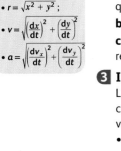

Coup de pouce

• Pour $f(x) = \sqrt{x}$, taper $f(x) = \text{sqrt}(x)$

• $r = \sqrt{x^2 + y^2}$;

• $v = \sqrt{\left(\dfrac{dx}{dt}\right)^2 + \left(\dfrac{dy}{dt}\right)^2}$

• $a = \sqrt{\left(\dfrac{dv_x}{dt}\right)^2 + \left(\dfrac{dv_y}{dt}\right)^2}$

2 Exploiter les résultats

a. Créer les grandeurs correspondant à la distance $r = OM$ et à la valeur v de la vitesse de M puis afficher les courbes représentant r et v en fonction du temps : vérifier sur l'enregistrement que le mouvement du point M est circulaire et retrouver la valeur du rayon r.

b. Le mouvement de M est-il uniforme ? Si oui, déterminer la valeur de v.

c. Créer la grandeur correspondant à la valeur a de l'accélération de M et afficher la courbe représentant a en fonction du temps. Vérifier que sa valeur est constante.

3 Interpréter puis conclure

Lorsqu'un point M est animé d'un mouvement circulaire, on définit les coordonnées a_n et a_t du vecteur accélération $\vec{a}$ selon deux directions :

• a_n de direction le rayon OM ;

• a_t de direction la tangente à la trajectoire en M.

On montre que $a_n = \dfrac{v^2}{r}$ et $a_t = \dfrac{dv}{dt}$.

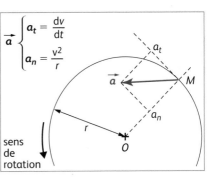

$$\vec{a} \begin{cases} a_t = \dfrac{dv}{dt} \\ a_n = \dfrac{v^2}{r} \end{cases}$$

a. Quelles sont les propriétés de a_n et a_t dans le cas particulier d'un mouvement circulaire uniforme ?

b. Sont-elles vérifiées pour le mouvement du point M enregistré ?

c. Compléter la proposition suivante : « Lorsqu'un point M est animé d'un mouvement circulaire uniforme, le vecteur accélération est porté par ...., son sens est ...., sa valeur est .... et s'exprime par $a = ...$. »

Activités

SIMULATION

3 Satellite en orbite circulaire

▶ Utilisons un logiciel de simulation pour étudier les caractéristiques du mouvement d'un satellite terrestre.

> **SIMULATION** On utilise un simulateur pour étudier le mouvement d'un satellite terrestre dans le référentiel géocentrique **(document 5)**. La simulation est disponible sur le site élève : **www.nathan.fr/siriuslycee/eleve-termS**

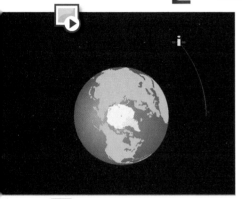

5 *Simulation du mouvement d'un satellite terrestre.*

Manipulation 1

■ Cliquer sur l'onglet « satellite » puis préparer et lancer la simulation en utilisant les valeurs des paramètres données dans le tableau ci-dessous.

■ S désigne le centre d'inertie du satellite et T celui de la Terre. Chaque satellite sera lancé dans le plan de la figure selon une direction perpendiculaire à la droite (TS), ce qui revient à prendre $v_{0x} = v_{0z} = 0$.

■ L'altitude initiale du satellite est $h_0 = r_0 - R_T$ avec $R_T = 6\,370$ km.

	Cas 1	Cas 2
Vitesse initiale (km·s⁻¹)	3,086	3,650
Distance initiale r_0 entre S et T (km)	42 000	42 000

1 Observer

a. Observer chacune des trajectoires. Dans quel cas le satellite a-t-il un mouvement circulaire ? Ce mouvement est-il uniforme ?

b. Compte tenu de la forme de la trajectoire observée dans l'autre cas, le mouvement est dit elliptique. Est-il uniforme dans ce cas ? Si non, en quels points de la trajectoire la valeur de la vitesse est-elle minimale ? maximale ?

2 Interpréter

a. Représenter l'orbite circulaire du satellite autour de la Terre, dans le référentiel géocentrique galiléen.

b. Donner l'expression vectorielle de la force de gravitation $\vec{F}_{T/S}$ exercée par la Terre sur le satellite. La représenter sur le schéma en y faisant apparaître les données utiles.

c. Dans le cas du mouvement circulaire, étudier l'angle entre la force de gravitation $\vec{F}_{T/S}$ et le vecteur vitesse du satellite. Quelle(s) caractéristique(s) du vecteur vitesse la force fait-elle varier au cours du mouvement ?

d. Appliquer la deuxième loi de Newton au satellite et déterminer la direction du vecteur accélération. Est-elle compatible avec celle d'un mouvement circulaire uniforme ?

Manipulation 2

Reprendre le cas du satellite en mouvement elliptique et, sans modifier la vitesse initiale, placer le satellite en orbite circulaire.

3 Exploiter les résultats et conclure

a. Une modification de la distance initiale entre S et T permet-elle d'obtenir un mouvement circulaire ? Si oui, quelle(s) valeur(s) faut-il choisir ? Le mouvement est-il uniforme dans ce cas ?

b. Compléter la proposition suivante : « Le mouvement d'un satellite en orbite circulaire est nécessairement .... Sa vitesse est fonction du .... de son orbite. Plus celui-ci est petit, plus la vitesse doit être .... pour que le satellite adopte une orbite circulaire. »

SIMULATION

Activités

4 Pesée de Jupiter

▶ Déterminons la masse de Jupiter à partir de l'étude du mouvement de ses quatre « lunes galiléennes ».

Callisto

Europe

Jupiter

Io

Ganymède

6 *Étude du mouvement des satellites de Jupiter.*

SIMULATION ■ Le logiciel Stellarium **(document 6)**, ainsi qu'un logiciel de traitement de données, sont utilisés pour déterminer les caractéristiques du mouvement de quatre satellites afin de vérifier la troisième loi de Kepler.

■ Le logiciel Stellarium est librement téléchargeable sur **www.stellarium.org/fr/**. Un tutoriel est disponible sur le site élève : **www.nathan.fr/siriuslycee/eleve-termS**.

Manipulation

■ Dans Stellarium, lancer la recherche sur Jupiter et faire apparaître le « nom des planètes » puis augmenter le grossissement du télescope afin d'observer Jupiter et quatre de ses satellites : Io, Europe, Ganymède et Callisto.

■ Choisir une monture équatoriale afin d'observer le mouvement des satellites dans un plan quasi-horizontal : les trajectoires circulaires apparaitront quasi-rectilignes.

■ Faire défiler le temps et, en s'assurant que Callisto reste continuellement visible, augmenter au maximum le grossissement. Conserver ce grossissement pour toute la suite et noter la valeur précise du champ de vision θ (en anglais Field Of Vision : FOV) indiquée sur l'écran (voisine de 0,2°).

■ Noter une valeur approchée de la distance D entre la Terre et Jupiter au moment de l'observation. D est indiquée en unités astronomiques sur l'écran (1 u. a. = $1,496 \times 10^{11}$ m).

■ Reproduire le tableau ci-contre et y consigner, pour chaque satellite, en commençant par le plus rapide, une date t_1 de début d'occultation de Jupiter et la date t_2 après un tour.

Nom du satellite	t_1	t_2	d

■ Attendre qu'un satellite apparaisse le plus loin possible à gauche ou à droite de Jupiter et suspendre la simulation. À l'aide d'un double décimètre, mesurer sur l'écran la distance d entre Jupiter et le satellite. Renouveler la mesure pour chaque satellite et compléter le tableau.

■ Mesurer la largeur L de l'écran.

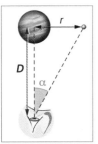

7 *Angle de visée.*

Coup de pouce

Les angles de vision et les longueurs apparentes correspondantes sont proportionnels :

$$\frac{\theta}{L} = \frac{\alpha}{d}$$

❶ Exploiter les résultats

a. À partir des valeurs de t_1 et t_2, calculer la période T de révolution de chaque satellite. Consigner les valeurs de T (en s) et d (en m) dans le tableur du logiciel de traitement de données.

b. À partir des mesures sur l'écran et de la relation ci-contre, calculer l'angle α sous lequel on voit le rayon de la trajectoire, pour chacun des satellites **(figure 7)**.

c. Calculer, dans le tableur, les valeurs de r (en m) pour chacun des satellites.

❷ Interpréter et conclure

La troisième loi de Kepler indique que le quotient $\dfrac{T^2}{r^3}$ est une constante de valeur $\dfrac{4\pi^2}{GM_J}$.

En utilisant les valeurs de r et de T trouvées pour les quatre satellites, déterminer la masse de Jupiter.

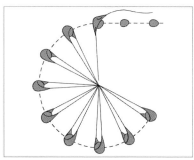

8 *Chronophotographie d'un mouvement circulaire d'une pierre, avant son lancer par une fronde.*

1 Cinématique des mouvements circulaires

1.1 Définition

Dans un référentiel donné, le mouvement d'un point A est **circulaire** si la trajectoire de A est un arc de cercle. Il est **uniforme** si la valeur v de sa vitesse est constante, il est **non uniforme** si v varie au cours du temps **(figure 8)**.

1.2 Vitesse et accélération

Les coordonnées des vecteurs vitesse et accélération d'un point A en mouvement circulaire s'expriment simplement dans le repère dit de **Frenet (figure 9)**, dont l'origine est le point A et dont les vecteurs unitaires des axes sont $\vec{u_t}$ et $\vec{u_n}$:

- $\vec{u_t}$ est tangent à la trajectoire et orienté dans le sens du mouvement ;
- $\vec{u_n}$ est normal à $\vec{u_t}$ et orienté vers le centre O de la trajectoire.

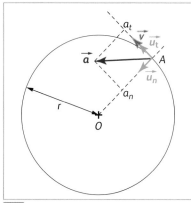

9 *Vitesse et accélération dans le repère de Frenet.*

Dans le repère de Frenet $(A ; \vec{u_t}, \vec{u_n})$, les coordonnées des vecteurs vitesse $\vec{v}$ et accélération $\vec{a}$ d'un point mobile A en mouvement circulaire sont :

$$\vec{v}\begin{cases} v_t = v \\ v_n = 0 \end{cases} \qquad \vec{a}\begin{cases} a_t = \dfrac{dv}{dt} \\ a_n = \dfrac{v^2}{r} \end{cases}$$

$a_n > 0$: le vecteur accélération est toujours orienté vers l'intérieur de la trajectoire donc vers le centre du cercle. On dit qu'il est **centripète**.

1.3 Cas du mouvement circulaire uniforme

Dans le cas d'un mouvement circulaire uniforme, $v = $ cte, ce qui signifie que :
$$\dfrac{dv}{dt} = 0, \text{ soit } a_t = 0.$$
La direction de $\vec{a}$ se confond avec le rayon du cercle, donc le vecteur accélération est **radial** ; sa valeur est constante et vaut :
$$a = a_n = \dfrac{v^2}{r}.$$

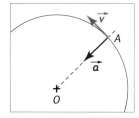

Le vecteur accélération d'un point A en mouvement circulaire uniforme est un vecteur **radial centripète** dont la valeur est :

$$a = a_n = \dfrac{v^2}{r} \quad \begin{array}{l} v : \text{valeur de la vitesse } (\text{m} \cdot \text{s}^{-1}) \\ r : \text{rayon la trajectoire (m)} \\ a \text{ et } a_n \text{ en m} \cdot \text{s}^{-2} \end{array}$$

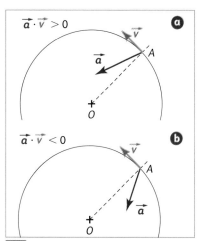

10 *Dans le cas d'un mouvement circulaire non uniforme, le mouvement peut être soit accéléré ⓐ soit retardé ⓑ.*

2 Satellite en orbite circulaire

2.1 L'interaction gravitationnelle

L'**interaction gravitationnelle** entre deux points matériels A et B, de masses m_A et m_B, séparés d'une distance d, est modélisée par des forces d'attraction gravitationnelle $\vec{F}_{A/B}$ et $\vec{F}_{B/A}$ telles que :

$$\vec{F}_{A/B} = -G\frac{m_A m_B}{d^2}\vec{u}_{AB}$$

$$\vec{F}_{A/B} = -\vec{F}_{B/A}$$

> m_A et m_B en kilogramme (kg)
> $F_{A/B} = F_{B/A}$ en newton (N)
> $\vec{u}_{AB}$: vecteur unitaire de direction (AB) orienté de A vers B
> $G = 6{,}67 \times 10^{-11}\,\text{N}\cdot\text{m}^2\cdot\text{kg}^{-2}$, constante de gravitation

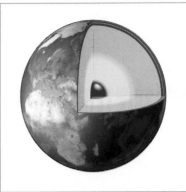

11 *La plupart des astres peuvent être considérés comme à répartition sphérique de masse. La Terre en est un exemple.*

Cette loi se généralise au cas de corps non ponctuels qui présentent une répartition sphérique de masse, comme la Terre **(figure 11)**, en considérant que toute la masse est concentrée en leur centre.

2.2 Référentiel d'étude

Le référentiel héliocentrique est le plus adapté pour étudier le mouvement des planètes autour du Soleil.

Dans le cas des satellites terrestres, on choisira le référentiel géocentrique. Dans le cas des satellites de Jupiter, le référentiel dit jovicentrique sera plus adapté.

> Pour étudier le mouvement d'un satellite autour d'un astre, on choisit le **référentiel astrocentrique** lié au solide imaginaire contenant le centre de cet astre et trois étoiles éloignées. Ce référentiel est considéré comme **galiléen** pendant la durée de l'étude.

Vocabulaire

Un **satellite** désigne un objet qui, sous l'effet de la gravitation, tourne autour d'un astre de masse plus importante. La Lune est un satellite naturel de la Terre, qui est elle-même un satellite du Soleil.

2.3 Étude dynamique

Le système étudié est un satellite A considéré ponctuel, de masse m. Le satellite décrit, dans le référentiel astrocentrique galiléen, une trajectoire circulaire de rayon r et de centre O, centre de l'astre de masse M. On considère que A est uniquement soumis à la force d'attraction gravitationnelle $\vec{F}$ exercée par l'astre : $\vec{F} = -G\dfrac{mM}{r^2}\vec{u}_{OA}$; $\vec{u}_{OA}$ étant un vecteur unitaire de direction (OA) orienté de O vers A **(figure 13)**.

En considérant que m est constante, la deuxième loi de Newton s'écrit :

$$\vec{F} = m\vec{a} \quad \text{soit} \quad \vec{a} = -G\frac{M}{r^2}\vec{u}_{OA}.$$

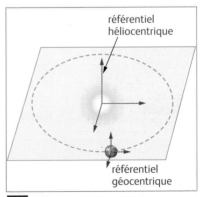

12 *Référentiels héliocentrique et géocentrique.*

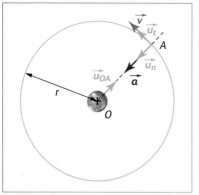

13 $\vec{a} = \dfrac{\vec{F}}{m}$ est radiale à chaque instant : le mouvement circulaire est uniforme.

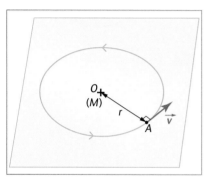

14 Trajectoire et vitesse.

Dans $(A ; \vec{u_t}, \vec{u_n})$, le vecteur $\vec{u_n}$ a la direction OA et est orienté vers le centre O de la trajectoire, donc $\vec{u_n} = -\vec{u_{OA}}$.

On en déduit $\vec{a} = G\dfrac{M}{r^2}\vec{u_n}$ dont les coordonnées sont $a_t = 0$ et $a_n = G\dfrac{M}{r^2}$.

Comme le mouvement est circulaire, ces coordonnées s'écrivent aussi :
$$a_t = \frac{dv}{dt} \text{ et } a_n = \frac{v^2}{r}.$$

A Nature du mouvement

L'égalité des coordonnées de $\vec{a}$ sur $(A ; \vec{u_t})$ conduit à la relation $\dfrac{dv}{dt} = 0$ à chaque instant, relation qui entraine $v = $ cte.
Le mouvement est donc uniforme **(figure 13)**.

> Dans l'approximation d'une trajectoire circulaire, le mouvement d'un satellite est **uniforme**.

B Valeur de la vitesse

L'égalité des coordonnées de $\vec{a}$ sur $(A ; \vec{u_n})$ conduit à la relation $G\dfrac{M}{r^2} = \dfrac{v}{r}$, soit après simplification : $v = \sqrt{\dfrac{GM}{r}}$ **(figure 14)**.

> Dans l'approximation d'une trajectoire circulaire de rayon r, autour d'un astre de masse M, la valeur v de la vitesse d'un satellite vérifie la relation :
>
> $$v = \sqrt{\frac{GM}{r}} \quad \begin{array}{l} G = 6{,}67 \times 10^{-11}\,\text{N·m}^2\text{·kg}^{-2} \\ M \text{ en kilogramme (kg)} \\ r : \text{rayon de l'orbite (m)} \\ v \text{ en m·s}^{-1} \end{array}$$

C Période de révolution

La **période de révolution** T est la durée d'une révolution du satellite autour de l'astre. La longueur d'un tour est $L = 2\pi r$.
Le mouvement étant uniforme :

$$v = \frac{L}{T} \text{ soit } T = \frac{2\pi r}{v} = \frac{2\pi r}{\sqrt{\dfrac{GM}{r}}} = 2\pi r\sqrt{\frac{r}{GM}} \text{ soit } T = 2\pi\sqrt{\frac{r^3}{GM}}.$$

> Dans l'approximation d'une trajectoire circulaire de rayon r autour d'un astre de masse M, la période T de révolution d'un satellite vérifie la relation :
>
> $$T = 2\pi\sqrt{\frac{r^3}{GM}} \quad \begin{array}{l} G = 6{,}67 \times 10^{-11}\,\text{N·m}^2\text{·kg}^{-2} \\ M \text{ en kilogramme (kg)} \\ r : \text{rayon de l'orbite (m)} \\ T \text{ en seconde (s)} \end{array}$$

Ainsi, plus un satellite est proche de la Terre, plus sa vitesse est grande et plus sa période est petite **(tableau 15)**.

La vitesse et la période d'un satellite sont indépendantes de sa masse. La masse M qui intervient dans l'expression de v ou de T est celle de l'astre attracteur.

Vocabulaire

Période de révolution d'un satellite : durée que met ce satellite à faire un tour autour de l'astre attracteur. À ne pas confondre avec la période de rotation (durée d'un tour autour de son axe).

Satellite Terrestre	Météosat	Hubble
r (km)	$4{,}2 \times 10^4$	$7{,}0 \times 10^3$
v (km·s^{-1})	3,1	7,6
T (s)	$8{,}6 \times 10^4$	$5{,}8 \times 10^3$

15 Données concernant deux satellites terrestres.

210

3 Lois de Kepler

Les calculs réalisés par Johannes Kepler (1571–1630), qui lui ont permis d'énoncer les lois empiriques qui portent son nom, reposent sur les travaux d'un observateur remarquable, Tycho Brahé (1546–1601). Celui-ci effectua un grand nombre de mesures d'une grande précision concernant les mouvements des six planètes connues à l'époque : Mercure, Vénus, la Terre, Mars, Jupiter et Saturne.

Isaac Newton (1642–1727) énonça la loi d'interaction gravitationnelle afin d'expliquer ces lois qui décrivent le mouvement des planètes du système solaire.

3.1 Énoncé des lois de Kepler

A Première loi ou loi des orbites

Dans le référentiel héliocentrique, la trajectoire du centre d'une planète est une **ellipse** dont l'un des foyers est le centre du Soleil.

Remarque. À l'exception de Mercure, les mouvements des planètes peuvent être considérés comme circulaires. Leurs trajectoires sont quasiment des cercles, c'est-à-dire des ellipses dont les foyers sont confondus.

B Deuxième loi ou loi des aires

Le segment [SP] qui relie le centre du Soleil à celui de la planète balaie des **aires égales** pendant des **durées égales**.

Cette loi indique que la vitesse est plus grande lorsque le satellite est plus proche du Soleil **(figure 16)**.

C Troisième loi ou loi des périodes

Le carré de la période de révolution T d'une planète est proportionnel au cube de la longueur L du demi-grand axe de son orbite :

$$\frac{T^2}{L^3} = k$$

T en seconde (s)
L en mètre (m)
k : constante ($s^2 \cdot m^{-3}$)

3.2 Exploitation de la troisième loi de Kepler

Les lois de Kepler, énoncées pour décrire le mouvement des planètes du système solaire, s'appliquent également à tous les satellites en révolution autour d'une planète **(document 17)**. La loi des orbites s'énonce alors dans le référentiel planétocentrique dans lequel le satellite décrit une ellipse, dont la planète occupe l'un des foyers.

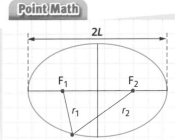

Point Math

Une ellipse est l'ensemble des points dont la somme des distances à deux points fixes (les foyers F_1 et F_2) est une constante :

$$r_1 + r_2 = \text{cte}$$

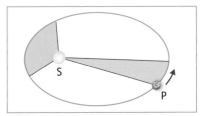

16 Loi des aires : les aires (en vert), balayées par [SP] pendant des durées égales, sont égales.

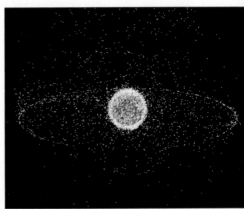

17 Le rapport $\frac{T^2}{l^3}$ est le même pour tous les satellites de la Terre.

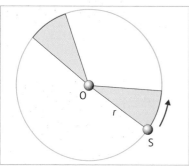

18 *Satellite en orbite circulaire. Le caractère uniforme du mouvement permet de vérifier la loi des aires.*

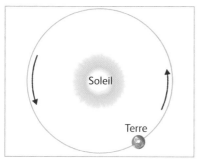

19 *La variation de la distance Terre-Soleil est inférieure à 2 %.*

20 *La troisième loi de Kepler permet de « peser » la Terre à partir des caractéristiques du mouvement de la Lune.*

A Loi des périodes pour un mouvement circulaire

Dans l'approximation des trajectoires circulaires, la loi des orbites traduit que le centre de la trajectoire de ces satellites est celui de l'astre.

La loi des aires ou deuxième loi de Kepler implique que le mouvement est uniforme **(figure 18)**.

Enfin, l'expression de la période de révolution (**§2.3 C**) explique la loi des périodes ou troisième loi de Kepler. En effet :

$$T = 2\pi\sqrt{\frac{r^3}{GM}} \quad \text{conduit à} \quad T^2 = 4\pi^2\frac{r^3}{GM} \quad \text{soit} \quad \frac{T^2}{r^3} = \frac{4\pi^2}{GM}$$

Dans l'approximation des trajectoires circulaires, la troisième loi de Kepler s'écrit :

$$\frac{T^2}{r^3} = k$$

où $k = \frac{4\pi^2}{GM}$ est une constante qui ne dépend pas de la masse du satellite mais uniquement de la masse M de l'astre autour duquel il tourne.

APPLICATION Calculer la période d'un satellite de la Terre tournant dans le plan équatorial à une altitude $h = 35,8 \times 10^3$ km.

Réponse. Le satellite tourne autour de la Terre donc la constante k est donnée par $k = \frac{4\pi^2}{GM_T}$. Ainsi :

$$T = \sqrt{kr^3} = \sqrt{\frac{4\pi^2 r^3}{GM_T}} = \sqrt{\frac{4\pi^2(3,58 \times 10^7 + 6,38 \times 10^6)^3}{6,67 \times 10^{-11} \times 5,97 \times 10^{24}}}$$

$$T = 8,62 \times 10^4 \text{ s.}$$

Le satellite tourne avec une période de révolution égale à la période de rotation de la Terre (23 h 56 min 4 s soit 86 164 s). Il reste immobile pour un observateur terrestre ; c'est un satellite géostationnaire.

B Révolution de la Terre

Dans le référentiel héliocentrique, la trajectoire de la Terre autour du Soleil est pratiquement un cercle de rayon $r_T = 1,5 \times 10^8$ km dont elle décrit la circonférence en $T_T = 365,25$ jours (un an). Les caractéristiques de son mouvement permettent de déterminer la masse M_S du Soleil **(figure 19)**. En effet, la troisième loi de Kepler appliquée au cas de la Terre s'écrit :

$$\frac{T_T^2}{r_T^3} = \frac{4\pi^2}{GM_S} \quad \text{soit} \quad M_S = \frac{4\pi^2 r_T^3}{GT_T^2}$$

A.N. : $M_S = \dfrac{4 \times \pi^2 \times (1,5 \times 10^8 \times 10^3)^3}{6,67 \times 10^{-11} \times (365,25 \times 24 \times 3\,600)^2} = 2,0 \times 10^{30}$ kg.

C Révolution de la Lune

Dans le référentiel géocentrique, la trajectoire de la Lune est pratiquement un cercle de rayon $r_L = 3,8 \times 10^5$ km et sa période de révolution est $T_L = 27$ jours **(document 20)**.

Ces caractéristiques permettent de calculer la masse M_T de la Terre :

$$\frac{T_L^2}{r_L^3} = \frac{4\pi^2}{GM_T} \quad \text{soit} \quad M_T = \frac{4\pi^2 r_L^3}{GT_L^2}$$

A.N. : $M_T = \dfrac{4 \times \pi^2 \times (3,8 \times 10^5 \times 10^3)^3}{6,67 \times 10^{-11} \times (27 \times 24 \times 3\,600)^2} = 6,0 \times 10^{24}$ kg.

→ Mouvements circulaires

● Dans un référentiel donné, le mouvement d'un point A est circulaire si la trajectoire de A est un arc de cercle.

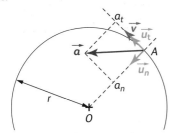

● Dans le repère $(A; \vec{u_t}, \vec{u_n})$, les coordonnées de $\vec{v}$ et de $\vec{a}$ sont :

$$\vec{v} \begin{vmatrix} v_t = v \\ v_n = 0 \end{vmatrix} \quad \vec{a} \begin{vmatrix} a_t = \dfrac{dv}{dt} \\ a_n = \dfrac{v^2}{r} \end{vmatrix}$$

● Quand le mouvement d'un point A est **circulaire uniforme**, la valeur v de sa vitesse est constante et le vecteur accélération est **radial** et **centripète** ; sa valeur est :

$$a = a_n = \frac{v^2}{r} \quad \begin{vmatrix} v \text{ en m·s}^{-1} \\ r : \text{rayon de la trajectoire (m)} \\ a \text{ et } a_n \text{ en m·s}^{-2} \end{vmatrix}$$

→ Satellite en orbite circulaire

● Pour étudier le mouvement d'un satellite autour d'un astre, on choisit le **référentiel astrocentrique**, lié au solide contenant le centre de cet astre et trois étoiles éloignées. Ce référentiel est considéré comme **galiléen** pendant la durée de l'étude.

● Dans l'approximation d'une trajectoire circulaire de rayon r, autour d'un astre de masse M, les caractéristiques du mouvement d'un satellite sont les suivantes :
– l'accélération, comme la force de gravitation, est radiale et centripète : le mouvement du satellite est **uniforme** ;

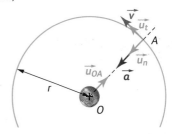

– la valeur v de la vitesse du satellite et sa période T de révolution sont données par :

$$v = \sqrt{\frac{GM}{r}}$$

$$T = 2\pi\sqrt{\frac{r^3}{GM}}$$

$\begin{vmatrix} G = 6,67 \times 10^{-11} \text{N·m}^2\text{·kg}^{-2} \\ M \text{ en kilogramme (kg)} \\ r \text{ en mètre (m)} \\ v \text{ en m·s}^{-1} \\ T \text{ en s} \end{vmatrix}$

Lois de Kepler

● **Première loi ou loi des orbites**
Dans un référentiel héliocentrique, la trajectoire du centre d'une planète est une **ellipse** dont l'un des foyers est le centre du Soleil.

● **Deuxième loi ou loi des aires**
Le segment $[SP]$ qui relie le centre du Soleil à celui de la planète balaie des **aires égales** pendant des **durées égales**.

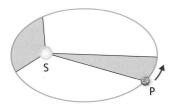

● **Troisième loi ou loi des périodes**
Le carré de la période de révolution T d'une planète est proportionnel au cube de la longueur L du demi-grand axe de son orbite.

● Dans l'approximation des trajectoires circulaires, la troisième loi de Kepler s'écrit :

$$\frac{T^2}{r^3} = k \quad \text{où} \quad k = \frac{4\pi^2}{GM}$$

où k est une constante qui ne dépend pas de la masse du satellite mais uniquement de la masse M de l'astre autour duquel il tourne.

Exercices Application

5 minutes CHRONO !

MANUEL NUMÉRIQUE ▶ EXERCICES INTERACTIFS

1 Mots manquants

Compléter avec un ou plusieurs mots.

a. Un mouvement est circulaire et .... si la trajectoire est un .... et si la .... de sa vitesse est constante.

b. Le vecteur .... d'un point mobile en mouvement circulaire uniforme de rayon r est .... au vecteur vitesse $\vec{v}$ et sa valeur est égale à $\frac{v^2}{r}$.

c. La trajectoire de la Terre est pratiquement un cercle par rapport au référentiel ....

d. La loi de gravitation universelle s'applique aux corps .... mais aussi aux corps à .... de masse.

e. Dans l'approximation des trajectoires circulaires, le mouvement d'un satellite est nécessairement ....

f. D'après la première loi de Kepler ou loi ...., dans le référentiel héliocentrique, la trajectoire d'une planète est une .... dont le Soleil occupe un des ....

g. D'après la deuxième loi de Kepler ou loi ...., le segment qui relie le centre du .... à celui d'une planète balaie des .... pendant des durées égales.

h. D'après la troisième loi de Kepler ou loi ...., le .... de la période de révolution d'une planète est proportionnel au .... de la longueur du demi-grand axe de sa trajectoire.

2 QCM

Cocher la réponse exacte.

a. La valeur de l'accélération d'un point mobile en mouvement circulaire uniforme :
- ☐ est nulle
- ☐ quadruple si la valeur de la vitesse double
- ☐ augmente si le rayon de la trajectoire augmente

b. Le mouvement de Jupiter est circulaire dans le référentiel
- ☐ géocentrique ☐ héliocentrique ☐ joviocentrique

c. Dans l'approximation d'une trajectoire circulaire de rayon r autour d'un astre de masse M, la valeur de la vitesse d'un satellite vérifie la relation :
- ☐ $v = \sqrt{\dfrac{GM}{r}}$ ☐ $v = \dfrac{r}{GM}$ ☐ $v = \dfrac{GM}{r}$

d. Dans l'approximation des trajectoires circulaires autour d'un astre, la période de révolution T et le rayon r de la trajectoire d'un satellite vérifient la relation :
- ☐ $\dfrac{T^2}{r^3} = k$ ☐ $\dfrac{T^3}{r^2} = k$ ☐ $\dfrac{T^3}{r^3} = k$

e. Dans la relation correcte précédente :
- ☐ k dépend de la masse du satellite
- ☐ k dépend de la masse de l'astre autour duquel le satellite tourne
- ☐ k est une constante universelle

→ **Solutions détaillées en fin de manuel pour vérifier vos réponses et comprendre vos erreurs.**

Parcours en autonomie

Trois parcours d'exercices pour travailler en autonomie selon ses besoins.

Maîtriser les bases — 4 - 5 - 10

Préparer l'évaluation — 7 - 13 - 15

Approfondir — 26 - 27 - 29

Pour tous les exercices de ce chapitre
Les valeurs numériques des données relatives au système solaire sont disponibles dans les rabats.

COMPÉTENCES EXIGIBLES

3 Reconnaître un mouvement circulaire uniforme

Le mouvement du solide suspendu à un fil inextensible est photographié à intervalle de temps constant.

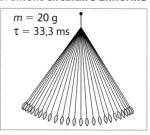

$m = 20$ g
$\tau = 33,3$ ms

a. Le mouvement du solide est-il circulaire ?

b. Est-il uniforme ?

4 Caractériser le vecteur accélération

Une automobile aborde un virage. Dans le virage, la trajectoire d'un point du véhicule est une portion de cercle de rayon R et la valeur constante de sa vitesse est de 30 km·h^{-1}.

a. Pourquoi l'accélération de ce point n'est pas nulle alors que le mouvement est uniforme ?

b. Donner les caractéristiques du vecteur accélération pour $R = 300$ m.

c. Comment est modifiée la valeur de l'accélération si la voiture prend le virage à 90 km·h^{-1} ?

5 Connaître le mouvement d'un satellite

Deimos est un satellite de Mars. Son orbite est pratiquement un cercle de rayon $r = 23,5 \times 10^3$ km.

On considère que Deimos n'interagit qu'avec Mars.

Deimos est un corps considéré comme ponctuel (noté D, masse M_{Deimos}) et Mars un corps à répartition sphérique de masse (centre O, masse M_{Mars}).

a. Deimos a une taille maximale de $L = 15$ km.
Justifier que Deimos soit considéré comme ponctuel.

b. Sur un schéma, représenter O, D, l'orbite de Deimos et la force de gravitation $\vec{F}_{\text{Mars/Deimos}}$ exercée par Mars sur Deimos.

c. Quelle relation existe-t-il entre $\vec{F}_{\text{Mars/Deimos}}$ et l'accélération $\vec{a}_{\text{Deimos}}$ de Deimos ?

d. Le mouvement circulaire de D est-il uniforme ? Justifier.

6 Connaître la loi des orbites

Pour représenter sur un schéma l'orbite de Mercure, Paul utilise la méthode dite du « jardinier » qui veut obtenir de jolis massifs ovales. Il plante deux punaises en deux points P_1 et P_2, tend une ficelle inextensible entre les deux et tourne autour des deux punaises la ficelle tendue.

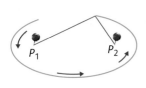 

a. Comment s'appelle la courbe ainsi obtenue ?

b. Où doit-il représenter Mercure ? Où doit-il représenter le Soleil ? Justifier en citant la première loi de Kepler.

7 Connaître la loi des aires

La figure ci-contre reproduit la trajectoire d'une planète P autour du centre S du Soleil.
Les parcours P_1P_2 et P_3P_4 s'effectuent sur des durées identiques.

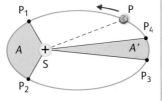

a. En précisant la loi utilisée, quelle relation existe-t-il entre les aires A et A' colorées sur le schéma ?

b. La vitesse de la planète est-elle la même sur P_1P_2 et P_3P_4 ? Si non, sur quel parcours P est-elle plus rapide ?

8 Connaître la loi des périodes

En 1610, Galilée découvre quatre satellites de Jupiter.
Dans le tableau ci-contre. T désigne leur période de révolution et r leur distance moyenne au centre de Jupiter.

Satellite	T(jour)	r(km)
Io	1,77	$4,22 \times 10^5$
Europe	3,55	$6,71 \times 10^5$
Ganymède	7,16	$1,071 \times 10^6$
Callisto	16,7	$1,884 \times 10^6$

a. La troisième loi de Kepler est-elle vérifiée pour ces satellites ?

b. De quel astre peut-on calculer la masse à partir de ces données ?

COMPÉTENCES GÉNÉRALES

9 Justifier un calcul

La variation de la distance Soleil-Neptune étant inférieure à 2 %, l'orbite de Neptune peut être considérée comme circulaire de rayon noté r_N.

a. Exprimer et calculer la valeur $F_{S/N}$ de la force de gravitation exercée par le Soleil de masse M_S sur la planète Neptune de masse M_N.

b. Retrouver la valeur de M_S en utilisant l'expression de la période de révolution de Neptune : $T_N = 2\pi \sqrt{\dfrac{r_N^3}{GM_S}}$.

10 Exploiter des informations

Saturne possède un système d'anneaux composés en grande partie de particules de glace et de poussière.
En négligeant l'action des particules les unes sur les autres devant l'action de l'astre sur chacune d'elles, chaque particule a, dans l'approximation des trajectoires circulaires, une vitesse de valeur $v = \sqrt{\dfrac{GM}{r}}$.

a. Que désigne chacun des termes de cette relation ?

b. Pour être plus rapide, une particule doit-elle être plus proche ou plus éloignée du centre de Saturne ? plus lourde ou plus légère ?

c. Établir l'expression de la période T de révolution d'une particule en fonction de r.

d. Deux particules A et B, de deux anneaux différents, alignées avec le centre de Saturne à une date donnée, peuvent-elles rester alignées ? Autrement dit, les anneaux peuvent-ils être d'un seul tenant ? Justifier en utilisant l'expression de T.

11 Restituer ses connaissances

Les orbites de la Terre et de Jupiter sont pratiquement circulaires. La distance moyenne Terre – Soleil est $d_{TS} = 1,5 \times 10^8$ km et la distance moyenne Jupiter – Soleil est $d_{JS} = 7,8 \times 10^8$ km.

a. Quelle est la période de révolution de la Terre ?

b. En appliquant une loi de Kepler, déterminer la période de révolution de Jupiter.

c. La distance Terre-Lune est de 384 000 km. Peut-on déterminer la période de révolution de la Lune à partir de celle de la Terre ?

12 Effectuer un calcul

Le module de commande utilisé par les astronautes lors d'une mission du programme Apollo a été placé en orbite circulaire autour de la Lune à une distance de 2 040 km du centre de celle-ci. Sa période de révolution était de 8 240 s dans le référentiel sélénocentrique (lié au centre de la Lune) supposé galiléen. Pour un satellite en orbite circulaire autour d'un astre de masse M, la troisième loi de Kepler peut s'écrire : $\dfrac{T^2}{r^3} = \dfrac{4\pi^2}{GM}$.

a. Que représentent les symboles T, r et M dans le cas d'Apollo ?

b. À partir des caractéristiques de la trajectoire d'Apollo, déterminer la valeur de la masse de la Lune.

Exercices / Méthode

EXERCICE RÉSOLU

Site élève

13 À la rencontre de la planète Mars

Énoncé La planète Mars effectue le tour du Soleil en $T = 687$ jours. Si elle met plus de temps que la Terre à faire le tour du Soleil, Mars ne se déplace pas pour autant lentement : chaque seconde elle parcourt près de 24 km !

Données
– Les trajectoires de la planète Mars et de la planète Terre sont des cercles dont le centre S est confondu avec celui du Soleil. Le Soleil est considéré comme un solide à répartition sphérique de masse.
– Le rayon de la trajectoire de Mars est $r = 2,28 \times 10^{11}$ m ; celui de la Terre est $r_{\text{Terre}} = 1,50 \times 10^{11}$ m.
– La masse du Soleil est $M_s = 2,0 \times 10^{30}$ kg.
– La constante de gravitation est $G = 6,67 \times 10^{-11}$ N·m²·kg⁻².

1 Montrer que le mouvement circulaire de Mars est uniforme.

2 Déterminer l'expression de la valeur v de la vitesse de Mars en fonction de r, G et m_S, masse du Soleil. La calculer afin de retrouver la donnée du texte.

3 Établir l'expression de T en fonction de r, G et m_s et vérifier la phrase surlignée du texte.

Mars vue par le satellite Hubble.

Une solution

1 Dans le référentiel héliocentrique considéré comme galiléen, on étudie le système Mars, soumis à la force d'attraction gravitationnelle exercée par le Soleil.

Dans les conditions du problème, avec $\vec{u}$ vecteur unitaire orienté du Soleil vers Mars, et m la masse de Mars, cette force peut s'exprimer sous la forme :

$$\vec{F} = -G\frac{mm_s}{r^2}\vec{u}$$

Avec m étant constante, la 2ᵉ loi de Newton donne :

$$\vec{F} = m\vec{a} \quad \text{soit} \quad \vec{a} = -G\frac{m_s}{r^2}\vec{u}$$

Dans le repère $(M, \vec{u_t}, \vec{u_n})$, à tout instant $\vec{u_n} = -\vec{u}$.

On peut donc écrire : $\vec{a}\begin{cases} a_t = 0 \\ a_n = \dfrac{Gm_s}{r^2} \end{cases}$ or $\vec{a}\begin{cases} a_t = \dfrac{dv}{dt} \\ a_n = \dfrac{v^2}{r} \end{cases}$

L'égalité des coordonnées de $\vec{a}$ sur $(M, \vec{u_t})$ donne $\dfrac{dv}{dt} = 0$ à chaque instant

soit $v = $ cte. Le mouvement circulaire de Mars est uniforme.

2 L'égalité des coordonnées de $\vec{a}$ sur $(M, \vec{u_n})$ donne $G\dfrac{m_s}{r^2} = \dfrac{v^2}{r}$,

soit $v = \sqrt{\dfrac{Gm_s}{r}}$.

A.N. : $v = \sqrt{\dfrac{6,67 \times 10^{-11} \times 2,0 \times 10^{30}}{2,3 \times 10^8 \times 10^3}} = 2,4 \times 10^3 \text{ m·s}^{-1} = 24 \text{ km·s}^{-1}$.

3 Pendant la durée T, Mars parcourt $L = 2\pi r$. Le mouvement étant uniforme :

$$v = \frac{L}{T} \quad \text{d'où} \quad T = \frac{2\pi r}{v} = 2\pi r\sqrt{\frac{r}{Gm_s}} = 2\pi\sqrt{\frac{r^3}{Gm_s}}.$$

Puisque $r > r_{\text{Terre}}$, on a bien $T > T_{\text{Terre}}$: la phrase surlignée est correcte.

Rédiger
Choisir le référentiel astrocentrique galiléen contenant le centre de l'astre autour duquel le satellite orbite et indiquer le système étudié.

Schématiser
Faire un schéma qui comporte les grandeurs utiles notamment les vecteurs unitaires.

Raisonner
Projeter sur chacun des axes pour :
– justifier l'évolution de la valeur de la vitesse ;
– puis établir son expression.

Connaissances
Lorsque le mouvement est uniforme, on peut écrire $v = \dfrac{d}{\Delta t}$ où d est la distance parcourue pendant Δt.

14 **ZOOM SUR...** **l'utilisation d'un logiciel de traitement de données**

À l'époque de Kepler, six planètes du système solaire sont connues. Les caractéristiques de leurs trajectoires ont été déterminées avec précision par les observations de Tycho Brahé.

Le tableau ci-contre donne, pour chaque planète, la longueur, notée L, du demi-grand axe de sa trajectoire ainsi que sa période de révolution, notée T.

Kepler rechercha une relation simple liant T à L, et c'est sans calculatrice qu'il trouva cette relation qu'il consigna dans sa troisième loi.

Planète	T(s)	L(m)
Mercure	$7{,}61 \times 10^6$	$57{,}9 \times 10^9$
Vénus	$19{,}41 \times 10^6$	$108{,}2 \times 10^9$
Terre	$31{,}56 \times 10^6$	$149{,}6 \times 10^9$
Mars	$59{,}36 \times 10^6$	$227{,}9 \times 10^9$
Jupiter	$374{,}34 \times 10^6$	$778{,}3 \times 10^9$
Saturne	$929{,}62 \times 10^6$	$1\,429{,}0 \times 10^9$

Nous proposons de reproduire ici cette recherche. Mais ce bond dans le temps de quatre siècles, nous allons le faire avec un énorme avantage : la puissance de calcul de l'ordinateur muni d'un logiciel de traitement de données.

a. Créer un tableau contenant les valeurs de L et T ci-contre.
b. Compte tenu des sens de variation de T et de L, on peut choisir parmi les relations suivantes celle qui convient pour les six planètes étudiées par Kepler :

$T = kL$ $T = kL^2$ $T = kL^3$ $T^2 = kL$ $T^2 = kL^2$ $T^2 = kL^3$

En justifiant le choix de la méthode, retrouver la relation entre T et L.

c. Déterminer la valeur de la constante k de la relation retenue.

La méthode graphique La méthode graphique consiste à trouver les paramètres d'une fonction modélisant au mieux tous les points expérimentaux obtenus (→ Fiche méthode 2). L'utilisateur choisit la fonction et le logiciel calcule les coefficients non connus (ici k par exemple) de la relation. Selon le logiciel utilisé, il peut être nécessaire de faire un calcul intermédiaire (T^2 ou T^3 par exemple) si la modélisation ne se fait pas à partir de la fonction $T = f(L)$.

La méthode calculatoire La méthode calculatoire consiste à calculer les termes constants et à comparer les valeurs trouvées. Elle suppose de mettre la relation sous une forme adaptée (faire le calcul intermédiaire T^2 ou T^3 par exemple). Cette méthode est aussi intéressante lorsque les mesures sont nombreuses, car elle permet un traitement statistique.

15 **Apprendre à rédiger**

Voici l'énoncé d'un exercice et un guide (en violet) ; ce guide vous aide à rédiger la solution détaillée et à retrouver les réponses aux questions posées.

Énoncé

Le télescope spatial Hubble est le fruit d'un long travail de recherche de la NASA et de l'Agence Spatiale Européenne. Destiné à donner des images du ciel en évitant les perturbations dues à l'atmosphère terrestre, il a été placé en orbite pratiquement circulaire à environ $h = 600$ km d'altitude, et effectue ainsi un tour complet de la Terre en presque 100 minutes.
Hubble est considéré ponctuel et la Terre à répartition sphérique de masse.

a. Schématiser la situation étudiée dans le référentiel géocentrique considéré comme galiléen.
▶ **Représenter la Terre et l'orbite de Hubble puis indiquer sur le schéma toutes les grandeurs utiles.**

b. Donner l'expression vectorielle de la force de gravitation exercée par la Terre sur Hubble $\vec{F}_{T/H}$.
▶ **Préciser les caractéristiques de la force pour le cas particulier de Hubble et de la Terre puis compléter le schéma en y indiquant les vecteurs utiles.**

c. Montrer que le mouvement circulaire du satellite est uniforme dans le référentiel géocentrique.
▶ **Énoncer la loi de Newton qui lie force et accélération avant d'en déduire la caractéristique de l'accélération qui permet de répondre à la question posée.**

d. Déterminer l'expression de la valeur v de la vitesse et calculer sa valeur.
▶ **Poursuivre la rédaction en utilisant encore les coordonnées du vecteur accélération pour exprimer v. Vérifier que :**
$$v = 7{,}55 \times 10^3 \text{ m} \cdot \text{s}^{-1}$$

e. Retrouver la valeur de la période T_H de révolution donnée dans le texte.
▶ **Préciser le point de départ du raisonnement (définition de T_H et caractère uniforme du mouvement) pour déterminer cette expression.**
▶ **Vérifier que $T_H = 5{,}81 \times 10^3$ s et comparer ce résultat avec la donnée du texte.**

16 Des satellites artificiels à orbites elliptiques

Compétences générales *Restituer ses connaissances – Effectuer un raisonnement scientifique*

Hipparcos, un satellite d'astrométrie lancé par la fusée Ariane le 8 août 1989, n'a jamais atteint son orbite prévue. Un moteur n'ayant pas fonctionné, il est resté sur une orbite elliptique entre 36 000 km et 500 km d'altitude.

a. Énoncer les lois de Kepler auxquelles obéit ce satellite dans le référentiel géocentrique.

b. Sans souci d'échelle, dessiner l'allure de l'orbite du satellite Hipparcos. Placer sur ce schéma le centre de la Terre et les points A et P, respectivement pour Apogée et Périgée, correspondant respectivement aux valeurs 36 000 km et 500 km.

c. En appliquant la loi des aires au schéma précédent, montrer, sans calcul, que la vitesse d'Hipparcos sur son orbite n'est pas constante.

d. Préciser en quels points de son orbite sa vitesse est maximale, minimale.

17 Mouvement d'un astéroïde

Compétences générales *Effectuer un raisonnement scientifique – Exploiter un schéma*

La figure ci-dessous présente les positions de l'astéroïde Eva tous les 54 jours dans le référentiel héliocentrique.
Cette figure est disponible sur le site :

www.nathan.fr/siriuslycee/eleve-termS

L'échelle est indiquée sur la figure. Eva et le Soleil sont représentés par des points.

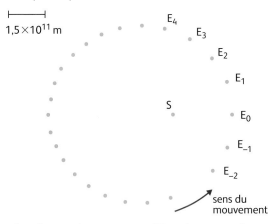

a. Justifier que le mouvement d'Eva n'est ni circulaire ni uniforme dans le référentiel héliocentrique.

b. Montrer que les valeurs des vitesses d'Eva en E_1 et E_{-1} sont voisines : $v_{E1} \approx v_{E-1} \approx 2,6 \times 10^4$ m·s^{-1}.

c. Reproduire les points de E_2 à E_{-2} et représenter les vecteurs vitesses en E_1 et E_{-1} en précisant l'échelle utilisée.

d. En déduire la direction et le sens du vecteur accélération $\vec{a_0}$ d'Eva en E_0. Représenter $\vec{a_0}$ à l'échelle 1 cm pour $0,5 \times 10^{-3}$ m·s^{-2} en prenant $a_0 = 2 \times 10^{-3}$ m·s^{-2}.

e. Le résultat obtenu pour $\vec{a_0}$ est-il en cohérence avec les caractéristiques (direction et sens) de la force de gravitation qu'exerce le Soleil sur l'astéroïde en E_0 ?

f. En tenant compte de l'échelle des distances de la figure, en prenant $a_0 = 2 \times 10^{-3}$ m·s^{-2} et en appliquant la deuxième loi de Newton à Eva en E_0, déterminer une valeur approchée de la masse M_S du Soleil.

18 Mise en orbite d'un satellite

Compétence générale *Effectuer un raisonnement scientifique*

Un satellite terrestre S, de masse m, se déplace à vitesse constante v_S sur une orbite circulaire à l'altitude h. Il est soumis à la seule force de gravitation exercée par la Terre. On choisit $\vec{u_n}$ un vecteur unitaire normal à la trajectoire et orienté vers le centre de la Terre, et on note M_T et R_T la masse et le rayon de la Terre.

a. Donner l'expression vectorielle de la force de gravitation $\vec{F}_{T/S}$ exercée par la Terre sur le satellite S, considéré comme ponctuel, en fonction des données.

b. Sans souci d'échelle, représenter sur un schéma la Terre, S, $\vec{u_n}$ et $\vec{F}_{T/S}$.

c. En appliquant une loi de Newton, exprimer le vecteur accélération $\vec{a_S}$ de S en fonction des données.

d. Déterminer l'expression de la vitesse v_S du satellite en fonction des données.

e. On note T la durée mise par le satellite pour faire un tour autour de la Terre. Comment appelle-t-on cette grandeur ? Déterminer son expression en fonction de G, M_T, h et R_T.

19 Comparaison de satellites terrestres

Compétence générale *Exploiter des informations*

Les satellites artificiels interviennent dans de nombreux domaines : télécommunications, météorologie, navigation, recherche en astronomie… Les valeurs de la période T et du rayon r des trajectoires de trois satellites en orbite circulaire autour de la Terre, de masse M_T, ont permis de tracer la représentation graphique ci-dessous donnant T^2 en fonction de r^3.

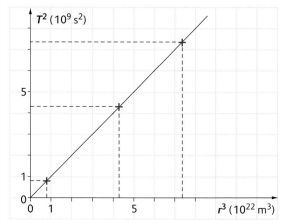

a. Montrer que ce graphe permet de vérifier la troisième loi de Kepler.

b. On place un quatrième satellite S en orbite circulaire autour de la Terre à une altitude de 24×10^3 km. En utilisant le graphique donné, déterminer la valeur de la période T_S de révolution de S autour de la Terre.

20 Satellite géostationnaire

Compétences générales *Exploiter des informations – Effectuer un raisonnement scientifique*

Les satellites géostationnaires sont immobiles dans le référentiel terrestre. C'est le cas de satellites météorologiques qui peuvent ainsi observer en permanence une même région de la surface de la Terre.

1. Plan de la trajectoire
On propose trois trajectoires hypothétiques de satellite en mouvement circulaire uniforme autour de la Terre.

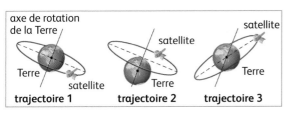

| trajectoire 1 | trajectoire 2 | trajectoire 3 |

a. Montrer que l'une de ces trajectoires est incompatible avec les lois de la mécanique.

b. Quelle est la seule trajectoire qui peut correspondre au satellite géostationnaire ? Justifier la réponse.

2. Altitude du satellite
a. Pour un satellite en orbite circulaire, la troisième loi de Kepler peut s'écrire :
$$\frac{T^2}{r^3} = \frac{4\pi^2}{GM}.$$
Donner la signification de chacun des termes de cette relation.

b. Quelle est la relation entre la période T_{Terre} de rotation de la Terre et la période T_S de révolution du satellite autour de la Terre pour que celui-ci soit géostationnaire ?

c. L'un des deux satellites ci-dessous est géostationnaire. Lequel ? Justifier la réponse.

Satellite	Altitude h (km)
Station orbitale ISS	400
Anik1	$35,8 \times 10^3$

21 Deux satellites de Neptune

Compétences générales *Exploiter des informations – Effectuer un raisonnement scientifique*

Neptune possède plusieurs satellites tels que Triton dont l'orbite est circulaire et Néréïde, dont l'orbite est elliptique. Les rayons ou les demi-grands-axes des orbites sont supposés grands devant les dimensions de Neptune ou de ses satellites.

a. Dans quel référentiel (géocentrique, héliocentrique, neptunocentrique, néréïdocentrique) le mouvement de Triton est-il circulaire ?

b. Triton n'est soumis qu'à l'action de Neptune. Donner l'expression vectorielle de la force gravitationnelle $\vec{F}_{N/T}$ exercée par Neptune sur Triton et montrer que le mouvement circulaire de Triton est uniforme.

c. Déterminer l'expression de la vitesse v_1 de Triton et celle de sa période de révolution T_1.

d. En déduire l'expression et la valeur du rayon r_1 de l'orbite de Triton.

e. La troisième loi de Kepler étant applicable aux satellites de Neptune, déterminer la valeur de la période de révolution T_2 de Néréïde.

Données : masse de Neptune $M_N = 1,0 \times 10^{26}$ kg ; masse de Triton $m_1 = 2,1 \times 10^{22}$ kg, période de révolution de Triton $T_1 = 5,9$ jours solaires, longueur du demi-grand-axe de la trajectoire de Néréïde $L_2 = 5,5 \times 10^6$ km.

22 Science in English

Phobos is the larger and inner of Mars' two tiny moons.
Its orbit is so close to Mars that it moves faster than Mars spins. As a result, from Mars' surface, Phobos appears to rise in the west and set in the east, usually twice a day.
Another consequence of its close orbit is that it is not even visible (it travels below the horizon) from the surface at high latitudes.

D'après le site Internet
http://planetary.org/explore/topics/mars/phobos.html

Le but de cet exercice est de vérifier deux informations données par l'article ci-dessus.
Mars sera considéré comme à répartition sphérique de masse et Phobos comme un corps ponctuel en orbite circulaire de rayon r dans le référentiel marsocentrique supposé galiléen.

a. Représenter Phobos sur un schéma, dans le référentiel marsocentrique.

b. Donner les caractéristiques de la force exercée par Mars sur Phobos. Préciser la signification de chaque terme de cette expression et compléter le schéma.

c. En appliquant la deuxième loi de Newton, établir l'expression de la valeur v de la vitesse puis celle de la période T de révolution de Phobos autour de Mars.

d. Le rayon de Mars mesure environ 3 400 km et Phobos orbite seulement à 6 000 km au-dessus du sol martien. Déterminer la valeur de T.

e. La période de rotation de Mars est d'environ 24 h 36 min. La valeur de T est-elle en accord avec les informations données dans les deuxième et troisième phrases de l'article ?

Donnée : masse de Mars $M = 6,4 \times 10^{23}$ kg.

23 ✳ Saturne et ses satellites

Compétence générale
Effectuer un raisonnement scientifique

La planète Saturne est entourée de nombreux satellites parmi lesquels on trouve Janus, Mimas, Encelade, Thétis et Dione.

On se place dans le référentiel saturnocentrique supposé galiléen. Le mouvement de chacun des satellites étudiés est considéré comme circulaire.

Le tableau ci-dessous, partiellement rempli, regroupe les valeurs des périodes de révolution autour de Saturne et les rayons des orbites de deux de ses satellites.

Satellite	Période de révolution	Rayon de l'orbite
Janus	$T_1 = 17$ h 58 min	$r_1 = ?$
Encelade	$T_2 = ?$	$r_2 = 238 \times 10^3$ km

a. Déterminer la valeur du rayon r_1 de l'orbite de Janus.

b. La troisième loi de Kepler étant applicable aux satellites de Saturne, déterminer la valeur de la période de révolution T_2 d'Encelade.

Donnée : masse de Saturne, $M_S = 5,7 \times 10^{26}$ kg.

24 **ECE** **Évaluation des compétences expérimentales**

Cet exercice permet de travailler les compétences expérimentales suivantes : • S'approprier • Analyser • Valider

Les périodes T_i de révolution de tous les satellites de Jupiter, ainsi que les rayons des orbites circulaires r_i ou les demi-grands axes L_i des orbites elliptiques sont connus avec leur précision (incertitude).

a. Décrire une méthode permettant de calculer la masse de Jupiter.

b. L'appliquer en recherchant les valeurs de T_i, r_i ou L_i sur Internet.

c. Discuter la précision du résultat.

25 **Objectif** **BAC** *Exploiter des documents*  Dossier BAC, page 546

→ Pourquoi la comparaison de Pluton avec Éris a-t-elle entraîné le changement de statut de Pluton ?
Pour répondre à cette question, comparons d'une part les orbites d'Éris et de Pluton, d'autre part leur masse.

DOC 1. Éris et le changement de statut de Pluton

Pluton, découvert par l'américain Clyde Tombaugh en 1930, était considérée comme la neuvième planète de notre système solaire. Le 5 janvier 2005, une équipe d'astronomes a découvert sur des photographies prises le 21 octobre 2003 un nouveau
5 corps gravitant autour du Soleil. Provisoirement nommé 2003 UB313, cet astre porte maintenant le nom d'Éris, du nom de la déesse grecque de la discorde.

La découverte d'Éris et d'autres astres similaires (2003 EL 61, 2005 FY9…) a été le début de nombreuses discussions et
10 controverses acharnées entre scientifiques sur la définition même du mot « planète ».

Au cours d'une assemblée générale, le 24 août 2006 à Prague 2 500 astronomes de l'Union Astronomique Internationale (UAI) ont décidé à main levée de déclasser Pluton comme
15 planète pour lui donner le rang de « planète naine » en compagnie d'Éris et de Cérès (gros astéroïde situé entre Mars et Jupiter).

DOC 2. Éris et son satellite Dysnomia

La planète naine Éris parcourt une orbite
5 elliptique autour du Soleil

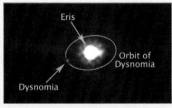

avec une période de révolution T_E valant environ 557 années terrestres. En 2005, les
10 astronomes ont découvert qu'Éris possède un satellite qui a été baptisé Dysnomia. La représentation ci-dessus reproduit l'orbite de Dysnomia autour d'Éris.

Le rayon de l'orbite de Dysnomia (orbite consi-
15 dérée comme circulaire) est de $R_D = 3,60 \times 10^7$ m et la période de révolution de Dysnomia autour d'Éris est de $T_D = 1,30 \times 10^6$ s.

1. a. Énoncer précisément la troisième loi de Kepler relative à la période de révolution d'une planète autour du Soleil, dans le cas d'une orbite elliptique.

b. L'orbite d'Éris se situe-t-elle au-delà ou en deçà de celle de Pluton ? Justifier sans calcul.

2. a. Définir le référentiel permettant d'étudier le mouvement de Dysnomia autour d'Éris. Par la suite, ce référentiel sera considéré comme galiléen.

b. Montrer que la période de révolution T_D de Dysnomia a pour expression $T_D = 2\pi \sqrt{\dfrac{R_D^3}{GM_E}}$ puis calculer le rapport des masses M_E d'Éris et M_P de Pluton. Expliquer alors pourquoi la découverte d'Éris a remis en cause le statut de planète pour Pluton.

Données : masse de Pluton, $M_P = 1,31 \times 10^{22}$ kg ; période de révolution de Pluton autour du Soleil, $T_P = 248$ ans.

26 Apprendre à chercher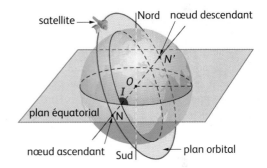

La résolution de cet exercice nécessite de trouver les étapes du raisonnement.

→**Une aide est disponible en fin de manuel.**

Énoncé

Les satellites géostationnaires sont immobiles dans le référentiel terrestre. C'est le cas de satellites météorologiques qui peuvent ainsi observer en permanence une même région de la surface de la Terre.

→ *Montrer qu'un satellite ne peut être géostationnaire que s'il gravite dans un plan équatorial et si son altitude est voisine de 36 000 km.*

27 ✶ Champ de gravitation

Compétences générales *Extraire et exploiter des informations – Effectuer un raisonnement scientifique*

Les vols d'un engin spatial s'effectuent suivant différentes phases : lancement, déplacement sur une orbite circulaire… Voici quelques caractéristiques de l'un des vols de la navette spatiale que l'on se propose d'étudier :
– masse totale au décollage : $m_0 = 2{,}041 \times 10^6$ kg ;
– masse, vitesse et altitude moyenne du véhicule sur orbite :
$m = 69{,}68 \times 10^3$ kg ; $v = 7\,711$ km·s^{-1} ; $h = 296$ km.

1. Pendant la phase de décollage, on considère que l'éjection des gaz par les moteurs a les mêmes effets qu'une force extérieure de valeur $F_p = 32{,}4 \times 10^6$ N appelée poussée. On suppose que la valeur du champ de pesanteur g reste constante durant toute la phase de départ : $g = 9{,}8$ m·s^{-2}.

a. Faire le bilan des forces s'exerçant sur la navette à l'instant du décollage et représenter les forces sur un schéma (au moment du décollage, on néglige les forces de frottements et la variation de masse).

b. Calculer la valeur de l'accélération au décollage.

c. Calculer la distance parcourue pendant les 2 s qui suivent le décollage en négligeant la variation d'accélération pendant cette durée.

2. Quelques minutes après le décollage, la navette est en mouvement circulaire uniforme autour de la Terre à l'altitude h. Elle se déplace dans le champ de gravitation de la Terre défini par :

$$\vec{g_h} = \frac{\vec{F_h}}{m}$$

où $\vec{F_h}$ représente la force de gravitation exercée par la Terre sur la navette à l'altitude h.

a. On assimile la navette à un point matériel.
Sur un schéma, représenter la navette sur son orbite circulaire, la force de gravitation $\vec{F_h}$ qu'elle subit et le champ de gravitation en différents points de cette orbite.

b. Donner l'expression vectorielle de la force de gravitation $\vec{F_h}$. En déduire que l'expression du champ de gravitation à l'altitude h est de la forme :

$$\vec{g} = G \frac{M_T}{(R + h)^2} \vec{u_n}$$

où $\vec{u_n}$ est un vecteur unitaire radial et centripète.

c. Montrer que l'intensité du champ de gravitation à l'altitude h est :

$$g_h = \frac{R^2}{(R + h)^2} g_0$$

où R est le rayon terrestre et $g_0 = 9{,}8$ m·s^{-2} la valeur du champ de gravitation à l'altitude nulle.

d. Donner l'expression de la valeur de l'accélération de la navette en mouvement circulaire uniforme en fonction du rayon r de son orbite et de la valeur de sa vitesse v.

e. En utilisant la deuxième loi de Newton, montrer que l'expression de la valeur de la vitesse de la navette respecte la relation : $v^2 = g_h \times (R + h)$.

f. Calculer g_h puis v et comparer cette valeur de vitesse à celle donnée dans l'énoncé.

28 ✶ Satellites météorologiques

Compétences générales *Exploiter des informations – Effectuer un calcul*

Les satellites météorologiques décrivent une orbite circulaire dans le référentiel géocentrique.

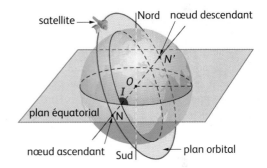

On note :
– r le rayon de l'orbite d'un tel satellite ;
– I l'inclinaison, c'est-à-dire l'angle entre le plan équatorial et le plan orbital ;
– T la période de révolution du satellite.

Les satellites NOAA ont une période de 100 minutes et une inclinaison de 98°.

Les satellites Météosat ont une période de 1 436 minutes et une inclinaison de 0°.

Les uns sont géostationnaires, c'est-à-dire immobiles dans le référentiel terrestre, les autres sont dits à défilement.

a. De Météosat ou de NOAA, quels sont ceux qui sont géostationnaires ? Donner deux arguments permettant de justifier la réponse.

b. Pourquoi les autres sont-ils dits « à défilement » ? Calculer, pour ces satellites, la distance qui sépare les points situés à l'équateur survolés lors de deux révolutions consécutives.

c. La période de ces satellites en mouvement circulaire est :

$$T = 2\pi \sqrt{\frac{r^3}{GM_T}} \,.$$

Donner l'altitude d'un satellite géostationnaire et celle d'un satellite à défilement.

29 ★★ Champ magnétique

Compétences générales *Extraire et exploiter des informations – Effectuer un raisonnement scientifique*

Un cyclotron est un accélérateur de particules chargées. C'est une « boîte » partagée par la moitié en deux pièces en forme de D appelées « dees ».

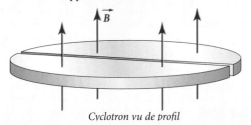

Cyclotron vu de profil

Un champ électrique uniforme accélère les particules de charges q émises par une source située entre les dees ; ces particules pénètrent dans l'un des dees avec une vitesse $\vec{v}$ normale à la face d'entrée du dee.

Les dees sont plongés dans un champ magnétique $\vec{B}$ uniforme, normal au plan des dees. La particule chargée subit une force magnétique contenue dans le plan des dees, radiale, centripète de valeur $|q|v\,B$. Sa trajectoire devient alors circulaire.

Lorsqu'elle a effectué un demi-tour et qu'elle quitte le dee, le champ électrique a changé de sens et elle subit à nouveau une accélération. Au fur et à mesure que sa vitesse croît, le rayon de sa trajectoire augmente. Elle décrit donc une sorte de spirale et finit par atteindre la périphérie des dees où un dispositif approprié la dévie, la soustrait à l'action du champ magnétique et l'envoie là où elle doit être utilisée.

a. Représenter sur un schéma les deux dees vus de dessus, une particule chargée en mouvement circulaire dans un des dees et la force magnétique qu'elle subit.

b. En appliquant la deuxième loi de Newton, montrer que le mouvement est uniforme à l'intérieur d'un dee.

c. Montrer que la valeur du rayon R du demi-cercle décrit dans un dee est donnée par la relation :

$$R = \frac{mv}{|q|\,B}$$

où v est la vitesse de la particule dans le dee.
Représenter le trajet suivi par la particule lorsqu'elle effectue deux « tours » complets, c'est-à-dire deux passages dans chacun des deux « dees ».

d. Exprimer la durée d'un demi-tour puis la fréquence de la tension alternative créant le champ électrique entre les dees afin que la particule soit accélérée après chaque demi-tour.

e. Doit-on adapter la fréquence de la tension alternative à la vitesse des particules ou au rayon de la trajectoire pour accélérer la particule à chaque passage entre les deux dees ?

f. Un des problèmes du cyclotron est que pour augmenter l'énergie des particules, il faut augmenter la taille de l'aimant générant le champ magnétique fixe. Le synchrotron schématisé ci-contre permet de résoudre le problème. Le nom synchrotron tient son origine du mot « synchrone » car il y a une synchronisation entre le champ électrique, qui règne dans la partie ①, partie rectiligne où la valeur de la vitesse des particules augmente, et le champ magnétique dans les parties circulaires.

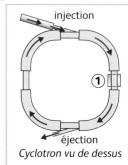

Cyclotron vu de dessus

Comment doit varier le champ magnétique pour que les particules accélérées soient maintenues sur une trajectoire fixe ?

---

30 Objectif **BAC** *Rédiger une synthèse de documents*

➡ **Dossier BAC, page 546**

Cet exercice s'appuie sur des ressources disponibles sur le site élève : www.nathan.fr/siriuslycee/eleve-termS.

→ **Un rendez-vous orbital entre deux satellites sur la même orbite est impossible sans changement d'orbite, ce qui rend cette manœuvre très délicate. Étudions cette technique bien maîtrisée par tous les conquérants de l'espace.** Télécharger le dossier « Ressources pour l'exercice 30 » du chapitre 10 qui concerne les rendez-vous orbitaux. Ce dossier contient :
– deux documents relatifs au mouvement de satellite et ses contraintes ;
– la simulation d'un rendez-vous orbital.

À partir des documents et de la simulation, expliquer en quoi consiste un rendez-vous orbital et quelles sont les difficultés à surmonter pour en opérer un, comme la Chine l'a réalisé pour la première fois de son histoire le 3 novembre 2011.

Le texte rédigé, de 25 à 30 lignes, devra être clair et structuré, et l'argumentation reposera sur l'ensemble des documents proposés.

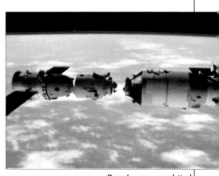

Rendez-vous orbital entre la station Tiengong-1 et la navette Shengzhou-8, le 3 novembre 2011.

Chapitre 11

Les oscillateurs et la mesure du temps

Le **projet européen Pharao** (Projet d'Horloge Atomique par Refroidissement d'Atomes en Orbite), va tester, dans la station spatiale internationale ISS en orbite, un nouveau type d'**horloge atomique** associant atomes ultra-froids et faible gravité. Ces horloges, dont la précision atteint 16 chiffres après la virgule, vont permettre d'interroger les théories fondamentales de la physique.

COMPÉTENCES EXIGIBLES

- Pratiquer une démarche expérimentale pour mettre en évidence les différents paramètres influençant la période d'un oscillateur mécanique et son amortissement.
→ *Activité expérimentale 2*

- Établir et exploiter les expressions du travail d'une force constante.
→ *Exercices 4, 5 et 17*

- Établir l'expression du travail d'une force de frottement d'intensité constante dans le cas d'une trajectoire rectiligne. → *Exercice 16*

- Analyser les transferts énergétiques au cours du mouvement d'un point matériel.
→ *Exercices 11, 20 et 29*

- Pratiquer une démarche expérimentale pour étudier l'évolution des énergies cinétique, potentielle et mécanique d'un oscillateur.
→ *Activité expérimentale 3, exercices 7 et 25*

- Extraire et exploiter des informations sur la mesure du temps (phénomènes dissipatifs, définition de la seconde, horloges atomiques…).
→ *Activité documentaire 1, exercices 26, 28 et 32*

1

Les horloges atomiques

▶ **Dans cette interview à l'Observatoire de Paris, le physicien Noël Dimarcq, chercheur au CNRS, explique le principe des horloges atomiques ainsi que leur importance dans la recherche fondamentale et appliquée et dans la vie quotidienne.**

D'où vient la précision d'une horloge ?

N. Dimarcq Tout d'abord, il faut garder en mémoire que, depuis Huyghens (1629-1695), toutes les horloges fonctionnent avec un oscillateur : l'oscillateur méca-
5 nique (horloges et montres anciennes), le quartz (horloges, montres et horloges atomiques actuelles), le laser (horloges atomiques du futur).

Parallèlement, avec l'évolution des connaissances scientifiques et des techniques, la précision des horloges
10 a considérablement augmenté : pour un jour, l'incertitude est passée d'environ 10 s au XVIIe siècle à 10^{-11} s pour les horloges atomiques actuelles.
Pourquoi ? Parce que l'incertitude sur la mesure du temps représente une fraction de la période de l'oscilla-
15 teur. Il en résulte que plus la période est petite (donc plus la fréquence des oscillations est grande) et plus l'incertitude sur la mesure du temps est faible.

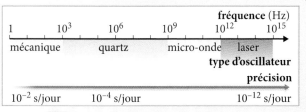

1 *Évolution de la précision des horloges.*

Qu'est-ce qu'une horloge atomique ?
Quel est son principe de fonctionnement ?

20 Prenons l'exemple de l'horloge au césium sur laquelle s'appuie la définition de la seconde. Cette horloge atomique comporte un oscillateur à quartz (comme dans une montre à quartz) dont la fréquence *f* est contrôlée par un dispositif de régulation qui repère et
25 corrige en temps réel les fluctuations de la fréquence afin que celle-ci soit stable et la plus exacte possible. Ce dispositif s'appuie sur une transition atomique du césium 133 entre deux états nommés ici $\mathscr{E}_1$ et $\mathscr{E}_2$ **(document 2)**.

30 ### Qu'apportent les horloges atomiques dans la mesure du temps ?

Il est difficile de réaliser deux horloges mécaniques ou deux horloges à quartz identiques car leur fréquence d'oscillation dépend de leur géométrie (construc-
35 tion des balanciers, taille du quartz) : elles ne sont pas exactes. Par ailleurs la fréquence de ces horloges varie au cours du temps (modification de leur forme par usure, changement de température, etc.) : de telles horloges manquent de stabilité.

40 Pour l'horloge atomique au césium, les atomes de césium 133 sont tous identiques, ils ont et gardent les mêmes propriétés (ils ne s'usent pas, contrairement à un oscillateur mécanique ou à quartz). L'énergie des photons qu'ils émettent lors de la transition est universelle et immuable
45 comme la fréquence $\nu_0 = \left(\dfrac{\mathscr{E}_2 - \mathscr{E}_1}{h}\right)$ du rayonnement électromagnétique associé. Ceci explique, en partie, l'évolution de la précision entre les meilleures horloges à quartz (0,1 ms/jour) et les horloges atomiques au césium (10 ps/jour).

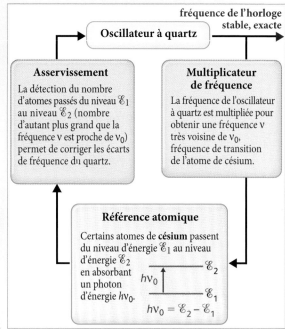

2 ▶ *Principe de l'horloge atomique au césium.*

50 **Comment améliore-t-on la précision
des horloges atomiques?**

Plusieurs voies sont explorées actuellement:
– augmenter la fréquence du rayonnement électromagnétique dans l'horloge, en utilisant une fréquence
55 proche du visible ($f \approx 10^{15}$ Hz) au lieu de la fréquence
micro-onde du césium ($f \approx 10^{10}$ Hz). Ainsi, les horloges
à atomes de strontium utilisent un rayonnement dans
le rouge et les horloges à atomes de mercure un rayonnement dans l'ultra violet;
60 – augmenter la durée d'interaction entre les atomes et
le rayonnement car plus cette durée d'interaction est
longue, plus la précision est améliorée (la détection des
atomes ayant subi la transition est améliorée). C'est la
technique utilisée dans toutes les nouvelles générations
65 d'horloges atomiques dans lesquelles le mouvement des
atomes est contrôlé et ralenti (atomes froids) grâce à
de la lumière laser.

3 *Jeune chercheur devant une horloge optique
au strontium – Laboratoire Syrte de l'Observatoire
de Paris.*

**Quelles sont les recherches menées
dans le laboratoire Syrte que vous dirigez?**

70 Les missions du laboratoire sont multiples, j'en citerai
trois:
– la mission première est d'améliorer les performances
des horloges atomiques afin d'obtenir une plus grande
exactitude pour l'unité de temps (la seconde). Les
75 horloges atomiques à césium actuelles atteignent une

précision de l'ordre de 10^{-16}, et les recherches en cours
visent 10^{-18} avec les horloges optiques **(document 3)** ;
– le laboratoire réalise également des recherches de
physique fondamentale, par exemple pour le projet
80 Pharao, où des horloges atomiques de très haute
précision seront mises en orbite dans la station spatiale
internationale ISS afin de tester des lois fondamentales
de la physique (théories de la relativité, de la gravitation, variation des constantes universelles, etc.) ;
85 – parallèlement, le développement de nouvelles technologies pour les horloges (miniaturisation, amélioration de l'exactitude) ouvre de
nouveaux domaines à explorer
sur le comportement ondula-
90 toire de la matière à très basse
température. Dans les fontaines
à atomes refroidis par laser,
les atomes sont très fortement
ralentis par leur interaction avec
95 la lumière laser. Ils se déplacent
avec une vitesse très faible dans
un tube à température proche du
0 K **(document 4)**.

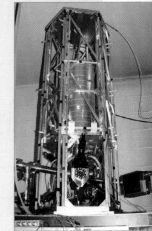

4 ▶ *Fontaine à atomes
refroidis par laser.*

**Les horloges atomiques font-elles partie
100 de notre quotidien?**

Oui, de nombreuses applications de la vie quotidienne
reposent sur les performances des horloges atomiques.
Quelques exemples: l'horloge parlante, la synchronisation des réseaux de télécommunication à haut débit,
105 le positionnement par GPS (et bientôt par le système
européen Galileo) pour la navigation, la sécurisation
du transport aérien, le secours en mer… dont la précision dépend de celle des horloges.

Mais toutes ces applications n'utilisent pas d'horloges
110 atomiques aussi exactes que celles des laboratoires de
recherche fondamentale. Les horloges commerciales
pour l'industrie, pour les laboratoires ou pour le positionnement par satellite ont une précision de l'ordre
de 10^{-9} s/jour.

Exploiter les documents

**Coup
de pouce**

Site de
l'Observatoire
de Paris:
www.syrte.obspm.fr

a. L'interview porte sur les horloges atomiques. Pourquoi utilise-t-on le qualificatif «atomique»?

b. Quel est l'intérêt d'augmenter la fréquence de l'oscillateur qui pilote une horloge?

c. Dans l'entretien, la précision d'une horloge est exprimée soit en s/jour, soit par une valeur
sans unité. Par exemple, les horloges actuelles à atomes froids peuvent avoir les précisions:
10^{-11} s/jour ou 10^{-16}. Vérifier la cohérence de ces deux indications.

d. À l'aide de recherches, représenter l'évolution de la **précision des horloges à oscillateurs**
de Huyghens à nos jours et faire le lien entre la précision des horloges atomiques et leurs utilisations. Communiquer le résultat sous la forme d'une affiche illustrée.

Activités

ACTIVITÉ EXPÉRIMENTALE

2

Étude des oscillations d'un pendule

▶ Étudions les oscillations libres d'un pendule puis mettons en évidence les différents paramètres qui influencent sa période.

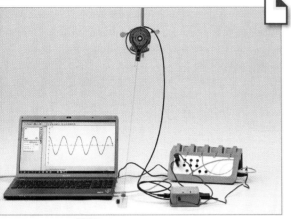

5 Montage expérimental.

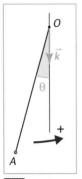

6 Repérage de l'abscisse angulaire.

DISPOSITIF

■ Le pendule est constitué d'un fil attaché en O et sur lequel est fixé un cylindre (**document 5**).

■ Un capteur d'angle associé à un dispositif d'acquisition permet d'obtenir les valeurs de l'angle orienté θ que fait le pendule avec la verticale Oz (**figure 6**). Cet angle est nommé abscisse angulaire : $\theta = (\vec{k}, \overrightarrow{OA})$.

Expérience

■ Paramétrer l'acquisition : écrire la valeur maximale de l'angle et le nombre de points de mesure (ici respectivement 45° et 500 points).

■ Éloigner le pendule de sa position d'équilibre, le lâcher et enregistrer l'évolution de l'abscisse angulaire θ au cours du temps pour environ quatre oscillations du pendule.

Le fichier des mesures est disponible sur le site élève : **www.nathan.fr/siriuslycee/eleve-termS**.

1 Observer

a. Sur l'enregistrement, repérer la valeur de l'amplitude des oscillations. L'amplitude reste-t-elle constante au cours du temps ? Schématiser la position du pendule lorsque l'abscisse angulaire θ est maximale, puis minimale.

b. Sur l'enregistrement, repérer la durée d'une oscillation et la mesurer avec précision.

2 Interpréter

a. Le mouvement du pendule conserve-t-il la même amplitude ? est-il périodique ?

b. Si non, quelles sont les causes de l'amortissement ?

3 Proposer et réaliser un protocole expérimental

Les caractéristiques du pendule utilisé peuvent être modifiées : la masse m du cylindre peut être changée ainsi que sa position sur le fil (on appelle ℓ la distance entre le point O et le centre A du cylindre). Par ailleurs, on peut lancer le pendule de différentes façons et donner ainsi à ses oscillations des amplitudes différentes.

a. Proposer un protocole expérimental permettant de déterminer les paramètres qui influencent effectivement la période des oscillations du pendule.

b. Après discussion, réaliser les expériences choisies et noter l'ensemble des résultats.

4 Conclure

Faire le bilan des paramètres qui influencent la période du pendule. Ces conclusions sont-elles valables pour un grand nombre d'oscillations du pendule ? Ce pendule peut-il être utilisé comme étalon pour la mesure du temps ?

3 Étude énergétique des oscillations du pendule

▶ À l'aide d'une simulation, étudions l'évolution de l'énergie d'un pendule au cours de ses oscillations afin de déterminer l'influence des frottements.

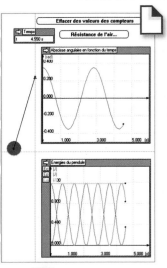

7 *Capture d'écran.*

DISPOSITIF   Un fichier simulation *Interactive Physics* est disponible sur le site élève : www.nathan.fr/siriuslycee/eleve-termS.

■ Le pendule étudié en simulation est formé d'un fil inextensible, de longueur ℓ et de masse nulle à l'extrémité duquel est fixée une boule de masse m.

■ Ce pendule, écarté de sa position d'équilibre d'un angle θ_0, est lâché à l'instant de date $t_0 = 0$ s avec une vitesse nulle. On modélise la boule par un point matériel.

■ Le logiciel détermine pas à pas l'abscisse angulaire $\theta(t)$ en prenant en compte les lois de Newton, et calcule à chaque instant les valeurs des énergies cinétique $\mathscr{E}_c$, potentielle $\mathscr{E}_p$ et mécanique $\mathscr{E}_m$ du pendule.

■ Sur l'écran sont affichées les courbes représentant :
$\theta(t)$ l'abscisse angulaire fonction du temps ;
$\mathscr{E}_c(t)$, $\mathscr{E}_p(t)$ et $\mathscr{E}_m(t)$ les énergies du pendule en fonction du temps ;
$\mathscr{E}_c(\theta)$, $\mathscr{E}_p(\theta)$ et $\mathscr{E}_m(\theta)$ les énergies du pendule en fonction de l'abscisse angulaire θ (non visibles sur le **document 7**).

■ Le bouton « résistance de l'air » permet d'introduire des frottements.
Données : $m = 1$ kg, $\ell = 2$ m, $\theta_0 = 20°$.

Simulation 1 Choisir un mouvement sans frottement. Lancer la simulation.

TICE

Interactive Physics est un logiciel de simulation de phénomènes physiques. Une version de démonstration du logiciel est disponible dans le Manuel Numérique Enrichi Sirius T^{erm} S.

1 Exploiter

a. Pour vérifier le fonctionnement de la simulation :
– écrire l'expression de l'énergie cinétique $\mathscr{E}_c$ du pendule (boule de masse m, de vitesse v) ;
– établir que l'expression de l'énergie potentielle de pesanteur $\mathscr{E}_p$ du pendule est $\mathscr{E}_p = mg\ell(1 - \cos\theta)$ lorsque l'on choisit $\mathscr{E}_p = 0$ J à la position d'équilibre du point matériel ;
– calculer les valeurs de $\mathscr{E}_c$; $\mathscr{E}_p$ et $\mathscr{E}_m$ à l'instant de date $t_0 = 0$ s pour vérifier la concordance des résultats avec les valeurs affichées dans la simulation.

b. Comparer la période T des oscillations à la période des énergies cinétique et potentielle.

2 Interpréter

a. Décrire dans un tableau l'évolution des différentes formes d'énergie au cours d'une période T en précisant les positions du pendule pour lesquelles les énergies cinétiques et potentielles sont soit maximales soit minimales. L'énergie mécanique du système se conserve-t-elle ?

b. Montrer que l'on retrouve ces résultats sur les courbes représentant $\mathscr{E}_c(\theta)$, $\mathscr{E}_p(\theta)$ et $\mathscr{E}_m(\theta)$.

Simulation 2 Choisir un mouvement avec frottement faible. Lancer la simulation.

3 Observer et interpréter

a. Quel est l'effet des forces de frottement sur le mouvement du pendule ? sur les variations des énergies $\mathscr{E}_c(t)$, $\mathscr{E}_p(t)$ et $\mathscr{E}_m(t)$ en fonction du temps ?

b. Déterminer la variation de l'énergie mécanique du pendule pour la première période d'oscillation. La représenter sur le graphe de $\mathscr{E}_m(t)$.

c. Interpréter les courbes représentant $\mathscr{E}_c(\theta)$, $\mathscr{E}_p(\theta)$ et $\mathscr{E}_m(\theta)$.

4 Conclure

Pour compenser l'effet des frottements, les horloges mécaniques à balancier possèdent des systèmes d'entretien des oscillations. Indiquer leur rôle dans le fonctionnement de l'horloge.

Pour vérifier ses acquis
→ **FICHES E, F, G et H** page 159

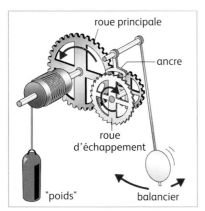

8 *Mécanisme d'une horloge à balancier.*

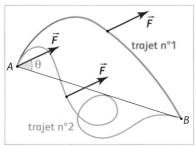

9 *Le travail de la force constante $\vec{F}$ est le même pour les deux trajets entre A et B.*

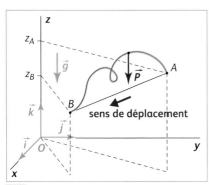

10 *Quelle que soit la trajectoire du point matériel entre A et B, le travail du poids ne dépend que de la différence d'altitude $(z_A - z_B)$ entre ces deux points.*

1 Travail d'une force

Le travail d'une force représente le premier mode de transfert d'énergie appréhendé par les physiciens.

Prenons l'exemple d'une pendule ancienne à balancier : un objet lourd appelé « poids » fournit progressivement, en descendant, de l'énergie à l'horloge et entretient ainsi les oscillations du balancier **(figure 8)**. En physique, on dit que le poids $\vec{P}$ de l'objet « travaille » et que son **travail** est **moteur**. En revanche, des forces de frottement (l'air sur le balancier, les pièces de mécanisme entre elles, etc.) s'opposent au mouvement du balancier : leur travail est dit **résistant**.

1.1 Travail d'une force constante

Considérons le cas particulier d'une force constante $\vec{F}$, c'est-à-dire d'une force qui garde constants sa direction, son sens et sa valeur.

Le **travail d'une force constante** $\vec{F}$ lors d'un déplacement de son point d'application d'un point A à un point B est défini par le produit scalaire des vecteurs $\vec{F}$ et $\vec{AB}$.

$$\mathcal{W}_{AB}(\vec{F}) = \vec{F} \cdot \vec{AB}$$

soit

$$\mathcal{W}_{AB}(\vec{F}) = F \times AB \times \cos\theta$$

F en newton (N)	
AB en mètre (m)	
θ : angle $(\vec{F}, \vec{AB})$ en degré (°) ou radian (rad)	
$\mathcal{W}$ en joule (J)	

Le travail d'une force constante est indépendant du chemin suivi pour aller d'un point A à un point B **(figure 9)**.

Le travail est une grandeur algébrique comme indiqué dans le tableau ci-dessous.

$\mathcal{W}_{AB}(\vec{F}) > 0$	$\mathcal{W}_{AB}(\vec{F}) = 0$	$\mathcal{W}_{AB}(\vec{F}) < 0$
$0° \leqslant \theta < 90°$	$\theta = 90°$	$90° < \theta \leqslant 180°$
la force favorise le déplacement	la force n'a pas d'effet sur le déplacement	la force s'oppose au déplacement
le travail est **moteur**	le travail est **nul**	le travail est **résistant**

1.2 Travail du poids

Dans une région au voisinage de la Terre où le champ de pesanteur $\vec{g}$ est uniforme, le poids $\vec{P}$ d'un objet est une force constante.

Le travail du poids d'un point matériel de masse m qui se déplace d'un point A à un point B a pour expression :

$$\mathcal{W}_{AB}(\vec{P}) = \vec{P} \cdot \vec{AB} = m\vec{g} \cdot \vec{AB}$$

Dans le repère $(O ; \vec{i}, \vec{j}, \vec{k})$ associé au référentiel terrestre, tel que le vecteur $\vec{k}$ est vertical et orienté vers le haut **(figure 10)**, les coordonnées des vecteurs sont : $\vec{g}(0 ; 0 ; -g)$ et $\vec{AB}(x_B - x_A ; y_B - y_A ; z_B - z_A)$;
d'où $\mathcal{W}_{AB}(\vec{P}) = -mg(z_B - z_A) = mg(z_A - z_B)$.

Le **travail du poids** $\vec{P}$ d'un point matériel de masse m qui se déplace d'un point A à un point B, dans un champ de pesanteur uniforme, a pour expression :

$$\mathcal{W}_{AB}(\vec{P}) = mg(z_A - z_B)$$

$\begin{aligned} &m \text{ en kilogramme (kg)} \\ &g : \text{intensité de la pesanteur (m} \cdot \text{s}^{-2}) \\ &z_A \text{ et } z_B : \text{altitudes en mètre (m)} \\ &\mathcal{W} \text{ en joule (J)} \end{aligned}$

Remarque. Dans le cas d'un corps non ponctuel, on prend en compte le déplacement de A vers B du centre d'inertie G du solide.

Éviter des erreurs

○ Ne pas confondre le **trajet** (chemin suivi le long de la trajectoire) et la **dénivellation** (différence d'altitude entre les points de départ et d'arrivée).

1.3 Travail d'une force électrique constante

Lorsqu'une particule (considérée comme ponctuelle), portant une charge q se déplace dans un champ électrique $\vec{E}$ uniforme, elle est soumise à une force électrique constante $\vec{F}_E = q\vec{E}$ **(figure 11)**.

Le travail de la force électrique $\vec{F}_E$ qui s'exerce sur une particule portant une charge q, qui se déplace d'un point A à un point B dans un champ électrique uniforme $\vec{E}$ a pour expression :

$$\mathcal{W}_{AB}(\vec{F}_E) = \vec{F}_E \cdot \vec{AB} = q\vec{E} \cdot \vec{AB}$$

On peut montrer que le produit scalaire $\vec{E} \cdot \vec{AB}$ représente la tension U_{AB} entre les points A et B.

Le **travail de la force électrique** $\vec{F}_E$ qui s'exerce sur une particule portant une charge q, qui se déplace d'un point A à un point B dans un champ électrique uniforme $\vec{E}$ a pour expression :

$$\mathcal{W}_{AB}(\vec{F}_E) = q\vec{E} \cdot \vec{AB} = qU_{AB}$$

$\begin{aligned} &q \text{ en coulomb (C)} \\ &U_{AB} : \text{tension en volt (V)} \\ &E \text{ en V} \cdot \text{m}^{-1} \\ &\mathcal{W} \text{ en joule (J)} \end{aligned}$

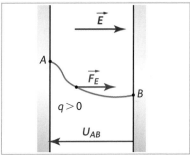

11 *Le travail de la force électrique $\vec{F}_E$ qui s'exerce sur la particule de charge $q > 0$ entre les points A et B ne dépend pas du chemin suivi.*

1.4 Travail d'une force de frottement

Lorsqu'un objet se déplace sur un support, la force $\vec{R}$ qui modélise l'action du support sur l'objet peut être décomposée selon deux directions particulières **(figure 12)** : $\vec{R}_n$ de direction normale au support et $\vec{f}$ appelée force de frottement, de direction tangentielle au support.

Quel que soit le déplacement de l'objet, la composante normale $\vec{R}_n$ reste perpendiculaire au déplacement : son travail est nul.

Dans l'hypothèse d'une force de frottement $\vec{f}$ de valeur (ou d'intensité) constante lors d'un déplacement rectiligne de A en B **(figure 13)**, son travail s'exprime par :

$$\mathcal{W}_{AB}(\vec{f}) = \vec{f} \cdot \vec{AB} = f \times AB \times \cos\theta \text{ avec } \theta = 180° \text{ soit } \cos\theta = -1$$

Le **travail d'une force de frottement** $\vec{f}$, de valeur (ou d'intensité) constante, qui s'exerce sur un objet en mouvement rectiligne, du point A au point B, est donné par l'expression :

$$\mathcal{W}_{AB}(\vec{f}) = -f \times AB$$

$\begin{aligned} &f \text{ valeur en newton (N)} \\ &AB \text{ en mètre (m)} \\ &\mathcal{W} \text{ en joule (J)} \end{aligned}$

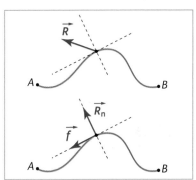

12 *Représentations de l'action du support sur l'objet lors d'un déplacement quelconque.*

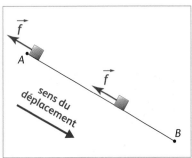

13 *La force de frottement constante $\vec{f}$ fournit un travail résistant lors du déplacement de A vers B : $\mathcal{W}_{AB}(\vec{f}) < 0$.*

2 Force conservative ou non conservative

2.1 Force conservative et énergie potentielle

14 *Évolution de $\mathscr{E}_c$, $\mathscr{E}_p$ et $\mathscr{E}_m$ lors de la chute d'un objet lancé vers le haut en l'absence de frottements ($\mathscr{E}_m$ = constante).*

● Nous avons défini en 1re S, l'énergie mécanique $\mathscr{E}_m$ d'un système comme la somme des énergies cinétique $\mathscr{E}_c$ et potentielle $\mathscr{E}_p$ des objets constituant le système : $\mathscr{E}_m = \mathscr{E}_p + \mathscr{E}_c$.

Prenons le cas de la chute libre d'un point matériel dans le champ de pesanteur uniforme. En l'absence de frottements, on a établi que, lors de son mouvement, l'énergie cinétique du point matériel augmente lorsque son énergie potentielle de pesanteur diminue (et inversement) mais son énergie mécanique se conserve **(figure 14)**. Il y a **conversion** d'une forme d'énergie en l'autre par l'intermédiaire du **travail du poids**.

On dit que le **poids** est une **force conservative**.

Un autre exemple de force conservative est celui de la force électrique qui s'exerce sur une particule chargée dans un champ électrique uniforme.

> Une force est conservative lorsque le travail de cette force lors d'un déplacement d'un point A à un point B ne dépend que des positions des points A et B. Ce travail ne dépend pas des autres caractéristiques du déplacement (chemin suivi entre A et B, vitesse, etc.).

● Nous avons également vu en 1re S que l'énergie potentielle de pesanteur $\mathscr{E}_p$ d'un point matériel dans le champ de pesanteur est une grandeur associée à sa position (altitude) par rapport à la Terre. Sa variation au cours d'un déplacement de l'altitude z_A à l'altitude z_B est égale à :

$$\mathscr{E}_{pB} - \mathscr{E}_{pA} = mgz_B - mgz_A = -P(z_A - z_B)$$

soit l'opposé du travail du poids lors de ce déplacement :

$$\mathscr{E}_{pB} - \mathscr{E}_{pA} = -\mathscr{W}_{AB}(\vec{P})$$

D'une manière générale, on ne peut définir l'énergie potentielle $\mathscr{E}_p$ d'un système associé à une force que si la force est conservative :

$$\mathscr{E}_{pB} - \mathscr{E}_{pA} = -\mathscr{W}_{AB}(\vec{F}_{conservative})$$

> Une énergie potentielle n'est définie que pour les forces conservatives.

Éviter des erreurs

○ Une force conservative n'est pas forcément une force constante.

2.2 Force non conservative

● Prenons le cas de la chute où l'objet est soumis à des frottements dus à l'air. On a établi que l'énergie mécanique de l'objet diminue au cours de son mouvement. Une partie de l'énergie a été dissipée par **transfert thermique** par les forces de frottement. Dans ce cas, l'énergie mécanique du système ne se conserve pas **(figure 15)**.

On dit que les forces de frottement sont **non conservatives**.

La variation $\Delta\mathscr{E}_m$ de l'énergie mécanique du système est égale au travail des forces de frottement :

$$\Delta\mathscr{E}_M = \mathscr{W}(\vec{f}) < 0$$

● On ne définit pas d'énergie potentielle pour des forces de frottements qui sont toujours des forces non conservatives.

15 *Évolution de $\mathscr{E}_c$, $\mathscr{E}_p$ et $\mathscr{E}_m$ lors de la chute d'un objet lancé vers le haut en présence de frottements.*

3 Étude énergétique des oscillations libres

Jusqu'au milieu du XXe siècle, ce sont les oscillations mécaniques (pendules, ressorts) qui ont permis de mesurer le temps. Étudions les échanges d'énergie pour un système oscillant.

L'oscillateur mécanique pris en exemple est un pendule formé d'un fil inextensible attaché en un point fixe O, à l'extrémité duquel est fixée une boule de petite dimension **(figure 16)**. La masse du fil est négligeable devant la masse m de la boule.

Pour cette étude, le pendule est éloigné de sa position d'équilibre puis lâché. Les oscillations qu'il effectue sont alors appelées **oscillations libres**.

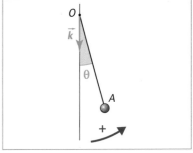

16 *Repérage de l'abscisse angulaire.*

3.1 Oscillations libres du pendule

L'enregistrement des oscillations libres du pendule montre que si les forces de frottement sont négligeables devant les autres forces, l'évolution du mouvement du pendule au cours du temps apparaît **périodique** **(figure 17)**. On définit :

– la **période** T, durée d'une oscillation ;
– l'**abscisse angulaire**, angle orienté $\theta(t) = (\vec{k}, \vec{OA})$;
– l'**amplitude** θ_{max}, valeur maximale de l'abscisse angulaire $\theta(t)$.

En l'absence de frottements, les oscillations libres de faible amplitude ($\theta_{max} < 20°$) ont une même période T qui ne dépend que de deux paramètres : la longueur ℓ du pendule et la valeur g de l'intensité du champ de pesanteur du lieu de l'expérience.

$$T = 2\pi\sqrt{\frac{\ell}{g}} \quad \begin{array}{l} \ell \text{ en mètre (m)} \\ g \text{ en m·s}^{-2} \\ T \text{ en seconde (s)} \end{array}$$

Lorsque le pendule est soumis à des forces de frottement, les oscillations sont **amorties**. Si l'amortissement est faible, le mouvement est oscillatoire mais la valeur de l'amplitude diminue au cours du temps, ce mouvement est dit **pseudo-périodique**.

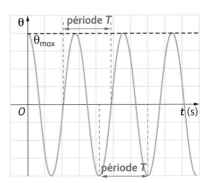

17 *Variation de l'abscisse angulaire θ en fonction du temps lorsque les oscillations sont périodiques.*

3.2 Transferts d'énergie au cours des oscillations

Lors de ses oscillations libres, la boule du pendule est soumise à un ensemble de forces qui résultent de son interaction avec la Terre $(\vec{P})$, de son interaction avec le fil $(\vec{T})$ et de son interaction avec l'air $(\vec{f})$.

La force $\vec{T}$ exercée par le fil sur la boule n'intervient pas dans le bilan énergétique, son travail au cours des oscillations étant nul car sa direction reste normale au déplacement.

A Cas d'un système non soumis à des forces de frottement

Au cours des oscillations du pendule, on note que lorsque l'énergie cinétique $\mathcal{E}_c$ du pendule est maximale, l'énergie potentielle $\mathcal{E}_p$ est minimale et réciproquement : il y a conversion d'une forme d'énergie dans l'autre par l'intermédiaire du travail d'une force conservative, le poids **(figure 18 ⓐ)**. L'énergie mécanique $\mathcal{E}_m$ du pendule reste constante au cours de ses oscillations : elle se conserve.

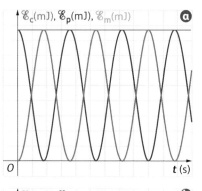

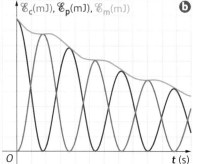

18 Variations de $\mathscr{E}_c$, $\mathscr{E}_p$ et $\mathscr{E}_m$ en fonction du temps pour un pendule :
a non soumis à des forces de frottement ;
b soumis à des forces de frottement.

Au cours des oscillations libres d'un pendule non soumis à des forces de frottement, **l'énergie mécanique du système se conserve** : il y a conversion d'énergie à l'intérieur du système entre les formes cinétique et potentielle.

B Système soumis à des forces de frottement

Lorsque le pendule est soumis à des frottements, l'amplitude de ses oscillations diminue au cours du temps et l'énergie mécanique $\mathscr{E}_m$ du système diminue : il y a dissipation d'énergie par **transfert thermique** par l'intermédiaire de forces non conservatives, les forces de frottement **(figure 18 b)**. La diminution de l'énergie mécanique $\mathscr{E}_m$ du système est égale au travail des forces de frottement :

$$\Delta\mathscr{E}_m = \mathscr{W}(\vec{f}) < 0$$

L'énergie mécanique du pendule, soumis à des forces de frottement, diminue progressivement. **Elle est dissipée par transfert thermique.**

Remarque. Dans les horloges mécaniques, les oscillations sont entretenues pour compenser le phénomène d'amortissement. Dans une horloge à balancier, par exemple, la chute lente d'un « poids » permet de transférer, à chaque oscillation de l'énergie à l'oscillateur.

4 Le temps atomique

● Comme nous l'avons vu dans le **chapitre 8**, les définitions successives de la seconde se sont appuyées sur des mouvements périodiques astronomiques (jusqu'en 1967) ou sur des oscillations atomiques particulières, mais les oscillateurs mécaniques n'ont jamais été utilisés comme étalon. En effet, même si la précision des horloges mécaniques à oscillateur (balancier, ressort spiral ou quartz) a été considérablement améliorée, ces horloges sont difficilement reproductibles à l'identique et elles présentent un défaut de justesse : la période des oscillations ne reste pas constante au cours du temps à cause de l'usure, l'amortissement, les modifications de l'environnement, etc. Ce n'est plus le cas des horloges atomiques.

● Une horloge atomique au césium fonctionne comme une horloge à quartz, mais la fréquence du quartz est contrôlée et corrigée par un dispositif de régulation, piloté par la fréquence de la radiation correspondant à la transition entre deux sous-niveaux d'énergie particuliers de l'état fondamental de l'isotope 133 du césium. Contrairement aux oscillateurs mécaniques, une telle fréquence est **immuable** et **universelle**.

La précision et la stabilité des horloges atomiques sont telles que, depuis 1967, l'horloge atomique au césium est un étalon pour la mesure du temps et sert à la définition de la seconde **(document 19)**.

La seconde est la durée de 9 192 631 770 périodes de la radiation correspondant à la transition entre deux niveaux hyperfins de l'état fondamental de l'atome de césium 133.

19 *Horloge atomique du projet Pharao qui sera mise en orbite dans la station spatiale internationale ISS afin de tester les lois fondamentales de la physique.*

L'ESSENTIEL

 Travail d'une force constante

● Le **travail d'une force constante** $\vec{F}$ lors d'un déplacement de son point d'application d'un point A à un point B est défini par le produit scalaire des vecteurs $\vec{F}$ et $\vec{AB}$:

$$\mathcal{W}_{AB}(\vec{F}) = \vec{F} \cdot \vec{AB}$$

$$\mathcal{W}_{AB}(F) = F \times AB \times \cos\theta$$

F en newton (N)
AB en mètre (m)
θ en degré (°)
ou radian (rad)
$\mathcal{W}$ en joule (J)

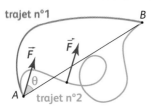

Le travail d'une force constante $\vec{F}$ entre A et B est le même quel que soit le trajet suivi.

● Une force est **conservative** lorsque le travail de cette force lors d'un déplacement d'un point A à un point B ne dépend que des positions des points A et B. Il ne dépend pas des autres caractéristiques du déplacement (chemin suivi entre A et B, vitesse…).

 Travail d'une force non conservative

● Le **travail d'une force de frottement** $\vec{f}$ de valeur (ou d'intensité) constante, lors d'un déplacement rectiligne d'un point A à un point B, a pour expression :

$$\mathcal{W}_{AB}(\vec{f}) = -f \times AB$$

$\mathcal{W}$ en joule (J)
f en newton (N)
AB en mètre (m)

 Travail d'une force conservative

● Le **travail du poids** $\vec{P}$ d'un point matériel de masse m qui se déplace d'un point A à un point B, dans un champ de pesanteur uniforme, est :

$$\mathcal{W}_{AB}(\vec{P}) = mg(z_A - z_B)$$

$\mathcal{W}$ en joule (J)
m en kilogramme (kg)
g : intensité de la pesanteur (m·s⁻²)
z_A et z_B en mètre (m)

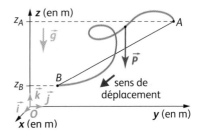

● Le **travail de la force électrique** $\vec{F_E}$ qui s'exerce sur une particule portant une charge q, qui se déplace d'un point A à un point B dans un champ électrique uniforme $\vec{E}$, a pour expression :

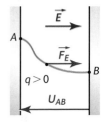

$$\mathcal{W}_{AB}(\vec{F_E}) = q\, U_{AB}$$

$\mathcal{W}$ en joule (J)
q en coulomb (C)
U_{AB} en volt (V)

 Étude énergétique d'oscillations libres d'un système mécanique

● En l'**absence de frottements**, l'énergie mécanique d'un système se conserve au cours des oscillations : il y a conversion d'énergie à l'intérieur du système entre les formes d'énergie cinétique et potentielle :

$$\mathcal{E}_m = \mathcal{E}_p + \mathcal{E}_c = \text{constante}$$

● En **présence de frottements**, l'énergie mécanique d'un système diminue progressivement au cours des oscillations, les forces de frottement non conservatives dissipent de l'énergie par transfert thermique :

$$\Delta\mathcal{E}_m = \mathcal{W}(\vec{F}_{\text{non conservative}}) < 0$$

Exercices Application

Parcours en autonomie

Trois parcours d'exercices pour travailler en autonomie selon ses besoins.

Maîtriser les bases — 3 – 5 – 9

Préparer l'évaluation — 13 – 15 – 20 – 22

Approfondir — 27 – 29 – 30

1 Mots manquants

Compléter avec un ou plusieurs mots.

a. Le travail du poids d'un point matériel lors d'un déplacement d'un point A à un point B ne dépend que de la différence .... entre le point .... et le point ....

b. Le travail d'une force s'exprime en ....

c. Le travail d'une force constante $\vec{F}$ qui s'exerce sur un point matériel se déplaçant d'un point A à un point B est égale au produit scalaire de .... par ....

d. Lorsqu'un pendule est soumis à des forces de frottement, l'amplitude de ses oscillations .... au cours du temps car ces forces sont ....

2 QCM

Cocher la réponse exacte.

a. Dans un champ électrique $\vec{E}$ uniforme, le travail de la force $\vec{F}_E$ qui s'exerce sur une particule de charge q se déplaçant d'un point A à un point B :
☐ dépend du signe de la charge q
☐ est toujours moteur car il favorise le déplacement de la particule de A à B
☐ s'exprime par $\mathcal{W}(\vec{F}_E) = q\, U_{AB}\, d_{AB}$, où d_{AB} représente la distance entre A et B

b. Le travail du poids d'un corps :
☐ est toujours positif quand le corps descend
☐ est toujours moteur
☐ a un signe qui dépend du choix de l'axe vertical

c. Une force qui s'exerce sur un point matériel est conservative si :
☐ elle garde une valeur constante quelle que soit sa direction
☐ son travail ne dépend pas du chemin suivi par le point matériel pendant le déplacement
☐ elle permet au corps sur lequel elle s'exerce de garder une vitesse constante

d. Lors de la chute libre d'un point matériel A :
☐ il y a conversion d'énergie de A entre les formes potentielle et cinétique
☐ l'énergie mécanique de A diminue quand son énergie potentielle diminue
☐ l'énergie mécanique de A diminue toujours

e. Lors des oscillations libres d'un pendule, l'énergie mécanique du pendule :
☐ s'exprime par $\mathcal{E}_m = \mathcal{E}_c + \mathcal{E}_p$ uniquement s'il n'y a pas de frottements
☐ reste constante en l'absence de frottement
☐ reste toujours constante que les oscillations soient amorties ou pas

→ **Solutions détaillées en fin de manuel pour vérifier vos réponses et comprendre vos erreurs.**

Pour les exercices de ce chapitre (sauf indication contraire) :
• on étudie les mouvements dans le référentiel terrestre, considéré comme galiléen ;
• intensité de pesanteur $g = 9{,}81$ m·s⁻² ;
• les constantes utiles sont dans les rabats.

COMPÉTENCES EXIGIBLES

3 Calculer le travail d'une force constante

a. Calculer le travail de la force exercée par un déménageur qui pousse une armoire de masse $m = 150$ kg en la faisant glisser sur le plancher d'un appartement sur une longueur de 5 m. Il exerce une force de direction horizontale, de valeur $F = 4 \times 10^2$ N. Ce travail est-il moteur ou résistant ?

b. Calculer le travail du poids de l'armoire.

4 Calculer le travail de la force de pesanteur

Pour découvrir sans fatigue la haute montagne, un touriste emprunte le téléphérique de l'Aiguille du Midi entre la station de Chamonix à l'altitude 1 038 m et la station intermédiaire du plan de l'Aiguille à l'altitude de 2 310 m. La longueur totale parcourue par la cabine du téléphérique est alors de 2 555 m. Calculer le travail du poids de la cabine à la montée, puis à la descente. Préciser dans les deux cas si ce travail est moteur ou résistant.

Donnée : masse de la cabine avec les passagers $m = 6{,}5 \times 10^3$ kg.

5 Calculer le travail d'une force électrique constante

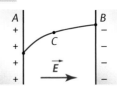

Des particules portant une charge q positive pénètrent entre les deux plaques d'un condensateur plan. Il règne à l'intérieur du condensateur un champ électrique uniforme $\vec{E}$ de valeur 5×10^4 V·m⁻¹, de direction perpendiculaire aux plaques et de sens de A vers B.
La distance entre les plaques est $d = 10$ cm.

a. Déterminer les caractéristiques de la force électrique $\vec{F}_E = q\vec{E}$ qui s'exerce sur la particule lorsqu'elle est entre les deux plaques. La représenter pour la position C.

b. Calculer le travail de la force $\vec{F}_E$ pour le déplacement représenté en rose sur la figure.

Donnée : $q = 3,2 \times 10^{-19}$ C.

6 Calculer l'énergie mécanique

Émilie frappe une balle de tennis de masse $m = 150$ g. À cet instant, le centre d'inertie de la balle est à la hauteur $h = 2,0$ m par rapport au sol. Sa vitesse à cet instant a une direction inclinée de $10°$ par rapport à l'horizontale, vers le haut, de valeur est $v_0 = 90$ km·h^{-1}.

a. Calculer l'énergie mécanique de la balle juste après l'impact sur la raquette.

b. En l'absence de frottements, que vaut l'énergie mécanique de la balle lorsqu'elle atteint son altitude maximale ? On prendra l'origine des altitudes $z = 0$ au niveau du sol.

7 Analyser les transferts énergétiques

Un trapéziste effectue des oscillations avec son trapèze.

a. Décrire le déplacement du centre d'inertie du trapéziste pendant une oscillation.

b. Présenter sous la forme d'un tableau le sens de variation de l'énergie potentielle de pesanteur du trapéziste et de son énergie cinétique pendant une oscillation.

8 Justifier l'utilisation des horloges atomiques

Les satellites de positionnement (GPS, Galileo…) embarquent des horloges atomiques à bord.

Pourquoi ne pas utiliser des horloges « traditionnelles » à quartz ?

COMPÉTENCES GÉNÉRALES

9 Extraire et exploiter des informations

On enregistre, à l'aide d'un dispositif adapté, les oscillations de faible amplitude d'un pendule formé d'un fil de masse négligeable et d'une boule considérée comme ponctuelle. L'abscisse angulaire θ est définie sur la figure ci-contre.

Les graphiques **ⓐ** et **ⓑ** représentent l'abscisse angulaire du pendule en fonction du temps pour deux essais différents.

sens direct

a. Pour chacun des essais, représenter le pendule dans sa position à la date $t = 0$ s et indiquer le sens de son déplacement ultérieur.

b. Déterminer l'amplitude des oscillations sur chacun des enregistrements.

c. Déterminer la valeur de la période du pendule.

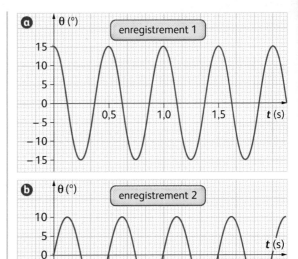

10 Effectuer un raisonnement scientifique

En réalisant l'analyse dimensionnelle des relations proposées, choisir l'expression correcte de la période d'un pendule simple parmi les quatre suivantes :

$$T = 2\pi\sqrt{\frac{g}{L}} \qquad T = 2\pi\sqrt{\frac{L}{m}}$$

$$T = 2\pi\sqrt{\frac{mg}{L}} \qquad T = 2\pi\sqrt{\frac{L}{g}}$$

11 Effectuer un raisonnement scientifique

Au Moyen Âge, le trébuchet est une machine de guerre qui permet d'envoyer de lourdes pierres pour détruire les murailles des châteaux.

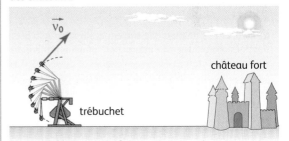

Un système de fronde lance la pierre avec une vitesse $\vec{v}_0$, ce qui permet à celle-ci d'atteindre le mur du château.

Étudier qualitativement les transferts d'énergie du système constitué de la pierre depuis son lancer jusqu'à son immobilisation dans le mur du château.

12 Comparer des données numériques

Pour donner une image de la précision des horloges atomiques de dernière génération, on utilise parfois une analogie : l'écart de 10^{-11} s sur une journée pour l'horloge atomique est dans le même rapport que l'épaisseur d'un cheveu sur la distance Terre-Soleil.

Cette affirmation est-elle juste ou fausse ?

Donnée : épaisseur d'un cheveu 50 μm.

EXERCICE RÉSOLU

Site élève

13 Émission et absorption de photons par le césium 133

Énoncé

Le césium 133 est un élément stable. Les électrons des atomes de césium changent de niveau d'énergie lorsqu'ils sont soumis à une radiation micro-onde en subissant une transition dite de structure hyperfine. Il se trouve que le phénomène quantique utilisé, l'absorption ou l'émission de photons correspondant à ce changement d'énergie, fournit une fréquence plus précise et plus stable que tous les autres phénomènes connus.

L'utilisation des horloges atomiques repose sur un postulat que l'observation n'a encore jamais mis en défaut : les propriétés des atomes sont universelles et invariantes dans le temps. La fréquence de l'horloge est ainsi la même pour tous les atomes de césium 133, aux corrections relativistes près.

CNES, *Espace et Science* n°17, 24 avril 2007.

❶ Quel est le phénomène physique concernant le césium 133 sur lequel s'appuient la précision et la stabilité des horloges atomiques ?

❷ Quelles sont les propriétés des atomes qui expliquent l'utilisation d'horloges atomiques ?

❸ Quel est l'ordre de grandeur de l'énergie du photon absorbé ou émis ?

❹ Une horloge commerciale au césium a une précision de l'ordre de 10^{-8} s par jour. Comparer la variation possible de la durée d'une journée mesurée par l'horloge à la période de cette horloge.

Donnée : la seconde est la durée de 9 192 631 770 périodes de la radiation correspondant à la transition entre deux niveaux hyperfins de l'état fondamental de l'atome de césium 133.

Une solution

❶ Le phénomène physique sur lequel s'appuient la précision et la stabilité des horloges atomiques est l'interaction lumière-matière : le texte indique que des électrons des atomes de césium changent de niveau d'énergie (transition), soit par absorption de photons dont l'énergie correspond à la transition, soit par émission de photons. La stabilité et la précision des horloges atomiques sont liées à la précision et à la stabilité de la fréquence des photons échangés.

❷ Les propriétés des atomes sur lesquelles s'appuient les horloges atomiques sont :
– l'universalité : tous les atomes de césium ont les mêmes propriétés, les mêmes niveaux d'énergie ;
– l'invariance dans le temps : les propriétés ne se modifient pas au cours du temps.

❸ L'énergie du photon émis ou absorbé se calcule par la relation $\mathscr{E} = h\nu$.
La fréquence de la radiation correspond au nombre de périodes par seconde, elle est donc de ν = 9 192 631 770 Hz soit 10^{10} Hz en ordre de grandeur. L'ordre de grandeur de h est 10^{-33} J·s donc l'ordre de grandeur de l'énergie du photon est de : $10^{-33} \times 10^{10} = 10^{-23}$ J.
Le calcul avec les valeurs exactes donne le même résultat :
$\mathscr{E} = 6{,}63 \times 10^{-34} \times 9\,192\,631\,770 = 6{,}09 \times 10^{-24}$ J,
soit un ordre de grandeur de 10^{-23} J.

❹ La durée d'une période s'exprime par $T = \dfrac{1}{\nu}$ soit $T = \dfrac{1}{9192631770}$ s.
L'ordre de grandeur de la période est de 10^{-10} s.
En une journée, la variation possible de la mesure est donc de l'ordre de $100 \times T$.

Énoncé

Pour bien repérer les informations importantes dans le texte, surligner avec des couleurs différentes :
– les propriétés (précision, stabilité) des horloges auxquelles les questions ❶ et ❷. font référence ;
– les termes scientifiques connus qui entrent dans l'explication.

Raisonner

Faire le lien entre changement de niveau d'énergie et émission ou absorption de photons.

Argumenter

Ne pas se contenter de recopier les mots du texte, mais expliquer leur sens.

Connaissances

Rechercher les propriétés du photon étudiées en 1re S.

Application numérique

● L'ordre de grandeur s'exprime sous la forme de la puissance de 10 la plus proche du résultat.
● Le calcul avec les ordres de grandeur permet d'obtenir un résultat rapidement mais il n'est pas exact (à cause des arrondis successifs).

Pour déterminer la valeur inconnue T de la période d'un pendule unique, une classe choisit une méthode statistique : un même protocole de mesurage sera suivi par chacun des 12 binômes de la classe.

Pour chaque mesurage, un élève de chaque binôme lâche le pendule à la même position de départ, il démarre le chronométrage lorsque le pendule passe par sa position d'équilibre dans un même sens. Il arrête le chronométrage lorsque le pendule a fait 10 oscillations. Chaque binôme dispose d'un chronomètre de même fabrication.

Les 12 résultats obtenus par la classe sont relevés dans le tableau suivant :

$10T$(s)	13,3	12,8	13,1	13,0	13,3	12,9
	13,0	13,1	13,3	13,4	12,8	13,2

a. Pourquoi toutes les valeurs mesurées ne sont-elles pas égales ? Rechercher les sources d'erreurs possibles.

> **Conseils** Il est nécessaire d'analyser les différentes actions qui permettent de réaliser une mesure. Pour chacune d'entre elles, il faut étudier les erreurs possibles dues à l'expérimentateur et celles dues à l'instrument de mesure.

b. L'analyse statistique permet de déterminer le résultat de la mesure de la période. Exprimer ce résultat pour un niveau de confiance de 95 %.

> **Méthode** L'incertitude pour un niveau de confiance de 95 % se calcule par la relation $\Delta T = 2 \dfrac{s_{exp}}{\sqrt{n}}$
>
> où n représente le nombre de mesures réalisées et s_{exp} l'écart-type expérimental.
>
> s_{exp} a pour expression $s_{exp} = \sqrt{\dfrac{\sum\limits_{i=1}^{n} (T_i - \bar{T})^2}{n-1}}$
>
> où $\bar{T}$ représente la meilleure estimation de la mesure de T. Voir le **dossier «Mesures et incertitudes»**.

> **Conseils** • Dans le tableau sont consignées les valeurs mesurées pour $10T$. Les calculs seront faits pour les valeurs correspondantes de T (il est alors recommandé de noter les valeurs de T dans un tableau).
>
> • Pour calculer l'écart-type expérimental s_{exp}, on peut utiliser la relation de définition, une calculatrice (s_{exp} est souvent notée σ_{n-1}) ou un tableur (avec une fonction statistique «**écart type**»).
>
> • Le calcul de la valeur de l'incertitude ΔT est exprimée avec un seul chiffre significatif.
>
> • Ces résultats permettent alors d'exprimer T avec son unité, sous la forme $T = \bar{T} \pm \Delta T$. La valeur de la période T doit être exprimée avec un nombre de chiffres significatifs en cohérence avec l'incertitude.

---

15 **Apprendre à rédiger**

Voici l'énoncé d'un exercice et un guide (en violet) ; ce guide vous aide à rédiger la solution détaillée et à retrouver les réponses aux questions posées.

Énoncé

Une balle modélisée par un point matériel de masse $m = 1{,}5 \times 10^2$ g est lancée verticalement vers le haut, d'un point A, avec une vitesse de valeur $v_0 = 6{,}0$ m·s^{-1}.

a. Si on considère que les forces exercées par l'air sur la balle sont pratiquement nulles, de quelle hauteur, au-dessus du point de lancement, la balle s'élèvera-t-elle ?

> ▶ Réaliser un schéma de la situation et faire apparaître les données du texte, ainsi que B, le point le plus haut.

> ▶ Préciser le référentiel choisi. Indiquer clairement la loi de physique qui sera utilisée.

> ▶ Introduire les grandeurs nécessaires (nom, symbole, représentation sur le schéma) pour établir que la balle s'élèvera à 1,8 m au-dessus du point de lancement.

b. Lorsque la balle retombe, quelle sera sa vitesse d'arrivée au point A si les forces exercées par l'air sur la balle sont pratiquement nulles ?

> ▶ Indiquer précisément les deux positions de la balle choisies pour établir que la balle passera au point A en descendant avec une vitesse de 6,0 m·s^{-1}.

c. En réalité, la balle s'élève jusqu'en B' situé à 1,5 m au-dessus de A. Calculer la variation de l'énergie mécanique de la balle entre A et B'. Analyser les transferts d'énergie entre la balle et le milieu extérieur.

> ▶ Réaliser un schéma de la nouvelle situation en faisant apparaître les données du texte.

> ▶ Écrire la relation littérale correspondante pour trouver $\Delta \mathscr{E}_m = -0{,}44$ J et conclure en terme de forces conservatives ou non.

16 Glisser sur la neige

Compétences générales *Effectuer un calcul – Restituer ses connaissances*

Un traîneau est tiré sur la neige par un attelage de chiens entre deux points A et B distants de 350 m.
Le câble de l'attelage exerce sur le traîneau une force $\vec{F}$ que l'on supposera constante, de valeur $2,0 \times 10^2$ N. Le câble fait un angle $\theta = 10°$ avec la direction de AB. Pendant le déplacement, la neige exerce une force de frottement $\vec{f}$ que l'on supposera constante, de valeur $f = 1,7 \times 10^2$ N, de direction AB et de sens opposé au déplacement.

a. Calculer le travail de la force de traction $\vec{F}$ lors de ce déplacement. Est-il moteur ? résistant ?
b. Calculer le travail de la force de frottement $\vec{f}$ lors de ce déplacement. Est-il moteur ? résistant ?

17 Pendule et travail du poids

Compétences générales *Effectuer un calcul – Restituer ses connaissances*

Un pendule formé d'un fil de longueur $\ell = 50$ cm et d'une bille assimilable à un point matériel de masse $m = 100$ g est lâché depuis sa position horizontale.

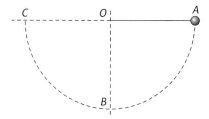

Calculer le travail du poids de la bille entre :
– les positions A et B ;
– les positions B et C ;
– les positions A et C.
Indiquer les cas où le travail est moteur ou résistant.

18 Descendre «schuss»

Compétences générales *Effectuer un calcul – Restituer ses connaissances*

L'épreuve du Kandahar compte pour la coupe du Monde de descente en ski alpin.
Les données concernant la piste de Chamonix sont les suivantes :
– altitude de départ : 1 871 m ;
– dénivelé : 870 m ;
– longueur de la piste : 3 343 m.
Calculer la variation d'énergie potentielle d'un skieur de masse $m = 90$ kg pendant sa course.

19 Le «grand saut»

Compétences générales *Effectuer un raisonnement scientifique – Commenter un résultat*

Le projet «Grand saut»
Michel Fournier, parachutiste français, ouvrira la porte (de sa capsule) à une altitude de 40 km. À cause de la très faible pression, et donc d'une traînée aérodynamique réduite, sa vitesse augmentera rapidement jusqu'à atteindre $1,1 \times 10^3$ km·h^{-1} à l'altitude de $3,5 \times 10^4$ m. Il sera alors le premier homme à franchir le mur du son en chute libre.

a. Calculer l'énergie mécanique du sauteur à l'instant où il quitte sa cabine avec une vitesse nulle (par rapport à la Terre) et celle où il atteint l'altitude de $3,5 \times 10^4$ m.
b. L'énergie mécanique s'est-elle conservée entre ces deux instants ? Sinon, calculer le travail des forces de frottement qui s'exercent sur le parachutiste.

Données : le saut ayant lieu à grande altitude, on prendra $g = 9,75$ N·kg^{-1}, la masse du parachutiste et de son équipement est $1,5 \times 10^2$ kg.

20 Montagnes russes

Compétences générales *Effectuer un raisonnement scientifique – Effectuer un calcul*

Les profils des montagnes russes sont très différents, comme les émotions que peuvent provoquer ces attractions.
Un wagon de masse M se déplace sur un rail dont le profil est représenté ci-dessous. Il est lancé du point A avec une vitesse de valeur v_A de telle sorte qu'il passe en C avec une vitesse de valeur $v_C = 20$ km·h^{-1}. On suppose qu'il n'y a pas d'échange d'énergie avec l'extérieur.

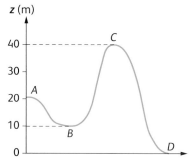

a. Donner l'expression de l'énergie mécanique du wagon au point C en fonction de M, v_C, g et z_C l'altitude du point C.
b. Établir l'expression de la valeur v_A de la vitesse du wagon en A. Calculer v_A.
c. Quelle sera la vitesse du wagon à l'arrivée en D ?
d. Indiquer qualitativement les modifications qu'apporterait l'existence de frottements.

21 Chacun sa direction

Compétences générales *Effectuer un raisonnement scientifique – Restituer ses connaissances*

Deux billes identiques assimilables à des points matériels de masse m sont lancées à partir d'un même plan horizontal de deux façons différentes :
– la bille ❶ est lancée verticalement avec la vitesse $\vec{v_{01}}$;
– la bille ❷ est lancée le long d'un plan incliné d'un angle avec l'horizontale avec la vitesse $\vec{v_{02}}$.
Les vitesses $\vec{v_{01}}$ et $\vec{v_{02}}$ ont une même valeur notée v_0. On appelle h_1 et h_2 les altitudes maximales atteintes respectivement par les billes ❶ et ❷. On supposera que les déplacements se font sans frottement.

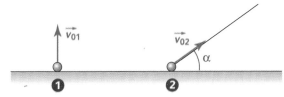

En étudiant l'évolution de l'énergie mécanique de chaque bille, établir la relation entre h_1 et h_2.

22 Canon à électrons

Compétences générales *Effectuer un raisonnement scientifique – Restituer ses connaissances*

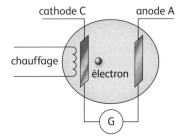

Le principe de fonctionnement d'un canon à électrons est le suivant : les électrons sont extraits, par chauffage, d'une plaque métallique appelée cathode avec une vitesse quasiment nulle. Ils sont accélérés dans l'espace entre la cathode C et l'anode A où règne un champ électrique uniforme $\vec{E}$.

a. Déterminer :
– les caractéristiques de la force électrique qui s'exerce sur un électron dans le canon ;
– les caractéristiques du champ électrique $\vec{E}$;
– le signe des plaques A et C.

b. Exprimer le travail de la force électrique pour un déplacement de l'électron de la plaque C à la plaque A en fonction de la tension U entre les deux plaques.

c. Préciser si la force électrique est conservative ou non.

23 ECE Évaluation des compétences expérimentales

Cet exercice permet de travailler les compétences expérimentales suivantes : • S'approprier • Analyser

Pour étudier comment varie au cours du temps l'énergie d'un pendule formé d'un fil et d'une bille, le matériel suivant est disponible : pendule avec son support, règles graduées, caméra vidéo, logiciel d'acquisition des images sur ordinateur, logiciel de pointage sur images.

Expliquer, en réalisant un schéma du dispositif expérimental :
– comment positionner la caméra vidéo par rapport au pendule ;
– pourquoi il est nécessaire de placer une (ou deux) règle(s) graduées dans le champ de la caméra ;
– si la place de la (ou les) règle(s) dans le champ peut être quelconque.

24 Science in English

Giove-B hydrogen atomic clock ticks through three years in orbit (27 June 2011)

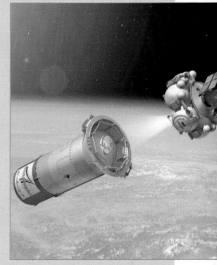

Three years after ESA's Galileo prototype Giove B reached orbit, the passive hydrogen maser at its heart is still ticking away as the most precise atomic clock ever flown in space for navigation – that is, until the first Galileo satellites join it later this year.

The satellites (Giove-B launched in 2008 and Giove-A launched in 2005), had the same goals : secure the radio frequencies provisionally allocated to Europe's Galileo satnav system by the International Telecommunications Union, gather data on the radiation environment of medium Earth orbit, and validate key Galileo payloads in orbit.[…]
Giove-B became the first navigation satellite to carry a passive hydrogen maser (PHM), accurate to one second in three million years, compared to an accuracy of three seconds in one million years for the smaller rubidium clocks first demonstrated on Giove-A. Giove-B also carries two rubidium clocks as back-up. [...]
The PHM's resonating frequency at 1 420 405 752 Hz is essential to achieve the accuracy of Galileo services. A single nanosecond's error means a ranging error of 30 cm. At this level of accuracy, any changes in the surrounding environment could potentially affect the results.

D'après le site Internet de l'ESA : www.esa.int

Le maser passif à hydrogène est une horloge atomique stable basée sur l'atome d'hydrogène.

a. Quelles sont les missions attribuées aux deux satellites Giove-A et Giove-B ?

b. Des horloges atomiques sont embarquées sur les deux satellites. Quelle est l'horloge la plus précise ?

c. Tous les satellites du programme Galileo embarqueront des masers passifs à hydrogène (PHM). Pourquoi est-il nécessaire de disposer d'horloges aussi précises ?

d. La période de révolution de Giove-B est d'environ 14 h. Pourquoi les conditions de l'environnement du satellite changent-elles au cours de ses révolutions autour de la Terre ?

25 ⋆ Étude énergétique du pendule simple

Compétences générales *Effectuer un raisonnement scientifique – Réaliser un schéma*

Un pendule est modélisé par un fil de masse nulle, de longueur $\ell = 0{,}50$ m, fixé en un point A et d'un point matériel S de masse $m = 0{,}20$ kg, accroché à l'extrémité libre du fil. On écarte le pendule de sa position d'équilibre et on le lâche : le pendule oscille ensuite librement.

On appelle abscisse angulaire l'angle θ que fait le pendule avec sa position d'équilibre.

L'étude des oscillations est réalisée dans un référentiel terrestre supposé galiléen. L'origine de l'axe des altitudes est prise à la position d'équilibre de S. Les variations de l'énergie potentielle de pesanteur $\mathscr{E}_p$ mise en jeu au cours des oscillations sont reproduites ci-contre. On a choisi $\mathscr{E}_p = 0$ J pour la position d'équilibre du point matériel.

a. Réaliser un schéma du pendule et vérifier que l'énergie potentielle de pesanteur du pendule s'exprime par la relation :

$$\mathscr{E}_p = mg\ell(1 - \cos\theta)$$

b. Déduire du graphique la valeur de l'amplitude des oscillations.

c. Ce pendule n'échangeant pas d'énergie avec l'extérieur, son énergie mécanique reste constante. Déterminer :
– la valeur de l'énergie mécanique $\mathscr{E}_m$ du pendule ;
– la valeur de la vitesse du solide au passage par la position d'équilibre.

d. La période T_0 des oscillations de ce pendule se calcule par la relation $T_0 = 2\pi\sqrt{\dfrac{\ell}{g}}$ lorsque les oscillations ont une faible amplitude (inférieure à 20°).

Les oscillations étudiées ont-elles une faible amplitude ? Calculer la valeur de T_0 et la comparer à la valeur de la période T_e de l'énergie potentielle de pesanteur.

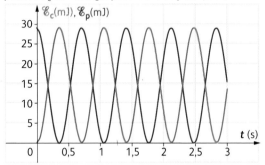

26 Objectif **BAC** *Effectuer un raisonnement scientifique*

→ **Dossier BAC, page 546**

→ **L'objectif de cet exercice est d'évaluer la fiabilité des horloges mécaniques qui étaient utlisées pour la navigation maritime.**

Avant l'invention du GPS, pour connaître leur longitude, les navigateurs comparaient l'heure locale (déterminée d'après la position du Soleil ou d'une étoile) et au même moment, l'heure du méridien de Greenwich donnée par une horloge embarquée sur le navire. La précision sur la position du navire dépendait de la précision de la mesure de cet écart horaire. Dans une horloge à balancier, pour une faible amplitude θ_0 des oscillations, la période T vérifie la relation :

$$T = T_0\left(1 + \frac{\theta_0^2}{16}\right) \text{ avec } T_0 = 2\pi\sqrt{\frac{\ell}{g}}$$

ℓ représente la longueur du pendule dit simple modélisant le balancier, g est l'intensité du champ de pesanteur et θ s'exprime en radian.

a. Montrer que $\sqrt{\dfrac{\ell}{g}}$ est homogène à une durée.

b. Quel écart relatif par rapport à T_0 observe-t-on sur la période de ce pendule lorsque l'amplitude est de 4° ?

c. Une horloge à balancier a une période $T_1 = 2{,}000$ s en un lieu où le champ de pesanteur a une valeur de $g_1 = 9{,}810$ m·s^{-2}.

Quelle est la valeur de la période de cette même horloge en un lieu où $g_2 = 9{,}800$ m·s^{-2}, en conservant une même amplitude pour les oscillations ?

d. Pourquoi une horloge à balancier ne convient-elle pas pour déterminer une longitude ?

e. Pour s'affranchir de cet inconvénient, John Harrison parvint à fabriquer une horloge (l'horloge H4) en 1759 utilisant un ressort spiral, qui après un voyage aller-retour entre Plymouth et la Barbade, ne dériva pas plus de 15 s en 156 jours.
Quelle est la précision de cette horloge ?

f. À quelle distance, calculée sur le parallèle de Plymouth, correspondent les 15 s de dérive observées lors du voyage de John Harrison ?

Données
– Latitude de Plymouth : 50° Nord.
La latitude λ d'un point M est l'angle entre le plan de l'équateur et la droite joignant M au centre de la Terre ;
– Rayon de la Terre : $R_T = 6{,}38 \times 10^6$ m.

Après le naufrage de la flotte anglaise aux Iles Scilly en 1707, le Parlement ouvrit un concours richement doté pour résoudre le problème de la longitude en mer.

27 Apprendre à chercher

La résolution de cet exercice nécessite de trouver les étapes du raisonnement.

→ Une aide est disponible en fin de manuel.

Énoncé

On étudie l'évolution de l'énergie mécanique d'un oscillateur formé d'un fil et d'une boule. À partir de l'enregistrement des positions du centre de la boule on détermine l'évolution au cours du temps des énergies cinétique, potentielle et mécanique. On obtient les courbes ci-dessous.

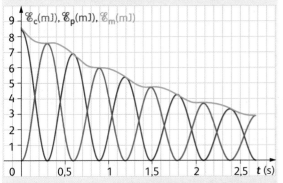

→ Après avoir montré que le pendule est soumis à des forces de frottement, calculer le rapport du travail des forces de frottement pendant la durée de la première oscillation du pendule et de l'énergie mécanique de l'oscillateur à la date $t_0 = 0$ s du début de l'enregistrement.

28 ✶ Température et précision d'une horloge

Compétences générales *Effectuer un raisonnement scientifique – Effectuer un calcul*

Le balancier d'une horloge ancienne est généralement métallique. Si sa température augmente, il se dilate et sa longueur augmente. Ce phénomène est à l'origine d'un défaut de précision de ces horloges et différents systèmes ont été élaborés pour compenser cette variation de longueur du balancier.

Pour étudier les variations de la période, on raisonne sur le pendule formé d'un fil de longueur ℓ et d'un point matériel de masse m qui a la même période T que le balancier.

a. Si la température ambiante augmente, la période du balancier augmente-t-elle ou diminue-t-elle ?

b. En été, cette horloge avance-t-elle ou retarde-t-elle ?

Donnée : période du pendule $T = 2\pi\sqrt{\dfrac{\ell}{g}}$ avec ℓ la longueur du pendule et g l'intensité du champ de pesanteur.

29 ✶ Jeu de pétanque

Compétence générale *Extraire et exploiter des informations*

Lors d'une partie de pétanque, on filme une boule de masse $m = 750$ g. On effectue ensuite un traitement des images obtenues pour visualiser l'évolution temporelle des énergies cinétique $\mathcal{E}_c$, potentielle de pesanteur $\mathcal{E}_p$ et mécanique $\mathcal{E}_m$ pendant le « temps de vol » de la boule.

On a choisi l'origine de l'axe des altitudes $z = 0$ m au centre de la boule, lorsque celle-ci est posée sur le sol et $\mathcal{E}_p = 0$ J lorsque $z = 0$ m.

Les courbes obtenues sont représentées ci-contre.

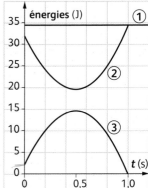

a. Identifier les trois courbes en justifiant les réponses.

b. Que peut-on dire des frottements exercés sur la boule pendant son « temps de vol » ?

c. Déterminer les conditions de lancement de la boule :
– la valeur de la vitesse initiale $\vec{v}_0$;
– l'altitude z_0 du point de lancement.

d. Quelle est l'altitude maximale z_{max} atteinte par la boule ? Quelle est alors sa vitesse ?

30 ✶ Précision des mesures du temps en compétition

Compétences générales *Extraire et exploiter des informations – Commenter un résultat*

DOC 1. Extrait de la règlementation en natation 🇬🇧

When Automatic Equipment is used, the results shall be recorded only to 1/100 of a second. When timing to 1/1000 of a second is available, the third digit shall not be recorded or used to determine time or placement. In the event of equal times, all swimmers who have recorded the same time at 1/100 of a second shall be accorded the same placing. Times displayed on the electronic scoreboard should show only to 1/100 of a second.

D'après le site Internet http://www.fina.org.

DOC 2. Ex-æquo ?

Avec un chrono de 52,76 secondes, c'est ex-æquo que les deux nageurs français Camille Lacourt et Jérémy Stravius ont terminé le 100 mètres dos lors des championnats du monde de Shanghai. Ex-æquo vraiment ? L'un des deux hommes a forcément nagé plus vite que l'autre. Mais cela n'a tout simplement pas été mesuré.

Imaginons entre les deux hommes un écart de 1 millième de seconde. À quelle distance se trouvait le deuxième quand le vainqueur touchait le bord de la piscine ? D'après nos calculs, en tenant compte de la vitesse (moyenne) des nageurs à 1,9 mm. Le premier l'emportait donc du bout de l'ongle.

D'après *Sciences et Avenir* n° 775, septembre 2011.

a. La question « Ex-æquo vraiment ? » paraît-elle légitime compte-tenu de la réglementation de la FINA ?

b. Vérifier l'écart en distance annoncé dans le document 2.

c. Quelle est la précision sur la mesure de la durée de l'épreuve ?

d. Imaginons que la longueur du couloir du vainqueur soit 1,0 cm plus courte que celle du second. Quel serait l'écart en temps dû à cette cause ?

31 ★★ Force électrique conservative

Compétences générales *Effectuer un raisonnement scientifique – Effectuer un calcul*

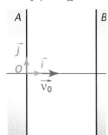

On se propose d'étudier l'énergie cinétique acquise par une particule de masse m portant une charge q négative lorsqu'elle est accélérée entre les deux plaques d'un condensateur plan.

On appelle :
• U la tension entre la plaque positive et la plaque négative ;
• d la distance entre les deux plaques ;
• $\vec{v_0}$ la vitesse d'entrée de la particule au point O.

a. Établir les caractéristiques du champ électrique $\vec{E}$ pour que la vitesse de la particule augmente pendant la traversée. Indiquer le signe des plaques A et B.

b. Établir en fonction de la tension U, l'expression du travail $W_{AB}(\vec{F_E})$ de la force électrique $\vec{F_E}$ pour un déplacement de la particule de la plaque A à la plaque B.

c. Dans un condensateur plan, la force électrique est conservative. Comme pour le poids dans un champ de pesanteur uniforme, la relation entre le travail de la force et l'énergie potentielle électrique est : $W_{AB}(\vec{F_E}) = \mathscr{E}_{pA} - \mathscr{E}_{pB}$

En choisissant l'origine des potentiels sur la plaque A, c'est-à-dire $\mathscr{E}_{pA} = 0$ J, donner l'expression de l'énergie potentielle électrique $\mathscr{E}_{pB}$.

d. À partir de la conservation de l'énergie mécanique de la particule, établir l'expression de son énergie cinétique $\mathscr{E}_{cB}$ en fonction de q, U et $\mathscr{E}_{cA}$. En déduire l'expression de la valeur de la vitesse $\vec{v_B}$ de la particule à son passage en B.

e. Calculer la valeur de $\vec{v_B}$ pour un électron pénétrant en O avec une vitesse considérée comme nulle.

Données : tension accélératrice $U = 700$ V, charge électrique de la particule $q = -1{,}6 \cdot 10^{-19}$ C et masse de la particule $m = 9{,}1 \cdot 10^{-31}$ kg.

32 ★★ Horloge comtoise

Compétences générales *Effectuer un raisonnement scientifique – Extraire et exploiter des informations*

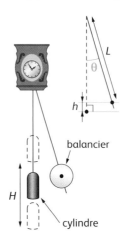

Une horloge à « poids » s'arrête de fonctionner si l'on ne remonte pas son « poids ». Le balancier d'une telle horloge à « poids » peut être modélisé par un pendule formé d'un fil de longueur $L = 1{,}0$ m et d'un point matériel de masse $m = 0{,}85$ kg.

Le balancier bat la seconde : sa période est $T = 2{,}0$ s.

Les oscillations sont entretenues par la très lente descente, d'une hauteur maximale de $H = 1{,}2$ m, du « poids », c'est-à-dire d'un cylindre de masse $M = 8{,}0$ kg.

Étudions pourquoi une telle horloge s'arrête et quel est le rôle du cylindre pour son fonctionnement.

a. Lorsque le pendule fait un angle θ avec la verticale, établir que l'altitude h du point matériel par rapport à sa position d'équilibre est $h = L(1 - \cos θ)$.

b. Si le cylindre n'a pas été remonté, l'amplitude des oscillations passe de 6° à 5° après 15 oscillations du pendule :
– calculer la variation moyenne de l'énergie mécanique du pendule pour une oscillation ;
– proposer une interprétation pour cette variation.

c. Lorsque le cylindre est remonté, il compense intégralement en descendant la variation d'énergie mécanique du pendule. Quelle est l'énergie moyenne transférée au pendule à chaque oscillation ? de quelle hauteur est alors descendu le cylindre ? quelle est l'autonomie de l'horloge ?

33 Objectif BAC *Rédiger une synthèse de documents*

→ Dossier BAC, page 546

Cet exercice s'appuie sur des ressources disponibles sur le site élève : www.nathan.fr/siriuslycee/eleve-termS.

Télécharger le dossier « Ressources pour l'exercice 33 » du chapitre 11 sur le principe de localisation par satellites.

Ce dossier contient :
– un document sur le principe de la localisation par GNSS (Global Navigation Satellite System) ;
– un document sur les applications prévues du GNSS européen Galileo.

→ L'objectif de cet exercice est de rédiger une synthèse de documents afin de présenter le principe de la localisation par satellites en faisant clairement apparaître le rôle des horloges embarquées dans les satellites.

Le texte rédigé (de 25 à 30 lignes) devra être clair et structuré, et reposera sur les différentes informations issues des documents proposés.

C'est avec le lancement du premier satellite Spoutnik en 1957 que l'idée du GPS est née.

Relativité du temps

Dans la navette spatiale HAL-2001 filant vers Jupiter à la vitesse 0,999999999c, la jeune voyageuse, déguisée en terrienne de l'ancien millénaire, est comme d'habitude en avance sur son image dans le miroir : en effet, puisque la lumière va à peine plus vite que le miroir, il se passe donc beaucoup de temps avant qu'un rayon lumineux soit réfléchi et que… STOP ! Depuis le XXe siècle et Albert Einstein, nous savons que **les lois de la physique interdisent une telle situation**.

COMPÉTENCES EXIGIBLES

- Savoir que la vitesse de propagation de la lumière dans le vide est la même dans tous les référentiels galiléens.
  → *Exercices d'application 3 et 4*

- Définir la notion de temps propre et savoir que la mesure d'une durée dépend du référentiel.
  → *Exercices d'application 5 et 6*

- Exploiter la relation entre durée propre et durée mesurée. → *Exercices d'application 7 et 10*

- Extraire et exploiter des informations relatives à une situation concrète où le caractère relatif du temps est à prendre en compte.
  → *Exercices d'application 11 et 12*

ACTIVITÉ DOCUMENTAIRE

1 La célérité de la lumière, un défi au sens commun

▶ En cherchant à mesurer l'influence du mouvement de la Terre sur la célérité de la lumière dans le vide, les physiciens du XIXᵉ siècle ont fait une découverte inattendue.

• Considérons deux voitures dont les compteurs de vitesse affichent 50 km·h⁻¹ pour l'une et 60 km·h⁻¹ pour l'autre : si elles se croisent, leurs passagers voient arriver l'autre voiture à 110 km·h⁻¹ alors que si elles se doublent, c'est à 10 km·h⁻¹ que leurs passagers voient l'autre voiture se déplacer. On peut appliquer les mêmes règles de composition (d'addition ou de soustraction) des vitesses si on remplace un véhicule par un signal sonore.

5 • Il en est tout autrement si l'on remplace l'un des mobiles par un signal lumineux. Ainsi, on n'a jamais pu constater que la valeur de la célérité de la lumière dans le vide par rapport à la Terre était influencée par le mouvement de celle-ci dans l'espace. L'expérience la plus connue a été réalisée à partir de 1881 par les physiciens américains Michelson et Morley.

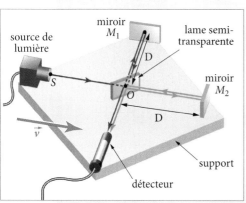

• Le dispositif est schématisé sur la figure ci-contre. La lumière émise
10 par la source S rencontre en O une lame semi-transparente : une partie de la lumière est réfléchie vers le miroir M_1, l'autre partie traverse la lame en direction du miroir M_2. Après réflexion en incidence nulle sur les deux miroirs, le même phénomène se produit à nouveau sur la lame. Le détecteur permet l'observation du phénomène d'interférence entre
15 les rayons ayant suivi les deux trajets représentés en rouge et en vert. On envisage ici le cas où le support de ce dispositif, fixe sur la Terre, est placé de telle sorte que l'axe SOM_2 soit parallèle à la direction de la vitesse $\vec{v}$ du support par rapport au référentiel héliocentrique (référentiel galiléen). La lumière émise par la source S se propage dans le même
20 sens que $\vec{v}$ de O à M_2, mais en sens contraire de M_2 à O.

• Notons c la vitesse de propagation de la lumière dans le référentiel héliocentrique. La règle de composition des vitesses devrait permettre d'affirmer que par rapport au support, la lumière effectue le trajet entre O et M_2 à la vitesse $c - v$ à l'aller, et $c + v$ au retour ; la direction OM_1 est normale à $\vec{v}$, le trajet aller-retour est donc moins affecté par le mouvement. Avec cette hypothèse, la différence τ entre les durées des trajets OM_2O et
25 OM_1O devrait dépendre de v. Dans les conditions décrites, le calcul donne une différence voisine de $\tau = \dfrac{Dv^2}{c^3}$, D étant la distance $OM_1 \approx OM_2$. Les deux faisceaux interfèrent et bien que la vitesse v (d'environ 30 km·s⁻¹) soit très petite devant c, la figure d'interférence obtenue devrait être affectée d'une façon mesurable par cette différence τ, et dépendre de l'orientation de l'appareil par rapport à $\vec{v}$, ce qui n'a jamais été observé.

1 L'expérience de Michelson et Morley.

1 Analyser les documents

a. Quel était l'objectif de l'expérience de Michelson et Morley ?

b. Vérifier que τ a les dimensions d'un temps et calculer sa valeur. Comparer cette valeur à la période d'une radiation de longueur d'onde dans le vide $\lambda = 500$ nm. Justifier l'utilité d'un dispositif d'interférences pour mesurer le décalage attendu.
On prendra pour valeurs numériques : $D = 10$ m ; $v = 3{,}0 \times 10^4$ m·s⁻¹ ; $c = 3{,}0 \times 10^8$ m·s⁻¹.

2 Conclure

a. Quelle propriété de la célérité de la lumière découle de cette expérience ?

b. En généralisant le résultat à tout référentiel galiléen, que peut-on dire de la célérité dans le vide de la lumière provenant d'une étoile, pour un occupant d'un vaisseau spatial ultra rapide se déplaçant avec un mouvement rectiligne uniforme par rapport au référentiel héliocentrique ?

2 À chacun son temps

▶ **L'invariance de la vitesse de propagation de la lumière dans le vide impose de reconsidérer nos notions intuitives sur le temps. Un phénomène a-t-il la même durée si on l'étudie dans deux référentiels différents ?**

Imaginons l'expérience de pensée suivante : dans le wagon d'un train, on a placé une enceinte où on a fait le vide. Cette enceinte contient une source d'éclairs lumineux placée au sol et un miroir placé à la verticale de cette source, à une distance h.

Ce wagon passe devant la gare avec une vitesse v constante.

Dans le wagon, un dispositif avec une horloge très précise permet de mesurer la durée Δt_{wagon} de propagation d'un éclair depuis son émission jusqu'à son retour au point de départ (**figure 3 ⓐ**).

Sur le quai de la gare, un autre dispositif avec une horloge tout aussi précise permet de mesurer la durée Δt_{gare} du trajet aller-retour du même éclair (**figure 3 ⓑ**).

2 *Expérience de pensée : l'horloge de lumière.*

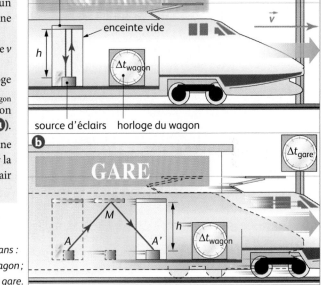

3 ▶ *Trajectoire d'un éclair dans :*
ⓐ *dans le référentiel du wagon ;*
ⓑ *dans le référentiel de la gare.*

❶ Analyser les documents

a. Expliquer la différence de trajectoire des éclairs des **figures 3 ⓐ** et **3 ⓑ**.

b. On admet que la vitesse de propagation de la lumière dans le vide est la même dans tous les référentiels galiléens.

Montrer que la durée Δt_{gare} de l'aller-retour d'un éclair, mesurée par l'horloge de la gare, est supérieure à la durée Δt_{wagon} du même aller-retour, enregistrée par l'horloge du wagon.

❷ Exploiter les documents

a. On raisonne en se plaçant dans le référentiel du wagon.
Exprimer h en fonction de Δt_{wagon} et c.

b. On raisonne maintenant en se plaçant dans le référentiel de la gare :
– exprimer la distance AA' en fonction de Δt_{gare} et de v, puis les distances AM et $A'M$ en fonction de Δt_{gare} et c ;
– exprimer les distances AM et $A'M$ en fonction de h et de AA'.

c. En déduire que les durées mesurées dans le référentiel du wagon et dans le référentiel de la gare sont liées par la relation : $\Delta t_{gare} = \dfrac{\Delta t_{wagon}}{\sqrt{1 - \dfrac{v^2}{c^2}}}$.

❸ Conclure

Selon la **théorie de la relativité du temps**, on dit qu'il y a « dilatation des durées » pour un objet en mouvement du point de vue d'un observateur immobile.

Expliquer comment cette expression s'applique à l'exemple précédent et en déduire que le temps a un caractère **relatif**.

3 Relativité du temps à l'épreuve de l'expérience

▶ **La théorie de la relativité du temps a été confirmée par de nombreuses expériences. Examinons la première confirmation expérimentale.**

Si on observe un grand nombre de particules instables et identiques dans un référentiel où elles sont immobiles, en moyenne la moitié de ces particules se seront désintégrées après une durée $t_{1/2}$, appelée demi-vie.

Les muons sont des particules instables dont la demi-vie est $t_{1/2} = 1,53$ µs. Ces muons sont produits abondamment par interaction entre le rayonnement cosmique et l'atmosphère.

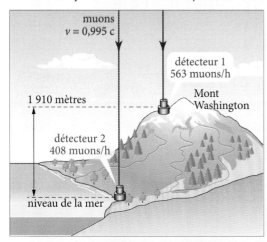

muons
$v = 0,995\ c$

détecteur 1
563 muons/h

Mont Washington

1 910 mètres

détecteur 2
408 muons/h

niveau de la mer

5 **Expérience**

Dans l'expérience de Rossi et Hall en 1941, un détecteur est réglé pour détecter les muons se déplaçant au voisinage d'une verticale par rapport à la Terre et de vitesse moyenne $v = 0,995\ c$. Ce détecteur est situé à 1910 mètres d'altitude
10 au sommet du Mont Washington (États-Unis) et enregistre 563 ± 10 muons par heure.

Un deuxième détecteur, identique, est situé au niveau de la mer et enregistre 408 ± 9 muons par heure.

Prévision

15 Mesurée dans le référentiel terrestre, la durée nécessaire pour qu'un muon parcoure une distance de 1910 mètres est $\Delta t = \dfrac{1910}{0,995\,c} = 6,40$ µs, soit près de quatre fois sa demi-vie ($t_{1/2} = 1,53$ µs). S'il y avait en moyenne 563 muons par heure au sommet, on s'attendrait à en observer environ $563/2^4$ au niveau de la mer, soit une trentaine seulement.

20 L'incompatibilité entre prévision et expérience s'explique par la dilatation du temps, car dans le référentiel où un muon est immobile il s'est écoulé seulement 0,64 µs pour ce parcours. L'évolution en fonction du temps du nombre de particules restantes obéit à une loi dite de décroissance. En appliquant cette loi pour la durée de parcours de 0,64 µs, on trouve 421 ± 8 muons par heure détectés au niveau de la mer.

4 *L'expérience du Mont Washington.*

Coup de pouce

Pour la question 1.a., voir le dossier « Mesures et incertitude ».

❶ Analyser les documents

a. Que signifient les indications ± 10 et ± 9 associées au nombre de muons détectés ?

b. Expliquer l'expression « dilatation du temps » utilisée à la ligne 20.

❷ Interpréter les documents

a. En exploitant la définition donnée dans les trois premières lignes du texte, justifier la valeur numérique annoncée ligne 19 et la comparer avec la valeur mesurée.

b. La durée Δt_p du parcours mesurée dans le référentiel où la particule est immobile s'appelle la **durée propre**. Elle est liée à la **durée mesurée** Δt_m du même parcours, mesurée dans un référentiel autre que celui de la particule, par la relation :

$$\Delta t_m = \frac{1}{\sqrt{1 - \dfrac{v^2}{c^2}}}\,\Delta t_p$$

où v est la vitesse de la particule dans ce référentiel et c est la célérité de la lumière dans le vide. Justifier la valeur annoncée pour la durée propre de parcours des muons.

c. Le nombre de particules mesuré au niveau de la mer est-il compatible avec les prévisions théoriques ?

❸ Conclure

Rédiger une synthèse pour expliquer en quoi cette expérience valide la théorie de la relativité du temps.

4

Importance des effets relativistes

▶ Dans certaines situations techniques ou scientifiques, il faut déterminer si la relativité du temps doit être prise en compte ou non. Examinons quelques situations.

Dans la mécanique d'Einstein, la durée concernant un objet (par exemple : durée du déplacement de l'objet) est appelée durée propre si elle est mesurée dans un référentiel lié à cet objet, et durée mesurée si elle est mesurée dans un autre référentiel. Voici ci-dessous quelques exemples d'objets en mouvement dans le référentiel terrestre. Δt_p est la durée propre, lorsque la durée mesurée Δt_m dans le référentiel terrestre vaut exactement 1 seconde.

	Vitesse dans le référentiel terrestre ($m \cdot s^{-1}$)	Δt_m (s)	Δt_p (s)
Marcheur	1	1	$1 - 5,6 \times 10^{-18}$
TGV	80	1	$1 - 3,6 \times 10^{-14}$
Avion de ligne	250	1	$1 - 3,5 \times 10^{-13}$
Satellite du système GPS	4 000	1	$1 - 8,9 \times 10^{-11}$
Sonde solaire Helios 2	7×10^4	1	$1 - 2,7 \times 10^{-8}$
Particule α	10^7	1	0,999 44
Électron dans un microscope électronique	0,5 c	1	0,87
Proton dans l'accélérateur LHC	0,999 999 991 c	1	$1,3 \times 10^{-4}$

5 Vitesses et durées propres de quelques objets en mouvement.

Vocabulaire

Helios 2 est une sonde solaire (c'est actuellement l'appareil le plus rapide construit par l'homme).

LHC (Large Hadron Collider) : accélérateur de particules situé à la frontière franco-suisse.

1 Analyser le document

Justifier l'écriture de la valeur de Δt_p dans les cinq premières lignes du tableau.

2 Interpréter les informations

a. Quelle erreur relative $\dfrac{\Delta t_m - \Delta t_p}{\Delta t_m}$ exprimée en pourcentage, commet-on dans chacun des cas présentés si l'on ne tient pas compte de la dilatation des durées ?

b. Comparer l'erreur relative calculée à la question **2 a.** avec la précision d'une **horloge à quartz** dérivant au maximum d'une seconde par an, soit de 3×10^{-6} %.
À cette précision, pour quels objets étudiés doit-on tenir compte de la relativité du temps ?
Répondre aux mêmes questions pour une **horloge atomique** dérivant d'une seconde en un million d'années, soit de 3×10^{-12} %.

c. Dans les systèmes de positionnage GPS et Galileo **(document 6)**, on mesure des durées τ de parcours de signaux électromagnétiques pour calculer des distances : $d = c\tau$.
On suppose que, parmi tous les paramètres intervenant dans le fonctionnement de ces systèmes, seule la dilatation du temps n'ait pas été prise en compte.
– Quel serait, au bout d'une heure de fonctionnement, l'écart entre l'indication d'une horloge atomique terrestre et celle d'une horloge atomique embarquée dans le satellite du système GPS mentionné dans le tableau ?
– Quelle erreur sur la distance satellite-véhicule mesurée par le système GPS correspond à cet écart ? Est-elle acceptable par les utilisateurs ?

3 Conclure

En tenant compte des réponses aux questions **2 a.** et **2 b.**, trouver deux critères à prendre en considération pour décider si la théorie de la relativité, et donc la dilatation des durées, doivent être prises en compte pour mesurer des durées.

6 ▶ Vue d'artiste d'un satellite du système de positionnement européen Galileo.

1 Les postulats de la relativité restreinte

1.1 Insuffisance de la mécanique classique

● Selon les **lois classiques du mouvement** (cinématique galiléenne), si deux mobiles A et B se déplacent avec les vitesses $\vec{v_A}$ et $\vec{v_B}$ par rapport à un référentiel galiléen, pour un passager de A, le véhicule mobile B se déplace à la vitesse $\vec{v_B} - \vec{v_A}$. Il en est de même si le mobile B est remplacé par une onde, tel un signal sonore ou une vague sur la mer.

● Mais cette **loi de composition des vitesses** ne s'applique pas aux ondes lumineuses comme le montre l'**expérience historique de Michelson et Morley**, effectuée au XIXe siècle. La mesure de la vitesse de propagation de la lumière dans le vide par rapport à la Terre donne toujours la même valeur c, et est indépendante de la vitesse de déplacement de la Terre par rapport au Soleil.

● Tenant compte de ces observations expérimentales concernant la vitesse de propagation de la lumière, Albert Eintein publie en 1905, une nouvelle théorie connue sous le nom de **relativité restreinte**.

Vocabulaire

Une quantité est **invariante** si elle ne change pas de valeur au cours de certaines transformations.

Un **postulat** est une affirmation non démontrée servant de base à une théorie.

1.2 Énoncés des postulats

● Aucune expérience de mécanique entièrement réalisée dans un référentiel galiléen ne permet de savoir si ce référentiel est en mouvement par rapport à un autre référentiel galiléen : c'est le **principe de relativité de Galilée**. Ce principe n'est applicable qu'aux lois de la mécanique.

● En particulier, selon ce même principe, les lois de l'électromagnétisme ne sont pas invariantes lors d'un changement de référentiel galiléen.

● La théorie de la relativité restreinte d'Einstein va étendre le principe de relativité de Galilée **à toutes les lois physiques.** Cette théorie repose sur deux **postulats**.

Postulat 1
Les lois de la physique s'expriment de la même façon dans tous les référentiels galiléens.

Postulat 2
La vitesse de propagation de la lumière dans le vide est indépendante du mouvement de la source lumineuse et elle est invariante dans tout changement de référentiel galiléen **(figure 7)**.

Conséquence
Il existe une vitesse limite, égale à la célérité c de la lumière dans le vide, qui ne peut être dépassée par aucun signal transportant une information, ni aucune particule. Elle ne peut être atteinte que par les particules de masse nulle comme le photon.

Les situations où le champ gravitationnel intervient ne peuvent pas être étudiées dans le cadre de la théorie de la relativité restreinte. C'est l'objet de la « relativité générale », publiée aussi par Einstein en 1916.

7 Pour les deux observateurs, la vitesse de propagation de la lumière dans le vide est la même.

2 Dilatation des durées

2.1 Caractère relatif du temps

Les postulats de la relativité restreinte d'Einstein imposent d'abandonner la conception newtonienne selon laquelle le temps est une réalité absolue : la mesure du temps dépend du référentiel de mesure.

En relativité, un **événement** est un fait se produisant en un point de l'espace à un instant donné. En relativité restreinte, deux événements se produisant à des endroits séparés, s'ils sont simultanés dans un référentiel, ne le sont en général pas dans un autre **(figure 8)**. La **durée** entre deux événements dépend du référentiel dans lequel est effectuée la mesure.

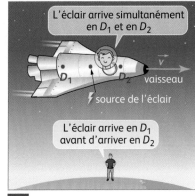

8 *En relativité restreinte, la simultanéité d'un événement est relative au référentiel dans lequel la mesure est effectuée.*

2.2 Durée propre et durée mesurée

Le **référentiel propre** d'un objet est le référentiel dans lequel cet objet est immobile, c'est-à-dire le référentiel lié à l'objet.

Une **durée propre** concernant un objet est une durée mesurée par une horloge immobile dans le référentiel propre de cet objet.

Considérons un référentiel R et le référentiel propre R_p d'un objet, en mouvement l'un par rapport à l'autre.

• Si R et R_p sont galiléens, la **durée** Δt_m d'un phénomène mesurée dans R, et sa **durée propre** Δt_p mesurée dans R_p, sont liées par l'expression :

$$\Delta t_m = \gamma \Delta t_p \ \text{ avec } \ \gamma = \frac{1}{\sqrt{1 - \dfrac{v^2}{c^2}}} \ \begin{array}{l} v : \text{vitesse de } R_p \text{ par rapport à } R \\ \gamma : \text{coefficient de dilatation} \\ \text{des durées} \end{array}$$

• Comme $\gamma > 1$, la durée mesurée Δt_m dans R est toujours supérieure à la durée propre Δt_p. On dit qu'il y a **dilatation des durées** pour un objet en mouvement du point de vue d'un observateur « fixe » **(figure 9)**.

9 *Durée propre et durée mesurée.*

Exemples

• Une particule instable (un noyau radioactif par exemple) a une durée d'existence limitée. Si la mesure de cette durée se fait dans un référentiel où elle est immobile, cette durée Δt_p est une durée propre. Dans un laboratoire où cette particule est en mouvement, un expérimentateur mesurera une durée d'existence Δt_m plus grande.

• Une horloge en « mouvement » retarde par rapport à une horloge dite « fixe ». En effet, imaginons deux horloges identiques, l'une dans une fusée (liée au référentiel R_p) et l'autre sur la Terre (liée au référentiel R). Pour un observateur terrestre, une oscillation de l'oscillateur de l'horloge de la fusée dure plus longtemps (Δt_m) qu'une oscillation de l'horloge terrestre (Δt_p), comme si son mécanisme était ralenti. Cette propriété est réciproque : par rapport à R_p, c'est R qui se déplace. Pour un observateur de R_p, c'est l'horloge de R qui retarde **(figure 10)**.

10 *Réciprocité de la dilatation du temps. La même situation décrite par rapport au vaisseau II* **ⓐ** *et par rapport au vaisseau I* **ⓑ**.

3 Confirmations expérimentales

3.1 Vitesses voisines de c

● Les physiciens des particules étudient le plus souvent des particules dont les vitesses sont proches de c. La mécanique classique est alors totalement inopérante.

● Des particules instables animées de vitesses proches de c, présentes dans les rayons cosmiques ou les accélérateurs de particules, peuvent être observées pendant une durée très supérieure à leur durée de vie propre. C'est une **preuve expérimentale** de la dilatation des durées.

En physique des particules, la relativité restreinte fait partie de l'expérience quotidienne.

● L'existence d'une limite pour les vitesses a une conséquence pratique importante : plus la vitesse d'une particule est proche de c, plus l'énergie nécessaire pour obtenir une petite augmentation de vitesse est grande (théoriquement infinie pour atteindre c) **(figure 11)**.

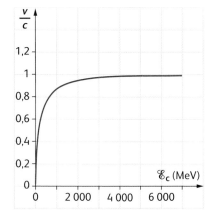

11 *Vitesse d'un proton en fonction de son énergie cinétique.*

3.2 Vitesses très petites devant c

● Pour que la durée mesurée diffère de 1 % de la durée propre, il faut une vitesse supérieure à $c/10$. C'est bien au-delà des possibilités des engins les plus rapides conçus par l'homme.

Mais, même à faible vitesse devant c (de l'ordre de 10 m·s^{-1}), les effets relativistes peuvent être mesurés par les horloges atomiques actuelles.

● Dès 1971, on vérifiait que des horloges atomiques embarquées dans des avions se décalaient par rapport à des horloges restées au sol (l'analyse complète des résultats fait intervenir la relativité générale).

● La mesure du temps dans un système de localisation (GPS ou Galileo) est d'une précision telle que la relativité du temps doit être prise en compte. La bonne marche d'un tel système valide la théorie d'Einstein.

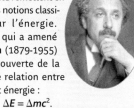

Albert Einstein
Physicien de la relativité

Les principes de base de la relativité remettent en cause les notions classiques sur l'énergie. C'est ce qui a amené **Einstein** (1879-1955) à la découverte de la fameuse relation entre masse et énergie :

$$\Delta E = \Delta mc^2.$$

Relativité restreinte

● **Postulat 1**
Les lois de la physique s'expriment de la même façon dans tous les référentiels galiléens.

● **Postulat 2**
La vitesse de propagation de la lumière dans le vide est indépendante du mouvement de la source lumineuse et elle est **invariante** quel que soit le référentiel galiléen.

La lumière arrive vers moi à 299 792 458 m·s⁻¹

étoile

Moi aussi !

● **Conséquence**
Il existe une vitesse limite, égale à la célérité c de la lumière dans le vide, qui ne peut être dépassée par aucun signal transportant une information, ni aucune particule.

 Dilatation des durées

● Le **référentiel propre** d'un objet est le référentiel dans lequel cet objet est immobile, c'est-à-dire le référentiel lié à l'objet.

● Une **durée propre** concernant un objet est une durée mesurée par une horloge immobile dans le référentiel propre de cet objet.

● Le résultat d'une mesure de durée dépend du référentiel dans lequel est effectuée la mesure.

● Soit R_p le référentiel propre d'un objet.
Si R et R_p sont deux référentiels galiléens, la durée Δt_m d'un phénomène mesurée dans R, et sa durée propre Δt_p mesurée dans R_p sont liées par l'expression :

$$\Delta t_m = \gamma \Delta t_p \ \text{ avec } \ \gamma = \frac{1}{\sqrt{1 - \dfrac{v^2}{c^2}}}$$

où v désigne la vitesse de R_p par rapport à R, et γ le coefficient de dilatation des durées.

● $\gamma > 1$ donc $\Delta t_m > \Delta t_p$. On dit qu'il y a **dilatation des durées** pour un objet en mouvement.
Ainsi, une horloge en mouvement retarde par rapport à une horloge « fixe ».

 Confirmations expérimentales

● La théorie de la relativité restreinte est confirmée dans toutes ses conséquences expérimentales :
– aux vitesses non négligeables devant c, on observe des particules instables pendant des durées très supérieures à leur durée de vie propre ;
– pour les vitesses très petites devant c, la précision des horloges atomiques est nécessaire pour mesurer la dilatation du temps.

Exemple
La mesure du temps dans un système de localisation (GPS ou Galileo) est d'une précision telle que la relativité du temps doit être prise en compte.

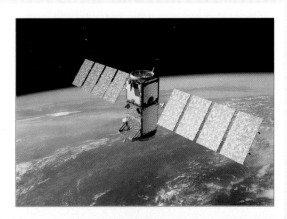

Exercices Application

MANUEL NUMÉRIQUE ▶ EXERCICES INTERACTIFS

1 Mots manquants

Compléter avec un ou plusieurs mots.

a. La vitesse de propagation de la lumière dans le vide est la même dans tous les ....

b. La vitesse de valeur c est une vitesse limite qui ne peut être atteinte que par des particules de masse .... comme le ....

c. La mesure du temps dépend du .... dans lequel est effectuée la mesure.

d. Une durée .... concernant un objet est mesurée par une horloge immobile par rapport à cet objet.

2 QCM

Cocher la réponse exacte.

a. Une fusée se dirige avec une vitesse v vers une source lumineuse immobile dans un référentiel galiléen.
Par rapport au référentiel de la fusée, la vitesse de propagation de la lumière dans le vide est :
☐ supérieure à c
☐ égale à c
☐ inférieure à c

b. D'après les postulats de la relativité restreinte, si on décrit le mouvement d'un électron soumis à un champ électromagnétique dans deux référentiels galiléens différents :
☐ les trajectoires sont décrites de façon identique
☐ les vitesses sont à chaque instant identiques
☐ les même lois de l'électromagnétisme sont respectées

c. Une fusée se dirige avec une vitesse v vers une station spatiale immobile dans un référentiel galiléen. Pour un occupant de la station, par comparaison avec une horloge de la station, une horloge embarquée dans la fusée :
☐ prend de l'avance
☐ prend du retard
☐ indique le même temps

d. Les muons sont des particules instables qui se désintègrent en moyenne au bout d'une durée propre τ. Dans un laboratoire, la durée d'existence mesurée pour des muons animés d'une vitesse proche de c est en moyenne :
☐ grande devant τ
☐ égale à τ
☐ petite devant τ

e. Une durée mesurée d'un phénomène est toujours :
☐ supérieure ou égale à sa durée propre
☐ inférieure ou égale à sa durée propre
☐ égale à sa durée propre

f. Concernant les véhicules construits et utilisés par l'homme, la relativité du temps :
☐ n'est pas vérifiable
☐ est vérifiable mais n'a aucune conséquence pratique
☐ est vérifiable et peut avoir des conséquences pratiques

→ **Solutions détaillées en fin de manuel pour vérifier vos réponses et comprendre vos erreurs.**

Parcours en autonomie

Trois parcours d'exercices pour travailler en autonomie selon ses besoins.

Maîtriser les bases 3 · 7 · 10 · 12

Préparer l'évaluation 18 · 25 · 26

Approfondir 28 · 30 · 31

Pour tous les exercices de ce chapitre

• La relation entre durée propre (Δt_p) et durée mesurée (Δt_m) est :

$$\Delta t_m = \gamma \Delta t_p \quad \text{avec} \quad \gamma = \frac{1}{\sqrt{1 - \dfrac{v^2}{c^2}}}$$

• Les valeurs numériques utiles sont disponibles dans les rabats.

COMPÉTENCES EXIGIBLES

3 Raisonner avec la célérité de la lumière

Peut-on calculer la vitesse d'une étoile par rapport à la Terre en mesurant la vitesse de propagation de la lumière issue de cette étoile ?

4 Raisonner avec la célérité de la lumière

On considère une sonde intersidérale en mouvement rectiligne et uniforme par rapport aux référentiels galiléens.
Pourrait-on concevoir un dispositif placé dans cette sonde, et ne recevant aucun signal provenant de l'extérieur, pour mesurer sa vitesse par rapport au Soleil ?

5 Définir la notion de temps propre

La durée propre d'un phénomène concernant une particule (exemple : la durée d'existence d'une particule instable) est caractéristique de cette particule.
Doit-elle être définie dans le référentiel terrestre ou dans un référentiel où la particule est immobile ?

6 Raisonner avec la dilatation des durées

En voyage dans un vaisseau spatial intersidéral se déplaçant à une vitesse proche de c, Glouk veut faire cuire un œuf à la coque comme il le faisait dans le passé.
Sachant que sur Terre, il fallait 3 minutes de cuisson, Glouk doit-il prévoir (dans les mêmes conditions de pression et de température que sur Terre) une durée de cuisson mesurée sur sa montre : plus grande, identique ou plus petite ?

7 Schématiser la dilatation des durées

On imagine trois vaisseaux spatiaux A, B et C représentés sur le schéma ci-dessous. A et B sont immobiles par rapport à un référentiel R. C se déplace à vitesse constante, proche de c, par rapport à ce référentiel.

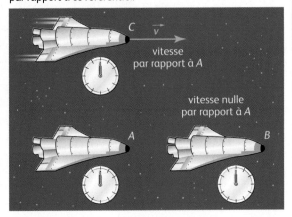

Représenter à nouveau, dans le référentiel R, les trois vaisseaux et leur horloge embarquée lorsque C passe à proximité de B.

Aide. Dessiner les aiguilles des horloges pour indiquer si elles sont toujours synchronisées, en retard ou en avance les unes par rapport aux autres.

8 Durée propre ou durée mesurée ?

On donne deux valeurs pour la durée de vie d'une particule. L'une de ces valeurs correspond à la durée propre et l'autre à la durée mesurée dans le laboratoire :
$$1,2 \times 10^{-8} \text{ s} \quad \text{et} \quad 6,0 \times 10^{-8} \text{ s.}$$
Laquelle de ces deux durées est la durée de vie propre de la particule ?

9 Résultat impossible ?

Le méson π^+ est une particule instable dont la durée de vie moyenne est $2,6 \times 10^{-8}$ s dans son référentiel propre.
Dans un laboratoire, on mesure la durée de vie moyenne de mésons π^+, animés d'une vitesse proche de c. Les résultats suivants sont-ils possibles : $2,6 \times 10^{-8}$ s ; $2,6 \times 10^{-7}$ s ?

10 Connaître la loi de dilatation des durées

a. Dans un accélérateur, une particule se déplaçant à la vitesse $v_1 = 0,92\,c$ par rapport au laboratoire s'est désintégrée au bout de $2,6 \times 10^{-8}$ s par rapport à son référentiel propre. Quelle a été la durée de vie de cette particule mesurée dans le laboratoire ?

b. Une autre particule se déplaçant à la vitesse $v_2 = 0,98\,c$ par rapport au référentiel du laboratoire s'est désintégrée en $4,5 \times 10^{-10}$ s dans le même référentiel. Quelle a été sa durée de vie dans son référentiel propre ?

11 Citer une preuve expérimentale

Citer une preuve expérimentale de la relativité du temps ne mettant pas en jeu les horloges atomiques.

12 Citer une application utile

Citer une application de la vie courante pour laquelle la théorie de la relativité du temps doit être prise en compte.

13 Commenter un résultat

Une horloge embarquée sur un satellite GPS indique le temps à la nanoseconde près.

a. Quel terme convient pour nommer cet écart de 1 ns : « erreur » ou « incertitude » ?

b. Pour une durée de 1 s mesurée par l'horloge embarquée, la dilatation des durées provoque un écart de l'ordre de 10 ps (picosecondes) avec la durée mesurée par une horloge terrestre. Si on néglige cet écart de 10 ps, quel terme convient pour nommer cet écart : « erreur » ou « incertitude » ?

14 Communiquer et argumenter

Les particules des rayons cosmiques se déplacent à une vitesse si proche de celle de la lumière que, de leur point de vue, elles traversent la galaxie en quelques minutes, même si dans le référentiel terrestre, elles semblent mettre une centaine de milliers d'années pour la traverser.

Reformuler cette phrase en utilisant les expressions « durée propre » et « durée mesurée ».

15 Exploiter un graphique

Voici ci-contre les valeurs de γ en fonction de $\dfrac{v}{c}$.

a. Quelle est la valeur γ_0 de γ lorsqu'il n'y a pas de dilatation des durées ?

b. Déterminer graphiquement la valeur maximale de $\dfrac{v}{c}$ pour laquelle on peut négliger la dilatation des durées si l'on tolère un écart relatif $\dfrac{(\gamma - \gamma_0)}{\gamma_0}$ de 10 % sur la valeur de γ.

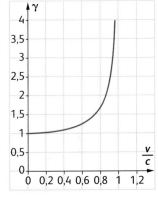

16 Effectuer un raisonnement scientifique

On considère une particule ayant une vitesse v par rapport à un laboratoire.
Quelle doit être la valeur de $\dfrac{v}{c}$ pour que la durée mesurée dans le laboratoire soit le double de la durée propre ?

17 Justifier un raisonnement scientifique

On considère deux mobiles M_1 et M_2 se déplaçant sur un axe $[Ox]$ dans un référentiel galiléen, avec les vitesses v_{1x} et v_{2x}. Selon la théorie de la relativité restreinte, la vitesse de déplacement de M_2 par rapport à M_1 est donnée par la formule :
$$v_x = \frac{v_{2x} - v_{1x}}{1 - \dfrac{v_{1x} v_{2x}}{c^2}}$$

a. Quel résultat donne cette expression dans le cas où le mobile M_2 est un éclair lumineux dans le vide ?

b. Ce résultat confirme-t-il le postulat de l'invariance de la célérité de la lumière dans le vide ?

EXERCICE RÉSOLU

Site élève

18 Désintégration de particules

Énoncé À la sortie d'un accélérateur, un « paquet » de particules identiques contenant $N_0 = 1,0 \times 10^4$ mésons π^+ est injecté à un instant $t = 0$ s dans un anneau de circonférence $L = 120$ m. La vitesse des particules reste constante par rapport au laboratoire avec $v = 0,990\,c$.

Les particules π^+ sont instables et leur nombre décroît au cours du temps selon une loi appelée **loi de décroissance** : dans le référentiel où les particules sont immobiles, le nombre N de particules restant à l'instant t est :

$$N(t) = N_0\, e^{\left(\frac{-t}{\tau}\right)}$$

τ étant la durée de vie moyenne d'un méson π^+ : $\quad \tau = 2,6 \times 10^{-8}$ s.

On admettra que la loi de dilatation des durées de la relativité restreinte reste utilisable pour les particules en mouvement dans l'anneau, bien qu'il ne s'agisse pas d'un mouvement rectiligne.

❶ Quelle est, mesurée dans le référentiel du laboratoire, la durée d'un tour complet de l'anneau pour une particule ?

❷ Quelle est la durée propre Δt_p correspondante pour une particule ?

❸ Pour appliquer la loi de décroissance donnée en début d'énoncé, dans quel référentiel doit être mesuré le temps t ? Combien reste-t-il de particules dans le paquet après un tour complet ?

❹ On considère un autre paquet de mésons contenant aussi initialement $N_0 = 1,0 \times 10^4$ mésons mais qui reste immobile dans le référentiel du laboratoire. Sans faire de nouveaux calculs, déterminer la durée Δt nécessaire pour que le nombre N de particules restantes soit le même que celui calculé à la question ❸.

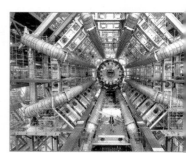

Un détecteur de particules du LHC (Large Hadron Collider) qui est le plus puissant accélérateur de particules au monde.

Une solution

❶ Si Δt_m est la durée d'un tour mesurée dans le laboratoire, alors :

$$L = v \times \Delta t_m \quad \text{soit} \quad \Delta t_m = \frac{L}{v}.$$

$$\Delta t_m = \frac{120}{(0,990 \times 3,00 \times 10^8)} = 4,04 \times 10^{-7}\ \text{s}.$$

❷ Selon la loi de dilatation des durées, la durée propre Δt_p et la durée mesurée dans le laboratoire Δt_m sont liées par la relation :

$$\Delta t_m = \gamma \Delta t_p \quad \text{soit} \quad \Delta t_p = \frac{\Delta t_m}{\gamma} \quad \text{avec} \quad \gamma = \frac{1}{\sqrt{\left(1 - \dfrac{v^2}{c^2}\right)}}.$$

A.N. : $\Delta t_p = \Delta t_m \times \sqrt{\left(1 - \dfrac{v^2}{c^2}\right)} = 4,04 \times 10^{-7} \times \sqrt{(1 - 0,990^2)} = 5,70 \times 10^{-8}$ s.

❸ L'expression de l'évolution de N donnée dans l'énoncé concerne des particules immobiles. Pour appliquer cette loi, il faut se placer dans le référentiel propre de la particule.

Le nombre de particules restant après un tour est :

$$N = N_0\, e^{\left(\frac{-\Delta t_p}{\tau}\right)} = 1,0 \times 10^4 \times e^{\left(\frac{-5,70 \times 10^{-8}}{2,6 \times 10^{-8}}\right)} = 1,1 \times 10^3.$$

❹ La variation du nombre de particules est la même que dans le cas étudié précédemment. Dans un référentiel où les particules sont immobiles, on doit donc obtenir la même durée.

Δt a la même valeur que la durée Δt_p calculée à la question ❷.

19 ZOOM SUR... les méthodes de calcul numérique

On cherche à calculer le coefficient γ de dilatation des durées pour un avion animé de la vitesse $v = 1{,}0 \times 10^3$ m·s⁻¹ par rapport au référentiel géocentrique. Or, certains calculs nécessitent une précision qui dépasse les capacités d'une calculatrice ordinaire. Il faut alors utiliser une méthode de calcul appropriée.

Donnée : on utilisera $c = 3{,}00 \times 10^8$ m·s⁻¹.

1. Réaliser le calcul direct

a. Réaliser directement ce calcul avec une calculatrice.

b. Le résultat obtenu précédemment est-il pertinent ?

c. Trouver une méthode pour obtenir un résultat faisant apparaître nettement la dilatation du temps, c'est-à-dire $\gamma \neq 1$.

> **Conseils** Si le résultat attendu est très légèrement supérieur à 1 et que l'affichage est strictement « 1 », c'est que le nombre de chiffres significatifs nécessaires dépasse la capacité de la calculatrice. Ce n'est plus le cas si l'on calcule « $\gamma - 1$ » en tapant la totalité du calcul en une seule étape :
>
> $1/\sqrt{(1 - (v/c)^2)} - 1$

2. Recourir à des outils mathématiques

On montre en mathématiques que l'on peut utiliser l'approximation suivante : $(1 + \varepsilon)^n \approx 1 + n\varepsilon$ si le produit $|n\varepsilon|$ est un nombre très petit devant 1. Utiliser cette formule d'approximation pour faire le calcul demandé.

> **Conseils** Il faut d'abord repérer la quantité qui doit être identifiée à ε. Mettre ensuite l'expression de γ sous la forme $(1 + \varepsilon)^n$. Noter que ε et n peuvent être négatifs, comme dans l'expression suivante :
>
> $\dfrac{1}{\sqrt{(1-x)}}$ dans laquelle $x \ll 1$, $\varepsilon = -x$ et $n = -\dfrac{1}{2}$.
>
> On a donc $\dfrac{1}{\sqrt{(1-x)}} \approx \left(1 + \left(-\dfrac{1}{2}\right)(-x)\right)$ soit $1 + \dfrac{x}{2}$.

20 Apprendre à rédiger

Voici l'énoncé d'un exercice et un guide (en violet) ; ce guide vous aide à rédiger la solution détaillée et à retrouver les réponses aux questions posées.

Énoncé

Dans un vaisseau spatial, à l'intérieur d'une enceinte dans laquelle on a fait le vide, se trouve une source d'éclairs lumineux S, placée à égale distance de deux détecteurs D_1 et D_2. La source et les deux détecteurs sont alignés. Le vaisseau se déplace dans le référentiel géocentrique, considéré comme galiléen, avec la vitesse v constante, parallèlement à la direction $(D_1 D_2)$, dans le sens de D_1 vers D_2.

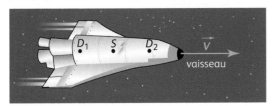

a. Pour un occupant du vaisseau, quelle est la vitesse de propagation de l'éclair vers D_1 ou vers D_2 ?

> ▸ Justifier que le vaisseau constitue un référentiel galiléen puis énoncer le postulat de la relativité restreinte concernant la vitesse de propagation de la lumière pour trouver que la réponse est c.

b. Toujours dans le même référentiel du vaisseau, comparer les durées séparant l'émission de l'éclair et sa détection par D_1 et par D_2 ?

> ▸ Bien analyser le dispositif et utiliser le résultat de la question **a.** pour montrer que les durées sont égales.

c. Par rapport au référentiel géocentrique, quelle est la vitesse de propagation de l'éclair vers D_1 ou vers D_2 ?

> ▸ Il faut réécrire le postulat qui permet d'affirmer que la réponse est c.

d. Dans le référentiel géocentrique, comparer les distances parcourues par l'éclair pour atteindre D_1 et D_2. Comparer encore les durées séparant l'émission de l'éclair et sa détection par D_1 et D_2.

> ▸ Il faut analyser les sens des déplacements de D_1 et D_2 dans le référentiel géocentrique pendant que l'éclair se propage.
>
> ▸ Exploiter aussi le résultat précédent pour trouver que D_1 est atteint avant D_2.

e. Selon la théorie de la relativité restreinte, des événements simultanés dans un référentiel le sont-ils encore dans un autre référentiel ? Est-ce en accord avec notre conception usuelle du temps ?

> ▸ Dire quels événements sont simultanés dans les situations précédentes. Exploiter clairement cette situation pour conclure que la simultanéité dépend du référentiel, contrairement à notre conception usuelle de la simultanéité.

Exercices Entraînement

21 Problème cardiaque ?

Compétence générale *Effectuer un raisonnement scientifique*

Dans une aventure de science-fiction, après un voyage inter-sidéral à une vitesse proche de la vitesse de propagation de la lumière dans le vide, un cosmonaute fait une halte dans une station spatiale. Il sent son cœur battre anormalement vite. Il attribue ce fait à la dilatation relativiste des durées. Son argument est-il valable ou faut-il lui conseiller de consulter un médecin cardiologue ?

22 Approximation légitime

Compétence générale *Commenter un résultat*

On considère une particule qui se déplace à la vitesse $v = 0,99995c$ par rapport à un laboratoire.

a. Si, pour calculer la distance L parcourue par la particule pendant une durée τ, on remplace v par la valeur approchée c, quelle erreur relative commet-on sur L ?

b. Peut-on faire la même approximation pour calculer la durée propre du parcours de la particule ?

23 Science in English

> Here is a question on a scientific Web site :
> « If I were travelling at the speed of light and turned on a flashlight (facing forward), would it illuminate my instrument panel or will the light be fixed ? ».

a. La première hypothèse formulée par l'internaute est-elle satisfaisante d'un point de vue scientifique ?

b. Expliquer le raisonnement qui conduit l'internaute à envisager le résultat formulé.

c. Rédiger une réponse en anglais pour l'internaute.

24 ★ Son et lumière

Compétence générale *Restituer ses connaissances*

a. Une voiture de course se dirige vers un haut-parleur avec la vitesse $\dfrac{v}{4}$, v étant la célérité du son dans l'air.

Quelle est la célérité du son émis par le haut-parleur par rapport au référentiel lié à la voiture ?

b. Dans une aventure de science-fiction, une fusée se dirige vers une étoile avec la vitesse $\dfrac{c}{4}$ par rapport à un référentiel lié au système solaire, considéré comme galiléen.

Quelle est la vitesse de propagation de la lumière issue de l'étoile par rapport au référentiel lié à la fusée ?

25 ★ Comparaison d'horloges

Compétence générale *Effectuer un raisonnement scientifique*

Deux fusées F_1 et F_2 se croisent à proximité d'une station spatiale S immobile dans un référentiel galiléen. Les deux fusées vont, avec la même vitesse, dans la même direction mais dans des sens opposés. Des horloges placées dans F_1, F_2 et S ont été mises à zéro au moment du croisement.

a. Par rapport à une horloge fixe dans S, comparer les indications des horloges placées dans les deux fusées après le croisement.

b. Dans le référentiel lié à F_1, comparer les vitesses de S et de F_2. Comparer ensuite les indications des horloges placées dans S et dans F_2 après le croisement, par rapport à une horloge fixe dans F_1.

26 ★★ Distance Terre-Lune et relativité du temps

Compétences générales *Réaliser un schéma – Effectuer un raisonnement scientifique*

On se propose de retrouver la relation entre les durées mesu-rées dans deux référentiels galiléens.
Pour mesurer la distance Terre-Lune, on envoie d'une station d'observation terrestre de puis-santes impulsions laser vers un réflecteur qui a été déposé sur le sol lunaire par des spatio-nautes. On mesure, dans la même station au sol, la durée d'un aller-retour de l'impulsion lumineuse.

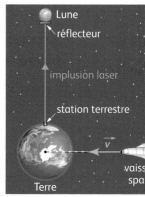

On imagine qu'un vaisseau spatial se dirige vers le centre de la Terre avec une vitesse $\vec{v}$ constante de valeur non négli-geable devant c, et normale à la direction Terre-Lune.
On considèrera que le système Terre-Lune constitue, pendant la durée de la mesure, un référentiel galiléen R.

a. Représenter sur un schéma le trajet du faisceau de lumière utilisé pour la mesure dans le référentiel R puis dans le réfé-rentiel R' du vaisseau.

b. Exprimer la durée Δt de l'aller-retour de l'impulsion lumi-neuse dans le référentiel R, en fonction de c et de la distance Terre-Lune, notée D.

c. Dans le référentiel R' du vaisseau, quelle est la vitesse de propagation de l'impulsion lumineuse ?

d. On admet que la distance D qui est mesurée perpendicu-lairement à $\vec{v}$ a la même valeur dans les deux référentiels. Montrer que, pour respecter les postulats de la relativité restreinte, il faut admettre que la durée $\Delta t'$ de l'aller-retour de l'impulsion mesurée dans R' est supérieur à Δt.

e. Exprimer en fonction de c, v, Δt et $\Delta t'$ les distances repré-sentées sur le schéma réalisé à la question **a**.

f. Établir la relation entre Δt et $\Delta t'$.

27 ★★ Énergie et vitesse

Compétences générales *Extraire et exploiter des informations – Commenter un résultat*

En relativité restreinte, l'énergie cinétique d'une particule est donnée par l'expression $\mathscr{E}_c = (\gamma - 1)mc^2$. Le graphique ci-dessous donne l'évolution de $\dfrac{v}{c}$ en fonction de $\mathscr{E}_c$ pour un proton.

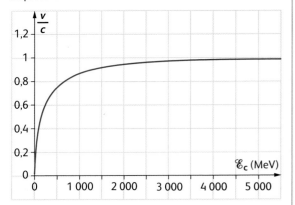

a. Déterminer graphiquement la variation de $\mathscr{E}_c$ lorsque la vitesse d'une particule passe de $v_i = 0$ à $v_f = 0{,}5\,c$ puis pour $v_i = 0{,}9\,c$ à $v_f = 0{,}95\,c$. Comparer ces résultats et les commenter.

b. Le grand accélérateur LHC du CERN de Genève peut communiquer à des protons une vitesse de $0{,}999999991c$. Précédemment, la meilleure performance était obtenue par l'accélérateur FNAL, près de Chicago, avec une vitesse de $0{,}9999996\,c$. Il y a donc eu un gain de vitesse de $0{,}00004\,\%$. Pourquoi, malgré cette faible différence, les physiciens des particules considèrent que le LHC est beaucoup plus performant ?

c. Les physiciens préfèrent caractériser les accélérateurs par les énergies acquises par les particules plutôt que par leurs vitesses, pourquoi ?

28 ★★ Période apparente et période propre

Compétence générale *Effectuer un raisonnement scientifique*

Les pulsars sont des astres qui émettent périodiquement de puissants et brefs signaux électromagnétiques.
On imagine un pulsar s'éloignant du système solaire selon l'axe système solaire-pulsar, avec la vitesse v constante, non négligeable devant c.

a. Soit T_p la période propre d'émission du signal du pulsar. Exprimer la période T d'émission du signal dans un référentiel galiléen R lié au système solaire.

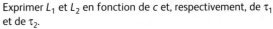

b. On notera :
• L_1 et L_2 les distances parcourues dans R par deux signaux consécutifs entre leur lieu d'émission et la Terre ;
• τ_1 et τ_2 les durées de ces deux parcours dans R.
Exprimer L_1 et L_2 en fonction de c et, respectivement, de τ_1 et de τ_2.

c. Exprimer la durée notée T_{app} séparant les réceptions des deux signaux consécutifs en fonction de τ_1, τ_2 et T. T_{app} est appelée la période apparente du signal dans R.

d. Exprimer $L_2 - L_1$ en fonction de c et T et T_{app}.

e. Exprimer $L_2 - L_1$ en fonction de v et T.

f. Déduire des questions **a.**, **d.** et **e.** une relation entre T_{app}, T_p, v et c. Montrer qu'elle peut s'écrire sous la forme :

$$T_{app} = T_p \times \dfrac{\sqrt{\left(1 + \dfrac{v}{c}\right)}}{\sqrt{\left(1 - \dfrac{v}{c}\right)}}\ .$$

g. À quel phénomène peut-on rattacher le phénomène étudié ici ?

29 Objectif **BAC** *Exploiter des documents*

Dossier BAC, page 546

→ **L'objectif de cet exercice est d'étudier la demi-vie d'une particule instable.**

Si on observe un échantillon contenant un grand nombre de particules instables identiques et immobiles, la moitié de ces particules se désintègrent au bout d'une durée $t_{1/2}$, appelée demi-vie de la particule concernée. Cette durée est indépendante de l'âge de l'échantillon.
Le nombre de particules $N(t)$ restant dans l'échantillon, à une date t quelconque, est donné par l'expression suivante où N_0 est le nombre de particules à l'instant $t = 0$ s :

$$N(t) = N_0\, e^{\left(\dfrac{-t \times 0{,}693}{t_{1/2}}\right)}$$

Le méson π^+ est une particule instable dont la demi-vie est $t_{1/2} = 1{,}80 \times 10^{-8}$ s.
À la sortie d'un accélérateur, on envoie vers une cible des paquets de mésons π^+ qui circulent à la vitesse constante $0{,}9995\,c$. La cible est à la distance $L = 100$ m de la sortie de l'accélérateur.

a. Dans le référentiel du laboratoire, au bout de combien de temps le nombre de mésons π^+ d'un paquet est divisé par 2 ?
Pendant cette durée, quelle est la distance parcourue par ces mésons dans le référentiel du laboratoire ?

b. Un expérimentateur distrait fait ses calculs en oubliant de faire intervenir la relativité du temps. Quelles seraient ses réponses aux questions précédentes ? Comparer les résultats concernant la distance parcourue.

c. Calculer dans le référentiel du laboratoire et dans celui d'un méson la durée du parcours des particules de la sortie de l'accélérateur jusqu'à la cible.

d. Calculer le rapport entre le nombre de mésons atteignant la cible et le nombre de mésons émis.

e. Comparer le rapport calculé à la question précédente avec celui que calculerait l'expérimentateur distrait qui a oublié de tenir compte de la relativité du temps.

Exercices Synthèse

30 Apprendre à chercher

La résolution de cet exercice nécessite de trouver les étapes du raisonnement.

→ Une aide est disponible en fin de manuel.

Énoncé

L'étoile la plus proche du système solaire, Alpha du Centaure, se trouve à 4,5 a.l. de celui-ci (1 a.l. $= 9,46 \times 10^{15}$ m).

→ *À quelle vitesse, par rapport au Soleil, devrait se déplacer un vaisseau spatial pour que, selon ses occupants, un voyage entre la Terre et Alpha du Centaure dure 10 ans ?*

31 ✶ ✶ Voyage vers le futur ?

Compétences générales *Communiquer et argumenter – Justifier un raisonnement scientifique*

Considérons deux frères jumeaux. L'un d'eux embarque dans une fusée pour un voyage intersidéral à très grande vitesse. Pendant son voyage, tout semble ralentir (ses horloges, son cœur) du point de vue de son frère resté sur Terre (mais non de son propre point de vue). Quand il revient, il est donc plus jeune que son frère resté sur Terre. Mais on peut raisonner dans l'autre sens. Le jumeau voyageur voit son frère terrien se déplacer à grande vitesse. C'est donc son frère qui devrait être plus jeune à son retour. Où est l'erreur ?

Une étude rigoureuse montre que le jumeau voyageur serait effectivement plus jeune que l'autre à son retour sur Terre. On peut dire qu'il a voyagé dans le futur.

Si la relativité n'interdit pas l'idée de voyages dans le futur, elle réfute celle de voyages dans le passé. Il est vrai que, si un événement *A* se produit avant un autre événement *B*

dans un référentiel, *A* peut se produire après ou en même temps que *B* dans un autre référentiel. Mais si l'événement *A* est la cause de l'événement *B*, alors *A* précède *B* dans tous les référentiels : dans aucun référentiel vous ne pourrez lire un SMS avant qu'il n'ait été envoyé.

D'après « Bac to Basics », Élisa Brune, *La Recherche* n° 353.

1. Le problème des jumeaux

a. À quel phénomène fait référence la phrase surlignée ?

b. Expliquer l'indication : « mais non de son propre point de vue ».

c. Expliquer, en utilisant la notion de référentiel, la signification de la phrase : « Mais on peut raisonner dans l'autre sens ».

d. Quelle propriété doit vérifier un référentiel pour qu'on puisse lui appliquer les lois de la relativité restreinte ?

e. On peut admettre que le référentiel géocentrique vérifie cette propriété. Montrer que cela ne peut pas être le cas pour le référentiel du vaisseau. En conclure que les situations des jumeaux ne sont pas symétriques.

f. La réciprocité des situations ne s'applique donc pas aux « jumeaux » : Quelle en est la conséquence ?

2. Le principe de causalité

a. En utilisant le principe de causalité décrit dans la dernière phrase du texte, répondre à la question suivante : si un terrien calcule que la chute d'une météorite sur Jupiter provenant du système solaire s'est produite avant l'explosion d'une supernova, est-il envisageable qu'il existe un référentiel dans lequel l'explosion s'est produite avant la chute de la météorite ?

b. De même, si une bouffée de particules due à une éruption solaire arrive sur la Terre, existe-t-il un référentiel dans lequel l'arrivée des particules sur la Terre se produit avant l'éruption ?

32 Objectif **BAC** *Rédiger une synthèse de documents* Dossier BAC, page 546

Cet exercice s'appuie sur des ressources disponibles sur le site élève : www.nathan.fr/siriuslycee/eleve-termS.

Télécharger le dossier « Ressources pour l'exercice 32 » du chapitre 12, qui concerne une expérience réalisée en 2011 où des physiciens ont détecté des particules, dont la vitesse aurait dépassé la vitesse de propagation de la lumière *c*.

Ce dossier contient :
– l'annonce de l'anomalie détectée publiée dans un quotidien ;
– une analyse de l'information publiée par un magasine scientifique grand public ;
– un schéma expliquant les dispositifs de détection de particules.

→ **L'objectif de cet exercice est de rédiger une synthèse de documents afin :**
– d'expliquer en quoi les résultats annoncés constituent une anomalie pour les scientifiques ;
– de relever et d'expliquer quelques arguments en faveur ou en défaveur d'une anomalie due à des erreurs de mesures ;
– de donner des pistes sur les conséquences d'une éventuelle confirmation des résultats.
Le texte rédigé, de 25 à 30 lignes, devra être clair et structuré et l'argumentation reposera sur les documents proposés.

Détecteur de particules.

Chapitre 13

Temps et évolution chimique. Cinétique et catalyse

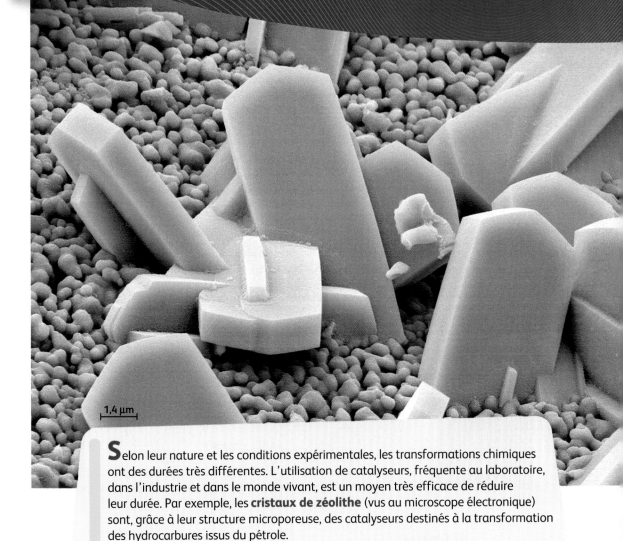

1,4 µm

Selon leur nature et les conditions expérimentales, les transformations chimiques ont des durées très différentes. L'utilisation de catalyseurs, fréquente au laboratoire, dans l'industrie et dans le monde vivant, est un moyen très efficace de réduire leur durée. Par exemple, les **cristaux de zéolithe** (vus au microscope électronique) sont, grâce à leur structure microporeuse, des catalyseurs destinés à la transformation des hydrocarbures issus du pétrole.

COMPÉTENCES EXIGIBLES

- Suivre dans le temps une synthèse organique par C.C.M. et en estimer la durée.
  → *Activité expérimentale 1 et exercice d'application 3*

- Mettre en évidence quelques paramètres influençant l'évolution temporelle d'une réaction chimique (concentration, température, solvant).
  → *Activités expérimentales 2 et 3 et exercice d'application 5*

- Déterminer un temps de demi-réaction.
  → *Exercice d'application 6*

- Mettre en évidence le rôle d'un catalyseur.
  → *Activité expérimentale 4*

- Extraire et exploiter des informations sur la catalyse, notamment en milieu biologique et dans le domaine industriel, pour en dégager l'intérêt.
  → *Activité documentaire 5*

1

Estimer la durée d'une réaction chimique

▶ La réaction d'oxydation de l'alcool benzylique par l'eau de Javel se déroule en plusieurs minutes. Estimons la durée de cette transformation en analysant le milieu réactionnel par C.C.M.

Expérience

- Préparer une plaque de C.C.M. afin de pouvoir y réaliser quatre dépôts (→ **Fiche pratique 9**).
- Dans un erlenmeyer contenant un barreau aimanté, introduire, grâce à une pipette graduée, 2,0 mL d'alcool benzylique. Dissoudre l'alcool dans 25 mL d'acétate d'éthyle prélevé à l'éprouvette graduée.
- Réaliser un premier dépôt de ce milieu réactionnel sur la plaque de C.C.M.
- Ajouter dans l'erlenmeyer environ 40 mL de la solution diluée d'eau de Javel, et environ 0,6 g de bromure de tétrabutylammonium. Attacher correctement l'erlenmeyer et adapter un réfrigérant à air, puis mettre en route une agitation magnétique vigoureuse. Cette action définit la date $t = 0$.

- Aux instants de date $t = 10$ min, 20 min et 30 min, arrêter l'agitation et réaliser un dépôt de la phase organique (la phase supérieure) sur la plaque de C.C.M. Remettre en route l'agitation vigoureuse.

1 Montage utilisé pour réaliser la réaction.

- Quand les quatre dépôts ont été effectués, réaliser l'élution de la plaque en utilisant le dichlorométhane CH_2Cl_2 comme éluant. Révéler la plaque à la lampe UV, puis entourer les taches qui apparaissent.

Données

– L'équation de la réaction qui se produit s'écrit :

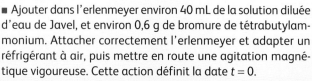

$$+ ClO^- \longrightarrow \quad + Cl^- + H_2O$$

– Dans les conditions de l'expérience, le réactif limitant est l'alcool benzylique.
– Seules les espèces organiques de cette réaction sont révélées par la lampe UV.

2 Résultat de la C.C.M.

① Observer
a. Pourquoi faut-il attacher l'erlenmeyer ?
b. Combien d'espèces chimiques sont mises en évidence par la C.C.M. aux dates $t = 0$, 10, 20 et 30 min ?

② Interpréter
a. La transformation chimique réalisée est-elle instantanée ?
b. Attribuer chaque tache de la C.C.M. à une espèce chimique organique.

③ Conclure
a. Dans cette expérience, quel critère permet de dire que la transformation chimique est « terminée » ?
b. Quel est l'ordre de grandeur de la durée de la transformation chimique ?

ACTIVITÉ EXPÉRIMENTALE • *S'approprier* • *Analyser* • *Réaliser* • *Valider*

2 Mise en évidence de facteurs cinétiques

▶ Étudions les paramètres que le chimiste peut contrôler pour modifier la durée d'une transformation.

Démarche d'investigation

L'ion thiosulfate $S_2O_3^{2-}$ se transforme progressivement en milieu acide selon la réaction d'équation :

$$S_2O_3^{2-}(aq) + 2\,H_3O^+(aq) \rightarrow S(s) + SO_2(aq) + 3\,H_2O(\ell).$$

La formation de particules de soufre solide en suspension opacifie le milieu réactionnel initialement limpide (**document 4**).

→ *Quel critère expérimental peut-on utiliser pour évaluer la durée de cette transformation ? Quels paramètres peuvent modifier la durée de la transformation ?*

Solutions et matériel disponibles :

– solution $(2\,Na^+(aq), S_2O_3^{2-}(aq))$ à 0,2 mol·L^{-1} ;
– solution (H_3O^+, Cl^-) à 0,1 mol·L^{-1} ;
– verrerie usuelle ;
– plaque chauffante ;
– glace ;
– chronomètre.

3 ▲ *Matériel disponible.*

1 Débattre

a. Après avoir formulé des hypothèses pour répondre aux deux questions posées, les confronter avec l'ensemble de la classe. Y a-t-il plusieurs critères possibles pour évaluer la durée de la transformation ?

b. Proposer alors des protocoles expérimentaux permettant d'évaluer la durée de la transformation et d'étudier l'influence des paramètres sur cette durée. Choisir les protocoles les plus adaptés.

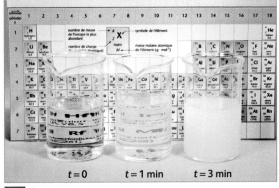

$t = 0$ $t = 1$ min $t = 3$ min

4 *À l'instant $t = 0$, la solution d'acide chlorhydrique est ajoutée à celle de thiosulfate de sodium.*

2 Expérimenter pour conclure

a. Répartir les expériences à réaliser entre les différents binômes de la classe, puis les mettre en œuvre.

b. Mettre en commun les observations, et conclure quant à l'influence des différents paramètres sur la durée de la transformation.

Les paramètres qui modifient la durée d'une transformation sont appelés des **facteurs cinétiques**.

3 Évolution temporelle d'une quantité de matière

▶ Suivons l'évolution dans le temps de la quantité de phénolphtaléine en présence d'ions hydroxyde grâce à une mesure spectrophotométrique.

Expérience

- Diviser la classe en deux groupes 1 et 2.

- Préparer le spectrophotomètre (→ **Fiche pratique 8**) afin de réaliser des mesures d'absorbance à la longueur d'onde $\lambda = 553$ nm correspondant au maximum d'absorption de la phénolphtaléine. Le blanc est réalisé grâce à une cuve d'eau distillée.

- Préparer deux cuves de spectrophotomètre en introduisant un échantillon de solution d'hydroxyde de sodium de volume $V = 3,0$ mL, à la concentration $c_1 = 0,50$ mol·L^{-1} **(groupe 1)** ou $c_2 = 0,30$ mol·L^{-1} **(groupe 2)**.

- En utilisant une pipette jetable, ajouter dans chaque cuve une goutte de la solution de phénolphtaléine, notée P, puis agiter en utilisant la pipette.

- Introduire l'une des cuves dans le spectrophotomètre et déclencher le chronomètre. Réaliser une mesure d'absorbance A_{553} toutes les 20 secondes pendant 10 minutes.

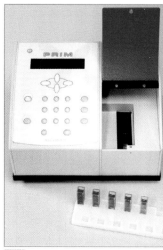

5 *La phénolphtaléine est rose en milieu basique. Sa quantité peut être évaluée par spectrophotométrie.*

1 Observer

À l'aide de la cuve non introduite dans le spectrophotomètre, décrire l'évolution de la solution au cours du temps.

2 Analyser

L'équation de la réaction est modélisée par l'écriture : $P + HO^- \rightarrow A^-$.

A^- est une espèce chimique organique qui n'absorbe pas la lumière visible.

a. En utilisant un tableur-grapheur, tracer les points expérimentaux en plaçant en abscisse le temps et en ordonnée l'absorbance A_{553}.

b. Donner l'expression de l'absorbance A_{553} en fonction du coefficient d'absorption molaire ε_{553} de la phénolphtaléine P, de la largeur ℓ de la cuve et de la concentration molaire $[P]$ en phénolphtaléine à la date t.

c. Donner la relation entre la quantité n de phénolphtaléine dans la cuve à la date t et A_{553}, ε_{553}, ℓ et le volume V de la solution dans la cuve.

d. En utilisant un tableur-grapheur, tracer les points expérimentaux en plaçant en abscisse le temps et en ordonnée la quantité n de phénolphtaléine.

Données : $\ell = 1,0$ cm ; $\varepsilon_{553} = 2,9 \times 10^5$ L·mol^{-1}·cm^{-1}.

e. Donner la valeur numérique de n à la date $t = 0$. Calculer la valeur numérique de n quand la moitié de la phénolphtaléine initialement présente a été consommée.

f. Mesurer sur le graphique la date, notée $t_{1/2}$, pour laquelle la moitié de la phénolphtaléine initialement présente a été consommée.

3 Conclure

Le temps $t_{1/2}$ est appelé **temps de demi-réaction**.

En comparant la moyenne des valeurs de $t_{1/2}$ obtenue pour chacun des deux groupes, préciser si la concentration initiale en ions hydroxyde a une influence sur ce temps de demi-réaction.

ACTIVITÉ EXPÉRIMENTALE ● *S'approprier* ● *Analyser* ● *Réaliser*

4 Étude des différents types de catalyse

▶ Le peroxyde d'hydrogène (ou eau oxygénée) H_2O_2 est instable. Il se transforme selon la réaction d'équation : $2\ H_2O_2\,(aq) \rightarrow 2\ H_2O\,(\ell) + O_2\,(g)$. Étudions l'influence de certaines espèces chimiques sur l'évolution de cette réaction.

6 *Observation de la dismutation de l'eau oxygénée.*

Expérience

■ Préparer cinq tubes à essais remplis à moitié d'eau oxygénée à 10 volumes. Les numéroter. Le tube à essais n° 1 sera le tube témoin.

■ Ajouter dans le tube à essais :
– n° 2, un fil de platine ;
– n° 3, un morceau de navet écrasé ;
– n° 4, une pointe de spatule de dioxyde de manganèse solide ;
– n° 5, quelques millilitres de solution de chlorure de fer III ($Fe^{3+}\,(aq)$, $3\ Cl^-\,(aq)$) (de concentration $0{,}20\ mol \cdot L^{-1}$).

■ Préparer un sixième tube à essais rempli à moitié d'eau et du même volume de solution de chlorure de fer III que le tube à essais n° 5.

❶ Observer

a. Comparer l'aspect des contenus des tubes à essais en cours de transformation.

b. Décrire l'évolution de la couleur de la solution dans le tube à essais n° 5 en la comparant avec celle du tube à essais n° 6.

❷ Interpréter

a. Pourquoi observe-t-on une effervescence dans les tubes à essais ?

b. Quel critère peut-on utiliser pour définir, mesurer et comparer la durée de la transformation dans chaque tube à essais ?

c. Les espèces ajoutées dans les tubes à essais sont-elles des réactifs de la réaction étudiée ?

d. Que peut-on dire de l'évolution de la concentration en ions Fe^{3+}, responsables de la couleur orangée de la solution du tube à essais n° 5 ?

❸ Conclure

a. Les espèces introduites dans les tubes à essais sont appelées **catalyseurs**.
Quelles sont les caractéristiques des catalyseurs mises en évidence dans cette activité ?

b. Le navet contient une espèce chimique appelée **catalase**.
Faire une recherche documentaire pour connaître sa nature.

c. On distingue trois types de catalyseurs : **homogènes**, **hétérogènes** et **enzymatiques**.
Faire une recherche pour comprendre ces termes.

d. Classer les catalyseurs utilisés dans l'activité dans les trois catégories évoquées ci-dessus.

❹ Prolonger l'activité

a. L'eau oxygénée est utilisée pour la désinfection de plaies. Au contact du sang, elle « mousse ».
Que peut-on en conclure ?

b. Visionner la vidéo de l'activité 4 du chapitre 13 sur le site élève :
www.nathan.fr/siriuslycee/eleve-termS
Pour reproduire la vidéo, répéter l'expérience pour laquelle la durée de la transformation était la plus courte en introduisant dans un tube à essais l'eau oxygénée, un peu de liquide vaisselle, puis le catalyseur. Observer et interpréter.

ACTIVITÉ DOCUMENTAIRE

5

L'utilisation des catalyseurs dans l'industrie

▶ Étudions quelques caractéristiques des catalyseurs pour en comprendre l'intérêt.

Un catalyseur est une espèce chimique qui permet d'augmenter la vitesse d'une réaction mais qui n'apparaît pas dans l'équation de cette réaction […]. Il n'est pas consommé et se retrouve inaltéré à la fin de la réaction. Il suffit alors d'une très petite quantité de catalyseur pour transformer rapidement une grande quantité de réactifs. […] En général, un catalyseur catalyse une réaction déterminée et une réaction donnée ne peut être catalysée que par un nombre restreint de catalyseurs.

D'après http://www.cnrs.fr

7 *Définition d'un catalyseur.*

La plupart des procédés de synthèse industriels emploient des catalyseurs. Leur utilisation […] évite aux entreprises des coûts énergétiques trop importants. En effet, une hausse de la température du milieu a le même effet cinétique que l'utilisation d'un catalyseur. Cependant, le coût d'une élévation de température est nettement plus élevé, c'est pourquoi le choix du catalyseur est financièrement plus approprié.

D'après http://www.cnrs.fr

8 *Catalyse et cinétique.*

Les réactions pouvant être catalysées par les enzymes s'effectuent dans des conditions souvent qualifiées de douces, c'est-à-dire à la température de l'organisme qui les abrite (37 °C pour l'orga-
5 nisme humain) et à un pH peu éloigné de la neutralité (aux alentours de 7).

Lorsque les conditions de température ou de pH sont trop faibles ou trop élevées, l'efficacité du catalyseur est réduite, voire nulle.

10 Outre leur importance dans certains processus biologiques chez les êtres vivants, les enzymes sont également utilisées dans l'industrie.

La très grande efficacité des enzymes, leur sélectivité ainsi que les conditions très douces dans
15 lesquelles elles interviennent suscitent un grand intérêt auprès des industriels. Cependant, cet essor est pour l'instant limité par la difficulté à recycler les enzymes.

D'après http://www.cnrs.fr/cnrs-images/chimieaulycee/
index.htm, © CNRS Images

9 *La catalyse enzymatique.*

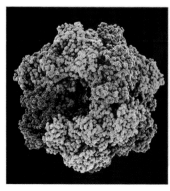

La glutamine synthétase est l'enzyme qui accélère la réaction entre l'acide glutamique et l'ammoniac NH_3 afin de synthétiser un des acides aminés naturels : la glutamine.

Le nom des enzymes porte souvent le suffixe –ase.

acide glutamique   glutamine

10 *La glutamine synthétase.*

1 **Analyser les documents**

a. Relever les avantages que présente l'utilisation de catalyseurs dans l'industrie.

b. Expliquer pourquoi les catalyseurs sont qualifiés de « sélectifs ».

c. Pourquoi les enzymes sont-elles adaptées aux transformations chimiques du vivant ?

d. Que veut dire l'auteur, à la fin du **document 9**, en parlant du « recyclage » d'une enzyme ?

2 **Faire une recherche**

Faire une recherche sur un exemple concret d'application des catalyseurs dans l'industrie chimique pour réaliser une présentation orale.

1 Évolution d'un système chimique dans le temps

Pour vérifier ses acquis
→ FICHES D et L page 159

Le domaine de la chimie qui étudie l'évolution des systèmes chimiques dans le temps s'appelle la **cinétique chimique**.

1.1 Transformations lentes et rapides

Une transformation est dite **lente** si l'évolution dans le temps des quantités des réactifs et produits peut être suivie pendant plusieurs secondes, minutes ou heures, à l'œil ou par les instruments de mesure usuels du laboratoire.

Vocabulaire

Par abus de langage, on parle parfois de *réaction* lente ou rapide plutôt que de *transformation* lente ou rapide.

Exemple. La synthèse de l'aspirine s'effectue selon la réaction d'équation :

Il s'agit d'une transformation lente, qui peut être suivie par C.C.M.

Une transformation est dite **rapide** si l'évolution dans le temps des quantités des réactifs et produits ne peut pas être suivie par les instruments de mesure usuels du laboratoire.

Exemple. La transformation dont l'équation de la réaction est :
$$CH_3CO_2H\,(aq) + HO^-\,(aq) \rightarrow CH_3CO_2^-\,(aq) + H_2O\,(\ell)$$
est une transformation rapide. Seules des techniques très élaborées, non accessibles dans les laboratoires classiques, permettent de suivre l'évolution des quantités des réactifs et des produits.

11 *Les explosions sont des transformations très rapides.*

1.2 Durée d'une transformation

● Lorsque plus aucune évolution du système dans le temps n'est observée, le système a atteint son **état final**, caractérisé par son avancement final x_f.

● Expérimentalement, la valeur de x_f n'est pas toujours égale à la valeur de l'**avancement maximal** x_{max}. Plusieurs raisons peuvent en être la cause : par exemple, une partie des espèces chimiques peut être consommée par une autre réaction, appelée réaction parasite. Ce cas est courant en chimie organique.

● On ne peut donc pas choisir un état où l'avancement serait maximal comme critère pour mesurer la durée d'une transformation.

On appelle durée d'une transformation chimique la durée nécessaire pour que l'avancement x atteigne une valeur déterminée par l'expérimentateur.

Cette définition, arbitraire, est laissée à l'appréciation de chaque expérimentateur. Par exemple, dans l'industrie chimique, la durée de la transformation est choisie selon des contraintes de rentabilité.

Science in English

Reaction time : the period of time that elapses between the start of the reaction and the attainment of a given extent of a reaction (International Union of Pure and Applied Chemistry, IUPAC).

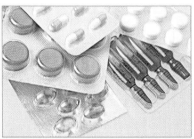

12 *En pharmacologie, le temps de demi-vie d'un médicament est le temps pour lequel sa concentration est divisée par deux dans l'organisme.*

1.3 Évolution d'une quantité de matière au cours du temps

● La détermination d'une durée de transformation nécessite de connaître l'avancement de la réaction en fonction du temps, ou encore les quantités de matière des réactifs et produits en fonction du temps.

● Lorsqu'un système chimique est en cours de transformation, les quantités des réactifs diminuent tandis que celles des produits augmentent jusqu'à atteindre un **état final**, caractérisé par des quantités de matière finales.

● Étudions la réaction entre les ions iodure et les ions peroxodisulfate, d'équation : $2\,I^-(aq) + S_2O_8^{2-}(aq) \rightarrow I_2(aq) + 2\,SO_4^{2-}(aq)$.
Lorsque les quantités de matière initiales sont choisies dans les proportions stœchiométriques, le tableau d'évolution de cette transformation est le suivant.

Équation		$2\,I^-(aq)$	$+\ S_2O_8^{2-}(aq) \rightarrow$	$I_2(aq)$	$+\ 2\,SO_4^{2-}(aq)$
État	Avancement	\multicolumn{4}{c}{Quantités de matière}
initial	0	$2\,n_0$	n_0	0	0
en cours	x	$2\,n_0 - 2\,x$	$n_0 - x$	x	$2\,x$
final	$x_{max} = n_0$	0	0	n_0	$2\,n_0$

Les quantités de matière en ions iodure et en diiode au cours du temps sont représentées ci-dessous.

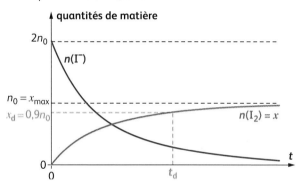

La quantité de diode tend vers n_0, tandis que la quantité d'ions iodure tend vers 0. Dans ce cas, l'avancement final est égal à l'avancement maximal.

Un expérimentateur peut par exemple choisir d'interrompre la transformation pour une valeur d'avancement $x_d = 0,9\,n_0$. La durée de la transformation ainsi définie est alors t_d.

1.4 Temps de demi-réaction

Une valeur particulière de durée de transformation est souvent utilisée pour caractériser une réaction.

> On appelle **temps de demi-réaction $t_{1/2}$** la durée de transformation pour laquelle l'avancement x est égal à la moitié de l'avancement maximal x_{max}.

13 *Le temps de demi-réaction est la durée pour laquelle l'avancement de la transformation passe de la valeur zéro à la moitié de l'avancement maximal.*

Le temps de demi-réaction est une grandeur qui permet de connaître l'ordre de grandeur de la durée qu'il faudra consacrer à la transformation.

Cours

2 Influence des facteurs cinétiques

Les paramètres contrôlables susceptibles de modifier la durée d'une transformation sont appelés **facteurs cinétiques**.

Le chimiste a souvent besoin de diminuer la durée des transformations. Pour cela, il choisit les valeurs des paramètres cinétiques qu'il peut contrôler.

2.1 Influence de la température

Exemple. Le temps de demi-réaction de la réaction suivante est, dans les mêmes conditions de concentration et dans le même solvant, de 90 s à 40 °C et de 450 s à 22 °C :

$$(CH_3)_3CCl + 2\,H_2O \rightarrow (CH_3)_3COH + H_3O^+ + Cl^-.$$

Une élévation de température diminue la durée de la transformation.

Plus la température du milieu réactionnel est élevée, plus la durée de la transformation diminue. La température est donc un facteur cinétique.

Si une élévation de température diminue la durée des transformations, elle est toutefois coûteuse d'un point de vue énergétique. Un compromis doit être trouvé pour choisir la température des transformations réalisées dans l'industrie chimique, afin de répondre aux objectifs de rentabilité.

Exemple. L'éthanoate d'éthyle est obtenu industriellement par réaction entre l'éthanol et l'acide éthanoïque, selon la réaction d'équation :

$$CH_3-CO_2H + C_2H_5-OH \rightarrow CH_3-C(=O)O-C_2H_5 + H_2O.$$

Cette réaction est lente à température ambiante. La synthèse industrielle est réalisée à haute température, ce qui permet de diminuer la durée de la transformation.

2.2 Influence du milieu réactionnel

Lorsqu'une transformation est réalisée en solution, les concentrations en réactifs ainsi que la nature du solvant peuvent être des facteurs cinétiques, dont l'effet est propre à chaque réaction.

Exemples. • Le temps de demi-réaction de la réaction d'hydrolyse du 2-chloro-2-méthylpropane évoquée au **§2.1** est le même quelle que soit la concentration initiale en 2-chloro-2-méthylpropane.

• À 20 °C, le temps de demi-réaction de la saponification de l'éthanoate d'éthyle, d'équation $CH_3-C(=O)O-C_2H_5 + HO^- \rightarrow CH_3-CO_2^- + C_2H_5OH$, est de 15 min pour une concentration initiale en chaque réactif de $1{,}0 \times 10^{-2}$ mol·L^{-1}. Lorsque l'on double cette concentration, le temps de demi-réaction est réduit de moitié.

• Le temps de demi-réaction de la réaction d'équation :

$$C_2H_5I + N(C_2H_5)_3 \rightarrow N(C_2H_5)_4^+ + I^-$$

est 500 fois plus élevé lorsque le solvant est l'hexane plutôt que la propanone, toutes choses égales par ailleurs.

Ces exemples montrent que le choix du solvant et des concentrations est essentiel lorsque l'on veut réduire la durée d'une transformation.

À quoi ça sert ?

Augmenter une durée de transformation

Parfois, on souhaite plutôt augmenter la durée d'une transformation. C'est le cas pour la conservation des aliments qui se fait à basse température, à l'intérieur d'une glacière par exemple. Cela permet d'augmenter la durée de la transformation de dégradation des aliments.

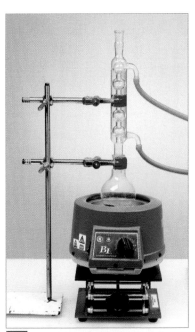

14 *Le montage de chauffage à reflux permet de diminuer la durée de la transformation en maintenant une température constante élevée.*

3 Utilisation des catalyseurs

3.1 Définition

Il existe d'autres moyens que les facteurs cinétiques vus précédemment pour diminuer la durée d'une transformation.

- Un **catalyseur** est une espèce chimique qui diminue la durée d'une transformation. On dit alors que la réaction est **catalysée**.
- Le catalyseur n'apparaît pas dans l'équation de la réaction.

Le catalyseur interagit avec les réactifs pendant la transformation. La quantité de catalyseur est la même dans l'état final et dans l'état initial : on dit que le catalyseur est **régénéré**. Une petite quantité de catalyseur permet de transformer une grande quantité de réactifs.

Exemple. La réaction d'oxydation des ions tartrate par le peroxyde d'hydrogène a pour équation :

$$5\ H_2O_2\,(aq) + C_4H_4O_6^{2-}\,(aq) \xrightarrow{Co^{2+}} 6\ H_2O\,(\ell) + 4\ CO_2\,(g) + 2\ HO^-\,(aq).$$

Cette transformation est très lente à température ambiante, mais elle peut être catalysée par les ions Co^{2+} (de couleur rose en solution aqueuse). Au cours de la transformation, les ions cobalt $Co^{2+}\,(aq)$ sont transformés en ions $Co^{3+}\,(aq)$ de couleur verte. Ils sont régénérés en fin de réaction **(document 15)**. Ni les ions Co^{2+}, ni les ions Co^{3+} ne figurent dans l'équation de la réaction.

15 *Transformation et régénération du catalyseur.*

De nos jours, plus de 85 % des procédés industriels utilisent des catalyseurs. Leur rôle est crucial aussi bien d'un point de vue économique qu'environnemental. En effet, ils permettent de diminuer la durée d'une transformation sans avoir recours à une élévation de température, dont le coût énergétique est important. D'autre part, ils donnent lieu à des procédés industriels plus respectueux de l'environnement, et constituent ainsi l'un des principes fondateurs de la « chimie verte ».

Exemple. La synthèse de l'ammoniac NH_3 à partir de diazote et de dihydrogène, mise au point au début du XXe siècle, est réalisée selon un procédé appelé « procédé Haber ». Elle repose sur l'utilisation d'un catalyseur solide à base de fer et d'oxydes de fer. En 2010, 131 millions de tonnes d'ammoniac ont été produites dans le monde, dont 85 % utilisées pour la production d'engrais azotés.

16 *Utilisation d'un bâton d'engrais.*

3.2 Différents types de catalyse

Le peroxyde d'hydrogène H_2O_2, également appelé eau oxygénée, se décompose spontanément en eau et dioxygène selon la réaction suivante :

$$2\,H_2O_2\,(aq) \rightarrow O_2\,(g) + 2\,H_2O\,(\ell).$$

Plusieurs types de catalyseurs permettent de diminuer la durée de cette transformation très lente **(activité 4 page 263)**.

> On distingue trois types de catalyse.
> • La catalyse est dite **homogène** lorsque le catalyseur et les réactifs sont dans la même phase.
> • La catalyse est dite **hétérogène** lorsque le catalyseur est dans une phase différente de celle des réactifs.
> • La catalyse est dite **enzymatique** lorsque le catalyseur est une enzyme, c'est-à-dire une macromolécule biologique (appelée protéine) constituée d'un enchaînement d'acides α-aminés.

Exemples

• Les ions cobalt II Co^{2+} (aq), qui catalysent la réaction d'oxydation des ions tartrate par le peroxyde d'hydrogène **(document 15 page 268)**, sont dissous en solution, comme les réactifs. Il s'agit donc d'une catalyse homogène.

• La margarine est produite par réaction entre le dihydrogène gazeux et une huile végétale liquide en présence d'un catalyseur solide : le nickel. Il s'agit donc d'une catalyse hétérogène.

• La transformation de l'amidon en glucose, première étape de la fabrication du pain, est catalysée par une enzyme, l'amylase, produite par les levures du genre *Saccharomyces* **(document 17)**. La catalyse est donc enzymatique.

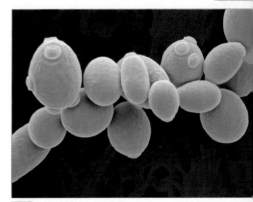

17 *Levures Saccharomyces vues au microscope électronique à balayage.*

3.3 Intérêt des catalyseurs dans l'industrie et en milieu biologique

A Comparaison des catalyses homogène et hétérogène

• À l'issue d'une transformation, le catalyseur est régénéré. Il est donc nécessaire de le séparer du milieu réactionnel. Lorsque la catalyse est hétérogène, il est aisé de recycler le catalyseur puisqu'il n'est pas dans la même phase que les produits.

Exemple. L'ammoniac NH_3, gaz à l'origine de la fabrication des engrais azotés, est synthétisé par la réaction du dihydrogène gazeux et du diazote gazeux en présence d'un catalyseur solide à base de fer. Il est très aisé de séparer les gaz du catalyseur.

• Au cours de la transformation, le catalyseur interagit avec les réactifs. Lorsqu'il est dans la même phase que les réactifs (catalyse homogène), toutes les molécules de catalyseur sont disponibles.

• Lors d'une catalyse hétérogène, lorsque le catalyseur est solide, seuls les atomes à la surface du solide sont disponibles. Pour améliorer l'efficacité du catalyseur, on l'utilise sous forme de poudre fine, de grilles ou de mousses qui offrent, pour une même masse de catalyseur, une surface de contact plus importante qu'un bloc solide.

À quoi ça sert

Le pot catalytique

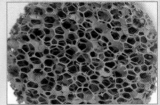

Dans les pots catalytiques des voitures, des métaux tels que le palladium, le platine et le rhodium, déposés sur des céramiques, catalysent les réactions suivantes (en phase gazeuse) :

$$2\,NO + 2\,CO \rightarrow N_2 + 2\,CO_2 ;$$
$$2\,CO + O_2 \rightarrow 2\,CO_2.$$

Ainsi, du dioxyde de carbone et du diazote, beaucoup moins nocifs que les monoxydes d'azote et de carbone, sont rejetés dans l'atmosphère.

• Le tableau ci-dessous résume les avantages et inconvénients des catalyses homogène et hétérogène.

Catalyse	homogène	hétérogène
Avantage	Toutes les molécules de catalyseur sont disponibles.	Facilement recyclable.
Inconvénient	Difficilement recyclable.	Seule la surface du catalyseur est disponible.

18 L'ajout de présure (mélange des enzymes pepsine et chymosine) permet la coagulation du lait par hydrolyse de la caséine.

19 Une étape de la synthèse de la céphalexine, catalysée par une enzyme.

B Particularités de la catalyse enzymatique

• Dans les systèmes biologiques, les transformations chimiques doivent se dérouler avec une assez courte durée, mais à des températures et des pH compatibles avec la vie. La plupart d'entre elles sont catalysées de manière très efficace par des enzymes.

Exemple. La réaction de décomposition de l'urée ($H_2N-C(=O)-NH_2$), d'équation $H_2N-C(=O)-NH_2 + H_2O \rightarrow CO_2 + 2\,NH_3$, peut être catalysée par les ions H_3O^+ (catalyse homogène) ou par une enzyme : l'uréase. Pour une même concentration en catalyseur, le temps de demi-réaction est de 4,4 jours en présence d'ions H_3O^+, et de $4,3 \times 10^{-7}$ s en présence d'uréase !

• Les enzymes sont des catalyseurs très spécifiques : le plus souvent, chaque enzyme ne catalyse qu'une seule réaction particulière et chaque réaction du monde vivant n'est catalysée que par une enzyme particulière.

Exemple. Au cours du métabolisme du glucose de formule $C_6H_{12}O_6$, la réaction d'équation $C_6H_{12}O_6 + O_2 \rightarrow 2\,C_3H_4O_3 + 2\,H_2O$ s'effectue en neuf étapes. Chaque étape est catalysée par une enzyme particulière.

• La catalyse enzymatique est largement utilisée dans l'industrie des détergents (de nombreuses lessives utilisent des enzymes) et dans l'industrie agroalimentaire (industrie laitière, panification, etc.). Les enzymes sont de plus en plus utilisées par l'industrie chimique car elles permettent d'améliorer les rendements, de diminuer les coûts énergétiques en travaillant à basse température et de limiter les rejets toxiques.

Exemples

• Le rendement de la synthèse de la céphalexine (antibiotique de la famille des pénicillines) a été considérablement amélioré en introduisant une enzyme, la pénicilline amidase, pour catalyser l'une des étapes de la synthèse (**document 19**).

• L'acrylamide est le monomère permettant la fabrication d'une matière plastique, le polyacrylamide. Plusieurs dizaines de milliers de tonnes d'acrylamide sont produites chaque année selon un procédé utilisant l'enzyme nitrile hydratase. L'ancien mode de fabrication faisait intervenir des catalyseurs au cuivre, à haute température. Le nouveau présente l'avantage de supprimer les rejets toxiques de catalyseurs et de produits secondaires, notamment d'acide cyanhydrique, et de simplifier les opérations de purification du produit final.

L'efficacité des enzymes est fortement dépendante du milieu (solvant, pH) et de la température. Ces contraintes limitent encore leur utilisation dans l'industrie chimique.

L'ESSENTIEL

→ Évolution d'un système chimique dans le temps

- Une transformation est dite **lente** si l'évolution dans le temps des quantités des réactifs et produits peut être suivie pendant plusieurs secondes, minutes ou heures, à l'œil ou par les instruments de mesure usuels du laboratoire. Sinon, elle est dite **rapide**.

- On appelle **durée d'une transformation chimique** la durée nécessaire pour que l'avancement x atteigne une valeur arbitrairement déterminée par l'expérimentateur.

- On appelle **temps de demi-réaction** $t_{1/2}$ la durée de transformation pour laquelle l'avancement x est égal à la moitié de l'avancement maximal x_{max}.

Exemple. $2\,I^-(aq) + S_2O_8^{2-}(aq) \rightarrow I_2(aq) + 2\,SO_4^{2-}(aq)$

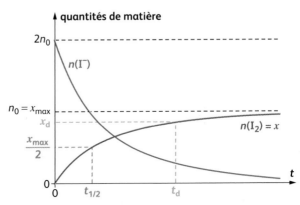

Il faut attendre la durée t_d pour atteindre l'avancement x_d.

→ Influence des facteurs cinétiques

- Les paramètres contrôlables susceptibles de modifier la durée d'une transformation sont appelés **facteurs cinétiques**.

- Plus la température du milieu réactionnel est **élevée**, plus la durée de la transformation **diminue**.

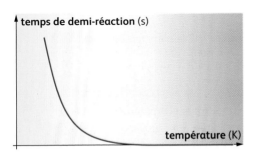

- Les **concentrations en réactifs** ainsi que la **nature du solvant** peuvent être des facteurs cinétiques, dont l'effet est propre à chaque réaction.

→ Les catalyseurs

- Un **catalyseur** est une espèce chimique qui diminue la durée d'une transformation. Le catalyseur n'apparaît pas dans l'équation de la réaction.

- La catalyse est dite **homogène** lorsque le catalyseur et les réactifs sont dans la même phase.

- La catalyse est dite **hétérogène** lorsque le catalyseur est dans une phase différente de celle des réactifs.

- La catalyse est dite **enzymatique** lorsque le catalyseur est une enzyme, c'est-à-dire une macromolécule biologique (appelée protéine) constituée d'un enchaînement d'acides α-aminés.

- Le catalyseur interagit avec les réactifs, puis est **régénéré** en fin de réaction.

Transformation et régénération du catalyseur.

MANUEL NUMÉRIQUE — EXERCICES INTERACTIFS

1 Mots manquants

Compléter avec un ou plusieurs mots.

a. On appelle .... la durée nécessaire pour que l'avancement x atteigne une valeur déterminée par l'expérimentateur.

b. On appelle .... la durée de transformation pour laquelle l'avancement x est égal à la moitié de l'avancement maximal x_{max}.

c. Les paramètres contrôlables susceptibles de modifier la durée d'une transformation sont appelés ....

d. Plus la température du milieu réactionnel est ...., plus la durée de la transformation diminue.

e. Un .... est une espèce chimique qui diminue la durée d'une transformation.

2 QCM

Cocher la réponse exacte.

Pour les questions **a.** à **c.**, se reporter au graphique ci-dessous, qui représente l'évolution de quantités de matière en fonction du temps lors de la réaction d'équation : $CH_3Cl\,(aq) + HO^-\,(aq) \rightarrow CH_3OH\,(aq) + HCl\,(aq)$.

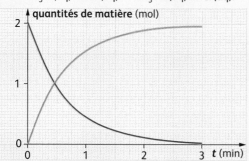

a. La courbe rouge est la courbe de quantité de matière :
☐ du méthanol CH_3OH
☐ du chlorométhane CH_3Cl
☐ du chlorure d'hydrogène HCl

b. La durée t_d de la transformation est définie par un expérimentateur comme la durée pour laquelle l'avancement x de la transformation est égal à 1,75 mol. Alors :
☐ $t_d = 0{,}1$ min ☐ $t_d = 1{,}4$ min ☐ $t_d = 1{,}8$ min

c. Le temps de demi-réaction $t_{1/2}$ de cette transformation est égal à :
☐ 0,4 min ☐ 0,9 min ☐ 3,0 min

d. La décomposition du peroxyde d'hydrogène aqueux en eau et en dioxygène est catalysée par le platine solide. Cette catalyse est :
☐ homogène ☐ hétérogène ☐ enzymatique

→ **Solutions détaillées en fin de manuel pour vérifier vos réponses et comprendre vos erreurs.**

Parcours en autonomie

Trois parcours d'exercices pour travailler en autonomie selon ses besoins.

Maîtriser les bases — 3 ~ 5 ~ 10

Préparer l'évaluation — 11 – 18 – 19

Approfondir — 26 – 27

COMPÉTENCES EXIGIBLES

3 Estimer une durée par C.C.M.

Le paracétamol, principe actif de nombreux médicaments, est synthétisé grâce à la réaction d'équation :

HO—⟨⟩—NH_2 + [Cl—C(=O)—] (chlorure d'éthanoyle)

*para*aminophénol   chlorure d'éthanoyle

⟶ HO—⟨⟩—NH—C(=O) + HCl

paracétamol

Une C.C.M. est réalisée en effectuant les dépôts suivants :
– 1 : *para*aminophénol ;
– 2 : chlorure d'éthanoyle ;
– 3 à 6 : milieu réactionnel aux dates successives de 5, 10, 15 et 20 minutes.

Après élution, la plaque est révélée par UV. Elle est représentée ci-contre.

Estimer la durée de la transformation. Justifier.

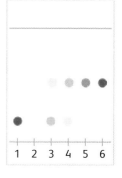

4 Déterminer si une réaction est lente ou rapide

Lors d'un choc dans un véhicule, un petit détonateur placé dans l'airbag enflamme une pastille d'azoture de sodium, qui réagit alors selon la réaction d'équation :

$2\,NaN_3\,(s) \rightarrow 2\,Na\,(s) + 3\,N_2\,(g)$

Proposer des arguments permettant de qualifier cette transformation de « rapide ».

5 Mettre en évidence l'influence du solvant

La réaction d'hydrolyse du 2-chloro-2-méthylpropane a pour équation :

$$\text{(CH}_3)_3\text{C--Cl} + H_2O \longrightarrow \text{(CH}_3)_3\text{C--OH} + H^+ + Cl^-$$

Un expérimentateur a étudié cette transformation dans trois solvants différents, toutes les autres conditions expérimentales étant inchangées :
– dans un mélange contenant 50 % de propanone et 50 % d'eau (courbe rouge) ;
– dans un mélange contenant 25 % de propanone et 75 % d'eau (courbe bleue) ;
– dans l'eau (courbe verte).
Il mesure la quantité n de 2-chloro-2-méthylpropane au cours du temps et obtient le graphique suivant.

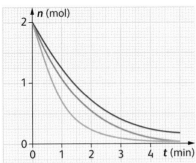

L'expérimentateur choisit comme durée de la transformation celle pour laquelle l'avancement atteint 90 % de l'avancement maximal.
a. Mesurer la durée de la transformation dans les trois cas étudiés.
b. Le solvant est-il un facteur cinétique pour cette transformation ? Justifier.

6 Déterminer un temps de demi-réaction

Déterminer le temps de demi-réaction de la transformation de l'exercice **5** pour les trois conditions expérimentales proposées.

7 Déterminer un type de catalyse

Préciser si les réactions dont les équations sont présentées ci-dessous ont lieu en catalyse homogène, hétérogène ou enzymatique.
a. $2 H_2O_2(aq) \rightarrow O_2(g) + 2 H_2O(\ell)$, catalysée par $Fe^{2+}(aq)$.
b. $N_2(g) + 3 H_2(g) \rightarrow 2 NH_3(g)$, catalysée par $Fe(s)$.
c. $CH_3C(=O)OCH_3(aq) + H_2O(\ell)$
$$\rightarrow CH_3CO_2H(aq) + CH_3OH(aq),$$
catalysée par $H_2SO_4(aq)$.
d. $CO_2(g) + H_2O(\ell) \rightarrow HCO_3^-(aq) + H^+(aq)$, catalysée par l'anhydrase carbonique.
e. La préparation des margarines est réalisée par hydrogénation catalytique des acides gras insaturés selon la réaction d'équation :
$$C_6H_{13}-CH=CH-C_5H_{10}-CO_2H(\ell) + H_2(g)$$
$$\xrightarrow{\text{Ni}(s)} C_6H_{13}-CH_2-CH_2-C_5H_{10}-CO_2H(\ell).$$

COMPÉTENCES GÉNÉRALES

8 Analyser une vidéo d'expérience

Cet exercice s'appuie sur des ressources disponibles sur le site élève :
www.nathan.fr/siriuslycee/eleve-termS.

Visionner la vidéo de l'exercice 8 du chapitre 13, qui porte sur la transformation des ions iodure en diiode, catalysée notamment par des espèces chimiques à base de manganèse. Cette transformation est-elle lente ou rapide ? Proposer un qualificatif supplémentaire pour cette transformation.

9 Lire un graphique

On étudie la réaction d'oxydation du propan-2-ol par les ions permanganate MnO_4^- selon la réaction d'équation :
$$2 MnO_4^-(aq) + 5 CH_3-CH(OH)-CH_3(aq) + 6 H^+(aq)$$
$$\rightarrow 2 Mn^{2+}(aq) + 5 CH_3-C(=O)-CH_3(aq) + 8 H_2O(\ell).$$
Le graphique ci-dessous représente l'évolution de l'avancement x de la réaction en fonction du temps pour deux expériences réalisées à deux températures différentes :
$$\theta_1 = 20\ °C \text{ et } \theta_2 = 30\ °C.$$

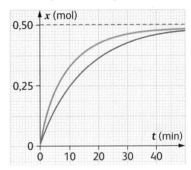

a. Proposer une valeur d'avancement x_d permettant de définir la durée de la transformation.
b. Mesurer alors la durée de la transformation pour les deux expériences.
c. Quelle courbe représente l'évolution de l'avancement pour la température θ_1 ? pour la température θ_2 ?

10 Établir un protocole expérimental

Félix étudie l'évolution dans le temps de la réaction dans l'éthanol entre les ions éthanolate $CH_3-CH_2-O^-$ et l'iodométhane CH_3-I, d'équation :
$$CH_3-CH_2-O^- + CH_3-I \rightarrow CH_3-CH_2-O-CH_3 + I^-.$$
Il dispose d'une solution d'ion éthanolate de concentration $c = 2,0$ mol·L^{-1}, d'une solution d'iodométhane à la même concentration et d'éthanol. Dans un premier temps, il réalise la transformation en mélangeant des échantillons de volume $V = 10$ mL de chacune des solutions dans un bécher contenant un volume $2V$ d'éthanol. Il étudie l'évolution de l'avancement x de la réaction dans le temps.
a. Comment Félix doit-il modifier le protocole précédent pour étudier l'influence de la concentration en ion éthanolate sur l'évolution temporelle du système ?
b. Même question pour l'influence de l'iodométhane.

EXERCICE RÉSOLU

Site élève

11 Suivi cinétique par spectrophotométrie

Énoncé Le cristal violet, noté C^+, est une espèce organique de couleur violette en solution aqueuse. Il réagit avec les ions hydroxyde pour former une espèce organique D incolore, selon la réaction d'équation : $C^+ + HO^- \to D$.

On réalise successivement trois expériences dans une cuve de spectrophotométrie. Le volume total de la solution est $V = 3{,}0$ mL.

Expérience	Concentration initiale en cristal violet	Concentration initiale en ion hydroxyde	Température
1	$c_0 = 1{,}5 \times 10^{-5}$ mol·L^{-1}	$5{,}0 \times 10^{-2}$ mol·L^{-1}	20 °C
2	c_0	$1{,}0 \times 10^{-1}$ mol·L^{-1}	20 °C
3	c_0	$5{,}0 \times 10^{-2}$ mol·L^{-1}	30 °C

On mesure l'absorbance A_{590} à la longueur d'onde $\lambda_m = 590$ nm au cours du temps. Les résultats obtenus sont reportés sur le graphique ci-contre.

❶ Établir la relation entre A_{590}, le coefficient d'absorption molaire ε_{590}, la largeur ℓ de la cuve et la concentration $[C^+]$ en cristal violet à la date t.

❷ En exploitant le graphique, donner la valeur de $\varepsilon_{590}\,\ell$.

❸ L'absorbance minimale mesurable avec fiabilité est : $A_{min} = 0{,}10$.
À quel avancement de réaction x_d cela correspond-il ?

❹ Relever sur le graphique les durées $t_{d,1}$, $t_{d,2}$ et $t_{d,3}$ correspondant aux trois transformations étudiées.

❺ La concentration initiale en ions hydroxyde et la température sont-elles des facteurs cinétiques pour cette réaction ? Justifier.

Une solution

❶ D'après la loi de Beer-Lambert : $A_{590} = \varepsilon_{590}\,\ell\,[C^+]$.

❷ À la date $t = 0$, on mesure $A_{590} = 1{,}0$.
On a donc : $1{,}0 = \varepsilon_{590}\,\ell\,c_0$, d'où $\varepsilon_{590}\,\ell = \dfrac{1{,}0}{c_0}$.

A.N. : $\varepsilon_{590}\,\ell = \dfrac{1{,}0}{1{,}5 \times 10^{-5}} = 6{,}7 \times 10^4$ L·mol^{-1}.

❸ La quantité de cristal violet à la date t est : $n = n_0 - x$, où n_0 est la quantité initiale de cristal violet. En divisant cette relation par le volume V de la solution, on obtient : $[C^+] = c_0 - \dfrac{x}{V}$.

D'après la relation de la question ❶, on a donc, à la date t : $A_{590} = \varepsilon_{590}\,\ell\left(c_0 - \dfrac{x}{V}\right)$.

En appliquant cette relation à l'absorbance A_{min}, on a : $A_{min} = \varepsilon_{590}\,\ell\left(c_0 - \dfrac{x_d}{V}\right)$.
Donc : $x_d = \left(c_0 - \dfrac{A_{min}}{\varepsilon_{590}\ell}\right) \times V$.

A.N. : $x_d = \left(1{,}5 \times 10^{-5} - \dfrac{0{,}10}{6{,}7 \times 10^4}\right) \times 3{,}0 \times 10^{-3} = 4{,}1 \times 10^{-8}$ mol.

❹ Par lecture graphique, on trouve :
$t_{d,1} = 3{,}4$ min ; $t_{d,2} = 2{,}3$ min ; $t_{d,3} = 1{,}7$ min.

❺ La comparaison des expériences 1 et 2 permet de dire que la concentration initiale en ions hydroxyde est un facteur cinétique, car la durée de la transformation est modifiée lorsque l'on change uniquement ce paramètre.

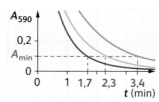

La comparaison des expériences 1 et 3 permet de la même façon de dire que la température est un facteur cinétique.

Énoncé
L'espèce D est incolore.
Comme les ions hydroxyde sont également incolores en solution, la couleur de la solution n'est due qu'au cristal violet.

Raisonner
Les grandeurs expérimentales sont données à la date $t = 0$.
Il faut donc exploiter la valeur de l'absorbance à cette date pour déterminer $\varepsilon_{590}\,\ell$.

Application numérique
$\varepsilon_{590}\,\ell$ est une absorbance (sans unité) divisée par une concentration (en mol·L^{-1}). Par conséquent, son unité est L·mol^{-1}.

12 ZOOM SUR... les plans d'expériences

L'une des synthèses industrielles de l'éthanal se fait en solution aqueuse par oxydation de l'éthène par le dioxygène, catalysée par le chlorure de palladium PdCl$_2$ en solution. L'équation de la réaction s'écrit :

$$2\ H_2C{=}CH_2\,(aq) + O_2\,(aq) \xrightarrow{PdCl_2} 2\ CH_3{-}CHO\,(aq).$$

Afin de déterminer les conditions optimales de la transformation, on procède à deux suivis cinétiques. Les conditions expérimentales de ces deux expériences sont présentées dans le tableau ci-dessous.

Expérience	1	2
Pression	10 bar	10 bar
Concentration initiale en éthène	1,0 mmol·L^{-1}	2,0 mmol·L^{-1}
Concentration en chlorure de palladium	0,1 mmol·L^{-1}	0,1 mmol·L^{-1}
Température	40 °C	40 °C

Ces deux suivis cinétiques constituent un **plan d'expériences**.

Données
– La concentration molaire en dioxygène aqueux est proportionnelle à la pression de l'air qui surmonte la solution.
– L'éthène est peu soluble dans l'eau.

a. Quel facteur cinétique est étudié au travers de ces deux expériences ?

b. Pourquoi un industriel ne se focalisera pas sur ce facteur cinétique pour améliorer la rentabilité de sa production ?

c. Proposer des conditions expérimentales permettant d'analyser l'influence de la concentration en dioxygène aqueux sur la cinétique de la transformation.

d. Même question pour l'influence de la concentration en catalyseur, puis pour l'influence de la température.

e. Plus généralement, combien de mesures doit comporter un plan d'expériences pour l'étude de *k* facteurs cinétiques ?

> **Conseils** Les expériences de cinétique chimique dépendent de nombreux facteurs cinétiques. Pour comparer l'influence de ces facteurs, il faut comparer des expériences dans lesquelles on ne fait varier qu'un seul paramètre à la fois.

---

13 Apprendre à rédiger

Voici l'énoncé d'un exercice et un guide (en violet) ; ce guide vous aide à rédiger la solution détaillée et à retrouver les réponses aux questions posées.

Cet exercice s'appuie sur des ressources disponibles sur le site élève :
www.nathan.fr/siriuslycee/eleve-termS.

Énoncé
Visionner la vidéo de l'exercice 13 du chapitre 13. Dans cette vidéo, l'erlenmeyer contient une solution de glucose noté *R*–CHO, une grande quantité d'ions hydroxyde HO$^-$ et un peu de bleu de méthylène. En présence de dioxygène aqueux, le bleu de méthylène colore la solution en bleu. En l'absence de dioxygène aqueux, la solution est incolore.
L'équation de la réaction qui se produit est :
$$2\,R{-}CHO\,(aq) + 2\,HO^-\,(aq) + O_2\,(aq)$$
$$\rightarrow 2\,R{-}CO_2^-\,(aq) + 2\,H_2O\,(\ell).$$
Lors de l'agitation, le dioxygène gazeux se dissout dans l'eau.

a. La réaction de dissolution du dioxygène gazeux dans l'eau est-elle lente ou rapide ? Justifier.
> ▸ Expliquer pourquoi la solution est bleue.
> ▸ Noter que la coloration bleue est presque immédiate lors de l'agitation, puis conclure.

b. La réaction d'oxydation du glucose par le dioxygène aqueux est-elle lente ou rapide ? Justifier.
> ▸ Préciser que tant que la solution est bleue, il reste du dioxygène aqueux en solution.

> ▸ Estimer la durée de disparition de la couleur bleue, puis conclure.

c. En observant la vidéo, tracer l'allure de la courbe représentant la quantité de matière de dioxygène aqueux en fonction du temps, sur une durée de deux minutes.
> ▸ Noter qu'au début de la vidéo, la solution est incolore, la quantité de dioxygène aqueux est donc nulle.
> ▸ Noter qu'après une agitation, la solution est bleue, donc la quantité de dioxygène aqueux prend une valeur non nulle.
> ▸ Expliquer que l'équation de la réaction montre une consommation de dioxygène. Par conséquent, la concentration en dioxygène aqueux est décroissante et tend vers zéro.
> ▸ Préciser que le phénomène est répétitif, puis tracer la courbe.

d. La quantité de matière initiale en dioxygène gazeux est $n_0 = 2{,}0$ mmol et celle de glucose est $n_1 = 1$ mol. Lors de chaque agitation, une quantité $n_a = 0{,}15$ mmol de dioxygène se dissout.
Combien de fois peut-on reproduire la décoloration de la solution ?
> ▸ Constater que le glucose est initialement introduit en quantité 500 fois plus grande que celle du dioxygène. En déduire le réactif limitant.
> ▸ Poser le calcul pour conclure que la décoloration de la solution peut se reproduire 14 fois.

14 Suivi spectrophotométrique d'une transformation

Compétences générales *Utiliser les TICE – Effectuer un raisonnement scientifique*

Cet exercice s'appuie sur des ressources disponibles sur le site élève :
www.nathan.fr/siriuslycee/eleve-termS.

Les ions iodure I^- réagissent avec les ions peroxodisulfate $S_2O_8^{2-}$ selon la réaction d'équation :

$$2\,I^-(aq) + S_2O_8^{2-}(aq) \rightarrow I_2(aq) + 2\,SO_4^{2-}(aq).$$

Le suivi temporel de la transformation est réalisé en mesurant l'absorbance à 400 nm d'un échantillon de volume V de la solution. Dans le milieu réactionnel, le diiode formé apporte une couleur jaune à la solution. C'est la seule espèce colorée.

Conditions initiales :

$$[I^-]_0 = 250\ \text{mmol·L}^{-1}\;;\;\;[S_2O_8^{2-}]_0 = 2{,}5\ \text{mmol·L}^{-1}.$$

a. Télécharger le fichier Excel de l'exercice 14 du chapitre 13. Exploiter les résultats de ce fichier pour déterminer le temps de demi-réaction.

b. Quels paramètres pourrait-on modifier pour former la même quantité de diiode en une durée plus courte ?

15 Choisir une durée de transformation

Compétences générales *Extraire et exploiter des informations – Justifier un raisonnement scientifique*

Thomas effectue une thèse dans un laboratoire de chimie organique. Il souhaite oxyder l'alcool *A* en cétone *B* en utilisant un oxydant appelé BAIB, en présence d'un catalyseur (nommé TEMPO) :

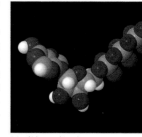

Pour suivre l'évolution temporelle de sa réaction, il utilise la chromatographie en phase gazeuse (CPG). Il en explique le principe.

La CPG est une technique qui permet de séparer des molécules d'un mélange. Le mélange à analyser est vaporisé à l'entrée d'une longue et fine colonne enroulée sur elle-même (12 m de longueur et 0,2 mm de diamètre) remplie d'un solide appelé phase stationnaire, puis il est poussé à travers celle-ci à l'aide d'un gaz vecteur. J'utilise de l'hélium. Les différentes espèces du mélange vont se séparer et sortir de la colonne les unes après les autres après un certain laps de temps (appelé temps de rétention τ) qui dépend de l'affinité des espèces pour la phase stationnaire. À la sortie de la colonne, les molécules sont détectées et identifiées par spectrométrie de masse. Un logiciel fournit le chromatogramme, courbe en fonction du temps qui fait un apparaître un pic par espèce détectée.

Thomas a lancé la réaction un soir (cette action définit la date $t = 0$). De retour au laboratoire le lendemain matin, il réalise une CPG de son mélange ($t = 15$ h) et décide de rajouter du BAIB. Après 3 h de réaction supplémentaire, il effectue une nouvelle CPG ($t = 18$ h) et arrête sa réaction. La figure suivante reproduit les chromatogrammes qu'il a obtenus.

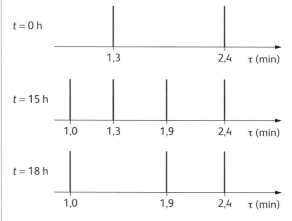

La spectrométrie de masse permet d'attribuer le pic à 1,3 min à l'alcool *A*, celui à 1,0 min à la cétone *B* et celui à 1,9 au produit *C*. BAIB n'est pas détecté par cette méthode.

a. Justifier les décisions de Thomas.

b. Quelle peut être l'espèce dont le temps de rétention est de 2,4 min ?

16 Catalyse enzymatique

Compétences générales *Utiliser les TICE – Effectuer un raisonnement scientifique*

Cet exercice s'appuie sur des ressources disponibles sur le site élève :
www.nathan.fr/siriuslycee/eleve-termS.

Télécharger le fichier de l'exercice 16 du chapitre 13.
À partir de données expérimentales, on a simulé au cours du temps l'évolution de la concentration en ADP (adénosine diphosphate) produite par la transformation de l'ATP (adénosine triphosphate) selon la réaction d'équation :

$$ATP \rightarrow ADP + Phosphate,$$

catalysée par une enzyme, l'ATPase.

Modèle moléculaire de l'ATP.

La simulation est effectuée pour différentes concentrations initiales en ATP, et les résultats sont rassemblés dans le fichier Excel.

a. À l'aide du tableur-grapheur, tracer l'évolution des concentrations [ADP] et [ATP] au cours du temps.

b. Évaluer dans chaque cas le temps de demi-réaction.

c. Quelle conclusion peut-on tirer de ces résultats ?

17 Plus sucré

Compétence générale *Effectuer un raisonnement scientifique*

Pour augmenter le « pouvoir sucrant » du saccharose S $C_{12}H_{22}O_{11}$ (le sucre ordinaire), celui-ci est hydrolysé en fructose et glucose selon la réaction d'équation :

$$C_{12}H_{22}O_{11} + H_2O \rightarrow C_6H_{12}O_6 \text{ (glucose)} + C_6H_{12}O_6 \text{ (fructose)},$$

catalysée par l'enzyme invertase. Le mélange obtenu est le sucre « inverti ».

Le sirop d'érable utilisé pour les bonbons contient du sucre « inverti ».

Le graphique ci-dessous rassemble les résultats de la simulation du suivi temporel de cette réaction.

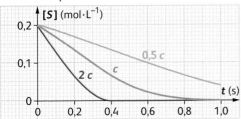

Les courbes représentent la concentration molaire en saccharose [S] en fonction du temps t pour plusieurs concentrations initiales en enzyme (notées c ; $0,5\,c$ et $2\,c$).

a. Déterminer le temps de demi-réaction pour chaque expérience.

b. Quelle est l'influence de la concentration en catalyseur ?

c. Proposer une interprétation.

Aide. On pourra faire une recherche sur le principe d'action d'une enzyme.

18 ✷ Utilisation d'un temps de demi-réaction

Compétence générale *Effectuer un raisonnement scientifique*

On étudie la décomposition du peroxyde d'hydrogène H_2O_2 en présence d'un catalyseur selon la réaction d'équation :

$$2\,H_2O_2\,(aq) \rightarrow O_2\,(g) + H_2O\,(\ell).$$

Plusieurs expériences ont été réalisées dans des conditions différentes.

Expérience	Concentration initiale en $H_2O_2\,(aq)$ ($mmol \cdot L^{-1}$)	Température (°C)
1	90	24
2	180	24
3	90	28
4	180	28

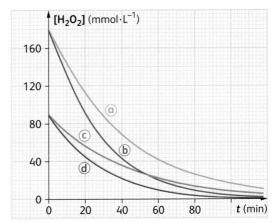

a. Déterminer, pour chaque courbe, le temps de demi-réaction.

b. Attribuer chaque courbe à une expérience en justifiant la réponse.

c. Quelle est l'influence de la concentration initiale en peroxyde d'hydrogène H_2O_2 sur le temps de demi-réaction ?

19 Science in English

The simplest example of the heterogeneous catalysis is the reaction between ethene and hydrogen in the presence of a nickel catalyst :

$$CH_2=CH_2 + H_2 \xrightarrow{\;Ni(s)\;} CH_3-CH_3.$$

Ethene molecules are adsorbed on the surface of the nickel. The double bond between the carbon atoms breaks and the electrons are used to bond it to the nickel surface. Hydrogen molecules are also adsorbed on to the surface of the nickel.

When this happens, the hydrogen molecules are broken into atoms. These can move around on the surface of the nickel. If a hydrogen atom diffuses close to one of the bonded carbons, the bond between the carbon and the nickel is replaced by one between the carbon and hydrogen. That end of the original ethene now breaks free of the surface, and eventually the same thing will happen at the other end. As before, one of the hydrogen atoms forms a bond with the carbon, and that end also breaks free.

There is now space on the surface of the nickel for new reactant molecules to go through the whole process again.

http://www.chemguide.co.uk/physical/catalysis/introduction.html

Représenter les différentes étapes du processus d'hydrogénation de l'éthène décrit ci-dessus. On pourra utiliser la modélisation suivante.

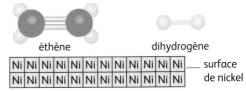

Les figures réalisées pourront servir de support à un diaporama destiné à une présentation orale du principe de la catalyse hétérogène.

20 Quelle relation ?

Compétence générale *Exploiter des informations – Effectuer un raisonnement scientifique*

Le temps de demi-réaction $t_{1/2}$ de deux réactions est évalué pour différentes concentrations initiales c_0 en réactif limitant.

Réaction 1. $CH_3COCH_3 + I_2 \rightarrow CH_3COCH_2I + HI$
Pour $[CH_3COCH_3]_0 = 0,8 \text{ mol} \cdot L^{-1}$:

$c_0 = [I_2]_0$ $(\text{mmol} \cdot L^{-1})$	0,40	0,80	1,2	0,20
$t_{1/2}$ (s)	52	103	155	?

Réaction 2. $3\,ClO^- \rightarrow ClO_3^- + 2\,Cl^-$

$c_0 = [ClO^-]_0$ $(\text{mmol} \cdot L^{-1})$	10	20	50	100
$t_{1/2}$ (h)	8,4	4,2	1,7	?

Pour chacune des réactions, sélectionner l'une des propositions suivantes en justifiant soigneusement la réponse :
☐ $t_{1/2}$ est proportionnel à c_0 ;
☐ $t_{1/2}$ est inversement proportionnel à c_0.
Proposer alors une valeur pour compléter chaque tableau.

21 ✴ Posologie d'un traitement antibiotique

Compétence générale *Exploiter des informations*

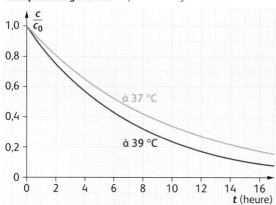

L'étude de l'évolution de la concentration d'un antibiotique dans le corps d'un patient en fonction du temps a conduit au graphique suivant. c est la concentration de l'antibiotique dans le corps, et c_0 sa concentration initiale après ingestion de l'antibiotique. Les courbes obtenues ne dépendent pas de la valeur de c_0.

L'efficacité d'un traitement par cet antibiotique implique de maintenir une concentration toujours supérieure à 2 mg par kg de masse corporelle. L'antibiotique est formulé en comprimés de 400 mg.

a. Exploiter la courbe à 37 °C pour établir la posologie (nombre de comprimés, intervalle de temps entre deux prises) du traitement prescrit à un patient de 70 kg.

b. Que devient l'intervalle de temps entre deux prises pour un patient fébrile dont la température corporelle est de 39 °C ? Justifier.

22 ECE Évaluation des compétences expérimentales

Cet exercice permet de travailler les compétences expérimentales suivantes : • S'approprier • Analyser • Valider

Les ions permanganate MnO_4^- oxydent l'acide oxalique $H_2C_2O_4$ (incolores) selon la réaction d'équation :
$$2\,MnO_4^-(aq) + 5\,H_2C_2O_4(aq) + 6\,H^+(aq)$$
$$\rightarrow 10\,CO_2(g) + 2\,Mn^{2+}(aq) + 8\,H_2O(\ell).$$

On dispose des solutions suivantes :
– S_1, solution de permanganate de potassium acidifiée de concentration $c_1 = 2,0 \text{ mmol} \cdot L^{-1}$;
– S_2, solution d'acide oxalique de concentration $c_2 = 50 \text{ mmol} \cdot L^{-1}$.

a. Proposer un protocole expérimental permettant d'étudier l'influence de la concentration initiale en ions permanganate MnO_4^- sur le temps de demi-réaction.

b. Faire la liste du matériel nécessaire.

Solutions de permanganate de potassium ⓐ et d'ions Mn^{2+} ⓑ.

23 Objectif BAC *Effectuer un raisonnement scientifique* ➤ Dossier BAC, page 546

La production mondiale d'acide sulfurique H_2SO_4 dépasse les 200 millions de tonnes par an, dont plus de la moitié est utilisée pour la synthèse d'engrais phosphatés. L'une des étapes fondamentales de la synthèse de l'acide sulfurique est l'oxydation du dioxyde de soufre en trioxyde de soufre selon la réaction d'équation :
$$2\,SO_2(g) + O_2(g) \rightarrow 2\,SO_3(g).$$
Le rendement de cette synthèse est défini par le rapport :
$$\frac{\text{quantité de } SO_3 \text{ produite}}{\text{quantité de } SO_2 \text{ consommée}}.$$
➔ **Étudions le rendement de cette synthèse en fonction de la température.**
Le tableau suivant rassemble les valeurs du rendement pour différentes températures.

T (en K)	300	600	700	800	900
Rendement (%)	100	100	99,7	97,3	87,2

a. Quel est probablement l'effet d'une élévation de la température sur la durée de la transformation ? Pourquoi la synthèse industrielle n'est-elle pas effectuée à une température supérieure à 700 K ? Proposer deux justifications.

b. La transformation est réalisée en présence de catalyseur à base d'oxyde de vanadium V_2O_5 déposé sur un support solide. De quel type de catalyse s'agit-il ?

c. En présence de catalyseur, la réaction s'effectue en deux étapes. La première étape a pour équation :
$$SO_2(g) + V_2O_5(s) \rightarrow SO_3(g) + V_2O_4(s).$$
Proposer une équation pour la seconde étape, qui conduit à la régénération du catalyseur.

d. Le premier catalyseur utilisé était le platine. Pourquoi lui a-t-on préféré un catalyseur à base d'oxyde de vanadium ?

24 Apprendre à chercher

La résolution de cet exercice nécessite de trouver les étapes du raisonnement.
→ Une aide est disponible en fin de manuel.

Énoncé

Les ions iodure I^- sont oxydés lentement par les ions peroxodisulfate $S_2O_8^{2-}$ selon la réaction d'équation :

$$2\,I^-(aq) + S_2O_8^{2-}(aq) \rightarrow I_2(aq) + 2\,SO_4^{2-}(aq)\ \textbf{(1)}.$$

Le protocole ci-dessous décrit une méthode de détermination de la durée de la transformation **(1)**.

> On introduit dans un bécher, placé sur un agitateur magnétique :
> – une solution d'iodure de potassium de concentration c_1 (volume V_1) ;
> – une petite quantité n_0 connue de thiosulfate de sodium $(S_2O_3^{2-}, 2\,Na^+)$;
> – de l'empois d'amidon.
> On verse rapidement un excès d'une solution de peroxodisulfate d'ammonium $(2\,NH_4^+(aq),\ S_2O_8^{2-}(aq))$ de concentration c_2 (volume V_2) et on déclenche le chronomètre. On définit la durée de la réaction **(1)** t_1 comme la durée au bout de laquelle la coloration bleue apparaît.

→ *Justifier que ce protocole n'a de sens que si la quantité n_0 est plus petite qu'une valeur limite que l'on cherchera à exprimer en fonction de c_1 et de V_1.*

Données

– L'empois d'amidon colore en bleu une solution de diiode.
– Les ions thiosulfate $S_2O_3^{2-}$ réagissent avec le diiode selon la réaction **(2)** très rapide, d'équation :

$$2\,S_2O_3^{2-}(aq) + I_2(aq) \rightarrow S_4O_6^{2-}(aq) + 2\,I^-(aq)\ \textbf{(2)}.$$

25 ★ Histoire des sciences

Compétences générales *Extraire et exploiter des informations*

Parmi ses nombreux travaux de recherche, Louis Pasteur a longuement étudié les processus de fermentation, en particulier la fermentation alcoolique au cours de laquelle le sucre d'un jus de fruit est transformé en éthanol et dioxyde de carbone. Dans un article publié en 1836, il s'interroge sur le rôle des levures dans cette fermentation.

Je professe les mêmes idées au sujet de la fermentation lactique, de la fermentation butyrique, de la fermentation de l'acide tartrique et de beaucoup
5 d'autres fermentations proprement dites que j'étudierai successivement. Maintenant en quoi consiste pour moi l'acte chimique du dédoublement du sucre et quelle est sa cause intime ?
10 J'avoue que je l'ignore complètement.
Dira-t-on que la levûre se nourrit de sucre pour le rendre ensuite comme un excrément sous forme d'alcool et d'acide carbonique ? Dira-t-on au contraire que la levûre produit en se développant une matière telle que la
15 pepsine, qui agit sur le sucre et disparaît aussitôt épuisée, car on ne trouve aucune substance de cette nature dans les liqueurs ? Je n'ai rien à répondre au sujet de ces hypothèses. Je les admets ni ne les repousse et veux m'efforcer toujours de ne pas aller au-delà des faits. Et les faits me
20 disent seulement que toutes les fermentations proprement dites sont corrélatives de phénomènes physiologiques.

Annales de chimie et de physique, volume 58, 1836.

a. Qu'est-ce qu'une levure ?
b. À l'époque de Pasteur, comment la présence de levures dans un jus de fruit peut-elle être mise en évidence ?
c. Que signifie pour Pasteur l'expression « dédoublement du sucre » ?
d. Parmi les hypothèses proposées par Pasteur, quelle est celle qui doit être retenue ? Faut-il la modifier ?
e. Commenter la dernière phrase à l'aide de vos connaissances.
f. En quoi ce texte met-il en évidence les caractéristiques d'une démarche scientifique ?

26 ★★ Décomposition du peroxyde d'hydrogène H_2O_2

Compétence générale *Proposer un protocole expérimental*

En présence de l'enzyme nommée catalase, le peroxyde d'hydrogène se décompose suivant la réaction d'équation :

$$2\,H_2O_2(aq) \rightarrow 2\,H_2O(\ell) + O_2(g).$$

La transformation est suivie en mesurant au cours du temps le volume de dioxygène dégagé à pression et température constantes. Les résultats obtenus pour un volume $V_0 = 10$ mL d'une solution de peroxyde d'hydrogène (appelée eau oxygénée) de concentration $c_0 = 96$ mmol·L^{-1} sont rassemblés dans le tableau ci-dessous. Le volume est mesuré à une température de 293 K sous une pression de 10^5 Pa.

t (s)	9	18	33	38	47	62
V (mL)	0,7	2,2	4,2	4,7	5,7	6,7

t (s)	79	99	113	125	179
V (mL)	7,7	8,7	9,2	9,7	10,7

a. Proposer un protocole expérimental permettant de récolter le dioxygène et d'en mesurer le volume.
b. Dresser le tableau d'évolution de la réaction.
c. Déterminer l'avancement maximal dans les conditions de l'expérience. En déduire le volume maximal de dioxygène que l'on peut obtenir.
d. Définir le temps de demi-réaction $t_{1/2}$. Calculer le volume de dioxygène dégagé à la date $t_{1/2}$.
e. Utiliser les résultats pour évaluer $t_{1/2}$.
f. Comment $t_{1/2}$ est-il modifié lorsqu'on ajoute de l'enzyme ? lorsqu'on diminue la température ?

Donnée. Le volume V occupé par une quantité n de gaz sous une pression P et une température T vérifie : $V = \dfrac{nRT}{V}$,

avec n en mole, T en kelvin, P en pascal, V en m^3 et $R = 8{,}31$ USI.

27 ✶✶ Analyser un protocole expérimental

Compétences générales *Justifier un protocole expérimental – Effectuer un raisonnement scientifique*

La réaction d'iodation de la propanone, d'équation :
$$C_3H_6O\,(aq) + I_2\,(aq) \to C_3H_5OI\,(aq) + HI\,(aq),$$
est catalysée par les ions H_3O^+.

Des élèves ont établi le protocole suivant, en vue d'étudier l'influence de la concentration en ions H_3O^+ sur la valeur du temps de demi-réaction.

• Préparation des solutions

Pour chacun des quatre essais, introduire dans un bécher :
– un échantillon de volume $V = 5{,}0$ mL de la solution mère de diiode à la concentration molaire $c = 1$ mmol·L^{-1} ;
– un échantillon de volume V_a d'acide chlorhydrique $\left(H_3O^+(aq),\, Cl^-\,(aq)\right)$ à la concentration $c' = 1$ mol·L^{-1} ;
– un échantillon de volume V_e d'eau distillée.

Essai	V_a (mL)	V_e (mL)
1	2,0	38
2	5,0	35
3	7,0	33
4	10,0	30

• Réalisation de la mesure

Introduire un barreau magnétique dans le bécher, le placer sur l'agitateur magnétique. Y verser l'échantillon de volume $V = 5{,}0$ mL de propanone, homogénéiser.
Remplir la cuve du spectrophotomètre avec le mélange et démarrer l'acquisition de la mesure d'absorbance.

1. a. Faire une recherche pour justifier l'utilisation de la spectrophotométrie pour suivre cette transformation.
b. Comment choisir la longueur d'onde à laquelle effectuer les mesures ?

2. a. Quel instrument de verrerie choisir pour réaliser les différentes mesures de volume ?
b. Faire la liste du matériel nécessaire pour réaliser ces expériences.

3. a. Justifier le choix de la valeur du volume d'eau à ajouter pour chaque essai.

b. Calculer les concentrations initiales en réactif et en catalyseur.
c. Justifier que dans les conditions de l'expérience, on peut considérer que la concentration en ions H_3O^+ reste constante.
4. a. Quel est le réactif limitant ?
b. Comment savoir que la réaction est « terminée » ?
c. Comment les élèves vont-ils mesurer le temps de demi-réaction ?
d. Les élèves sont arrivés à la conclusion que $t_{1/2}$ est proportionnel à la concentration initiale en acide chlorhydrique. Comment ont-ils exploité les résultats pour le montrer ?

Données : masse molaire de la propanone, $M = 58{,}1$ g·mol^{-1} ; masse volumique de la propanone, $\rho = 0{,}783$ g·mL^{-1}.

28 ✶✶ Surface d'un catalyseur

Compétence générale *Effectuer un calcul*

La surface active est la surface du catalyseur en contact avec les réactifs par unité de masse. Un catalyseur est d'autant plus efficace que sa surface active est grande. Certaines configurations permettent d'augmenter la surface active.

Un catalyseur à base de silice destiné au craquage d'hydrocarbures a une surface active de l'ordre de 400 m²·g^{-1} et une masse volumique $\rho = 2{,}0$ g·cm^{-3}.

1. a. Déterminer la longueur de l'arête d'un cube de catalyseur de surface 400 m². Calculer la masse de ce cube.
b. Calculer la surface active S_a du cube en m²·g^{-1}.

2. a. On divise ce cube en huit petits cubes identiques. Déterminer la surface d'un petit cube, puis la surface active $S_{a,1}$ de l'ensemble des cubes.
b. Montrer qu'au bout de n divisions, la surface active $S_{a,n}$ vérifie $S_{a,n} = 2^n S_a$.

3. a. La relation précédente peut s'écrire $\ln\left(\dfrac{S_{a,n}}{S_a}\right) = n \times \ln(2)$.

Calculer n pour obtenir une surface active de 400 m²·g^{-1}.
b. Calculer l'arête des cubes obtenus pour cette valeur de n.
4. Expliquer l'intérêt d'un catalyseur sous forme de poudre.

29 Objectif **BAC** *Rédiger une synthèse de documents*

Dossier BAC, page 546

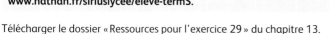

Cet exercice s'appuie sur des ressources disponibles sur le site élève :
www.nathan.fr/siriuslycee/eleve-termS.

Télécharger le dossier « Ressources pour l'exercice 29 » du chapitre 13.
Ce dossier contient :
– un texte présentant le principe de la catalyse trois voies des « voitures propres » ;
– un schéma d'un pot catalytique ;
– un texte présentant les réactions subies par les polluants dans les pots catalytiques.

➔ **Sur l'exemple de la dépollution des gaz d'échappement des véhicules, rédiger une synthèse de 20 lignes pour montrer comment ces documents mettent en évidence le rôle d'un catalyseur et les caractéristiques spécifiques de la catalyse hétérogène.**

Vue d'artiste de la transformation des réactifs sur la surface d'un catalyseur.

Chapitre 14
Stéréoisomérie des molécules organiques

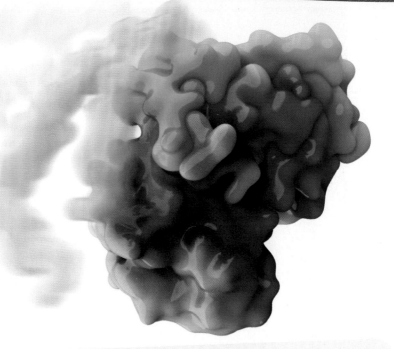

Sur cette illustration, la **chaîne d'acides α-aminés de la protéine** (en vert) se replie progressivement autour du substrat (en bleu), lui permettant d'assurer sa fonction en milieu biologique. Cette flexibilité se retrouve pour la quasi-totalité des molécules. La réactivité des espèces chimiques dépendant fortement de leur forme dans l'espace, les chimistes étudient leur structure tridimensionnelle. Ce domaine de la chimie s'appelle la **stéréochimie**.

COMPÉTENCES EXIGIBLES

- Reconnaître des espèces chirales à partir de leur représentation.
  → *Exercices d'application 7 et 12*

- Utiliser la représentation de Cram.
  → *Exercices d'application 3, 4 et 11*

- Identifier les atomes de carbone asymétriques d'une molécule donnée. → *Activité expérimentale 3, exercices d'application 5 et 6*

- Reconnaître des molécules énantiomères ou diastéréoisomères. → *Activité expérimentale 3, exercices d'application 8, 9 et 10*

- Visualiser les différentes conformations d'une molécule à l'aide d'un modèle moléculaire ou d'un éditeur de molécules.
  → *Activité expérimentale 2*

- Mettre en évidence des propriétés différentes de diastéréoisomères.
  → *Activité expérimentale 4*

- Extraire et exploiter des informations pour mettre en évidence l'importance de la stéréoisomérie dans la nature.
  → *Exercice d'application 13*

Activités

ACTIVITÉ DOCUMENTAIRE

Compétences générales mises en œuvre
• *Extraire et exploiter des informations* • *Communiquer*

1

Sur les traces de Pasteur

▶ Les travaux de Louis Pasteur dans les années 1840 sont à l'origine d'une nouvelle science, la stéréochimie, consacrée à l'étude dans l'espace des atomes constituant une molécule.

1 Louis Pasteur, par Albert Edelfelt (musée d'Orsay).

Au début du XIXe siècle, des scientifiques mirent en évidence l'action sur la lumière polarisée **(document 4)** de certaines solutions, alors qualifiées de « substances optiquement actives ». Louis Pasteur eut l'intuition que
5 cette propriété, observée à l'échelle moléculaire grâce à la solution, se traduisait à l'échelle macroscopique pour les cristaux. Il examina alors des cristaux de tartrate double d'ammonium-sodium, l'une de ces substances optiquement actives, et s'aperçut qu'ils étaient dissy-
10 métriques. Cette découverte est décrite dans *la Revue scientifique* de 1884 :

« L'idée heureuse me vint d'orienter mes cristaux par rapport à un plan perpendiculaire à l'observateur, et alors je vis que dans cette masse confuse des cristaux
15 du paratartrate, il y en avait deux sortes sous le rapport de la disposition des facettes de dissymétrie. Chez les uns, la facette de dissymétrie la plus rapprochée de mon corps s'inclinait à ma droite, relativement au plan d'orientation dont je viens de parler, tandis que, chez les
20 autres, la facette dissymétrique s'inclinait à ma gauche. En d'autres termes, le paratartrate se présentait comme formé de deux sortes de cristaux, les uns dissymétriques à droite, les autres dissymétriques à gauche. »

Pasteur sépara ensuite, avec minutie et patience, les
25 deux sortes de cristaux dissymétriques de dimensions millimétriques. Après dissolution de chaque type de cristaux dans l'eau, il observa l'action de chacune des deux solutions sur la lumière polarisée : l'une dévia son plan de polarisation vers la droite, et l'autre vers la
30 gauche. Il réalisa la même expérience à partir de cristaux possédant un plan de symétrie, et n'observa pas d'effet sur la lumière polarisée. Il en déduisit l'existence d'un tartrate « droit » et d'un tartrate « gauche », et établit ainsi un lien entre la dissymétrie des cristaux observée
35 à l'échelle macroscopique et leur propriété à l'échelle moléculaire.

3 L'expérience de Louis Pasteur sur des cristaux de tartrate de sodium-potassium.

modèle de cristal symétrique
par rapport au plan perpendiculaire
dont parle Pasteur

facettes de dissymétrie s'inclinant
à gauche ou à droite par rapport
au plan d'orientation de Pasteur

2 Modèles de cristaux
ayant appartenu à Pasteur.

• Une lumière ordinaire correspond à la propagation d'une onde électromagnétique, dont le vecteur champ électrique $\vec{E}$ oscille autour de l'axe de propagation dans toutes les directions du plan normal à la direction de propagation, et ce avec une probabilité égale dans toutes les directions.

• Quand cette lumière traverse un polariseur, le champ électrique ne peut plus vibrer que dans une seule direction : la lumière est alors dite polarisée.

• On rencontre la lumière polarisée dans de nombreuses situations : réflexion de la lumière du soleil sur la neige, films en 3D, éclairage pour observations au microscope, lunettes polarisantes, polaroïds…

Représentation de la lumière polarisée.

• Un milieu lévogyre fait tourner vers la gauche le plan contenant $\vec{E}$ et la direction de propagation de la lumière polarisée, quand l'observateur regarde vers la source.

• Un milieu dextrogyre fait tourner le plan précédent vers la droite (quand l'observateur regarde vers la source).

4 *Qu'est-ce que la lumière polarisée ?*

① Analyser les documents

a. Les modèles de cristaux dissymétriques du **document 2** sont-ils superposables ? Comment peut-on construire la forme de droite à partir de celle de gauche ?

b. La formule du cristal de tartrate double de sodium et d'ammonium est : $(C_4H_4O_6)(Na)(NH_4)$ (s). Écrire l'équation de dissolution de ce cristal dans l'eau.

c. Quel est l'ordre de grandeur L_1 de la taille des cristaux étudiés par Pasteur ?

d. Rechercher l'ordre de grandeur L_2 de la taille d'une molécule organique composée de quatre atomes de carbone (comme l'acide tartrique).

e. Faire le rapport entre les deux ordres de grandeur L_1 et L_2.

f. Comment Pasteur montre-t-il expérimentalement que certaines propriétés des cristaux à l'échelle macroscopique se retrouvent à l'échelle moléculaire ?

g. Quelle serait la lumière émergente d'un polariseur horizontal placé après le polariseur vertical ?

h. En déduire une méthode expérimentale de détermination de l'angle de rotation du plan de polarisation de la lumière induite par une substance optiquement active.

② Présenter une démarche scientifique

a. Reformuler le texte de Pasteur **(document 3)** en utilisant le vocabulaire actuel.

b. Réaliser un diaporama de cette démarche historique, et le présenter à l'oral.

Manipulation **Pour aller plus loin**

■ Une solution saturée de tartrate de sodium et d'ammonium a été préparée au laboratoire selon le protocole suivi par Pasteur (quelques jours ont été nécessaires à l'obtention de ces cristaux).

■ Observer les cristaux obtenus après précipitation de cette solution. Les photographier en mettant en évidence les éléments asymétriques.

■ Trier les deux types de cristaux dans le mélange disponible, puis réaliser deux solutions par dissolution du cristal « droit », puis par dissolution du cristal « gauche ». Tester l'action de ces solutions sur une lumière polarisée.

Pour mieux comprendre la démarche effectuée par Pasteur lors de son expérience sur des cristaux de tartrate, télécharger l'animation de l'activité 1 du chapitre 14 sur le site élève :
www.nathan.fr/siriuslycee/eleve-termS

ACTIVITÉ EXPÉRIMENTALE • *Réaliser* • *Valider*

Activités

2

Construire des stéréoisomères de conformation

▶ Découvrons des stéréoisomères de conformation en construisant des modèles moléculaires. Cette activité nécessite d'avoir lu le paragraphe **1.2** du cours, sur la représentation de Cram.

Manipulation 1

■ À l'aide d'une boîte de modèles moléculaires, construire les modèles moléculaires des molécules d'éthane CH_3-CH_3 et de butane $CH_3-CH_2-CH_2-CH_3$.

■ Faire tourner chacun des groupes d'atomes autour de la liaison simple carbone-carbone représentée en rouge.

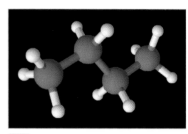

5 *Modèle moléculaire du butane.*

Vocabulaire

Deux **stéréoisomères** sont deux molécules de même formule semi-développée mais dont les atomes n'ont pas la même disposition dans l'espace.

1 Observer

Les différentes représentations dans l'espace d'une même molécule sont appelées des **conformations** de cette molécule.

a. Représenter sur une feuille, à l'aide de la convention de Cram, deux conformations différentes de la molécule d'éthane.

b. Le passage d'une conformation à l'autre nécessite-t-il la rupture d'une liaison ?

c. Répondre aux questions **a.** et **b.** pour la molécule de butane.

2 Interpréter

Certaines conformations du butane sont peu probables, du fait de contraintes spatiales. Les identifier puis dessiner, à l'aide de la représentation de Cram, une conformation favorable, c'est-à-dire pour laquelle les atomes de carbone sont les plus éloignés les uns des autres.

Manipulation 2

Un éditeur de molécules permet de construire une représentation des molécules dans l'espace.

■ À l'aide du logiciel ChemSketch 3D, construire le modèle moléculaire de la molécule d'éthane. Représenter sa conformation la plus probable en cliquant sur l'icône « 3D Optimization ».

■ Transférer la structure dans le 3D Viewer (icône) et utiliser la représentation en boules et bâtons (icône).

■ Reprendre les étapes précédentes avec la molécule de cyclohexane C_6H_{12}.

TICE

Le logiciel ChemSketch 3D est téléchargeable à l'adresse suivante : www.acdlabs.com/ resources/freeware/ chemsketch/

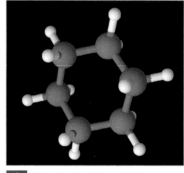

6 *Visualisation de la molécule de cyclohexane avec l'éditeur de molécule ChemSketch 3D.*

3 Observer

a. Dans la molécule d'éthane, comment se positionnent l'un par rapport à l'autre deux atomes d'hydrogène portés par deux atomes de carbone différents ?

b. Dans la molécule de cyclohexane, retrouve-t-on cette position particulière ?

4 Interpréter

a. La conformation de l'éthane présentée par le logiciel porte le nom de **conformation décalée**. Justifier ce terme.

b. La conformation du cyclohexane présentée par le logiciel porte le nom de **conformation chaise**. Justifier ce terme en choisissant convenablement l'angle de vue de la structure.

ACTIVITÉ EXPÉRIMENTALE   • *Réaliser* • *Valider*

3 Construire des stéréoisomères de configuration

▶ Découvrons des stéréoisomères de configuration en construisant des modèles moléculaires. Cette activité nécessite d'avoir lu le paragraphe **1.2** du cours, sur la représentation de Cram.

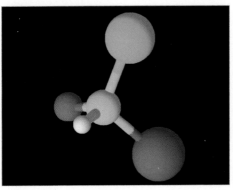

Manipulation 1

■ À l'aide d'une boîte de modèles moléculaires, construire les modèles moléculaires des molécules de bromo-chlorométhane de formule CH_2BrCl (*A*) et de bromochlorofluorométhane de formule $CHBrClF$ (*B*).

7 ▶ *Modèle moléculaire de la molécule B.*

1 Observer

Pour chacune des molécules étudiées, comparer les modèles construits par les différents binômes de la classe en répondant aux questions suivantes.
● Les modèles moléculaires construits sont-ils tous superposables ?
● Dans le cas où les modèles ne sont pas superposables, peut-on passer de l'un à l'autre sans rompre de liaison ?
● Laquelle des deux molécules *A* ou *B* étudiées possède un plan de symétrie ?

2 Interpréter

Lorsque les modèles construits ne sont pas superposables, ils représentent des **énantiomères**. Dans de nombreux cas, l'origine de l'énantiomérie se trouve dans l'existence d'un atome de carbone asymétrique.
En s'appuyant sur les exemples de la manipulation, proposer une définition d'un atome de carbone asymétrique.

3 Dessiner des énantiomères

Construire un modèle moléculaire d'une molécule comprenant un atome de carbone asymétrique, puis la dessiner à l'aide de la représentation de Cram. Dessiner son énantiomère.

Manipulation 2

■ À l'aide du logiciel ChemSketch 3D, construire le modèle moléculaire de la molécule de formule $(HO)CHCl–CHBr(OH)$. Représenter sa conformation la plus probable en cliquant sur l'icône « 3D Optimization »

■ Transférer la structure dans le 3D Viewer (icône   ) et utiliser la représentation en boules et bâtons (icône   ).

■ Copier la molécule dans un fichier texte.

■ Créer l'énantiomère du modèle construit en cliquant sur l'icône « mirror »   .

■ Copier cette molécule dans le fichier texte.

TICE

Le logiciel ChemSketch 3D est téléchargeable à l'adresse suivante :
www.acdlabs.com/resources/freeware/chemsketch/

4 Observer

a. Les deux molécules créées sont-elles superposables ?
b. Peut-on passer d'une forme à l'autre sans rompre de liaison ?

4 Différentes propriétés des diastéréoisomères

Expérience

On dispose de deux solides : l'acide (*E*)-but-2-ène-1,4-dioïque et son diastéréoisomère (*Z*). À l'aide d'un banc Köfler, mesurer la température de fusion de chacun des acides.

Nom	acide (*E*)-but-2-ène-1,4-dioïque	acide (*Z*)-but-2-ène-1,4-dioïque
Nom courant	acide fumarique	acide maléique
Formule topologique		
Solubilité dans l'eau à 25 °C (en g·L⁻¹)	6,3	780
Sécurité	irritant	toxique et irritant

8 *Quelques caractéristiques des deux diastéréoisomères étudiés.*

Vocabulaire

Deux molécules sont dites **diastéréoisomères** si :
– elles ont la même formule semi-développée ;
– elles ne sont pas superposables ;
– elles ne sont pas images l'une de l'autre dans un miroir.

❶ Observer

a. Vérifier que l'acide fumarique et l'acide maléique sont des diastéréoisomères en créant leur modèle moléculaire.

b. Quel acide a la plus basse température de fusion ?
Comparer les valeurs tabulées aux mesures.

❷ Interpréter

Interpréter la différence de température de fusion, en tenant compte des éventuelles interactions intermoléculaires.

Démarche d'investigation

L'étiquette d'un flacon contenant une poudre blanche indique : « acide but-2-ène-1,4-dioïque (*E*) et (*Z*) ».

➔ *Comment séparer les deux stéréoisomères présents dans ce flacon ?*

Matériel disponible :
• bécher ;
• agitateur magnétique ;
• dispositif de filtration ;
• plaque de CCM, capillaire, cuve à élution, éluant, lampe UV, lunettes de protection.

9 ▶ *Matériel disponible.*

❸ Formuler des hypothèses

Proposer un protocole pour séparer les deux acides présents dans le mélange.

❹ Expérimenter pour conclure

a. Après validation du protocole, réaliser les manipulations.

b. Proposer une technique pour vérifier que les deux acides ont bien été séparés, puis la mettre en œuvre.

1 Représentation spatiale des molécules

Pour vérifier ses acquis
→ **FICHES I et J** page 156

1.1 Stéréoisomérie

Deux molécules de même formule semi-développée peuvent correspondre à des espèces chimiques différentes, selon la disposition de leurs atomes dans l'espace : on parle alors de **stéréoisomérie**. Les espèces chimiques sont appelées des **stéréoisomères**.

Le passage d'un stéréoisomère à l'autre peut se faire soit par rotation rapide autour d'une liaison simple, soit par rupture d'une liaison.

1.2 Représentation de Cram

Pour représenter dans un plan la géométrie spatiale des molécules, on utilise les conventions de Donald James Cram.

Dans le cas d'une liaison entre deux atomes A et B :

Position des atomes A et B	Représentation de Cram
A et B sont dans le plan de la feuille	$A \longrightarrow B$
A est dans le plan de la feuille, B est en avant	$A \blacktriangleleft B$
A est dans le plan de la feuille, B est en arrière	$A \cdots\text{IIII} B$

Exemple. La représentation de Cram d'un stéréoisomère de l'acide 2-hydroxypropanoïque (l'acide lactique) est donnée ci-contre. Le groupe caractéristique carboxyle $-CO_2H$ est en arrière du plan de la feuille, et le groupe méthyle $-CH_3$ en avant.

La représentation de Cram autour d'un atome de carbone peut se faire en utilisant les formules développée, semi-développée ou topologique.

a formule développée   **b** formule semi-développée   **c** **d** formules topologiques

Dans la formule semi-développée ou la formule topologique d'une molécule, une liaison C—H est parfois représentée pour expliciter la géométrie tétraédrique de l'atome de carbone (figures **b** et **d**).

L'atropine, extraite de la fleur de datura et utilisée en ophtalmologie, est un mélange de deux stéréoisomères.

— Vocabulaire —

Le mot « isomère » vient de *iso*, « identique », et *meros*, « partie ».

« Stéréo- » signifie « solide, volume, objet dans sa spatialité ».

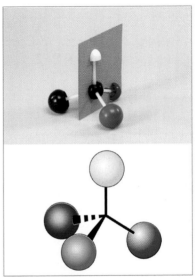

10 *Modèle moléculaire et représentation de Cram d'une molécule.*

2 Stéréoisomères de conformation

2.1 Définition

• On appelle **conformation** d'une molécule la disposition dans l'espace des atomes de cette molécule les uns par rapport aux autres.

• Deux structures sont dites **stéréoisomères de conformation** si l'on peut passer de l'une à l'autre par rotation autour d'une ou plusieurs liaisons simples.

On passe ainsi d'une conformation à l'autre sans rompre de liaison.

Exemple. Étudions le cas de la molécule d'éthane. Cette molécule possède une infinité de conformations possibles. Pour observer ses conformations, l'observateur doit regarder dans l'axe de la liaison carbone-carbone C − C **(figure 11)**.

On peut distinguer deux conformations particulières :

– une conformation dite **éclipsée**, pour laquelle les liaisons C−H des deux atomes de carbone voisins se dissimulent les unes derrière les autres ;

– une conformation dite **décalée**, pour laquelle les liaisons C−H apparaissent décalées.

Conformation	Représentation de Cram	Deux vues du modèle moléculaire
éclipsée		
décalée		

11 *Représentation de Cram et modèles moléculaires de deux conformations particulières de la molécule d'éthane.*

2.2 Conformation la plus stable

• Il est impossible d'isoler des stéréoisomères de conformation, car la rotation autour de la liaison carbone-carbone C − C est extrêmement rapide : dans le cas de la molécule d'éthane par exemple, elle est de l'ordre de 10^{10} tours par seconde !

• Tous les stéréoisomères de conformation n'ont pas la même énergie potentielle. Celle-ci dépend des forces électriques entre les atomes de la molécule.

La conformation qui possède l'énergie potentielle la plus faible correspond à la **conformation la plus stable**.

Dans le cas de la molécule d'éthane, la conformation la plus stable, donc la plus probable, est la conformation décalée.

2.3 Conformations de molécules biologiques

La forme des molécules biologiques dans l'espace a une grande importance. En effet, pour accomplir leurs fonctions, les molécules doivent adopter des conformations leur permettant d'optimiser les interactions avec les autres molécules.

● **La structure de l'ADN**

L'ADN, qui stocke l'information génétique d'un organisme, est composé de deux brins se faisant face et formant une double hélice. Cette conformation des chaînes carbonées en vis-à-vis est imposée par les interactions d'origine électrostatique entre atomes **(document 12)**.

● **Le repliement des protéines**

De nombreuses petites protéines se replient spontanément en une durée de l'ordre d'une milliseconde. Certaines protéines mal repliées, appelées **prions**, sont responsables de maladies comme la maladie de Creutzfeld-Jacob chez l'homme, ou l'encéphalopathie spongiforme bovine (ESB, ou encore maladie de la vache folle) chez les vaches. Ces protéines peuvent exister selon deux conformations :
– la conformation « repliée », présente dans un cerveau sain **(document 13)** ;
– la conformation « allongée », présente dans le cerveau d'un sujet malade.

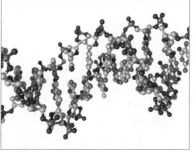

12 *Double hélice de l'ADN. Cette conformation est privilégiée du fait d'interactions électrostatiques entre les substituants.*

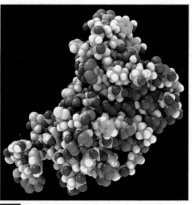

13 *Conformation repliée de la protéine du prion humain.*

3 Stéréoisomères de configuration

Si deux structures stéréoisomères ne sont pas stéréoisomères de conformation, alors elles sont **stéréoisomères de configuration**.

3.1 Énantiomères

A Chiralité : approche historique et définition

● Vers 1840, Louis Pasteur savait que certaines espèces dissoutes existent sous deux formes ayant des caractéristiques optiques différentes. En les observant à nouveau à l'échelle macroscopique après cristallisation, il mit en évidence deux structures cristallines différentes, l'une étant l'image de l'autre dans un miroir plan **(activité 1)**.

● Après avoir trié les cristaux en fonction de leur forme puis dissous chaque type de cristaux, Pasteur vérifia que les propriétés optiques des deux solutions obtenues étaient différentes. Il établit ainsi un lien entre la dissymétrie d'un cristal et celle des molécules qui le constituent.

> **Vocabulaire**
>
> **Chiralité :** du grec *kheir*, qui signifie « main ».
> Deux mains sont des objets chiraux.
> La chiralité désigne cette propriété.

Chimie & nature

Le crabe violoniste (*Uca Pugilator*) est chiral.

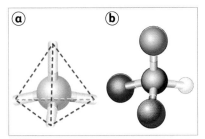

14 Représentation dans l'espace :
ⓐ d'un atome de carbone au centre d'un tétraèdre ;
ⓑ d'un atome de carbone asymétrique.

• Un objet est dit **chiral** s'il n'est pas superposable à son image dans un miroir plan. Dans le cas contraire, il est dit **achiral**.
• Un objet présentant un élément de symétrie (plan ou centre de symétrie) est achiral.

Les objets chiraux se rencontrent à l'échelle macroscopique ainsi qu'à l'échelle microscopique.

Exemples
• Les cristaux triés par Pasteur et les molécules constituant ces cristaux sont des objets chiraux.
• Voici quelques objets chiraux : une coquille d'escargot ; une vis ; une hélice ; un dé ; un cadran de montre ; un gant.

B Atome de carbone asymétrique

Un atome de carbone est dit **tétraédrique** s'il est engagé dans quatre liaisons covalentes : il est alors au centre d'un tétraèdre dont les quatre sommets sont occupés par les atomes qui lui sont liés **(figure 14 ⓐ)**.

• Parmi les atomes de carbone tétraédriques, on distingue l'atome de carbone **asymétrique**, lié à quatre atomes ou groupes d'atomes tous différents **(figure 14 ⓑ)**. On le note C*.
• Une molécule possédant un seul atome de carbone asymétrique est chirale.

Exemple. La molécule d'acide lactique, représentée ci-contre, possède un atome de carbone asymétrique.

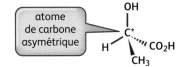

atome de carbone asymétrique

$$OH$$
$$H \overset{|}{\underset{CH_3}{C^*}} CO_2H$$

C Couple d'énantiomères

Une molécule chirale et son image dans un miroir plan forment un couple de molécules.

Deux molécules chirales et images l'une de l'autre dans un miroir plan sont dites **énantiomères** l'une de l'autre. Chacune constitue alors l'énantiomère de l'autre.

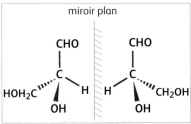

miroir plan

15 Les deux énantiomères du glycéraldéhyde, représentés avec les conventions de Cram.

Vocabulaire

Énantiomère : du grec *enantios*, « opposé ».

16 Visualiser l'image d'une molécule dans un miroir plan permet de construire son énantiomère.

Les chimistes synthétisent souvent des espèces chimiques sous forme d'un mélange équimolaire d'un couple d'énantiomères. Ce mélange est appelé **mélange racémique**.

D Chiralité des acides α-aminés

Les acides α-aminés sont les constituants des protéines. Tous les acides α-aminés naturels présentent, sur le même atome de carbone, appelé carbone α, le groupe caractéristique carboxyle –CO_2H et le groupe caractéristique amino –NH_2.

À l'exception de la glycine, les acides α-aminés naturels possèdent un atome de carbone asymétrique et sont donc chiraux.

La plupart des acides α-aminés naturels existent sous la forme de deux énantiomères, traditionnellement appelés D et L, selon l'agencement des groupes d'atomes autour de l'atome de carbone asymétrique **(figure 17)**. Les acides α-aminés L représentent la quasi-totalité des acides α-aminés présents dans les protéines. En effet, des enzymes dégradent les acides α-aminés D.

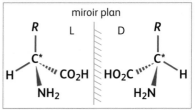

17 *Les acides α-aminés naturels existent sous la forme de deux énantiomères, à l'exception de la glycine (R = H).*

E Importance de la chiralité dans la nature

● Les systèmes biologiques sont constitués de molécules chirales (protéines, glucides, acides nucléiques, etc.).

● Lors des processus de reconnaissance entre une molécule et des sites récepteurs (d'une enzyme par exemple), la réponse physiologique peut être différente selon l'énantiomère impliqué.

18 *Les pieds et les chaussures sont chiraux : à chaque pied sa bonne chaussure !*

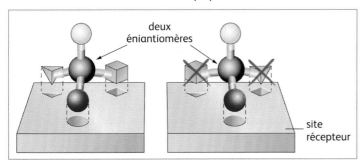

19 *Sur cet exemple, l'énantiomère représenté à droite ne peut pas interagir avec le site récepteur.*

Le pouvoir tératogène (qui caractérise une substance pouvant provoquer un développement anormal de l'embryon), toxique ou thérapeutique, ou l'odeur sont ainsi différents selon l'énantiomère qui interagit avec le site récepteur.

Exemples

● L-Dopa : un énantiomère traite la maladie de Parkinson, l'autre est toxique.

● Maxiton : un énantiomère est psychostimulant, l'autre inactif.

● Le citronellol : un énantiomère sent la citronelle, l'autre le géranium.

● La carvone : un énantiomère sent le cumin, l'autre la menthe fraîche **(document 20)**.

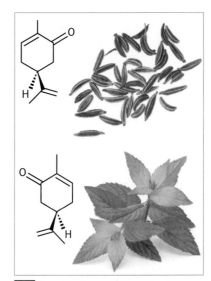

20 *Représentation de Cram des deux énantiomères de la molécule de carvone, d'odeurs différentes.*

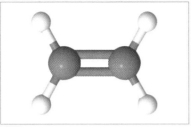

21 *En observant le modèle moléculaire de l'éthène $CH_2=CH_2$, on s'aperçoit que tous les atomes sont dans un même plan. Il n'y a pas de possibilité de rotation autour de la liaison double $C=C$.*

Stéréo-isomère	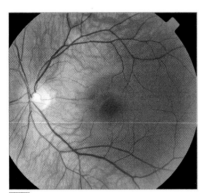	
	(E)-but-2-ène	(Z)-but-2-ène
θ_{fus}	–105 °C	–139 °C
$\theta_{éb}$	0,8 °C	4 °C

22 *Les deux stéréoisomères du but-2-ène et leurs températures de changement d'état.*

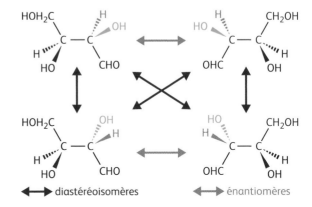

23 *Vue de la rétine. Le rétinal est une molécule présente dans les cellules de la rétine.*

3.2 Diastéréoisomères

On appelle **diastéréoisomères** des molécules de même formule semi-développée, non superposables et qui ne sont pas images l'une de l'autre dans un miroir plan.

Ⓐ Diastéréoisomérie *Z/E*

● La diastéréoisomérie *Z/E* est due à l'impossibilité de rotation rapide autour des doubles liaisons, en particulier des doubles liaisons carbone-carbone.

Pour qu'une diastéréoisomérie *Z/E* existe, il est nécessaire que la molécule possède une double liaison et que chaque atome engagé dans cette double liaison soit lié à deux groupes d'atomes différents.

● Certaines propriétés physiques et chimiques de deux diastéréoisomères *Z/E* peuvent être différentes **(activité 4)**. C'est le cas des températures de changement d'état pour les deux diastéréoisomères du but-2-ène **(document 22)**.

● Le passage d'un isomère à l'autre ne peut se faire que par le remplacement temporaire de la liaison double $C=C$ par une simple liaison, autour de laquelle la rotation est possible. Cette transformation nécessite un apport d'énergie.

Exemple. Dans le mécanisme de la vision, l'action de la lumière sur les cellules de la rétine (les bâtonnets) permet de transformer l'isomère (*Z*) du 11-rétinal en isomère (*E*) : cette transformation provoque une stimulation nerveuse, qui envoie un signal au cerveau.

Ⓑ Molécules à deux atomes de carbone asymétriques

Lorsqu'une molécule présente deux atomes de carbone asymétriques, il existe le plus souvent quatre stéréoisomères, dont certains sont diastéréoisomères entre eux.

Exemple. Le 2,3,4-trihydroxybutanal existe sous la forme de quatre stéréoisomères de configuration, représentés ci-dessous.

L'ESSENTIEL

Représentation de Cram

A et B sont dans le plan de la feuille	$A \text{———} B$
A est dans le plan de la feuille, B est en avant	$A \blacktriangleleft B$
A est dans le plan de la feuille, B est en arrière	$A \text{----IIII} B$

Atome de carbone asymétrique

- Un atome de carbone est **asymétrique** s'il est lié à quatre atomes ou groupes d'atomes tous différents.

Chiralité

- Un objet est dit **chiral** s'il n'est pas superposable à son image dans un miroir plan. Sinon, il est dit **achiral**.
- Un objet présentant un élément de symétrie (plan ou centre de symétrie) est achiral.
- Une molécule possédant un seul atome de carbone asymétrique est chirale.
- Les acides α-aminés possèdent un atome de carbone asymétrique, ils sont donc chiraux.

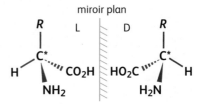

Les différentes stéréoisoméries

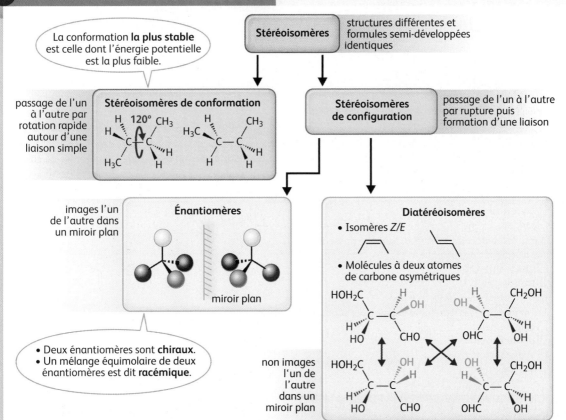

La conformation **la plus stable** est celle dont l'énergie potentielle est la plus faible.

Stéréoisomères — structures différentes et formules semi-développées identiques

passage de l'un à l'autre par rotation rapide autour d'une liaison simple

Stéréoisomères de conformation

Stéréoisomères de configuration — passage de l'un à l'autre par rupture puis formation d'une liaison

images l'un de l'autre dans un miroir plan

Énantiomères

miroir plan

- Deux énantiomères sont **chiraux**.
- Un mélange équimolaire de deux énantiomères est dit **racémique**.

Diatéréoisomères

- Isomères Z/E
- Molécules à deux atomes de carbone asymétriques

non images l'un de l'autre dans un miroir plan

Exercices Application

1 Mots manquants

Compléter avec un mot ou plusieurs mots.

a. Le passage d'un stéréoisomère de .... à l'autre se fait par rotation rapide autour d'une liaison simple.

b. Une molécule de configuration donnée est .... si elle n'est pas superposable à son image dans un miroir.

c. Une molécule possédant un atome de carbone .... est chirale.

d. Deux molécules sont .... si elles sont images l'une de l'autre dans un miroir plan et non superposables.

e. Un mélange équimolaire d'un couple d'énantiomères est appelé mélange ....

f. Pour passer d'une .... à l'autre, il est nécessaire de rompre puis de reformer une liaison.

2 QCM

Cocher la réponse exacte.

a. Parmi les trois représentations ci-dessous, laquelle correspond à celle de Cram ?

☐ (CHO / HOH₂C / H / OH) ☐ Cl—/—Cl ☐ CH_3–CH_2–CH_2Cl

b. Pour différencier deux énantiomères, on utilise :
☐ la représentation topologique
☐ la représentation de Cram
☐ des formules brutes

c. Si le passage d'un stéréoisomère à l'autre n'implique pas la rupture d'une liaison, les deux molécules sont des :
☐ énantiomères
☐ diastéréoisomères
☐ stéréoisomères de conformation

d. Parmi les objets suivants, lequel n'est pas chiral ?
☐ un clavier d'ordinateur
☐ un texte imprimé
☐ un clou

e. Parmi les molécules suivantes, laquelle possède un atome de carbone asymétrique ?
☐ Cl–$CH(OH)$–CH_3
☐ Cl–CH_2–CH_3
☐ Cl–$CH(OH)$–Cl

f. Les deux molécules représentées ci-dessous sont des :
☐ énantiomères
☐ diastéréoisomères
☐ stéréoisomères de conformation

(H—C*(CH_3)(CO_2H)(NH_2) ‖ (HO_2C)(H_2N)C*(CH_3)—H)

→ **Solutions détaillées en fin de manuel pour vérifier vos réponses et comprendre vos erreurs.**

Parcours en autonomie

Trois parcours d'exercices pour travailler en autonomie selon ses besoins.

Maîtriser les bases — 3 ~ 5 ~ 8 ~ 10

Préparer l'évaluation — 14 – 18

Approfondir — 31 – 32 33

COMPÉTENCES EXIGIBLES

3 Utiliser la représentation de Cram

Dessiner les molécules suivantes à l'aide de la représentation de Cram.
a. méthanol CH_3OH
b. dichlorométhane CH_2Cl_2
c. éthane-1,2-diol $CH_2(OH)$–$CH_2(OH)$

4 Représenter des conformations

Dessiner, à l'aide de la représentation de Cram, deux conformations différentes du 2-bromoéthan-1-ol, de formule semi-développée $BrCH_2$–CH_2OH.

5 Identifier des atomes de carbone asymétriques

Recopier les molécules suivantes, puis identifier les atomes de carbone asymétriques par un astérisque *.
a. CH_3–$CHBr$–CH_2Br　　**b.** CH_2Br–$CHBr$–CH_2Br
c. CH_3–$CHBr$–$CH(OH)$–CH_3　　**d.** CH_3–CH_2–$CHCl$–CH_3

6 Identifier des atomes de carbone asymétriques

Recopier les formules topologiques des molécules suivantes, puis identifier par un astérisque * les atomes de carbone asymétriques.

ⓐ (OH, NH – structure avec cycle phényle)

ⓑ HO–/\–/–OH

ⓒ (cyclohexane disubstitué)

ⓓ (cyclopentène–Cl)

7 Reconnaître des espèces chirales

Parmi les molécules représentées ci-dessous avec la convention de Cram, reconnaître les espèces chirales.

(Cl₂CH–H structure) (HO–CH₂–C(=O)(OH)H structure) (HOH_2C / H / OH / H / HO / CHO structure)

8 Représenter des énantiomères

En respectant les conventions de Cram, représenter les deux énantiomères des molécules suivantes.

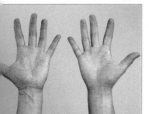

Deux mains constituent un couple d'énantiomères.

a. 1-bromo-1-chloroéthan-1-ol $CHBrCl – CH_2(OH)$

b. acide 2-hydroxypropanoïque (ou acide lactique) $CH_3–CH(OH)–CO_2H$

c. acide 2-aminopropanoïque (ou alanine) $CH_3–CH(NH_2)–CO_2H$

9 Reconnaître des diastéréoisomères

Les molécules suivantes existent-elles sous forme de plusieurs diastéréoisomères ? Si oui, les représenter.

a. 1,2-dichloréthène $ClHC=CHCl$

b. but-2-ène

c. 3-méthylpent-2-ène

d. 2-méthylpent-2-ène

e. hex-3-ène

f. aldéhyde cinnamique $C_6H_5–CH=CH–CHO$

10 Reconnaître des stéréoisomères

Pour chaque couple de molécules représenté ci-dessous, dire si les molécules sont identiques, non isomères, énantiomères ou diastéréoisomères.

a.

b.

c.

d.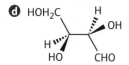

11 Représenter un acide α-aminé

L'acide aspartique est un acide α-aminé de formule brute $C_4H_7O_4N$, qui possède deux groupes caractéristiques carboxyle $–CO_2H$. On rappelle qu'un acide α-aminé possède un groupe caractéristique amino $–NH_2$ et un groupe caractéristique carboxyle sur le même atome de carbone.

a. Écrire la formule semi-développée et la formule topologique de cette molécule.

b. Identifier l'atome de carbone asymétrique, puis représenter les deux stéréoisomères de configuration à l'aide de la représentation de Cram.

COMPÉTENCES GÉNÉRALES

12 Analyser des modèles moléculaires

Parmi les modèles moléculaires reproduits ci-dessous, reconnaître les espèces chirales.

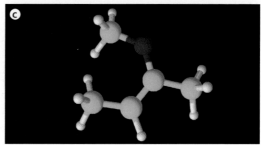

1-chloroéthan-1-ol   2-chloroéthan-1-ol

(Z)-2-méthoxybut-2-ène

13 Exploiter des textes de vulgarisation

DOC 1. Propriétés pharmacologiques des énantiomères

Les propriétés pharmacologiques de deux énantiomères peuvent être très différentes. Lorsque l'on est certain de l'innocuité de l'énantiomère d'une molécule active, le médicament est prescrit sous forme racémique. Mais l'énantiomère inactif peut aussi être un composé toxique. De nos jours, chaque année, environ 70 % des nouvelles autorisations de mise sur le marché concernent des composés **énantiopurs**.

DOC 2. Stéréospécificité

Pour qu'une molécule messager libérée dans un environnement complexe puisse rencontrer le récepteur qu'elle active, elle doit avoir une grande spécificité ou une grande affinité pour ce récepteur. Ainsi, elle ne se fixera pas aux structures autres que le récepteur lui-même. Cette spécificité est telle que le récepteur ne reconnaît généralement qu'un des énantiomères du messager lorsque celui-ci est apporté sous la forme de deux stéréoisomères. On parle alors de stéréospécificité.

a. Expliquer la première phrase du document 1 à l'aide des informations du document 2.

b. Proposer une définition du mot « énantiopur ».

c. Expliquer dans quel cas la prescription d'un mélange racémique est interdite.

EXERCICE RÉSOLU

14 Orange ou citron ?

Énoncé Le limonène est le constituant principal de l'huile essentielle d'écorces d'orange ou de citron. La formule semi-développée de cette molécule est donnée ci-contre.

❶ Construire un modèle moléculaire de la molécule à l'aide d'un éditeur de molécules.

❷ Cette molécule fait-elle partie d'un couple de diastéréoisomères *Z/E* ?

❸ Combien d'atomes de carbone asymétriques cette molécule comporte-t-elle ?

❹ Donner la représentation de Cram des deux énantiomères du limonène.

❺ Le limonène issu de l'écorce d'orange est constitué à près de 100 % de l'un des énantiomères, tandis que le limonène issu de l'écorce de citron contient un mélange des deux énantiomères.
Comment interpréter la différence d'odeur entre l'huile essentielle d'orange et celle de citron ?

Énoncé

Dans le cas où l'atome de carbone asymétrique est contenu dans un cycle, la comparaison des deux groupes formés par le cycle se fait en progressant atome par atome.

Une solution

❶

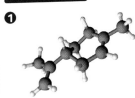

❷ Le limonène possède deux doubles liaisons C=C : l'une d'elle (notée **1**) est située en bout de chaîne, l'autre (notée **2**) appartient à un cycle. La double liaison carbone-carbone **(1)** ne peut pas être à l'origine d'une isomérie, car l'un des atomes de carbone est relié à deux atomes d'hydrogène. La double liaison C=C **(2)** ne peut pas présenter plusieurs configurations, car les deux atomes de carbone appartiennent à un cycle de six atomes. Cette molécule ne fait donc pas partie d'un couple de diastéréoisomères *Z/E*.

Connaissances

Pour qu'une isomérie *Z/E* existe, il est nécessaire que la molécule possède une double liaison et que chaque atome engagé dans cette double liaison soit lié à deux groupes d'atomes différents.

❸ L'atome de carbone identifié par un astérisque est asymétrique : les deux brins du cycle sont différents, du fait de l'asymétrie du cycle provoquée par la présence de la double liaison.

Connaissances

Un atome de carbone asymétrique est lié à quatre atomes ou groupes d'atomes tous différents.

❹

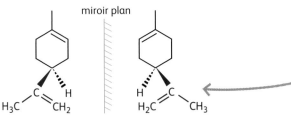

miroir plan

Schématiser

Un atome de carbone tétraédrique est au centre d'un tétraèdre dont les quatre sommets sont occupés par les atomes qui lui sont liés.

❺ Cette observation expérimentale montre que les récepteurs olfactifs contiennent des molécules chirales.

Un isomère du pentane-2,3-diol, noté *A*, est représenté ci-contre suivant la convention de Cram. Cette molécule possède deux atomes de carbone asymétriques. Est-elle chirale ? Pour le savoir, répondre aux questions suivantes.

A

a. À l'aide de la représentation ci-dessus, justifier le nom donné à cette espèce chimique. Identifier les atomes de carbone asymétriques.

b. Le schéma ci-dessous représente l'isomère *A* et son image dans un miroir, notée *B*.

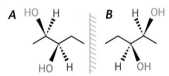

Supposons dans un premier temps que les molécules *A* et *B* ne sont pas superposables.
Dans ce cas, de quel type d'isomérie s'agit-il ?

c. Pour savoir si les molécules *A* et *B* sont superposables, on fait tourner la molécule *B* de 180° autour de l'axe Δ.
Dessiner la nouvelle représentation de la molécule *B*. Est-elle superposable à la molécule *A* ? Conclure sur la relation d'isomérie entre les formes *A* et *B*. Ces molécules sont-elles chirales ?

B
180° Δ

> **Conseils** Pour dessiner la molécule tournée de 180°, il faut représenter à droite de l'axe Δ chaque atome situé à gauche de cet axe, et inversement. Les atomes représentés en avant du plan passent en arrière, et ceux représentés en arrière passent en avant du plan.

d. On s'intéresse à une autre molécule, notée *D* et représentée ci-dessous, qui est une forme de l'acide tartrique.

D

En utilisant une démarche analogue, dire si cette molécule, qui compte deux atomes de carbone asymétriques, est chirale.

> **Conseils** Dessiner dans un premier temps l'image de la molécule *D* dans un miroir plan orthogonal au plan de la feuille. Attention : dans ce cas, les atomes représentés en avant du plan restent en avant, et ceux représentés en arrière du plan sont toujours en arrière.

---

16 **Apprendre à rédiger**

Voici l'énoncé d'un exercice et un guide (en violet) ; ce guide vous aide à rédiger la solution détaillée et à retrouver les réponses aux questions posées.

Énoncé
Le bombykol est la phéromone d'attraction sexuelle du bombyx, papillon du ver à soie. Son nom est :
(10*E*, 12*Z*)-hexadéca-10,12-dièn-1-ol.
Sa formule topologique est représentée ci-dessous.

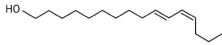
HO

a. Vérifier que la formule topologique est en accord avec le nom de la molécule. Argumenter.

▶ Numéroter les liaisons carbone-carbone à partir du groupe caractéristique. Vérifier que les liaisons doubles sont situées aux numéros 10 et 12.
À l'aide des données, vérifier que la 10e liaison est en configuration *E* et la 12e en configuration *Z*.

▶ Compter le nombre d'atomes de carbone de la chaîne carbonée et relever la position du groupe caractéristique −OH.

b. Cette molécule comporte-t-elle des atomes de carbone asymétriques ?

▶ Rappeler la définition d'un atome de carbone asymétrique avant de répondre à la question.

c. Combien de stéréoisomères du bombykol existe-t-il ? De quel type de stéréoisomérie s'agit-il ? Représenter ces stéréoisomères.

▶ Vérifier que, pour chaque double liaison, il existe deux possibilités pour positionner les quatre groupes d'atomes. Conclure sur le nombre de stéréoisomères.

▶ Rappeler à quel type de stéréoisomérie est associée l'existence d'une double liaison.

▶ Représenter ces quatre molécules.

Donnée. Si les deux atomes d'hydrogène sont du même côté de la double liaison C=C, alors cette double liaison est caractérisée par la lettre « *Z* ». Dans le cas contraire, elle est caractérisée par la lettre « *E* ».

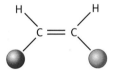
stéréoisomère *Z*

stéréoisomère *E*

17 Utiliser la représentation de Cram

Compétence générale *Restituer ses connaissances*

a. Dessiner la représentation de Cram de l'image dans le miroir M_1 de la molécule ci-dessous.

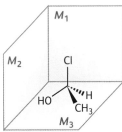

b. Faire de même à travers le miroir M_2 puis le miroir M_3.

c. Les trois structures ainsi dessinées sont-elles identiques ? Justifier.

18 Influence du LSD

Compétence générale *Exploiter des informations*

Les messages nerveux issus de la rétine sont conduits jusqu'au cortex par des neurones. Une importante zone de synapses, dont le neurotransmetteur est la sérotonine, est localisée dans des relais cérébraux. Peu après son ingestion, le LSD se trouve en quantité importante dans ces relais.

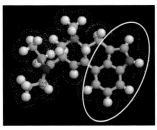

| Sérotonine | LSD |

a. En comparant les conformations des molécules représentées ci-dessus, expliquer la fixation du LSD à la place de la sérotonine sur les récepteurs postsynaptiques.

b. Proposer une explication à la modification de la perception visuelle après une ingestion de LSD.

19 Science in English 🏴󠁧󠁢󠁥󠁮󠁧󠁿

Nepetalactone is the active component of catnip. Two versions of this compound are shown.

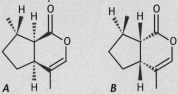

Compound *A* has a remarkable effect on cats (i.e. it makes them "stoned") whereas compound *B* has no biological activity.

Vocabulaire. Catnip : herbe à chats.

a. Laquelle de ces deux molécules a une influence sur le comportement des chats ?

b. Identifier les atomes de carbone asymétriques de la molécule *A*.

c. Quelle est la relation de stéréochimie entre les espèces *A* et *B* ? Justifier.

20 Gastronomie et isoméries

Compétences générales *Extraire et exploiter des informations*

En tant que scientifique, je me pose la question suivante : à quelle température un œuf cuit-il ? [...] le blanc et le jaune d'œuf contiennent de l'eau et des protéines qui coagulent sous l'action de la chaleur. Les protéines sont de minuscules pelotes repliées sur elles-mêmes qui se déroulent, pour chaque sorte, à une température bien précise : 61 °C, 68 °C, 70 °C... Quand elles sont déroulées, elles s'associent en un réseau [...] où sont dispersées [...] d'autres molécules de protéines, d'eau, etc. Plus la température augmente, plus les types de protéines déroulées sont nombreux et plus le réseau du filet se resserre. Ainsi dans le blanc d'œuf, c'est à 61 °C que la première protéine (l'ovotransferrine) commence à se dérouler et à former un filet très fragile. À 70 °C exactement, une autre sorte de protéine se déroule et renforce le premier filet. Le gel formé est plus dur. À mesure que la température augmente, de plus en plus de filets viennent se former et à 100 °C les œufs finissent par être caoutchouteux. [...]

[Dans le jaune] la première transformation importante se fait à 68 °C. Fort de ces constations, je me suis alors demandé ce qui se passe quand on met des œufs dans un four à 65 °C. Comme cette température est supérieure à 61 °C (température de première coagulation des protéines du blanc) mais inférieure à 68 °C (première coagulation des protéines du jaune), on obtient des œufs étranges dont le blanc est pris mais délicat et dont le jaune est resté liquide avec son goût de jaune frais.

D'après Hervé This,
http://podcast.agroparistech.fr/users/gastronomiemoleculaire/

a. Une protéine est une macromolécule composée d'une ou plusieurs chaînes contenant un grand nombre d'acides α-aminés. Représenter, à l'aide de la convention de Cram, la molécule d'alanine, un acide α-aminé possédant :
– trois atomes de carbone ;
– sur un même atome carbone, le groupe caractéristique carboxyle $-CO_2H$, le groupe caractéristique amino $-NH_2$ et le groupe méthyle.

b. Cette molécule est-elle chirale ? Justifier la réponse.

c. Lorsqu'une protéine se déroule :
– y a-t-il rupture de liaison(s) covalente(s) ?
– les structures initiale et finale sont-elles superposables ?
– de quel type d'isomérie s'agit-il ? Argumenter la réponse.

d. Dans quelle gamme de température faut-il cuire un œuf pour qu'il soit « mollet » ? pour qu'il soit « dur » ?

21 ✶ Utiliser un logiciel de simulation

Compétence générale *Utiliser les TICE*

a. À l'aide d'un éditeur de molécules, construire les molécules représentées ci-dessous.

glycérol

acide (*E*)-oléique

Détailler les étapes de la démarche effectuée.
Pour chaque molécule, déterminer la conformation la plus stable à l'aide du logiciel.

b. En utilisant la convention de Cram, représenter la conformation la plus stable du glycérol, en présentant la chaîne carbonée dans le plan de la feuille.

22 Un problème de santé publique

Compétences générales *Extraire et exploiter des informations – Restituer ses connaissances*

Dans les années 1960, la thalidomide a été prescrite aux femmes enceintes pour atténuer les nausées. Ce médicament se présentait sous forme d'un mélange racémique. Malheureusement, il s'est avéré qu'un seul des deux énantiomères a l'effet souhaité, l'autre étant tératogène, c'est-à-dire à l'origine de malformations de l'embryon.
La représentation de Cram de la molécule tératogène est donnée ci-contre.

a. Identifier l'atome de carbone asymétrique sur cette molécule, puis représenter l'énantiomère non toxique.

b. Rappeler la définition d'un mélange racémique. Expliquer alors pourquoi le mot « malheureusement » est utilisé dans l'énoncé.

23 Propriétés biologiques des stéréoisomères

Compétence générale *Restituer ses connaissances*

Les formules topologiques de la carvone et de l'asparagine sont représentées ci-dessous.

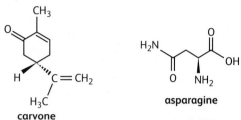

carvone

asparagine

a. L'énantiomère de la carvone représenté ci-dessus est présent dans le cumin. Son odeur est poivrée.
Représenter l'autre énantiomère de la carvone, à odeur de menthe.

b. L'asparagine présente deux énantiomères. L'un a un goût sucré, tandis que l'autre est insipide.
Identifier l'atome de carbone asymétrique, puis représenter les deux énantiomères en utilisant la représentation de Cram.

24 ✶ Acide gras insaturé

Compétence générale *Exploiter des informations*

L'acide α-linolénique est l'un des acides gras que l'on peut obtenir à partir de l'huile de lin. Sa formule est la suivante :
$$CH_3-CH_2-(CH=CH-CH_2)_3-(CH_2)_6-CO_2H.$$

Fleur de lin.

a. Dans le cas de la plupart des dérivés d'huiles végétales, les trois doubles liaisons carbone-carbone sont décrites par la lettre Z, ce qui signifie que les deux atomes d'hydrogène portés par les deux atomes de carbone d'une double liaison $C=C$ sont du même côté de cette double liaison.
Écrire la formule topologique de l'acide (*Z*)-α-linolénique.

b. Les biologistes utilisent une convention particulière pour indiquer la position des doubles liaisons carbone-carbone : celle-ci est notée ωn, où n est le numéro de la double liaison, en partant de l'extrêmité de la chaîne opposée au groupe caractéristique carboxyle (ω est la lettre grecque « oméga »).
On dit ainsi que l'acide linolénique est $\omega 3$, $\omega 6$ et $\omega 9$.
Justifier cette notation à l'aide de la représentation proposée à la question **a.**

c. Déterminer le nombre de stéréoisomères de configuration de cette molécule.

25 ★ L'énantiomérie

Compétence générale *Communiquer*

Préparer une présentation orale permettant d'expliquer la notion d'énantiomérie dans le cas particulier de l'existence d'un atome de carbone asymétrique.

Cette présentation devra être illustrée par un diaporama de cinq diapositives maximum, et s'adressera à un public non scientifique connaissant toutefois la notion de liaison covalente. Les définitions proposées devront être simples et s'appuyer sur des exemples concrets et des schémas.

26 ★★ L'aspartame

Compétences générales *Extraire et exploiter des informations*

L'aspartame est une molécule synthétisée à partir de deux acides α-aminés. C'est un édulcorant, c'est-à-dire une espèce au goût sucré et faiblement calorique. Sa formule topologique est présentée ci-dessous en représentation de Cram.

a. Identifier les atomes de carbone asymétriques de la molécule d'aspartame.

b. Dessiner l'énantiomère de l'aspartame, sans modifier la position des atomes dessinés en rouge. Comment faudrait-il placer un miroir plan pour expliquer facilement que les deux dessins représentent des énantiomères ?

c. Dessiner les deux diastéréoisomères de l'aspartame.

d. Seul l'aspartame a un goût sucré. Ses trois stéréoisomères de configuration ont un goût amer.

Que peut-on en déduire pour les récepteurs du goût sucré d'un être humain ?

27 ECE Évaluation des compétences expérimentales

Cet exercice permet de travailler les compétences expérimentales suivantes : • **Réaliser** • **Communiquer**

• À l'aide d'une boîte de modèles moléculaires, construire les deux stéréoisomères de configuration du but-2-ène.
• À l'aide d'un éditeur de molécules, construire successivement les modèles moléculaires des deux stéréoisomères de configuration du but-2-ène.
• Pour chaque stéréoisomère :
– représenter sa conformation la plus probable ;
– choisir une représentation 3D ;
– utiliser la représentation en boules et bâtons ;
– mesurer la distance *d* entre le premier et le dernier atome de carbone de la chaîne ;
– copier la molécule dans un fichier texte.

Mettre en page les deux représentations dans le fichier texte, avec une légende pour chaque représentation et la distance *d* mesurée.

28 Objectif BAC *Exploiter des documents*   ➡ Dossier BAC, page 546

➜ **L'objectif de cet exercice est de mettre en évidence, sur un exemple particulier, l'influence de la configuration d'un réactif sur la géométrie des molécules formées au cours d'une transformation. Il s'agit de stéréochimie dynamique.**

Le butan-2-ol peut être synthétisé à partir du 2-chlorobutane, selon la réaction d'équation :

$$Cl \overset{H}{\underset{C_2H_5}{\longleftarrow}} CH_3 + HO^- \longrightarrow Cl^- + \overset{H}{\underset{C_2H_5}{\longrightarrow}} OH$$

Des études stéréochimiques ont montré que lors de cette réaction, l'ion hydroxyde HO^- réagit en s'approchant de l'atome de carbone exactement à l'opposé de l'atome de chlore. Ce processus, appelé inversion stéréochimique de Walden, peut être comparé à une « inversion » de parapluie lors d'un fort coup de vent, les baleines du parapluie modélisant certaines liaisons.

a. Le 2-chlorobutane et le butan-2-ol possèdent-ils des atomes de carbone asymétriques ? Justifier.

b. L'espèce chlorée représentée est-elle chirale ?

c. On réalise la même réaction que celle présentée dans l'énoncé, mais en remplaçant le produit chloré par son énantiomère.
Écrire l'équation de la réaction qui se produit en utilisant des représentations de Cram.

d. Lorsque la configuration d'un produit synthétisé dépend de la configuration du réactif, on dit que la réaction est **stéréospécifique**. La réaction étudiée ici est-elle stéréospécifique ? Justifier.

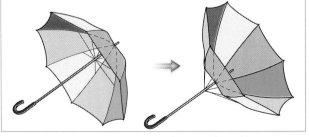

Représentation de l'inversion stéréochimique de Walden.

29 Apprendre à chercher

La résolution de cet exercice nécessite de trouver les étapes du raisonnement.
→ Une aide est disponible en fin de manuel.

Énoncé. La molécule de 2-bromo-1,2-dichloro-1-fluoro-éthane FClCH–CHBrCl existe sous forme de quatre stéréoisomères de configuration chiraux, alors que la molécule de 1,2-dibromo-1,2-dichloroéthane BrClCH–CHBrCl n'existe que sous forme de trois stéréoisomères de configuration, dont un est achiral et deux sont chiraux.

→ En s'appuyant sur des représentations de Cram, expliquer cette différence.

30 ✶ Chimie de la vision

Compétences générales *Extraire et exploiter des informations*

Le mécanisme de la vision fait intervenir deux types de photorécepteurs : les cônes et les bâtonnets. Ces cellules tapissent la rétine. Les bâtonnets sont sensibles à la luminosité ; un signal nerveux y est émis sous l'effet d'un
5 signal lumineux.
• Les bâtonnets contiennent de la rhodopsine, assemblage d'une protéine, l'op-
10 sine, et d'une molécule, le rétinal, emboîté dans l'opsine.
• À l'obscurité, le rétinal est nommé « rétinal *Z* » à cause de la liaison entre les atomes de carbone 4 et 5.
Il est lié par l'atome de carbone 1 à l'extrémité d'un acide
15 α-aminé de l'opsine, et sa forme s'ajuste à celle de l'opsine. Sous l'effet de la lumière, les doubles liaisons C=C du rétinal se déplacent. La liaison entre les atomes de carbone 4 et 5 devient alors momentanément une liaison simple. Le rétinal peut s'isomériser en rétinal
20 « tout *E* », dont la forme n'est plus adaptée à celle de l'opsine ; il s'en détache donc. Cette isomérisation s'accompagne de la création d'un influx nerveux.
• Le rétinal tout *E* est ensuite transformé en rétinol, puis en rétinal *Z*, qui peut de nouveau se combiner à
25 la molécule d'opsine : la rhodopsine est régénérée en quelques millisecondes.

a. Représenter la molécule de rétinal « tout *E* » en considérant que seule la double liaison C_4–C_5 subit une modification de configuration.

b. Quelle est la relation de stéréochimie entre le rétinal *Z* et le rétinal « tout *E* » ?

c. Le passage d'une forme à l'autre nécessite-t-il la rupture d'une liaison ? Si oui, quelle est l'origine de l'énergie nécessaire à cette rupture ?

d. À votre avis, que se passerait-il si le rétinal « tout *E* » ne reformait pas le rétinal *Z* ?

31 ✶ Catalyse enzymatique

Compétences générales *Réaliser un schéma – Communiquer*

DOC 1. Stéréoisomères de l'acide lactique ou acide 2-hydroxypropanoïque CH_3–$CH(OH)$–CO_2H

Stéréoisomère *A*	Stéréoisomère *B*
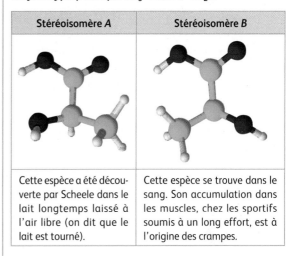	
Cette espèce a été découverte par Scheele dans le lait longtemps laissé à l'air libre (on dit que le lait est tourné).	Cette espèce se trouve dans le sang. Son accumulation dans les muscles, chez les sportifs soumis à un long effort, est à l'origine des crampes.

DOC 2. Propriétés biologiques de l'acide lactique

Les deux stéréoisomères de l'acide lactique ont, vis-à-vis de réactifs non chiraux, des propriétés chimiques identiques. En milieu biologique, l'un des isomères peut être oxydé en acide 2-oxopropanoïque (ou acide pyruvique) par l'action d'un réactif oxydant spécifique, en présence d'un catalyseur chiral, l'enzyme lactate déshydrogénase (LDH), suivant le processus suivant :

Dans les mêmes conditions, l'autre isomère n'est pas oxydé.

a. D'après les modèles moléculaires du **document 1**, représenter les deux stéréoisomères de l'acide lactique en utilisant la représentation de Cram.

b. D'après le **document 2**, lequel des stéréoisomères *A* ou *B* est oxydé lors de la catalyse enzymatique ?

c. Exploiter ces deux documents pour montrer que, bien que les propriétés chimiques des énantiomères soient les mêmes vis-à-vis d'un réactif non chiral, elles peuvent être très différentes vis-à-vis d'un réactif chiral. Expliquer cette caractéristique à l'aide de schémas.

d. La main humaine est-elle un objet chiral ? Reprendre les explications de la question **c.** en illustrant le propos non pas avec des molécules, mais en considérant une poignée de mains ou la prise dans la main d'un objet achiral tel qu'une balle de tennis de table.

32 ✶ Conformation la plus probable

Compétence générale *Utiliser les TICE*

À l'aide de l'éditeur de molécules ChemSketch, construire les deux conformations de la molécule de butane représentées ci-dessous.

conformation éclipsée   conformation décalée

a. Proposer un angle de vue adapté permettant d'expliquer les termes de « conformation éclipsée » et « conformation décalée ».

b. À l'aide de l'outil « Change Geometric Parameter » (« Internuclear Distance »), déterminer la distance d entre les atomes de carbone 1 et 4 pour chacune des conformations.

c. L'énergie potentielle électrique du butane dépend de la distance entre les atomes de carbone 1 et 4 : pour ces deux conformations elle est d'autant plus élevée que cette distance est petite.
En déduire la conformation la plus stable, donc la plus probable, de la molécule de butane.

33 ✶✶ Stéréochimie des aldotétroses

Compétence générale *Restituer ses connaissances*

Les aldotétroses sont des glucides légers constitués d'une chaîne carbonée de quatre atomes de carbone. Ce sont des intermédiaires lors de la photosynthèse du glucose.
Les aldotétroses existent sous forme de quatre stéréoisomères de configuration, notés A, B, C et D, dont les représentations de Cram sont données ci-après.

a. Écrire la formule semi-développée de ce tétrose.

b. Entourer et nommer les groupes caractéristiques. Justifier le préfixe « aldo- » des aldotétroses.

c. Identifier les deux atomes de carbone asymétriques.

d. Vérifier que le stéréoisomère D peut être vu comme l'image dans un miroir du stéréoisomère A, en expliquant où placer le miroir plan. Quel type de stéréoisomérie les relie ?

e. Quelle est la différence entre A et B ? Peuvent-ils être vus comme des images l'un de l'autre dans un miroir plan ?

f. Quelle est la nature de l'isomérie qui relie A à B ?

g. Réaliser le dessin de B' à partir de B par rotation de 180° autour de la liaison carbone-carbone du milieu de la molécule.
Recopier et compléter le tableau des différents types de stéréoisomérie proposé ci-dessous, en plaçant les différents isomères A, B, D et B'.

Type de stéréoisomérie	Stéréoisomères
stéréoisomères de configuration	
énantiomères	
diastéréoisomères	
stéréoisomères de conformation	

34 Objectif BAC *Rédiger une synthèse de documents* → Dossier BAC, page 546

Cet exercice s'appuie sur des ressources disponibles sur le site élève : www.nathan.fr/siriuslycee/eleve-termS.

Télécharger le dossier « Ressources pour l'exercice 34 » du chapitre 14, qui concerne l'importance de la stéréoisomérie des molécules biologiquement actives.
Ce dossier comprend :
– un texte sur les propriétés biologiques des énantiomères ;
– une représentation de la morphine, de la quinine, de la thalidomide et du propanolol.
→ À partir de ces documents, rédiger une synthèse de 25 lignes maximum illustrant la différence de propriétés physiques et chimiques des stéréoisomères.
Cette synthèse devra aborder le rôle des protéines dans les effets biologiques. Elle devra être illustrée d'exemples de représentations de Cram et rappeler les définitions de certains termes scientifiques, comme par exemple « énantiomère » et « mélange racémique ».

Visualiser l'image d'une molécule dans un miroir permet de construire son énantiomère.

Transformations en chimie organique

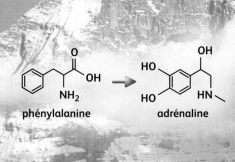

phénylalanine → adrénaline

Face au danger, l'organisme **transforme la phénylalanine en adrénaline**, ce qui provoque une accélération du rythme cardiaque et une dilatation des pupilles, préparant ainsi l'organisme à se défendre. Cette transformation peut aussi être réalisée en laboratoire. Le chimiste doit alors prévoir les liaisons à rompre et celles à former, ainsi que l'ordre des étapes de la synthèse.

COMPÉTENCES EXIGIBLES

- Reconnaître les groupes caractéristiques dans les alcool, aldéhyde, cétone, acide carboxylique, ester, amine, amide.

- Utiliser le nom systématique d'une molécule organique pour identifier ses groupes caractéristiques et sa chaîne carbonée.
  → *Exercice d'application 3*

- Distinguer une modification de chaîne d'une modification de groupe caractéristique.
  → *Exercice d'application 4*

- Déterminer la catégorie d'une réaction (substitution, addition, élimination). → *Exercices d'application 5 et 10*

- Déterminer la polarisation des liaisons en lien avec l'électronégativité (table fournie). → *Exercice d'application 6*

- Identifier un site donneur, un site accepteur de doublet d'électrons. → *Exercice d'application 8*

- Expliquer la formation et la rupture de liaisons lors d'une ou plusieurs étapes d'un mécanisme réactionnel donné. → *Exercices d'application 9 et 11*

Compétence générale mise en œuvre
• *Extraire des informations*

Classer des transformations

▶ Étudions des transformations chimiques «douces», c'est-à-dire pour lesquelles seuls quelques atomes voient leur environnement changer. Peut-on établir une classification de ces transformations?

éthène → **éthanol** **éthanal** → **acide éthanoïque**

éthanol → **éthanal** **méthanol** → **acide éthanoïque**

1 *Différentes transformations en chimie organique.*

1 Analyser le document

a. Recopier chaque molécule, puis entourer son ou ses groupes caractéristiques.

b. Pour les transformations **a**, **b** et **c**, repérer d'une même couleur les atomes qui sont communs au réactif et au produit.

2 Interpréter

a. Pour chaque transformation, proposer une équation de réaction en ajoutant une seule molécule parmi les suivantes: O_2; H_2O; CO; H_2.

b. Préciser, pour chaque transformation, s'il y a modification du groupe caractéristique et/ou de la chaîne carbonée.

c. En chimie organique, on définit trois catégories de réaction: l'élimination, l'addition et la substitution.

Attribuer une catégorie à chaque transformation du **document 1**.

3 Application au milieu biologique

Dans les milieux biologiques, les transformations entraînent également de faibles modifications de groupe caractéristique ou de chaîne carbonée. Étudions les transformations suivantes, qui mettent en jeu des molécules complexes:

squalène ($C_{30}H_{50}$) ⟶ lanostérol ($C_{30}H_{50}O$)
androstènedione ($C_{19}H_{26}O_2$) ⟶ testostérone ($C_{19}H_{28}O_2$)
estrone ($C_{18}H_{22}O_2$) ⟶ estradiol ($C_{18}H_{24}O_2$)

a. Rechercher les formules topologiques des molécules mises en jeu dans les transformations ci-dessus.

b. Répondre aux questions **2** b. et **c.** pour chacune de ces transformations.

2 ▶ *Le squalène est une substance organique présente dans le foie des requins.*

2 Les réactifs de Grignard

▶ En 1900, Victor Grignard mit au point une nouvelle famille d'espèces chimiques, les organomagnésiens. Il obtint pour cette découverte le prix Nobel de chimie en 1912.

À la suite de la synthèse du dimé-thylhepténol par M. Barbier, pour laquelle ce savant avait appliqué la méthode de Saytzeff en remplaçant le zinc par le magnésium, je me proposai d'étudier quels avantages pouvait présenter cette substitution. Au cours de ces recherches, j'ai découvert une série de combinaisons organométal-liques du magnésium qui m'ont permis de modifier notablement la méthode de Wagner-Saytzeff, au grand profit de la rapidité et de la régularité de l'opération et, en général, du rendement obtenu. [...] En effet, si, dans la solution éthérée précédente, qui contient très exactement un atome de magnésium dissous par molécule d'iodure de méthyle, on fait tomber une molécule d'une aldéhyde ou d'une cétone, il se produit généralement une vive réaction et, en décomposant finalement, par l'eau acidulée, la combinaison formée, on isole l'alcool secondaire ou tertiaire correspondant avec un rendement d'environ 70 pour 100. [...]

Pour des raisons que j'exposerai ultérieurement, je crois pouvoir attribuer aux composés organométal-liques que j'ai obtenus la formule $RMgI$ ou $RMgBr$, R étant un résidu alcoolique gras ou aromatique. Les réactions que j'ai signalées plus haut s'expliquent alors de la manière suivante :

Étape 1. $CH_3I + Mg \rightarrow CH_3MgI$

Étape 2. $CH_3MgI + RCHO \rightarrow R-CH{\begin{smallmatrix}OMgI\\CH_3\end{smallmatrix}}$

Étape 3. $R-CH{\begin{smallmatrix}OMgI\\CH_3\end{smallmatrix}} + H_2O \rightarrow RCH(OH)CH_3 + MgIOH$

D'après les notes de Victor Grignard, *Comptes rendus de l'Académie des Sciences*, 1900.

Tableau d'électronégativité

H 2,20						
Li 0,98	Be 1,57	B 2,04	C 2,55	N 3,04	O 3,44	F 3,98
Na 0,93	Mg 1,31	Al 1,61	Si 1,90	P 2,19	S 2,58	Cl 3,16
K 0,82	Ca 1,00	Ga 1,81	Ge 2,01	As 2,18	Se 2,55	Br 2,96
Rb 0,82	Sp 0,95	In 1,78	Sn 1,96	Sb 2,05	Te 2,10	I 2,66

3 *Échelle d'électronégativité.*

4 *Les réactifs de Grignard.*

1 Analyser les documents

a. Comment l'écriture des équations de réaction a-t-elle évolué depuis le XIXe siècle ?

b. Rechercher une définition du terme « organométallique ».

c. Grignard est-il le premier à utiliser une telle combinaison en synthèse organique ? Est-il le premier à utiliser le magnésium ?

d. Quel est le groupe caractéristique des produits attendus ?

e. Citer deux arguments mettant en évidence l'efficacité de la réaction de Grignard pour obtenir ces produits.

f. Réécrire les étapes de la transformation à l'aide de formules semi-développées. À quelle catégorie de réaction (addition ; élimination ; substitution) correspond chacune de ces étapes ?

g. Identifier dans la formule de l'alcool la liaison simple carbone-carbone formée.

2 Interpréter les documents

a. En utilisant le **document 3**, identifier la charge partielle portée par l'atome de carbone dans la liaison C=O de l'aldéhyde.

b. Même question pour l'atome de carbone de la liaison C−Mg de CH_3MgI.

c. Parmi ces atomes de carbone, lequel est susceptible de donner un doublet d'électrons ?

d. La mise en présence de CH_3I et de $RCHO$ sans magnésium ne conduit pas à la formation d'une liaison C−C.

Proposer une explication en considérant dans chaque cas les charges partielles des atomes de carbone qui forment la nouvelle liaison.

Pour vérifier ses acquis
→ **FICHES I et K** page 160

1 Espèces chimiques polyfonctionnelles

Une espèce chimique est dite **polyfonctionnelle** si elle appartient à plusieurs classes fonctionnelles ou possède plusieurs groupes caractéristiques identiques.

On peut identifier la chaîne carbonée et les groupes caractéristiques d'une molécule à partir de son nom.

Le nom d'une espèce chimique organique s'organise en trois parties :

– un **radical**, qui informe sur la chaîne carbonée ;

– un **suffixe**, qui permet d'identifier le groupe caractéristique par rapport auquel la ou les chaînes sont numérotées. Le sens de numérotation est celui pour lequel l'atome de carbone associé au suffixe porte le numéro le plus petit possible ;

– un ou plusieurs **préfixes (document 5)**, qui permettent d'identifier les autres groupes caractéristiques de la molécule ou des groupes alkyle.

Vocabulaire

• Par abus de langage, le mot « fonction » désigne parfois un groupe caractéristique ou une classe fonctionnelle.

• Un mot composé d'un préfixe, d'un radical et d'un suffixe s'écrit de la façon suivante :

polyfonctionnelle
préfixe radical suffixe

Groupe caractéristique	Préfixe
$=O$	oxo-
$-OH$	hydroxy-
$-NH_2$	amino-

5 Préfixes les plus souvent rencontrés dans les noms des espèces polyfonctionnelles.

Remarque. Si un même groupe caractéristique apparaît plusieurs fois dans une molécule, on ajoute un préfixe multiplicatif (di-, tri-, tétra-, etc.).

Exemple

Recherchons la formule topologique de l'acide 3-oxobutanoïque.

Le **préfixe** permet d'identifier la présence et la position d'un groupe caractéristique : le groupe oxo $=O$, situé sur l'atome de carbone n° 3.

Le **suffixe** permet d'identifier la présence d'un autre groupe caractéristique : le groupe

carboxyle $-C$ $\overset{O}{\underset{OH}{\big<}}$.

acide 3-oxobutanoïque

Le **radical** renseigne sur la chaîne carbonée principale : celle-ci est composée de quatre atomes de carbone.

La formule topologique de cette molécule est donc :

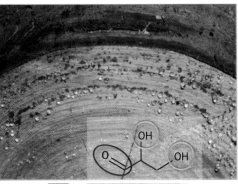

6 Le **2,3-dihydroxypropanal** est plus connu des biologistes sous le nom de glycéraldéhyde. Son dérivé phosphaté intervient dans le cycle énergétique de la photosynthèse et circule dans la sève des arbres.

2 Transformations en chimie organique

Dans le chapitre 14, nous nous sommes intéressés à la géométrie et à la structure des molécules organiques, en les considérant comme des **objets isolés**. Dans ce chapitre, nous abordons leur **réactivité**, c'est-à-dire leur capacité à subir des transformations au cours des réactions chimiques.

2.1 Modification de chaîne, modification de groupes caractéristiques

Les transformations subies par une molécule organique modifient ses **groupes caractéristiques** et/ou sa **chaîne carbonée**.

● Lors de la fermentation acétique, des bactéries assurent la transformation de l'éthanol en acide éthanoïque **(document 7)** :

$$H_3C-CH_2-OH \longrightarrow H_3C-C\overset{O}{\underset{OH}{}}$$

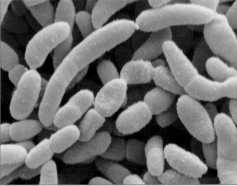

7 Vue au microscope des bactéries acétiques Acetobacter aceti, intervenant dans la fabrication du vinaigre.

Il s'agit d'une modification du groupe caractéristique, la chaîne carbonée n'est pas modifiée.

● D'autres transformations impliquent à la fois une modification de la chaîne carbonée et du groupe caractéristique. Porté à haute température (300 °C), l'acide hexanedioïque se cyclise en cyclopentanone.

Vocabulaire

Lorsque l'on étudie une transformation organique, on définit le plus souvent un **produit d'intérêt**, qui correspond au produit que l'on souhaite synthétiser, et un **réactif d'intérêt**, dont la structure est proche de celle du produit d'intérêt. Dans ce chapitre, on écrira la transformation sous la forme suivante :

réactif d'intérêt ⟶ produit d'intérêt

2.2 Principales catégories de réaction

Pour classer les réactions en chimie organique, très nombreuses et variées, on compare les réactifs et les produits. On distingue essentiellement trois catégories de réaction : l'addition, l'élimination et la substitution.

A Réaction d'addition

Une **réaction d'addition** met en jeu au moins deux réactifs et conduit à un produit de réaction contenant tous les atomes de tous les réactifs.

● Le plus souvent, deux groupes d'atomes issus d'une petite molécule se lient à deux atomes liés entre eux par une double liaison. Ces deux atomes ne sont plus que simplement liés à l'issue de la réaction.

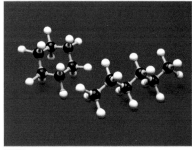

8 *Le cyclohexane et l'hexane, très utilisés au laboratoire, sont deux solvants organiques de faible toxicité.*

● Une réaction d'addition peut aussi s'accompagner de l'ouverture d'un cycle d'atomes.

$$\underset{\text{CH}_2}{\underset{\displaystyle \text{CH}_2 \quad \text{CH}_2}{\overset{\displaystyle \text{CH}_2}{\overset{\displaystyle \text{CH}_2 \quad \text{CH}_2}{}}}} + \text{H}_2 \longrightarrow \underset{\text{CH}_2}{\underset{\displaystyle \text{CH}_2 \quad \text{CH}_3}{\overset{\displaystyle \text{CH}_2}{\overset{\displaystyle \text{CH}_2 \quad \text{CH}_3}{}}}}$$

B Réaction d'élimination

Lors d'une **réaction d'élimination**, deux groupes d'atomes, dits éliminés, sont détachés du réactif d'intérêt.

● Le plus souvent :
– les groupes d'atomes éliminés étaient liés à deux atomes différents du réactif d'intérêt ;
– les deux groupes d'atomes éliminés forment une petite molécule ;
– ces groupes étaient portés par des atomes adjacents qui, à l'issue de la transformation, sont liés par une double liaison.

cyclohexanol → cyclohexène + H_2O

Vocabulaire

Adjacents : qui sont situés auprès. En chimie, se dit de deux atomes liés entre eux.

● Dans d'autres cas, on observe la formation d'une molécule cyclique.

acide hexanedioïque → cyclopentanone + CO_2 + H_2O

C Réaction de substitution

Lors d'une **réaction de substitution**, un atome ou un groupe d'atomes du réactif d'intérêt est remplacé par un autre atome ou groupe d'atomes.

Exemple

acide salicylique + acide éthanoïque → acide acétylsalicylique + H_2O

Un atome d'hydrogène du réactif d'intérêt est remplacé par le groupe d'atomes acétyle $\overset{\displaystyle}{\underset{\displaystyle \text{O}}{\text{C}}} - \text{CH}_3$.

9 *L'acide acétylsalicylique est plus connu sous le nom d'aspirine.*

3 Vers une interprétation des transformations chimiques

Lors d'une transformation chimique, un petit nombre d'atomes voient leur environnement changer. Des liaisons sont créées, d'autres rompues : il y a donc réarrangement de doublets d'électrons entre les molécules.

3.1 Polarisation des liaisons

L'**électronégativité** d'un atome traduit sa capacité à attirer le doublet d'électrons d'une liaison dans laquelle il est engagé.

L'électronégativité est une grandeur sans dimension représentée par la lettre grecque χ (lire « khi »).

- Plus la valeur d'électronégativité est élevée, plus l'atome est électronégatif.
- Dans une liaison *A*–*B*, si l'atome *B* est plus électronégatif que l'atome *A*, le doublet liant est plus proche de l'atome *B* que de l'atome *A*. L'atome *B* possède alors une charge partielle négative δ^- et l'atome *A* une charge partielle positive δ^+.

La liaison *A*–*B* est dite **polarisée**, elle est notée $A^{\delta^+}-B^{\delta^-}$.

APPLICATION À l'aide des valeurs du **tableau 10**, attribuer aux atomes représentés en gras dans les molécules ci-dessous leurs charges partielles.

$$\text{H–OCH}_2\text{CH}_3 \quad \text{BrMg–CH}_2\text{CH}_3 \quad \text{HO–CH}_2\text{CH}_3$$

Réponse. D'après les valeurs d'électronégativité du **tableau 10** :

$$\chi(\text{H})<\chi(\text{O})\,;\ \chi(\text{Mg})<\chi(\text{C})\,;\ \chi(\text{C})<\chi(\text{O}).$$

D'où : $\text{H}^{\delta^+}\text{–O}^{\delta^-}\text{CH}_2\text{CH}_3$; $\text{BrMg}^{\delta^+}\text{–C}^{\delta^-}\text{H}_2\text{CH}_3$; $\text{HO}^{\delta^-}\text{–C}^{\delta^+}\text{H}_2\text{CH}_3$.

3.2 Transfert de doublet d'électrons

À l'échelle moléculaire, la formation d'une liaison covalente se modélise par le **transfert d'un doublet d'électrons** de valence. Ce transfert s'opère entre un **site donneur** et un **site accepteur** de doublet d'électrons.

A Cas de la liaison covalente polarisée

- Un atome engagé dans une liaison polarisée dont il est l'atome le **plus électronégatif** est un site **donneur** de doublet d'électrons.
- Un atome engagé dans une liaison polarisée dont il est l'atome le **moins électronégatif** est un **site accepteur** de doublet d'électrons.

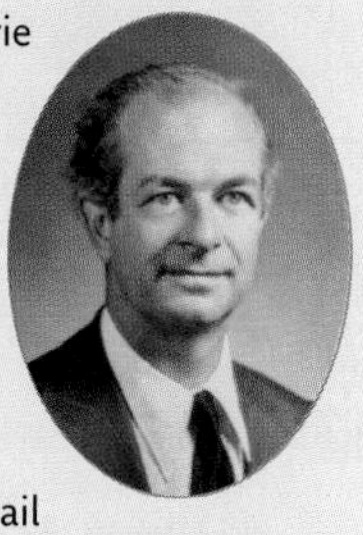

Suivant la nature de l'atome auquel il est lié, un atome de carbone peut être donneur ou accepteur de doublet d'électrons.

Linus Pauling

Deux Nobel sinon rien

Seul lauréat avec Marie Curie à avoir obtenu deux prix Nobel (il obtint celui de chimie en 1954 et celui de la paix en 1962), Linus Pauling est l'un des scientifiques majeurs du XXe siècle. Son travail sur la polarisation de la liaison chimique est à l'origine de la chimie quantique. L'étude détaillée des liaisons entre deux atomes différents permit à Linus Pauling d'associer, en 1932, une valeur d'électronégativité à chaque élément de la classification périodique, exceptés les gaz nobles.

H 2,20						
Li 0,98	Be 1,57	B 2,04	C 2,55	N 3,04	O 3,44	F 3,98
Na 0,93	Mg 1,31	Al 1,61	Si 1,90	P 2,19	S 2,58	Cl 3,16
K 0,82	Ca 1,00	Ga 1,81	Ge 2,01	As 2,18	Se 2,55	Br 2,96
Rb 0,82	Sp 0,95	In 1,78	Sn 1,96	Sb 2,05	Te 2,10	I 2,66

10 *Échelle d'électronégativité de Pauling.*

Éviter des erreurs

- La charge partielle portée par un atome dépend de la liaison dans laquelle il est engagé :

$$\text{C}^{\delta^-}\text{–Mg}^{\delta^+}$$
$$\text{C}^{\delta^+}\text{–O}^{\delta^-}$$

11 *Avant de réaliser une synthèse organique au laboratoire, le chimiste doit prévoir les liaisons à rompre et celles à former, ainsi que l'ordre des étapes de la synthèse.*

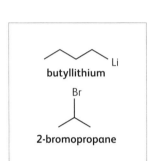

butyllithium

2-bromopropane

12 *Un exemple d'organolithien et de bromoalcane.*

Exemple. Pour une équation de réaction donnée, on peut identifier le site accepteur et le site donneur de doublet d'électrons.

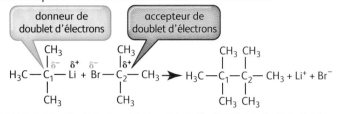

• Lors de la **formation d'une liaison**, le transfert du doublet d'électrons se schématise par une flèche courbe issue de la liaison rompue de l'atome donneur et pointant vers l'atome accepteur.

• Lors de la **rupture d'une liaison**, le transfert du doublet d'électrons se schématise par une flèche courbe issue de la liaison rompue et pointant vers l'atome le plus électronégatif de celle-ci.

Exemple. Relions par des flèches courbes les sites donneurs et accepteurs en prenant l'exemple précédent.

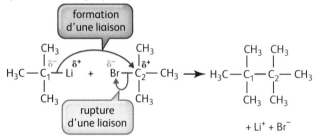

B Autres cas courants

• Un atome ou un ion possédant un **doublet non liant** est un **site donneur** de doublet d'électrons.

• Certaines espèces chimiques possèdent des atomes entourés de seulement six électrons de valence, et ne vérifient donc pas la règle de l'octet. Cette lacune en électrons est représentée par un rectangle au voisinage de l'atome. L'atome ainsi déficient en électron est un **site accepteur** de doublet d'électrons. L'ion H^+ possède lui aussi une lacune électronique.

• Le transfert du doublet d'électrons de valence se schématise entre ces sites donneur et accepteur par une flèche courbe **issue du doublet non liant** et pointant vers un atome accepteur.

Exemple

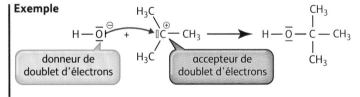

• Dans une double liaison $C=C$ d'un alcène, l'un des atomes joue le rôle de site donneur et l'autre celui de site accepteur.

Exemple

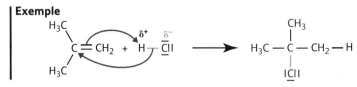

L'ESSENTIEL

→ **Du macroscopique...**

Espèces chimiques polyfonctionnelles

● Lorsque l'on étudie une transformation chimique, on s'intéresse aux modifications de chaîne et de groupes caractéristiques des molécules.

● On peut utiliser le nom d'une molécule pour déterminer sa formule topologique.

● Une **espèce chimique polyfonctionnelle** appartient à plusieurs classes fonctionnelles.

Partie du nom	Information
radical	chaîne carbonée
suffixe	groupe caractéristique
préfixes	autres groupes caractéristiques ; groupes alkyle

Les principaux préfixes sont :

amino- (–NH_2) ; hydroxy- (–OH) ; oxo- (=O)

Exemple.   acide 4,6-diaminooct-2-ènoïque

Catégorie d'une réaction

● **Une réaction d'addition** met en jeu au moins deux réactifs et conduit à un produit de réaction contenant tous les atomes de tous les réactifs.

$$HO_2C \diagdown \diagup CO_2H \ + \ Br - Br \longrightarrow \ \begin{matrix} HO_2C & CO_2H \\ | & | \\ Br & Br \end{matrix}$$

● Lors d'une **réaction d'élimination**, deux groupes d'atomes, appelés éliminés, sont détachés du réactif d'intérêt.

● Lors d'une **réaction de substitution**, un atome ou un groupe d'atomes du réactif d'intérêt est remplacé par un autre atome ou groupe d'atomes.

$$H_3C \overset{CH_3}{\underset{CH_3}{-\overset{|}{\underset{|}{C}}-}} I \ + \ Br^- \longrightarrow H_3C \overset{CH_3}{\underset{CH_3}{-\overset{|}{\underset{|}{C}}-}} Br + I^-$$

→ **... au microscopique**

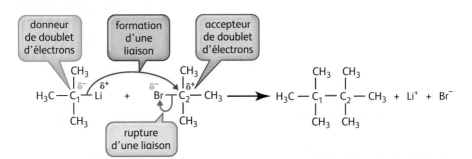

Sites donneurs de doublet d'électrons :
– atome engagé dans une liaison covalente dont il est l'atome le plus électronégatif ;
– atome possédant un doublet non liant ;
– atome de carbone d'une double liaison C=C.

Sites accepteurs de doublet d'électrons :
– atome engagé dans une liaison covalente dont il est l'atome le moins électronégatif ;
– atome possédant une lacune électronique ;
– atome de carbone d'une double liaison C=C.

1 Mots manquants

Compléter avec un ou plusieurs mots.

a. Une réaction d'addition met en jeu au moins deux réactifs et conduit à un produit de réaction contenant .... atomes de .... réactifs.

b. Lors d'une réaction d'élimination, ... groupes d'atomes sont éliminés du réactif d'intérêt.

c. Lors d'une réaction de substitution, un atome ou un groupe d'atomes du réactif d'intérêt est .... par un autre atome ou groupe d'atomes.

d. Plus un atome est ...., plus il attire à lui le doublet d'électrons de la .... covalente.

e. L'atome le .... électronégatif de la liaison covalente porte une charge partielle notée δ^+.

f. L'atome le plus électronégatif d'une liaison covalente est un site .... de doublet d'électrons.

g. Le transfert d'un doublet d'électrons de valence est représenté par une flèche courbe issue d'un site .... et pointant vers un site ....

h. Un atome portant un doublet non liant est un site .... de doublet d'électrons.

2 QCM

Cocher la réponse exacte.

On considère la réaction d'équation :

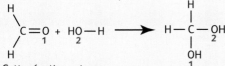

a. Cette réaction est une :
☐ addition   ☐ élimination   ☐ substitution

b. L'atome de carbone est moins électronégatif que l'atome d'oxygène numéro 1. Donc l'atome :
☐ de carbone porte une charge partielle négative
☐ de carbone porte une charge partielle positive
☐ d'oxygène n° 1 porte une charge partielle positive

c. La liaison C=O est :
☐ chargée   ☐ polarisée   ☐ non polarisée

d. L'atome d'oxygène n° 2 porte un doublet non liant. Donc :
☐ c'est un site accepteur de doublet d'électrons
☐ c'est un site donneur de doublet d'électrons
☐ cet atome porte une charge partielle δ^+

e. On peut représenter un transfert de doublet d'électrons par une flèche courbe orientée de l'atome :
☐ d'oxygène n° 2 vers l'atome d'oxygène n° 1
☐ de carbone vers l'atome d'oxygène n° 2
☐ d'oxygène n° 2 vers l'atome de carbone

→ Solutions détaillées en fin de manuel pour vérifier vos réponses et comprendre vos erreurs.

Parcours en autonomie

Trois parcours d'exercices pour travailler en autonomie selon ses besoins.

Maîtriser les bases — 5 - 6 - 9

Préparer l'évaluation — 13 - 18 - 27

Approfondir — 25 - 30 - 34

Pour tous les exercices du chapitre, on utilisera la table d'électronégativité ci-dessous.

H 2,20						
Li 0,98	**Be** 1,57	**B** 2,04	**C** 2,55	**N** 3,04	**O** 3,44	**F** 3,98
Na 0,93	**Mg** 1,31	**Al** 1,61	**Si** 1,90	**P** 2,19	**S** 2,58	**Cl** 3,16
K 0,82	**Ca** 1,00	**Ga** 1,81	**Ge** 2,01	**As** 2,18	**Se** 2,55	**Br** 2,96
Rb 0,82	**Sp** 0,95	**In** 1,78	**Sn** 1,96	**Sb** 2,05	**Te** 2,10	**I** 2,66

COMPÉTENCES EXIGIBLES

3 Utiliser le nom d'une molécule organique

Dessiner les groupes caractéristiques des molécules nommées ci-dessous, puis représenter la formule topologique de ces molécules.

a. acide 5-hydroxypentanoïque

b. 2-amino-2,3-diméthylbutan-1-ol

c. 5-hydroxy-3-méthylpent-2-ènal

d. 3-aminopentanamide

e. 6,6-diméthyl-7-oxooct-4-ènoate de 5-hydroxyheptyle.

4 Modification de chaîne ou de groupe ?

En 2007, l'industrie chimique française a consommé 3 400 000 tonnes d'éthène A pour former les produits B à G représentés ci-dessous.

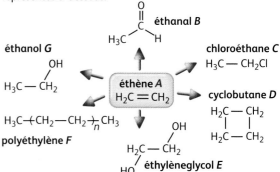

Pour chacune de ces transformations, préciser s'il y a modification de la chaîne carbonée et/ou du (des) groupe(s) caractéristique(s).

5 · Déterminer la catégorie d'une réaction

Identifier la catégorie des réactions suivantes. Justifier.

a. $\diagdown \!\!=\!\! O \; + \; -OH \longrightarrow$ (ester avec OH et O—)

b. $NH_3 + H_3C-CH_2 \overset{I}{\diagup} \longrightarrow H_3C-CH_2 \overset{\oplus}{\diagup}{}^{NH_3} + I^{\ominus}$

c. (alcool ramifié) $\longrightarrow$ (alcène) $+ H_2O$

6 · Déterminer la polarisation des liaisons

On considère les molécules suivantes.

ⓐ $\begin{matrix} H_3C \\ \quad \; CH-CH_3 \\ H_3C \end{matrix}$

ⓑ $\begin{matrix} H_3C \\ \quad \; CH-OH \\ H_3C \end{matrix}$

ⓒ $\begin{matrix} H_3C \\ \quad \; CH-NH_2 \\ H_3C \end{matrix}$

ⓓ $\begin{matrix} H_3C \\ \quad \; CH-BH_2 \\ H_3C \end{matrix}$

ⓔ $\begin{matrix} H_3C \\ \quad \; CH-Br \\ H_3C \end{matrix}$

a. Pour chaque molécule, identifier les liaisons polarisées entre atomes autres que l'atome d'hydrogène.

b. Pour chaque liaison polarisée, faire apparaître les charges partielles portées par les atomes.

c. Identifier le site donneur et le site accepteur pour chaque liaison polarisée.

7 · Identifier les liaisons rompues ou créées

Identifier, dans les équations de réaction représentées ci-dessous, les liaisons rompues et les liaisons créées.

◀ L'acide succinique ① a été extrait pour la première fois du succin (ou ambre jaune).

a. $\begin{matrix} HO \; O \\ O=\!\!\diagdown\!\!\diagup\!\!\diagdown\!\!-OH \end{matrix} + H-H \longrightarrow \begin{matrix} HO \; O \quad ① \\ O=\!\!\diagdown\!\!\diagup\!\!\diagdown\!\!-OH \end{matrix}$

b. $\begin{matrix} O \\ \diagdown\!\!-C \\ OH \end{matrix} + HO- \longrightarrow \begin{matrix} O \\ \diagdown\!\!-C \\ O- \end{matrix} + \begin{matrix} O \\ H \diagup \diagdown H \end{matrix}$

c. (alcool) $\longrightarrow$ (alcène) $+ \begin{matrix} O \\ H \diagup \diagdown H \end{matrix}$

8 · Identifier un site donneur ou accepteur

a. Écrire les formules de Lewis des molécules suivantes :
$$NH_3 \; ; \quad H_2O \; ; \quad CH_3CH_2OH \; ; \quad CH_4.$$
Identifier, pour chaque molécule, l'éventuel site donneur de doublet d'électrons.

b. Identifier les sites donneurs et les sites accepteurs de doublet d'électrons des espèces chimiques ci-après.

$\begin{matrix} H \quad\; H \\ | \quad\; | \\ H-C-N \\ | \quad\; | \\ H \quad\; H \end{matrix}$ $\qquad H-\overset{\ominus}{\underline{\overline{O}}}|$ $\qquad H_3C-Li$ $\qquad \begin{matrix} O \\ \diagdown\!\!\diagup \\ OH \end{matrix}$

$[H^{\oplus}$ $\qquad H_3C-Br$ $\qquad \diagdown\!\!\diagup\!\!\diagdown\!\! O$

9 · Représenter un transfert de doublet d'électrons

Recopier les équations de réaction ci-dessous, puis :

a. identifier la liaison formée ;

b. identifier, parmi les réactifs, le site donneur de doublet d'électrons à partir duquel s'effectue le transfert d'électrons ;

c. identifier le site accepteur de doublet d'électrons ;

d. modéliser les transferts de doublet d'électrons par une ou plusieurs flèches courbes.

ⓐ $\begin{matrix} \overline{O}| \\ \diagdown\!\!-C \\ |OH \end{matrix} + [H^{\oplus} \longrightarrow \begin{matrix} \overset{\oplus}{\overline{O}}-H \\ \diagdown\!\!-C \\ |OH \end{matrix}$

ⓑ $H_3C-CH_2 + H-\overset{\ominus}{\underline{\overline{O}}}| \longrightarrow H_3C-CH_2 + |\overset{\ominus}{\underline{\overline{Cl}}}|$
$\quad\;\; \diagdown Cl| \qquad\qquad\qquad\qquad\qquad\;\; |OH$

ⓒ $H_3C-Li + \begin{matrix} H_3C \\ \diagdown\!\! C=O \\ H_3C \diagup \end{matrix} \longrightarrow \begin{matrix} CH_3 \\ | \\ H_3C-C-\overline{\underline{O}}-Li \\ | \\ CH_3 \end{matrix}$

COMPÉTENCES GÉNÉRALES

10 · Effectuer un bilan de matière

Lors de la transformation représentée ci-dessous, appelée condensation de Claisen et établie en 1881, deux molécules d'ester réagissent pour former un β-cétoester.

$$2 \times \begin{matrix} O \\ \diagdown\!\!-C \\ O \diagdown \end{matrix} \longrightarrow \begin{matrix} O \quad O \\ \diagdown\!\!-C \diagdown\!\!\diagup\!\!-C \\ O \diagdown \end{matrix}$$

a. Écrire les formules brutes du réactif et du produit.

b. En déduire la formule brute du second produit formé.

c. Proposer une formule semi-développée pour ce produit.

d. Déterminer la catégorie de cette réaction.

11 · Extraire des informations d'un texte

La transformation du chlorure d'éthanoyle $\begin{matrix} O \\ \diagdown\!\!-C \\ Cl \end{matrix}$ en éthanamide se fait en deux étapes :
– dans la première étape, l'ammoniac NH_3 réagit avec le chlorure d'éthanoyle pour former une liaison C–N ; dans le même temps, la double liaison C=O devient une simple liaison C–O ;
– dans la seconde étape, la double liaison C=O se reforme et la liaison C–Cl ainsi qu'une liaison N–H se rompent.

Représenter les transferts d'électrons de chaque étape.

Exercices Méthode

EXERCICE RÉSOLU

 Site élève

12 **La synthèse des éthers**

Énoncé Étudions une synthèse particulière, appelée synthèse de Williamson.

propan-1-ol **bromométhane**

Cette synthèse se déroule en deux étapes, représentées ci-dessous.

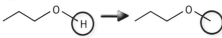

Alexander William Williamson a donné son nom à un procédé de synthèse.

❶ En analysant les réactifs et les produits organiques oxygénés, identifier la catégorie de la synthèse de Williamson présentée dans l'énoncé.

❷ Identifier, pour chaque étape, les liaisons formées et les liaisons rompues.

❸ En utilisant la table d'électronégativité page 312, analyser la polarité de la liaison C–Br du bromométhane. Quel est le site accepteur de doublet d'électrons ?

❹ Modéliser le mouvement des doublets d'électrons de chaque étape par des flèches courbes.

> **Énoncé**
>
> Des sites donneurs sont indiqués dans les équations de réaction : le doublet non liant de l'atome d'oxygène lui permet de se lier à un site accepteur de doublet d'électrons.

Une solution

❶ Il s'agit d'une réaction de substitution, car le groupe méthyle –CH_3 remplace l'atome d'hydrogène du propan-1-ol.

> **Connaissances**
>
> Pour identifier la catégorie d'une réaction, il faut comparer les formules semi-développées du réactif et du produit d'intérêt.

❷ **Étape 1** : formation d'une liaison O–H dans la molécule d'eau et rupture de la liaison O–H du propan-1-ol.
Étape 2 : formation d'une liaison O–C et rupture d'une liaison C–Br.

❸ D'après la table d'électronégativité, l'atome de brome est plus électronégatif que l'atome de carbone. La liaison C–Br est donc polarisée. L'atome de carbone est le site accepteur de doublet d'électrons du bromométhane.

$$\overset{\delta^+}{H_3C} - \overset{\delta^-}{Br}$$

site accepteur

> **Connaissances**
>
> Dans une liaison covalente, l'atome de plus grande électronégativité porte une charge partielle négative δ^-.

❹ La première étape est représentée ci-dessous : la flèche courbe bleue modélise la rupture de la liaison O–H, et la flèche violette modélise la création de la liaison O–H.

Lors de la deuxième étape, il y a formation d'une liaison C–O. L'atome d'oxygène est un site donneur d'électrons, tandis que l'atome de carbone du bromométhane est un site accepteur d'électrons. Cette création de liaison est modélisée par la flèche courbe violette ci-dessous.
D'autre part, il y a rupture de la liaison C–Br, modélisée par la flèche courbe bleue.

> **Schématiser**
>
> • Lors de la création d'une liaison, la flèche courbe part d'un doublet d'électrons et se dirige vers un site accepteur.
> • Lors de la rupture d'une liaison, la flèche courbe part de la liaison rompue et pointe vers l'atome le plus électronégatif de celle-ci.

Plusieurs écritures d'une même réaction chimique sont présentées ci-dessous.

$$C_4H_9Br + HO^{\ominus} \longrightarrow C_4H_{10}O + Br^{\ominus}$$

1. a. Quelle représentation apporte le moins d'information ? Quel intérêt peut-elle toutefois présenter pour le chimiste ?

b. Traduire en une phrase les informations fournies par chacune de ces représentations.

> **Conseils** Pour identifier plus facilement les modifications de groupes caractéristiques et/ou de chaîne carbonée subies par une molécule organique, il est souvent utile de « compléter » sa formule topologique en faisant figurer des liaisons C–H pertinentes.

2. La réaction d'élimination ci-dessous est écrite en utilisant une représentation mélangeant formules développée, semi-développée et topologique pour une même molécule.

a. Écrire cette équation de réaction en utilisant uniquement des formules développées. Quel est l'inconvénient de cette écriture ?

b. Écrire cette équation de réaction en utilisant uniquement des formules topologiques. Qu'est-ce qui n'est pas clairement mis en évidence pour le produit organique par rapport au réactif inorganique ?

c. Recopier puis compléter le tableau ci-dessous.

d. Conclure sur le choix des représentations en chimie organique.

Représentation	Exemple	Avantages	Inconvénients
Formule brute	C_8H_9Br		Ne permet d'identifier ni la chaîne carbonée, ni les groupes caractéristiques de la molécule
Formule semi-développée			
Formule topologique			
Formule de Lewis			
Formule de Cram			

14 Apprendre à rédiger

Voici l'énoncé d'un exercice et un guide (en violet) ; ce guide vous aide à rédiger la solution détaillée et à retrouver les réponses aux questions posées.

Énoncé

La formule semi-développée de la phénylalanine, un acide α-aminé naturel, est représentée ci-contre.

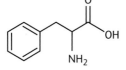

a. Identifier les groupes caractéristiques de cette molécule.

▸ Recopier la formule semi-développée de la molécule.

▸ Entourer les groupes caractéristiques et les nommer.

b. Lorsque l'on met cette molécule en présence de chlorure d'éthanoyle CH_3–$C(=O)Cl$, il se forme un amide.
Écrire la formule topologique du produit obtenu.

▸ Représenter le groupe caractéristique des amides.

▸ En déduire qu'une liaison N–C s'est formée entre le groupe amino de la phénylalanine et l'un des atomes de carbone du chlorure d'éthanoyle.

c. Modéliser le transfert de doublet d'électrons associé à la formation de la nouvelle liaison.

▸ Montrer que l'atome d'azote est un site donneur de doublet d'électrons.

▸ Montrer que l'atome de carbone est engagé dans des liaisons avec l'atome d'oxygène, plus électronégatif.

▸ En déduire que l'atome de carbone est accepteur de doublet d'électrons.

▸ Représenter le transfert par une flèche issue du doublet non liant de l'atome d'azote et se dirigeant vers l'atome de carbone.

Exercices / Entraînement

15 Déterminer la catégorie d'une réaction

Compétence générale *Restituer ses connaissances*

Déterminer la catégorie de chacune des réactions suivantes. Justifier.

a.

b.

c.

d.

16 Rédiger une biographie

Compétence générale *Extraire des informations*

Rédiger une courte biographie de Linus Pauling, en s'intéressant particulièrement à ses travaux de recherche sur la nature des liaisons chimiques.

17 Science in English 🇬🇧

> The single most common error students make in writing reaction mechanisms is incorrect use of the curly arrows that are employed to keep track of bonds made and broken. Curly arrows indicate electron flow, NOT movement of atoms.
> Thus, the tail of every curly arrow should lie against a pair of electrons that is to be moved, and the head should point carefully and directly to the new location for those electrons. Three distinct actions are diagrammed by the curly arrows:
> ❶ an unshared (nonbonding) pair of electrons becomes a shared (bonding) pair;
> ❷ a shared (bonding) pair becomes an unshared (nonbonding) pair.
> ❸ a shared (bonding) pair becomes a shared (bonding) pair with other atoms.
>
> **D'après www.umaine.edu/chemistry/**

a. En utilisant la table d'électronégativité page 312, montrer que la substitution de Br par OH dans le bromométhane CH_3–Br permet d'illustrer les deux premiers cas cités dans l'énoncé.

b. Montrer que la réaction dont l'équation est représentée ci-dessous permet d'illustrer les deux derniers cas.

18 ✴ Identification d'une espèce intermédiaire

Compétence générale *Restituer ses connaissances*

La mise en solution dans l'eau du 2-chloro-2-méthylpropane conduit à la formation de deux produits :

❶ 2-chloro-2-méthylpropane ⟶ 2-méthylpropan-2-ol (84 %)

❷ 2-chloro-2-méthylpropane ⟶ 2-méthylpropène (16 %)

a. Écrire les formules topologiques du réactif organique et des produits possibles (le préfixe « chloro- » désigne le groupe –Cl).

b. Lors de ces deux transformations, une même liaison du réactif se rompt.

Déterminer la polarisation de cette liaison.

c. La rupture de cette liaison conduit à la formation d'un ion chlorure et d'un cation intermédiaire, appelé **carbocation**.

Écrire la formule semi-développée de ce carbocation.

d. L'eau réagit avec ce carbocation intermédiaire.

Modéliser par une flèche courbe le transfert d'électrons permettant d'interpréter la formation de la liaison O–C lors de la transformation ❶, puis modéliser les transferts d'électrons permettant d'interpréter la transformation ❷.

19 ✴ Interpréter des résultats expérimentaux

Compétence générale *Effectuer un raisonnement scientifique*

La synthèse de l'éthanoate de méthyle peut s'effectuer à partir d'acide éthanoïque et de méthanol.

On réalise cette synthèse avec du méthanol marqué, dont l'oxygène est essentiellement l'isotope ^{18}O de l'élément, alors que l'isotope naturellement le plus abondant est ^{16}O.

a. Écrire l'équation de cette synthèse en utilisant les formules semi-développées. Quelle molécule simple accompagne la formation de l'éthanoate de méthyle ?

b. Sur la molécule d'ester, quelles sont les deux liaisons susceptibles d'avoir été formées lors de cette transformation ?

c. Pour chacune de ces possibilités, modéliser le transfert d'électrons entre les deux réactifs pouvant rendre compte de la formation de la nouvelle liaison.

d. Lors de l'analyse du produit, on constate que l'oxygène marqué (isotope ^{18}O) est incorporé dans l'ester uniquement. Choisir, parmi les hypothèses, celle que corrobore ce résultat expérimental.

20 ✴ Liaison polarisée

Compétence générale *Communiquer*

Rédiger un texte d'environ 15 lignes expliquant ce qu'est une liaison polarisée et en quoi cette notion permet d'interpréter la création et la rupture de liaisons dans certaines réactions en chimie organique.

Ce texte s'adresse à des personnes connaissant la notion de liaison covalente, mais n'ayant pas encore connaissance de la notion d'électronégativité.

Il doit être illustré d'exemples concrets et de schémas.

21 Une réaction en chimie inorganique

Compétences générales *Restituer ses connaissances – Exploiter des informations*

L'eau fraîchement distillée ne contient pas uniquement des molécules d'eau : une réaction spontanée se produit. Lors de cette réaction, deux molécules d'eau réagissent entre elles pour former un ion oxonium et un ion hydroxyde, dont les formules de Lewis sont représentées ci-dessous.

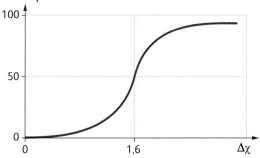

ion oxonium   **ion hydroxyde**

a. Écrire l'équation de cette réaction en utilisant les formules de Lewis.

b. Préciser la polarisation de la liaison H–O en utilisant la table d'électronégativité page 312.

c. Identifier dans l'un des réactifs la liaison rompue. Identifier dans l'un des produits la liaison créée.

d. Modéliser les transferts de doublet d'électrons par des flèches courbes.

22 ★ De la liaison covalente à la liaison ionique

Compétences générales *Exploiter des informations – Faire preuve d'initiative*

Une liaison *A–B* est appelée « liaison 100 % ionique » si l'atome le plus électronégatif a attiré à lui le doublet d'électrons, de telle sorte qu'il se forme des ions B^- et A^+.

% ionique de la liaison

a. En sciences, que signifie souvent le symbole « Δ » ? Identifier l'abscisse du graphique.

Déterminer sur ce graphique la (les) zone(s) où se situent les liaisons covalentes non polarisées.

b. À l'aide du graphique, estimer le pourcentage ionique de la liaison de chaque espèce suivante :

$$H_2 ; HCl ; NaCl ; MgO ; CsF.$$

c. En déduire l'existence de sites donneur et accepteur de doublet d'électrons dans ces molécules.

23 Les composés du soufre

Compétence générale *Effectuer un raisonnement scientifique*

On étudie la réaction d'équation :

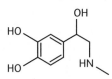

a. Écrire la formule de Lewis de chaque réactif.

b. Identifier la liaison formée et la liaison rompue.

c. Pour la liaison formée, identifier le site donneur de doublet d'électrons et le site accepteur. Justifier.

d. Modéliser le transfert de doublet d'électrons associé.

24 ★ Comparaison de deux substitutions

Compétence générale *Extraire des informations*

Cet exercice s'appuie sur des ressources disponibles sur le site élève :
www.nathan.fr/siriuslycee/eleve-termS.

Visionner les deux animations de l'exercice 24 du chapitre 15. Sur ces animations, les boules représentent des atomes de carbone, d'hydrogène, d'oxygène ou de brome.

a. Associer les couleurs des boules aux atomes cités dans l'énoncé.

b. Identifier, pour chaque animation, les molécules de réactifs. Écrire la formule semi-développée de chaque réactif.

c. L'une des transformations modélisées se déroule en une étape, l'autre en deux étapes.

Identifier, pour chaque étape des deux animations, les liaisons covalentes rompues et créées.

d. Représenter, à l'aide d'une flèche courbe, les rupture et formation de liaisons pour la seule transformation se faisant en une étape.

25 ★ Stress...

Compétence générale *Restituer ses connaissances*

Sous l'effet du stress, l'organisme transforme la phénylalanine en adrénaline, dont la formule topologique est donnée ci-dessous.

adrénaline

Le nom systématique de la phénylalanine est l'acide 2-amino-3-phénylpropanoïque.

a. Nommer les groupes caractéristiques de la phénylalanine.

b. Écrire la formule semi-développée de cette molécule.

Aide. Le groupe phényle est le groupe :

$$\begin{array}{c} HC=CH \\ HC \qquad C- \\ HC-CH \end{array}$$

c. Cette molécule est-elle chirale ? Si oui, identifier son ou ses atomes de carbone asymétriques. Même question pour l'adrénaline.

d. Quels sont les groupes caractéristiques de l'adrénaline ?

e. Identifier les modifications de chaîne carbonée et de groupes caractéristiques permettant d'obtenir l'adrénaline à partir de la phénylalanine.

26 ✶✶ Quelques terpènes

Compétences générales *Restituer ses connaissances – Argumenter*

Dans l'essence d'écorce d'orange, on trouve essentiellement du limonène (96 % en masse), mais aussi un grand nombre de composés appartenant à la famille des terpènes. Deux de ces molécules sont représentées ci-contre.

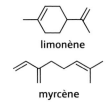

limonène

myrcène

Fleur d'oranger.

a. Déterminer la formule brute de chaque molécule. Commenter.

b. Recopier les formules topologiques du limonène et du myrcène de façon à mettre en évidence l'analogie de leurs structures.

c. Entre quels atomes du myrcène faudrait-il créer une liaison pour obtenir une structure cyclique analogue à celle du limonène ?

27 ✶✶ Transfert de doublet d'électrons

Compétence générale *Restituer ses connaissances*

Répondre aux questions **a.** à **d.** pour chacune des réactions α, β et γ représentées ci-dessous.

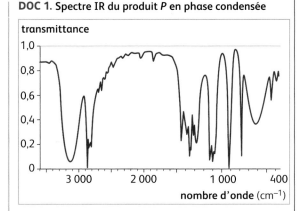

a. Déterminer la catégorie de chaque réaction (addition, élimination ou substitution).

b. Identifier les liaisons formées et les liaisons rompues.

c. Pour chaque liaison rompue, identifier l'atome le plus électronégatif de la liaison. À l'aide d'une flèche courbe, représenter le mouvement du doublet d'électrons.

d. Pour chaque liaison formée, identifier les sites donneur et accepteur de doublet d'électrons. Relier par une flèche courbe les sites donneur et accepteur.

28 Objectif BAC *Exploiter des documents*

Dossier BAC, page 546

On met en présence du 2-bromopropane CH_3–$CHBr$–CH_3 avec des ions hydroxydes H—$\overline{O}I^{\ominus}$.

Un produit noté *P*, de formule brute C_3H_8O, est formé très majoritairement. Un produit non cyclique noté *Q*, de formule brute C_3H_6, est formé à l'état de traces.
Les données spectroscopiques du produit *P* sont représentées ci-contre.

→ **Peut-on expliquer les formations et ruptures de liaisons qui se produisent, en s'aidant d'une part d'une analyse spectroscopique, et d'autre part de la connaissance des catégories de réaction en chimie organique ?**

a. En utilisant les données spectroscopiques, proposer une formule topologique pour le produit *P* obtenu.

b. Écrire une équation de réaction pour chacune des transformations $A \longrightarrow P$ et $A \longrightarrow Q$.

c. Préciser la catégorie de chaque réaction.

d. Pour chaque réaction, identifier les liaisons rompues. Déterminer les charges partielles sur ces liaisons. À l'aide d'une flèche courbe, représenter le mouvement du doublet d'électrons associé à la rupture.

Aide. Le plus souvent, un atome d'hydrogène porté par un atome d'oxygène n'est pas considéré comme voisin d'autres atomes d'hydrogène.

DOC 1. Spectre IR du produit *P* en phase condensée

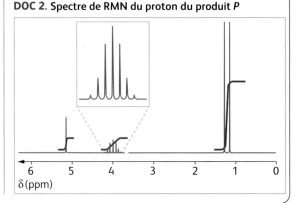

DOC 2. Spectre de RMN du proton du produit *P*

29 Apprendre à chercher

La résolution de cet exercice nécessite de trouver les étapes du raisonnement.
→ Une aide est disponible en fin de manuel.

Énoncé

Lorsque l'on mélange de la propanone avec du bromo-méthane CH_3-Br, aucune transformation n'est observée. Mais si le bromométhane a préalablement réagi avec du magnésium Mg, il se forme, après réaction avec l'eau, du 2-méthylpropan-2-ol.

→ Expliquer.

30 ✶✶ L'aspartame

Compétence générale *Restituer ses connaissances*

L'aspartame est un édulcorant artificiel découvert en 1965. L'hydrolyse de cette molécule conduit à deux acides α-aminés naturels, l'acide aspartique et la phénylalanine, le dernier sous forme d'ester méthylique (c'est-à-dire dérivant du méthanol). L'équation de cette réaction est représentée ci-dessous.

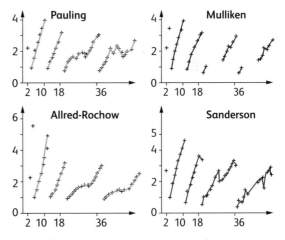

a. Identifier les groupes caractéristiques de l'aspartame.

b. Identifier la liaison C–N du groupe caractéristique amide qui se rompt lors de l'hydrolyse. Identifier la liaison C–O formée lors de cette réaction. Quelle autre liaison est formée conjointement ?

c. Après avoir identifié les sites donneurs et accepteurs concernés, représenter les transferts d'électrons modélisant :
– la formation de la nouvelle liaison C–O ;
– la rupture de la liaison C–N.

31 ✶✶ Le Rilsan®

Compétence générale *Restituer ses connaissances*

Découvert en France il y a plus de 60 ans, le Rilsan® est l'un des premiers poly-mères **biosourcés**, c'est-à-dire obtenu à partir de matières premières natu-relles, et compostables. Il est préparé à partir d'un

Le Rilsan® est utilisé fréquemment dans la fabrication de chaussures de ski, des dessus de ski…

dérivé de l'huile de ricin par réaction chimique de l'acide 11-aminoundécanoïque ($C_{11}H_{23}O_2N$) sur lui-même. Cet acide est un **monomère**.

a. Écrire la formule semi-développée du monomère.

Aide. Le undécane est l'alcane linéaire possédant onze atomes de carbone.

b. Nommer ses groupes caractéristiques.

c. L'atome d'azote est-il donneur ou accepteur de doublet d'électrons ?

d. Même question pour l'atome de carbone du groupe carboxyle.

e. Représenter le transfert d'électrons entre le site donneur d'une molécule de monomère et le site accepteur d'une autre molécule de monomère. Quel nouveau groupe caractéristique apparaît ?

f. Écrire l'équation de la formation du dimère obtenu à partir de deux molécules de monomère.

g. Quelle espèce chimique est produite conjointement au Rilsan® ?

h. À quelle famille de polymères appartient-il ? celle des poly-esters ou celle des polyamides ?

32 ✶✶ Analyser un document

Compétence générale *Extraire des informations*

Le document ci-dessous représente l'électronégativité des éléments de la classification périodique selon quatre échelles.

a. Identifier les grandeurs représentées sur les axes.

b. Quels éléments n'apparaissent pas dans l'échelle de Pauling ?

c. Les différentes échelles d'électronégativité sont-elles en accord ?

d. Quel est l'élément le plus électronégatif pour les échelles de Pauling, Mulliken et Sanderson ?

e. Comment évolue l'électronégativité sur une période de la classification périodique pour les périodes 2 et 3 ? Cette évolution est-elle aussi monotone pour les autres périodes ?

f. Comment évolue généralement l'électronégativité sur une colonne de la classification périodique ?

33 ✶✶ La rétrosynthèse

Compétence générale *Faire preuve d'initiative*

Le propan-2-ol peut être obtenu selon la réaction suivante :

$$H_2O + H_3C\!-\!Mg\!-\!Br + H_3C\!-\!\overset{\displaystyle O}{\underset{\displaystyle H}{C}}$$

$$\longrightarrow\ + H_3C\!-\!\underset{\displaystyle CH_3}{\overset{\displaystyle OH}{CH}}\ + \tfrac{1}{2}Mg(OH)_2 + \tfrac{1}{2}Mg(Br)_2$$

a. Identifier la liaison formée correspondant à l'allongement de la chaîne carbonée.

b. Identifier, pour le transfert de doublet d'électrons associé, l'atome donneur et l'atome accepteur.

c. On souhaite obtenir selon le même procédé l'espèce chimique représentée ci-contre.
Déterminer les réactifs pour cette transformation. Existe-t-il plusieurs possibilités ?

34 ✶✶ L'odeur de cannelle

Compétence générale *Exploiter des informations*

Le composant principal de la cannelle (*cinnamon* en anglais), couramment appelé cinnamaldéhyde, est le (*E*)-3-phénylprop-2-ènal. Il est possible de le synthétiser à partir de benzaldéhyde et d'un autre aldéhyde.

benzaldéhyde

a. Identifier les groupes caractéristiques des deux molécules.

b. Écrire la formule semi-développée du cinnamaldéhyde.

Aide. Le groupe phényle est le groupe :

$$HC\overset{\displaystyle HC=CH}{\underset{\displaystyle HC-CH}{\diagdown\ \ \ \diagup}}C-$$

c. Cette molécule possède-t-elle des diastéréoisomères ?

d. Il est aisé de suivre l'évolution de la transformation à l'aide d'une spectroscopie : laquelle ? Justifier.

e. Identifier sur la molécule de 3-phénylprop-2-ènal les atomes de carbone issus du benzaldéhyde.

f. En déduire la formule de l'aldéhyde qui, par réaction sur le benzaldéhyde, conduit au 3-hydroxy-3-phénylpropanal, intermédiaire dans la transformation en cinnamaldéhyde.

g. Donner une équation de réaction associée à la transformation suivante :
3-hydroxy-3-phénylpropanal ⟶ 3-phénylprop-2-ènal.

h. Quelle est la catégorie de cette réaction ?

35 ✶✶ D'autres types de réaction

Compétence générale *Effectuer un raisonnement scientifique*

a. Déterminer la catégorie de chacune des réactions suivantes.

ⓐ ⌇ + ‖ ⟶ ⬡

ⓑ $CH_4 + Cl\!-\!Cl \longrightarrow H_3C\!-\!Cl + HCl$

b. Dans chaque cas, peut-on mettre en évidence un accepteur ou un donneur de doublet d'électrons ? Pourquoi ?

c. Dans l'exemple **ⓑ**, la rupture de la liaison est dite **homolytique**, ce qui signifie que les électrons de la liaison rompue sont équitablement partagés entre les atomes de la liaison. Quelles espèces intermédiaires obtient-on lors de la rupture homolytique de la liaison Cl–Cl et d'une liaison C–H du méthane ?

36 Objectif **BAC** *Rédiger une synthèse de documents*

➤ Dossier BAC, page 546

Cet exercice s'appuie sur des ressources disponibles sur le site élève : www.nathan.fr/siriuslycee/eleve-termS.

Télécharger le dossier « Ressources pour l'exercice 36 » du chapitre 15, qui concerne les échelles d'électronégativité.
Ce dossier comprend :
– une classification des éléments selon leur électronégativité, antérieure aux travaux de Pauling ;
– un résumé de la méthode élaborée par Pauling ;
– un tableau de valeurs illustrant sa méthode.

➔ **L'objectif de cette étude de documents est de montrer comment sont calculées les valeurs d'électronégativité proposées par Linus Pauling en 1932.**

Rédiger une synthèse de 15 à 20 lignes montrant que les valeurs de Pauling sont en accord avec les classifications qualitatives antérieures. Expliquer d'autre part pourquoi la méthode de Pauling ne permet pas d'obtenir de valeur pour les gaz nobles.

Des sources chaudes de forte acidité émergent du cratère du **volcan Dallol** en Éthiopie. Associées à la présence de grandes quantités de soufre, de chlorure de magnésium ou de sodium, elles créent des vasques d'eaux colorées et des concrétions d'une beauté saisissante.

COMPÉTENCES EXIGIBLES

- Mesurer le pH d'une solution aqueuse.
  → *Activité expérimentale 1*

- Reconnaître un acide, une base dans la théorie de Brönsted. → *Exercices d'application 3 et 4*

- Écrire des réactions acido-basiques en utilisant selon les cas les symboles →, ←, ⇌.
  → *Exercices d'application 5 et 6*

- Calculer le pH d'une solution aqueuse d'acide fort ou de base forte de concentration usuelle.
  → *Exercices d'application 7 et 8*

- Mettre en évidence l'influence des quantités de matière mises en jeu sur l'élévation de température observée.
  → *Activité expérimentale 4*

ACTIVITÉ EXPÉRIMENTALE

Compétences expérimentales mises en œuvre

• S'approprier • Analyser • Réaliser • Valider

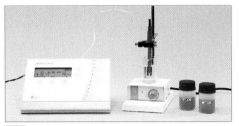

Mesurer le pH d'une solution aqueuse

▶ La connaissance du pH d'une solution renseigne sur les propriétés acides ou basiques de la solution. Comment le mesurer ?

Expérience

■ Étalonner le pH-mètre (→**Fiche pratique 10**).

■ À l'aide du pH-mètre, mesurer le pH de différents produits ménagers ou alimentaires (jus de fruits, lait, ammoniaque ménager, eau de javel diluée, détartrant, échantillons d'eau d'aquarium, de piscine, etc.).

1 Mesure du pH d'une solution aqueuse à l'aide d'un pH-mètre.

❶ Exploiter les résultats

a. Placer les échantillons analysés sur un axe gradué en fonction du pH.

b. En examinant la notice de l'appareil, évaluer l'incertitude sur la mesure réalisée.

c. Parmi ces échantillons, lesquels sont des solutions acides ? des solutions basiques ?

Coup de pouce

Les fonctions
$x \mapsto \log x (x \in]0; +\infty[)$
et $x \mapsto 10^x$ (x réel)
sont disponibles
sur la calculatrice.
→ **Fiche méthode 5**

❷ Interpréter

Le pH est défini par la relation suivante : **pH = –log [H$_3$O$^+$]**, où [H$_3$O$^+$] est la concentration molaire en ions oxonium, exprimée en mol·L^{-1}. La mesure du pH permet de calculer la concentration en ions oxonium avec la relation : **[H$_3$O$^+$] = 10^{-pH}**.

a. Déterminer la concentration en ions oxonium dans chaque échantillon analysé.

b. Comment varie le pH d'une solution si la concentration en ions [H$_3$O$^+$] est multipliée par 10 ? divisée par 10 ?

Démarche d'investigation

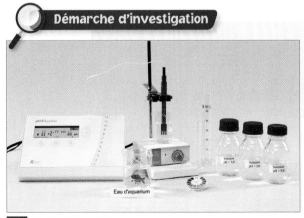

2 Matériel disponible.

Le pH de l'eau d'un aquarium vaut 8,0 alors que pour accueillir certains poissons, il devrait être de 6,5.

➥ *Comment modifier le pH de l'eau de cet aquarium ?*

Matériel et solutions disponibles :
– béchers ; agitateur magnétique ;
– pH-mètre, papier pH ;
– solutions acides et basiques, eau distillée.

❸ Proposer un protocole

Séparer la classe en plusieurs groupes et rédiger un protocole permettant de diminuer le pH de l'eau de cet aquarium.

❹ Expérimenter pour conclure

Mettre en œuvre le protocole. Comparer les résultats obtenus par les différents groupes et conclure.

Activités

2 Histoire des notions d'acide et de base

▶ **Comment les notions d'acide et de base ont-elles évolué au cours des siècles ?**

 Un acide a un goût aigre, il corrode les métaux, colore la teinture de tournesol en rouge et devient moins acide lorsqu'il est mélangé à une base.

Une base est visqueuse, colore la teinture de tournesol en bleu et devient moins basique lorsqu'elle est mélangée à un acide.

Définition de Robert Boyle.

 Un acide est une espèce chimique susceptible de céder un proton H^+.

Une base est une espèce chimique susceptible de capter un proton H^+.

Définition de Johannes Brönsted (photo) et Thomas Martin Lowry.

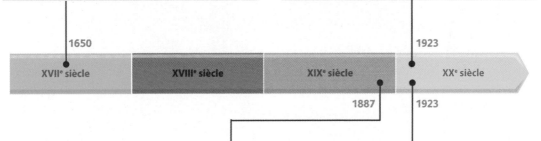

1650			1923
XVIIᵉ siècle	XVIIIᵉ siècle	XIXᵉ siècle	XXᵉ siècle
		1887	1923

 Un acide est une espèce chimique susceptible de fournir des protons H^+.

Une base est une espèce chimique susceptible de fournir des ions hydroxyde HO^-.

Définition de Svante August Arrhenius.

 Une base partage un de ses doublets d'électrons pour se lier avec un acide.

Un acide partage un doublet d'électrons d'une base pour se lier à elle.

Définition de Gilbert Newton Lewis.

3 | *Évolution des notions d'acide et de base.*

1 Analyser les documents

a. Quelles sont les différences entre les définitions de Boyle et d'Arrhenius ?

b. Quels sont les points communs entre les définitions d'Arrhenius et de Brönsted et Lowry ? Quelles sont les différences ?

2 Interpréter et conclure

a. Par analogie avec l'oxydoréduction, expliquer pourquoi la définition de Brönsted et Lowry induit la notion de couple acide/base.

b. La notion de couple acide/base est-elle encore valable avec la définition de Lewis ?

c. En quoi l'évolution de la définition des acides et des bases témoigne-t-elle de l'évolution dans l'histoire de la compréhension de la structure de la matière ?

Vocabulaire

Teinture de tournesol : colorant extrait d'un lichen.

ACTIVITÉ EXPÉRIMENTALE   • S'approprier • Analyser • Réaliser • Valider

3

Notion d'équilibre acido-basique

▶ Un acide réagit avec la base H_2O selon une réaction acido-basique.
Évaluons l'avancement de cette réaction grâce à la mesure du pH de la solution.

Expérience

■ Étalonner le pH-mètre en suivant les indications de la **fiche pratique 10**.

■ À l'aide du pH-mètre, mesurer le pH des solutions suivantes, de même concentration apportée $c = 1{,}0 \times 10^{-4}$ mol·L^{-1} :

– acide nitrique (HNO_3) ;

– acide éthanoïque (CH_3CO_2H) ;

– chlorure d'ammonium (NH_4^+(aq), Cl^-(aq)).

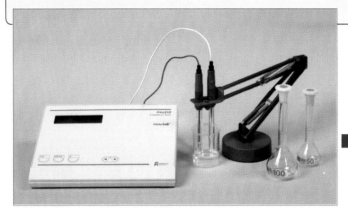

4 ▶ *Mesure du pH d'une solution aqueuse par un pH-mètre muni de deux électrodes.*

❶ Exploiter les résultats

À partir des valeurs de pH mesurées, calculer la concentration en ions H_3O^+ dans chaque solution, avec deux chiffres significatifs.

❷ Interpréter

Les ions H_3O^+ présents en solution sont produits par la réaction entre un acide HA et la base H_2O d'équation :

$$HA\,(aq) + H_2O\,(\ell) \rightarrow A^-\,(aq) + H_3O^+\,(aq) \quad \textbf{(1)}.$$

A^- est la base conjuguée de l'acide HA.

a. Écrire l'équation de cette réaction pour chacun des acides utilisés (HNO_3, CH_3CO_2H et NH_4^+).

b. Dresser le tableau d'évolution de la réaction générique **(1)** en notant V le volume de la solution. L'eau est le solvant, elle est donc en excès.

c. Donner l'expression littérale de l'avancement maximal de cette réaction.

d. En déduire la concentration finale attendue en ion H_3O^+.

e. Comparer cette valeur aux concentrations calculées au ❶.
  • La valeur mesurée correspond-elle à la valeur prévue ?
  • La réponse est-elle la même pour les trois acides ?
  • La différence éventuellement mesurée peut-elle être due aux incertitudes de mesure ?

f. Quelle hypothèse a-t-on émise pour calculer la concentration finale attendue en ion H_3O^+ à partir du tableau d'évolution ?

g. Attribuer à chacune des trois réactions de l'acide avec l'eau l'un des qualificatifs suivants : réaction totale ; réaction non totale.

h. Écrire de nouveau les équations de réaction de chacun des trois acides avec l'eau en utilisant une flèche simple $\rightarrow$ pour les réactions totales et une double flèche $\rightleftharpoons$ pour les réactions non totales.

Coup de pouce

Une solution d'acide HA de concentration apportée c est obtenue en introduisant une quantité cV d'acide dans un volume V d'eau.

ACTIVITÉ EXPÉRIMENTALE

4 Étude d'une réaction exothermique

▶ **De nombreuses transformations chimiques ont un effet thermique. Étudions le cas d'une réaction entre un acide fort et une base forte.**

Expérience

■ Les volumes et concentrations à utiliser pour chaque expérience sont donnés dans le tableau ci-dessous.

Expérience	V_1 (mL)	V_2 (mL)	c (mol·L^{-1})
1	100	100	1,0
2	100	100	0,10

■ Introduire dans le calorimètre la solution d'acide chlorhydrique (formule $(H_3O^+(aq), Cl^-(aq))$, volume V_1, concentration c).
■ Relever la température θ_0 de la solution.
■ Verser dans le calorimètre une solution de soude (formule $(Na^+(aq), HO^-(aq))$, volume V_2, concentration c).
■ Agiter quelques secondes puis relever la température maximale θ_f atteinte par le mélange.

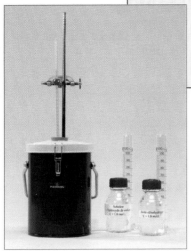

5 *Mesure de la température atteinte par le mélange des solutions d'acide chlorhydrique et de soude.*

1 Observer

Rassembler dans un tableau les valeurs obtenues pour les températures θ_f et θ_0, puis calculer $\theta_f - \theta_0$.

2 Interpréter

a. Pourquoi peut-on qualifier d'exothermique la transformation ayant lieu dans le calorimètre ?

b. Les ions chlorure Cl^- et sodium Na^+ ne participent pas à la réaction. Écrire l'équation de la réaction acido-basique entre les ions oxonium H_3O^+ et les ions hydroxyde HO^-.

c. Les expériences réalisées permettent de mettre en évidence l'influence d'un paramètre sur la variation de température $\theta_f - \theta_0$. Lequel ?

3 Prolonger l'expérience

a. Proposer des expériences permettant de déterminer l'influence des autres paramètres.

b. Mettre en œuvre ces expériences et conclure.

4 La sécurité au laboratoire

La manipulation de solutions acides et basiques nécessite des précautions de sécurité. Avant de les utiliser, on doit se référer à leur fiche de sécurité **(figure 6)**.
À l'aide du rabat sur les pictogrammes de danger et du site de l'Institut national de recherche et de sécurité (www.inrs.fr), indiquer les précautions à prendre lors de la manipulation de l'acide chlorhydrique et de la soude.

Soude
Mentions de danger : H290 ; H314

Acide chlorhydrique
Mention de danger : H290

6 ▶ *Extraits des fiches de sécurité des solutions d'acide chlorhydrique et de soude à une mole par litre.*

Pour vérifier ses acquis
→ **FICHE L** page 162

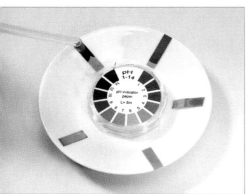

7 *La teinte verte prise par le papier pH permet de mesurer la valeur suivante : pH = 8 ± 1.*

Point Math

• Les fonctions $x \mapsto \log x$ ($x \in \,]0\,;+\infty[$) et $x \mapsto 10^x$ (x réel) sont disponibles sur la calculatrice.
• La fonction logarithme décimal $x \mapsto \log x$ a des propriétés analogues à la fonction logarithme népérien $x \mapsto \ln x$:
$$\log 1 = 0$$
$$\log 10 = 1$$
$$\log (a \times b) = \log a + \log b$$
→ **Fiche méthode 5**

Éviter des erreurs

○ Le pH est une fonction décroissante de $[H_3O^+]$: plus cette concentration est élevée, plus le pH est faible.

1 Solutions acido-basiques

1.1 Mesure du pH d'une solution

● Le papier pH permet d'évaluer le pH d'une solution aqueuse. On y dépose une goutte de la solution à analyser, puis on compare la couleur observée avec les couleurs de référence. L'incertitude sur la mesure est d'une unité **(document 7)**.

● Pour réaliser une mesure plus précise du pH, on utilise un pH-mètre (→ **Fiche pratique 10**). L'incertitude sur la mesure est alors, en pratique, de 0,1 unité. Ainsi, la valeur du pH est le plus souvent donnée avec un chiffre après la virgule.

Exemples. Le pH du jus de citron est de 2,1. Le pH d'une solution de déboucheur liquide diluée mille fois est de 12,0.

1.2 Définition du pH

● Le pH d'une solution est une grandeur sans dimension définie par :
$$pH = -\log [H_3O^+]$$
où $[H_3O^+]$ est la concentration molaire en ions oxonium, **exprimée en mol·L^{-1}**.

● La mesure du pH permet de calculer la concentration en ions oxonium par la relation :
$$[H_3O^+] = 10^{-pH}$$
La valeur de $[H_3O^+]$ ainsi obtenue s'exprime en **mol·L^{-1}**.

Remarque. La concentration en ions oxonium obtenue par la relation $[H_3O^+] = 10^{-pH}$ est donnée avec deux chiffres significatifs lorsque le pH est donné avec un chiffre après la virgule. Cette règle reste valable si le pH est supérieur à 10 et donné avec trois chiffres significatifs.

Exemple. Les valeurs suivantes de pH ont été calculées en utilisant la fonction logarithme décimal (log), présente sur la calculatrice.

$[H_3O^+]$ (mol·L^{-1})	$1,0 \times 10^{-3}$	$2,0 \times 10^{-3}$	$1,0 \times 10^{-4}$	$1,0 \times 10^{-5}$	$1,0 \times 10^{-12}$
pH	3,0	2,7	4,0	5,0	12,0

Remarque. Multiplier la concentration en ions oxonium H_3O^+ par 10 équivaut à diminuer le pH d'une unité.

APPLICATION **a.** Déterminer le pH d'une solution S_1 de concentration en ions H_3O^+ égale à $5,0 \times 10^{-3}$ mol·L^{-1}.
b. Déterminer la concentration en ions H_3O^+ d'une solution S_2 dont le pH est égal à 10,8.

Réponse. a. On utilise la définition du pH : $pH = -\log [H_3O^+]$.
A.N. : $pH = -\log(5,0 \times 10^{-3}) = 2,3$.
b. On utilise la relation suivante : $[H_3O^+] = 10^{-pH}$.
A.N. : $[H_3O^+] = 10^{-10,8} = 1,6 \times 10^{-11}$ mol·L^{-1}.

1.3 Acidité ou basicité d'une solution

A Produit ionique de l'eau

Toute solution aqueuse contient des ions oxonium H_3O^+ et des ions hydroxyde HO^-.

> On constate expérimentalement que le produit des concentrations en ions oxonium H_3O^+ et hydroxyde HO^- est toujours égal à une constante. Cette constante, sans dimension, est notée K_e et est appelée **produit ionique de l'eau**. Sa valeur numérique dépend de la température **(document 8)** :
> $$\text{à } 25\ °C, K_e = 1{,}0 \times 10^{-14}.$$
> On a donc, pour toute solution aqueuse :
> $$[H_3O^+] \times [HO^-] = K_e$$
> les concentrations étant exprimées en $mol \cdot L^{-1}$.

Ainsi, lorsque l'une des concentrations en ions H_3O^+ ou HO^- augmente, l'autre diminue puisque leur produit reste constant.

On note pK_e la constante égale à $-\log K_e$; $pK_e = 14{,}0$ à $25\ °C$.

Exemple. À $25\ °C$, dans une solution aqueuse S où la concentration en ions H_3O^+ est égale à $1{,}0 \times 10^{-5}\ mol \cdot L^{-1}$, la concentration en ions HO^- vaut :

$$[HO^-] = \frac{K_e}{[H_3O^+]} = \frac{1{,}0 \times 10^{-14}}{1{,}0 \times 10^{-5}} = 1{,}0 \times 10^{-9}\ mol \cdot L^{-1}.$$

B Solution acide, basique ou neutre

> Une solution aqueuse est dite :
> – acide si $[H_3O^+] > [HO^-]$. Son pH est alors inférieur à $7{,}0$ à $25\ °C$;
> – basique si $[H_3O^+] < [HO^-]$. Son pH est alors supérieur à $7{,}0$ à $25\ °C$;
> – neutre si $[H_3O^+] = [HO^-]$. Son pH est alors égal à $7{,}0$ à $25\ °C$.

Démontrons qu'une solution acide a un pH inférieur à $7{,}0$ à $25\ °C$.

En solution aqueuse, $[H_3O^+] \times [HO^-] = K_e$, donc $[HO^-] = \dfrac{K_e}{[H_3O^+]}$.

Or, une solution est acide si $[H_3O^+] > [HO^-]$.

D'où :
$$[H_3O^+] > \frac{K_e}{[H_3O^+]},$$

ce qui conduit à :
$$[H_3O^+]^2 > K_e.$$

La fonction logarithme décimal est strictement croissante sur $]0\ ; +\infty[$,

donc :
$$\log\left([H_3O^+]^2\right) > \log K_e,$$

d'où :
$$\log [H_3O^+] > \frac{\log K_e}{2}.$$

Par conséquent :
$$-\log [H_3O^+] < -\frac{\log K_e}{2},$$

c'est-à-dire :
$$pH < \frac{1}{2}\, pK_e.$$

À $25\ °C$, $pK_e = 14{,}0$, donc $pH < \dfrac{1}{2} \times 14{,}0$, soit $pH < 7{,}0$.

Une solution acide a donc un pH inférieur à $7{,}0$ à $25\ °C$.

Température	K_e
$0\ °C$	$1{,}1 \times 10^{-15}$
$25\ °C$	$1{,}0 \times 10^{-14}$
$40\ °C$	$3{,}0 \times 10^{-14}$
$60\ °C$	$1{,}0 \times 10^{-13}$
$80\ °C$	$2{,}5 \times 10^{-13}$
$100\ °C$	$5{,}5 \times 10^{-13}$

8 *La valeur du produit ionique de l'eau K_e dépend de la température.*

Les unités

Les relations $pH = -\log [H_3O^+]$ et $[H_3O^+] = 10^{-pH}$ sont des écritures simplifiées. En toute rigueur, il faudrait écrire :

$$pH = -\log\left(\frac{[H_3O^+]}{c°}\right)$$

et $[H_3O^+] = c° \times 10^{-pH}$, où $c° = 1\ mol \cdot L^{-1}$ est une concentration de référence appelée concentration standard.
De même, il faudrait écrire :

$$\frac{[H_3O^+] \times [HO^-]}{(c°)^2} = K_e.$$

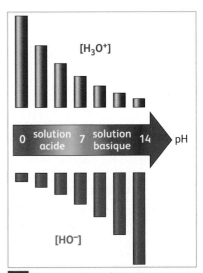

9 *Représentation schématique des concentrations $[H_3O^+]$ et $[HO^-]$ en fonction du pH. Par convention, à $25\ °C$, le pH est toujours compris entre 0 et $14{,}0$.*

Chimie & nature

Le vinaigrier (*mastigoproctus giganteus*) asperge ses proies de microgouttelettes contenant environ 85 % d'acide éthanoïque.

2 Couples acide/base dans la théorie de Brönsted

En 1923, Johannes Brönsted, un scientifique danois, et Thomas Lowry, un chimiste anglais, proposent simultanément une même définition des notions d'acide et de base.

> Un **acide** est une espèce chimique susceptible de céder un ion H^+.
> Une **base** est une espèce chimique susceptible de capter un ion H^+.

Exemple

L'acide éthanoïque CH_3CO_2H est susceptible de céder un ion H^+ ; il forme alors l'ion éthanoate $CH_3CO_2^-$. Il s'agit donc d'un acide. Réciproquement, l'ion éthanoate $CH_3CO_2^-$ est susceptible de capter un ion H^+ ; il forme alors l'acide éthanoïque. Il s'agit donc d'une base.

> En cédant un ion H^+, un acide forme une base. L'acide et la base sont dits **conjugués** ; ils constituent un **couple acide/base**.

Exemples

• Le couple acide éthanoïque/ion éthanoate $CH_3CO_2H/CH_3CO_2^-$ est un couple acide/base.
• Le couple ion ammonium/ammoniac NH_4^+/NH_3 est un autre couple acide/base.
• L'eau H_2O fait partie de deux couples acide/base :
– l'eau est l'acide du couple H_2O/HO^- ;
– l'eau est la base du couple H_3O^+/H_2O.

On dit que l'eau est une molécule **amphotère** car elle peut jouer le rôle d'un acide ou d'une base.

Plusieurs notations génériques sont utilisées pour les couples acide/base, comme HA/A^- ou encore HB^+/B.

3 Réaction acido-basique

3.1 Définition

> Une réaction au cours de laquelle la base B d'un couple capte un proton H^+ cédé par l'acide HA d'un autre couple est appelée **réaction acido-basique**.

Les réactions acido-basiques sont en général très rapides.

Exemple. L'équation de la réaction acido-basique en solution aqueuse entre l'acide CH_3CO_2H et la base HO^- s'écrit :
$$CH_3CO_2H\,(aq) + HO^-\,(aq) \rightarrow CH_3CO_2^-\,(aq) + H_2O\,(\ell).$$

3.2 Notion d'équilibre chimique

L'avancement final des réactions de l'acide éthanoïque CH_3CO_2H avec deux bases différentes, l'ion hydroxyde HO^- et l'ion méthanoate HCO_2^-, a été déterminé expérimentalement.

Les tableaux ci-dessous rassemblent les résultats obtenus.

Expérience 1 Quantités de matière en mmol dans 1 L de solution		
Espèce chimique	État initial	État final
CH_3CO_2H	10	$2,5 \times 10^{-3}$
HO^-	10	$2,5 \times 10^{-3}$
$CH_3CO_2^-$	0	10
H_2O	excès	excès

Expérience 2 Quantités de matière en mmol dans 1 L de solution		
Espèce chimique	État initial	État final
CH_3CO_2H	10	7,6
HCO_2^-	10	7,6
$CH_3CO_2^-$	0	2,4
HCO_2H	0	2,4

réactifs
produits

10 *L'acide méthanoïque HCO_2H s'appelle aussi acide formique. Certaines fourmis en produisent pour se défendre.*

Les réactifs ont été introduits en même quantité ($n = 10$ mmol), l'avancement maximal x_{max} de la réaction est donc égal à n.

Dans les deux cas, on remarque que les réactifs n'ont pas totalement disparu. Cependant, l'état final est différent :
– pour l'expérience 1, il reste des traces des réactifs CH_3CO_2H et HO^- en quantités très inférieures aux quantités initiales. L'avancement final x_f de la réaction est donc quasiment égal à son avancement maximal x_{max} ;
– pour l'expérience 2, il reste des quantités non négligeables de réactifs, donc x_f est inférieur à x_{max}.

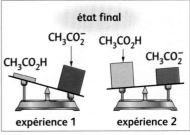

11 *La réaction de CH_3CO_2H avec HO^- est quasi-totale : il reste des traces de CH_3CO_2H. La réaction de CH_3CO_2H avec HCO_2^- est un équilibre chimique.*

> • Une réaction est dite **quasi-totale** en faveur des produits si l'avancement final x_f de la réaction est quasiment égal à son avancement maximal x_{max}.
> • Lorsque $x_f < x_{max}$, les réactifs et les produits sont présents en quantités non négligeables dans l'état final. La réaction est appelée **équilibre chimique** ou **réaction équilibrée**.

La réaction acido-basique entre l'acide éthanoïque et l'ion hydroxyde est donc quasi-totale, tandis que la réaction entre l'acide éthanoïque et l'ion méthanoate est un équilibre chimique.

3.3 Symbolisme d'écriture

Pour indiquer si une réaction est quasi-totale ou équilibrée, on utilise un symbolisme particulier pour écrire son équation.

> L'équation d'une réaction quasi-totale est écrite avec le symbole $\rightarrow$.
> L'équation d'un équilibre chimique est écrite avec le symbole $\rightleftharpoons$.

Exemple. Les deux réactions évoquées dans le paragraphe **3.2** s'écrivent :
$$CH_3CO_2H\,(aq) + HO^-(aq) \rightarrow CH_3CO_2^-(aq) + H_2O\,(\ell) \; ;$$
$$CH_3CO_2H\,(aq) + HCO_2^-(aq) \rightleftharpoons CH_3CO_2^-(aq) + HCO_2H\,(aq).$$

Remarque. Lorsque l'avancement de la transformation est très inférieur à l'avancement maximal, on peut éventuellement utiliser le symbole ←. Toutefois, on utilise habituellement le symbole ⇌.

Exemple. Dans de l'eau pure, les ions H_3O^+ et HO^- sont présents en concentration très faible en raison de la réaction appelée autoprotolyse de l'eau. L'avancement de cette réaction est très inférieur à l'avancement maximal. L'équation de cette réaction est écrite avec le symbole ⇌ plutôt que ← : $2\,H_2O\,(\ell) \rightleftharpoons H_3O^+\,(aq) + HO^-\,(aq)$.

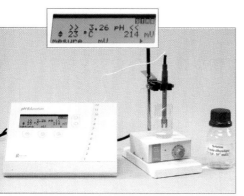

12 Le chlorure d'hydrogène HCl gazeux réagit avec l'ammoniac NH_3 gazeux pour former, selon une réaction acide-base, du chlorure d'ammonium sous forme de fumée blanche.

4 Deux familles d'acides, deux familles de bases

4.1 Définitions

A Acides forts et acides faibles

Lorsque l'on introduit un acide HA dans l'eau, il réagit avec la base H_2O.
• L'acide est dit **fort** si cette réaction est **quasi-totale**, quelle que soit la concentration initiale en acide. Son équation s'écrit alors :
$$HA\,(aq) + H_2O\,(\ell) \rightarrow A^-\,(aq) + H_3O^+\,(aq).$$
• L'acide est dit **faible** si cette réaction est un **équilibre chimique**. Son équation s'écrit alors :
$$HA\,(aq) + H_2O\,(\ell) \rightleftharpoons A^-\,(aq) + H_3O^+\,(aq).$$

Remarque. Le chlorure d'hydrogène HCl et le bromure d'hydrogène HBr sont des gaz à température ambiante et pression atmosphérique. Dissous dans l'eau, ils se comportent comme des acides forts.

Exemple. Introduisons une quantité $n = 10$ mmol d'acide HA dans 1,0 L d'eau pure, et mesurons le pH de la solution obtenue.

L'acide HA réagit avec la base H_2O, l'eau étant en excès.

L'avancement maximal x_{max} de la réaction est égal à la quantité d'acide apportée n. La réaction de l'acide avec l'eau produit des ions H_3O^+. La mesure du pH permet de déterminer la concentration en ions $[H_3O^+]$ (égale à 10^{-pH}), puis d'en déduire l'avancement final de la réaction : $x_f = n_{H_3O^+} = [H_3O^+] \times V$, où V est le volume de la solution.

L'expérience est réalisée pour deux acides différents. Les résultats sont rassemblés dans le tableau ci-dessous.

Acide	x_{max} (mmol)	pH mesuré	$[H_3O^+]$ (mmol·L^{-1})	x_f (mmol)
HNO_3	10	2,0	10	10
CH_3CO_2H	10	3,3	0,50	0,50

Pour l'acide nitrique, $x_f \approx x_{max}$. La réaction est quasi-totale, l'acide nitrique est donc fort. L'équation de sa réaction avec l'eau s'écrit :
$$HNO_3\,(aq) + H_2O\,(\ell) \rightarrow H_3O^+\,(aq) + NO_3^-\,(aq).$$
En revanche, pour l'acide éthanoïque, $x_f < x_{max}$. La réaction est un équilibre chimique, l'acide éthanoïque est donc faible. L'équation de sa réaction avec l'eau s'écrit :
$$CH_3CO_2H\,(aq) + H_2O\,(\ell) \rightleftharpoons H_3O^+\,(aq) + CH_3CO_2^-\,(aq).$$

13 Mesure du pH d'une solution d'acide éthanoïque de concentration apportée $1,0 \times 10^{-2}$ mol·L^{-1}.

B Bases fortes et bases faibles

Lorsque l'on introduit une base B dans l'eau, elle réagit avec l'acide H_2O.

- La base est dite **forte** si cette réaction est **quasi-totale** quelle que soit la concentration initiale en base. Son équation s'écrit alors :
$$B\,(aq) + H_2O\,(\ell) \rightarrow HB^+(aq) + HO^-(aq).$$
- La base est dite **faible** si cette réaction est un **équilibre chimique**. Son équation s'écrit alors :
$$B\,(aq) + H_2O\,(\ell) \rightleftharpoons HB^+(aq) + HO^-(aq).$$

Exemple. L'ion éthanolate $C_2H_5O^-$ est une base forte et l'ion éthanoate $CH_3CO_2^-$ est une base faible. Les équations de leur réaction avec l'eau s'écrivent :
$$C_2H_5O^-(aq) + H_2O\,(\ell) \rightarrow HO^-(aq) + C_2H_5OH\,(aq)\,;$$
$$CH_3CO_2^-(aq) + H_2O\,(\ell) \rightleftharpoons HO^-(aq) + CH_3CO_2H\,(aq).$$

Remarque. Les ions hydroxyde peuvent être apportés directement dans l'eau par dissolution de solides ioniques tels que l'hydroxyde de sodium NaOH (s) ou l'hydroxyde de potassium KOH (s).

C Propriétés des acides et bases faibles

L'acide CH_3CO_2H est un acide faible et sa base conjuguée $CH_3CO_2^-$ est une base faible. Cette observation est généralisable.

La base conjuguée A^- d'un acide faible HA est une base faible. Le couple HA/A^- est un couple acide faible/base faible.

Le **tableau 15** présente quelques couples acide faible/base faible.

4.2 pH des solutions d'acide ou de base

A Solution d'acide fort

La réaction entre un acide fort HA et l'eau est quasi-totale. Son tableau d'évolution s'écrit donc, pour une quantité n d'acide initiale :

Équation		$HA\,(aq)$	$+$ $H_2O\,(\ell)$	$\rightarrow H_3O^+(aq) +$	$A^-(aq)$
État	Avancement		Quantités de matière		
initial	0	n	excès	0	0
final	x_f	0	excès	$x_f = n$	$x_f = n$

On appelle concentration apportée en acide le rapport $c = \dfrac{n}{V}$, où V est le volume de la solution.

D'après le tableau d'évolution, la concentration finale en ions H_3O^+ est :
$$[H_3O^+] = c = \frac{n}{V}.$$

Le pH d'une solution d'acide fort de concentration apportée c est :
$$\mathbf{pH = -\log c}$$
où c est exprimée en mol·L^{-1}.

14 *Pour blanchir le papier, les papeteries activent l'effet blanchissant de l'eau oxygénée par une solution concentrée d'hydroxyde de sodium.*

Acide	Base
acide éthanoïque CH_3CO_2H	ion éthanoate $CH_3CO_2^-$
ion ammonium NH_4^+	ammoniac NH_3
dioxyde de carbone aqueux (CO_2, H_2O)	ion hydrogéno-carbonate HCO_3^-
ion hydrogéno-carbonate HCO_3^-	ion carbonate CO_3^{2-}

15 *Exemples de couples acide faible/base faible.*

Remarque. Considérons deux solutions de même concentration apportée, l'une S_1 d'acide fort, l'autre S_2 d'acide faible. L'avancement de la réaction quasi-totale de l'acide fort avec l'eau est supérieur à celui de la réaction équilibrée de l'acide faible avec l'eau. La solution S_1 a donc une concentration en ions oxonium supérieure à celle de S_2 et un pH plus faible.

Exemple. Un échantillon d'acide chlorhydrique (acide fort) de concentration $c = 5,0 \times 10^{-4}$ mol·L^{-1} a un pH égal à $-\log(5,0 \times 10^{-4}) = 3,3$.
Une solution d'acide éthanoïque (acide faible) de même concentration a un pH de 4,1, donc supérieur à 3,3.

B Solution de base forte

La réaction entre une base forte et l'eau est quasi-totale et produit donc des ions HO$^-$ à la concentration apportée en base c.

Le produit ionique de l'eau $[H_3O^+] \times [HO^-] = K_e$ permet de déterminer la concentration en ion H_3O^+, et donc le pH :

$$[H_3O^+] = \frac{K_e}{[HO^-]} = \frac{K_e}{c}, \quad \text{donc} \quad pH = -\log \frac{K_e}{c} = -\log K_e + \log c = pK_e + \log c.$$

Le pH d'une solution de base forte de concentration apportée c est :
$$pH = pK_e + \log c$$
où c est exprimée en mol·L^{-1} et $pK_e = -\log K_e$.

Remarque. Pour une même concentration apportée en base, l'avancement de la réaction d'une base forte avec l'eau est plus grand que celui d'une base faible. Une solution de base forte a donc une concentration en ions hydroxyde et un pH plus élevés qu'une solution de base faible de même concentration apportée.

4.3 Mélange d'un acide fort et d'une base forte

La réaction acido-basique entre une base forte et un acide fort d'un autre couple est quasi-totale.

Exemple. La réaction entre l'ion oxonium H_3O^+, acide fort du couple H_3O^+/H_2O, et l'ion hydroxyde HO$^-$, base forte du couple HO$^-/H_2O$, est quasi-totale.
Son équation s'écrit : H_3O^+ (aq) + HO$^-$ (aq) $\rightarrow$ 2 H$_2$O (ℓ).

La réaction entre un acide fort et une base forte réalisée dans un récipient thermiquement isolé conduit à une élévation de température d'autant plus importante, pour un volume de solution donné, que les quantités d'acide et de base introduites sont importantes.

La réaction entre un acide fort et une base forte est exothermique.

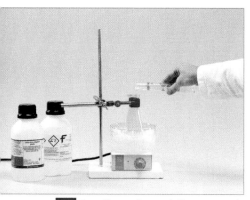

16 *Le mélange d'une solution concentrée d'acide fort et d'une solution concentrée de base forte doit toujours se faire dans un bain de glace.*

Il est donc nécessaire de prendre des précautions de sécurité lorsque l'on manipule des solutions d'acides et des solutions de bases fortes de concentrations molaires supérieures à 1 mol·L^{-1} **(document 16)**.

L'ESSENTIEL

→ Solutions acides et basiques

● Le pH d'une solution aqueuse est défini par :

$$pH = -\log [H_3O^+]$$

où $[H_3O^+]$ est la concentration en ions oxonium, exprimée en $mol \cdot L^{-1}$.

● La mesure du pH permet de calculer la concentration $[H_3O^+]$ grâce à la relation :

$$[H_3O^+] = 10^{-pH}$$

● Les concentrations en ions hydroxyde $[HO^-]$ et oxonium $[H_3O^+]$, exprimées en $mol \cdot L^{-1}$, sont liées par la relation :

$$[H_3O^+] \times [HO^-] = K_e$$

où K_e est une constante sans dimension appelée **produit ionique de l'eau**.

● Une solution est :
– acide si $[H_3O^+] > [HO^-]$;
– neutre si $[H_3O^+] = [HO^-]$;
– basique si $[H_3O^+] < [HO^-]$.

à 25 °C

→ Réaction acido-basique

● Une **réaction acido-basique** est une réaction au cours de laquelle la base d'un couple capte un ion H^+ cédé par l'acide d'un autre couple.

● Lorsque l'avancement de la réaction est quasiment égal à l'avancement maximal, la réaction est dite **quasi-totale**. Dans le cas contraire, la réaction est appelée **équilibre chimique**.

● On utilise les symboles suivants.

Réaction quasi-totale	Équilibre chimique
→	⇌

Le symbole ← qui correspond à une réaction très peu avancée est rarement utilisé.

● La réaction acido-basique entre une base forte et un acide fort est **quasi-totale et exothermique**.

→ Acides et bases selon Brönsted

● Un **acide** est une espèce chimique susceptible de céder un ion H^+, appelé **proton**.

● Une **base** est une espèce chimique susceptible de capter un ion H^+.

● En cédant un ion H^+, un acide forme une base. L'acide et la base sont dits **conjugués** ; ils constituent un **couple acide/base**.

Exemple. $CH_3CO_2H/CH_3CO_2^-$ et NH_4^+/NH_3 sont deux couples acide/base.

● La molécule d'eau appartient aux deux couples H_3O^+/H_2O et H_2O/HO^-.

→ Deux familles d'acide et de base

Acide	Réaction de l'acide avec l'eau
fort	$HNO_3(aq) + H_2O(\ell) \rightarrow NO_3^-(aq) + H_3O^+(aq)$ réaction quasi-totale quelle que soit la concentration initiale en HNO_3
faible	$CH_3CO_2H(aq) + H_2O(\ell) \rightleftharpoons CH_3CO_2^-(aq) + H_3O^+(aq)$ **équilibre chimique**

Base	Réaction de la base avec l'eau
forte	$CH_3O^-(aq) + H_2O(\ell) \rightarrow CH_3OH(aq) + HO^-(aq)$ réaction quasi-totale quelle que soit la concentration initiale en ions CH_3O^-
faible	$NH_3(aq) + H_2O(\ell) \rightleftharpoons NH_4^+(aq) + HO^-(aq)$ **équilibre chimique**

● La base conjuguée d'un acide faible est faible.

● Le pH d'une solution d'acide fort de concentration apportée c est :

$$pH = -\log c$$

● Le pH d'une solution de base forte de concentration apportée c est :

$$pH = pK_e + \log c \quad \text{où} \quad pK_e = -\log K_e.$$

Exercices Application

MANUEL NUMÉRIQUE EXERCICES INTERACTIFS

1 Mots manquants

Compléter avec un ou plusieurs mots.

a. Le pH d'une solution aqueuse est défini par l'égalité .... On le mesure avec précision à l'aide d'un ....

b. Une solution est acide si la concentration en ions oxonium H_3O^+ est .... à la concentration en ions hydroxyde HO^-. À 25 °C, le pH d'une solution acide est donc .... à 7,0.

c. Dans la relation $[H_3O^+] \times [HO^-] = K_e$, la constante K_e est appelée ....

d. Un acide est une espèce chimique susceptible de .... un ion H^+. Cet ion est souvent appelé ....

e. La molécule d'eau est à la fois l'acide du couple $H_2O/$.......... et la base du couple .... $/H_2O$.

f. Lorsque l'avancement final d'une réaction est inférieur à l'avancement maximal, la réaction est dite .... Le symbole utilisé pour écrire l'équation est ....

g. La réaction entre un acide fort et une base forte est ...., car lorsqu'on mélange une solution d'acide fort et une solution de base forte dans un récipient isolé thermiquement, la température ....

2 QCM

Cocher la réponse exacte.

Donnée : le produit ionique de l'eau K_e est égal à $1,0 \times 10^{-14}$.

a. Le pH d'une solution est de 4,0. La concentration en ions oxonium H_3O^+ est donc égale à :
- ☐ $1,0 \times 10^{-4}$ mol·m^{-3}
- ☐ $4,0 \times 10^{-4}$ mol·L^{-1}
- ☐ $1,0 \times 10^{-4}$ mol·L^{-1}

b. La concentration en ions oxonium H_3O^+ est de $5,0 \times 10^{-10}$ mol·L^{-1}. Alors :
- ☐ $[HO^-] = 5,0 \times 10^{-24}$ mol·L^{-1}
- ☐ $[HO^-] = 5,0 \times 10^{-4}$ mol·L^{-1}
- ☐ $[HO^-] = 2,0 \times 10^{-5}$ mol·L^{-1}

c. Une base au sens de Brönsted est une espèce chimique :
- ☐ qui peut céder un ion HO^-
- ☐ qui peut céder un ion H^+
- ☐ qui peut capter un ion H^+

d. Lorsqu'on dilue au 1/10ᵉ une solution d'acide fort, le pH :
- ☐ augmente d'une unité
- ☐ diminue d'une unité
- ☐ est divisé par 10

e. La méthylamine CH_3NH_2 est une base faible. L'équation de sa réaction avec l'eau s'écrit :
- ☐ $CH_3NH_2\,(aq) + H_2O\,(\ell) \rightleftharpoons CH_3NH_3^+\,(aq) + HO^-\,(aq)$
- ☐ $CH_3NH_2\,(aq) + H_2O\,(\ell) \rightarrow CH_3NH_3^+\,(aq) + HO^-\,(aq)$
- ☐ $CH_3NH_2\,(aq) + H_2O\,(\ell) \rightleftharpoons CH_3NH^-\,(aq) + H_3O^+\,(aq)$

→ **Solutions détaillées en fin de manuel pour vérifier vos réponses et comprendre vos erreurs.**

Parcours en autonomie

Trois parcours d'exercices pour travailler en autonomie selon ses besoins.

Maîtriser les bases — 3 · 5 · 8

Préparer l'évaluation — 13 · 18 · 20

Approfondir — 28 · 29 · 31

Pour tous les exercices de ce chapitre :
- on utilisera la valeur $1,0 \times 10^{-14}$ pour le produit ionique de l'eau K_e, sauf indication contraire ;
- les masses molaires atomiques sont données dans la classification périodique des éléments chimiques présentée dans les rabats.

COMPÉTENCES EXIGIBLES

3 Écrire des couples acide/base

Recopier et compléter le tableau suivant pour définir des couples acide/base conjugués.

Acide	ClOH		H_3PO_4	H_3O^+		HS^-
Base		CO_3^{2-}			HS^-	

4 Reconnaître un acide, une base

a. Rappeler la définition d'une réaction acido-basique.

b. Reconnaître les couples acide/base qui interviennent dans les réactions acido-basiques suivantes.

$$HCO_2H\,(aq) + HO^-\,(aq) \rightarrow HCO_2^-\,(aq) + H_2O\,(\ell)$$
$$HS^-\,(aq) + H_3O^+\,(aq) \rightarrow H_2S\,(aq) + H_2O\,(\ell)$$

5 Utiliser les symbolismes → et $\rightleftharpoons$

On introduit 10,0 mmol d'un acide et 10,0 mmol d'une base dans 1,00 L d'eau. Le tableau ci-dessous donne les valeurs de l'avancement de la réaction acido-basique observée pour différents acides et bases.

Acide	Base	Avancement
HNO_2	HCO_3^-	6,40 mmol
CH_3NH_2	H_3O^+	10,0 mmol
H_2S	HO^-	9,96 mmol
(CO_2, H_2O)	H_2O	$6,29 \times 10^{-2}$ mmol

Écrire l'équation de chacune des réactions.

6 Utiliser les symbolismes → et ⇌

Écrire l'équation de la réaction de chacune des espèces suivantes avec l'eau.

a. méthylamine CH_3NH_2, base faible.

b. ion hydrogénosulfite HSO_3^-, acide faible.

c. ion hydrogénosulfite HSO_3^-, base faible.

d. ion méthylamidure CH_3NH^-, base forte.

7 Calculer le pH d'une solution d'acide fort

L'addition de chlorure d'hydrogène gazeux $HCl\,(g)$ dans l'eau conduit à la formation de l'acide fort $HCl\,(aq)$.

a. Écrire l'équation de la réaction du chlorure d'hydrogène $HCl\,(aq)$ avec l'eau.

b. Déterminer le pH d'une solution obtenue en introduisant $5,2 \times 10^{-4}$ mol de chlorure d'hydrogène dans 200 mL d'eau.

8 Calculer le pH d'une solution de base forte

a. Écrire la réaction de dissolution de l'hydroxyde de sodium $NaOH\,(s)$ dans l'eau.

b. Déterminer le pH d'une solution obtenue en dissolvant 500 mg d'hydroxyde de sodium $NaOH\,(s)$ dans 1,00 L d'eau.

c. La solution mère obtenue est diluée 10 fois. Quel est le pH de la solution fille ?

COMPÉTENCES GÉNÉRALES

9 Réaliser des calculs approchés

Associer à chaque solution son pH sans utiliser la calculatrice.

ⓐ Solution d'acide nitrique à $2,5 \times 10^{-3}$ mol·L^{-1}

ⓑ Soude ($Na^+\,(aq)$, $HO^-\,(aq)$) à 0,39 g·L^{-1}

ⓒ Potasse ($K^+\,(aq)$, $HO^-\,(aq)$) à $3,6 \times 10^{-4}$ mol·L^{-1}

ⓓ Solution de chlorure d'hydrogène à $4,0 \times 10^{-4}$ g·L^{-1}

① 12,0   **②** 10,5   **③** 5,0   **④** 2,6

Données

– L'acide nitrique HNO_3 et le chlorure d'hydrogène HCl sont des acides forts.

– Masses molaires atomiques (en g·mol^{-1}) : de l'hydroxyde de sodium, $M_{NaOH} = 40$; du chlorure d'hydrogène, $M_{HCl} = 36$.

10 Raisonner sur des ordres de grandeurs

a. Classer les solutions suivantes, sur un axe gradué en fonction du pH.

Solution	jus de citron	eau de mer	lait	café	solution savonneuse
pH	2,5	8,0	6,5	5,0	10,0

Indiquer pour chacune de ces solutions la concentration en ions H_3O^+ correspondante. Comparer les ordres de grandeur.

b. Réaliser une recherche documentaire pour définir la notion d'échelle logarithmique.

c. Placer sur un axe les ordres de grandeur de la taille des objets suivants.

Objet	atome	bactérie	cheveu	homme	Terre
Taille (m)	10^{-10}	10^{-6}	10^{-4}	1	10^7

11 Analyser un graphique

Des mesures de pH d'eaux d'origine marine sont rassemblées dans le graphique ci-dessous.

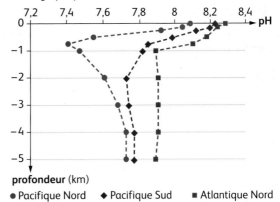

profondeur (km)

● Pacifique Nord   ◆ Pacifique Sud   ■ Atlantique Nord

a. Quelles tendances générales se dégagent de la lecture de ce graphique ?

b. Le dioxyde de carbone en solution aqueuse se comporte comme un acide.

En exploitant la légende de la photographie ci-dessous, interpréter l'évolution du pH avec la profondeur.

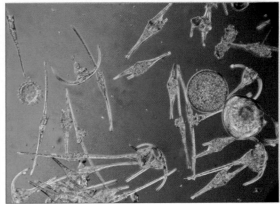

Le phytoplancton marin (vu au microscope) réalise la photosynthèse à faible profondeur.

12 Utiliser un tableau d'évolution

On introduit une quantité $n_1 = 1,2 \times 10^{-4}$ mol de bromure d'hydrogène HBr (acide fort dans l'eau) et une quantité $n_2 = 2,3 \times 10^{-4}$ mol d'hydroxyde de potassium $KOH\,(s)$ dans de l'eau. Le volume de la solution obtenue est $V = 200$ mL.

Le tableau d'évolution de la transformation observée est représenté ci-dessous.

Équation	$HBr\,(aq) + HO^-\,(aq)$		
État	Quantités de matière		
initial	n_1	n_2	
final			

a. Compléter la partie grisée du tableau en utilisant le symbolisme approprié et en indiquant les produits de la réaction.

b. Compléter les cases vides du tableau.

c. La solution finale obtenue sera-t-elle acide ou basique ?

EXERCICE RÉSOLU

 Site élève

13 L'acide sulfurique, un diacide fort

Énoncé L'acide sulfurique, de formule brute H_2SO_4, est un diacide, c'est-à-dire que chaque molécule d'acide sulfurique est susceptible de céder deux ions H^+. On le considérera comme un diacide fort.

1 Écrire l'équation de la réaction de l'acide sulfurique avec l'eau.

2 On introduit une quantité $n = 2,0 \times 10^{-4}$ mol d'acide sulfurique dans un volume $V = 0,50$ L d'eau.
Construire le tableau d'évolution.

3 Quelle est la concentration en ions oxonium H_3O^+ dans la solution obtenue ? En déduire le pH de la solution.

4 Prévoir qualitativement l'évolution du pH de la solution :
– lorsqu'on la dilue ;
– lorsqu'on y ajoute de l'hydroxyde de sodium NaOH (s) ;
– lorsqu'on la mélange à une solution identique.

Énoncé
• Le texte donne la définition d'un diacide.
• « Qualitativement » signifie « sans calcul ».

Une solution

1 L'acide sulfurique cède deux protons à l'eau, qui se comporte comme une base : $\quad H_2SO_4(aq) + 2\,H_2O\,(\ell) \rightarrow SO_4^{2-}(aq) + 2\,H_3O^+(aq)$.

2 Le tableau d'évolution permet de déterminer l'état final de la réaction. L'acide est fort, donc la réaction est quasi-totale : l'avancement final est donc quasiment égal à l'avancement maximal.

Rédiger
• L'acide sulfurique étant un diacide, il réagit avec deux molécules d'eau.
• L'acide sulfurique est un diacide fort. On utilise donc le symbole →.

Équation	$H_2SO_4(aq) + 2\,H_2O(\ell)$	$\rightarrow$	$SO_4^{2-}(aq) + 2\,H_3O^+(aq)$		
État	Avancement	Quantités de matière			
initial	0	n	excès	0	0
en cours	x	$n-x$	excès	x	$2x$
final	$x_{max} = n$	0	excès	n	$2n$

3 La concentration en ions H_3O^+ dans la solution de volume V est :
$$[H_3O^+] = \frac{2n}{V}.$$
A.N. : $[H_3O^+] = \dfrac{2 \times 2,0 \times 10^{-4}}{0,50} = 8,0 \times 10^{-4}$ mol·L^{-1}.

Le pH de la solution est défini par : $pH = -\log[H_3O^+]$.
A.N. : $pH = -\log(8,0 \times 10^{-4}) = 3,1$.

Connaissances
Pour calculer le pH d'une solution, il faut déterminer la concentration en ions H_3O^+ en mol·L^{-1}.

4 Le pH est une fonction décroissante de la concentration en ions H_3O^+. Deux paramètres peuvent le faire évoluer : la quantité de matière en ions H_3O^+ et le volume de la solution.
D'après ce qui précède : $pH = -\log[H_3O^+] = -\log\left(\dfrac{2n}{V}\right)$.

Raisonner
Un raisonnement qualitatif doit être rigoureux : identifier clairement les paramètres importants et réfléchir à leur variation et à ses conséquences.

• Pour les deux premiers cas, le pH augmente car la concentration $[H_3O^+]$ diminue :

– lors d'une dilution, on augmente le volume V sans modifier n ;

– dans la réaction quasi-totale avec l'ion hydroxyde selon la réaction d'équation : $H_3O^+ + HO^- \rightarrow 2\,H_2O$, on diminue la quantité n d'ions H_3O^+ sans modifier V.
En effet, l'hydroxyde de sodium est introduit sous forme solide, ce qui ne modifie pas (ou très peu) le volume V de la solution.

• Dans le dernier cas, l'ajout d'une solution identique augmente dans les mêmes proportions la quantité n d'ions H_3O^+ et le volume V de la solution, donc le pH n'évolue pas.

Rédiger
Mettre en évidence le raisonnement en utilisant des connecteurs logiques.

14 ZOOM SUR... l'interprétation de graphiques

Le phénomène de pluie acide résulte de la formation dans l'atmosphère d'acides nitrique et sulfurique qui se dissolvent dans l'eau.

Les deux graphiques ci-dessous présentent les résultats d'une étude réalisée au Québec, portant sur la relation entre acidité et composition en ions nitrate NO_3^- et sulfate SO_4^{2-} des précipitations.

Graphique 1

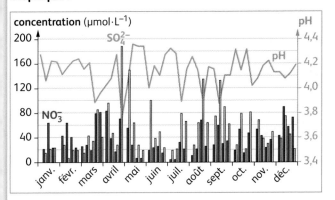

Graphique 2

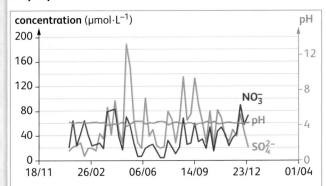

Conifères attaqués par des pluies acides.

a. Que pourrait-on conclure après une lecture rapide du graphique 2 ? Peut-on tirer la même conclusion de la lecture du graphique 1 ?

b. Critiquer les différents types de représentation et le choix des échelles.

> **Conseils** Comparer les deux graphiques : est-ce judicieux de représenter les concentrations par un histogramme ? Quelle est l'échelle la plus pertinente pour représenter le pH ?

c. Quel pourrait être l'intérêt de graduer l'échelle de pH en sens inverse ?

d. Construire un graphique afin de présenter au mieux la corrélation entre les différentes données. Les données sont disponibles sur le site :

www.nathan.fr/siriuslycee/eleve-termS

---

15 Apprendre à rédiger

Voici l'énoncé d'un exercice et un guide (en violet) ; ce guide vous aide à rédiger la solution détaillée et à retrouver les réponses aux questions posées.

Énoncé

On souhaite réaliser une solution acide à partir d'acide chlorhydrique commercial à 25 % en masse : une solution de masse $m = 100$ g contient donc une masse $m_{HCl} = 25{,}0$ g de chlorure d'hydrogène HCl, un acide fort.

a. Déterminer la concentration massique c_m de la solution commerciale. En déduire sa concentration molaire c.

> ▶ Écrire les expressions littérales de la concentration massique et de la concentration molaire.
> ▶ À l'aide des unités, vérifier l'homogénéité de ces expressions.
> ▶ Convertir la masse volumique ρ en $g \cdot L^{-1}$.
> ▶ Vérifier que $c_m = 280$ $g \cdot L^{-1}$ et $c = 7{,}67$ $mol \cdot L^{-1}$.

b. La solution commerciale est diluée au $1/100^e$. Rédiger le protocole détaillé de la dilution.

> ▶ Faire une liste de la verrerie nécessaire.
> ▶ Numéroter les différentes étapes.
> ▶ Ne pas oublier les étapes de rinçage.

c. On note c_a la concentration apportée en chlorure d'hydrogène aqueux de la solution diluée. Quel sera le pH de la solution diluée ?

> ▶ Écrire l'équation de la réaction totale du chlorure d'hydrogène avec l'eau. En déduire la quantité d'ions H_3O^+ produits puis leur concentration.
> ▶ Écrire la définition du pH et faire l'application numérique. Vérifier que le pH vaut 1,1.

Données
- Masse molaire du chlorure d'hydrogène : $M = 36{,}5$ $g \cdot mol^{-1}$.
- Masse volumique de la solution : $\rho = 1{,}12$ $g \cdot cm^{-3}$.

16 Correction de pH

Compétences générales *Effectuer un raisonnement scientifique – Restituer ses connaissances*

Le pH des piscines doit être contrôlé pour que sa valeur soit entre 7,2 et 7,4. Pour cela, on utilise deux produits d'entretien : le produit « pH-moins » contenant le solide ionique $NaHSO_4$ et le produit « pH-plus » contenant le solide ionique $CaCO_3$. Expliquer le rôle de ces produits, notamment en écrivant les équations des réactions de dissolution et celles des réactions acido-basiques qui se produisent.

Données : HSO_4^-/SO_4^{2-} et HCO_3^-/CO_3^{2-} sont des couples acide/base.

17 pH sanguin

Compétences générales *Effectuer un calcul – Restituer ses connaissances*

La température normale du corps humain est de 37 °C. À cette température, le produit ionique de l'eau K_e est de $1,9 \times 10^{-14}$.

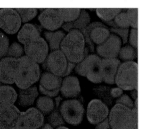

a. Déterminer le pH d'une solution neutre à cette température.

b. Le pH moyen du plasma sanguin est de 7,4. Le plasma est-il une solution basique ou acide ?

c. Les valeurs de pH du sang compatibles avec la vie sont comprises entre 6,8 et 7,8. Dans quel intervalle la concentration en ions H_3O^+ varie-t-elle ?

18 pH des sucs digestifs

Compétences générales *Effectuer un calcul – Restituer ses connaissances*

a. Le suc gastrique produit par les cellules de l'estomac est une solution aqueuse de chlorure d'hydrogène HCl (acide fort) dont le pH vaut 1,5.
Déterminer le facteur de dilution du suc gastrique dans l'estomac lorsque son pH est égal à 3,0.

b. Dans l'intestin, la digestion des protéines s'effectue à un pH égal à 8,0.
Déterminer la concentration des ions hydroxyde dans l'intestin.

Donnée : à 37 °C, $pK_e = 13,7$.

19 ✶ Vitamine C

Compétences générales *Effectuer un calcul – Restituer ses connaissances*

La vitamine C, ou acide ascorbique, est un acide faible de formule $C_6H_8O_6$.
On dissout une masse de 0,50 g d'acide ascorbique dans 0,20 L d'eau.

a. Écrire l'équation de la réaction entre l'acide ascorbique et l'eau.

b. Le pH de la solution obtenue est de 2,9.
Déterminer l'avancement final de la réaction.

c. En déduire les concentrations de l'acide ascorbique $C_6H_8O_6$ et de l'ion ascorbate $C_6H_7O_6^-$.

20 Solution de base faible

Compétences générales *Effectuer un raisonnement scientifique – Restituer ses connaissances*

L'ammoniac NH_3 est une base faible.

a. Écrire l'équation de la réaction de l'ammoniac avec l'eau.

b. On prépare une solution d'ammoniac de concentration apportée $c = 5,0 \times 10^{-3}$ mol·L^{-1}. Le pH d'une solution de base forte de même concentration est de 11,7.
Montrer que le pH de la solution d'ammoniac est inférieur à 11,7.

21 ✶ Acide fort ou faible ?

Compétence générale *Restituer ses connaissances*

L'acide butanoïque est un acide carboxylique dont on notera la formule $R–CO_2H$. Il est responsable de l'odeur désagréable du beurre rance, d'où son nom courant « acide butyrique » (du grec βουτυρος, « qui signifie beurre »).

a. Donner la formule de la base conjuguée de cet acide.

b. On prépare une solution d'acide butanoïque de concentration apportée $c = 2,0 \times 10^{-3}$ mol·L^{-1}. Le pH de la solution est mesuré : il vaut 3,7.
L'acide butanoïque est-il fort ou faible ?

c. Écrire l'équation de la réaction de l'acide butanoïque avec l'eau.

22 ✶ Le pH de l'eau

Compétences générales *Effectuer un raisonnement scientifique – Restituer ses connaissances*

Plusieurs mesures de pH d'eau ont été effectuées à la même température (25 °C).

Eau	eau distillée du laboratoire laissée à l'air libre	eau du robinet	Évian®	Perrier®
pH	5,7	8,1	7,2	5,5

1. a. Quel est le pH d'une eau pure à 25 °C ?

b. Que peut-on déduire des mesures de pH de ces solutions ?

2. Le dioxyde de carbone CO_2 en solution aqueuse se comporte comme un acide faible. Lors de sa dissolution dans l'eau, il se lie dans un premier temps avec une molécule d'eau. La base conjuguée de l'espèce (CO_2, H_2O) ainsi obtenue est l'ion hydrogénocarbonate HCO_3^-.

a. Écrire l'équation de la réaction du dioxyde de carbone avec l'eau.

b. Expliquer alors pourquoi le pH des solutions d'eau distillée du laboratoire et de l'eau de Perrier® sont acides.

23 ✶ Publicité pour un savon

Compétences générales *Extraire des informations – Communiquer et argumenter*

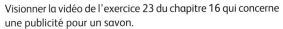

Cet exercice s'appuie sur des ressources disponibles sur le site élève :
www.nathan.fr/siriuslycee/eleve-termS.

Visionner la vidéo de l'exercice 23 du chapitre 16 qui concerne une publicité pour un savon.

a. Quel est le principe de l'expérience visionnée ?

b. Faire une recherche pour expliquer pourquoi un savon est en général basique.

c. Proposer une critique à la phrase : « Ce papier réagit à pH élevé. »

d. L'expérience montre-t-elle que le pH de la solution savonneuse étudiée est neutre ? Pourquoi est-il préférable que ce ne soit pas le cas ?

24 ✶ « pH des sols »

Compétences générales *Communiquer et argumenter – Proposer un protocole expérimental*

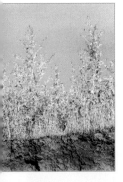

Pour son TPE, un élève de première S souhaite comparer le « pH de différents sols ».
Pour aider cet élève, proposer un protocole expérimental détaillé permettant de réaliser des solutions aqueuses comparables à partir d'échantillons de sol puis d'en mesurer le pH avec précision.

25 ✶ Mesure de pH et incertitude

Compétences générales *Effectuer un calcul – Commenter un résultat*

À l'aide d'un pH-mètre à affichage numérique, on mesure le pH d'une solution. La valeur affichée est 5,23.

1. Déterminer la concentration des ions H_3O^+ dans la solution.

2. L'incertitude de l'appareil est de 0,05 unité.

a. Écrire la valeur du pH sous la forme :
$$pH = \ldots \pm \ldots$$

b. En déduire l'encadrement de la concentration en ions H_3O^+, puis écrire sa valeur sous la forme :
$$[H_3O^+] = \ldots \pm \ldots$$

26 ✶ Science in English

Rechercher sur le site de la bibliothèque numérique Gallica (http://gallica.bnf.fr) le chapitre II « The acids », page 12 du livre *Historical introduction to chemistry* de Thomas Lowry (1936).

Dans la partie A, « *Discovery of the common acids* », l'auteur distingue les acides d'origine minérale et ceux d'origine végétale.

a. Repérer dans le texte trois acides d'origine minérale et trois autres d'origine végétale. Ces produits sont-ils naturels ou synthétiques ?

b. Effectuer une recherche pour déterminer leur nom français courant et leur formule. En déduire la formule de leur base conjuguée.

c. Quel groupe caractéristique commun possèdent les différents acides d'origine végétale ?

27 ✶ Interpréter des résultats d'expérience

Compétences générales *Effectuer un raisonnement scientifique – Commenter un résultat*

On réalise quatre expériences en suivant le protocole suivant.

Introduire une solution B (volume V_B, concentration c_B) de soude ($Na^+(aq)$, $HO^-(aq)$) et une solution A (volume V_A, concentration c_A) d'acide chlorhydrique ($H_3O^+(aq)$, $Cl^-(aq)$) de même température initiale dans un récipient thermiquement isolé. Les valeurs de V_A et de V_B de chaque expérience sont notées dans le tableau ci-dessous. La variation de température $\Delta\theta$ du mélange est mesurée pour chaque expérience. L'incertitude sur la mesure de $\Delta\theta$ est de $\pm 0,5\ ^\circ C$.

Expérience	V_A (mL)	c_A (mol·L⁻¹)	V_B (mL)	c_B (mol·L⁻¹)	$\Delta\theta$ (°C)
1	100	$1,0\times10^{-1}$	100	$1,0\times10^{-1}$	2,2
2	50	$1,0\times10^{-1}$	50	$1,0\times10^{-1}$	2,1
3	50	1,0	100	1,0	3,2
4	100	1,0	50	1,0	3,2

a. Écrire l'équation de la réaction chimique effectuée. Calculer l'avancement final x_f de la réaction et le volume total du mélange V_t pour chaque expérience.

b. On appelle avancement volumique de la réaction la grandeur $c_f = \dfrac{x}{V_t}$. Calculer c_f pour chaque expérience.

c. Au vu des résultats, de quel(s) paramètre(s) la variation de température dépend-elle ?

28 ✶✶ Lac acide

Compétences générales *Effectuer un raisonnement scientifique – Effectuer un calcul*

Le Kawah Ijen est un volcan d'Indonésie d'une surface $S = 41 \times 10^4\ m^2$. Son cratère abrite un lac considéré comme le lac le plus acide de la planète. Son acidité est due à la dissolution de gaz volcaniques (dioxyde de soufre, chlorure d'hydrogène).

Le pH de l'eau peut fluctuer dans l'année entre la saison sèche et la saison humide. On évalue le volume d'eau du lac à $32 \times 10^6\ \text{m}^3$. Le pH du lac est de 0,2.

Évaluer la variation de pH qui résulterait de l'augmentation du niveau d'eau de 10 m.

Aide. Le volume d'un cylindre de section S et de hauteur h est : $S \times h$.

29 **ECE** **Évaluation des compétences expérimentales**

Cet exercice permet de travailler les compétences expérimentales suivantes : • S'approprier • Analyser

On dispose d'un échantillon S_1 d'acide chlorhydrique dont le pH est de 3,0. On souhaite obtenir une solution S_2 de pH égal à 4,0. Deux protocoles sont proposés.

Protocole 1 : dans une fiole jaugée de 1,00 L, introduire 100 mL de la solution S_1. Compléter avec de l'eau distillée.

Protocole 2 : remplir à moitié une fiole jaugée de 1,00 L avec de l'eau distillée, y introduire 36 mg d'hydroxyde de sodium NaOH solide. Agiter. Compléter avec la solution dont le pH vaut 3,0.

Justifier chaque protocole puis choisir le plus précis en argumentant la réponse.

---

30 **Objectif BAC** *Exploiter des documents* ➤ **Dossier BAC, page 546**

→ Certaines communes du Québec ont utilisé une technique appelée chaulage pour lutter contre l'acidification de leurs lacs. Cet exercice se propose de comprendre la cause de cette acidification et le principe de son traitement.

1. a. À l'aide du document ci-contre, déterminer la concentration minimale en ions oxonium H_3O^+ dans l'eau d'un lac pour qu'il soit qualifié d'acide.

b. Les oxydes d'azote sont responsables de la formation de l'acide nitrique HNO_3 dans l'eau de pluie. L'acide nitrique est un acide fort.

Écrire l'équation de sa réaction avec l'eau.

c. L'utilisation de combustible fossile produit du dioxyde de soufre SO_2, oxydé en trioxyde de soufre SO_3 dans l'atmosphère puis transformé en acide sulfurique H_2SO_4 au contact de l'eau. Écrire les équations des réactions de formation de l'acide sulfurique.

d. L'acide sulfurique est un diacide fort, c'est-à-dire qu'il peut céder deux ions H^+ par molécule H_2SO_4.

Écrire l'équation de sa réaction avec l'eau.

e. Pourquoi les ions sulfate et nitrate sont-ils utilisés comme « indicateurs des apports en acide sulfurique et nitrique » ?

2. On considère un lac acide de volume $V = 5{,}0 \times 10^8\ \text{m}^3$ dont le pH vaut initialement 5,5.

a. Quelle est la quantité n_0 d'ions H_3O^+ dans ce lac ?

b. Le chaulage d'un lac consiste à augmenter son pH en y ajoutant une base A^-. Expliquer cette méthode en s'appuyant sur l'écriture d'une réaction acido-basique considérée comme quasi-totale.

c. On souhaite obtenir un pH final de 6,0.

Quelle quantité de base faut-il ajouter au lac ?

d. Quel est le coût de l'opération si la base utilisée est du carbonate de calcium de masse molaire $M = 100\ \text{g}\cdot\text{mol}^{-1}$ et dont le prix est de 50 € la tonne ?

Le territoire du Québec possède de nombreux lacs appelés « lacs acides » dont le pH est inférieur à 5,5. L'acidité d'un tel lac peut être d'origine naturelle ou humaine. Le terme « lac acidifié » est utilisé dans ce dernier cas. Cette acidification est généra-
5 lement survenue au cours des 40 à 100 dernières années. […] Les oxydes de soufre et d'azote émis dans l'atmosphère sont les causes les plus importantes de l'acidité des précipitations, entraînant l'acidification des lacs. Ces polluants se combinent à l'humidité de l'air pour se transformer en acides sulfurique et
10 nitrique, lesquels retombent ensuite au sol sous forme de pluies, neiges, dépôts secs et dépôts gazeux, et ce, après avoir parcouru des milliers de kilomètres. Les mesures des sulfates (SO_4^{2-}) et des nitrates (NO_3^-) sont utilisées comme indicateurs des apports en acides sulfurique (H_2SO_4) et nitrique (HNO_3).

D'après *La Problématique des lacs acides au Québec*,
J. Dupont © Ministère du Développement durable,
de l'Environnement et des Parcs.

Chaulage d'un lac.

31 Apprendre à chercher

La résolution de cet exercice nécessite de trouver les étapes du raisonnement.

→ Une aide est disponible en fin de manuel.

Énoncé

Des analyses montrent qu'une eau de pluie acide contient les polluants ci-dessous.

$$NO_3^- : 1,24 \text{ mg} \cdot L^{-1} ;$$
$$SO_4^{2-} : 2,88 \text{ mg} \cdot L^{-1} ;$$
$$Cl^- : 0,35 \text{ mg} \cdot L^{-1}.$$

→ *Évaluer le pH de cette eau de pluie.*

Données. L'acide nitrique HNO_3 et le chlorure d'hydrogène HCl sont des acides forts. L'acide sulfurique H_2SO_4 est un diacide fort, c'est-à-dire qu'il peut céder deux protons.

32 ✶✶ Notice d'un pH-mètre

Compétences générales *Extraire et exploiter des informations – Commenter un résultat*

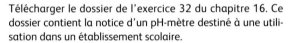

Cet exercice s'appuie sur des ressources disponibles sur le site élève :
www.nathan.fr/siriuslycee/eleve-termS.

Télécharger le dossier de l'exercice 32 du chapitre 16. Ce dossier contient la notice d'un pH-mètre destiné à une utilisation dans un établissement scolaire.

1. a. Quelles informations relatives à la précision des mesures de pH peut-on relever lors de la lecture de cette notice ?

b. Quelles sont les informations relatives à l'étalonnage de l'appareil ?

2. La mesure du pH d'une même solution aqueuse par des pH-mètres de même modèle a été effectuée par quinze binômes d'une classe de terminale S : les résultats sont les suivants.
4,82 · 4,75 · 4,88 · 4,91 · 4,85 · 4,78 · 4,76 · 4,84 · 4,92 · 4,85 · 4,89 · 4,79 · 4,83 · 4,90 · 4,77

a. Ces résultats sont-ils en adéquation avec la précision de la mesure indiquée dans la notice ?

b. En utilisant la calculatrice, calculer l'écart-type de la série de résultats de la classe, puis donner le résultat de la mesure collective sous la forme pH = ... ± ... pour un intervalle de confiance de 95 % (→ dossier « Mesures et incertitudes »).

c. Construire l'histogramme du nombre de mesures de pH en utilisant en abscisse les intervalles [4,75 ; 4,8[; [4,8 ; 4,85[; [4,85 ; 4,9[; [4,9 ; 4,95[.

3. Les caractéristiques de la sonde de pH connectée au pH-mètre sont données dans le dossier téléchargé.

a. Peut-on mesurer une solution de pH égal à 13 avec l'appareillage proposé (pH-mètre et sonde) ?

b. Dans quelle solution faut-il conserver cette sonde lorsqu'elle n'est pas utilisée ?

33 ✶✶ Du lait au yaourt

Compétences générales *Extraire et exploiter des informations – Effectuer un raisonnement scientifique*

Le lait, ensemencé par des bactéries (lactobacilles et streptocoques) et placé à 40 °C, est progressivement transformé en yaourt. L'épaississement est observé au bout de 4 à 6 heures.

Bactéries permettant la fermentation du yaourt (microscope électronique à balayage).

On se propose d'interpréter cette transformation à l'aide des documents suivants.

DOC 1. Comparaison de la composition du lait et du yaourt

		dans 1 kg de lait	dans 1 kg de yaourt
Glucides		– lactose ($C_{12}H_{22}O_{11}$) : 47 à 52 g	– lactose ($C_{12}H_{22}O_{11}$) : 32 à 35 g – galactose ($C_6H_{12}O_6$) : 15 g – glucose ($C_6H_{12}O_6$) : 0,5 g
Lipides		– glycéride – phospholipides – stérol	– glycéride – phospholipides – stérol
Protéines	non enzymatiques	– caséine : 31 à 34 g (soluble) – albumine : 27 à 29 g – autre : 4 à 5 g	– caséine (insoluble) – albumine – autre
	enzymatiques	– amylase – lipase – protéase	– amylase – lipase – protéase
Autres		– vitamines – sels minéraux	– vitamines – sels minéraux – acide lactique – bactéries

DOC 2. Évolution du pH en fonction du temps

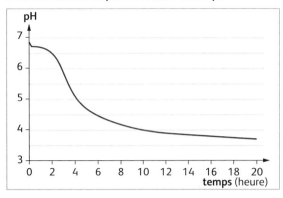

a. Quelle protéine du lait est modifiée, entraînant l'épaississement du lait lors du processus de formation du yaourt ?

b. Quelle modification dans la composition est à l'origine de l'acidification du milieu ?

c. Proposer une expérience pour montrer que l'acidification du lait est responsable de son épaississement.

d. Faire une recherche pour déterminer de quels sucres est constitué le lactose. Quel peut être le rôle des bactéries ? Proposer une expérience permettant de le vérifier.

---

34 ✶✶ **Préparer des solutions**

Compétences générales *Effectuer un raisonnement scientifique – Effectuer un calcul*

On désire préparer une solution aqueuse S_1 d'hydroxyde de sodium NaOH(s) à la concentration $c_B = 10$ mol·L^{-1}, et une solution aqueuse S_2 d'acide chlorhydrique (H_3O^+(aq), Cl$^-$(aq)) à la concentration $c_A = 20$ mmol·L^{-1}.

1. Quelle masse d'hydroxyde de sodium solide est nécessaire pour préparer un litre de solution S_1 ?

2. Pour préparer la solution diluée d'acide chlorhydrique S_2, on utilise une solution commerciale S_3 de fraction massique $x = 0,37$ (soit 37 % en masse de chlorure d'hydrogène dans la solution) et de densité $d = 1,2$.

a. Calculer la masse m_{HCl} puis la quantité n_{HCl} de chlorure d'hydrogène dans un échantillon de volume $V = 1,0$ L de la solution S_3.

b. Déterminer le volume V_3 de solution commerciale S_3 qu'il faut prélever pour obtenir un volume $V = 1,0$ L de solution diluée S_2 à la concentration c_A.

3. On ajoute six gouttes de la solution basique S_1 à un litre de solution acide S_2.

a. Sachant que le compte-gouttes de la burette délivre 1,0 mL pour 20 gouttes, calculer la concentration en ions H_3O^+ dans la solution d'acide après cet ajout.

b. Combien de gouttes faudra-t-il verser pour avoir une solution neutre ?

D'après les XXVIIe Olympiades nationales de la chimie 2011, académie de Caen, thème «Chimie et eau»

---

35 ✶✶ **Fiabilité d'une recherche sur Internet**

Compétences générales *Communiquer et argumenter*

Un élève de terminale S s'interroge sur la manière de contrôler le pH de son aquarium.
Il effectue une recherche sur Internet en choisissant comme mots-clés «contrôle ; pH ; aquarium».

Effectuer cette recherche en analysant les premières pages proposées par le moteur de recherche. Relever les expressions qui semblent en contradiction avec les connaissances acquises sur les acides et les bases et sur le pH des solutions aqueuses. Travailler ensuite par groupes afin de proposer des expressions plus appropriées.

---

36 **Objectif BAC** *Rédiger une synthèse de documents*

Dossier BAC, page 546

Cet exercice s'appuie sur des ressources disponibles sur le site élève : **www.nathan.fr/siriuslycee/eleve-termS.**

Télécharger le dossier «Ressources pour l'exercice 36» du chapitre 16, qui concerne le diagnostic et le traitement du reflux gastro-œsophagien chez le nourrisson.

Ce dossier comporte :
– la description de l'examen pH-métrique ;
– les résultats de l'examen pour un nourrisson sain et pour un nourrisson présentant les symptômes du reflux ;
– des données numériques.

→ L'objectif de cet exercice est d'analyser et d'interpréter les résultats de l'examen des deux nourrissons.
Le texte rédigé, d'environ 30 lignes, devra être clair et structuré et l'argumentation reposera sur les données numériques issues des documents proposés.

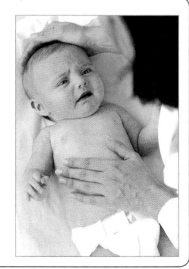

Couples acide faible/ base faible. Solution tampon

La fabrication de la bière repose sur un processus de fermentation : en présence de levures (dont *Saccharomyces cerevisiae*), l'amidon du malt est transformé en sucres puis en éthanol. Ces transformations sont catalysées par des enzymes produites par les levures. L'activité de ces enzymes étant fortement dépendante du pH du milieu, **les brasseurs contrôlent avec soin le pH de l'eau de brassage** et l'acidifient si nécessaire.

COMPÉTENCES EXIGIBLES

- Déterminer expérimentalement une constante d'acidité. → *Activité expérimentale 1*

- Identifier l'espèce prédominante d'un couple acide/base connaissant le pH du milieu et le pK_a du couple. → *Exercices d'application 3 et 4*

- Extraire et exploiter des informations pour montrer l'importance du contrôle du pH dans un milieu biologique. → *Activité documentaire 4 et exercice d'application 5*

1 Détermination d'une constante d'acidité

▶ Le couple $CH_3CO_2H/CH_3CO_2^-$ (acide éthanoïque/ion éthanoate) est un couple acide faible/base faible. Utilisons la pH-métrie pour déterminer une grandeur caractéristique de ce couple, appelée constante d'acidité.

Expériences

A ■ À l'aide d'un pH-mètre étalonné, mesurer le pH d'une solution d'acide éthanoïque CH_3CO_2H de concentration apportée $c_A = 1{,}0 \times 10^{-2}$ mol·L^{-1} (→ **Fiche pratique 10**).
■ Diluer au 1/10e puis au 1/100e cette solution.
Mesurer le pH des solutions obtenues.
■ Rassembler les résultats de mesure dans un tableur-grapheur.

B Reprendre le protocole de l'expérience **A** avec une solution d'éthanoate de sodium $(CH_3CO_2^-(aq), Na^+(aq))$ de concentration apportée :
$c_B = 1{,}0 \times 10^{-2}$ mol·L^{-1}.

1 ▶ *Mesure de pH des solutions d'acide éthanoïque et des solutions d'éthanoate de sodium.*

❶ Exploiter les résultats

a. Comment évolue le pH lors d'une dilution ? Expliquer.

b. Répondre aux questions suivantes, qui concernent l'expérience **A**.
- Écrire l'équation de la réaction, notée **(1)**, de l'acide CH_3CO_2H avec la base H_2O.
- Utiliser le tableur pour déterminer, à partir des valeurs de pH, la concentration en ions oxonium H_3O^+ dans chaque solution.
- Dresser le tableau d'évolution de la réaction **(1)**, en notant V le volume de la solution.
- En s'appuyant sur le tableau d'évolution, exprimer les concentrations en acide éthanoïque et en ion éthanoate dans la solution en fonction de c_A et de $[H_3O^+]$.
- À l'aide du tableur, calculer les concentrations $[CH_3CO_2H]$ et $[CH_3CO_2^-]$ dans chaque solution d'acide éthanoïque.

c. Répondre aux questions suivantes, qui concernent l'expérience **B**.
- Écrire l'équation de la réaction, notée **(2)**, de la base $CH_3CO_2^-$ avec l'acide H_2O.
- Utiliser le tableur pour déterminer, à partir des valeurs de pH, la concentration en ions oxonium H_3O^+ puis la concentration en ions hydroxyde HO^- dans chaque solution.
- Reprendre la démarche du **b.** pour déterminer, dans chaque solution, les concentrations $[CH_3CO_2H]$ et $[CH_3CO_2^-]$.

❷ Conclure

Pour chaque solution étudiée, calculer, à l'aide du tableur, l'expression $-\log\left(\dfrac{[H_3O^+] \times [CH_3CO_2^-]}{[CH_3CO_2H]}\right)$ en exprimant les concentrations en mol·L^{-1}. Que constate-t-on ?
La constante ainsi calculée est notée pK_a. La grandeur $K_a = 10^{-pK_a}$ est appelée **constante d'acidité du couple acide/base**.

ACTIVITÉ EXPÉRIMENTALE

2

Étude d'un indicateur coloré

▶ L'acide et la base de certains couples acide faible/base faible peuvent présenter des couleurs différentes. Utilisons la spectrophotométrie pour étudier l'influence du pH sur la couleur d'une solution de vert de bromocrésol.

Expérience

- Remplir une burette avec la solution de vert de bromocrésol (VBC).
- On dispose de cinq solutions tampons de pH donné (pH = 2, 4, 5, 6 et 8). Verser 10 mL de chacune de ces solutions dans une fiole jaugée de 100 mL différente.
- Ajouter dans chaque fiole 5,0 mL de la solution de vert de bromocrésol.
- Compléter la fiole jusqu'au trait de jauge avec de l'eau distillée.
- Mesurer le pH de chaque solution (→ **Fiche pratique 10**).
- Tracer le spectre visible de chaque solution (→ **Fiche pratique 8**).

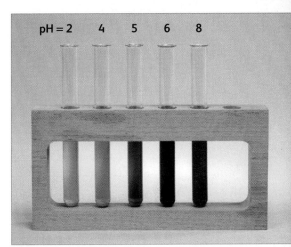

2 Solutions de vert de bromocrésol de différents pH.

❶ Exploiter les résultats

a. Déterminer les longueurs d'onde $\lambda_{m,a}$ et $\lambda_{m,b}$ correspondant aux maxima d'absorbance des spectres obtenus. (On choisira $\lambda_{m,a} < \lambda_{m,b}$.)

b. Dans un tableur-grapheur, construire un tableau en indiquant pour chaque solution le pH mesuré, la couleur observée, la valeur A_a de l'absorbance à la longueur d'onde $\lambda_{m,a}$ et la valeur A_b de l'absorbance à la longueur d'onde $\lambda_{m,b}$.

❷ Interpréter

a. Justifier la couleur des solutions à l'aide des spectres.

b. On note HA/A^- le couple acide faible/base faible du vert de bromocrésol. Une solution qui ne contiendrait que l'espèce HA serait jaune. Une solution qui ne contiendrait que l'espèce A^- serait bleue.

Associer à HA et A^- leur longueur d'onde de maximum d'absorption $\lambda_{m,a}$ ou $\lambda_{m,b}$.

c. Les deux espèces sont-elles présentes simultanément dans les différentes solutions ?

❸ Raisonner

a. Rappeler la loi de Beer-Lambert.

b. On note $c = [HA] + [A^-]$ la concentration totale en vert de bromocrésol.

Montrer qu'à un pH donné, la proportion de la forme basique du vert de bromocrésol $\alpha_b = \dfrac{[A^-]}{c}$ peut être évaluée en calculant $\dfrac{A_b}{A_{b,8}}$ où $A_{b,8}$ est la valeur de A_b de la solution de pH = 8.

c. Comment en déduire la proportion α_a de la forme acide ?

d. À l'aide du tableur, tracer α_a et α_b en fonction du pH.

e. Évaluer le pH d'une solution dans laquelle les formes acide et basique seraient dans les mêmes proportions.

f. Le pK_a du couple HA/A^- est de 4,9. Commenter.

ACTIVITÉ EXPÉRIMENTALE • *S'approprier* • *Analyser* • *Réaliser* • *Valider*

3

Étude des propriétés d'une solution tampon

▶ Étudions les propriétés des solutions étalons utilisées pour étalonner les pH-mètres, également appelées solutions tampons.

Expériences

A ■ On dispose de six béchers de 150 mL. Dans chaque bécher, introduire un échantillon de volume 50 mL environ de l'une des six solutions suivantes :
– solutions étalons de pH 4, 7 et 10 ;
– acide chlorhydrique de concentration $c_A = 1,0 \times 10^{-4}$ mol·L^{-1} ;
– eau du robinet ;
– solution d'hydroxyde de sodium de concentration $c_B = 1,0 \times 10^{-4}$ mol·L^{-1}.

■ Mesurer le pH de chacune de ces solutions (→ **Fiche pratique 10**). Rassembler les résultats dans un tableau.

B ■ Diviser la classe en trois groupes.

■ Chaque groupe mesure de nouveau le pH des six solutions, après avoir ajouté dans chaque bécher l'une des solutions du tableau ci-dessous.

Groupe	Solution
1	1 mL de solution d'hydroxyde de sodium de concentration 0,1 mol·L^{-1}
2	1 mL d'acide chlorhydrique de concentration 0,1 mol·L^{-1}
3	100 mL d'eau du robinet

■ Rassembler les résultats de la classe dans un tableau.

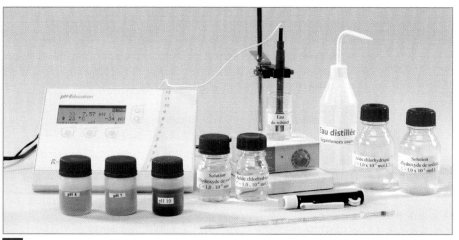

3 *Solutions acides ou basiques de différents pH.*

❶ Interpréter

Quelles sont les propriétés des solutions étalons mises en évidence par ces expériences ?

❷ Prolonger l'expérience

On dispose d'une solution obtenue en mélangeant 100 mL d'une solution d'acide éthanoïque CH_3CO_2H de concentration 0,1 mol·L^{-1} et 100 mL d'une solution d'éthanoate de sodium ($CH_3CO_2^-$ (aq), Na^+(aq)) de même concentration.

a. Proposer un protocole expérimental pour montrer que les propriétés de la solution obtenue sont celles d'une solution tampon.

b. Mettre en œuvre ce protocole et conclure.

4 Influence du pH en milieu biologique

▶ De nombreuses transformations chimiques réalisées dans les organismes vivants sont catalysées par des protéines appelées enzymes. Étudions l'influence du pH sur les propriétés des protéines.

Une protéine est une macromolécule constituée d'un enchaînement particulier d'acides α-aminés. Sa structure tridimensionnelle résulte de la forma-
5 tion de liaisons faibles, comme la liaison hydrogène, entre différentes parties de la molécule. Ces liaisons peuvent se rompre sous l'effet d'une variation du pH, entraînant une modification de la forme de la
10 protéine. Cette modification est appelée dénaturation de la protéine. Elle peut être réversible si les variations de pH ne sont pas trop importantes.

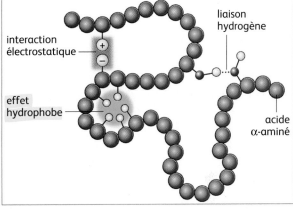

4 *Influence du pH sur la forme des protéines.*

5 *Schématisation des liaisons faibles au sein d'une protéine.*

Vocabulaire

Effet hydrophobe : tendance des chaînes carbonées apolaires à exclure l'eau et à s'associer entre elles.

❶ Analyser les documents

D'après le **document 4**, quelle peut être la conséquence d'une modification du pH sur la protéine représentée sur la **figure 5** ?

❷ Interpréter

a. Représenter la liaison hydrogène de la **figure 5** en supposant qu'elle s'établit entre deux molécules d'acide aspartique **(document 6)** sous leur forme acide. Cette interaction existe-t-elle si ces acides α-aminés sont sous leur forme basique ?

b. Pourquoi cette liaison hydrogène est-elle susceptible de se rompre sous l'effet d'une augmentation de pH ?

c. Expliquer la dernière phrase du **document 4**.

Certains acides α-aminés possèdent un groupe caractéristique supplémentaire présentant des propriétés acido-basiques. L'acide aspartique, par exemple, possède un groupe carboxyle $-CO_2H$ dont la base conjuguée est le groupe carboxylate $-CO_2^-$.

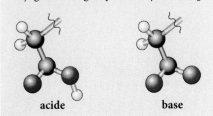

6 *Modèles moléculaires des formes acide et basique de la chaîne latérale de l'acide aspartique.*

❸ Conclure

L'activité catalytique d'une enzyme repose sur la possibilité de formation de liaisons faibles entre le réactif (appelé substrat) et l'enzyme, au sein d'une cavité de l'enzyme appelée **site actif**.

Visionner l'animation du chapitre 17 concernant l'activité d'une enzyme, sur le site élève : www.nathan.fr/siriuslycee/eleve-termS.

À l'aide de cette animation, rédiger une courte synthèse (5 à 10 lignes) permettant d'expliquer l'influence du pH sur l'activité de l'enzyme.

1 Constante d'acidité d'un couple acido-basique

1.1 Constante d'acidité K_a

> Un couple acide faible/base faible est caractérisé par une constante sans dimension, appelée **constante d'acidité** et notée K_a, dont la valeur ne dépend que de la température.

Les valeurs des constantes d'acidité sont rassemblées dans des tables de données.

Exemples

Couple	$CH_3CO_2H/$ $CH_3CO_2^-$	$(CO_2, H_2O)/$ HCO_3^-	NH_4^+/NH_3	HCO_3^-/CO_3^{2-}
K_a à 25 °C	$1{,}6 \times 10^{-5}$	$4{,}0 \times 10^{-7}$	$6{,}3 \times 10^{-10}$	$5{,}0 \times 10^{-11}$

Lorsqu'un acide faible HA est introduit en solution, il réagit avec la base H_2O selon la réaction équilibrée d'équation :

$$HA\,(aq) + H_2O\,(aq) \rightleftharpoons A^-\,(aq) + H_3O^+\,(aq).$$

De même, lorsqu'une base faible A^- est introduite en solution aqueuse, elle réagit avec l'acide H_2O selon la réaction équilibrée d'équation :

$$A^-\,(aq) + H_2O\,(aq) \rightleftharpoons HA\,(aq) + HO^-\,(aq).$$

Dans les deux cas, les espèces HA et A^- sont toutes les deux présentes en solution lorsque le système chimique n'évolue plus.

> Lorsque le système chimique n'évolue plus, les concentrations des espèces acide HA et basique A^- (en $mol \cdot L^{-1}$) vérifient la relation :
>
> $$K_a = \frac{[H_3O^+] \times [A^-]}{[HA]}$$

APPLICATION Quelle est la concentration en ion ammonium NH_4^+ dans une solution d'ammoniac NH_3 de pH égal à 10 et de concentration en ammoniac $[NH_3] = 5{,}0 \times 10^{-4} \text{ mol} \cdot L^{-1}$?

Réponse. La concentration en ion ammonium $[NH_4^+]$ vérifie la relation suivante :

$$K_a = \frac{[H_3O^+] \times [NH_3]}{[NH_4^+]}$$

$[H_3O^+]$ s'exprime en fonction du pH par la relation : $[H_3O^+] = 10^{-pH}$. D'où :

$$[NH_4^+] = \frac{10^{-pH} \times [NH_3]}{K_a}$$

A.N. : $[NH_4^+] = \dfrac{10^{-10} \times 5{,}0 \times 10^{-4}}{6{,}3 \times 10^{-10}} = 7{,}9 \times 10^{-5} \text{ mol} \cdot L^{-1}$.

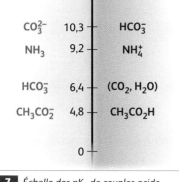

7 *Échelle des pK_a de couples acide faible/base faible à 25 °C.*

1.2 Échelle des pK_a

Les constantes d'acidité des couples acide/base prennent des valeurs dont les ordres de grandeur sont très différents, c'est pourquoi on utilise plus volontiers une échelle logarithmique pour les comparer.

> Le pK_a d'un couple acide faible/base faible est défini par :
> $$pK_a = -\log(K_a)$$
> Il est compris entre 0 et pK_e.

Les valeurs de pK_a sont regroupées sur un axe vertical appelé **échelle de pK_a** **(figure 7)**.

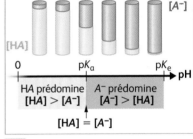

8 Diagramme de prédominance d'un couple acide faible/base faible HA/A⁻.

2 Domaines de prédominance

2.1 Cas général

- Considérons le couple acide faible/base faible HA/A^-, caractérisé par sa constante d'acidité K_a. Supposons qu'il est présent dans une solution dont on connaît le pH. Les deux espèces HA et A^- sont simultanément présentes dans la solution.

Les concentrations de ces espèces vérifient :
$$K_a = \frac{[H_3O^+] \times [A^-]}{[HA]}, \text{ soit } [H_3O^+] = K_a \times \frac{[HA]}{[A^-]}.$$
En appliquant à cette égalité la fonction logarithme décimal puis en la multipliant par −1, on obtient :
$$\underbrace{-\log([H_3O^+])}_{pH} = \underbrace{-\log K_a}_{pK_a} - \log\left(\frac{[HA]}{[A^-]}\right)$$

Point Math

Pour $x > 0$:
- $\log x = 0$ si $x = 1$;
- $\log x < 0$ si $x < 1$;
- $\log x > 0$ si $x > 1$.

> Le pH d'une solution contenant un acide faible HA et sa base conjuguée A^- est lié au pK_a du couple HA/A^- par la relation :
> $$pH = pK_a + \log\left(\frac{[A^-]}{[HA]}\right)$$
> − Si pH = pK_a, $[A^-] = [HA]$. Les espèces acide et basique ont la même concentration en solution.
> − Si pH < pK_a, $[A^-] < [HA]$. L'espèce acide prédomine.
> − Si pH > pK_a, $[A^-] > [HA]$. L'espèce basique prédomine **(figure 8)**.

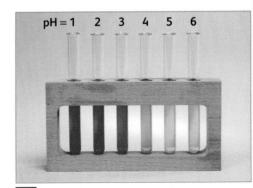

9 Couleurs d'une solution d'hélianthine en fonction du pH.

- Un indicateur coloré est un couple acido-basique dont les formes acide et basique n'ont pas la même couleur. Selon le pH de la solution dans lequel il est présent, la couleur de la forme acide ou basique prédomine. Par exemple, la forme basique de l'hélianthine est jaune, et sa forme acide est rouge **(document 9)**.

Lorsque le pH est proche du pK_a, aucune des deux espèces ne prédomine très nettement, et la couleur observée résulte de la présence des deux espèces. L'intervalle de pH correspondant au passage de la couleur de l'acide à celle de la base est appelé **zone de virage** de l'indicateur coloré. Pour l'hélianthine, dont le pK_a vaut 3,5, la zone de virage est l'intervalle [3,1 ; 4,4].

10 Le papier pH est imbibé d'un mélange d'indicateurs colorés. La couleur prise par ce mélange dépend du pH de la solution déposée sur le papier.

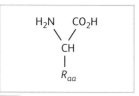

11 *Représentation générique d'un acide α-aminé. R_{aa} représente un groupe d'atomes.*

2.2 Application aux acides α-aminés

● Les protéines constituent, après l'eau, les espèces chimiques les plus abondantes dans les cellules (20 % en masse environ). Leur rôle est fondamental dans le fonctionnement d'un organisme vivant (structure, catalyse de réactions chimiques, réception de signaux, transport de substances vers l'intérieur ou l'extérieur de la cellule, etc.). Ce sont des macromolécules constituées d'un enchaînement d'espèces chimiques appelées acides α-aminés.

Un acide α-aminé possède au moins deux groupes caractéristiques présentant des propriétés acido-basiques : un groupe carboxyle et un groupe amino **(figure 11)**.

● Avant de nous intéresser au diagramme de prédominance d'un acide α-aminé, étudions celui des espèces chimiques possédant un seul de ces deux groupes.

Acide	pK_a
méthanoïque H–CO$_2$H	3,8
éthanoïque CH$_3$–CO$_2$H	4,8
benzoïque C$_6$H$_5$–CO$_2$H	4,2
lactique CH$_3$–CH(OH)–CO$_2$H	3,9

12 *Valeurs de pK_a de quelques couples R–CO$_2$H/R–CO$_2^-$ à 25 °C.*

A Acides carboxyliques

Les acides carboxyliques sont en général des acides faibles. Leur base faible conjuguée, appelée **ion carboxylate**, présente le groupe caractéristique –CO$_2^-$. Le pK_a du couple acide carboxylique/ion carboxylate est en général compris entre 2 et 5 **(tableau 12)**.

Le diagramme de prédominance du couple R-CO$_2$H/R-CO$_2^-$ est :

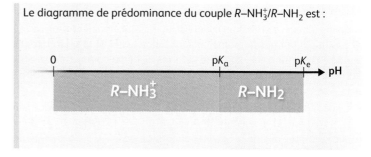

B Amines

L'acide conjugué d'une amine R–NH$_2$ est appelé **ion ammonium** R–NH$_3^+$. Le couple ion ammonium/amine est en général un couple acide faible/base faible dont le pK_a est compris entre 9 et 10.

Le diagramme de prédominance du couple R–NH$_3^+$/R–NH$_2$ est :

Amine	pK_a
méthylamine CH$_3$–NH$_2$	10,6
diméthylamine (CH$_3$)$_2$NH	10,8
triméthylamine (CH$_3$)$_3$N	9,8

13 *Valeurs de pK_a de quelques couples R–NH$_3^+$/R–NH$_2$ à 25 °C.*

Les amines dont l'atome d'azote est lié à deux ou trois atomes de carbone possèdent des propriétés analogues **(tableau 13)**.

C Acides α-aminés

● Les propriétés acido-basiques d'un acide α-aminé sont dues au groupe carboxyle (couple $-CO_2H/-CO_2^-$, pK_{a_1} voisin de 2) et au groupe amino (couple $-NH_3^+/-NH_2$, pK_{a_2} voisin de 10).

● Pour construire le diagramme de prédominance d'un acide α-aminé, on représente sur un même axe, l'un en dessous de l'autre, les domaines de prédominance de l'acide et de la base d'une espèce présentant le groupe carboxyle et d'une espèce présentant le groupe amino. Puis, sur chaque intervalle [0 ; pK_{a_1}], [pK_{a_1} ; pK_{a_2}] et [pK_{a_2} ; pK_e], on représente l'acide α-aminé avec ses groupes carboxyle et amino sous leur forme prédominante.

Le diagramme de prédominance d'un acide α-aminé présentant deux groupes caractéristiques ayant des propriétés acido-basiques $-CO_2H/-CO_2^-$ (pK_{a_1}) et $-NH_3^+/-NH_2$ (pK_{a_2}) est :

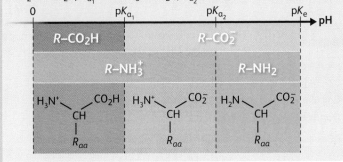

Ce diagramme montre que la formule générique d'un acide α-aminé, présentée **figure 11**, n'est en fait jamais prédominante en solution aqueuse, quel que soit le pH de la solution. Cette forme générique est cependant souvent écrite car elle respecte les écritures habituelles des groupes caractéristiques carboxyle et amino. En réalité, la forme électriquement neutre fait apparaître des charges électriques opposées sur les deux groupes caractéristiques.

APPLICATION La leucine est l'acide α-aminé dont la chaîne latérale est le groupe $-R_{aa} = -CH_2CH(CH_3)_2$. Les pK_a de cette espèce sont $pK_{a_1} = 2,4$ et $pK_{a_2} = 9,6$.

Écrire la formule semi-développée de l'espèce majoritairement présente en solution aqueuse dans les deux cas suivants : ① pH = 1,0 ; ② pH = 7,0.

Réponse. Dans le cas ①, le pH est inférieur aux deux pK_a de l'acide α-aminé. Par conséquent, ses deux groupes caractéristiques sont sous leur forme acide. La formule semi-développée de l'espèce majoritaire est donc celle représentée ci-contre.

Dans le cas ②, le pH de la solution est supérieur au pK_{a_1}, caractéristique du groupe carboxyle. L'espèce présentera donc la forme basique de ce groupe. D'autre part, le pH est inférieur au pK_{a_2}, caractéristique du groupe amino. L'espèce présentera donc la forme acide de ce groupe. La formule semi-développée de l'espèce majoritaire est donc celle représentée ci-contre.

3 Importance du contrôle du pH

3.1 Solutions tampons

> Une **solution tampon** est une solution dont le pH varie peu lorsqu'on y ajoute une petite quantité d'acide, de base ou lorsqu'on la dilue de façon modérée.

Une solution tampon est généralement obtenue en réalisant le mélange d'un acide faible HA et de sa base conjuguée A^- à des concentrations voisines. Le couple acide/base est choisi de telle sorte que son pK_a soit proche du pH de la solution que l'on souhaite obtenir.

Le pH d'une telle solution tampon s'exprime par : $pH = pK_a + \log \dfrac{[A^-]}{[HA]}$.

14 Les solutions étalons utilisées pour l'étalonnage des pH-mètres sont des solutions tampons.

> **APPLICATION** On réalise une solution tampon en mélangeant de l'ammoniac NH_3 et des ions ammonium NH_4^+ de manière à ce que leurs concentrations en solution soient :
> $$[NH_3] = 1{,}0 \times 10^{-2} \ mol \cdot L^{-1} \text{ et } [NH_4^+] = 1{,}6 \times 10^{-2} \ mol \cdot L^{-1}.$$
> Calculer le pH de cette solution tampon.
>
> **Donnée :** $pK_a(NH_4^+/NH_3) = 9{,}2$.
>
> **Réponse.** Le pH de la solution tampon se détermine par la relation :
> $$pH = pK_a + \log \frac{[NH_3]}{[NH_4^+]}.$$
> A.N. : $pH = 9{,}2 + \log \left(\dfrac{1{,}0 \times 10^{-2}}{1{,}6 \times 10^{-2}} \right) = 9{,}0$.

> **Science in English**
>
> **Buffer :** solution tampon.

Lorsque l'on ajoute un acide fort tel que H_3O^+ à une solution tampon, celui-ci réagit de manière quasi-totale avec la base A^- selon la réaction d'équation : $H_3O^+(aq) + A^-(aq) \rightarrow H_2O(\ell) + HA(aq)$.

De manière analogue, lorsque l'on ajoute une base forte telle que HO^- à une solution tampon, celle-ci réagit de manière quasi-totale avec l'acide HA selon la réaction d'équation :

$$HA(aq) + HO^-(aq) \rightarrow A^-(aq) + H_2O(\ell).$$

Dans les deux cas, si la quantité d'acide fort ajouté ou de base forte ajoutée est inférieure aux quantités d'acide HA ou de base A^- initiales, alors les concentrations $[HA]$ et $[A^-]$ varient peu, ce qui n'entraîne qu'une faible variation du pH de la solution.

3.2 pH des milieux biologiques

● Dans un corps humain sain, le pH du sang est maintenu dans une plage très étroite autour de 7,4. Cette régulation est assurée par la présence de plusieurs couples acido-basiques, dissous dans le plasma sanguin, qui exercent un effet tampon : citons en particulier le couple $(CO_2, H_2O)/HCO_3^-$ dont le pK_a vaut 6,3 à 37 °C.

● L'activité catalytique d'une enzyme est très dépendante du pH **(activité 4)** : ainsi, l'activité catalytique de la trypsine est maximale à un pH voisin de 8, proche de celui du milieu intestinal **(figure 15)**, alors que celle de la pepsine est maximale dans le milieu acide de l'estomac.

15 Activité catalytique de deux enzymes en fonction du pH. La pepsine et la trypsine sont des enzymes permettant la digestion des protéines, respectivement dans l'estomac et dans l'intestin.

L'ESSENTIEL

→ Constante d'acidité K_a et pK_a

● Un couple acide faible/base faible est caractérisé par son pK_a :

$$pK_a = -\log K_a$$

● K_a, la constante d'acidité du couple, ne dépend que de la température.

● Les couples sont classés sur une échelle de pK_a graduée de 0 à pK_e.

base	pK_a	acide
	pK_e	
CO_3^{2-}	10,3	HCO_3^-
NH_3	9,2	NH_4^+
HCO_3^-	6,4	(CO_2, H_2O)
$CH_3CO_2^-$	4,8	CH_3CO_2H
	0	

● Lorsque le système chimique n'évolue plus, les concentrations des espèces acide HA et basique A^- (en mol·L^{-1}) vérifient la relation :

$$\frac{[H_3O^+] \times [A^-]}{[HA]} = K_a$$

→ Importance du contrôle du pH

● Une **solution tampon** est une solution dont le pH varie peu lorsqu'on y ajoute une petite quantité d'acide, de base ou lorsqu'on la dilue de façon modérée.

● Une solution tampon simple est en général obtenue en réalisant une solution contenant un acide faible HA et sa base conjuguée A^- dans des concentrations voisines.

● Le contrôle du pH des milieux biologiques est essentiel.

→ Diagrammes de prédominance

Cas général

Le pH d'une solution contant un acide faible HA et sa base conjuguée A^- est lié au pK_a du couple par la relation :

$$pH = pK_a + \log\left(\frac{[A^-]}{[HA]}\right)$$

● Si pH = pK_a, les espèces acide HA et basique A^- ont la même concentration en solution.

● Si pH < pK_a, l'espèce acide HA prédomine.

● Si pH > pK_a, l'espèce basique A^- prédomine.

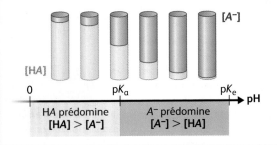

Cas des acides α-aminés

● **Diagramme des acides carboxyliques**

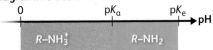

● **Diagramme des amines**

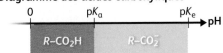

● **Diagramme des acides α-aminés**

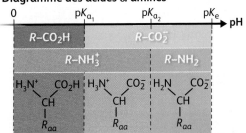

Exercices Application

 MANUEL NUMÉRIQUE **EXERCICES INTERACTIFS**

1 Mots manquants

Compléter avec un ou plusieurs mots.

a. La constante K_a d'un couple acide faible/base faible est appelée .... Le pK_a du couple est la grandeur définie par ....

b. Lorsque le pH d'une solution est supérieur au pK_a d'un couple acide faible/base faible, l'espèce prédominante du couple est ....

c. Les groupes caractéristiques d'un acide α-aminé responsables de ses propriétés acido-basiques sont les groupes .... et ....

d. Une solution tampon est une solution dont le pH varie .... lorsqu'on y ajoute une petite quantité ....

2 QCM

Cocher la réponse exacte.

a. Le pH d'une solution contenant un acide faible HA et de sa base conjuguée A^-, et tel que $[HA] = 2\,[A^-]$, est :
☐ supérieur au pK_a du couple
☐ inférieur au pK_a du couple
☐ égal au pK_a du couple

b. L'espèce prédominante du couple NH_4^+/NH_3 ($pK_a = 9,2$), dans une solution où $[H_3O^+] = 2,5 \times 10^{-3}$ mol·L^{-1}, est :
☐ NH_4^+
☐ NH_3
☐ On ne peut pas le savoir.

c. Si le pH d'une solution contenant un couple acide faible/base faible est inférieur à 7,0, alors :
☐ l'espèce prédominante est l'acide
☐ l'espèce prédominante est la base
☐ l'espèce prédominante dépend du pK_a du couple

d. On mesure en solution :
pH = 8,0 ; $[HCO_3^-] = 2,5 \times 10^{-4}$ mol·L^{-1}.
La constante d'acidité du couple HCO_3^-/CO_3^{2-} est égale à $5,01 \times 10^{-11}$.
La concentration en ion carbonate CO_3^{2-} est alors égale à :
☐ $1,3 \times 10^{-6}$ mol·L^{-1}
☐ $5,0 \times 10^{-2}$ mol·L^{-1}
☐ $1,6 \times 10^{-5}$ mol·L^{-1}

e. Lorsqu'on ajoute une base forte à une solution tampon, le pH de cette solution :
☐ augmente légèrement
☐ diminue légèrement
☐ ne varie pas

→ Solutions détaillées en fin de manuel pour vérifier vos réponses et comprendre vos erreurs.

Parcours en autonomie

Trois parcours d'exercices pour travailler en autonomie selon ses besoins.

Maîtriser les bases — 4 ⌁ 6 ⌁ 8

Préparer l'évaluation — 14 ⌁ 18 ⌁ 20

Approfondir — 29 ⌁ 31

Pour tous les exercices de ce chapitre :
• on utilisera la valeur $1,0 \times 10^{-14}$ pour le produit ionique de l'eau K_e, sauf indication contraire ;
• sauf indication contraire, la température est de 25 °C ;
• les masses molaires atomiques sont données dans la classification périodique des éléments chimiques, présentée dans les rabats.

COMPÉTENCES EXIGIBLES

3 Identifier l'espèce prédominante

L'acide lactique est un acide carboxylique de formule $CH_3-CH(OH)-CO_2H$. Il s'agit d'un acide faible. Le pK_a du couple vaut 3,9.

a. Donner la formule de la base conjuguée de l'acide lactique.

b. Sur un axe gradué en pH, indiquer les domaines de prédominance de l'acide lactique et de sa base conjuguée.

c. Le pH du lait frais est voisin de 6,5.
Sous quelle forme acido-basique l'acide lactique est-il majoritairement présent dans le lait ?

4 Identifier l'espèce prédominante

La valine est un acide α-aminé. L'une de ses formes acido-basiques est la suivante :

$$\begin{array}{ccc} H_3C & & CO_2H \\ | & & | \\ H_3C - CH & - & CH - NH_3^+ \end{array}$$

On lui attribue deux pK_a : 2,3 et 9,7.

a. Entourer les groupes caractéristiques de la valine qui possèdent des propriétés acido-basiques.

b. Quel groupe caractéristique est responsable du pK_a le plus petit ?

c. Représenter le diagramme de prédominance de la valine.

d. La valine est abondante dans le blanc d'œuf, dont le pH est voisin

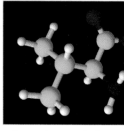

de 7,5. Sous quelle forme acido-basique trouve-t-on majoritairement la valine dans le blanc d'œuf ?

5 Montrer l'importance du contrôle du pH

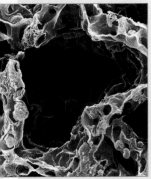

Alvéoles pulmonaires vues au microscope électronique à balayage.

Le contrôle corporel du pH sanguin est un exemple d'homéostasie, capacité d'un organisme à neutra-
[5] liser les changements environnementaux par des réponses physiologiques.

Il y a deux systèmes tampons qui aident à
[10] maintenir le pH sanguin relativement constant : l'un implique le couple $(CO_2, H_2O)/HCO_3^-$. [...]

La concentration en
[15] dioxyde de carbone dissous peut être contrôlée par la respiration : lors de l'expiration, le système s'appauvrit en CO_2 (aq), donc le pH sanguin s'élève. Inversement, l'inspiration augmente la concentration du sang en CO_2 (aq) et baisse son pH.

[20] Les reins jouent également un rôle dans le contrôle de la concentration en ions oxonium. En effet, l'ammoniac NH_3 formé par la libération d'azote à partir de certains acides aminés se combine avec l'excès d'ions oxonium : l'ion ammonium NH_4^+ formé est évacué par l'urine.

D'après Peter Williams Atkins, Julio de Paula,
Chimie Physique, 3e édition,
De Boeck Supérieur, 2008, Bruxelles.

a. Comment le pH sanguin évolue-t-il au cours des étapes de la respiration ?

b. D'après le texte, citer une espèce chimique responsable de cette évolution.

c. Le couple $(CO_2, H_2O)/HCO_3^-$ est un couple acide faible/base faible. Exprimer le pH du sang en fonction du pK_a du couple et des concentrations $[CO_2]$ et $[HCO_3^-]$.

d. À partir de cette relation, proposer une justification à la réponse donnée au **a.** Quelle hypothèse doit-on faire sur l'évolution de $[HCO_3^-]$?

e. Traduire la phrase suivante par une équation de réaction : « l'ammoniac NH_3 [...] se combine avec l'excès d'ions oxonium ».

f. Quel est l'effet de cette transformation sur le pH sanguin ?

COMPÉTENCES GÉNÉRALES

6 Évaluer un ordre de grandeur

Le vert de bromocrésol est un couple acido-basique dont le pK_a est voisin de 5. Une solution dans laquelle la base conjuguée est très majoritaire est bleue, alors qu'une solution où l'acide est très majoritaire est jaune. On introduit quelques gouttes d'une solution concentrée de l'indicateur coloré dans une solution incolore *S*. La solution *S* prend alors une teinte jaune. Que peut-on dire du pH de la solution *S* ?

7 Analyser un résultat d'expérience

On introduit quelques gouttes de bleu de bromophénol, un indicateur coloré, dans des tubes à essais contenant des solutions de pH différents. Le résultat obtenu est présenté ci-dessous.

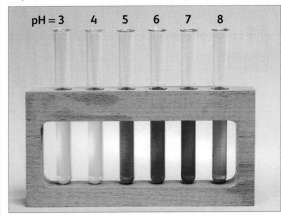

a. Qu'est-ce qu'un indicateur coloré ?

b. Déduire de l'expérience un ordre de grandeur du pK_a du bleu de bromophénol.

8 Effectuer un calcul

La méthylamine $CH_3–NH_2$ est une base faible.
Une solution contient un mélange de méthylamine et de son acide conjugué.

a. Donner la formule de l'acide conjugué de la méthylamine.

b. Rappeler l'expression donnant le pH de la solution en fonction du pK_a du couple et des concentrations en acide et en base conjuguée dans le mélange.

c. Le pH d'une solution dix fois plus concentrée en base qu'en acide vaut 11,7.
En déduire la valeur du pK_a du couple.

d. On introduit une quantité $n = 1,0$ mmol de méthylamine dans un volume $V = 0,50$ L d'eau.
Quelle quantité de son acide conjugué faut-il ajouter (sans variation de volume) pour que le pH de la solution soit de 9,7 ?

9 Exercer son esprit critique

Un élève introduit quelques gouttes d'une solution d'un indicateur coloré, le bleu de bromothymol (BBT), dans des solutions de pH différents. Il observe alors que les solutions basiques prennent une couleur bleue, les solutions acides une couleur jaune et les solutions neutres une couleur verte.
Ses conclusions sont les suivantes.

- L'espèce acide du BBT est de couleur jaune.
- L'espèce basique du BBT est de couleur bleue.
- L'espèce acide d'un couple prédomine en milieu acide et l'espèce basique d'un couple prédomine en milieu basique.

Sa dernière conclusion est erronée.

a. Proposer une conclusion correcte.

b. Expliquer l'origine de son erreur.

c. Quelle autre expérience pourrait-on réaliser pour corriger cette erreur ?

Donnée. pK_a du couple du BBT : 7,0.

Exercices Méthode

Site élève

EXERCICE RÉSOLU

10 Les propriétés acido-basiques de l'ion hydrogénocarbonate

Énoncé

L'ion hydrogénocarbonate HCO_3^- appartient à deux couples acide faible/base faible.

• $(CO_2, H_2O)/HCO_3^-$: $pK_{a_1} = 6,4$. La notation (CO_2, H_2O) représente le dioxyde de carbone dissous en solution.

• HCO_3^-/CO_3^{2-} : $pK_{a_2} = 10,3$.

❶ Montrer que l'ion hydrogénocarbonate peut réagir de deux manières différentes avec l'eau. Écrire les équations de ces deux réactions.

❷ Sur un axe gradué en pH, indiquer les domaines de prédominance des trois espèces (CO_2, H_2O), HCO_3^- et CO_3^{2-}.

❸ Le dioxyde de carbone se dissout spontanément dans de l'eau pure laissée à l'air libre.

a. Écrire la réaction de (CO_2, H_2O) avec l'eau.

b. Le pH de l'eau distillée laissée à l'air libre est de 5,5.
Quelle est l'origine de l'acidité de cette eau ? Quelle est l'espèce prédominante des deux couples considérés ?

c. Grâce à la valeur du pH, déterminer la concentration en ion hydrogénocarbonate dans cette solution.

Les stalactites se forment par réaction des ions hydrogénocarbonate avec les ions calcium.

> **Énoncé**
> L'ion HCO_3^- est présent dans les deux couples.

Une solution

❶ L'ion HCO_3^- est l'acide faible du couple HCO_3^-/CO_3^{2-}, il peut donc réagir avec la base H_2O selon la réaction équilibrée :
$$HCO_3^-(aq) + H_2O(\ell) \rightleftharpoons CO_3^{2-}(aq) + H_3O^+(aq).$$
L'ion HCO_3^- est également la base faible du couple $(CO_2, H_2O)/HCO_3^-$, il peut donc réagir avec l'acide H_2O selon la réaction équilibrée :
$$HCO_3^-(aq) + H_2O(\ell) \rightleftharpoons (CO_2, H_2O)(aq) + HO^-(aq).$$

> **Connaissances**
> Il s'agit d'acides et de bases faibles : on utilise donc le symbole $\rightleftharpoons$.

❷ La base d'un couple prédomine dans les solutions dont le pH est supérieur au pK_a. L'acide d'un couple prédomine lorsque le pH est inférieur au pK_a. L'ion HCO_3^- est l'acide d'un couple et la base d'un autre couple. Son domaine de prédominance est donc encadré par les pK_a de ces deux couples :

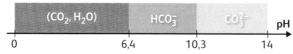

❸ a. L'acide faible (CO_2, H_2O) réagit avec la base H_2O selon la réaction équilibrée :
$$(CO_2, H_2O)(aq) + H_2O(\ell) \rightleftharpoons HCO_3^-(aq) + H_3O^+(aq).$$

b. La réaction de (CO_2, H_2O) avec l'eau produit des ions H_3O^+, l'eau initialement neutre devient donc acide. D'après le diagramme de la question **❷**, pour un pH de 5,5 l'espèce prédominante est le dioxyde de carbone dissous (CO_2, H_2O).

c. D'après l'équation de la réaction, la quantité d'ion HCO_3^- est égale à celle des ions H_3O^+ dans la solution, donc : $[HCO_3^-] = [H_3O^+]$.

Or $[H_3O^+] = 10^{-pH}$, d'où : $[HCO_3^-] = 10^{-pH}$.

A.N. : $[HCO_3^-] = 10^{-5,5} = 3,2 \times 10^{-6}$ mol·L^{-1}.

> **Raisonner**
> À partir du pH, on peut déterminer la concentration en ion oxonium $[H_3O^+]$, puis la concentration en ion hydrogénocarbonate $[HCO_3^-]$.

11 ZOOM SUR... l'efficacité d'une solution tampon

Les biochimistes utilisent fréquemment des solutions tampons pour préparer les milieux de culture cellulaire. Ils les caractérisent par leur pH, mais également par leur « pouvoir tampon », ou *buffer capacity*. Cette grandeur, notée β, est une indication de l'efficacité d'une solution tampon.

On souhaite comparer deux solutions tampons S_1 et S_2 de même pH, égal à 5. On ajoute à un volume V de chaque solution une quantité n d'acide fort, puis on mesure le pH final. Les résultats de cette expérience sont rassemblés dans le tableau ci-dessous.

V (mL)	n (mmol)	pH final	
		S_1	S_2
500	5	4,8	4,6
100	5	4,0	3,0
100	2	4,6	4,2

1. Quelle est la meilleure des solutions tampons ? Justifier.

2. On propose trois expressions pour la grandeur β.

$$\beta_1 = |\Delta pH| \;;\; \beta_2 = \frac{n}{|\Delta pH|} \;;\; \beta_3 = \frac{\frac{n}{V}}{|\Delta pH|}.$$

ΔpH est la variation de pH ($pH_{final} - pH_{initial}$) consécutive à l'ajout de la quantité n d'acide fort.

a. Justifier la présence des valeurs absolues dans chaque expression.

b. Proposer une unité pour chacune des grandeurs β_1, β_2 et β_3.

c. Calculer les valeurs de β_1, β_2 et β_3 pour chaque solution et chaque expérience.

3. a. Au vu des résultats obtenus, quelle expression de β semble la plus pertinente pour caractériser la qualité d'une solution tampon ?

> **Conseils** L'expression de β doit conduire à une **unique valeur** pour chaque solution tampon quelle que soit l'expérience.

b. Justifier ce choix en commentant les différences entre les trois expressions.

c. Une bonne solution tampon est-elle caractérisée par une grande ou une petite valeur de β ?

4. Un expérimentateur recherche une solution dont le pH ne varie pas de plus de 0,5 unité lorsqu'il ajoute 1 mmol d'acide fort à 100 mL de la solution.

a. Calculer la valeur limite de β pour qu'il en soit ainsi.

b. S'agit-il d'un maximum ou d'un minimum ?

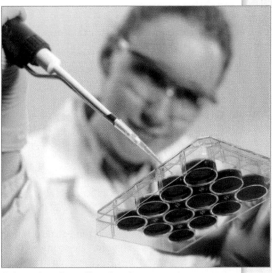

Préparation d'un milieu de culture.

12 Apprendre à rédiger

Voici l'énoncé d'un exercice et un guide (en violet) ; ce guide vous aide à rédiger la solution détaillée et à retrouver les réponses aux questions posées.

Énoncé

On s'intéresse au couple acide faible/base faible CIOH/CIO⁻ (acide hypochloreux/ion hypochlorite).

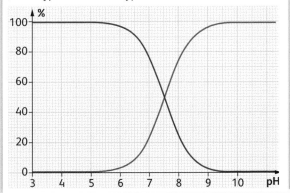

Le document ci-contre représente les proportions (en pourcents) de l'acide et de la base du couple CIOH/CIO⁻ en fonction du pH.

a. Identifier chacune des deux courbes.
> ▸ **Indiquer ce que représentent les axes des abscisses et des ordonnées.**
> ▸ **Rappeler que l'acide prédomine pour une solution de pH inférieur à pK_a. Conclure.**

b. Déterminer le pK_a du couple.
> ▸ **Rappeler la relation existant entre [HClO] et [ClO⁻] lorsque pH = pK_a.**
> ▸ **Identifier alors le pK_a du couple par lecture graphique. Vérifier que : $pK_a = 7,5$.**

c. Dans quelles proportions faut-il mélanger l'acide et la base pour obtenir une solution de pH égal à 7 ?
> ▸ **Vérifier par lecture graphique qu'il faut mélanger 24 % de base et 76 % d'acide. Rédiger une phrase pour conclure.**

13 Échelle de pK_a

Compétence générale *Restituer ses connaissances*

Compléter le tableau ci-dessous, puis classer les différents couples acide faible/base faible sur une échelle de pK_a.

Acide	Base conjuguée	K_a	pK_a
	$C_2H_5CO_2^-$		4,9
	$C_6H_5NH_2$	$2,5\times10^{-5}$	
NH_4^+			9,2
HCO_2H		$1,6\times10^{-4}$	

14 Déterminer une constante d'acidité

Compétence générale *Restituer ses connaissances*

L'acide nitreux HNO_2 est un acide faible.

a. Écrire l'équation de la réaction de l'acide nitreux avec l'eau.

b. On introduit de l'acide nitreux dans une solution. On mesure $[HNO_2] = 1,9\times10^{-4}$ mol·L^{-1} et $[H_3O^+] = 3,1\times10^{-4}$ mol·L^{-1}. Déterminer la constante d'acidité K_a du couple HNO_2/NO_2^-.

c. En déduire le pK_a du couple.

15 Tampon acétique

Compétences générales *Restituer ses connaissances – Effectuer un raisonnement scientifique*

On souhaite réaliser une solution tampon de pH égal à 5. Pour cela, on se propose de préparer une solution contenant un mélange d'acide acétique CH_3CO_2H et de sa base conjuguée. Le pK_a du couple vaut 4,8.

a. Rappeler la propriété d'une solution tampon.

b. Donner la relation entre le pH, le pK_a et les concentrations $[CH_3CO_2H]$ et $[CH_3CO_2^-]$.

c. Pour préparer cette solution, faudra-t-il introduire davantage d'acide ou de base ?

16 Traitement des piscines

Compétence générale *Justifier un raisonnement scientifique*

Prélèvement d'un échantillon d'eau.

Dans la plupart des piscines, les bactéries pathogènes sont détruites par l'adjonction d'ions hypochlorite ClO^- (présents dans l'eau de Javel). L'ion ClO^- est la base d'un couple de pK_a égal à 7,5.

a. Le pH de l'eau doit être maintenu entre 7,0 et 7,6.

Calculer le rapport $\dfrac{[ClO^-]}{[ClOH]}$ pour ces deux valeurs limites de pH.

b. Pour contrôler le pH, on vend des pastilles de rouge de phénol.

Justifier le choix de cet indicateur coloré, dont la forme basique est rouge, la forme acide jaune, et dont le pK_a est égal à 8,0.

c. Les kits de mesure contiennent en général un tube à essais pour prélever un échantillon d'eau de volume connu, dans lequel on introduit la pastille, et une échelle de teinte.

Pourquoi est-il nécessaire d'utiliser toujours le même volume d'échantillon ?

17 ✷ Culture cellulaire

Compétence générale *Justifier un protocole expérimental*

Lorsqu'ils réalisent des cultures cellulaires animales, les microbiologistes contrôlent avec soin la composition du milieu de culture. Le pH du milieu doit être égal à 7,4.

On donne ci-dessous les constituants d'un milieu de culture MEM (*Minimum Essential Medium*) :

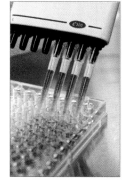

– PBS (*Phosphate Buffered Saline*) ;
– solution concentrée d'acides α-aminés ;
– solution de vitamines ;
– solution de glucose ;
– rouge de phénol.

Un expérimentateur interrogé sur l'intérêt de colorer le milieu de culture précise : « Le milieu doit rester rose. Je sais qu'une coloration rouge indique une attaque fongique, alors qu'une coloration jaune traduit une contamination bactérienne. »

Avant de répondre aux questions ci-dessous, télécharger le fichier « Indicateurs colorés » du chapitre 17 sur le site élève **www.nathan.fr/siriuslycee/eleve-termS**.

a. Dans la liste des constituants du milieu, quel est celui destiné à la régulation du pH ? Quel est celui destiné au contrôle de la valeur du pH ?

b. Pourquoi la couleur du milieu renseigne-t-elle sur l'évolution de son pH ?

c. Quelle est l'influence d'une attaque fongique sur le pH du milieu ? Même question pour une attaque bactérienne.

18 ✷ Titre alcalimétrique d'une eau

Compétence générale *Exploiter des informations*

Dans un bulletin d'analyse du contrôle sanitaire des eaux destinées à la consommation humaine, on peut lire :

pH : 7,7 ; TAC : 7,8 °F.

Le « TAC », ou taux alcalimétrique complet, donné en degré français (noté °F), s'exprime sous la forme :

$$TAC = 100 \times \left(\frac{[HO^-]}{2} + \frac{[HCO_3^-]}{2} + [CO_3^{2-}] \right) \times M_{CaCO_3}.$$

Les concentrations sont exprimées en mol·L^{-1} et M_{CaCO_3}, masse molaire de $CaCO_3$, est en g·mol^{-1}.

a. Dessiner le diagramme de prédominance des ions hydrogénocarbonate HCO_3^- et carbonate CO_3^{2-} ($7 < pH < 14$).

b. Justifier le fait qu'à un pH de 7,7, on puisse négliger le terme $[CO_3^{2-}]$ devant le terme $[HCO_3^-]$.

c. Calculer la concentration en ion HCO_3^- dans cette eau.

Donnée : pK_a $(HCO_3^-/CO_3^{2-}) = 10,3$.

19 Science in English 🇬🇧

a. Calculer le pH initial de la solution tampon.

b. Justifier les phrases **(1)** et **(2)** en s'appuyant sur l'écriture d'équations de réaction.

20 ✷ pH et catalyse enzymatique

Compétence générale *Effectuer un raisonnement scientifique*

Une enzyme est efficace lorsqu'elle est utilisée autour d'un pH optimum. On se propose de le justifier en raisonnant sur un cas simple. Au cours d'une réaction catalysée par une enzyme, le substrat établit des liaisons intermoléculaires avec celle-ci. Ces liaisons peuvent par exemple résulter de l'attraction entre une charge positive du substrat et une charge négative de l'enzyme. Cette situation est représentée sur le schéma ci-dessous.

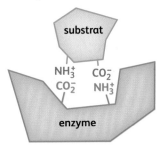

a. Quelle est la forme acido-basique majoritaire des groupes caractéristiques carboxyle en milieu très acide ? en milieu très basique ?

b. Même question pour les groupes caractéristiques amino.

c. Reproduire le schéma de l'enzyme et du substrat en supposant que le milieu est très acide.

d. Même question en milieu très basique.

e. Justifier le fait que l'enzyme ne soit plus efficace dans ces milieux.

21 ✷ Rôle d'une solution tampon

Compétences générales *Communiquer et argumenter*

Cet exercice s'appuie sur des ressources disponibles sur le site élève :
www.nathan.fr/siriuslycee/eleve-termS.

Visionner l'animation de l'exercice 21 du chapitre 17, qui concerne l'effet de l'addition d'une base forte ou d'un acide fort à une solution.

a. Présenter cette animation au cours d'un exposé oral. En s'appuyant sur l'animation, expliquer pourquoi un mélange d'acide faible et de sa base conjuguée constitue une solution tampon.

b. Proposer une critique de cette animation.

22 ✷ Acide citrique

Compétences générales *Restituer ses connaissances – Extraire et exploiter des informations*

L'acide citrique ($C_6H_8O_7$), présent dans le jus de citron, est un triacide que l'on notera H_3A.

Les courbes tracées ci-dessous représentent les proportions de chacune des espèces acido-basiques de l'acide citrique en fonction du pH.

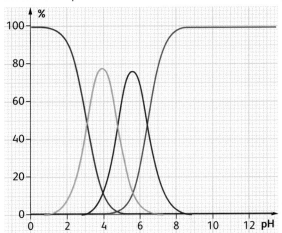

a. Écrire les couples acido-basiques issus de l'acide citrique.

b. Identifier chaque courbe.

c. Rappeler l'expression du pH d'une solution en fonction du pK_a d'un couple et des concentrations de l'acide et de sa base conjuguée.

d. Pour quel pH les concentrations en acide et en base sont-elles égales ?

e. En déduire les pK_a et K_a relatifs aux trois couples mis en jeu.

23 ✷ Encre sympathique

Compétences générales *Communiquer et argumenter*

Un enfant en classe de CM2 a trouvé l'expérience suivante sur un site Internet et l'a réalisée.

> **(1) Mélange le même volume de bicarbonate de soude et d'eau dans un bol avec une cuillère. Assure-toi que le bicarbonate s'est bien dissous pour que le mélange ne soit pas trop granuleux.**
>
> **(2) Plonge un coton-tige dans le mélange, puis rédige ton message sur une feuille blanche.**
>
> **(3) Attends que « l'encre » soit sèche et que le message disparaisse.**
>
> **(4) Peins la feuille de papier avec du jus de raisin pour dévoiler le message.**

a. On appelle communément « bicarbonate de soude » le solide ionique $NaHCO_3$. L'ion HCO_3^- est la base faible du couple (CO_2, H_2O)/HCO_3^-.

Interpréter l'expérience. Quel est le rôle du jus de raisin ?

b. Proposer une explication adaptée à un élève de CM2. Quelle expérience complémentaire pourrait-il réaliser pour mieux comprendre ?

24 ✶ Le bleu de thymol

Compétence générale *Exploiter des informations*

Une même quantité d'un indicateur coloré, le bleu de thymol, a été introduite dans des solutions de pH différents. Les résultats sont présentés ci-dessous.

pH = 1 2 3 4 5 6   7 8 9 10 11 12

Que peut-on en déduire quant aux propriétés acido-basiques du bleu de thymol ?
Vérifier votre réponse en consultant le document « Indicateurs colorés » du chapitre 17, disponible sur le site élève **www.nathan.fr/siriuslycee/eleve-termS**.

25 ✶ Influence de la température

Compétences générales *Effectuer et justifier un calcul*

Les solutions tampons « Tris » (pour trishydroxyméthylamino-méthane, ou 2-amino-2-hydroxyméthyl-1,3-propanediol) sont fréquemment utilisées en biochimie. Elles sont constituées d'un mélange d'acide et de base faible du couple acido-basique trizma : $(CH_2OH)_3C–NH_3^+/(CH_2OH)_3C–NH_2$, que l'on notera HB^+/B. Son pK_a est de 8,3 à 20 °C.
On prépare un tampon Tris en introduisant dans 1,0 L d'eau distillée 4,9 g de B et 2,0 g de solide ionique de formule $HBCl\,(s)$ (il se dissocie totalement en HB^+ et Cl^-).

a. Déterminer les concentrations $[HB^+]$ et $[B]$ dans la solution. On admettra qu'elles sont égales aux concentrations apportées.
b. Rappeler la relation entre le pH, $[HB^+]$, $[B]$ et le pK_a du couple.
c. Déterminer le pH de la solution tampon à 20 °C.

d. L'un des inconvénients de ce tampon est sa forte sensibilité à la température. Le pK_a du couple diminue de 0,03 unité par élévation de 1 degré Celsius de la température.
Quel sera le pH de la solution préparée à 37 °C ? à 10 °C ?

26 ECE Évaluation des compétences expérimentales

Cet exercice permet de travailler les compétences expérimentales suivantes : • **S'approprier** • **Analyser**

On rappelle qu'en solution, la concentration d'un acide faible et de sa base conjuguée vérifient la relation suivante, où K_a est la constante d'acidité du couple :
$$\frac{[H_3O^+] \times [A^-]}{[HA]} = K_a.$$
Pour déterminer la constante d'acidité d'un indicateur coloré, le bleu de bromothymol (BBT), on cherche à déterminer, dans une solution, les trois concentrations qui interviennent dans cette relation. Les spectres d'une solution de BBT en milieu très acide (courbe rouge) et en milieu très basique (courbe violette) sont représentés ci-dessous.

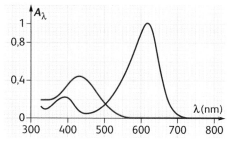

a. Quelle mesure pourrait-on effectuer pour déterminer la concentration en ions oxonium $[H_3O^+]$?
b. Établir la liste du matériel nécessaire pour effectuer cette mesure.
c. Quelles mesures pourrait-on effectuer pour déterminer la concentration en acide, puis la concentration en base ?
d. Établir la liste du matériel nécessaire pour effectuer cette mesure.

27 Objectif BAC *Effectuer un raisonnement scientifique*

➜ Dossier BAC, page 546

→ **L'objectif de cet exercice est de comprendre le symptôme d'un défaut de régulation du pH du sang, appelé acidose.**

Dans un corps humain sain, le pH du sang ne varie que dans une plage très restreinte autour de 7,4. La régulation du pH est assurée par plusieurs couples acido-basiques. L'un d'eux est le couple $(CO_2, H_2O)/HCO_3^-$, dont le pK_a vaut 6,1 à 37 °C.
a. Quelle est l'espèce prédominante du couple $(CO_2, H_2O)/HCO_3^-$ dans le sang ?
b. Donner la relation entre le pH du sang et les concentrations en dioxyde de carbone CO_2 dissous et en ion hydrogénocarbonate HCO_3^-.
c. La concentration en CO_2 dissous dans le sang est proportionnelle à la pression p_{CO_2} en CO_2 dans les poumons :

$[CO_2] = 2,3 \times 10^{-4}\, p_{CO_2}$, avec $[CO_2]$ en mmol·L^{-1} et p_{CO_2} en pascal.
Calculer la concentration $[CO_2]$ pour $p_{CO_2} = 5,3 \times 10^3$ Pa. En déduire la concentration en ion HCO_3^- dans le sang de pH égal à 7,4 à 37 °C.

d. La régulation de la concentration en ion HCO_3^- dans le sang est assurée par la fonction rénale, et celle de la concentration en CO_2 par la fonction respiratoire.
Lorsque le pH sanguin diminue en deçà de 7,35, on parle d'**acidose**. L'acidose métabolique est un défaut d'ion HCO_3^- dans le sang, elle peut être due à une insuffisance rénale. L'un des signes cliniques de cette pathologie est l'hyperventilation du malade (sa respiration est anormalement rapide et ample).
Proposer une explication à ce symptôme.

28 Apprendre à chercher

La résolution de cet exercice nécessite de trouver les étapes du raisonnement.
→ **Une aide est disponible en fin de manuel.**

Énoncé

Dans un ouvrage de manipulations de chimie, on propose de préparer un « indicateur coloré de pH universel » de la manière suivante.

> Dans 1 L d'éthanol, introduire :
> – 1,5 g d'hélianthine ;
> – 0,2 g de rouge de méthyle ;
> – 2,0 g de bleu de bromothymol ;
> – 2,0 g de phénophtaléine.
> Préparer une échelle de teinte à l'aide de solutions tampons de pH allant de 2 à 12.

→ *Télécharger le fichier « Indicateurs colorés » du chapitre 17 sur le site élève* **www.nathan.fr/siriuslycee/eleve-termS**. *À l'aide de ce document, expliquer en quoi la solution préparée est un indicateur coloré universel.*

29 ✶✶ La charge des acides α-aminés

Compétence générale *Effectuer un raisonnement scientifique*

On s'intéresse aux domaines de prédominance des formes acido-basiques de deux acides α-aminés : l'acide aspartique et la valine.

1. Les propriétés acido-basiques de la valine résultent de la présence d'un groupe carboxyle (couple $R_1\text{–}CO_2H/R_1\text{–}CO_2^-$) de $pK_{a_1} = 2,3$ et d'un groupe amino (couple $R_2\text{–}NH_3^+/R_2\text{–}NH_2$) de $pK_{a_2} = 9,6$.

a. Sur un axe gradué en pH, indiquer les domaines de prédominance des différentes espèces acido-basiques considérées.

b. La charge globale de l'acide α-aminé dépend du pH de la solution dans lequel il est dissous, comme l'indique le schéma ci-dessous. Justifier.

2. La molécule d'acide aspartique présente un groupe carboxyle de plus que la valine. Les couples acido-basiques de cette molécule sont décrits dans le tableau ci-dessous.

Couple	pK_a
$R'_1\text{–}CO_2H/R'_1\text{–}CO_2^-$	$pK'_{a_1} = 1,9$
$R'_2\text{–}CO_2H/R'_2\text{–}CO_2^-$	$pK'_{a_2} = 3,7$
$R'_3\text{–}NH_3^+/R'_3\text{–}NH_2$	$pK'_{a_3} = 9,6$

a. Sur un axe gradué en pH, indiquer la forme acido-basique prédominante de chaque couple.

b. Identifier quatre intervalles de pH conduisant à une charge globale différente de l'acide α-aminé.

3. Proposer une valeur de pH pour laquelle les deux acides α-aminés ont une charge électrique différente.

30 ✶ Électrophorèse d'acides α-aminés

Compétence générale *Effectuer un raisonnement scientifique*

L'électrophorèse est une technique d'analyse basée sur la migration différentielle de molécules ionisées, déposées sur un support soumis à une différence de potentiel. On se propose d'en comprendre le principe. On dépose, sur une bandelette de papier imprégnée d'une solution tampon de pH égal à 6, une goutte d'un échantillon contenant de l'acide aspartique et de la valine dissous dans cette même solution tampon. La bandelette de papier est connectée à un générateur de tension constante qui la soumet à une différence de potentiel.

Électrophorèse sur gel.

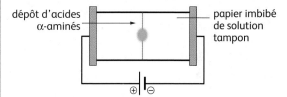

dépôt d'acides α-aminés — papier imbibé de solution tampon

En vous aidant des résultats de l'exercice **29**, justifier que l'acide aspartique se déplace vers le pôle ⊕, alors que la valine ne se déplace pas.

31 ✶✶ Étude du BBT par spectrophotométrie

Compétences générales *Effectuer un raisonnement scientifique – Réaliser un graphique*

> **Cet exercice s'appuie sur des ressources disponibles sur le site élève :**
> **www.nathan.fr/siriuslycee/eleve-termS.**

Le bleu de bromothymol (BBT) est un indicateur coloré. En solution, sa forme acide H*In* et sa forme basique *In*⁻ sont de couleur différente. On mesure le pH et l'absorbance A_{620} à 620 nm de plusieurs solutions de BBT de même concentration apportée $c = 2,73 \times 10^{-5}$ mol·L⁻¹.
Télécharger le fichier Excel de l'exercice 31 du chapitre 17, qui contient les résultats de cette expérience.

a. Justifier la relation suivante : $c = [\text{H}In] + [In^-]$.

b. À 620 nm, seule la forme basique absorbe la lumière. En déduire l'expression de A_{620} en fonction de $[In^-]$.

c. En milieu très basique (pH >10), la concentration de la forme acide est négligeable devant celle de la forme acide. L'absorbance est notée A_{max}. Établir la relation entre A_{max} et c.

d. Déduire des questions **b.** et **c.** l'expression de $[In^-]$ en fonction de c, A_{620} et A_{max}.

e. Compléter le tableur en calculant %*In*⁻ et %H*In*, définis par :

$$\%In^- = 100\frac{[In^-]}{c} \quad \text{et} \quad \%HIn = 100 - \%In^-.$$

f. Tracer %*In*⁻ et %H*In* en fonction du pH.

g. Déduire de ce tracé une estimation du pK_a du couple H*In*/*In*⁻.

32 ★★ Indicateur coloré à utiliser avec modération

Compétences générales *Effectuer un raisonnement scientifique – Justifier un protocole expérimental*

On dispose d'une solution S_1 d'acide chloroéthanoïque $ClCH_2CO_2H$ de concentration apportée $c = 5 \times 10^{-3}$ mol·L^{-1}, et d'une solution S_2 de sa base conjuguée de même concentration. Pour identifier chaque solution, on en introduit quelques millilitres dans un tube à essais, puis on y ajoute quelques gouttes d'hélianthine.

L'hélianthine est un indicateur coloré de pH. Sa forme acide, notée H*In*, est rouge, et sa forme basique jaune. Le pK_a du couple H*In*/*In*$^-$ est de 3,5.

1. La solution commerciale d'hélianthine utilisée est rouge. L'étiquette du flacon est reproduite ci-dessous.

Hélianthine en teinture (orange de méthyle)
$$C_{14}H_{14}N_3NaO_3S$$
Masse moléculaire : 327,34 g·mol^{-1}
Teneur minimale 0,1 % en solution aqueuse

a. Quelle est la forme acido-basique majoritaire de l'hélianthine dans la solution commerciale ?

b. Évaluer un ordre de grandeur de la concentration molaire de l'indicateur coloré dans la solution.

Aide. « Teneur 0,1 % » signifie que 100 g de solution contiennent 0,1 g d'hélianthine.

2. Que peut-on dire du pH des deux solutions ?

3. Peut-on prévoir la couleur dans le tube à essais contenant S_2 et quelques gouttes d'hélianthine ?

4. Un élève introduit 5,0 mL de solution S_1 dans un tube à essais noté 1 et 5,0 mL de solution S_2 dans un tube à essais noté 2. Il ajoute quelques gouttes de la solution d'hélianthine dans chaque tube à essais, et obtient les résultats ci-après (tubes à essais n° 1 et 2).

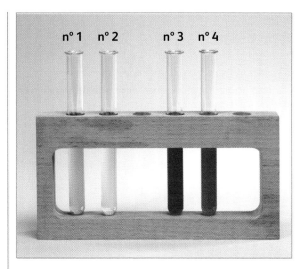

a. Les résultats sont-ils en accord avec les prévisions ?

b. Que peut-on dire des pH des solutions S_1 et S_2 ?

c. Quelle est la forme majoritaire de l'hélianthine dans la solution S_2 ?

5. Un autre élève réalise la même expérience, mais il utilise 1,0 mL de la solution d'hélianthine. Il obtient les résultats ci-dessus (tubes à essais n° 3 et 4).

a. L'hélianthine est-elle sous la même forme dans le tube à essais 1 et dans le tube à essais 3 ?

b. Même question dans le tube à essais 2 et dans le tube à essais 4.

c. Expliquer la réponse de la question **b.** à l'aide d'une équation de réaction.

6. Pourquoi les indicateurs colorés de pH doivent-ils être utilisés en petite quantité ?

---

33 Objectif **BAC** *Rédiger une synthèse de documents*

➡ **Dossier BAC, page 546**

Cet exercice s'appuie sur des ressources disponibles sur le site élève : www.nathan.fr/siriuslycee/eleve-termS.

Télécharger le dossier « Ressources pour l'exercice 33 » du chapitre 17, qui concerne les différentes formulations de l'aspirine.
Ce dossier comporte :
– la reproduction d'étiquettes de divers médicaments ;
– un texte portant sur les effets recherchés et les effets indésirables de l'aspirine ;
– des données physicochimiques.

→ **Rédiger une synthèse de ces documents en 40 lignes, de manière à expliquer en quoi les propriétés acido-basiques de l'aspirine sont impliquées dans l'élaboration de la formulation du médicament. Expliquer les avantages et les inconvénients des différentes formulations.**
Le texte rédigé devra être clair et structuré.

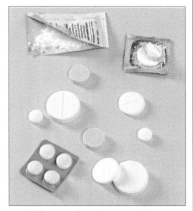

Différentes formulations de l'aspirine.

Transferts thermiques d'énergie

Cette **maison passive** a une très faible consommation énergétique : les matériaux isolants utilisés ainsi que l'orientation des ouvertures permettent de **limiter les transferts thermiques** de la maison vers l'extérieur en hiver, et de l'extérieur vers la maison en été.

COMPÉTENCES EXIGIBLES

- Extraire et exploiter des informations sur un dispositif expérimental permettant de visualiser les atomes et les molécules.
  → *Exercice d'application 3 et activité documentaire 2*

- Évaluer des ordres de grandeurs relatifs aux domaines microscopique et macroscopique.
  → *Exercice d'application 5*

- Savoir que l'énergie interne d'un système macroscopique résulte de contributions microscopiques.

- Connaître et exploiter la relation entre la variation d'énergie interne et la variation de température pour un corps dans un état condensé.
  → *Exercices d'application 7 et 12*

- Interpréter les transferts thermiques dans la matière à l'échelle microscopique (conduction, convection, rayonnement).
  → *Exercice d'application 6 et exercice d'entraînement 18*

- Exploiter la relation entre le flux thermique à travers une paroi plane et l'écart de température entre ses deux faces.
  → *Exercices d'application 8 et 13 et activité expérimentale 3*

- Établir un bilan énergétique faisant intervenir transfert thermique et travail.
  → *Exercices de synthèse 30 et 32*

ACTIVITÉ DOCUMENTAIRE

Compétences générales mises en œuvre
• *Extraire et exploiter des informations* • *Effectuer un calcul*

1 Les étoiles à neutrons

▶ **Les supernovæ sont des explosions impressionnantes d'étoiles très massives qui marquent le stade final de la vie de ces étoiles. Étudions les ordres de grandeur associés à ces phénomènes stellaires spectaculaires.**

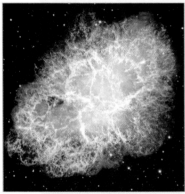

1 *La nébuleuse du Crabe, située à 6 000 a.l. de la Terre résulte de l'explosion d'une supernova.*

• Les supernovæ sont des événements rares à l'échelle humaine : les astronomes estiment qu'il n'en survient qu'une à trois par siècle dans notre Voie lactée, qui compte pourtant plusieurs centaines de milliards d'étoiles. Ces phénomènes ne surviennent qu'en fin de vie des étoiles supergéantes ayant une masse supérieure
5 à 8 masses solaires (**document 1**).

• Tout au long de la vie d'une étoile, des réactions nucléaires ont lieu dans le cœur des étoiles. Ces réactions produisent l'énergie nécessaire à leur stabilité. Les étoiles gardent donc leur intégrité physique et le rayon des étoiles supergéantes peut être de l'ordre de 100 rayons solaires.

10 • En fin de vie, faute de réactifs, une étoile supergéante ne produit plus assez d'énergie, et s'effondre sur elle-même. La densité du cœur devient alors si importante que protons et électrons peuvent se
15 combiner pour former des neutrons. Il s'ensuit une explosion appelée supernova, dégageant une énergie telle qu'elle peut éclairer le ciel pendant plusieurs semaines.

• Après cette explosion, le « noyau » résiduel est appelé étoile à neutrons
20 (**figure 2**). Elle mesure environ 10 kilomètres de rayon et sa densité est extraordinaire : elle équivaut au volume d'une cuillère à café ayant pour masse plusieurs centaines de millions de tonnes.

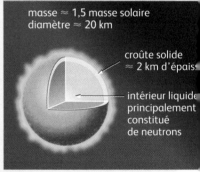

masse ≈ 1,5 masse solaire
diamètre ≈ 20 km

croûte solide ≈ 2 km d'épaisse

intérieur liquide principalement constitué de neutrons

2 *Schéma en coupe partielle d'une étoile à neutrons.*

3 *Différentes phases de la vie des étoiles supergéantes.*

Vocabulaire

Masse solaire : unité de masse égale à la masse du Soleil :
$M_S = 1,989 \times 10^{30}$ kg.

Rayon solaire : le Soleil n'est pas une sphère parfaite. Cependant, son rayon est évalué à $R_S = 7,0 \times 10^5$ km.

1 Extraire des informations

Relever dans un tableau les valeurs numériques citées dans les documents ci-dessus concernant la masse et la taille d'une étoile supergéante dans différentes phases de sa vie.

2 Interpréter les documents

a. Rappeler l'ordre de grandeur de la taille du noyau atomique et le comparer à l'ordre de grandeur de la taille du « noyau » évoqué dans le texte, appelé aussi étoile à neutrons.

b. Rappeler l'ordre de grandeur de la masse d'un neutron et le comparer à l'ordre de grandeur de la masse de l'étoile à neutrons.

c. En considérant que l'étoile à neutrons est constituée essentiellement de neutrons, calculer l'ordre de grandeur du nombre de neutrons dans cette étoile.

d. Déterminer l'ordre de grandeur de la quantité de neutrons (en mole) contenue dans l'étoile.

e. Calculer le volume de l'étoile à neutrons, considérée comme sphérique, et en déduire un ordre de grandeur de la densité volumique de cette étoile. Ce résultat confirme-t-il la dernière phrase du texte ?

3 Conclure

Rédiger une courte synthèse argumentée pour justifier la densité extraordinaire de l'étoile à neutrons.

Coup de pouce

Le volume V d'une sphère de rayon R est égal à :
$V = \frac{4}{3}\pi \times R^3$.

Activités

2 Le microscope à force atomique

▶ La recherche de l'infiniment petit amène les scientifiques à développer des instruments toujours plus précis. Le microscope à force atomique permet actuellement d'observer et d'étudier des objets de taille proche de celle de l'atome !

Le microscope à force atomique (ou AFM, pour *Atomic Force Microscope*) est un microscope qui permet de visualiser la topographie de la surface d'un échantillon en balayant celle-ci à l'aide d'une
5 pointe très fine (**document 5**).

Son principe repose sur les interactions entre les atomes de l'échantillon à observer (d'où le nom de « microscope à force atomique ») et une pointe mécanique montée sur un micro-levier. La pointe balaie la
10 surface à analyser en reproduisant les irrégularités de la surface (**figure 6**).

Un ordinateur couplé à un système optique laser et à un photodétecteur enregistre les déplacements (hauteur et position) de cette pointe, et peut ainsi
15 reconstituer une image de la surface de l'échantillon.

La pointe est ainsi l'élément essentiel d'un microscope à force atomique. Elle est souvent composée de silicium, et sa forme, plus ou moins effilée, détermine la résolution du microscope. La pointe est idéalement
20 un cône se terminant par quelques atomes.

5 *Microscope à force atomique.*

4 *Principe de fonctionnement du microscope à force atomique.*

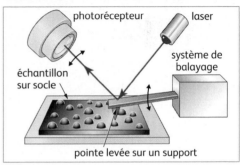

6 *Schéma simplifié d'un microscope à force atomique.*

photorécepteur — laser
système de balayage
échantillon sur socle
pointe levée sur un support

1 Comprendre les documents

a. Quel le rôle du balayage dans un microscope à force atomique ?

b. Quel est le rôle du laser et du photodétecteur ?

c. Citer un élément qui limite la résolution du microscope à force atomique.

2 Interpréter les documents

a. La couleur vue sur le **document 7** est-elle la couleur réelle des atomes ?

b. Quelle est la surface, en m^2, de cette image ?

c. Quelle est l'ordre de grandeur du nombre d'atomes de tungstène par m^2 ?

d. Quelle est l'ordre de grandeur du rayon atomique d'un atome de tungstène ?

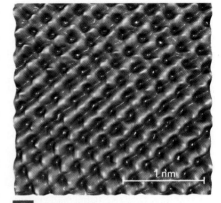

1 nm

7 *Atomes de tungstène.*

Vocabulaire

La **topographie** d'une surface est une représentation des détails de cette surface (et donc ici des entités constituant l'échantillon).

La **résolution** est la plus petite dimension que l'appareil peut détecter.

3 Conclure

a. Faire une recherche pour déterminer la résolution maximale du microscope optique et celle du microscope à force atomique.

b. Est-il possible de « voir » des atomes ?

c. Peut-on observer des fluides avec un microscope à force atomique ?

Activités

3

Caractériser l'isolation thermique d'un matériau

▶ L'isolation thermique d'une habitation dépend de l'épaisseur des murs et des matériaux qui les constituent.
Comparons l'isolation thermique de différents matériaux.

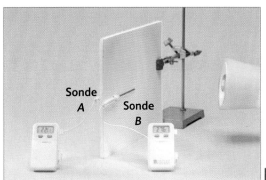

Sonde **A**

Sonde **B**

DISPOSITIF ■ On dispose de différentes plaques, de même surface et de même épaisseur, en différents matériaux (polystyrène, bois, liège, etc.) modélisant les murs d'une habitation **(document 8)**.

■ Une lampe infrarouge fournit de l'énergie, et deux sondes thermométriques *A* et *B* mesurent la température de part et d'autre des plaques étudiées.

8 ▶ *Dispositif du montage à réaliser.*

Expérience

■ Relever la température ambiante à l'aide des sondes thermométriques.
■ Placer les sondes thermométriques de part et d'autre de la plaque de polystyrène.
■ Éclairer la plaque de polystyrène avec la lampe, placée à quelques centimètres de la plaque.
■ Relever les températures affichées par les deux sondes lorsque ces températures ne varient plus.
■ Recommencer les opérations précédentes pour chaque matériau et remplir le tableau ci-contre.

Matériau utilisé	polystyrène	bois	etc.
Température relevée par la sonde A (°C)			
Température relevée par la sonde B (°C)			

❶ Observer

Comparer les différences entre les températures relevées par les deux sondes thermométriques pour chaque matériau utilisé.

❷ Interpréter

a. Pourquoi est-il nécessaire d'utiliser des plaques de même épaisseur et de même surface pour comparer l'isolation thermique des différents matériaux ?

b. D'après les résultats obtenus, quel est le matériau qui procure la meilleure isolation thermique ? Justifier votre réponse.

c. Chaque matériau est caractérisé par une **conductivité thermique** λ, exprimée en $W \cdot m^{-1} \cdot K^{-1}$. Le tableau ci-dessous rassemble les valeurs de conductivité thermique de quelques matériaux.

Matériau	polystyrène	bois (chêne)	liège
Conductivité thermique λ $(W \cdot m^{-1} \cdot K^{-1})$	0,03	0,16	0,05

Quel est le lien entre la conductivité thermique d'un matériau et sa capacité d'isolation ? Appliquer ce résultat à l'exemple suivant : on souhaite conserver des glaçons le plus longtemps possible dans une pièce à température ambiante. Faut-il les placer dans un récipient en polystyrène, en bois ou en liège ? Pourquoi ?

Vocabulaire

Une **maison passive** est une maison à très faible consommation énergétique.

❸ Faire une recherche

Faire une recherche pour déterminer les matériaux isolants utilisés actuellement dans le domaine de l'habitat pour construire une maison passive.

4 L'effet de serre

▶ En l'absence des gaz à effet de serre, la température moyenne de la Terre serait de − 18 °C, au lieu de 15 °C actuellement. Étudions un bilan énergétique de l'atmosphère qui contient ces gaz.

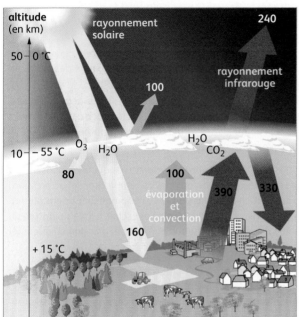

9 Bilan de puissances simplifié associé à l'effet de serre (les valeurs numériques sont des puissances surfaciques exprimées en $W \cdot m^{-2}$).

Environ 50 % de l'énergie du rayonnement solaire traverse l'atmosphère terrestre et parvient jusqu'à la surface de la Terre. Cette énergie permet de réchauffer par convection les basses couches de l'atmosphère, d'évaporer de l'eau à la surface de la Terre, mais la plus grande partie est réémise par la Terre sous forme de rayonnement infrarouge (**figure 9**).

Les gaz à effet de serre présents dans l'atmosphère, comme l'eau, le dioxyde de carbone, le méthane, l'ozone ou les oxydes d'azote absorbent une partie de ce rayonnement infrarouge. Cette énergie est ensuite réémise par l'atmosphère vers la Terre et vers l'espace, sous forme d'un autre rayonnement infrarouge.

Ces gaz agissent donc comme une serre : ils ne produisent pas d'énergie, mais ils diminuent le transfert d'énergie vers l'espace. L'analogie entre les gaz à effet de serre et une véritable serre n'est pas parfaite : ces gaz interagissent avec la lumière, tandis que le verre est une barrière réelle, qui empêche notamment la convection.

10 L'effet de serre.

❶ Exploiter les documents

a. Quels sont les deux modes de transfert d'énergie décrits dans le **document 10** ?

b. D'après le **document 10**, quels sont les rayonnements concernés par les échanges d'énergie avec l'atmosphère ?

c. $\mathscr{P}_1$ est la **puissance surfacique** du rayonnement solaire reçu par la Terre, et $\mathscr{P}_2$ est la puissance surfacique du rayonnement que recevrait la Terre en l'absence d'atmosphère.

D'après la **figure 9**, quelle est la valeur du rapport $\dfrac{\mathscr{P}_1}{\mathscr{P}_2}$? Comparer ce rapport avec les informations données dans le **document 10**.

❷ Interpréter les documents

Pour interpréter la **figure 9**, on définit trois systèmes différents : la Terre, l'atmosphère et l'espace.

a. Pour chaque système, réaliser un schéma représentant les transferts d'énergie entre ce système et les deux autres, en notant les puissances surfaciques associées.

b. Pour chaque système, la somme des transferts d'énergie émise est-elle égale à la somme des transferts d'énergie reçue ?

❸ Conclure

a. L'effet de serre est-il un phénomène récent ? Est-il néfaste à la vie sur Terre ?

b. Rechercher l'influence de chaque gaz à effet de serre, puis justifier pourquoi la réduction de certains d'entre eux est aujourd'hui une des priorités mondiales.

Vocabulaire

Entre deux systèmes de températures différentes, un transfert d'énergie peut s'effectuer notamment par **convection** (grâce à des mouvements de matière d'un gaz ou d'un liquide) ou par **rayonnement** (grâce à une onde électromagnétique).

Pour vérifier ses acquis
→ **FICHE F** page 160

Ordres de grandeur

Une bouteille d'eau d'un litre, ayant une masse de 1 kg d'eau, contient 10^{25} molécules d'eau.

Amedeo Avogadro

Un précurseur

La définition actuelle de la mole a été adoptée en 1971, lors de la 14e conférence générale des poids et des mesures.
La constante d'Avogadro N_A a été nommée ainsi en hommage aux travaux d'Amedeo Avogadro, qui permirent de faire une distinction claire entre les atomes et les molécules.

11 *Un ballon gonflé à l'hélium est un exemple de système macroscopique fermé. Il contient environ 10^{24} atomes d'hélium, soit un ordre de grandeur de 10^0 mol d'hélium.*

1 Du microscopique au macroscopique

1.1 Passage du microscopique au macroscopique

● La matière est constituée d'un nombre d'entités (atomes, ions ou molécules) trop important pour permettre l'application simple des lois de la mécanique à l'échelle microscopique.

Si le comportement individuel de chaque entité est inaccessible, leur comportement collectif peut cependant être décrit grâce à des grandeurs physiques macroscopiques mesurables à l'échelle humaine, comme la température, le volume ou la pression.

> **Exemple.** Dans un gaz, l'agitation des particules qui le composent est décrite par les grandeurs macroscopiques de température et de pression : les chocs de ces particules sur les parois du récipient sont interprétés en terme de pression, et la vitesse des particules est liée à la température du gaz. Cependant, à l'échelle de chaque particule, la pression et la température n'ont pas de sens.

● Dans un ensemble d'entités, de nombreuses grandeurs physiques (la masse, l'énergie, etc.) dépendent du nombre de ces entités, très grand à l'échelle macroscopique. On a introduit en classe de 2nde une grandeur, la **quantité de matière**, et son unité, la **mole**. Une mole d'entités contient autant d'entités qu'il y a d'atomes de carbone dans 0,012 kg de carbone 12, soit $6,02 \times 10^{23}$ entités.

> Le nombre d'entités par mole d'entités est une constante universelle, appelée **constante d'Avogadro**, et notée N_A :
> $$N_A = 6,02 \times 10^{23} \text{ mol}^{-1}.$$

> **Exemple.** Un litre d'eau contient $N = 3,34 \times 10^{25}$ molécules d'eau. Dans ce volume, la quantité d'eau exprimée en mole, est égale à :
> $$n = \frac{N}{N_A} = \frac{3,34 \times 10^{25}}{6,02 \times 10^{23}} = 5,55 \times 10^1 \text{ mol}.$$
> L'ordre de grandeur de cette quantité de matière est 10^2 moles.

1.2 Définition d'un système macroscopique

> Un **système macroscopique** est une portion d'espace limitée par une surface contenant la matière étudiée. Il est constitué d'un grand nombre d'atomes ou de molécules, assimilés à des points matériels.

● Tout ce qui n'appartient pas au système macroscopique est dit **extérieur** au système. L'ensemble « système + extérieur » constitue donc tout l'Univers.

● Dans ce chapitre, nous étudierons uniquement les systèmes macroscopiques qui n'échangent pas de matière avec l'extérieur. Ces systèmes sont dits **fermés (document 11)**.

2 Énergie interne d'un système

2.1 Notion d'énergie interne

Lorsque la température d'un système macroscopique augmente, l'agitation des entités microscopiques le constituant (atomes, ions ou molécules) augmente également. L'augmentation de l'agitation microscopique se traduit macroscopiquement par une variation de l'**énergie interne** $\mathcal{U}$ du système, exprimée en joule.

> L'énergie interne $\mathcal{U}$ d'un système macroscopique résulte de contributions microscopiques **(figure 12)**.

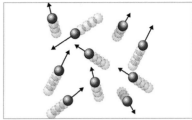

12 *L'agitation des entités microscopiques du système est caractéristique de son énergie interne $\mathcal{U}$.*

2.2 Variation d'énergie interne

Les changements microscopiques d'un système entre un état initial d'énergie interne $\mathcal{U}_i$ et un état final d'énergie interne $\mathcal{U}_f$ peuvent être décrits par la **variation de son énergie interne** :

$$\Delta\mathcal{U} = \mathcal{U}_f - \mathcal{U}_i$$

> Lorsqu'un système condensé, c'est-à-dire à l'état liquide ou solide, évolue d'un état initial à un état final, la variation $\Delta\mathcal{U}$ de son énergie interne est proportionnelle à la variation de sa température ΔT entre l'état final et l'état initial.
>
> $$\Delta\mathcal{U} = C \times \Delta T = C \times (T_f - T_i) \quad \begin{array}{l} C : \text{capacité thermique } (J \cdot K^{-1}) \\ \Delta T \text{ en kelvin (K)} \\ \Delta\mathcal{U} \text{ en joule (J)} \end{array}$$

La capacité thermique C d'un système caractérise sa capacité à stocker ou à céder de l'énergie interne. Plus la capacité thermique d'un système est grande, plus la variation d'énergie interne $\Delta\mathcal{U}$ de ce système peut être importante.

Ainsi, pour échanger de l'énergie interne à variation de température identique, un kilogramme d'eau est plus efficace qu'un kilogramme d'aluminium **(tableau 13)**.

La variation de température ΔT se calcule à partir des températures exprimées en kelvin ou en degré Celsius. La relation entre la température T en kelvin et θ en degré Celsius est $T = \theta + 273$ donc $\Delta T = \Delta\theta$.

APPLICATION On place une pièce de 20 centimes d'euro à température ambiante (à 20 °C) dans une casserole d'eau maintenue en ébullition (à 100 °C).

Calculer la variation d'énergie interne de cette pièce, de capacité thermique $C = 2,12 \ J \cdot K^{-1}$.

Réponse. La pièce de monnaie est un système macroscopique condensé. On peut donc utiliser la relation suivante :

$$\Delta\mathcal{U} = C \times \Delta T = C \times (T_f - T_i).$$

A.N. : $\Delta\mathcal{U} = 2,12 \times (100 - 20) = 170 \ J.$

L'énergie interne du système « pièce » augmente donc de 170 J.

Système	Capacité thermique C $(J \cdot K^{-1})$
1 kg d'eau liquide	4185
1 kg d'aluminium solide	897
1 kg d'huile	environ 2 000

13 *Capacités thermiques de différents systèmes.*

Ludwig Boltzmann

Pionnier de la physique moderne

Ludwig Boltzmann est l'un des pères fondateurs de la thermodynamique moderne. Il est l'auteur des principes de base concernant l'irréversibilité.

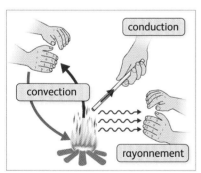

14 Les différents modes de transferts thermiques.

3 Transferts thermiques

● L'existence d'une différence de température entre deux systèmes, ou au sein d'un système, induit un transfert spontané d'énergie de la partie la plus chaude vers la plus froide. On parle de transfert thermique, noté Q. Lorsque les deux systèmes sont à la même température, le transfert thermique cesse : on est alors à l'**équilibre thermique**.

Les transferts thermiques sont une cause d'**irréversibilité** : il arrive qu'un système évolue par transfert thermique vers un état final sans pouvoir spontanément revenir à son état initial. Il faut alors un apport d'énergie extérieur sous une autre forme que le transfert thermique.

Exemple. Le mélange d'un verre d'eau chaude avec un verre d'eau froide donne de l'eau tiède. Une fois le mélange effectué, il est impossible d'obtenir à nouveau l'eau chaude et l'eau froide à partir de ce verre d'eau tiède.

● On peut interpréter les transferts thermiques dans la matière à l'échelle microscopique suivant trois modes principaux : la **conduction**, la **convection** et le **rayonnement (figure 14)**.

A La conduction thermique

On parle de **conduction thermique** lorsque le transfert thermique se fait de proche en proche, sans déplacement de matière.

> Le transfert thermique par conduction est généré au niveau microscopique par des interactions entre des entités en contact direct.
> C'est le seul mode de transfert thermique dans les solides.

Exemple. Une barre métallique placée au-dessus d'une flamme ne peut être tenue très longtemps à main nue : la conduction thermique entraîne une augmentation de température de toute la barre.

B La convection thermique

Ce mode de transfert thermique est spécifique aux systèmes fluides (gaz ou liquides). On parle de convection thermique lorsque le transfert thermique est provoqué par le mouvement interne du fluide qui compose le système. Cela correspond à un déplacement des particules du fluide.

> Le transfert thermique par convection est généré par un mouvement global des entités microscopiques à l'intérieur d'un système.

Exemple. Dans une pièce où le sol est plus chaud que le plafond, l'air chaud, moins dense que l'air froid, tend à monter alors que l'air froid descend, ce qui permet de réchauffer l'ensemble de la pièce.

C Le rayonnement thermique

> Le transfert thermique par rayonnement est généré par l'absorption ou l'émission d'un rayonnement électromagnétique.

Le transfert thermique par rayonnement est possible dans le vide car les ondes électromagnétiques n'ont pas besoin de milieu matériel pour se propager.

Exemple. Le rayonnement solaire est un rayonnement thermique.

4 Flux thermique

Les transferts thermiques entre les systèmes ne sont pas instantanés : ils évoluent en fonction du temps.

4.1 Définition du flux thermique

Le **flux thermique** Φ caractérise la vitesse du transfert thermique Q, pendant une durée Δt, au sein d'un système ou entre différents systèmes :

$$\Phi = \frac{Q}{\Delta t} \quad \begin{array}{l} Q \text{ en joule (J)} \\ \Delta t \text{ en seconde (s)} \\ \Phi \text{ en watt (W)} \end{array}$$

Analyse dimensionnelle

Le flux thermique a la dimension d'une énergie divisée par un temps. Sa dimension est celle d'une puissance, donc son unité est le watt (W).

4.2 Cas d'une paroi plane

● Dans le cas d'une paroi plane, le transfert thermique est d'autant plus rapide que l'épaisseur de la paroi est petite, que l'aire de sa surface est grande et que le matériau est un bon conducteur thermique.

● La capacité d'un matériau à transférer l'énergie thermique est donnée par sa **conductivité thermique** λ : un bon conducteur thermique est caractérisé par une valeur de λ élevée, un bon isolant thermique par une valeur de λ faible **(tableau 15)**.

A Expression du flux thermique

À travers une paroi plane Σ d'aire S et d'épaisseur e, constituée d'un matériau de conductivité thermique λ, le flux thermique est proportionnel à l'écart de température entre les deux faces A et B de la paroi, le coefficient de proportionnalité étant $\lambda \frac{S}{e}$ **(figure 16)** :

$$\Phi = \lambda \frac{S}{e}(T_A - T_B) \quad \begin{array}{l} \lambda \text{ en W·m}^{-1}\text{·K}^{-1} \\ S \text{ en m}^2 \\ e \text{ en m} \\ T_A, T_B, \Delta T \text{ en kelvin (K)} \\ \Phi \text{ en watt (W)} \end{array}$$
$$\Phi = \lambda \frac{S}{e}\Delta T$$

Matériau	λ (en W·m⁻¹·K⁻¹) à 20 °C
air	0,0262
polystyrène expansé	0,036
bois de chêne	0,16
béton	0,92
verre	1,2
acier	46
cuivre	390

15 *Conductivité thermique de différents matériaux.*

B Résistance thermique

● Entre les bornes A et B d'un conducteur électrique de résistance R soumis à une tension électrique U_{AB}, un courant électrique d'intensité I circule. La loi d'Ohm s'écrit :

$$U_{AB} = RI.$$

● La relation $T_A - T_B = \frac{e}{\lambda S}\Phi$ est analogue à la loi d'Ohm : $T_A - T_B$ joue le rôle de U_{AB}, Φ joue le rôle de I. Par analogie, on définit le terme $\frac{e}{\lambda S}$ comme une résistance thermique, notée R_{th} **(figure 17)**.

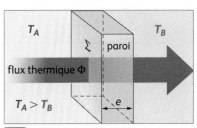

16 *L'énergie est transférée de la pièce chaude vers la pièce froide.*

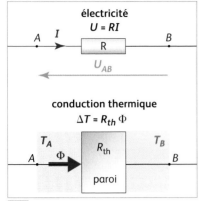

17 Analogie entre la loi d'Ohm et le transfert thermique.

La relation du **§ 4.2 Ⓐ** s'écrit alors:

$$T_A - T_B = R_{th} \times \Phi \quad \begin{array}{l} \Phi \text{ en watt (W)} \\ T_A \text{ et } T_B \text{ en K} \end{array}$$

où R_{th} est la **résistance thermique** de la paroi, définie par:

$$R_{th} = \frac{e}{\lambda \times S} \quad \begin{array}{l} e \text{ en m} \\ S \text{ en m}^2 \\ \lambda \text{ en W·m}^{-1}\cdot\text{K}^{-1} \\ R_{th} \text{ en K·W}^{-1} \end{array}$$

Remarque. La résistance thermique d'un mur constitué de plusieurs parois accolées (en «série») est égale à la somme des résistances thermiques de chaque paroi.

5 Bilan d'énergie

L'**énergie totale** $\mathscr{E}$ d'un système fermé est la somme de son énergie interne $\mathscr{U}$, d'origine microscopique, et de son énergie mécanique $\mathscr{E}_m$, d'origine macroscopique:

$$\mathscr{E} = \mathscr{U} + \mathscr{E}_m \quad | \quad \mathscr{U}, \mathscr{E}_m, \mathscr{E} \text{ en joule (J)}$$

Faire le **bilan d'énergie** d'un système consiste à exprimer la variation $\Delta\mathscr{E} = \Delta\mathscr{U} + \Delta\mathscr{E}_m$ de l'énergie totale du système lors de son évolution. $\Delta\mathscr{E}$ met en jeu les échanges d'énergie **avec l'extérieur**: les transferts thermiques, notés Q, et les transferts dus aux travaux $\mathscr{W}$ autres que ceux des forces conservatives (par exemple, le travail des forces pressantes dans un gaz, le travail des forces de frottement, etc.):

$$\Delta\mathscr{E} = \Delta\mathscr{U} + \Delta\mathscr{E}_m = \mathscr{W} + Q \quad | \quad \Delta\mathscr{E}, \mathscr{W}, Q \text{ en joule (J)}$$

Par convention, $\mathscr{W}$ et Q sont positifs s'ils sont échangés de l'extérieur vers le système, sinon, ils sont négatifs. Ainsi, pour un système constitué d'eau chaude qui se refroidit, la grandeur Q est négative (le transfert thermique se fait du système «eau chaude» vers l'extérieur).

Exemple. Un réfrigérateur est une machine thermique qui fonctionne en réalisant un transfert thermique entre deux sources: l'intérieur du réfrigérateur et l'air extérieur. Le système est constitué par le fluide circulant dans les différents éléments du réfrigérateur (compresseur, détendeur, évaporateur, etc.). Les deux sources sont «l'extérieur» du système **(figure 18)**.

On note:

• $\mathscr{W}$ le transfert mécanique fourni par le moteur du compresseur au système ($\mathscr{W} > 0$);

• Q_1 le transfert thermique fourni par l'intérieur du réfrigérateur (par les aliments notamment) au système ($Q_1 > 0$). L'intérieur du réfrigérateur se refroidit;

• Q_2 le transfert thermique reçu par l'air extérieur de la part du système ($Q_2 < 0$). L'air extérieur se réchauffe.

Dans ce cas, on peut donc écrire le bilan suivant:

$$\Delta\mathscr{E} = \Delta\mathscr{U} = \mathscr{W} + Q_1 + Q_2.$$

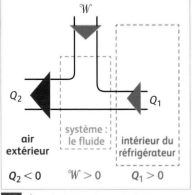

18 Énergie échangée par le fluide du réfrigérateur.

L'ESSENTIEL

Énergie interne d'un système

- Les atomes et les molécules sont des **entités microscopiques**. Un **système macroscopique** contient un grand nombre d'entités microscopiques dans un volume défini.

- L'**énergie interne** $\mathcal{U}$ (en joule) d'un système macroscopique résulte de contributions microscopiques.

Bilan d'énergie

- L'**énergie totale** $\mathcal{E}$ d'un système est la somme de son énergie interne $\mathcal{U}$, d'origine microscopique, et de son énergie mécanique $\mathcal{E}_m$, d'origine macroscopique :

$$\mathcal{E} = \mathcal{U} + \mathcal{E}_m \quad \Big| \quad \mathcal{E},\, \mathcal{U},\, \mathcal{E}_m \text{ en joule (J)}$$

- Pour établir le **bilan énergétique** d'un système, on exprime la variation $\Delta\mathcal{E}$ de l'énergie totale en fonction du transfert thermique Q et du transfert $\mathcal{W}$ dû aux travaux échangés avec l'extérieur, autres que ceux des forces conservatives :

$$\Delta\mathcal{E} = \Delta\mathcal{U} + \Delta\mathcal{E}_m = Q + \mathcal{W}$$

Transferts thermiques

- Un **transfert thermique** est un transfert d'énergie du système le plus chaud vers le système le plus froid.

- Les transferts thermiques sont une cause d'irréversibilité : un système qui a évolué vers un état final par transfert thermique ne peut pas revenir à son état initial sans apport d'énergie.

- Trois modes de transferts thermiques existent :
  – la **conduction**, due au contact de proche en proche au sein d'un solide ;
  – la **convection**, due à un déplacement de matière au sein d'un fluide (gaz ou liquide) ;
  – le **rayonnement**, dû à l'absorption ou à l'émission d'un rayonnement électromagnétique.

Variation d'énergie interne

- La **variation d'énergie interne** $\Delta\mathcal{U}$ d'un système condensé (liquide ou solide) ne dépend que de la variation de température entre l'état initial et l'état final :

$$\Delta\mathcal{U} = C \times \Delta T \quad \Big|\ \begin{array}{l}\Delta T \text{ en kelvin (K)}\\ \Delta\mathcal{U} \text{ en joule (J)}\\ C \text{ en J}\cdot\text{K}^{-1}\end{array}$$

où C est une constante dans un intervalle de température étendu et appelée **capacité thermique**.

Flux thermique

- Le **flux thermique** Φ caractérise la vitesse du transfert thermique Q, pendant une durée Δt, au sein d'un système ou entre différents systèmes :

$$\Phi = \dfrac{Q}{\Delta t} \quad \Big|\ \begin{array}{l}Q \text{ en joule (J)}\\ \Delta t \text{ en seconde (s)}\\ \Phi \text{ en watt (W)}\end{array}$$

- À travers une paroi plane Σ d'aire S et d'épaisseur e, constituée d'un matériau de conductivité thermique λ, le flux thermique est proportionnel à l'écart de température entre les deux faces A et B de la paroi, le coefficient de proportionnalité étant $\lambda \times \dfrac{S}{e}$:

$$\Phi = \dfrac{\lambda \times S}{e} \times (T_A - T_B)$$
$$\Phi = \dfrac{\lambda \times S}{e} \times \Delta T$$

$\begin{array}{l}\lambda \text{ en W}\cdot\text{m}^{-1}\cdot\text{K}^{-1}\\ S \text{ en m}^2\\ e \text{ en m}\\ T_A,\, T_B \text{ et}\\ \Delta T \text{ en kelvin (K)}\\ \Phi \text{ en watt (W)}\end{array}$

- Cette relation peut aussi s'écrire :

$$\Delta T = R_{th} \times \Phi \quad \Big|\ \begin{array}{l}\Phi \text{ en watt (W)}\\ \Delta T \text{ en kelvin (K)}\\ R_{th} \text{ en K}\cdot\text{W}^{-1}\end{array}$$

où R_{th} est la **résistance thermique** de la paroi.

1 Mots manquants

Compléter avec un mot ou plusieurs mots.

a. La ...., notée N_A, est le nombre d'entités par mole d'entités.

b. L'ordre de grandeur d'une quantité est la .... de 10 qui s'en rapproche le ....

c. Un système macroscopique est constitué d'un .... nombre de particules.

d. L'énergie .... $\mathcal{U}$ d'un système caractérise le comportement .... de celui-ci.

e. Lorsqu'un système condensé évolue d'un état initial vers un état final, la variation de son énergie interne est proportionnelle à la variation de .... entre ces deux états.

f. La conduction thermique existe lorsqu'il y a une différence de .... au sein du système.

g. Lorsqu'il n'y a pas de .... de température entre deux .... en contact, il y a .... thermique.

h. Les transferts thermiques dans la matière s'interprètent à l'échelle microscopique suivant trois modes principaux : ...., ... et ....

i. Le flux thermique, noté ...., caractérise la vitesse du .... Q, à l'intérieur du système ou entre différents systèmes.

j. L'énergie totale d'un système fermé est la somme de son .... et de son ....

2 QCM

Cocher la réponse exacte.

a. L'ordre de grandeur du nombre de molécules présentes dans un litre d'eau est :

☐ 10^{25} ☐ 10^{-25} ☐ 1

b. Lorsque l'agitation des entités microscopiques constituant un système macroscopique augmente, la température T de ce système :

☐ augmente ☐ diminue ☐ est constante

c. La variation de l'énergie interne d'un système condensé de capacité thermique C peut s'écrire sous la forme :

☐ $C \times \Delta T$ ☐ $\dfrac{\Delta T}{C}$ ☐ $\dfrac{C}{\Delta T}$

d. Le flux thermique a pour unité :

☐ J ☐ W ☐ J·s

e. Une paroi constituée d'un matériau de conductivité thermique λ a une épaisseur e et une section S. Si une différence de température ΔT existe entre ses deux extrémités, sa résistance thermique R_{th} vaut alors :

☐ $\dfrac{e}{(\lambda S)}$ ☐ $\dfrac{\Delta T}{(\lambda S)}$ ☐ $\lambda S \dfrac{e}{\Delta T}$

→ **Solutions détaillées en fin de manuel pour vérifier vos réponses et comprendre vos erreurs.**

Parcours en autonomie

Trois parcours d'exercices pour travailler en autonomie selon ses besoins.

Maîtriser les bases ~ 5 – 7 – 13

Préparer l'évaluation – 15 – 25 – 27

Approfondir – 28 – 31

Pour tous les exercices de ce chapitre :
- $T(K) = \theta(°C) + 273$.
- $\Phi = \lambda \dfrac{S}{e}(T_A - T_B) = \dfrac{1}{R_{th}}(T_A - T_B)$.
- Les constantes utiles sont disponibles dans les rabats.

COMPÉTENCES EXIGIBLES

3 Visualiser des entités microscopiques

La résolution d'un microscope optique est de l'ordre du micromètre, celle du microscope à effet tunnel de l'ordre du nanomètre.

a. Quel type de microscope parmi les deux cités ci-dessus a permis d'observer l'image ci-dessous ?

b. Citer un autre dispositif expérimental susceptible de permettre la même observation.

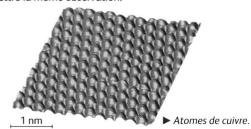

1 nm ▶ *Atomes de cuivre.*

4 Définir la notion de système fermé

Indiquer si ces systèmes sont des systèmes fermés :
– l'air dans un ballon de football de 6 L ;
– 2 L d'eau liquide en train de bouillir dans une casserole ;
– une cuillère à café en argent de 20 g dans une tasse pleine de café chaud ;
– 200 g de paraffine qui constitue la matière solide d'une bougie allumée.

5 Évaluer des ordres de grandeur

Estimer l'ordre de grandeur du nombre d'entités de chacun des systèmes suivants :
– 200 g de paraffine, qui constitue la matière solide d'une bougie ;
– 2 L d'eau liquide ;
– une cuillère à café en argent de 20 g.

Masses molaires (en g·mol^{-1}) :
$M(Ag) = 108$; $M(\text{paraffine}) = 320$; $M(\text{eau}) = 18$.

6 Interpréter des transferts thermiques

Un radiateur est installé dans une chambre. Lorsque la température θ_c de l'air de la chambre atteint 19 °C, le thermostat du radiateur arrête le chauffage. Sa température θ_r est alors égale à 60 °C.

a. Définir les différents systèmes.

b. Quel est le type de transfert thermique entre les systèmes définis ?

c. Dans quel sens s'établit le transfert thermique entre les systèmes définis ?

7 Définir le type de transfert thermique

Un morceau de cuivre, pris à température ambiante $\theta_a = 20$ °C, est chauffé à $\theta_c = 90$ °C.

a. Quel est le type de transfert thermique à l'intérieur du morceau de cuivre ?

b. Calculer la variation d'énergie interne du morceau de cuivre.

Capacité thermique du morceau de cuivre $C_{Cu} = 173{,}7$ J·K^{-1}.

8 Exploiter la relation du flux thermique

a. Quel est le flux thermique à travers un simple vitrage dont la surface a une aire $S = 2{,}0$ m^2, d'épaisseur $e = 5{,}0$ mm, lorsqu'il fait 0,0 °C à l'extérieur et 20 °C à l'intérieur ?

b. Quel est le flux thermique à travers un mur de béton dont la surface a une aire $S = 20$ m^2, d'épaisseur $e = 20$ cm lorsqu'il fait 0 °C à l'extérieur et 20 °C à l'intérieur ?

Conductivités thermiques (en W·m^{-1}·K^{-1}) du verre $\lambda_{verre} = 1{,}2$ et du béton utilisé $\lambda_{béton} = 1{,}4$.

9 Calculer une résistance thermique

a. Calculer la résistance thermique d'un mur de brique dont la surface a une aire $S = 15$ m^2 et d'épaisseur $e = 10$ cm.

b. Calculer la résistance thermique d'un mur de même aire, composé de 10 cm de brique, 30 cm de parpaing et 2,0 cm de plâtre.

Conductivités thermiques (en W·m^{-1}·K^{-1}) :
$\lambda_{brique} = 0{,}67$; $\lambda_{plâtre} = 0{,}8$; $\lambda_{parpaing} = 1{,}15$.

COMPÉTENCES GÉNÉRALES

10 Effectuer un calcul

Un ballon de baudruche est gonflé à l'hélium gazeux. Il est lâché dans une chambre où la température est $\theta = 20$ °C. La pression dans le ballon est $P = 1{,}02 \times 10^5$ Pa. Le diamètre du ballon de baudruche, assimilé à une sphère, est $D = 20$ cm.

a. Quelle est la température du gaz dans le ballon à l'équilibre thermique ?

b. Calculer le volume du ballon.

c. Sachant que le volume d'une mole d'hélium gazeux dans les conditions de l'expérience est $V = 24$ L, déduire la quantité de matière d'hélium puis le nombre d'atomes d'hélium dans le ballon.

Donnée : le volume d'une sphère de rayon r est $\frac{4}{3}\pi r^3$.

11 Effectuer un raisonnement scientifique

Pour préparer un apéritif en plein air, Rosa et Hugo cherchent une astuce pour conserver les glaçons le plus longtemps possible une fois sortis du réfrigérateur.
Rosa propose à Hugo d'entourer les glaçons dans une écharpe en laine. Hugo pense au contraire que les glaçons vont se réchauffer plus vite si on les met dans une écharpe en laine et qu'il vaut mieux les laisser à l'air libre.

Qui a raison ? Justifier la réponse.

12 Comparer un résultat

a. Calculer l'énergie nécessaire pour chauffer, par transfert thermique, 200 litres d'eau d'un bain, de 15 °C à 37 °C.

b. Combien de temps une ampoule de 60 W peut-elle briller avec cette énergie ?

c. Que peut-on en conclure au sujet des économies d'énergie ?

Données : masse volumique de l'eau $\rho_{eau} = 10^3$ kg·m^{-3} ; capacité thermique de l'eau $C_{eau} = m \times 4\,180$ J·K^{-1}.

13 Effectuer un calcul

Le flux thermique par conduction à travers un mur dont la surface a une aire $S = 20$ m^2 et d'épaisseur $e = 20$ cm, vaut $\Phi = 210$ W. La température d'un côté de ce mur est $\theta_1 = 22$ °C et la température de l'autre côté est $\theta_2 = 8{,}0$ °C.

a. Calculer la conductivité thermique λ_{mur} du matériau constituant le mur.

b. Quel est le matériau composant ce mur ?

Conductivités thermiques (en W·m^{-1}·K^{-1}) :
$\lambda_{bois\ de\ sapin} = 0{,}15$; $\lambda_{placoplâtre} = 0{,}46$; $\lambda_{béton} = 1{,}4$.

14 Restituer ses connaissances

On considère un système condensé fermé de capacité thermique C qui reçoit un transfert mécanique $\mathcal{W}$ et un transfert thermique Q de l'extérieur. Sa température varie de ΔT.

a. Qu'est-ce qu'un système condensé fermé ?

b. Effectuer un bilan énergétique de ce système condensé fermé.

c. Exprimer la variation d'énergie interne de ce système en fonction des données de l'exercice.

d. Désormais, le système n'échange plus d'énergie, ni par transfert mécanique ni par transfert thermique, avec l'extérieur.
En déduire la valeur de la variation de température ΔT.
Conclure.

EXERCICE RÉSOLU

Site élève

15 Isolation thermique

Énoncé Le mur extérieur d'une maison est constitué de briques. Il est sans ouverture, l'aire de sa surface est égale à $S = 60$ m² et son épaisseur est $e_{brique} = 20$ cm. Quelle économie peut-on espérer réaliser en isolant un mur extérieur ?

❶ Calculer la résistance thermique R_{th} du mur et le flux thermique Φ_1 à travers le mur lorsque la température extérieure est de 0,0 °C. La température intérieure de la maison est constante et égale à 20 °C.

❷ Pour diminuer les déperditions thermiques, on isole le mur avec du polystyrène d'épaisseur $e_{polystyrène} = 45$ mm.
Calculer la nouvelle valeur du flux thermique Φ_2 après cette isolation.

❸ Quelle serait la valeur du flux thermique Φ_3 si le mur était constitué de deux parois en brique de 8,0 cm d'épaisseur chacune, séparées par une couche d'air de 4,0 cm ? Conclure.

❹ Si un kWh coûte 0,10 euro, quelle est l'économie réalisée quotidiennement avec la meilleure isolation ?

Conductivités thermiques (en W·m⁻¹·K⁻¹) :
$\lambda_{brique} = 0,67$; $\lambda_{polystirène} = 0,036$; $\lambda_{air} = 0,0262$.

Maisons en brique de Toulouse, la ville « rose ».

Énoncé
● La déperdition thermique est la perte énergétique de type thermique.
● Le kWh (kiloWattheure) est l'énergie 𝓔 dépensée pendant 1 heure par un système de puissance P.

Une solution

❶ La résistance thermique du mur est :
$$R_{th} = \frac{e_{brique}}{\lambda_{brique} \times S_{mur}} = \frac{0,20}{0,67 \times 60} = 5,0 \times 10^{-3} \text{ K·W}^{-1}.$$
Le flux thermique à travers le mur est :
$$\Phi_1 = \frac{\Delta T}{R_{th}} = \frac{20 - 0,0}{5,0 \times 10^{-3}} = 4,0 \times 10^3 \text{ W} = 4,0 \text{ kW}.$$

❷ La résistance thermique du mur isolé se calcule en additionnant les résistances thermiques des différents matériaux le composant, soit les briques et le polystyrène :
$$R_{th}(\text{mur isolé}) = R_{th}(\text{mur}) + R_{th}(\text{poly}) = \frac{e_{brique}}{\lambda_{brique} \times S} + \frac{e_{poly}}{\lambda_{poly} \times S} ;$$
$$R_{th}(\text{mur isolé}) = 5,0 \times 10^{-3} + \frac{0,045}{0,036 \times 60} = 5,0 \times 10^{-3} + 0,021 = 2,6 \times 10^{-2} \text{ K·W}^{-1}.$$
La valeur du flux thermique du mur isolé est égale à :
$$\Phi_2 = \frac{20}{0,026} = 7,7 \times 10^2 \text{ W} = 0,77 \text{ kW}.$$

❸ On considère le nouvel assemblage : brique + air + brique. De la même manière que précédemment, la résistance thermique de l'assemblage se calcule en ajoutant les résistances thermiques des différents matériaux le composant :
$$R_{th}(\text{assemblage}) = R_{th}(\text{brique}) + R_{th}(\text{air}) + R_{th}(\text{brique}) ;$$
$$R_{th}(\text{assemblage}) = \frac{2e_{brique}}{\lambda_{brique} \times S} + \frac{e_{air}}{\lambda_{air} \times S} ;$$
$$R_{th}(\text{assemblage}) = \frac{2 \times 0,08}{0,67 \times 60} + \frac{0,04}{0,0262 \times 60} = 2,9 \times 10^{-2} \text{ K·W}^{-1}.$$
La valeur du flux thermique de l'assemblage est :
$$\Phi_2 = \frac{\Delta T}{R_{th}(\text{assemblage})} = \frac{20}{3,0 \times 10^{-2}} = 6,5 \times 10^2 \text{ W} = 0,65 \text{ kW}.$$
L'isolation avec la couche de polystyrène est pratiquement équivalente à celle avec la couche d'air. Mais une couche de polystyrène est plus facile à poser !

❹ La différence de flux thermique entre un mur de brique seul et deux murs de brique séparés par une couche d'air est : $\Phi_1 - \Phi_3 = 3,3$ kW.
Le double mur permet donc un gain énergétique de 3,3 kWh pour une heure, soit $3,3 \times 24$ kWh pour une journée. L'économie réalisée par jour est $3,3 \times 24 \times 0,10 = 7,9$ €.

Connaissances
Le flux thermique est proportionnel à la variation de température et à l'inverse de la résistance thermique.

Raisonner
La résistance thermique d'un mur, composé de différents matériaux, s'obtient en ajoutant les résistances thermiques des matériaux respectifs.

Rédiger
À la question « conclure », proposer une réflexion personnelle et critique.

On réalise un dispositif expérimental permettant d'étudier la conduction thermique entre deux blocs métalliques mis en contact à des températures différentes dans une enceinte calorifugée (sans échanges thermiques avec l'extérieur). Chaque bloc est équipé d'un capteur de température permettant de relever la température en fonction du temps.

Le bloc A est mis en contact à la température initiale $\theta_{A,i}$, le bloc B à la température initiale $\theta_{B,i}$.

enceinte calorifugée

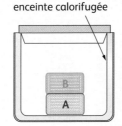

Données
- $\theta_{A,i} = 20{,}2\ °C$; $\theta_{B,i} = 60{,}5\ °C$;
- Capacités thermiques des blocs : $C_A = C_B = 200\ J \cdot K^{-1}$.

a. Représenter sur un même graphique l'évolution temporelle des températures θ_A et θ_B.

b. Déduire du graphique précédent la valeur de la température à l'équilibre thermique.

c. Dans quel sens se produit le transfert thermique impliqué dans ce contact ?

d. Quel est le type de transfert thermique impliqué dans l'établissement de l'équilibre thermique ?

e. Faire un bilan d'énergie pour A, puis pour B du début de l'expérience jusqu'à l'équilibre thermique. Calculer numériquement le transfert thermique concernant A, puis celui concernant B. Justifier le signe de ces transferts.

f. Dans les mêmes conditions, faire un bilan d'énergie pour le système {$A + B$}. Commenter.

Conseils • Choisir une échelle adaptée mais facile à utiliser. Noter clairement le nom des grandeurs des axes ainsi que leur unité.
• Ne pas oublier de donner un titre à votre graphique.

Conseils Les valeurs lues sur une courbe sont toujours entachées d'une incertitude. En tenir compte dans les calculs qui utilisent ces valeurs numériques.

Tableau : évolution temporelle de θ_A et θ_B

Temps (s)	0	30	60	120	300	500	750	1 000	1 200
θ_A (°C)	20,2	22,4	25,8	28,1	34,2	38,0	40,1	39,8	40,1
θ_B (°C)	60,5	58,1	55,9	48,3	43,7	41,9	40,2	40,3	39,8

17 **Apprendre à rédiger**

Voici l'énoncé d'un exercice et un guide (en violet) ; ce guide vous aide à rédiger la solution détaillée et à retrouver les réponses aux questions posées.

Énoncé

Une bille métallique de masse m est lancée vers le haut avec une vitesse v_0, dans le champ de pesanteur g supposé uniforme. Elle atteint une altitude h, puis redescend.

Données : $g = 9{,}81\ m \cdot s^{-2}$; $m = 100\ g$; $v_0 = 10\ m \cdot s^{-1}$; $h = 5{,}0\ m$; capacité thermique de la bille $C = 40\ J \cdot K^{-1}$.

a. Exprimer l'altitude maximale h_0 que peut atteindre la bille en ne tenant pas compte des frottements. Exprimer h_0 en fonction de v_0 et g.

▸ Définir le système et les états initial et final.

▸ Associer les expressions des énergies cinétique et potentielle à chaque état. Utiliser alors la conservation de l'énergie mécanique $h_0 = \dfrac{v_0^2}{2g}$.

b. On constate que h est inférieur à h_0 à cause des frottements. Déterminer la variation de température ΔT de cette bille entre sa position initiale et sa position d'altitude maximale h en supposant que :

– l'on néglige la variation de volume de la bille ;

– l'air ambiant reste « macroscopiquement » au repos ;

– le travail des forces de frottement se dissipe à moitié dans l'air ambiant et à moitié dans la bille.

▸ L'énergie mécanique ne se conserve plus. Réaliser la même démarche qu'à la question **a**. Écrire l'égalité entre la variation d'énergie mécanique et le transfert dû au travail des forces de frottement.

▸ Traduire la variation d'énergie interne de la bille en terme de variation de température.

▸ Traduire la dernière hypothèse de la question.

▸ Exprimer ΔT en fonction de g, C, h, h_0 et m.

c. Calculer numériquement h_0 puis ΔT.

▸ On obtient $h_0 = 5{,}1\ m$ et $\Delta T = 1{,}2 \times 10^{-3}\ K$. Préciser que l'échauffement est insignifiant.

▸ Attention aux unités.

18 Douche solaire

Compétences générales *Réaliser et exploiter un graphique*

On s'intéresse au fonctionnement d'une douche solaire que l'on peut trouver dans les campings en plein air. Elle permet de prendre une douche chaude lorsque l'ensoleillement est suffisant. Les informations suivantes sont relatives à une douche solaire contenant 20 kg d'eau.

Douche solaire au camping.

1. Principe de la douche solaire

a. Citer le mode de transfert thermique impliqué dans le chauffage de l'eau d'une douche solaire.

b. Tracer la courbe de la température de l'eau de la douche solaire en fonction du temps.

θ (°C)	15	20	25	30	35	40	42	44
Temps (h)	0	0,15	0,30	0,70	1,6	3,0	4,0	6,0

2. Fonctionnement de la douche solaire

a. Indiquer la température de l'eau lors de la mise en fonctionnement de la douche solaire, puis après 5 h et 30 min au soleil.

b. Calculer l'énergie absorbée par les 20 kg d'eau après avoir passé 5 h et 30 min au soleil.

Donnée : capacité thermique de l'eau de la douche solaire pleine $C = 8,36 \times 10^4$ J·K^{-1}.

19 Radiateur et transfert thermique

Compétence générale *Effectuer un calcul*

On considère un radiateur de puissance électrique $P = 1800$ W. Le volume d'eau contenu dans ce radiateur est de 15 L.

a. Calculer la variation d'énergie interne du système {eau + radiateur} lors de l'élévation de la température de $\theta_1 = 18$ °C à $\theta_2 = 23$ °C.

b. On suppose que toute l'énergie électrique est convertie en transfert thermique.
Calculer la durée Δt de fonctionnement de ce radiateur pour passer de 18 °C à 23 °C. Exprimer ce résultat en secondes.

Donnée

Capacité thermique du système : $C_{\text{système}} = 8,9 \times 10^4$ J·K^{-1}.

20 Le lac Léman

Compétence générale *Effectuer un calcul*

En 1891, le lac Léman en Suisse a gelé sur une épaisseur $e = 1,0$ cm sur toute l'aire de sa surface $S = 580$ km^2.

a. Calculer la masse de glace formée.

b. Sachant qu'un kilogramme de glace a besoin de 335 kJ pour fondre, quelle est l'énergie nécessaire pour faire fondre toute cette glace, l'eau du lac restant à 0 °C ?

c. La puissance surfacique du rayonnement solaire est $\dfrac{P}{S} = 340$ W·m^{-2}. Le lac absorbe 10 % du rayonnement solaire. Quel est le temps nécessaire à la « débâcle » (fonte totale de la glace) ?

d. Quel serait le coût de cette énergie si elle était facturée à 10 centimes d'euros le kWh ?

Masses volumiques (en kg·m^{-3}) : $\rho_{\text{glace}} = 917$, $\rho_{\text{eau}} = 1000$.

Le lac Léman gelé en 1891.

21 Diode et énergie

Compétence générale *Restituer ses connaissances*

La photographie ci-dessous montre le montage d'une diode électroluminescente (DEL) et d'une ampoule à filament de tungstène, alimentées par un générateur électrique délivrant la même énergie à chaque lampe (même puissance P).

a. Sous quelle forme est convertie l'énergie électrique reçue par la diode électroluminescente ?

b. Sous quelle forme est convertie l'énergie électrique reçue par l'ampoule à filament de tungstène ?

c. Expliquer pourquoi les ampoules à filament de tungstène sont aujourd'hui retirées du marché pour être remplacées progressivement par, notamment, des diodes électroluminescentes ?

d. À l'aide d'une recherche si nécessaire, expliciter les principaux avantages et inconvénients des diodes électroluminescentes, des ampoules fluo-compactes et des ampoules halogène « haute-efficacité » qui remplacent aujourd'hui les ampoules à filament de tungstène pour éclairer nos habitations.

22 ✶ Freinage d'urgence et énergie interne

Compétence générale *Effectuer un raisonnement scientifique*

On étudie l'augmentation de température des plaquettes de frein d'une moto lors d'un freinage brutal. La masse totale de la moto et de son conducteur est de 160 kg. La vitesse en début de freinage est de 36 km·h⁻¹.

a. Calculer, en joule, l'énergie cinétique $\mathscr{E}_c$ que possède la moto avant de freiner.

b. Au cours du freinage, on admet que toute l'énergie cinétique $\mathscr{E}_c$ de la moto est transférée thermiquement aux freins, en particulier aux plaquettes de frein. Elles sont en céramique de carbone de capacité thermique $C = 39$ J·K⁻¹.
Calculer l'augmentation de température des plaquettes.

c. Préciser si les affirmations suivantes sont vraies ou fausses :
– lors du freinage, l'énergie cinétique de la moto se conserve ;
– lors du freinage, l'énergie cinétique de la moto diminue ;
– lors du freinage, le mode de transfert de l'énergie cinétique de la moto est dû à un travail mécanique.

23 ✶ Résistance thermique

Compétence générale *Effectuer un raisonnement scientifique*

On considère une tige en aluminium de longueur $L = 50$ cm, de section $S = 2{,}0$ cm². Cette tige, enrobée par un isolant supposé parfait, a ses extrémités maintenues respectivement à 80 °C et 0 °C.

a. Rappeler l'analogie conduisant à la définition de la résistance thermique R_{th} à partir de celle de la résistance électrique $R_{élec}$.

b. La résistance $R_{élec}$ d'un fil conducteur est proportionnelle à sa longueur L et inversement proportionnelle à sa section S. Le coefficient de proportionnalité est l'inverse de la conductivité électrique γ du matériau.
Écrire la relation donnant $R_{élec}$.

c. Donner la définition de la résistance thermique et compléter l'analogie de la question **a**.

d. Déterminer R_{th} et $R_{élec}$ du dispositif.

e. Calculer le flux thermique à travers la tige.

Données pour l'aluminium :
– conductivité thermique $\lambda = 239$ W·m⁻¹·K⁻¹ ;
– conductivité électrique $\gamma = 3{,}3 \times 10^7$ Ω⁻¹·m⁻¹.

24 Science in English 🇬🇧

Everybody likes a nice hot cup of coffee. The problem is when you put sugar into your cup, you cool down your coffee. The sugar's temperature is something like 20 °C, your coffee's temperature is 50 °C. Let's try to find a solution to this problem. You can decide to let your sugar fall down into your cup from a height *h*.

1. Première phase : la chute
En considérant que l'énergie mécanique du sucre se conserve, déterminer l'expression de l'énergie cinétique $\mathscr{E}_c$ du sucre lorsqu'il va toucher le café.

2. Deuxième phase : l'impact
a. En supposant que l'énergie cinétique du sucre est intégralement transférée thermiquement à celui-ci au moment de l'impact avec le café, exprimer la variation d'énergie interne du sucre lors de cet impact.

b. En déduire la hauteur nécessaire pour que le sucre ne refroidisse pas le café, sans tenir compte de l'échange d'énergie dû à la dissolution du sucre.

c. Commenter le résultat et critiquer les hypothèses des deux phases.

Données : $g = 9{,}81$ m·s⁻² ; $C_{sugar} = 2{,}5$ J·K⁻¹ ; $m_{sugar} = 5{,}0$ g.

25 ✶ Isolation simple, double, triple vitrages

Compétence générale *Effectuer un calcul*

L'objectif de cet exercice est de réaliser une étude comparée des fenêtres à multivitrages. La température de la pièce à isoler est de $\theta_{pièce} = 20°$ C, tandis que la température extérieure est $\theta_{ext} = -5{,}0$ °C. Les configurations de vitrage les plus connues sont celles du simple, du double et du triple vitrage. Dans cet exercice, les fenêtres utilisées dans les différentes configurations sont identiques.

– Dans la configuration A, on considère une fenêtre constituée d'un simple vitrage de 4 mm de verre.

– La configuration B est plus moderne et propose un double vitrage composé de la sorte : 4 mm de vitrage + 12 mm d'air + 4 mm de vitrage.

– La configuration C est un triple vitrage composé de la sorte : 4 mm de vitrage + 12 mm d'air + 4 mm de vitrage + 12 mm d'air + 4 mm de vitrage (figure ci-dessous).

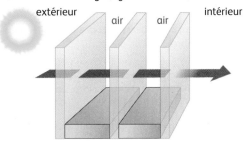

a. Calculer la résistance thermique et le flux thermique de chaque configuration.

b. Quelle est la configuration la plus isolante pour l'habitation ?

Données : conductivités thermiques (en W·m⁻¹·K⁻¹) du verre $\lambda_{verre} = 1{,}2$; de l'air $\lambda_{air} = 0{,}0262$;
aire de la surface des fenêtres $S = 4$ m².

26 ✳ Utilisation d'un calorimètre

Compétences générales *Effectuer un raisonnement scientifique – Effectuer un calcul*

Un calorimètre adiabatique est un récipient parfaitement isolé qui supprime tout transfert thermique vers l'extérieur. Ce dispositif permet de réaliser des mesures de capacités thermiques à condition de connaître le coefficient μ, appelé masse en eau du calorimètre.

L'objectif de cet exercice est de déterminer la valeur numérique de μ. Pour cela, on introduit de l'eau froide (masse $m_1 = 0,200$ kg) dans le calorimètre adiabatique.

Lorsque l'équilibre thermique est établi, la température est $\theta_1 = 15,0$ °C.

On ajoute de l'eau chaude ($m_2 = 0,200$ kg) à $\theta_2 = 45,9$ °C. La température finale est de $\theta_f = 30,0$ °C.

Données : la masse en eau μ d'un calorimètre est le rapport de sa capacité thermique sur la capacité thermique d'un kilogramme d'eau. La capacité thermique massique de l'eau est $4\,180$ J·K^{-1}·kg^{-1}, donc la capacité thermique d'une masse m d'eau est $C_{eau} = m \times 4\,180$ J·K^{-1}.

a. Quels sont les différents systèmes en contact dans cette expérience ?

b. Quelles sont les températures du calorimètre avant le mélange eau froide/eau chaude ? après le mélange ?

c. L'ensemble des systèmes est isolé de l'extérieur. Que vaut la variation d'énergie interne de l'ensemble des systèmes ?

d. En déduire la capacité thermique du calorimètre puis sa masse en eau μ. Quel est l'intérêt pratique d'un tel coefficient ?

27 ECE Évaluation des compétences expérimentales

Cet exercice permet de travailler les compétences expérimentales suivantes : • S'approprier • Analyser • Valider

On souhaite mesurer la capacité thermique C_{eau} de l'eau liquide en utilisant un récipient isolé thermiquement.

On dispose d'un récipient thermiquement isolé, d'un litre d'eau, de deux sondes de températures, d'une résistance chauffante de puissance 1 000 W et d'un bloc de cuivre de 500 g de capacité thermique 160 J·K^{-1}.

Protocole 1

On immerge la résistance chauffante dans l'eau versée dans le récipient. On chauffe cette eau pendant 5 minutes. On mesure l'élévation de température avec un capteur de température placé dans l'eau.

Protocole 2

On chauffe le bloc de cuivre jusqu'à une température de 60 °C. On mesure la température de l'eau versée à l'intérieur du récipient, puis on introduit le bloc de cuivre chauffé. On mesure la température de l'eau après 30 minutes.

Dans les deux cas, le bilan permet d'écrire $\Delta \mathscr{U} = Q + \mathscr{W}$, Q et $\mathscr{W}$ étant les échanges avec l'extérieur par transfert thermique et par travail (transfert d'énergie électrique compris).

a. Justifier que chaque protocole permet de mesurer la capacité thermique de l'eau C_{eau}.

b. Déterminer le protocole qui pourrait conduire au résultat le plus fiable.

Donnée : masse volumique de l'eau $\rho_{eau} = 10^3$ kg·m^{-3}.

28 Objectif BAC *Exploiter des documents* ➡ **Dossier BAC, page 546**

La culture des germes biologiques en recherche biomédicale nécessite des chambres d'incubations parfaitement thermostatées (la température reste stable), à des températures différentes.

Dans un laboratoire de recherche, une première chambre doit être maintenue à $\theta_1 = 20$ °C, tandis que la chambre voisine doit être maintenue à $\theta_2 = -5$ °C.

→ L'objectif de cet exercice est d'étudier l'isolation optimale du mur mitoyen à ces deux chambres.

Ce mur en béton, d'épaisseur $e = 10$ cm, a une surface dont l'aire est de 30 m^2. On renforce son isolation thermique en ajoutant différentes couches de matériaux sur ses deux faces : 1,0 cm de plâtre cartonné + 5,0 cm de polystyrène expansé + 1,5 cm d'enduit projeté.

Isolation thermique entre les deux chambres.

Matériau	Bois	Plâtre cartonné	Polystyrène	Brique	Enduit	Béton
Conductivité thermique (W·m^{-1}·K^{-1})	0,16	0,70	0,036	0,67	1,15	1,4

Tableau des conductivités thermiques λ de différents matériaux d'isolation.

À partir d'un calcul de résistance thermique et du flux thermique établi entre les deux chambres, décrire comment évoluent spontanément les températures θ_1 et θ_2. Que faudrait-il faire pour les garder constantes ?

29 Apprendre à chercher

La résolution de cet exercice nécessite de trouver les étapes du raisonnement.
→ Une aide est disponible en fin de manuel.

Énoncé

Deux solides, l'un en aluminium à la température initiale $\theta_1 = 95$ °C, et l'autre en fer à la température initiale $\theta_2 = 30$ °C, sont placés dans une enceinte calorifugée contenant de l'eau à la température initiale $\theta_3 = 23$ °C.

→ En admettant qu'il n'y a aucun échange de travail ou de transfert thermique vers l'extérieur, préciser le sens des échanges thermiques entre les trois systèmes.

Capacités thermiques : $C_{alu} = 225$ J·K^{-1} ; $C_{fer} = 55,2$ J·K^{-1} ; $C_{eau} = 1\,463$ J·K^{-1}.

30 ✶✶ Thermodynamique du corps humain

Compétence générale *Effectuer un raisonnement scientifique*

Pour étudier le potentiel des nouveaux carburants, on compare le corps humain à une machine thermodynamique. Le corps humain, comme toutes les machines, doit être alimenté en « combustible » pour fonctionner. Les glucides, les lipides et les protéines sont parmi les molécules énergétiques les plus efficaces. Ils sont essentiellement constitués de carbone et d'hydrogène, comme les hydrocarbures.

L'énergie chimique intrinsèque à ces aliments est libérée durant leur transformation au sein des cellules sous forme de transferts mécanique et thermique. On appelle cette transformation le métabolisme. La **puissance métabolique** associée est notée P.

La réaction d'oxydation des aliments dans le corps humain les transforme en dioxyde de carbone et en eau, avec transfert mécanique $\mathcal{W}$ et thermique Q.

a. Calculer la puissance métabolique d'une personne consommant environ 8 610 kJ par jour.

b. Le diesel a une teneur énergétique de 47 000 kJ·kg^{-1}. Commenter le tableau ci-dessous.

c. À l'aide du tableau ci-dessous, déterminer la quantité de diesel que nous devrions absorber pour subvenir à nos besoins quotidiens ?

Aliment	Kilojoules par kilogramme (kJ·kg^{-1})
banane	3 100
chocolat	18 800
saumon	7 100
huile végétale	33 450
pain	79 00
diesel	47 000

31 ✶✶ Détection bolométrique et matière noire

Compétences générales *Extraire et exploiter des informations – Effectuer un raisonnement scientifique*

En astrophysique, un **détecteur bolométrique** permet de mesurer le transfert d'énergie entre une particule massique incidente ou un rayonnement électromagnétique et le détecteur associé à un thermomètre.

L'énergie incidente sur le détecteur est absorbée, ce qui entraîne un échauffement du bolomètre. Cette élévation de température est détectée par un thermomètre « collé » au bolomètre.

Les bolomètres monolithiques utilisés dans la détection de la matière noire sont des blocs monocristallins de germanium ultrapur (les absorbeurs) sur lequel on a collé un petit morceau de germanium irradié par des neutrons (le thermomètre). La capacité thermique du bolomètre dépend de sa température : elle diminue lorsque la température diminue.

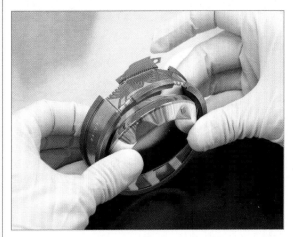

1. On considère un muon cosmique de masse $1,88 \times 10^{-28}$ kg arrivant sur un bolomètre au germanium de 320 g avec une vitesse incidente de 200 km·s^{-1}.
Le muon transfère son énergie cinétique au bolomètre.

a. Calculer l'élévation de température ΔT du bolomètre à 300 K après l'impact du muon.

b. Conclure quant à la nécessité de travailler à très basse température.

2. Les particules de matière noire, appelée *WIMPs* (acronyme anglais signifiant particules massives interagissant faiblement), ont très certainement des énergies cinétiques comprises entre 1 keV et 100 keV.

a. Convertir ces énergies en joule.

b. Déterminer la variation de température du bolomètre s'il détecte un WIMP de 10 keV.

3. Lorsque l'on refroidit le bolomètre à 20 mK, sa capacité thermique diminue fortement.
Justifier l'intérêt d'un refroidissement aux très basses températures des bolomètres pour la détection de la matière noire.

Données. 1 eV = $1,6 \times 10^{-19}$ J ; capacités thermiques du bolomètre : $C_b = 100$ J·K^{-1} à 300 K, $C'_b = 15 \times 10^{-10}$ à 20 mK.

32 ✶✶ Pompe à chaleur

Compétences générales *Effectuer un raisonnement scientifique – Extraire et exploiter des informations*

53 510 pompes à chaleur domestiques ont été installées en France en 2006 contre seulement un millier en 1997. Ce chiffre permet à notre pays de devenir le second marché européen pour cet appareil, derrière la Suède mais devant l'Allemagne et la Suisse. Cependant, dans les pays nordiques, 95 % des maisons neuves en sont équipées contre seulement 10 % en France, où, pourtant, le marché double de valeur d'une année sur l'autre.

Étudions le principe de la pompe à chaleur.

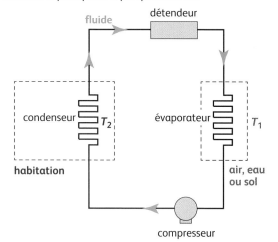

Un fluide frigorigène subit une succession de transformations qui le conduit à réaliser des transferts thermiques avec deux environnements distincts appelés source froide et source chaude. On choisit comme système, le fluide frigorigène : celui-ci parcourt des cycles au cours desquels il subit des changements d'état gaz-liquide.

À la sortie du condenseur, le liquide à la température T_2 se vaporise dans le détendeur et sa température diminue jusqu'à T_1 dans l'évaporateur : le système {gaz} reçoit de l'extérieur {air, eau ou sol qui constitue la source froide} un transfert thermique Q_1.

Le gaz est comprimé dans le compresseur et sa température augmente jusqu'à θ_2 dans le condenseur où il se liquéfie. Le système {liquide} fournit un transfert thermique Q_2 à l'habitation qui constitue la source.

a. Préciser les signes des grandeurs algébriques Q_1 et Q_2.

b. Le réfrigérateur et la pompe à chaleur sont deux machines thermiques qui fonctionnent sur le même principe. En utilisant votre expérience, adapter le schéma de la pompe à chaleur au cas du réfrigérateur.

c. Le fluide frigorigène subit un cycle thermique. Cela signifie que sa variation d'énergie interne est nulle sur ce cycle. On constate cependant que $Q_1 + Q_2$ est différent de zéro. Que manque-t-il dans le bilan énergétique pour vérifier $\Delta\mathcal{U}(\text{fluide}) = 0$?

d. Pour une pompe à chaleur, on ne définit pas un rendement mais un coefficient appelé efficacité et noté η, dont la valeur maximale est donnée par $\eta_{max} = \dfrac{T_2}{T_2 - T_1}$.

Calculer l'efficacité d'une pompe à chaleur qui maintient une température de 18 °C dans une habitation, lorsque la température extérieure est de −2 °C.

e. On définit une efficacité réelle $\eta_{réelle}$ (appelée aussi indice de performance) par le rapport entre le transfert thermique espéré pour la source chaude et l'énergie électrique consommée.

Montrer que l'indice de performance est supérieur à l'unité. Commenter ce résultat, notamment en comparant la « dépense » énergétique des deux cas suivants : chauffage de l'habitation en utilisant des radiateurs électriques, chauffage de l'habitation en utilisant une pompe à chaleur.

---

33 Objectif **BAC** *Rédiger une synthèse de documents*

 ➡ **Dossier BAC, page 546**

Cet exercice s'appuie sur des ressources disponibles sur le site élève : www.nathan.fr/siriuslycee/eleve-termS.

Télécharger le dossier « Ressources pour l'exercice 33 » du chapitre 18, qui concerne l'étude du bouclier thermique en aérospatiale.

Ce dossier comprend :
– une présentation du concept de bouclier thermique en aéronautique ;
– une revue de presse sur les accidents et dangers concernant ces boucliers ;
– un article sur l'inspection du bouclier de la navette Endeavour ;
– une présentation du projet Shingle pour l'amélioration des boucliers thermiques.

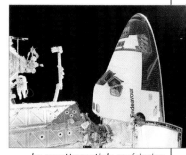

La navette spatiale américaine Endeavour.

➡ **L'objectif de cet exercice est de rédiger une synthèse de ces documents afin d'expliquer le rôle du bouclier thermique lors de l'entrée dans l'atmosphère d'un engin aéronautique, ainsi que les risques associés à ces boucliers et les développements en cours pour les réduire.**

Le texte rédigé, de 25 à 30 lignes, devra être clair et structuré, et l'argumentation reposera sur les différents documents proposés.

Transferts quantiques d'énergie

La mesure de la distance Terre-Lune est une opération délicate car, malgré la très grande **directivité du faisceau laser**, la tache de lumière sur la Lune a un diamètre voisin de 10 km : très peu de photons sont renvoyés vers la Terre par les réflecteurs déposés sur le sol lunaire.

COMPÉTENCES EXIGIBLES

- Connaître le principe de l'émission stimulée.
  ➔ *Exercices d'application 3 et 4*

- Connaître les principales propriétés du laser.
  ➔ *Exercices d'application 5, 6 et 7*

- Mettre en œuvre un protocole expérimental utilisant un laser comme outil d'investigation ou pour transmettre de l'information. ➔ *Activité expérimentale 2*

- Associer un domaine spectral à la nature de la transition mise en jeu. ➔ *Exercices d'application 8 et 9*

1

Le laser, outil d'investigation

▶ Y a-t-il des traces d'une vie passée sur la planète Mars ? Pour la première fois, un laser va être utilisé pour tenter de répondre à cette question.

Mars Science Laboratory est la mission d'exploration de la planète Mars par le *rover* Curiosity **(document 1)**. Lancé par une fusée Atlas V le 26 novembre 2011, le *rover* doit explorer le cratère Gale pour rechercher si un
5 environnement favorable à l'apparition de la vie a existé, en analysant la composition minéralogique de Mars et en étudiant la géologie de la zone explorée.

À bord de Curiosity se trouve ChemCam (Chemistry Camera), un mini-laboratoire qui permet d'analyser à
10 distance la nature et la composition des roches grâce à un laser pulsé. Ce laser, placé au sommet du mât du rover, a une portée de 7 mètres et une puissance de 6 MW. Il envoie des impulsions qui frappent la roche sur une surface circulaire de 0,5 mm de diamètre pendant
15 environ 55 nanosecondes. De 50 à 70 impulsions sont nécessaires pour obtenir une analyse spectrale correcte de la roche.

Chauffée à plus de 10 000 °C sous les impulsions du laser, la couche superficielle de la roche est vaporisée.
20 La lumière de désexcitation émise est collectée par un télescope et envoyée par fibre optique à trois spectro-mètres. L'analyse spectrale de cette lumière, dans le visible et l'ultraviolet, permet de déterminer la composition chimique élémentaire de la roche. L'opération ne demande que quelques secondes, alors qu'il fallait plusieurs heures aux instruments installés sur les *rovers* Spirit et Opportunity des précédentes missions. De plus, son utilisation consomme relativement peu d'énergie.

10 cm

1 Le rover Curiosity (dessin d'artiste), et son laboratoire ChemCam.

2 Une mission du rover Curiosity.

1 Analyser les documents

a. Quelles sont les deux caractéristiques du faisceau de lumière émis par le laser embarqué sur le *rover* Curiosity ?

b. D'après le **document 2**, qu'est-ce qu'un laser pulsé ?

c. Calculer en joule l'énergie nécessaire, dans le meilleur des cas, à la réalisation d'une analyse spectrale. Justifier la dernière phrase du texte.

d. Quel est l'intérêt d'utiliser un laser pulsé pour vaporiser des roches ?

e. Pour caractériser l'éclairement d'une surface, on définit la puissance surfacique $\mathscr{P}_e$ par :

$$\mathscr{P}_e = \frac{\text{puissance}}{\text{aire de la surface}} \text{ , avec } \mathscr{P}_e \text{ en W·m}^{-2}.$$

Comparer la puissance surfacique du rayonnement frappant la roche martienne à celle de la Terre soumise au rayonnement solaire à midi en été, $\mathscr{P}_e' = 1,0 \text{ kW·m}^{-2}$.
Justifier le fait que la roche puisse être vaporisée.

2 Faire une recherche

a. Quelle est la durée des impulsions lasers les plus courtes que l'homme sait actuellement produire ? À faible puissance, rechercher l'intérêt d'impulsions si courtes.

b. Indiquer d'autres applications des lasers pulsés.

Science in English 🇬🇧

Rover : nom usuel donné aux véhicules destinés à explorer la surface des corps célestes (planètes, lune, etc.).

Laser (Light Amplification by Stimulated Emission of Radiations) : amplification de lumière par émission stimulée de rayonnement.

2

Transmettre de l'information avec un laser

▶ Laser et fibre optique sont au cœur de la transmission d'informations (textes, images, sons, vidéos) à travers le monde.

Comment peut-on transmettre un son à l'aide d'un faisceau laser ?

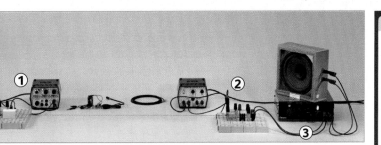

3 Dispositif expérimental.

DISPOSITIF ■ À une extrémité de la table est placée une diode laser modulable par un GBF ① ou un micro à électret amplifié.

■ À l'autre extrémité, un phototransistor est branché sur un générateur de tension ②. Ce phototransistor envoie une tension proportionnelle à son éclairement sur l'entrée de l'amplificateur ③ relié au haut-parleur **(document 3)**.

Expérience

⚠ Sécurité *Ne pas diriger le faisceau du laser vers les yeux ou vers une surface réfléchissante.*

■ Allumer le GBF et régler sa fréquence sur 440 Hz, signal sinusoïdal.

■ Diriger le faisceau laser sur le phototransistor. Allumer le générateur de tension et régler l'amplificateur de manière à ce que le son émis par le haut-parleur soit audible.

■ Modifier la fréquence du GBF et écouter l'effet produit.

■ Régler la fréquence du GBF sur 1 Hz, placer un écran blanc sur le trajet du faisceau et observer la tache lumineuse.

■ Retirer l'écran. Remplacer le GBF par un micro à électret amplifié puis parler (ou chanter) devant le micro.

1 Observer

a. Quel est l'effet du GBF sur l'intensité lumineuse du faisceau laser ?

b. L'objectif de transmettre une information est-il atteint avec la diode laser ?

2 Interpréter et conclure

a. Pour transmettre une information, il faut utiliser un **signal porteur**, c'est-à-dire un signal qui transporte l'information. Du faisceau laser, de la tension aux bornes du GBF ou de la tension aux bornes du micro, lesquels peut-on qualifier de signaux porteurs ?

b. Quelles caractéristiques doit posséder un signal porteur pour être efficace ?

Démarche d'investigation

➔ *À l'aide du faisceau laser, comment peut-on transmettre de l'information lorsqu'il y a un obstacle opaque (mur, écran...) entre les lieux d'émission et de réception du signal ?*

3 Proposer un protocole

Séparer la classe en plusieurs groupes et rédiger un protocole permettant de contourner l'obstacle.

4 Expérimenter pour conclure

Mettre en œuvre le protocole. Comparer les méthodes proposées par les différents groupes (simplicité, efficacité, intérêt, etc.).

Pour vérifier ses acquis
→ **FICHES G** page 160

1 Absorption et émission quantiques

1.1 Quantification des niveaux d'énergie

Les **niveaux d'énergie** d'un atome sont **quantifiés**. Ils ne peuvent prendre que des valeurs bien déterminées, caractéristiques de l'atome.

Lorsqu'un atome est à son niveau d'énergie le plus bas, il est dans son **état fondamental**. C'est l'état stable de l'atome. Lorsqu'un atome est à un niveau d'énergie plus élevé, il est dans un **état excité (figure 4)**. On appelle **transition quantique** le passage de l'atome d'un état à un autre.

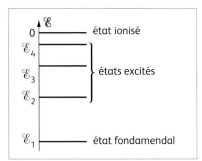

4 *Diagramme des niveaux d'énergie d'un atome.*

1.2 Absorption et émission spontanée

● Les échanges d'énergie entre les atomes et la lumière sont quantifiés : ils se font par paquets d'énergie appelés **photons**. L'énergie $\mathscr{E}$ d'un photon ne dépend que de la fréquence ν de la radiation associée :

$$\mathscr{E} = h\nu \quad \left| \begin{array}{l} h = 6{,}63 \times 10^{-34} \text{ J·s, constante de Planck} \\ \nu \text{ en hertz (Hz)} \\ \mathscr{E} \text{ en joule (J)} \end{array} \right.$$

● Dans la suite de ce paragraphe, on se place dans le cas simple d'une transition entre le niveau fondamental d'énergie $\mathscr{E}_1$ et un niveau excité d'énergie $\mathscr{E}_2$. Un atome, initialement au niveau d'énergie $\mathscr{E}_1$, peut passer au niveau d'énergie $\mathscr{E}_2$ supérieur en absorbant un et un seul photon d'énergie $h\nu = \mathscr{E}_2 - \mathscr{E}_1$ **(figure 5)**.

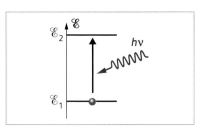

5 *Absorption d'un photon.*

Réciproquement, l'atome au niveau d'énergie $\mathscr{E}_2$ peut revenir au niveau d'énergie $\mathscr{E}_1$ inférieur en émettant un photon d'énergie $h\nu = \mathscr{E}_2 - \mathscr{E}_1$: c'est l'**émission spontanée (figure 6)**. Le photon est émis dans une direction quelconque avec un déphasage aléatoire.

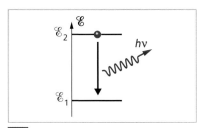

6 *Émission spontanée d'un photon.*

> **APPLICATION** Calculer la fréquence de la radiation associée au photon émis lorsqu'un atome de sodium passe du niveau $\mathscr{E}_2$ au niveau $\mathscr{E}_1$ tels que $\mathscr{E}_2 - \mathscr{E}_1 = 2{,}11$ eV.
>
> **Donnée :** 1 eV = $1{,}60 \times 10^{-19}$ J.
>
> **Réponse.** Pour appliquer la relation $\mathscr{E}_2 - \mathscr{E}_1 = h\nu$, il faut exprimer les énergies en joule.
>
> $\nu = \dfrac{\mathscr{E}_2 - \mathscr{E}_1}{h}$. A.N. : $\nu = \dfrac{2{,}11 \times 1{,}60 \times 10^{-19}}{6{,}63 \times 10^{-34}} = 5{,}10 \times 10^{14}$ Hz.

1.3 Émission stimulée

A Définition

Un photon peut interagir avec un atome, même si cet atome est dans son état excité. Le photon incident n'est alors pas absorbé mais il induit la désexcitation de l'atome qui revient dans son état fondamental en émettant un photon identique au photon incident (même fréquence, même direction et déphasage nul) : c'est l'**émission stimulée**.

L'émission stimulée est l'émission d'un photon provoquée par l'interaction d'un photon avec un atome dans un état excité. Le photon émis et le photon incident ont la même fréquence, la même direction et un déphasage nul **(figure 7)**.

Les photons produits par émission stimulée augmentent donc l'énergie de l'onde qui interagit avec les atomes.

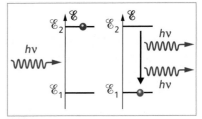

7 *Émission stimulée.*

B Concurrence des deux émissions

L'émission spontanée et l'émission stimulée sont deux modes de désexcitation des atomes qui sont en **concurrence**.

Lorsqu'un atome est dans son état fondamental, il y reste jusqu'à ce qu'un photon, une décharge électrique, etc… lui apporte l'énergie nécessaire pour passer dans un état excité. Au contraire, lorsqu'un atome est dans un état excité, il se désexcite spontanément et quasi instantanément pour revenir à son état fondamental.

Dans une population d'atomes, il y a donc beaucoup plus d'atomes dans l'état fondamental que dans un état excité. L'émission stimulée est un phénomène très peu probable par rapport à l'émission spontanée, si peu probable qu'elle n'a été observée qu'en 1928, alors qu'Albert Einstein avait prévu son existence dès 1917.

2 Application au laser

Contrairement aux autres sources de lumière qui utilisent l'émission spontanée, la lumière du **laser** est produite par émission stimulée. Réaliser un laser consiste donc à favoriser l'émission stimulée au détriment de l'émission spontanée. Comment cela est-il possible ?

2.1. Principe de fonctionnement du laser

A Le pompage optique

Lorsqu'une radiation de fréquence ν, telle que $h\nu = \mathcal{E}_2 - \mathcal{E}_1$, traverse un milieu dont les atomes sont dans l'état excité $\mathcal{E}_2$, elle provoque la désexcitation des atomes par émission stimulée. L'énergie des atomes est ainsi transférée à l'onde incidente dont l'énergie se trouve amplifiée. Le milieu traversé par l'onde, appelé **milieu actif**, constitue alors un **amplificateur de lumière (figure 8)**.

Ceci n'est possible que s'il y a beaucoup plus d'atomes dans un état excité que dans l'état fondamental (les atomes dans l'état fondamental absorbent les photons). Il faut pour cela réaliser une **inversion de population**. Cette opération peut être effectuée par **pompage** : un excitateur, une décharge électrique ou un faisceau lumineux (on parle alors de **pompage optique**), excite les atomes qui passent du niveau fondamental $\mathcal{E}_1$ à un niveau excité $\mathcal{E}_3$, légèrement supérieur à $\mathcal{E}_2$. Les atomes du niveau 3 peuplent le niveau 2 en se désexcitant très rapidement ce qui réalise l'inversion **(figure 9)**.

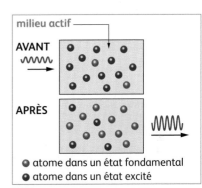

8 *Amplification par émission stimulée.*

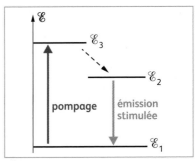

9 *Le pompage fait passer les atomes du niveau $\mathcal{E}_1$ au niveau $\mathcal{E}_3$ sans retour direct au niveau $\mathcal{E}_1$.*
La lumière du laser provient de l'émission stimulée entre les niveaux $\mathcal{E}_2$ et $\mathcal{E}_1$.

10 *Cavité résonante d'un laser.*

B La cavité résonante

Pour amplifier davantage l'onde, on peut lui faire parcourir un très grand nombre d'aller-retour dans le milieu actif. On réalise pour cela une **cavité résonante** à l'aide de deux miroirs : l'un est un miroir sphérique (concave) pour maintenir le faisceau sur l'axe de symétrie du dispositif, et l'autre est un miroir semi-transparent pour transmettre à l'extérieur de la cavité une partie de la lumière **(document 10)**.

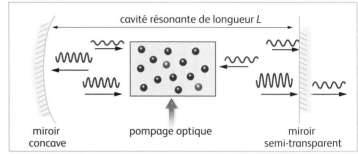

cavité résonante de longueur *L*

miroir concave   pompage optique   miroir semi-transparent

11 *Cavité résonante du laser.*

Les ondes réfléchies par les miroirs interfèrent dans la cavité.
Les interférences sont constructives si la longueur *L* de la cavité vérifie la relation :

$$2L = k\lambda$$

λ étant la longueur d'onde dans le milieu actif et *k* un entier non nul.
Un faisceau d'intensité lumineuse importante est alors généré.

C Oscillateur optique

L'énergie rayonnée par le laser augmente avec l'amplification de l'onde dans la cavité résonante.

Un régime stable s'installe dans la cavité optique lorsque l'énergie rayonnée devient égale à l'énergie fournie par le pompage optique. L'amplitude de l'onde est alors constante.

Le phénomène est analogue aux oscillations d'amplitude constante d'un pendule entretenu. La dissipation de l'énergie du pendule due aux frottements est compensée par un apport extérieur (énergie potentielle de pesanteur). Le laser constitue un oscillateur optique entretenu.

> L'énergie fournie par le pompage compense l'énergie perdue par émission : le laser constitue un oscillateur optique entretenu.

2.2 Propriétés et applications du laser

A Directivité du faisceau

> Le faisceau émis par un laser est très **directif**. L'angle de divergence (2θ), très faible, est de l'ordre du milliradian **(figure 12)**.

Sur un écran placé à 100 m, le diamètre de la tache est de l'ordre de 10 cm. La grande directivité du faisceau laser est utilisée pour réaliser des alignements ou pour mesurer des distances comme la distance Terre-Lune **(document 13)**.

100 m

1 mm   θ   10 cm   θ

12 *Directivité du faisceau.*

13 *Tir laser en direction de la Lune pour mesurer la distance Terre-Lune.*

B Monochromaticité

- La cavité résonante, de longueur L, du laser n'amplifie par interférences constructives que les ondes de longueur d'onde λ telle que :

$$2L = k\lambda \quad \begin{array}{l} L \text{ en mètre (m)} \\ k : \text{nombre entier} \\ \lambda \text{ en mètre (m)} \end{array}$$

- La lumière émise est monochromatique.

Exemple. La monochromaticité de la lumière laser est utilisée pour mesurer des vitesses par effet Doppler ou encore pour refroidir des atomes.

C Cohérence

Dans une source ordinaire (soleil, lampe à incandescence), la lumière est produite par émission spontanée. Les photons sont émis avec des déphasages aléatoires. Deux atomes voisins se comportent donc comme des sources incohérentes. De plus, deux émissions successives du même atome sont incohérentes entre elles.

Dans un laser, la lumière est produite par émission stimulée. Deux atomes voisins se comportent comme des sources **cohérentes**, propriété qui confère à la lumière laser sa grande cohérence **(figure 14)**.

Exemples. La grande cohérence de la lumière laser permet d'obtenir facilement des interférences utilisées en laboratoire (hologrammes, mesures, etc.) et dans la vie quotidienne (lecture de CD ou de DVD).

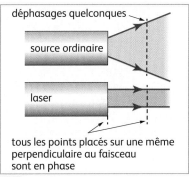

14 *Cohérence du faisceau laser.*

D Concentration spatiale et temporelle de l'énergie

Les lasers sont des sources lumineuses très intenses car l'énergie rayonnée est concentrée dans un pinceau très étroit.

APPLICATION Calculer la puissance surfacique $\mathcal{P}_e$ du rayonnement émis par le laser He-Ne utilisé dans les lycées, de puissance $\mathcal{P} = 2,0$ mW et de faisceau de diamètre 0,40 mm.

Réponse. $\mathcal{P}_e = \dfrac{\mathcal{P}}{S} = \dfrac{2,0 \times 10^{-3}}{\pi (0,20 \times 10^{-3})^2} = 1,6 \times 10^4 \text{ W·m}^{-2}$

Le résultat correspond à vingt fois la puissance surfacique, appelée aussi éclairement énergétique, au niveau de la Terre à midi en été. Les lasers à émission continue peuvent avoir des puissances allant jusqu'à plusieurs kW.

L'énergie rayonnée peut également être concentrée dans le temps : les **lasers à impulsions** (lasers pulsés) émettent des radiations d'une puissance considérable pendant une durée très brève.

Exemples. Cette concentration de l'énergie est utilisée :
– dans la recherche : essais de fusion thermonucléaire **(document 15)** ;
– dans l'industrie : soudure, découpe, usinage des métaux ;
– en médecine : « bistouri » optique en microchirurgie.
Ces lasers peuvent émettre des impulsions de 1MW pendant 10 ns jusqu'à 100 TW pendant 10 fs ($T = $ téra : 10^{12} ; $f = $ femto : 10^{-15}).

15 *Chambre d'expérience du Laser Mégajoule (LMJ) qui sera opérationnel en 2014.*

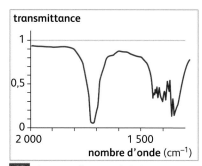

Cours

3 Domaine spectral et transitions quantiques

● Comme les atomes, toutes les entités (molécules, ions, noyaux) possèdent des niveaux d'énergie quantifiés. L'ordre de grandeur de l'énergie des photons échangés lors des transitions entre deux niveaux dépend beaucoup de la nature de l'énergie mise en jeu.

– l'**énergie des noyaux** : lors des réactions nucléaires, les noyaux sont généralement obtenus dans un état excité. La différence d'énergie entre deux niveaux est de **l'ordre du MeV** (10^6 eV).

– l'**énergie électronique** : les atomes qui constituent les molécules possèdent différents niveaux d'énergie. La différence d'énergie entre deux niveaux est **de l'ordre de 10 eV** pour les électrons des couches internes et de 1 eV pour les électrons de valence.

● Les molécules possèdent différentes énergies, toutes quantifiées :

– l'**énergie des noyaux**, comme pour les atomes ;

– l'**énergie électronique**, de l'ordre de grandeur de 1 eV ;

– l'**énergie vibrationnelle** : énergie de vibration des atomes dans la molécule, **de l'ordre de 10^{-1} eV** ;

– l'**énergie rotationnelle** : énergie de rotation de la molécule autour de ses différents axes, **de l'ordre de 10^{-3} eV (figure 16)**.

● À chaque photon d'énergie $\Delta\mathscr{E}$ est associée une radiation de fréquence ν telle que $\Delta\mathscr{E} = h\nu$. La longueur d'onde λ de la radiation est d'autant plus courte que l'énergie $\Delta\mathscr{E}$ transportée par le photon est grande **(figure 17)**.

16 Vibrations et rotation dans une molécule d'eau : les liaisons O–H se comportent comme de petits ressorts.

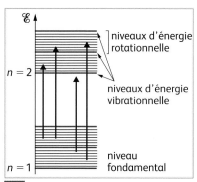

18 Schéma énergétique d'un atome dans une molécule.

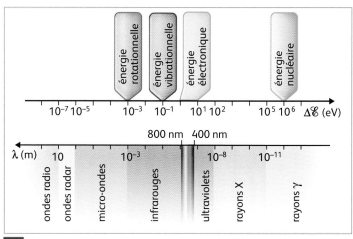

17 Domaines spectraux associés à la nature des transitions.

Remarque. Chaque niveau d'énergie électronique est associé à un très grand nombre de valeurs pour les énergies vibrationnelles et rotationnelles, induisant ainsi une multitude de transitions possibles **(figure 18)**. Cependant, les raies d'absorption ont des fréquences trop voisines pour pouvoir être discernées : on observe alors des bandes d'absorption **(figure 19)**. L'étude de ces bandes permet au chimiste d'identifier les liaisons des molécules et de mettre en évidence les groupes caractéristiques des molécules organiques **(chapitre 6)**.

19 Spectre infrarouge de la butan-2-one.

L'ESSENTIEL

→ Émissions et absorption

● Les échanges d'énergie entre les atomes et la lumière se font par paquets appelés **photons**.
Lorsqu'un atome absorbe un photon (figure **ⓐ**), il passe d'un niveau d'énergie $\mathscr{E}_1$ à un niveau $\mathscr{E}_2$ supérieur tel que :

$$\mathscr{E}_2 - \mathscr{E}_1 = h\nu.$$

L'atome revient au niveau $\mathscr{E}_1$ en émettant un photon de même énergie que celui absorbé.
L'émission peut être :
– **spontanée** : le photon émis a alors une direction et un déphasage quelconques (figure **ⓑ**) ;
– **stimulée** par un photon : le photon émis (figure **ⓓ**) et le photon incident (figure **ⓒ**)ont la même fréquence, la même direction de propagation et un déphasage nul.

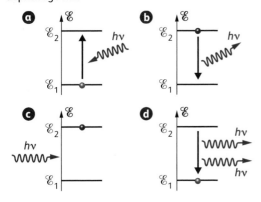

→ Propriétés du laser

● Le faisceau lumineux émis par un laser est :
– **monochromatique** : la monochromaticité est utilisée pour refroidir les atomes (horloge atomique). Dans les lycées, le laser He-Ne ($\lambda = 632,8$ nm) est couramment utilisé ;
– **cohérent** dans le temps et dans l'espace ;
– **très intense** : l'énergie rayonnée peut aussi être concentrée dans le temps et dans l'espace : 100 TW pendant 10 fs pour les lasers à impulsions sur $1\mu m^2$.
– **directif** : l'angle de divergence est de l'ordre de 10^{-3} rad, ce qui permet de mesurer la distance Terre-Lune.

→ Fonctionnement du laser

● Dans un laser, la lumière est amplifiée par **émission stimulée** : une **cavité résonante** formée de deux miroirs permet à la lumière de faire un très grand nombre d'aller-retour dans un milieu actif, milieu dans lequel on réalise continuellement une **inversion de population**, par **pompage optique** par exemple.

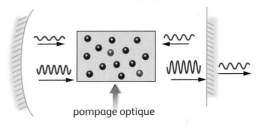

pompage optique

● L'énergie fournie par le pompage optique compense l'énergie perdue par émission : le laser constitue un **oscillateur optique entretenu**.

→ Transitions d'énergie

● Les atomes, les noyaux et les molécules possèdent des niveaux d'énergie quantifiés.
Les radiations associées aux photons échangés lors des différents types de transferts d'énergie appartiennent à des domaines spectraux différents :

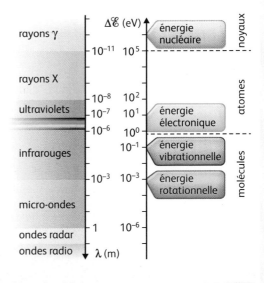

Exercices Application

MANUEL NUMÉRIQUE | ▶ EXERCICES INTERACTIFS

1 Mots manquants

Compléter avec un ou plusieurs mots.

a. Les niveaux d'énergie d'un atome sont ....

b. Il y a .... d'un photon quand un atome passe d'un niveau d'énergie $\mathcal{E}_1$ à un niveau $\mathcal{E}_2$ supérieur.

c. Il y a émission .... quand un photon interagit avec un atome dans un état ....

d. En faisant passer la majorité des atomes d'un milieu dans un état excité, le .... réalise une .... de population.

e. La .... est l'espace compris entre les deux miroirs d'un laser.

f. Dans la cavité résonante d'un laser, des interférences .... permettent .... l'intensité du faisceau lumineux.

g. La .... de la lumière d'un laser est utilisée pour mesurer des vitesses par effet Doppler alors que sa grande .... permet de réaliser facilement des interférences.

h. Le domaine spectral des radiations émises ou absorbées lors des .... entre deux niveaux d'énergie dépend de la nature de l'énergie mise en jeu.

2 QCM

Cocher la réponse exacte.

a. La transition représentée sur la figure ci-contre correspond à :

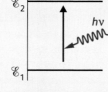

☐ une absorption
☐ une émission spontanée
☐ une émission stimulée

b. Lorsqu'un noyau passe d'un état excité à l'état fondamental, il émet un rayonnement :

☐ infrarouge
☐ ultraviolet
☐ gamma

c. En dehors de la cavité résonante des lasers, l'émission stimulée :

☐ n'existe pas
☐ est beaucoup plus importante que l'émission spontanée
☐ est un phénomène beaucoup moins probable que l'émission spontanée

d. Dans la cavité résonante d'un laser, il y a des interférences constructives pour :

☐ toutes les radiations
☐ les radiations dont la longueur d'onde vérifie la relation $2L = n\lambda$, avec n entier non nul
☐ les radiations dont la longueur d'onde vérifie la relation $2L = \dfrac{(2n+1)\lambda}{2}$, avec n entier non nul

→ Solutions détaillées en fin de manuel pour vérifier vos réponses et comprendre vos erreurs.

Parcours en autonomie

Trois parcours d'exercices pour travailler en autonomie selon ses besoins.

Maîtriser les bases — 3 - 4 - 7 - 8

Préparer l'évaluation — 14 - 16 - 19 - 22

Approfondir — 21 - 23 - 24

> **Pour tous les exercices de ce chapitre :**
> • 1 eV = $1{,}602 \times 10^{-19}$ J ;
> • Domaines spectraux :
>
>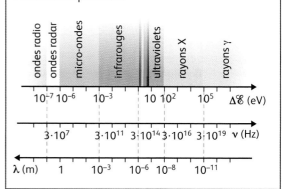

COMPÉTENCES EXIGIBLES

3 Émission ou absorption ?

Un atome possède deux états $\mathcal{E}_1$ (état fondamental) et $\mathcal{E}_2$ (état excité) tels que $\mathcal{E}_2 - \mathcal{E}_1 = 2{,}0$ eV.
Un photon d'énergie $\Delta\mathcal{E} = 2{,}0$ eV interagit avec l'atome. Dans quel état doit se trouver l'atome pour qu'il y ait :
– absorption du photon ?
– émission stimulée ?
Justifier les réponses.

4 Connaître le principe de fonctionnement d'un laser

Dans un laser dont les trois niveaux d'énergie permettent l'inversion de population entre les niveaux d'énergie $\mathcal{E}_1$ et $\mathcal{E}_2$, celle-ci se fait par remplissage du niveau $\mathcal{E}_2$ à partir d'un niveau $\mathcal{E}_3$ légèrement supérieur.

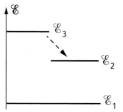

a. À partir de l'énoncé et de la figure ci-contre, indiquer par une flèche, en justifiant les réponses :
– la transition réalisée par le pompage ;
– la transition correspondant à l'émission stimulée.

b. Peut-il y avoir émission spontanée ?

5 Connaître la directivité d'un faisceau laser

Le faisceau émis par un laser est très directif. L'angle de divergence α est égal à 2,0 milliradians.

a. En négligeant le diamètre du faisceau à la sortie du laser, calculer le diamètre de la tache à une distance de 200 m.

b. À la sortie du laser, le faisceau a un diamètre de 1,0 mm. Justifier l'hypothèse faite à la question précédente.

6 Connaître les propriétés du laser

Les lasers à impulsions ultracourtes sont utilisés dans l'industrie pour usiner, découper, percer ou souder des pièces métalliques.

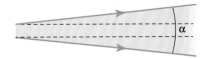

Dans les lasers les plus courants, les impulsions ont une durée de 100 femtosecondes et transportent une énergie de $3,0\,\mu$J. La durée qui sépare deux impulsions est 100 000 fois plus longue que l'impulsion elle-même.

a. Calculer la puissance maximale lors d'une impulsion et la puissance moyenne du faisceau laser.

b. Expliquer brièvement pourquoi ces lasers peuvent percer ou usiner des métaux.

7 Exploiter les propriétés du laser

Pour réaliser des interférences, on éclaire directement des fentes d'Young à l'aide d'un faisceau laser. L'interfrange, mesurée sur un écran placé à 2,00 m du plan des fentes, vaut $i = 2,53$ mm.

a. Quelle propriété du faisceau laser permet d'obtenir des interférences sans placer une fente-source devant les fentes d'Young?

b. Sachant que les fentes sont distantes de 0,50 mm, calculer la longueur d'onde de la lumière laser utilisée.

8 Associer domaine spectral et nature de l'énergie

On éclaire un gaz constitué de molécules diatomiques avec un faisceau lumineux monochromatique de longueur d'onde $\lambda = 1,60 \times 10^{-6}$ m.

a. À quel domaine spectral appartient ce rayonnement?

b. Quel peut être l'effet de ce rayonnement sur les molécules?

Données : Ordres de grandeur des transitions entre deux niveaux d'énergie rotationnelle : 10^{-3} eV, vibrationnelle : 10^{-1} eV, électronique : 1 eV.

9 Associer une transition à un domaine spectral

Un atome dans un état excité se désexcite en émettant un photon d'énergie $\Delta\mathcal{E} = 5,67 \times 10^{-19}$ J.
Calculer la fréquence puis la longueur d'onde de la radiation associée. Dans quel domaine spectral se situe-t-elle?

COMPÉTENCES GÉNÉRALES

10 Effectuer et justifier un calcul

Les lasers Hélium-Néon utilisés dans les lycées ont une puissance de 2 mW. Ils émettent une radiation rouge de longueur d'onde $\lambda = 632$ nm.
Quel est l'ordre de grandeur du nombre de photons émis chaque seconde?

11 Effectuer et justifier un calcul

En 1972, le physicien Evenson réussit à mesurer avec une très grande précision la fréquence ν de la raie spectrale émise par un laser à gaz. La longueur d'onde dans le vide de la lumière émise λ, peut aussi être déterminée avec une très grande précision. On obtient:
- $\lambda = 3,392231400 \times 10^{-6}$ m;
- $\nu = 88376181,627$ MHz.

En déduire la valeur de la célérité de la lumière dans le vide (cette valeur est actuellement adoptée comme valeur de référence).

12 Extraire et exploiter des informations

Pour transmettre de l'information à travers le monde (sons, images, vidéos, etc), on guide la lumière produite par des lasers à l'aide de fibres optiques. Ces fibres optiques, qui quadrillent le monde sur Terre et sous les mers, sont plus ou moins transparentes selon la longueur d'onde de la radiation lumineuse transportée. La figure ci-dessous représente le coefficient d'atténuation du signal optique en fonction de la longueur d'onde (courbe rouge).

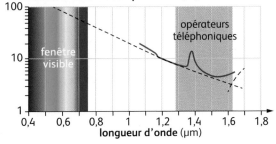

coefficient d'atténuation pour 1 km (%)

a. Dans quel domaine spectral se situe la fenêtre de télécommunication?

b. Dans quelle bande de longueurs d'onde faut-il émettre pour réduire les pertes?

c. Quel est alors le coefficient d'atténuation?

d. Tous les 50 à 100 km de fibre optique, on place des amplificateurs optiques. Justifier leur utilisation.

Exercices Méthode

Site élève

EXERCICE RÉSOLU

13 Largeur d'une raie spectrale

Énoncé Le spectre d'émission d'une lampe à vapeur de sodium est donné ci-dessous.

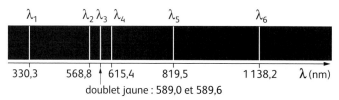

doublet jaune : 589,0 et 589,6

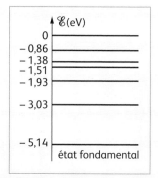

Diagramme des niveaux d'énergie de l'atome de sodium.

❶ À quels domaines spectraux appartiennent les radiations émises par le sodium ?

❷ La radiation jaune de longueur d'onde $\lambda = 589$ nm correspond au retour de l'atome de sodium dans son état fondamental. En utilisant le diagramme des niveaux d'énergie ci-contre, déterminer à quel niveau d'énergie se trouvait l'atome au moment de l'émission.

❸ La vitesse des atomes de sodium, due à l'agitation thermique dans la lampe spectrale, est égale à $6,0 \times 10^2$ m·s⁻¹. Dans ces conditions, la radiation jaune observée n'a pas tout à fait la même longueur d'onde suivant que l'atome émettant un photon s'approche ou s'éloigne de l'observateur.

a. Comment se nomme l'effet qui provoque ce décalage spectral ?

b. Calculer la «largeur de la raie jaune», c'est-à-dire l'écart entre la plus grande et la plus petite des longueurs d'onde observées.

c. Justifier que, dans les conditions de fonctionnement de la lampe à vapeur de sodium, un bon spectroscope permet de distinguer les deux raies jaunes du doublet.

Donnée : $\dfrac{\Delta\lambda}{\lambda} = \dfrac{v_R}{c}$, v_R étant la vitesse radiale de la source.

Une solution

❶ La radiation de longueur d'onde λ_1 appartient au domaine des UV. Les radiations de longueur d'onde λ_5 et λ_6 appartiennent au domaine des infrarouges et les autres radiations sont visibles puisqu'elles sont comprises entre 400 nm et 800 nm.

❷ Calculons l'énergie transportée par le photon associé à la radiation jaune.

$$\Delta\mathcal{E} = h\nu = \frac{hc}{\lambda}. \text{ A.N.: } \Delta\mathcal{E} = \frac{6,63 \times 10^{-34} \times 3,00 \times 10^8}{589 \times 10^{-9} \times 1,602 \times 10^{-19}} = 2,11 \text{ eV.}$$

En émettant ce photon, l'atome perd une énergie $\Delta\mathcal{E} = 2,11$ eV pour revenir à l'état fondamental $\mathcal{E}_1 = -5,14$ eV. En appelant $\mathcal{E}_n$ le niveau excité, on peut écrire :

$$\mathcal{E}_n - \Delta\mathcal{E} = \mathcal{E}_1 \text{ soit } \mathcal{E}_n = \mathcal{E}_1 + \Delta\mathcal{E} \text{ d'où } \mathcal{E}_n = -5,14 + 2,11 = -3,03 \text{ eV.}$$

L'atome était dans le premier état excité.

❸ **a.** Cet effet est l'effet Doppler.

b. Le décalage est maximal dans un sens ou dans l'autre quand la vitesse est radiale. On a alors : $v = v_R = 600$ m·s⁻¹.

La longueur d'onde augmente de $\Delta\lambda = \lambda \dfrac{v}{c} = 589 \times \dfrac{6,0 \times 10^2}{3,00 \times 10^8} = 1,2 \times 10^{-3}$ nm

(décalage vers le rouge) lorsque l'atome s'éloigne de l'observateur, et diminue de cette même valeur (décalage ver le bleu) lorsque l'atome s'approche.

La raie jaune a donc une «largeur» de $2,4 \times 10^{-3}$ nm.

c. La largeur des raies provoquées par l'effet Doppler est négligeable devant la distance qui sépare les raies.

Unités

Attention aux unités du SI : la longueur d'onde est exprimée en mètre et l'énergie est obtenue en joule. Il faut donc convertir l'énergie en eV en utilisant $1\text{eV} = 1,602 \times 10^{-19}$ J.

Raisonner

Le photon emporte de l'énergie : cette énergie est retirée à l'énergie que possédait l'atome, d'où le signe (–).

Application numérique

Le rapport $\dfrac{v}{c}$ est sans unité.

On obtient le décalage en nm en laissant la longueur d'onde en nm.

14 ZOOM SUR... l'interprétation d'une formule

En physique, l'écart ou la variation Δg d'une grandeur g entre deux valeurs g_1 et g_2 se calcule toujours de la même façon.

Écart ou variation = valeur finale de g – valeur initiale de g :

$$\Delta g = g_{\text{finale}} - g_{\text{initiale}}$$

On peut donc avoir :

$$\Delta g > 0 \text{ si } g_{\text{finale}} > g_{\text{initiale}} \text{ ou } \Delta g < 0 \text{ si } g_{\text{finale}} < g_{\text{initiale}}$$

Prenons l'exemple de la variation d'énergie entre deux niveaux d'énergie.

Un atome dans son état fondamental (niveau d'énergie $\mathcal{E}_1$) absorbe un photon d'énergie $\mathcal{E}_{\text{photon}} = h\nu$ et passe dans un état excité (niveau d'énergie $\mathcal{E}_2 > \mathcal{E}_1$).

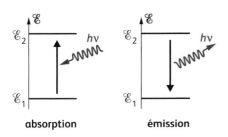

absorption   émission

a. Exprimer la variation d'énergie $\Delta \mathcal{E}$ de l'atome en fonction des niveaux d'énergie $\mathcal{E}_1$ et $\mathcal{E}_2$ et donner son signe.

> **Conseil** Bien regarder dans quel sens s'effectue la transition pour déterminer la valeur initiale et la valeur finale de l'énergie.

b. Exprimer la variation d'énergie $\Delta \mathcal{E}$ en fonction de l'énergie du photon.

> **Conseils** À partir de l'expression $\mathcal{E}_{\text{photon}} = h\nu$, indiquer le signe de l'énergie du photon. Comparer ce signe à celui de la variation d'énergie exprimée en **a.** pour répondre à la question **b.**

c. L'atome revient dans son état fondamental en émettant un photon.
L'énergie du photon émis est-elle différente, en valeur et en signe, de l'énergie du photon absorbé ?

d. Répondre aux questions **a.** et **b.** pour le cas de l'émission.

> **Conseil** Attention, la transition ne s'effectue plus dans le même sens. L'état initial et l'état final de l'atome sont inversés.

e. Écrire une relation entre l'énergie du photon $h\nu$ et les niveaux d'énergie $\mathcal{E}_1$ et $\mathcal{E}_2$ qui soit vraie à l'émission comme à l'absorption.

15 Apprendre à rédiger

Voici l'énoncé d'un exercice et un guide (en violet) ; ce guide vous aide à rédiger la solution détaillée et à retrouver les réponses aux questions posées.

Énoncé

La figure ci-contre représente une partie du spectre infrarouge de l'hexan-1-ol en phase condensée.

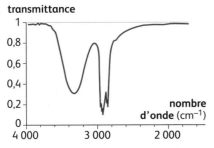

a. Vérifier que la bande [2 000 cm^{-1} ; 4 000 cm^{-1}] correspond bien au domaine des infrarouges.
> ▸ Présenter les limites du domaine des OEM infrarouges pour justifier le calcul des longueurs d'onde de cette bande, et conclure qu'elle est bien située dans le domaine IR.

b. Le rayonnement infrarouge permet-il aux atomes de la molécule d'hexan-1-ol de changer de niveau d'énergie électronique ?
> ▸ Expliquer pourquoi il faut calculer l'énergie transportée par le photon infrarouge le plus énergétique du domaine considéré.
> ▸ Conclure en indiquant que le rayonnement infrarouge ne permet pas de changer de niveau d'énergie électronique.

c. Quels sont les niveaux d'énergie de la molécule mis en jeu lors de l'interaction entre la molécule et le rayonnement infrarouge ?

> ▸ Rappeler les différentes énergies d'une molécule et l'ordre de grandeur des énergies transférées.
> ▸ Vérifier que des transitions entre ces différents niveaux d'énergie sont possibles.

d. La figure ci-dessous représente les différents niveaux d'énergie d'un atome dans une molécule.

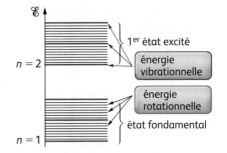

Expliquer pourquoi on observe des bandes d'absorption et non des raies d'absorption lorsque l'on réalise un spectre infrarouge.
> ▸ Utiliser les ordres de grandeur des énergies vibrationnelles et rotationnelles, puis utiliser les notations du schéma pour conclure que les raies d'absorption sont trop proches pour être séparées.

16 Divergence d'un faisceau laser

Compétence générale *Restituer ses connaissances*

Le miroir semi-transparent du laser He-Ne présent dans les lycées a un diamètre utile de 0,90 mm (c'est le diamètre du faisceau à la sortie du laser).

a. Quel est le phénomène subi par la lumière lorsqu'elle traverse une ouverture de petite dimension ?

b. Calculer l'angle de première extinction θ, sachant que pour une ouverture circulaire : $\theta = \dfrac{1,22\lambda}{D}$, avec D le diamètre du trou.

c. En déduire l'angle de divergence du faisceau ainsi que le diamètre de la tache lumineuse sur un écran placé à 50 m.

Donnée : longueur d'onde de la lumière laser $\lambda = 632,8$ nm.

17 Laser médical

Compétence générale *Effectuer un calcul*

En chirurgie, pour l'ablation des tumeurs, on utilise un laser à dioxyde de carbone de longueur d'onde $\lambda = 10,6$ μm.

a. À quel domaine spectral appartient cette radiation ?

b. Pour que le chirurgien puisse diriger correctement le faisceau sur la tumeur, on utilise un laser He-Ne auxiliaire, de longueur d'onde $\lambda = 632,8$ nm. Quelle est la couleur du faisceau ?

c. Justifier son utilisation.

d. Le laser à dioxyde de carbone émet chaque seconde $2,7 \times 10^{21}$ photons. Calculer l'énergie transportée par un photon et en déduire la puissance du faisceau.

18 Science in English

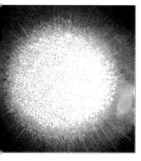

When we light a frosted glass with a laser, we observe small irregular black spots. This phenomenon is called speckle. It does not occur when we light the same frosted glass with a monochromatic light of the same frequency.

Expliquer en quelques lignes pourquoi ce phénomène se produit avec la lumière du laser.

19 ★ Mesure d'une distance

Compétence générale *Effectuer un raisonnement scientifique*

Pour mesurer avec précision la longueur d'un déplacement, on utilise un interféromètre de Michelson. Cet appareil comporte deux miroirs plans M_1 et M_2, perpendiculaires entre eux, et une lame séparatrice semi-réfléchissante S inclinée à 45° par rapport à M_1 et M_2.
Les faisceaux transmis ou réfléchis par S arrivent sur les miroirs sous incidence normale aux points notés A_1 et A_2. Le miroir M_2 est mobile sur un axe BA_2. À la sortie du dispositif, deux faisceaux parallèles, qui ont parcouru des trajets différents, peuvent interférer : leur état d'interférence est contrôlé par un photocapteur relié à une chaîne électronique de comptage.

On suppose que les faisceaux qui arrivent sur le photocapteur ont la même intensité.

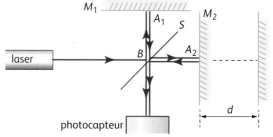

Initialement, les deux miroirs sont symétriques l'un de l'autre par rapport à la lame semi-réfléchissante.

a. Que peut-on dire de la différence de marche δ entre les deux faisceaux qui interfèrent depuis leur séparation en B sur la lame S jusqu'à leur retour en ce point ?

b. Dans ces conditions, le photocapteur enregistre-t-il une plage sombre ou une plage brillante ?

c. On recule le miroir M_2 d'une distance d. Exprimer la nouvelle différence de marche entre les deux faisceaux en fonction de d.

d. Quand le miroir s'immobilise, le photocapteur détecte une plage brillante et le compteur a enregistré le défilement de 632 plages sombres.
Rappeler la relation entre la différence de marche et la longueur d'onde dans le cas d'une interférence constructive.

e. Calculer la distance d sachant que la lumière émise par le laser a une longueur d'onde $\lambda = 632$ nm.

20 ★ Population d'un niveau d'énergie

Compétences générales *Extraire et exploiter des informations – Effectuer un raisonnement scientifique*

On considère un nombre N d'atomes placés dans une enceinte à la température T, chaque atome possédant en plus de son état fondamental d'énergie $\mathscr{E}_1$ un état excité d'énergie $\mathscr{E}_2$ tel que $\mathscr{E}_2 > \mathscr{E}_1$.
En 1872, le physicien autrichien L. Boltzmann montra que le rapport des populations entre les niveaux d'énergie $\mathscr{E}_2$ et $\mathscr{E}_1$ ne dépend que de l'écart d'énergie entre ces deux niveaux et de la température absolue T :

$$\frac{N_2}{N_1} = e^{-\frac{(\mathscr{E}_2 - \mathscr{E}_1)}{kT}}$$

k étant la constante de Boltzmann.

a. L'exposant d'une exponentielle étant un nombre sans unité, quelle est l'unité SI de la constante de Boltzmann ?

b. La constante de Boltzmann étant positive, montrer que quelle que soit la température, il y a toujours plus d'atomes dans l'état fondamental que dans un état excité.

c. Justifier l'expression : « dans la cavité résonante d'un laser, le pompage optique réalise une inversion de population ».

d. Quand l'écart d'énergie entre les deux niveaux est plus grand, comment le rapport des populations évolue-t-il ?

e. Quand la température absolue tend vers 0 K, que devient la population d'atomes dans un état excité ?

f. Ce résultat était-il prévisible sans formule ?

21 ★★ Ralentissement d'un jet d'atomes

Compétences générales *Extraire et exploiter des informations – Effectuer un raisonnement scientifique*

On considère un jet d'atomes de sodium sortant d'un four à la vitesse $v_0 = 1,00 \times 10^3$ m·s^{-1}. Ce jet d'atomes est éclairé de face par un faisceau laser choisi de telle sorte que les atomes de sodium, dans leur état fondamental, puissent absorber les photons du faisceau. Lorsqu'un atome absorbe ou émet un photon, sa vitesse est modifiée.

Dans le cas présent, on montre que l'absorption d'un photon s'accompagne d'une diminution de la vitesse donnée par la relation :

$$|\Delta v| = \frac{h\nu}{mc}$$

avec $h\nu$ l'énergie du photon et m la masse de l'atome.

a. Que signifie la deuxième phrase de l'énoncé ?

b. Calculer la diminution de vitesse pour un atome de sodium.

c. Comparer cette diminution de vitesse à la vitesse initiale et conclure.

d. Lorsqu'un atome de sodium absorbe un photon, il passe dans un état excité puis revient au niveau fondamental quasi-instantanément.

Le cycle absorption-émission a une durée moyenne de 10^{-8} s. Dans le faisceau laser, l'atome va donc subir 10^8 cycles par seconde. Les photons émis lorsque l'atome se désexcite ont une direction aléatoire.

Préciser ce que veut dire «direction aléatoire» et en déduire qu'en moyenne, les photons émis ne modifient pas la vitesse de l'atome.

e. Calculer l'accélération moyenne $a = \left|\dfrac{\Delta v}{\Delta t}\right|$ due à l'absorption des photons, à laquelle est soumis l'atome de sodium.

Comparer cette accélération à l'accélération de la pesanteur $g = 10$ m·s^{-2}.

f. À l'accélération calculée précédemment correspond une force $\vec{F}$ de valeur $F = ma$, opposée au mouvement de l'atome. En supposant l'atome soumis uniquement à cette force, calculer le temps qu'il faut pour l'arrêter et la distance parcourue depuis la sortie du four.

g. En réalité, le problème du ralentissement est un peu plus délicat car il faut modifier la fréquence du laser au cours de l'expérience pour que les photons continuent à être absorbés. Justifier cette nécessité en précisant le nom de l'effet mis en jeu.

Données
– Masse de l'atome de sodium : $m = 3,82 \times 10^{-26}$ kg.
– Énergie du photon : $h\nu = 3,38 \times 10^{-19}$ J.

22 Objectif BAC *Exploiter des documents* ➤ Dossier BAC, page 546

DOC. Le laser à gaz

La figure ci-dessous schématise un laser à gaz. La cavité résonante, de longueur L, contient un mélange gazeux siège de l'émission laser. Une décharge électrique porte certains atomes de gaz dans un état excité. Ces atomes sont alors susceptibles
5 d'émettre des photons. La directivité du faisceau émis est obtenue grâce à un système de miroirs : l'un, noté M_1, totalement réfléchissant, et l'autre, noté M_2, partiellement transparent, qui réfléchit une partie des ondes et laisse passer le reste. La partie non réfléchie sort ainsi de la cavité et constitue le faisceau émis
10 par le laser. Les décharges électriques provoquées au sein du gaz apportent l'énergie nécessaire à l'entretien du faisceau émis.

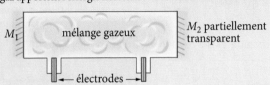

On lit souvent que ce processus conduit à l'émission d'une radiation de fréquence ν_0 parfaitement déterminée. En fait, on obtient toutes les fréquences de l'intervalle $[\nu_0 - \Delta\nu, \nu_0 + \Delta\nu]$.
15 Les seules radiations qui peuvent émerger de la cavité décrite sont telles que le double de la longueur L est un multiple entier de la longueur d'onde de la lumière émise.

➤ **Un laser est-il vraiment monochromatique ? Pour l'apprécier, étudions un laser qualifié de multimodes.**

a. D'où provient l'énergie transportée par le faisceau laser ?

b. Quel est le rôle de la décharge électrique, à l'échelle atomique, dans le fonctionnement du laser ?

c. Exprimer la dernière phrase du document sous forme d'une relation liant la longueur d'onde λ d'une lumière émise par le laser, la longueur L de la cavité et un nombre entier n ($n = 1 ; 2 ; 3$).

d. Une telle cavité peut permettre l'émission d'ondes de plusieurs fréquences.
Exprimer, en fonction de L et de la célérité c de la lumière, la plus petite différence non nulle entre deux fréquences qui peuvent émerger de la cavité. La calculer.

e. Le mélange gazeux utilisé est tel que :

$$\Delta\nu = 1\ 400\ \text{MHz}.$$

Justifier sans calcul que le laser utilisant la cavité décrite peut émettre des radiations de plusieurs fréquences (on parle de laser **multimode**).
Ne pas préciser le nombre de fréquences émises.

Donnée : longueur de la cavité $L = 0,300$ m.

23 Apprendre à chercher

La résolution de cet exercice nécessite de trouver les étapes du raisonnement.
→Une aide est disponible en fin de manuel.

Énoncé

Un laser à impulsions ultracourtes émet des impulsions de 100 fs à intervalles de temps réguliers (1 fs = 10^{-15} s).
Lors d'une impulsion, la puissance du laser est $P = 30$ MW. Ce laser émet une lumière verte de longueur d'onde $\lambda = 532$ nm. À la sortie du laser, le faisceau a une section de 1,0 mm².

→ *Quel est le nombre de photons par mm³ dans le faisceau à la sortie du laser ?*

24 ✶✶ Refroidissement Doppler

Compétences générales *Extraire et exploiter des informations – Effectuer un raisonnement scientifique*

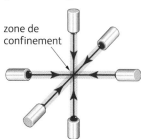

zone de confinement

La température d'un gaz ou d'une vapeur métallique est liée à l'agitation désordonnée de ses molécules ou de ses atomes. Pour refroidir des atomes, il faut donc diminuer leur vitesse d'agitation. On utilise pour cela six faisceaux lasers identiques, disposés comme le montre le schéma ci-dessus. Les atomes se trouvent quasi-immobiles à l'intersection des faisceaux, appelée zone de confinement.

On étudie le principe de refroidissement Doppler sur l'une des trois directions. L'atome peut absorber des photons d'énergie $\mathcal{E} = h\nu_0$. Les deux faisceaux laser sont identiques. La fréquence ν de la radiation monochromatique émise par le laser est telle que $\nu < \nu_0$.

1. Premier cas : l'atome, soumis aux deux faisceaux laser, est immobile.

a. Que signifie la phrase « faisceau laser de bonne fréquence » indiquée dans les données ?

b. La probabilité que l'atome absorbe un photon est-elle plus importante pour l'un des deux faisceaux ? Justifier.

c. L'atome peut-il se mettre en mouvement dans ces conditions ?

2. Deuxième cas : l'atome se déplace à la vitesse $\vec{v}$ vers la gauche.

a. Dans un référentiel lié à l'atome, les fréquences des deux faisceaux laser restent-elles identiques ? Sinon, comment évoluent-elles ?

b. La probabilité que l'atome absorbe un photon est-elle plus importante pour l'un des deux faisceaux ? Justifier.

c. Montrer que la vitesse de l'atome va diminuer.

d. Que se passe-t-il si l'atome repart dans l'autre sens ?

e. Quel intérêt présente l'utilisation de six faisceaux laser placés comme indiqué sur le schéma ?

Données

– Lorsqu'un atome absorbe un photon, il est soumis à une force très brève (impulsion) dont la direction et le sens coïncident avec ceux du photon absorbé.

– La probabilité pour un atome d'absorber un photon est d'autant plus grande que l'énergie des photons est proche de la différence d'énergie entre un état excité et l'état fondamental de l'atome.

– Placé dans un faisceau laser de bonne fréquence, un atome subit une succession de cycles « absorption-émission ». Chaque cycle a une durée moyenne de 10^{-8} s.

25 Objectif BAC *Rédiger une synthèse de documents*

Dossier BAC, page 546

Cet exercice s'appuie sur des ressources disponibles sur le site élève : www.nathan.fr/siriuslycee/eleve-termS.

Laser femtoseconde produisant des impulsions infrarouge de 100 MJ.

Télécharger le dossier « Ressources pour l'exercice 25 » du chapitre 19 qui concerne l'utilisation des lasers femtosecondes.
Ce dossier comprend :
– la présentation d'une application médicale de ce type de laser ;
– un document présentant une application industrielle ;
– une vidéo présentant le laser femtoseconde.

→ **L'objectif de cet exercice est de rédiger une synthèse de documents afin de présenter les principaux intérêts du laser femtoseconde dans des applications très variées.**

Le texte rédigé (de 25 à 30 lignes) devra être clair et structuré et reposera sur les différentes informations issues des documents proposés.

Dualité onde-particule

C ette œuvre d'art contemporain, créée par Erwin Redl, a été présentée lors de l'exposition Matière-Lumière à Béthune (Pas-de-Calais) en 2011, dans le but d'illustrer **la dualité de la lumière**. Au fil des siècles, les scientifiques ont attribué une nature ondulatoire ou une nature particulaire à la lumière. Ces deux aspects se révéleront indissociables pour la lumière comme pour la matière.

COMPÉTENCES EXIGIBLES

⯈ Savoir que la lumière présente des aspects ondulatoire et particulaire. ➔ *Exercices d'application 4, 5 et 6*

⯈ Extraire et exploiter des informations sur les ondes de matière et sur la dualité onde-particule.
➔ *Exercice d'application 7*
et exercice d'entraînement 21

⯈ Connaître et utiliser la relation de de Broglie $p = \dfrac{h}{\nu}$.
➔ *Exercices d'application 8 et 11*

⯈ Identifier des situations physiques où le caractère ondulatoire de la matière est significatif.
➔ *Exercice d'entraînement 24*

⯈ Extraire et exploiter des informations sur les phénomènes quantiques pour mettre en évidence leur aspect probabiliste.
➔ *Exercice d'application 10*
et exercice d'entraînement 22
➔ *Activité documentaire 3*

Compétences générales mises en œuvre
• *Extraire et exploiter des informations* • *Effectuer un raisonnement scientifique*

1 L'effet Compton

▶ **Lorsque Arthur Holly Compton étudie la diffusion des rayons X par la matière en 1922, la nature particulière de la lumière est encore l'objet de nombreuses controverses dans le milieu scientifique.**

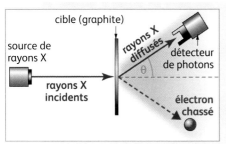

Dans son expérience schématisée ci-contre, Compton envoie un faisceau de rayons X, onde électromagnétique
10 de courte longueur d'onde λ, sur une cible qui est une mince feuille de graphite. La position du détecteur est modifiée pour étudier la diffusion selon différentes valeurs de θ.

Il observe les phénomènes suivants :
15 – des électrons sont chassés de la cible en graphite ;
– des rayons X sont diffusés dans toutes les directions ;
– la longueur d'onde λ' des rayons X diffusés est plus grande que la longueur d'onde λ des rayons X incidents.
20 Les mesures expérimentales aboutissent à la relation empirique suivante : $\lambda' - \lambda = 2{,}42 \times 10^{-12} (1 - \cos\theta)$, pour les rayons X diffusés selon la direction θ, λ' et λ étant exprimées en mètre.

L'augmentation de la longueur d'onde des rayons X
25 diffusés par les électrons porte le nom d'effet Compton.

Dans le cadre de la théorie ondulatoire, rien ne justifie la présence de ces rayonnements de longueur d'onde λ'. Après cinq années d'expérimentations et de tentatives d'explications, Compton trouve une inter-
30 prétation satisfaisante. La situation est celle d'un choc entre deux particules formant un système considéré comme isolé : un photon d'énergie hν et de quantité de mouvement *p*, avec un électron qui peut être considéré comme libre et immobile dans les conditions de l'ex-
35 périence. L'application des lois de conservation de la quantité de mouvement et de l'énergie totale conduit à une relation en accord avec la relation empirique :

$$\lambda' - \lambda = \frac{h}{m_e c}(1 - \cos\theta)$$

m_e : masse de l'électron
h : constante de Planck
c : célérité de la lumière dans le vide

Comme prévu par Einstein, les rayons X se compor-
40 tent comme des particules : les photons, auxquels on peut attribuer une énergie et une quantité de mouvement. L'effet Compton constitue la preuve incontestable de l'existence des quanta d'énergie $\mathcal{E} = h\nu$, que de nombreux physiciens réfutaient jusqu'alors.

1 *L'expérience de Compton.*

❶ Analyser les documents

a. Comment varie $\Delta\lambda = (\lambda' - \lambda)$ lorsque la position du détecteur, repérée par l'angle θ, est modifiée ?

b. Traduire en termes d'énergie la phrase surlignée ligne 17.

c. Comment Compton interprète-t-il les résultats expérimentaux obtenus ?

❷ Exploiter les informations et conclure

a. Montrer que l'expression $\frac{h}{m_e c}$, appelée longueur d'onde Compton, a la dimension d'une longueur. Calculer sa valeur et la comparer à la valeur du résultat expérimental (les valeurs numériques utiles sont disponibles dans les rabats).

b. Donner le domaine des valeurs possibles pour $\Delta\lambda$. Justifier le choix des rayons X pour observer l'effet Compton.

c. En quoi, cette expérience constitue-t-elle une preuve de l'aspect particulier de la lumière ?

❸ Faire une recherche

L'**effet photoélectrique** est, comme l'effet Compton, une interaction entre les photons et la matière, mais dans le rayonnement visible ou l'UV.

Faire une recherche documentaire pour expliquer pourquoi, comme l'effet Compton, l'effet photoélectrique constitue une preuve expérimentale de l'aspect particulier de la lumière.

Vocabulaire

En physique, un quantum (mot latin qui s'écrit « **quanta** » au pluriel) représente une quantité indivisible.

La notion de quantum d'énergie a été généralisée, donnant naissance à la physique quantique.

ACTIVITÉ DOCUMENTAIRE • *Extraire et exploiter des informations* • *Effectuer un calcul*

2

Le comportement ondulatoire des électrons

▶ **Alors que la dualité onde-particule de la lumière est admise par la communauté scientifique, Louis de Broglie propose, en 1923, d'associer une onde à une particule matérielle comme l'électron.**
Étudions les preuves expérimentales qui validèrent son hypothèse.

Pour mettre en évidence le caractère ondulatoire d'un électron, les chercheurs ont utilisé un phénomène caractéristique des ondes, la diffraction. Le raisonnement est le suivant : si les électrons présentent un
5 comportement ondulatoire, un cristal diffractera un faisceau d'électrons comme il diffracte des ondes électromagnétiques.

Clinton Davisson et Lester Germer en 1927, puis George Thomson en 1928, réalisèrent ces expériences.

10 **L'expérience de Davisson et Germer** consiste à envoyer sur un cristal de nickel un faisceau d'électrons monocinétiques issus d'un filament métallique chauffé. Le faisceau d'électrons, après réflexion sur le cristal, est ensuite recueilli sur une plaque fluorescente
15 et des taches de diffraction sont observées confirmant le caractère ondulatoire des électrons.

L'expérience valide également la relation de Louis de Broglie donnant la longueur d'onde de l'onde associée à un électron :

$$\lambda = \frac{h}{p} \quad \begin{array}{l} h : \text{constante de Planck} \\ p : \text{quantité de mouvement de l'électron} \\ \lambda : \text{longueur d'onde} \end{array}$$

20 En effet, la figure de diffraction est identique lorsqu'un même cristal diffracte des rayons X ou des électrons,

dont la longueur d'onde calculée avec la relation de Louis de Broglie est égale à celle des rayons X.

L'expérience de Thomson est basée sur le même
25 principe : une très mince feuille métallique est frappée par un faisceau d'électrons monocinétiques. L'étude ne porte plus sur les électrons réfléchis mais sur les électrons transmis au travers de la feuille métallique. La figure de diffraction obtenue, constituée de cercles
30 concentriques est analogue à celle que l'on peut observer avec des rayons X (**document 2**).

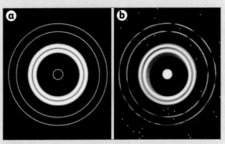

2 *Figures de diffraction obtenues sur une mince feuille métallique :*
ⓐ *avec des rayons X ;*
ⓑ *avec des électrons de même longueur d'onde que les rayons X.*

3 *Expériences historiques validant l'hypothèse de Louis de Broglie.*

❶ Analyser les documents

a. Sur quel phénomène physique sont basées les deux expériences ? En quoi diffèrent-elles ?

b. Pourquoi constituent-elles une preuve expérimentale de l'hypothèse de Louis de Broglie citée en introduction ?

❷ Exploiter les informations et conclure

a. Un cristal est formé par un empilement d'atomes ordonnés, formant ainsi des plans atomiques. Dans les cristaux, les distances entre les plans atomiques sont de l'ordre de 10^{-10} m. Un cristal diffracte une onde dont la longueur d'onde est voisine de 10^{-10} m.
Justifier l'utilisation des rayons X pour les études de cristallographie par diffraction.

b. À l'aide de la relation de de Broglie, calculer la longueur d'onde de l'onde associée à des électrons dont l'énergie cinétique est de 100 eV. Dans l'hypothèse d'un comportement ondulatoire, peuvent-ils être diffractés par un cristal ?
Les valeurs numériques utiles sont disponibles dans les rabats ; on précise que les électrons et les neutrons étudiés ne sont pas relativistes.

c. Des expériences de diffraction d'autres particules matérielles comme des neutrons sont couramment effectuées. Des neutrons d'énergie cinétique 0,05 eV sont produits dans les réacteurs nucléaires. Conviennent-ils à l'étude de la diffraction par un cristal ?

3 La dualité onde-particule

▶ **Faisons émettre un seul photon par un seul atome. Ce photon unique se comporte-t-il comme une onde ou une particule ? Ce qui ne fut au départ qu'une expérience de pensée susceptible de répondre à cette question est réalisable de nos jours.**

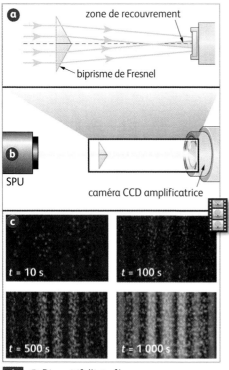

4 ⓐ *Dispositif d'interférence.*
ⓑ *Dispositif expérimental.*
ⓒ *Construction progressive de la figure d'interférence.*

5 ▶ *Expériences réalisées dans un laboratoire de photonique quantique et moléculaire.*

Des expériences sur « un photon unique » ont été réalisées à l'aide d'un dispositif interférentiel : le biprisme de Fresnel. Les deux faisceaux du dispositif partagent un faisceau de lumière monochromatique en deux parties, l'un est dévié vers le haut, l'autre vers le bas
5 **(figure 4 ⓐ)**. Le phénomène d'interférence, preuve du caractère ondulatoire de la lumière, apparaît dans la zone de recouvrement.
Ce dispositif interférentiel est ensuite utilisé avec une source de lumière fournissant des impulsions ne transportant chacune qu'un seul photon (SPU pour Source de Photon Unique). Une caméra CCD
10 est placée dans la zone où les faisceaux se recouvrent et enregistre des petits points, correspondant à l'impact des photons qui arrivent un par un d'une manière qui semble aléatoire **(figure 4 ⓑ)**. Mais lorsque l'enregistrement se poursuit pendant plusieurs minutes, la superposition des images par un dispositif approprié montre que
15 les petits points s'arrangent régulièrement et forment le motif des franges d'interférence, ce sont des franges d'interférence à un seul photon **(figure 4 ⓒ)**.
Le photon se comporte alors comme se comporterait une onde.
Mais qu'est ce que le photon ? En fait, le photon n'est ni une onde,
20 ni une particule, c'est un objet quantique, dont le comportement est parfaitement bien décrit par la mécanique quantique. Dans cette théorie, un objet mathématique appelé fonction d'onde est associé à l'objet quantique. Cette fonction complexe notée ψ permet de calculer la probabilité de trouver l'objet quantique en un endroit donné :
25 – le module au carré $|\psi|^2$ correspond à une densité de probabilité de présence ;
– la probabilité de trouver l'objet quantique se déplaçant selon l'axe x, entre les coordonnées x_1 et x_2, est donnée par : $P = \int_{x_1}^{x_2} |\psi|^2 \, dx$.

D'après *"Single photon interference with a Fresnel biprism"*
Jean-François Roch, ENS de Cachan, et Philippe Grangier,
Institut d'Optique Graduate School.

❶ Analyser les documents

a. Quelle est la particularité de la source de photons utilisée dans l'expérience ?

b. Dans quel(s) cas le photon se montre-t-il sous son aspect particulaire ? sous son aspect ondulatoire ?

❷ Exploiter les informations

a. Compte-tenu de la source utilisée, la formation des franges d'interférence dans cette expérience peut-elle s'expliquer par une interaction entre deux photons ?

b. L'impact des photons sur l'écran s'effectue à un endroit dicté par une loi de probabilité. Que représente l'existence des franges brillantes et des franges sombres à la date $t = 1\,000$ s en termes de probabilité de présence du photon ?

c. À la date $t = 10$ s, pourquoi la position des impacts des photons semble-t-elle aléatoire ?

❸ Conclure

Quelle(s) conclusion(s) sur la nature du photon peut-on déduire de cette expérience ?

4 Microscopes optique et électronique

▶ **En 1931, le prototype d'un microscope électronique a été conçu par une équipe de chercheurs allemands, Ernst Ruska et Max Knoll. Pourquoi un microscope électronique ?**

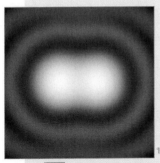

6 *Image de deux points voisins.*

• La résolution d'un microscope désigne sa capacité à séparer des détails très voisins, elle est
5 limitée par le phénomène de diffraction. En effet, à cause de la diffraction, l'image d'un point n'est pas un point, mais une
10 tache. Ainsi, deux points voisins séparés sont observés comme deux taches dont le recouvrement peut empêcher de les distinguer nettement **(figure 6)**.

15 On appelle limite de résolution la plus petite distance, notée *d*, en dessous de laquelle deux points voisins ne seront plus distingués par le microscope. Cette limite étant proportionnelle à la longueur d'onde λ de la lumière utilisée, il suffit de diminuer λ pour dimi-
20 nuer *d*. Cependant, il n'est pas possible de descendre en dessous de 400 nm dans le cas du microscope optique, sinon la lumière n'est plus visible.

• Lorsque Louis de Broglie introduit la notion d'ondes de matière, une nouvelle possibilité apparaît : le
25 faisceau de lumière est remplacé par un faisceau d'électrons dont la longueur d'onde est inférieure à 400 nm, et la résolution de l'appareil s'améliore : c'est le microscope électronique. Alors que la limite de résolution d'un microscope optique est au mieux
30 de 0,2 µm, elle est au moins 100 fois plus petite pour un microscope électronique.

• Le microscope électronique est composé d'un canon à électrons (qui fournit le faisceau électronique), de lentilles électromagnétiques et d'un système de détec-
35 teurs d'électrons. Ces éléments sont placés dans un vide poussé.

Le microscope électronique en transmission (MET) utilise un faisceau d'électrons « transmis » à travers l'échantillon très mince à observer. La résolution peut
40 atteindre 0,08 nanomètre.

Un microscope électronique à balayage (MEB) utilise un faisceau d'électrons très fin qui balaie, point par point, la surface de l'échantillon à observer. Sous l'impact des électrons incidents, des électrons dits secon-
45 daires sont émis par l'échantillon. Leur analyse fournit une image en relief mais la résolution est moins élevée que celle obtenue avec un MET **(document 7)**.

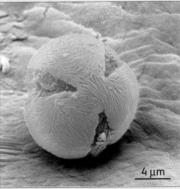

4 µm

7 *Grain de pollen de sycomore observé au microscope électronique à balayage (MEB).*

8 *Les différentes techniques de microscopie.*

❶ Analyser les documents

a. Quel phénomène limite la résolution d'un microscope ? Comment évolue cette limite de résolution en fonction de la longueur d'onde utlisée ?

b. Quel comportement des électrons est mis à profit dans un microscope électronique ?

c. Quel est l'intérêt d'utiliser un faisceau d'électrons et non un faisceau de lumière ?

❷ Pour aller plus loin

a. À l'aide d'une recherche, expliquer le rôle du canon à électrons et des lentilles électroma-gnétiques dans un microscope électronique. Pourquoi l'ensemble des éléments du microscope est-il placé dans un vide poussé ?

b. Les microscopes optiques et électroniques utilisent respectivement un faisceau de lumière ou d'électrons. Il existe une autre catégorie de microscopes, les **microscopes à sonde locale**. Effectuer une recherche pour expliquer succinctement leur principe.

Pour vérifier ses acquis
→ **FICHE G** page 160

1 Onde électromagnétique et photon

Au début du XXe siècle, la nature ondulatoire de la lumière est presque unanimement admise. Il est solidement établi qu'il s'agit d'une onde électromagnétique. Pourtant, de nouvelles observations expérimentales viennent bouleverser cette certitude.

1.1 Insuffisance du modèle ondulatoire

● En 1887, Heinrich Hertz découvre l'**effet photoélectrique** : des électrons sont arrachés à une surface métallique lorsqu'elle est frappée par un rayonnement électromagnétique. Mais l'existence pour chaque métal d'une fréquence seuil au dessous de laquelle aucun électron n'est émis, ne s'explique pas avec le modèle ondulatoire de la lumière.

● L'étude du **rayonnement du corps noir** (modèle utilisé pour étudier le rayonnement des corps chauds) pose aussi un autre problème : pour les courtes longueurs d'onde (bleu, violet, ultraviolet), les résultats expérimentaux sont en contradiction avec la théorie ondulatoire.
En 1900, Max Planck émet l'hypothèse que les transferts d'énergie entre l'objet chauffé et le rayonnement thermique qu'il émet s'effectue d'une manière discontinue : il introduit alors le concept de **quantum**.

1.2 Le modèle particulaire : le photon

En 1905, Albert Einstein donne une interprétation satisfaisante de l'effet photoélectrique : il postule l'existence des **quanta d'énergie**, sorte de grains d'énergie lumineuse qui seront ultérieurement appelés **photons**.

● Dans le cadre du modèle particulaire d'Einstein, les rayonnements électromagnétiques, dont la lumière constitue la partie visible, transportent des quanta d'énergie appelés photons. Le photon est une particule de masse nulle.

● L'expression des **quanta d'énergie** $\mathscr{E}$ est :

$$\mathscr{E} = h\nu$$

h : constante de Planck, $h = 6{,}626 \times 10^{-34}$ J·s
ν : fréquence de la radiation en hertz (Hz)
$\mathscr{E}$: énergie en joule (J)

● La valeur de la **quantité de mouvement du photon** est donnée par l'expression :

$$p = \frac{h\nu}{c} = \frac{h}{\lambda}$$

λ : longueur d'onde de la radiation (m)
c : célérité de la lumière, $c = 3{,}00 \times 10^8$ m·s^{-1}
p : quantité de mouvement (J·s·m^{-1})

L'**effet Compton**, découvert en 1923, est le phénomène le plus caractéristique de l'aspect particulaire d'un rayonnement électromagnétique : lorsque des rayons X sont envoyés sur une cible de graphite, on constate une augmentation de la longueur d'onde des rayons X diffusés **(figure 9)**. Les résultats expérimentaux sont en accord avec les prévisions si l'on considère que l'effet Compton est dû à des collisions entre deux **particules** : un photon associé au rayonnement X et un électron peu lié du graphite.

À quoi ça sert

L'effet photoélectrique

Les jumelles à vision nocturne amplifient plusieurs milliers de fois la luminosité résiduelle à l'aide d'un photomultiplicateur dont le principe repose sur l'effet photoélectrique.

Les unités

● La quantité de mouvement s'exprime en J·s·m^{-1} mais aussi en kg·m·s^{-1}.

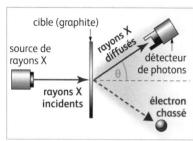

9 *Dispositif de l'expérience réalisée par Arthur Compton pour étudier la collision entre un photon et un électron de la cible de graphite.*

2 Particules et ondes de matière

En 1923, alors que les scientifiques ont prouvé que la lumière peut se comporter comme une onde ou comme des particules, Louis de Broglie émet l'hypothèse que l'on peut associer une onde à des particules matérielles comme les électrons.

2.1 Relation de Louis de Broglie

> La relation de Louis de Broglie associe une onde de longueur d'onde λ à une particule matérielle de quantité de mouvement $\vec{p}$, telle que :
>
> $$\lambda = \frac{h}{p}$$
>
> h : constante de Planck, $h = 6{,}626 \times 10^{-34}$ J·s
> λ : longueur d'onde de la particule (m)
> p : quantité de mouvement (kg·m·s^{-1})

APPLICATION Un électron de masse m_e a une énergie cinétique $\mathscr{E}_c = 54$ eV.

Établir l'expression de la longueur d'onde de l'onde qui lui est associée en fonction de $\mathscr{E}_c$, m_e et h, puis calculer sa valeur.

Données : 1 eV $= 1{,}60 \times 10^{-19}$ J ; $m_e = 9{,}11 \times 10^{-31}$ kg.

Réponse. Par définition :

$$p = m_e v \text{ et } \mathscr{E}_c = \frac{1}{2} m_e v^2 = \frac{p^2}{2m_e} ; \text{d'où } p = \sqrt{2 m_e \mathscr{E}_c}.$$

La longueur d'onde associée est : $\lambda = \dfrac{h}{p} = \dfrac{h}{\sqrt{2m\mathscr{E}_c}}$.

A.N. : $\lambda = \dfrac{6{,}63 \times 10^{-34}}{\sqrt{2 \times 9{,}11 \times 10^{-31} \times 54 \times 1{,}60 \times 10^{-19}}}$

$= 1{,}7 \times 10^{-10}$ m $= 0{,}17$ nm.

2.2 Vérifications expérimentales

● La première vérification expérimentale du comportement ondulatoire des électrons a été réalisée en 1927 par Clinton Davisson et Lester Germer : un faisceau d'électrons est envoyé sur la surface d'un cristal de nickel. On obtient une figure de diffraction analogue à celle obtenue avec un faisceau de rayons X. Cette figure est bien celle que l'on attend pour une longueur d'onde calculée avec la relation de de Broglie pour l'onde associée aux électrons.

Des expériences ont ensuite été réalisées avec d'autres particules matérielles : la diffraction des neutrons est couramment utilisée dans la recherche industrielle pour étudier la structure et les défauts des surfaces.

> La diffraction de particules matérielles (électrons, neutrons, atomes, molécules….) par un cristal constitue une preuve expérimentale de leur comportement ondulatoire.

● Le **microscope électronique** est une application des ondes de matière. Il utilise un faisceau d'électrons dont la longueur d'onde associée est beaucoup plus petite que celle d'un photon de lumière visible. Or, la résolution d'un microscope, qui évalue sa capacité à séparer des détails très voisins, est limitée par la longueur d'onde de l'onde utilisée. Ainsi, la résolution d'un microscope électronique est bien supérieure à celle d'un microscope optique **(document 10)**.

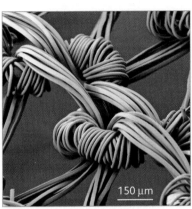

10 *Fibres de nylon observées au microscope électronique à balayage.*

150 µm

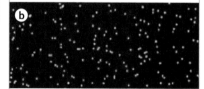

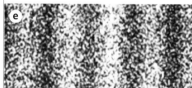
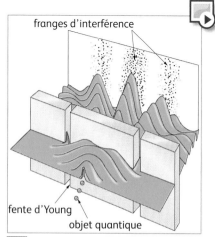

11 *Formation progressive des franges d'interférence à l'aide d'un dispositif interférentiel où les particules sont envoyées une par une.*

3 Dualité onde-particule

Les deux aspects corpusculaires et ondulatoires sont-ils conciliables ? Pour apporter une réponse à cette question, les chercheurs réalisent des expériences qui ne furent au départ que des expériences de pensée.

● L'une de ces expériences consiste à obtenir des interférences avec une source lumineuse capable d'envoyer, sur deux fentes parallèles (fentes d'Young), des photons un par un et à intervalles réguliers.

Les observations sont les suivantes :
– chaque photon arrive en un point bien déterminé sur l'écran mais la position de l'impact est imprévisible ;
– la figure d'interférence apparaît progressivement, les photons arrivant un par un « s'arrangent » progressivement en formant des franges d'interférence **(document 11)** ;
– il n'est pas possible de déterminer par quelle fente passe les photons : toute tentative d'observation perturbe le phénomène, et entraîne la disparition de la figure d'interférence.

L'interprétation fait apparaître l'étrangeté du phénomène :
– les photons se comportent comme des particules localisées spatialement lorsqu'ils arrivent sur l'écran, mais il n'est pas possible de confirmer ce comportement particulaire en déterminant par quelle fente passe un photon et quelle est sa trajectoire ;
– les photons montrent un comportement ondulatoire en formant peu à peu la figure d'interférence, mais l'expérience étant faite photon après photon, un photon n'a pas pu interférer avec un autre. Chaque photon semble donc être passé simultanément par les deux fentes, ce qui n'est pas envisageable pour une particule indivisible.

> Dans une expérience d'interférence, on ne peut pas prévoir la position de l'impact d'un photon sur l'écran. Mais lorsque leur nombre est important, ils respectent une loi de probabilité et forment le motif caractéristique des franges d'interférence. Les franges s'interprètent comme une alternance de zones où un photon a une probabilité de présence minimale ou maximale.

● La même expérience réalisée, non pas avec des photons, mais avec des électrons conduit aux mêmes observations. L'électron, comme le photon, sont des objets quantiques.

> ● Un objet quantique ou **quanton** présentent **simultanément** l'aspect particulaire et l'aspect ondulatoire.
> ● Les prévisions sur le comportement d'un objet quantique ne peuvent être que du type **probabiliste (figure 12)**.

Malgré leur complexité et leur étrangeté, ces phénomènes liés aux objets quantiques offrent de nombreuses applications utilisées dans la vie quotidienne telles que les nouveaux matériaux de la chimie moderne ou encore les applications liées au transistor et aux semi-conducteurs à l'origine des nouvelles technologies.

franges d'interférence

fente d'Young

objet quantique

12 *L'objet quantique prend un caractère ondulatoire représenté par une onde de probabilité de présence au passage des deux fentes.*

Onde électromagnétique et photon

- Dans le cadre du modèle particulaire d'Einstein, les rayonnements électromagnétiques, dont la lumière constitue la partie visible, transportent des quanta d'énergie appelés photons. Le photon est une particule de masse nulle.

- L'expression des **quanta d'énergie** $\mathcal{E}$ est :

$$\mathcal{E} = h\nu$$

h : constante de Planck
ν : fréquence de la radiation (Hz)
$\mathcal{E}$: énergie (J)

- La valeur de la **quantité de mouvement du photon** est donnée par l'expression :

$$p = \frac{h\nu}{c} = \frac{h}{\lambda}$$

λ : longueur d'onde de la radiation (m)
c : célérité de la lumière,
p : quantitité de mouvement ($J \cdot s \cdot m^{-1}$)

- **L'effet photoélectrique** et le **rayonnement du corps noir** sont interprétés à l'aide du modèle particulaire.

- **L'effet Compton**, qui étudie la diffusion de rayons X par des électrons, apporte une preuve expérimentale de l'aspect particulaire de la lumière : un photon se comporte comme une particule qui a une énergie mais aussi une quantité de mouvement $\vec{p}$.

Particules et ondes de matière

- **La relation de Louis de Broglie** associe à une particule matérielle de quantité de mouvement $\vec{p}$, une onde de longueur d'onde λ, telle que :

$$\lambda = \frac{h}{p}$$

h : constante de Planck
λ en m
p en $kg \cdot m \cdot s^{-1}$

- Les phénomènes de diffraction par un cristal et les phénomènes d'interférence observés avec des particules matérielles (électrons, neutrons, atomes, molécules….) constituent des preuves expérimentales de leur comportement ondulatoire.

- Les microscopes électroniques utilisent des ondes de matière (les électrons) en remplacement des ondes lumineuses.

▶ *Grain de pollen de tomate observé à l'aide d'un microscope électronique à balayage (MEB).*

10 µm

Dualité onde-particule

- Dans une expérience d'interférence, on ne peut pas prévoir la position de l'impact d'un photon sur l'écran. Mais lorsque leur nombre est important, ils respectent une loi de probabilité et forment le motif caractéristique des **franges d'interférence**. Les franges s'interprètent comme une alternance de zones où un photon a une probabilité de présence minimale ou maximale.

- Un objet quantique ou **quanton** présentent **simultanément** l'aspect particulaire et l'aspect ondulatoire.

- Les prévisions sur le comportement d'un objet quantique ne peuvent être que du type **probabiliste**.

▶ *L'objet quantique prend un caractère ondulatoire représenté par une onde de probabilité de présence au passage des deux fentes.*

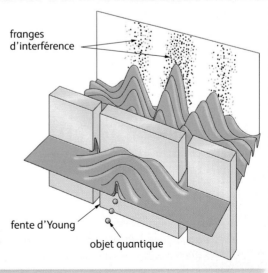

franges d'interférence

fente d'Young

objet quantique

Exercices Application

 MANUEL NUMÉRIQUE
EXERCICES INTERACTIFS

1 Mots manquants

Compléter avec un ou plusieurs mots.

a. La lumière est composée de quanta d'énergie appelés ....

b. L'énergie d'un photon de fréquence ν est donnée par la relation .... où h est la ....

c. L'effet photoélectrique ne s'interprète pas à l'aide du modèle .... de la lumière mais à l'aide du modèle .... de la lumière.

d. L'effet Compton étudie la diffusion de rayons X par des électrons et confirme l'aspect .... de la lumière.

e. La relation de Louis de Broglie associe une longueur d'onde λ à .... d'une particule.

f. Les microscopes électroniques utilisent .... en remplacement des ondes lumineuses.

g. La diffraction d'un faisceau d'électrons par un cristal est une vérification expérimentale du comportement .... des électrons.

h. Un objet quantique se comporte simultanément comme .... et ....

i. Dans une expérience d'interférences, les franges obtenues sur un écran s'interprètent comme une alternance de zones où un photon a une .... de présence maximale ou minimale.

2 QCM

Cocher la réponse exacte.

a. On note p_r la quantité de mouvement d'un photon de lumière rouge et p_v la quantité de mouvement d'un photon de lumière violette :

☐ $p_r = p_v$ ☐ $p_r < p_v$ ☐ $p_r > p_v$

b. La longueur d'onde de l'onde associée à une particule matérielle de quantité de mouvement p est :

☐ $\lambda = \dfrac{h}{p}$ ☐ $\lambda = \dfrac{p}{h}$ ☐ $\lambda = p \times h$

c. Le rapport $\dfrac{\lambda_p}{\lambda_\alpha}$ des longueurs d'onde associées à un proton ($m_p = 1u$) et à une particule α ($m_\alpha = 4u$) est égal à 4 lorsqu'ils ont :

☐ la même vitesse
☐ la même quantité de mouvement
☐ la même énergie cinétique

d. Lorsqu'un photon et un électron interagissent par effet Compton, il y a conservation de la quantité de mouvement pour :

☐ l'électron
☐ le photon
☐ le système {photon ; électron}

→ **Solutions détaillées en fin de manuel pour vérifier vos réponses et comprendre vos erreurs.**

Parcours en autonomie

Trois parcours d'exercices pour travailler en autonomie selon ses besoins.

Maîtriser les bases — 4 - 8 - 9 - 10

Préparer l'évaluation — 14 - 21 - 22

Approfondir — 26 - 28

Pour tous les exercices de ce chapitre :
• la mécanique classique s'applique dans tous les exercices ;
• les valeurs utiles sont disponibles dans les rabats.

COMPÉTENCES EXIGIBLES

3 Formuler l'hypothèse d'Einstein

En 1900, Planck a postulé que les transferts d'énergie entre un corps chauffé et le rayonnement qu'il émet ne s'effectuent pas en continu.
Quelle est l'hypothèse formulée par Einstein en 1905 ?

▶ *Max Planck et Albert Einstein en 1929.*

4 Connaître la quantité de mouvement d'un photon

Un photon a une énergie de $2{,}0 \times 10^{-15}$ J.

a. Calculer la fréquence et la longueur d'onde dans le vide de l'onde correspondante. Ce photon appartient-il au domaine visible ?

b. Calculer la quantité de mouvement de ce photon.

5 Utiliser la relation entre énergie et fréquence

La fréquence des ondes émises par les équipements Wi-Fi (Wireless Fidelity) est de 2,4 GHz.

a. Calculer :
– la longueur d'onde dans le vide de ces ondes ;
– l'énergie des photons associés en joule et en électron-volt.

b. Comparer la valeur de l'énergie de l'un de ces photons à l'énergie d'un photon du domaine visible de longueur d'onde $\lambda = 600$ nm.

6 Interpréter l'effet Compton

L'expérience de Compton consiste à envoyer un faisceau de rayons X sur une mince feuille de graphite.

a. Quelle est la nature des rayons X ?

b. On constate que des rayons X sont diffusés dans toutes les directions et que des électrons sont chassés de la cible. Les mesures montrent que les rayons X diffusés n'ont pas la même longueur d'onde que les rayons X incidents.

L'expérience est alors interprétée comme une collision entre deux particules avec conservation de l'énergie et de la quantité de mouvement du système qu'elles constituent. Quelles sont les particules mises en jeu ?

c. En quoi l'expérience constitue-t-elle une vérification de l'hypothèse d'Einstein sur la nature des rayons X ?

7 Connaître la dualité onde-particule

La métaphore du cylindre est l'exemple d'un objet ayant des propriétés apparemment inconciliables. Il serait à première vue incongru d'affirmer qu'un objet a, à la fois, les propriétés d'un cercle et celles d'un rectangle.

Sur un plan, un objet est soit un cercle, soit un rectangle.

Mais si l'on considère un cylindre, une projection sur un plan dans l'axe du cylindre donne un cercle, et une projection perpendiculairement à cet axe donne un rectangle.

Reformuler ce texte dans le cas de la dualité onde-particule, en prenant un exemple d'expérience où se manifeste cette dualité.

8 Appliquer la relation de de Broglie

a. Calculer la longueur d'onde de l'onde associée :
– à un électron se déplaçant à la vitesse de $3{,}00 \times 10^5$ m·s⁻¹ ;
– à un proton se déplaçant à la vitesse de $1{,}64 \times 10^3$ m·s⁻¹.

b. S'il s'agissait d'ondes électromagnétiques, à quel domaine correspondraient des ondes de même longueur d'onde ?

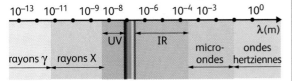

9 Citer des preuves expérimentales

Citer et décrire succinctement :
– une expérience qui met en évidence le caractère ondulatoire des particules matérielles ;
– une expérience qui ne peut pas être interprétée à l'aide du modèle ondulatoire de la lumière.

10 Connaître la dualité de la lumière

Les figures ci-après ont été obtenues en réalisant une expérience d'interférences avec des photons émis un par un et en mémorisant les impacts sur un capteur, à deux dates différentes.

$t = 10$ s $t = 500$ s

a. À la date $t = 10$ s, la position de l'impact d'un photon semble-t-elle prévisible ?

b. À la date $t = 500$ s, une figure régulière apparaît. Que représente cette figure ?

c. En termes de probabilité, que représentent les zones les plus claires et les zones les plus sombres ?

d. À quelle condition le caractère ondulatoire des photons se manifeste-t-il ?

COMPÉTENCES GÉNÉRALES

11 Effectuer un calcul

Calculer la longueur d'onde associée à un ion de masse 50 u et d'énergie cinétique $5{,}0 \times 10^{-2}$ eV.

Donnée : 1 u $= 1{,}66 \times 10^{-27}$ kg.

12 Justifier une relation

Rappeler la relation de de Broglie et montrer que le rapport $\dfrac{h}{p}$ a la dimension d'une longueur.

13 Extraire et exploiter des informations

L'effet photoélectrique et l'effet Compton s'interprètent comme une interaction entre un photon et un électron.

Des photons d'énergie $\mathscr{E}$ sont envoyés sur une cible caractérisée par son numéro atomique Z. Le graphique ci-dessous précise l'effet observé pour une cible donnée en fonction de l'énergie du photon incident.

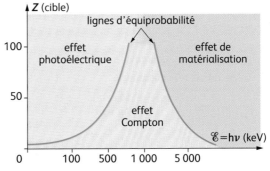

a. Pour une cible constituée d'un matériau de numéro atomique $Z = 50$, quel effet est observé lorsqu'il est soumis à des photons d'énergie 100 keV ? 1 MeV ?

b. Des photons d'énergie 500 keV peuvent-ils provoquer l'effet photoélectrique et l'effet de matérialisation avec la même probabilité ? Si oui, précisez le numéro atomique de la cible.

c. Le troisième effet, l'effet de matérialisation, intervient-il avec des photons peu énergétiques ou très énergétiques ?

EXERCICE RÉSOLU

Site élève

14 Quantité de mouvement et effet Compton

Énoncé Lors d'une expérience de diffusion par effet Compton, la longueur d'onde λ' des photons diffusés selon un angle θ est donnée par la relation :

$$\lambda' - \lambda = \frac{h}{m_e c}(1 - \cos \theta)$$

λ : longueur d'onde des photons incidents (m)
m_e : masse de l'électron cible (kg)
h : constante de Planck
c : célérité de la lumière dans le vide

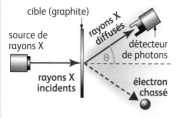

cible (graphite)
source de rayons X
rayons X diffusés
détecteur de photons
θ
rayons X incidents
électron chassé

La longueur d'onde des photons diffusés est de 71,0 pm pour un angle θ = 90°.

❶ Calculer la longueur d'onde des photons incidents.

❷ Calculer la valeur du vecteur quantité de mouvement d'un photon incident et d'un photon diffusé.

Le physicien Arthur Compton.

❸ Écrire la relation traduisant la conservation de la quantité de mouvement du système {photon-électron}, l'électron cible étant considéré comme libre et immobile avant le choc.

❹ Réaliser un schéma indiquant les vecteurs quantités de mouvement avant la collision et après la collision dans le cas où θ = 90°.
En déduire la valeur du vecteur quantité de mouvement $\vec{p_e}$ de l'électron après la collision et la valeur de l'angle φ, angle que fait le vecteur $\vec{p_e}$ avec la direction du photon incident.

Une solution

❶ De l'expression donnant λ' – λ, on déduit $\lambda = \lambda' - \frac{h}{m_e c}(1 - \cos \theta)$.

A.N. : $\lambda = 71,0 \times 10^{-12} - \frac{6,63 \times 10^{-34} \times (1 - \cos 90°)}{9,11 \times 10^{-31} \times 3,00 \times 10^8} = 68,6 \times 10^{-12}$ m.

❷ La quantité de mouvement est donnée par la relation de de Broglie : $p = \frac{h}{\lambda}$.

Pour le photon incident : $p = \frac{h}{\lambda}$; $p = \frac{6,63 \times 10^{-34}}{68,6 \times 10^{-12}} = 9,66 \times 10^{-24}$ J·s·m^{-1}.

Pour le photon incident : $p' = \frac{h}{\lambda'}$; $p' = \frac{6,63 \times 10^{-34}}{71,0 \times 10^{-12}} = 9,34 \times 10^{-24}$ J·s·m^{-1}.

❸ Avant la collision, l'électron étant supposé immobile, sa quantité de mouvement est nulle ; la quantité de mouvement du système {photon-électron} est : $\vec{p}_{avant} = \vec{p} + \vec{0}$.
Après la collision, la quantité de mouvement du système est : $\vec{p}_{après} = \vec{p'} + \vec{p_e}$.
La conservation de la quantité de mouvement est donc : $\vec{p} = \vec{p'} + \vec{p_e}$.

❹

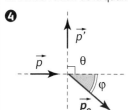

$\vec{p'}$
$\vec{p}$ θ
φ
$\vec{p_e}$

La relation vectorielle $\vec{p} = \vec{p'} + \vec{p_e}$ est schématisée ci-dessous :

$\vec{p}$
φ
$\vec{p_e}$ $\vec{p'}$

Dans le triangle rectangle ainsi tracé,
$$p_e = \sqrt{p^2 + p'^2} \text{ et } \tan \varphi = \frac{p'}{p}.$$

A.N. : $p_e = \sqrt{(9,66 \times 10^{-24})^2 + (9,34 \times 10^{-24})^2} = 13,4 \times 10^{-24}$ J·s·m^{-1}.

$\tan \varphi = \frac{p'}{p} = \frac{9,34 \times 10^{-24}}{9,67 \times 10^{-24}}$ d'où $\varphi = 44,0°$.

Rédiger
Citer l'énoncé pour introduire la relation utilisée.

Connaissances
La quantité de mouvement est une grandeur vectorielle.

Schématiser
Les schémas ne doivent faire apparaître que les vecteurs quantité de mouvement. Il est réalisé sans souci d'échelle.

Raisonner
La relation vectorielle entre les trois vecteurs quantités de mouvement peut aussi se traduire par :
$p = p_e \cos \varphi$ selon la direction de $\vec{p}$;
$0 = p' - p_e \sin \varphi$ selon la direction de $\vec{p'}$.

Source de photons émis un par un

Quel est le comportement de la lumière lorsque celle-ci se compose d'un seul photon ?

Pour répondre à cette question, il faut envisager de réaliser une
5 expérience avec une source fournissant des photons un par un.

Ce qui ne fut qu'une expérience de pensée à l'époque où le concept de photon a été introduit, est actuellement réalisé en laboratoire car de telles sources ont été mises au point. L'une des techniques utilise un défaut existant dans la structure
10 cristalline du diamant constitué de l'association d'un atome d'azote (N) et de l'absence, ou vacance (V), d'un atome de carbone. Ce centre NV est donc formé de l'assemblage d'un atome d'azote et d'une lacune. Le point remarquable est que ces centres NV sont suffisamment séparés spatialement pour
15 que l'on puisse les éclairer un par un. En focalisant une impulsion laser, ultra brève, sur un unique centre NV, ce centre est excité. Lorsqu'il se désexcite, il émet un photon unique. La longueur d'onde du laser étant de 532 nanomètres (vert) et celle du photon émis étant de 690 nanomètres (rouge), un dispositif
20 de filtrage est placé en sortie de dispositif pour laisser passer « le rouge » et arrêter complètement « le vert ». En pratique, ces centres NV sont créés dans des petits grains de diamant : des nanocristaux. On peut faire en sorte que dans un grain, au milieu des milliers d'atomes de carbone, il n'y ait qu'un
25 seul centre NV et donc qu'un seul atome émetteur. Par cette technique, le physicien dispose d'une source de photons qui peuvent être émis un par un et à une cadence de 5 millions de photons par seconde.

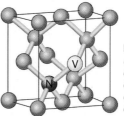

▶ *Un centre NV est un défaut de la maille cristalline du diamant dû à la présence d'un atome d'azote (N) à côté d'un emplacement vacant (V).*

a. Qu'est-ce qu'un centre NV ? Comment ces centres sont-ils répartis dans le cristal de diamant ? Est-il possible d'isoler un centre NV ?

b. Quel est le phénomène utilisé pour que le centre NV émette un photon ? Quelle est la longueur d'onde du photon émis ?

Conseil Pour répondre aux questions, relever les phrases ou les éléments de phrase pertinents, et les reformuler pour les adapter à votre réponse.

c. Quel est le rôle du dispositif de filtrage ?

d. Cette source de lumière est couramment nommée « source de photon unique ». Justifier ce nom.

e. Décrire une expérience d'interférences réalisée avec un laser et deux fentes parallèles très proches. Montrer que la dualité de la lumière peut-être mise en évidence si l'expérience est réalisée avec « la source de photon unique » .

Conseil Certaines questions s'appuient sur le sujet du texte mais font également appel à vos connaissances.

---

16 Apprendre à rédiger

Voici l'énoncé d'un exercice et un guide (en violet) ; ce guide vous aide à rédiger la solution détaillée et à retrouver les réponses aux questions posées.

Énoncé
Dans la pratique, c'est à partir de la valeur de l'énergie cinétique que l'on détermine la longueur d'onde de l'onde associée à une particule matérielle.

a. Établir la relation entre la longueur d'onde qui est associée à une particule matérielle et son énergie cinétique.

▶ **Commencer la rédaction en rappelant la relation de de Broglie.**

▶ **Préciser les différentes grandeurs qui interviennent dans cette relation.**

▶ **Rappeler la relation qui lie $\mathcal{E}_c$ et p.**

▶ **Établir alors la relation $\lambda = \dfrac{h}{\sqrt{2m\mathcal{E}_c}}$.**

b. Calculer la longueur d'onde associée à un neutron lent (ou thermique) d'énergie cinétique $5{,}0 \times 10^{-2}$ eV.

▶ **Préciser les unités à utiliser dans la relation établie.**

▶ **Poser le calcul en mettant en évidence la conversion électronvolt-joule.**

▶ **Exprimer le résultat en tenant compte des chiffres significatifs (seulement 2), d'abord en mètre, puis avec une unité adaptée (le nanomètre par exemple). Vérifier que $\lambda = 0{,}13$ nm.**

c. Quelle doit être l'énergie cinétique (exprimée en électronvolt) d'un électron pour que la longueur d'onde qui lui est associée soit égale à celle du neutron précédent ?

▶ **Les particules ayant même longueur d'onde, montrer qu'il est judicieux d'établir une relation ne faisant intervenir que les énergies cinétiques et les masses des deux particules.**

▶ **L'application numérique ne fera intervenir que les données et non un résultat de calcul.**

▶ **Vérifier que $\mathcal{E}_c = 92$ eV.**

17 Aspect particulaire de la lumière

Compétences générales *Extraire et exploiter des informations – Restituer ses connaissances*

C'est notamment pour expliquer l'effet photoélectrique qu'Einstein a postulé l'existence des photons : pour extraire un électron d'un métal, il faut apporter une énergie appelée travail d'extraction. Il y a effet photoélectrique si le photon qui frappe le métal apporte une énergie égale ou supérieure au travail d'extraction.

a. L'énergie nécessaire à l'extraction d'un électron d'une électrode de tungstène est de 4,49 eV.
Calculer la longueur d'onde dans le vide d'un photon d'énergie 4,49 eV. Cette longueur d'onde est appelée longueur d'onde seuil du tungstène.

b. Pour observer l'effet photoélectrique avec le tungstène, doit-on utiliser des photons de longueurs d'onde supérieures ou inférieures à la longueur d'onde seuil ? Justifier.

18 Science in English

In the photoelectric effect, electron excitation is achieved by absorption of a photon. The work function is the minimum energy that must be given to an electron to liberate it from the surface of a particular substance. If the photon's energy is greater than the substance's work function, photoelectric emission occurs and the electron is liberated from the surface. Excess photon energy results in a liberated electron with non-zero kinetic energy.

Element	Ag	Ba	Al	Be
Work function (eV)	4,74	2,70	4,26	4,98

D'après *CRC handbook on Chemistry and Physics.*

a. À partir du texte, proposer une définition de « work function ».

b. La lumière est-elle décrite sous son aspect ondulatoire ou particulaire ?

c. Parmi ceux qui sont proposés dans ce document, quel(s) matériau(x) faut-il choisir pour qu'il y ait émission d'électrons lorsque les photons incidents ont une fréquence de $1,1 \times 10^{15}$ Hz ?

19 Diffraction de grains de sable ?

Compétence générale *Effectuer un raisonnement scientifique*

Une propriété caractéristique des ondes est leur possibilité d'être diffractées.
Peut-on envisager de mettre en évidence le caractère ondulatoire de grains de sable par diffraction ?
Pour étayer le raisonnement, rappeler dans quel cas le phénomène de diffraction peut se manifester et calculer la longueur d'onde associée à un grain de sable de masse $m = 1$ mg et de vitesse $v = 1$ m·s^{-1}.

20 La longueur d'onde Compton

Compétences générales *Effectuer un calcul – Commenter un résultat*

En 1922, l'expérience de Compton constitua une preuve incontestable de l'existence des quanta de lumière : des rayons X diffusés par des électrons ont une longueur d'onde supérieure à celle des rayons incidents.
La relation obtenue, en considérant qu'il y a eu collision entre deux particules, le photon et l'électron, est :

$$\lambda' - \lambda = \frac{h}{m_e c}(1 - \cos \theta)$$

avec m_e la masse de l'électron.

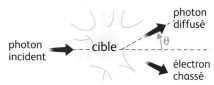

a. Le rapport $\frac{h}{m_e c}$ est appelé **longueur d'onde Compton**. Montrer qu'il est homogène à une longueur et calculer sa valeur.

b. Pour effectuer une mesure concluante de l'augmentation de la longueur d'onde, est-il pertinent de réaliser l'expérience en lumière visible ?

21 Diffraction de molécules

Compétences générales *Extraire et exploiter des informations – Effectuer un calcul*

Jusqu'à quelle taille des particules de matière le « comportement ondulatoire » peut être observé ? On ne connaît pas la réponse, mais on a déjà dépassé l'échelle nanométrique de l'atome lors de l'observation de la diffraction de « grosses » molécules de fullerène formées de 70 atomes de carbone.

▶ *Les molécules de fullerène contiennent au moins 60 atomes de carbone.*

Dossier pour la Science, nº 53, 2006.

a. Comment peut on mettre en évidence le « comportement ondulatoire » d'une particule de matière ?

b. Une expérience a été réalisée en 1999 avec du fullerène C_{60} par des chercheurs de l'Université de Vienne : la longueur d'onde de de Broglie était de 2,5 pm.
Estimer la vitesse des molécules.

Donnée : masse molaire du carbone $M = 12$ g·mol^{-1}.

22 Principe de complémentarité

Compétence générale *Restituer ses connaissances*

Des photons sont envoyés un par un sur un dispositif de fente d'Young. Les enregistrements ci-dessous ont été effectués dans l'ordre ⓐ, ⓑ, ⓒ et ⓓ.

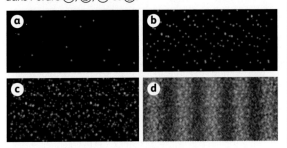

a. Décrire l'expérience des fentes d'Young.

b. En quoi cette expérience met-elle en évidence la dualité onde-particule ? Expliquer en termes de probabilités les enregistrements obtenus.

c. Peut-on déterminer par quelle fente passe un photon ?

23 L'effet photoélectrique

Compétence générale *Effectuer un raisonnement scientifique*

Cet exercice s'appuie sur des ressources disponibles sur le site élève :
www.nathan.fr/siriuslycee/eleve-termS.

Une plaque métallique (ou cathode) notée K, placée dans le vide, est éclairée par une lumière monochromatique de longueur d'onde dans le vide λ et d'intensité lumineuse réglable. Un générateur de tension impose une tension U_{AK} permettant aux électrons émis par la cathode d'atteindre une électrode (ou anode) notée A. Un ampèremètre mesure l'intensité du courant notée I, intensité qui est proportionnelle au nombre d'électrons atteignant l'électrode A par seconde.

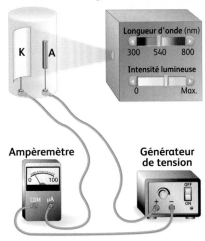

L'animation « l'effet photoélectrique ».

a. Utiliser l'animation « l'effet photoélectrique » en relevant la valeur ou l'évolution de l'intensité I dans les trois cas suivants et justifier ces résultats :
– K n'est pas éclairée ;

– K est éclairée, la source de lumière est réglée sur une intensité lumineuse moyenne, la longueur d'onde varie de 300 à 800 nm ;
– K est éclairée, la longueur d'onde étant correctement choisie, on augmente l'intensité lumineuse.

b. À l'aide de l'animation, déterminer la valeur de la longueur d'onde seuil du métal de la cathode, longueur d'onde maximale donnant naissance à l'effet photoélectrique.

24 ★ Interférences atomiques

Compétences générales *Extraire et exploiter des informations – Effectuer un raisonnement scientifique*

> **Expérience des fentes d'Young avec un nuage atomique**
>
> Une expérience d'interférences atomiques, réalisée par une équipe japonaise en 1992, a consisté à immobiliser et refroidir, avec une mélasse optique, une assemblée
> 5 d'atomes de néon, puis à laisser tomber en chute libre ce nuage d'atomes au-dessus d'une plaque percée de deux fentes microscopiques.
>
> Chaque point noir sur un écran de détection placé un peu plus bas correspond à l'impact d'un atome. Comme
> 10 avec les ondes lumineuses, chaque onde atomique se dédouble à son passage par les deux fentes, et la superposition de ces deux ondes produit des franges d'interférence.
>
> Pour une longueur d'onde de de Broglie valant environ
> 15 15 nm, avec une distance fentes-écran égale à $D = 85$ cm et des fentes écartées de $a = 6$ μm, l'interfrange vaut environ 2 mm, ce qui est aisément observable.
>
> La densité des impacts en un point de l'écran est proportionnelle à la probabilité qu'a un atome de se retrouver
> 20 en ce point.

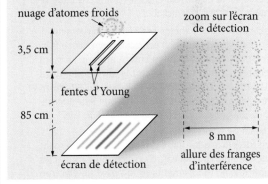

a. Quel est le rôle de la mélasse optique ?

b. Relever la valeur de la longueur d'onde associée aux atomes de néon. Évaluer leur vitesse.

c. La valeur de la longueur d'onde calculée à partir de l'interfrange $i = \dfrac{\lambda D}{a}$ est-elle en accord avec la longueur d'onde de de Broglie ?

d. Dans cette expérience, comment se manifeste l'aspect particulier des atomes ? l'aspect ondulatoire ? Quelle interprétation en terme de probabilité est donnée dans ce texte ?

Donnée : masse molaire du néon $M = 20$ g·mol^{-1}.

25 ✶✶ L'effet photoélectrique par R. Millikan

Compétences générales *Extraire et exploiter des informations – Réaliser un graphique*

L'expérience de Millikan

Découvert par Hertz en 1887, l'effet photoélectrique pose des problèmes d'interprétation aux physiciens de son époque. Pour Einstein, il y a émission d'un électron lorsque l'énergie du photon incident est au minimum égale à l'énergie à fournir à un électron pour qu'il puisse s'échapper du métal, énergie appelée travail d'extraction.

Lorsque l'énergie du photon incident est supérieure au travail d'extraction, l'excès d'énergie est transféré à l'électron émis sous forme d'énergie cinétique.

Le physicien R. Millikan mit au point une technique expérimentale pour déterminer l'énergie cinétique maximale des électrons émis par un métal en fonction de la fréquence des photons incidents, dans le but de montrer que le raisonnement d'Einstein était faux.

En appliquant cette technique, on obtient les résultats suivants pour un métal donné :

ν (Hz)	$6,5 \times 10^{14}$	$7,00 \times 10^{14}$	$8,00 \times 10^{14}$	$9,00 \times 10^{14}$
$\mathcal{E}_c$ (eV)	0,50	0,69	1,10	1,52

$\mathcal{E}_c$ est l'énergie cinétique maximale des électrons émis, ν est la fréquence des photons incidents.

a. Traduire la phrase surlignée par une équation.

b. En utilisant les données du tableau, représenter l'énergie cinétique $\mathcal{E}_c$ en fonction de la fréquence ν.

c. Monter que ces résultats valident le raisonnement d'Einstein (et donnent tort à Millikan !).

d. Déterminer :
– la fréquence « seuil », la longueur d'onde « seuil » et le travail d'extraction du métal utilisé ;
– la valeur de la constante de Planck. Cette valeur est-elle en accord avec la valeur admise ?

e. Montrer que l'on peut tracer la courbe $\mathcal{E}_c$ en fonction de ν d'un autre matériau, sur le graphique obtenu à la question **b.**, connaissant la valeur de sa fréquence seuil.

Tracer la courbe $\mathcal{E}_c$ en fonction de ν pour du zinc dont la fréquence seuil est $8,1 \times 10^{14}$ Hz.

26 Objectif **BAC** *Exploiter des documents*

Dossier BAC, page 546

→ L'objectif de cet exercice est de vérifier la relation de de Broglie en utilisant la diffraction des électrons par un cristal.

1. Calculer la distance d entre les plans cristallographiques du cristal de nickel.

2. On envoie sur le même cristal, sous la même incidence $\theta_1 = 13,5°$ que précédemment, un mince faisceau électronique. En augmentant progressivement l'énergie cinétique des électrons (en augmentant la tension accélératrice), le détecteur d'électrons enregistre des pics d'intensité lorsque leur énergie cinétique prend successivement les valeurs : 151 eV, 602 eV, 1355 eV.

a. Établir la relation entre la quantité de mouvement p et l'énergie cinétique $\mathcal{E}_c$ d'un électron. Calculer les quantités de mouvements p_1, p_2, p_3 d'un électron dans les trois cas précédents.

b. On admet que les trois pics d'intensité correspondent respectivement aux valeurs 1, 2 et 3 de l'ordre de diffraction n. Trouver à partir de la relation de Bragg, les longueurs d'onde λ_1, λ_2, λ_3 associées aux électrons.

c. Les résultats numériques des questions **2.a.** et **2.b.**, sont-ils en accord avec la relation de de Broglie ?

Formulaire : $\mathcal{E}_c = \dfrac{1}{2} mv^2$; $\mathcal{E}_p = mgh$; $p = mv$; $\lambda = vT$; $\lambda = \dfrac{h}{p}$; $\mathcal{E}_m = \mathcal{E}_c + \mathcal{E}_p$.

DOC. Expérience de diffraction de rayons X.

Un cristal de nickel est constitué par un empilement ordonné d'atomes. Lorsque l'on envoie sur le cristal un rayonnement dont la longueur d'onde λ est du même ordre de grandeur que la distance interatomique, on observe un phénomène de diffraction analogue à celui obtenu avec une fente.

Des interférences constructives se produisent entre les rayons diffractés par les atomes de plusieurs plans cristallographiques lorsque la relation appelée relation de Bragg est vérifiée. On enregistre alors un pic d'intensité lorsque :

$$2d \sin \theta = n\lambda$$

n : entier positif
d : distance entre deux plans cristallographiques
θ : angle de Bragg, demi-angle de déviation

Cette relation est applicable aux ondes électromagnétiques comme aux ondes de matière. Lorsque l'expérience est réalisée avec des rayons X de longueur d'onde 0,10 nm envoyés sur un cristal de nickel, la plus petite valeur de θ pour laquelle un détecteur enregistre un pic d'intensité est $\theta_1 = 13,5°$. L'ordre de diffraction n est alors égal à 1.

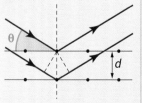

27 Apprendre à chercher

La résolution de cet exercice nécessite de trouver les étapes du raisonnement.
→ Une aide est disponible en fin de manuel.

Énoncé

Un faisceau d'électrons d'énergie cinétique $\mathscr{E}_c = 60$ eV est diffracté par un cristal. L'expérience réalisée avec le même cristal et des rayons X de fréquence $1,90 \times 10^{18}$ Hz fournit une figure de diffraction identique.

→ *Montrer que l'hypothèse de Louis de Broglie sur les ondes de matière est validée par cette expérience.*

28 ★★ Diffraction de neutrons

Compétences générales *Extraire et exploiter des informations – Effectuer un raisonnement scientifique*

La diffraction neutronique

La diffractométrie de neutrons est une technique d'analyse basée sur la diffraction des neutrons par la matière. Elle nécessite l'utilisation de neutrons libres,
5 qui ne sont pas présents dans la nature à cause de leur courte durée de vie moyenne, d'environ quinze minutes. Les neutrons sont obtenus soit dans un réacteur nucléaire par fission nucléaire de noyaux atomiques lourds, soit par bombardement d'une cible par des
10 protons hautement énergétiques issus d'un accélérateur de particule (réaction nucléaire appelée spallation).

Les neutrons obtenus sont ralentis dans de l'eau lourde afin d'atteindre une longueur d'onde du même ordre de grandeur que les distances interatomiques dans les
15 matériaux solides.

Lors d'une expérience de diffusion, les neutrons interagissent directement avec le noyau des atomes. En effet, ayant une charge électrique nulle, ils n'interagissent pas avec les nuages électroniques des atomes du cristal. La diffraction
20 de neutrons, technique complémentaire de la diffraction des rayons X, permet donc de déterminer les positions des noyaux des atomes dans un matériau cristallin.

a. Expliquer le qualificatif de « libres » attribué aux neutrons utilisés. Pourquoi n'existent-ils pas dans la nature ?

b. Lorsqu'un neutron se désintègre, il donne un proton, un électron et un antineutrino noté ${}_{0}^{0}\bar{v}_e$.
Écrire l'équation correspondante.

c. L'une des sources de neutrons libres est la fission nucléaire. Rappeler la définition d'une fission nucléaire.

d. Rechercher ce qu'est l'eau lourde. Par quel procédé les neutrons sont-ils ralentis ?

e. Quel est le lien entre la vitesse et la longueur d'onde des neutrons ? Pourquoi faut-il les ralentir ?

f. Quel est l'apport de la diffraction des neutrons en comparaison avec la diffraction des rayons X ?

g. Calculer la longueur d'onde associée à des neutrons dont l'énergie cinétique est de 100 milliélectron-volt.
Ces neutrons sont-ils adaptés à une étude par diffraction d'un solide cristallin, dans lequel les distances interatomiques sont de l'ordre de 10^{-10} m ?

29 Objectif BAC *Rédiger une synthèse de documents*

→ Dossier BAC, page 546

Cet exercice s'appuie sur des ressources disponibles sur le site élève :
www.nathan.fr/siriuslycee/eleve-termS.

Télécharger le dossier « Ressources pour l'exercice 29 » du chapitre 20 sur le Microscope Électronique à Balayage (MEB).
Ce dossier contient :
– un article sur le microscope électronique à balayage ;
– un schéma illustrant les différentes radiations émises lors de l'interaction entre le faisceau d'électrons et l'échantillon étudié ;
– une vidéo présentant l'utilisation du microscope ;

→ **L'objectif de cet exercice est de rédiger une synthèse de documents, de 25 à 30 lignes, pour indiquer les domaines d'application de ce type de microscopie et ses avantages par rapport à la microscopie optique.**
L'argumentation précisera plus particulièrement les renseignements apportés par les trois détecteurs suivants : détecteur d'électrons secondaires, détecteur d'électrons rétrodiffusés et détecteur de photons X.
Le texte rédigé devra être clair et structuré, et reposera sur les différents documents proposés.

Chercheur utilisant un MEB.

▶ Ces exercices concernent les chapitres 8 à 20 du manuel.
▶ Les exercices « Cap vers le Supérieur » font appel à des compétences non exigibles en Terminale S : ils ont pour objectif de préparer aux études supérieures.

1   Voyage interstellaire

On envisage dans cet exercice la faisabilité d'un voyage inter-sidéral dans un avenir proche.

On étudie le cas d'un voyage vers l'étoile la plus proche du système solaire, α du Centaure, qui se situe à 4,5 années-lumière (a.l.) de celui-ci. Pour que les résultats d'une explora-tion puissent être exploités sur Terre dans un délai acceptable, on imagine qu'un vaisseau puisse parcourir cette distance avec la vitesse $v = \dfrac{c}{2}$.

On n'envisage ici que la phase du trajet aller pendant laquelle la vitesse du vaisseau est constante par rapport au système solaire constituant un référentiel galiléen.

Données
– 1. a.l. = $9,5 \times 10^{15}$ m.
– Célérité de la lumière dans le vide : $c = 3,0 \times 10^{8}$ m·s⁻¹.
– Coefficient de dilatation des durées en relativité restreinte :

$$\gamma = \dfrac{1}{\sqrt{1 - \dfrac{v^2}{c^2}}}$$

– Expression de l'énergie cinétique d'un solide de masse m animé de la vitesse v en relativité restreinte :
$$\mathcal{E}_c = (\gamma - 1)mc^2$$
– La production annuelle mondiale d'énergie est de l'ordre de 5×10^{20} J.

1. Durée du trajet
a. Calculer la durée du trajet Terre–étoile supposé entière-ment effectué à vitesse constante, mesurée dans le référentiel du système solaire.

b. Calculer la durée du même trajet mesurée dans le référen-tiel du vaisseau.

2. Communication entre le vaisseau et la Terre
Depuis la Terre, on envoie un signal électromagnétique de fréquence f destiné à être réceptionné par le vaisseau lorsqu'il est en approche de l'étoile (toujours avec la vitesse v). Le vaisseau renvoie dès réception un autre signal, de même fréquence, vers la Terre.

a. Quelles sont les célérités dans le vide de chacun des deux signaux dans le référentiel du système solaire et dans le réfé-rentiel du vaisseau ?

b. Quelle est la durée écoulée, mesurée par un observateur terrestre, entre l'émission du signal depuis la Terre et la récep-tion du signal provenant du vaisseau ?

c. Pour réceptionner les signaux, les récepteurs placés sur Terre et dans le vaisseau doivent-ils être accordés sur une fréquence égale, inférieure ou supérieure à f ?

3. Énergie dépensée par le vaisseau
a. D'après l'expression de l'énergie cinétique relativiste donnée plus haut, que devient l'énergie cinétique d'un objet lorsque sa vitesse tend vers la vitesse de la lumière dans le vide ? On peut en déduire une particularité de la vitesse c, laquelle ?

b. Calculer, dans le cadre de la théorie de la relativité restreinte, l'énergie cinétique que l'on doit communiquer à un vaisseau de masse $m = 1,0 \times 10^{4}$ kg pour qu'il atteigne la vitesse $v = \dfrac{c}{2}$.

c. Commenter la faisabilité du voyage envisagé dans un avenir proche.

2   Satellite terrestre en orbite

Comment exprimer l'énergie potentielle d'interaction gravi-tationnelle d'un satellite ? Pour répondre à cette question, nous allons étudier les caractéristiques du mouvement d'un satellite terrestre en orbite circulaire et son énergie potentielle d'interaction gravitationnelle.

Données
– Terre : supposée parfaitement sphérique de centre O ; de masse $M_T = 5,97 \times 10^{24}$ kg, de rayon $R_T = 6\,380$ km. Période du mouve-ment d'Ouest en Est autour de l'axe des pôles : $T = 86\,164$ s.
– Satellite : corps ponctuel S, de masse m telle que $m \ll M_T$; alti-tude h.

Satellite Hubble.

1. Caractéristiques du mouvement
a. Quelles sont les actions négligées lorsqu'un satellite est supposé soumis à la seule attraction gravitationnelle de la Terre (ce que nous admettrons dans la suite de l'exercice) ?

b. Quelles hypothèses fait-on sur la répartition de la masse de la Terre et sur la taille du satellite quand la valeur de la force d'attraction a pour expression :

$$F_{T/S} = G\,\dfrac{M_T\,m}{(R_T + h)^2}$$

c. Par rapport à quel référentiel, considéré comme galiléen, le satellite est-il animé d'un mouvement circulaire ?

d. Montrer que le satellite a un mouvement uniforme. En déduire l'expression de la vitesse du satellite sur son orbite.

2. Énergie potentielle d'interaction gravitationnelle
a. On définit l'énergie potentielle $\mathcal{E}_p$ d'interaction, entre la Terre et le satellite situé à une distance r de son centre, par la relation : $\dfrac{d\mathcal{E}_p}{dr} = F_{T/S}$, notée **(1)**, en choisissant $\mathcal{E}_p = 0$ quand r tend vers l'infini.

b. Par analyse dimensionnelle de la relation **(1)**, montrer que l'unité de $\mathcal{E}_p$ peut s'exprimer sous la forme kg·m²·s⁻².

c. En tenant compte de la dimension de $\mathscr{E}_p$ et du fait que l'énergie potentielle d'interaction gravitationnelle augmente avec r, choisir l'expression de $\mathscr{E}_p$ qui convient parmi les suivantes.

Hypothèse	a	b	c	d
Expression	$GMmr$	$\dfrac{-GMm}{r}$	$\dfrac{GMm}{r}$	$-GMmr$

d. Retrouver cette expression de $\mathscr{E}_p$ à partir de la relation **(1)** et de l'expression de $F_{T/S}$ écrite en **1. b.**

3 Préparation et utilisation de solutions tampons

Une solution tampon est en général constituée d'un mélange d'un acide faible et de sa base conjuguée, dans des proportions comparables.

L'objectif de cet exercice est de montrer que l'on peut réaliser une même solution tampon par deux méthodes différentes. Si l'acide et la base sont disponibles séparément, l'idée la plus simple est de mélanger des quantités de matière comparables de ces deux espèces. Dans le cas contraire, on transformera *in situ* une quantité définie de l'acide en base ou vice versa.

1. L'acide éthanoïque est un acide faible noté $AcOH$. À la température considérée, le pK_a du couple $AcOH/AcO^-$ est égal à 4,7. On prépare une solution S de volume $V = 500$ mL en mélangeant à la quantité nécessaire d'eau 0,100 mol d'acide éthanoïque et 0,150 mol d'éthanoate de sodium NaOAc.

a. Calculer la valeur du pH de cette solution.

b. Calculer la concentration $c = [AcOH] + [AcO^-]$ du tampon.

2. Pour préparer la solution S, on dispose désormais uniquement d'acide éthanoïque pur sous forme liquide et d'hydroxyde de sodium solide. Les données numériques sont les suivantes.

Espèce	$AcOH$	NaOH
Masse molaire (g·mol^{-1})	60,0	40,0
Masse volumique (kg·m^{-3})	1050	–

a. Écrire l'équation de la réaction quasi-totale entre $AcOH$ et HO$^-$ en utilisant le symbole de réaction approprié.

b. Quelles sont les quantités de matière d'acide éthanoïque et d'hydroxyde de sodium à utiliser pour préparer 500 mL de solution S ?

c. Décrire pas à pas la méthode utilisée pour obtenir cette solution. On précisera notamment la verrerie utilisée et les quantités (masses, volumes) mesurées.

3. À un volume V de la solution préparée, on ajoute sans variation de volume une petite quantité n d'acide nitrique (HNO$_3$, acide fort). On suppose que : $n < 0{,}1\,cV$.

a. Écrire l'équation de la réaction acido-basique susceptible de se produire. On admettra qu'elle est quasi-totale.

b. Donner les expressions des nouvelles concentrations des espèces dans la solution et donner l'expression du pH de la solution.

c. Faire l'application numérique : on prendra $V = 1{,}0$ L et $n = 0{,}010$ mol.

d. Quelle aurait été la variation de pH observée si l'on avait ajouté cette quantité d'acide nitrique au même volume d'eau pure ? Conclure.

e. Pourquoi est-il nécessaire d'utiliser des solutions tampons suffisamment concentrées ?

D'après les 31e Olympiades internationales de chimie.

4 Vitesse et émission spontanée

On considère un atome de rubidium isolé, immobile dans le référentiel d'étude supposé galiléen. Cet atome initialement dans un état excité revient à l'état fondamental en émettant un photon. Un photon possède une quantité de mouvement de valeur :

$$p = \frac{h\nu}{c} = \frac{h}{\lambda}$$

a. Vérifier par une analyse dimensionnelle l'homogénéité de cette relation.

b. Justifier que la vitesse de l'atome de rubidium n'est plus nulle après l'émission du photon. Préciser la direction et le sens de cette vitesse par rapport à la vitesse du photon émis.

c. Calculer la valeur de la vitesse de l'atome de rubidium considéré comme un système isolé.

Données

– Longueur d'onde de la radiation associée au photon émis : $\lambda = 0{,}78$ µm.

– Masse de l'atome de rubidium : $1{,}45 \times 10^{-25}$ kg.

5 Niveaux d'énergie d'un noyau

Les différents niveaux d'énergie du noyau de l'atome de nickel 60 sont représentés sur le diagramme d'énergie ci-dessous. Les deux transitions les plus fréquemment observées lorsque le noyau de nickel se désexcite sont représentées en rouge.

a. Y a-t-il absorption ou émission d'un photon lors de ces transitions ?

b. Calculer l'énergie transportée par chacun des photons et la longueur d'onde des radiations associées.

c. À quel domaine spectral appartiennent-elles ?

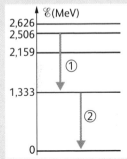

6 Ressort spiral

Un ressort spiral est compressé (« remonté ») à l'aide d'une clé de jouet. De cette manière, il emmagasine une énergie de 8,0 kJ. Ce ressort sert à entraîner les pales d'une hélice qui remue 1,0 L d'eau liquide.

a. Quelle est l'augmentation maximale de température de l'eau après détente totale du ressort ?

b. L'augmentation de température est en réalité de 1,2 °C. Calculer l'écart relatif e entre les augmentations de température maximale et observée. Quelles sont les raisons de cet écart ?

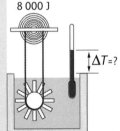

Donnée :

$c_{eau} = 4{,}18 \times 10^3$ J·K^{-1}.

$\rho_{eau} = 1{,}0 \times 10^3$ kg·m^{-3}.

7 Un peu d'histoire

Le transfert thermique et le travail mécanique ont la même unité, le joule (J). Ils constituent deux moyens de faire varier l'énergie interne d'un système. L'un peut se transformer en l'autre et réciproquement. Pourtant, historiquement, on faisait la distinction entre ce qui génère des échauffements par transfert thermique et le travail en mécanique. L'unité calorie était alors associée au transfert thermique, le joule au travail mécanique. C'est en 1850 que James Prescott Joule réalisa une expérience qui réconcilie les deux concepts.

DOC 1. Schéma du dispositif expérimental de Joule en 1850

L'enceinte contenant l'eau est calorifugée.
La masse de l'eau sera notée M.

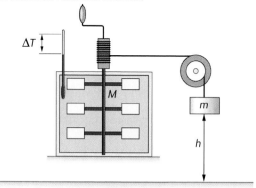

DOC 2. Données pour un système

$\mathcal{E}_m$: énergie mécanique
$\mathcal{E}_c$: énergie cinétique
$\mathcal{E}_p$: énergie potentielle
$\mathcal{U}$: énergie interne

Q : transfert thermique vers l'extérieur
W : transfert par travail autre que celui des forces conservatives
ΔT : variation de température
$\Delta \mathcal{E}$: variation d'énergie totale
$$\Delta \mathcal{E} = \Delta \mathcal{U} + \Delta \mathcal{E}_m = W + Q$$

Le treuil, visible sur le **document 1**, permet d'élever le solide de masse m d'une hauteur h. Lorsque le solide redescend de la même hauteur, un mécanisme entraîne les pales dans l'eau de l'enceinte calorifugée du dispositif.

a. En considérant le système formé du solide et de l'enceinte, établir que $\Delta \mathcal{U} + \Delta \mathcal{E}_m = 0$.

b. Exprimer la variation d'énergie potentielle du solide qui descend d'une hauteur h.

c. Déterminer la relation entre la hauteur h et l'augmentation de température ΔT de l'eau de l'enceinte.

d. Calculer la capacité thermique de la masse M d'eau. En déduire la capacité thermique massique $c = \dfrac{c}{M}$ de l'eau.

Données : $m = 20{,}0$ kg ; $h = 10$ m ; $M = 5{,}00$ kg ; $\Delta T = 0{,}09$ K ; $g = 9{,}81$ m·s^{-2}.

8 Longueur d'onde associée à un électron

La diffraction électronique qui permet d'étudier les états de surface d'un échantillon utilise des électrons «lents». Les faisceaux électroniques sont obtenus par émission à partir d'un filament chauffé et ils sont accélérés par une tension électrique.

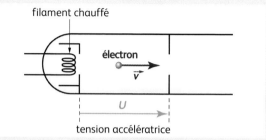

On montre que l'énergie cinétique des électrons est proportionnelle à la tension accélératrice U qui leur est appliquée : $\mathcal{E}_c = eU$.

a. Montrer que la longueur d'onde qui leur est associée est donnée par : $\lambda = \dfrac{1{,}23 \times 10^{-9}}{\sqrt{U}}$, λ étant en mètre et U en volt.

b. Quelle doit être la valeur de la tension U pour obtenir une onde de matière de longueur d'onde 0,10 nm ?

c. En admettant que les électrons «lents» correspondent à des tensions accélératrices limitées à 200 V, quelle est la vitesse maximale de ces électrons et la longueur d'onde qui leur est associée ? L'écriture de l'adjectif «lent» entre guillemets se justifie-t-elle ?

Données :
$m_e = 9{,}1 \times 10^{-31}$ kg ; $e = 1{,}60 \times 10^{-19}$ C.

9 Démonstration de la relation de Compton

L'interprétation de l'effet Compton comme étant le choc entre un photon et un électron libre conduit à la relation :

$$\lambda' - \lambda = \frac{h}{m_e c}\,(1 - \cos\theta)$$

Pour démontrer cette relation, la mécanique classique ne convient pas et les formules relativistes s'imposent.

L'énergie totale d'une particule de masse m et de quantité de mouvement p est :

$$\mathcal{E} = \sqrt{p^2 c^2 + m^2 c^4}$$

L'électron cible est supposé immobile et libre : sa quantité de mouvement est nulle avant le choc.

On note $\vec{p}$ le vecteur quantité de mouvement du photon incident, $\vec{p}'$ le vecteur quantité de mouvement du photon diffusé, et $\vec{p_e}$ le vecteur quantité de mouvement de l'électron après le choc.

Arthur Compton.

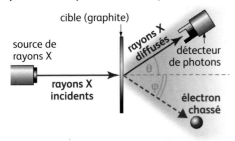

Dispositif de l'expérience de Compton

a. Rappeler en quoi les résultats de cette expérience confortent les hypothèses d'Einstein.

b. Donner l'expression de l'énergie et de la quantité de mouvement d'un photon en fonction de sa longueur d'onde.

c. Écrire la relation de conservation de la quantité de mouvement (relation 1) et de l'énergie totale (relation 2).

d. Élever au carré la relation 1 mise sous la forme :

$$\vec{p} - \vec{p}' = \vec{p_e}$$

e. De la relation 2, déduire l'expression de p_e^2.

f. Égaler les deux valeurs de p_e^2 obtenues aux questions **b.** et **c.** Vérifier que la relation obtenue est :

$$\lambda' - \lambda = \frac{h}{m_e c}\,(1 - \cos\theta)$$

10 Mesure de l'indice de réfraction de l'air

Données

En optique, c'est la longueur d'onde λ_0 dans le vide qui est donnée.

Comme l'indice du milieu est $n = \frac{c}{v}$, la longueur d'onde dans ce milieu est : $\lambda = \frac{\lambda_0}{n}$.

Dans le cas des interférences constructives, on en déduit :

$$nd_2 - nd_1 = k\lambda_0$$

$L = nd$ est appelé chemin optique et la relation précédente peut s'écrire $\delta = L_2 - L_1 = k\lambda_0$.

Cette relation est utile lorsque la lumière se propage dans deux milieux différents.

Rappel : pour un point M de l'écran situé à la distance x du point O, $d_2 - d_1 = \frac{a_{1-2}\,x}{D}$.

Pour mesurer l'indice de l'air, on utilise un interféromètre de Rayleigh.

Interféromètre de Rayleigh

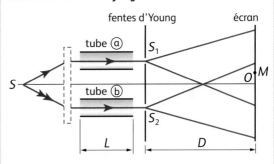

Donnée : longueur des tubes : $L = 20{,}0$ cm.

Un dispositif approprié (jeu de lentilles) permet d'envoyer dans deux tubes parallèles contenant de l'air à la pression atmosphérique, deux faisceaux lumineux issus de la même source ponctuelle monochromatique (laser de longueur d'onde dans le vide $\lambda = 632{,}8$ nm). Le dispositif n'introduit pas de déphasage entre les deux faisceaux. À l'extrémité de chaque tube est placée une fente fine, perpendiculaire au plan du schéma. La distance qui sépare les deux fentes est $a_{1-2} = 1{,}00$ cm.

La figure d'interférence est observée sur un écran placé à 2,00 m des fentes.

a. Quelle est la nature de la frange observée au point O sur l'axe de symétrie du système ?

b. Calculer l'interfrange i donné par la relation :

$$i = \frac{\lambda D}{a_{1-2}}$$

L'interfrange étant très petit, on filme l'écran à l'aide d'une webcam, ce qui permet d'obtenir sur un ordinateur une image agrandie du système de franges.

On pompe progressivement l'air contenu dans le tube (a) jusqu'à obtenir un vide très poussé.

c. Exprimer la différence de marche δ entre les chemins optiques suivis par les deux faisceaux entre la source S et chacune des fentes S_1 et S_2. On prendra $n_{vide} = 1$ et on notera n_{air} l'indice de l'air.

d. Exprimer la différence de marche δ entre les chemins optiques suivis par les deux faisceaux entre la source S et un point M de l'écran situé à la distance x de O.

e. Quelle est la position de la frange brillante initialement située en O ? En déduire le sens de déplacement des franges sur l'écran pendant le pompage.

f. Pendant le pompage, 92 franges brillantes défilent en O, et une fois le pompage terminé, la frange centrale est sombre. En déduire l'indice de l'air dans les conditions de l'expérience.

11 Mesure de pression

De nombreuses techniques expérimentales permettent de suivre l'évolution dans les temps des systèmes chimiques. Étudions le cas d'un système dont les espèces sont gazeuses, et dont l'évolution temporelle peut être suivie par des mesures de pression.

La réaction de décomposition thermique en phase gazeuse dans une enceinte de volume V constant du peroxyde de diterbutyle conduit à la réaction suivante :

$$(CH_3)_3C-O-O-C(CH_3)_3 \longrightarrow 2\ \underset{H_3C}{\overset{O}{\underset{\|}{C}}}_{CH_3} + CH_3-CH_3$$

que l'on notera $A \rightarrow 2\,P + E$. Toutes les espèces sont gazeuses. À 147 °C, la mesure de la pression totale P du mélange conduit, à différentes dates, aux résultats suivants.

t (min)	10	50	100	150	200	300
P (bar)	0,278	0,405	0,513	0,584	0,630	0,681

On rappelle que la pression d'un mélange d'une quantité n de gaz, dans une enceinte de volume V à la température T, est évaluée par la relation :

$$P = \frac{nRT}{V}$$

avec T en K, V en m^3, n en mol et $R = 8{,}31$ USI. On obtient P en Pa (1 bar = 10^5 Pa).

La pression initiale (à la date $t = 0$ min) n'est pas mesurable directement avec une précision suffisante.

Lorsque la réaction est terminée (c'est-à-dire lorsque A est entièrement consommé), la pression est constante et vaut $P_f = 0{,}718$ bar.

On note a la quantité de A initiale et x la quantité d'éthane E formé à la date t.

a. Exprimer les quantités de matière des différentes espèces chimiques à la date t en fonction de a et x.

b. Montrer que la pression initiale P_0 est égale à $P_f /3$.

c. Montrer qu'à la date t : $P = P_0\left(1 + 2\dfrac{x}{a}\right)$.

d. En déduire l'expression de x/a en fonction de P.

e. À partir des résultats expérimentaux, tracer x en fonction de t.

f. Évaluer la date à laquelle 80 % de peroxyde de diterbutyle A a été consommée.

12 Stéréochimie dynamique

L'objectif de cet exercice est de montrer que pour certaines réactions, il est possible de synthétiser un stéréoisomère de configuration souhaité en choisissant bien la configuration du réactif. De telles réactions sont qualifiées de **stéréospécifiques**.

Le dibrome réagit avec l'éthène selon la réaction d'équation :
$$H_2C=CH_2 + Br_2 \rightarrow BrCH_2-CH_2Br.$$

D'un point de vue stéréochimique, les deux atomes de brome s'additionnent de part et d'autre du plan contenant la double liaison carbone-carbone, tel que représenté ci-dessous.

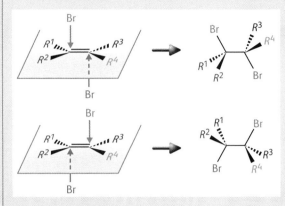

a. À quelle catégorie de réaction cette transformation appartient-elle (addition, élimination ou substitution) ?

b. À partir de ce schéma, représenter les deux stéréoisomères A et B formés par addition du dibrome sur le (E)-pent-2-ène représenté ci-dessous en formule topologique.

c. Quelle est la relation de stéréochimie entre A et B ?

d. Le (Z)-pent-2-ène est le diastéréoisomère du (E)-pent-2-ène. On réalise la bromation du (Z)-pent-2-ène.

Représenter les deux espèces C et D synthétisées. Quelle relation de stéréochimie lie ces deux espèces chimiques ?

e. Quelle est la relation de stéréochimie entre A et C ?

13 La chimie prébiotique

Stanley Miller réalise en 1953 une expérience historique dans le but d'étudier la possibilité d'obtenir des constituants organiques indispensables à l'apparition de la vie sur Terre à partir de l'eau et de molécules simples issues de l'atmosphère primitive telle qu'elle était imaginée à l'époque.

Stanley Miller dans son laboratoire.

L'objectif de cet exercice est de décrire les différentes étapes qui transforment les molécules simples en l'une des « briques élémentaires » des molécules du vivant, les acides α-aminés.

Un mélange gazeux de méthane, d'ammoniac, de dihydrogène et d'eau bouillante est soumis à des décharges électriques dans un milieu stérile. Au bout de quelques jours, Miller extrait avec un rendement de 2 % une variété d'acides α-aminés, principalement de la glycine $H_2NCH_2CO_2H$.

1. Dans la première étape du processus, deux molécules intermédiaires sont produites, l'acide cyanhydrique HCN et le méthanal.

Écrire les formules développées de ces deux espèces. Indiquer la polarité de la liaison C=O du méthanal, et celles des liaisons C—H et C≡N de l'acide cyanhydrique.

2. La synthèse de la glycine se produit alors en deux étapes, selon un processus par ailleurs connu sous le nom de **synthèse de Strecker**. La première étape est une combinaison des deux espèces précédentes avec l'ammoniac, pour former l'espèce A :

$$NH_3 + HCHO + HCN \rightarrow \underset{A}{H_2N-CH_2-CN} + H_2O.$$

a. Indiquer, en recopiant cette équation à l'aide de couleurs, de quel réactif viennent les groupes —NH₂, —CH₂— et —CN du produit A.

b. Les cinq équations suivantes détaillent le mécanisme de production de A.

$$H_2C=O + NH_3 \longrightarrow H_3\overset{\oplus}{N}-CH_2-\overset{\ominus}{\underset{..}{O}}|$$

$$H_3\overset{\oplus}{N}-CH_2-\overset{\ominus}{\underset{..}{O}}| \longrightarrow H_2N-CH_2-OH$$

$$H_2N-CH_2-OH \longrightarrow H_2C=NH + H_2O$$

$$N\equiv CH + H_2C=NH \longrightarrow N\equiv C^{\ominus} + H_2C=NH_2^{\oplus}$$

$$N\equiv C^{\ominus} + H_2C=NH_2^{\oplus} \longrightarrow N\equiv C-CH_2-NH_2$$

À l'exception de la deuxième équation classer chacune d'elles selon leur catégorie de réaction (addition, substitution, élimination). Indiquer pour chacune le site donneur et le site accepteur de doublet d'électrons, ainsi que le mouvement des électrons associé à chaque formation de liaison.

c. La seconde étape consiste en l'hydrolyse de A en acide α-aminé, ici la glycine :

..... H_2NCH_2CN + ... H_2O → ..... NH_3 + ... H_2NCH_2COOH

Ajuster les nombres stœchiométriques de cette équation.

d. Le début du détail de cette hydrolyse est donné sur le schéma suivant, que l'on reproduira en indiquant les sites donneurs et accepteurs de doublet d'électrons, ainsi que les flèches courbes rendant compte de ces transformations.

e. Dans quelle catégorie peut-on ranger la première transformation ?

f. Compléter le schéma ci-dessous à l'aide de molécules simples. Préciser pour chaque étape les sites donneurs et accepteurs de doublet d'électrons, ainsi que les flèches courbes rendant compte de ces transformations.

14 Utilisation d'un tableur

Le pH d'une solution d'acide faible peut se calculer à partir de la connaissance de la concentration en soluté apporté et de la constante d'acidité. L'objectif de cet exercice est de décrire ce calcul puis de déterminer, pour une même concentration en soluté apporté, quelle solution (celle d'acide fort ou celle d'acide faible) a le pH le plus faible.

On analyse une solution d'acide nitreux HNO_2 de concentration apportée c et de volume V.
Le pK_a du couple HNO_2/NO_2^- est de 3,4.

a. Écrire l'équation de la réaction de HNO_2 avec l'eau en utilisant le symbole de réaction approprié. Dresser son tableau d'évolution.

b. On note h la concentration en ion H_3O^+ de la solution.
Montrer que la constante d'acidité K_a du couple HNO_2/NO_2^- permet d'écrire :

$$K_a = \frac{h^2}{c-h}$$

c. En déduire que h vérifie une équation du second degré dont la solution positive est :

$$h = \frac{-K_a + \sqrt{K_a^2 + 4\,K_a c}}{2}$$

d. Le taux d'avancement α de la réaction est le rapport de l'avancement final de la réaction sur l'avancement maximal.
Donner son expression en fonction de h et c. Quelle serait sa valeur si l'acide HNO_2 était un acide fort ?

e. Utiliser un tableur pour calculer le pH de la solution et le taux d'avancement de la réaction pour les concentrations c (en mol·L⁻¹) suivantes :
$1,0\times10^{-2}$; $1,0\times10^{-3}$; $1,0\times10^{-4}$; $1,0\times10^{-5}$; $1,0\times10^{-6}$.
Que constate-t-on ?

Défis du XXIᵉ siècle

La science permet de répondre à la volonté de développement de l'humanité tout en préservant la planète.

Quels sont les apports de la synthèse organique aux enjeux environnementaux ? Comment contrôler la qualité d'une solution ? Quelles innovations pour la transmission et le stockage de l'information ?

Ce chimiste prévoit des réactions grâce aux mécanismes réactionnels.

Les fibres optiques ont révolutionné
la transmission de données.

FICHE

A Dosage par étalonnage

● Pour déterminer la concentration c_0 d'une espèce colorée en solution :

– choisir la longueur d'onde de travail λ ;
– préparer une gamme de solutions de cette espèce de concentrations connues c_i ;
– mesurer leur absorbance $A_{\lambda,i}$;
– placer les points de coordonnées $(c_i ; A_{\lambda,i})$ sur un graphique et tracer la droite passant « au plus près » de ces points et par l'origine du repère ;
– mesurer l'absorbance $A_{\lambda,0}$ de la solution ;
– utiliser la droite d'étalonnage pour déterminer c_0.

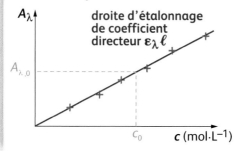

FICHE

C Rendement d'une synthèse

● On appelle **rendement d'une synthèse** le rapport de la quantité de matière de produit $n_{effectif}$ **effectivement** obtenu à la quantité de matière de produit n_{max} qu'on aurait obtenu dans le cas d'une transformation totale et d'un traitement sans perte de matière :

$$r = \frac{n_{effectif}}{n_{max}} \quad \begin{array}{l} n_{effectif} \text{ en mole (mol)} \\ n_{max} \text{ en mole (mol)} \\ r \text{ sans unité} \end{array}$$

FICHE

B Oxydoréduction

● Une **équation d'oxydoréduction** s'écrit comme la réaction de l'oxydant d'un couple oxydant/réducteur avec le réducteur d'un autre couple.

Exemple

L'écriture des demi-équations rédox respecte les lois de conservation des éléments et de la charge électrique.

$$Zn\,(s) = Zn^{2+}\,(aq) + 2\,e^-$$
$$Cu^{2+}\,(aq) + 2\,e^- = Cu\,(s)$$
$$\overline{Zn\,(s) + Cu^{2+}\,(aq) \rightarrow Zn^{2+}\,(aq) + Cu\,(s)}$$

Les électrons ne doivent pas apparaître dans l'équation de la réaction d'oxydoréduction.

FICHE

D Couleur et synthèse de la lumière

● Éclairé avec trois faisceaux de lumières colorées rouge, verte et bleue, l'écran semble diffuser de la lumière blanche.

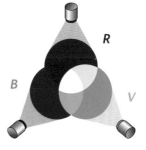

un pixel

Le cerveau réalise la **synthèse additive** des lumières reçues par l'œil : la couleur observée est obtenue en ajoutant les lumières colorées. C'est le principe des trois luminophores constituant un pixel sur un écran de téléphone portable.

Chapitre 21

Enjeux énergétiques et environnementaux

L'opacité de ces verres **électrochromes** est commandée par une tension électrique. La création de nouveaux matériaux « intelligents » comme ces verres électrochromes permet de répondre aux enjeux énergétiques et environnementaux du XXIe siècle.

COMPÉTENCES EXIGIBLES

Extraire et exploiter des informations sur des réalisations ou des projets scientifiques répondant à des problématiques énergétiques contemporaines.
→ *Activité documentaire 1*
et exercice documentaire 6

Faire un bilan énergétique dans les domaines de l'habitat ou du transport.
→ *Activités documentaires 2 et 3*
et exercices documentaires 1 à 3

Argumenter sur des solutions permettant de réaliser des économies d'énergie.
→ *Exercices documentaires 1 et 5*

Extraire et exploiter des informations en lien avec la chimie durable et la valorisation du dioxyde de carbone, pour comparer les avantages et les inconvénients de procédés de synthèse du point de vue du respect de l'environnement.
→ *Activités documentaires 4 à 6*
et exercices documentaires 7 à 13

Compétences générales mises en œuvre

ACTIVITÉ DOCUMENTAIRE

• *Extraire et exploiter des informations*

1

Étude d'un projet de parc éolien offshore

▶ La Bretagne a déjà innové en installant un parc de quatre hydroliennes à Paimpol-Bréhat, dont la mise en service est prévue pour l'été 2012. Étudions un autre projet en cours dans cette région : un parc d'éoliennes offshore.

Doc. 1 — Évolution de la production énergétique en Bretagne

• La Bretagne a produit 6 910 GWh d'énergie pour sa consommation finale en 2010, dont 87 % d'énergies renouvelables (principalement du bois et de l'électricité éolienne, hydraulique et marée motrice). La production est d'origine primaire à 83 %, elle est donc livrée aux consommateurs sans transformation. Cette production a couvert 8,3 % des besoins en énergie finale de la région.

• Cette production énergétique restant faible, un projet de construction d'éoliennes offshore doit aider l'Ouest de la France à obtenir son indépendance énergétique. Une première étape vise à ériger, d'ici 2015, 500 à 600 éoliennes au large des côtes sur les 1 200 prévues (quatre parcs dans la Manche et un dans l'océan Atlantique). Cette première étape du projet doit permettre d'atteindre une puissance de 3 GW grâce à des éoliennes d'une puissance électrique de 3 à 7 MW chacune. Cet objectif semble accessible grâce aux conditions climatiques favorables au large des côtes et aux caractéristiques techniques d'une éolienne offshore, qui produit plus de 15 GWh d'électricité par an.

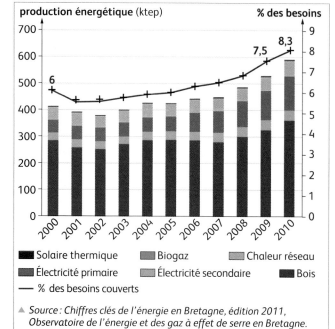

▲ Source : *Chiffres clés de l'énergie en Bretagne, édition 2011, Observatoire de l'énergie et des gaz à effet de serre en Bretagne.*

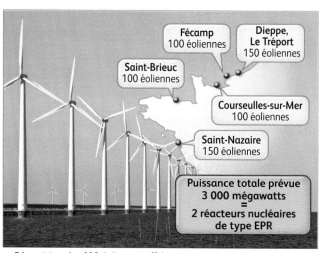

▲ *Répartition des 600 éoliennes offshore dans l'Ouest de la France.*

Doc. 2 Comment fonctionne un parc éolien en mer ?

Un parc éolien en mer possède une composante marine et des annexes à terre.

● **La composante marine comprend :**
– les aérogénérateurs (fondations, mâts et turbines), destinés à convertir l'énergie mécanique en énergie électrique ;
– un poste de transformation en mer ;
– les câbles sous-marins, enterrés ou posés sur le fond, assurant la collecte et le transport de l'énergie jusqu'à la côte. Il s'agit de plus en plus de câbles à courant continu haute tension.

● **Les annexes à terre comprennent :**
– un transformateur et un poste de raccordement au réseau terrestre ;
– des lignes électriques.

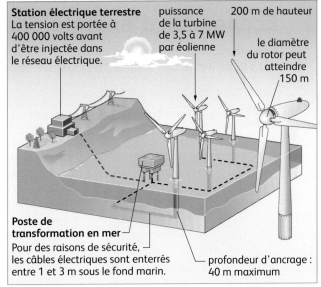

Station électrique terrestre La tension est portée à 400 000 volts avant d'être injectée dans le réseau électrique.

puissance de la turbine de 3,5 à 7 MW par éolienne

200 m de hauteur

le diamètre du rotor peut atteindre 150 m

Poste de transformation en mer Pour des raisons de sécurité, les câbles électriques sont enterrés entre 1 et 3 m sous le fond marin.

profondeur d'ancrage : 40 m maximum

▲ *Les éoliennes offshore profitent d'un vent fort et régulier. Elles fonctionnent ainsi à pleine puissance environ 45 % du temps.*

Doc. 3 Avantages, inconvénients

● Les éoliennes en mer sont conçues pour résister à des contraintes particulières : conditions météorologiques extrêmes, corrosion accélérée par le sel, présence des vagues et du courant marin… Leur durée de vie est assez longue, ce qui permet de compenser les coûts importants de l'installation. L'éolien offshore pourrait ainsi être plus rentable que l'éolien terrestre.

● Le développement d'un projet en mer implique la prise en compte de différents facteurs : la faune, la flore sous-marine et les oiseaux, l'impact sur la pêche, les activités d'extraction de sable et graviers, la circulation maritime, la gêne éventuelle sur le tourisme et sur le paysage…

Les unités d'énergie

● $1\ kWh = 3,6 \times 10^6$ J
● $1\ tep = 41,868$ GJ

1 Analyser les documents

a. Citer deux exemples d'énergie marine.

b. Vérifier la cohérence entre la valeur de la consommation finale en 2010 donnée dans le texte et la valeur du graphique du **document 1**.

c. Commenter l'évolution de la production d'électricité primaire en Bretagne depuis 2001.

d. Rappeler le principe d'une éolienne puis réaliser le schéma de la chaîne énergétique correspondante.

2 Interpréter

a. D'après le texte, une turbine offshore ayant une puissance moyenne de 5,0 MW peut produire plus de 15 GWh d'énergie électrique par an.
Calculer la durée de fonctionnement de cette éolienne. Commenter ce résultat et le mettre en parallèle avec celui du **document 2**.

b. Le projet scientifique d'installation d'éoliennes offshore en Bretagne répond-il à la problématique actuelle de cette région, à savoir son indépendance énergétique ?

3 Conclure

À partir des documents, rédiger une synthèse de 10 lignes maximum portant sur les avantages et les inconvénients techniques et environnementaux de l'éolien terrestre et de l'éolien offshore.

ACTIVITÉ DOCUMENTAIRE

2

Économies d'énergie dans l'habitat

▶ De nouvelles normes et de nouveaux matériaux ont fait leur apparition dans le domaine de l'habitat, dans le but de réaliser des économies d'énergie.

Doc. 1 **Vers la construction de bâtiments à énergie positive**

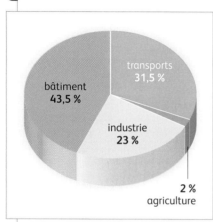

▲ *Consommation d'énergie en France en 2004 (Source : Ademe).*

• Le Grenelle de l'environnement impose depuis 2009 une réduction de la « consommation » énergétique des bâtiments. Cette grandeur est mesurée en kWh d'**énergie primaire** par mètre carré et par an (notée $kWh_{ep} \cdot m^{-2} \cdot an^{-1}$). D'ici 2020, la consommation d'énergie des bâtiments devra être réduite de 22 % pour les bâtiments neufs et existants : actuellement, les bâtiments consomment environ 200 $kWh_{ep} \cdot m^{-2} \cdot an^{-1}$ d'énergie primaire pour le chauffage, la production d'eau chaude, la ventilation, l'éclairage et la climatisation. À partir du 1er janvier 2013, ils devront répondre à une nouvelle norme (RT 2012), qui autorise une consommation d'énergie primaire de 50 $kWh_{ep} \cdot m^{-2} \cdot an^{-1}$ seulement pour les bâtiments neufs. Les futures constructions seront BBC (Bâtiment Basse Consommation) et, dès 2020, à énergie positive.

• D'après la loi, un bâtiment à énergie positive doit offrir « une consommation d'énergie primaire inférieure à la quantité d'énergie renouvelable produite ». Voici les grands principes d'un bâtiment à énergie positive :

– **privilégier une orientation et un concept bioclimatique** : pièces à vivre situées au Sud, un ensemble compact (par exemple, un bâtiment unique et cubique pour limiter les déperditions), une pente de toit orientée vers le Sud pour l'équiper de panneaux solaires ;

– **choisir une isolation très performante** avec une très forte **inertie thermique** et sans **pont thermique** ;

– **favoriser la lumière naturelle** en installant des ouvertures et des baies vitrées très étanches et adaptées à l'exposition (double ou triple vitrage, grande ou petite surface selon l'exposition) ;

– **utiliser un système de ventilation efficace** : par exemple, une **VMC** double flux, munie d'un échangeur permettant de réchauffer l'air froid entrant par l'air sortant ;

– **produire de l'électricité à partir d'énergies renouvelables** pour le chauffage et/ou l'eau chaude sanitaire.

Vocabulaire

• L'énergie ne peut pas être « créée ». Cependant, les termes « produire de l'énergie » sont utilisés couramment pour indiquer un transfert d'énergie (d'une forme primaire à une forme finale).

• L'énergie ne peut pas être « perdue ». Cependant, les termes « consommer de l'énergie » sont utilisés couramment pour indiquer un transfert d'énergie (d'une forme finale à une autre forme).

Glossaire

Concept bioclimatique : concept de bâtiment tirant au mieux partie de l'environnement et du climat pour améliorer le confort intérieur.

Énergie primaire : énergie disponible dans la nature avant toute transformation.

Énergie finale : énergie utilisée par le consommateur.

Inertie thermique : capacité pour un matériau d'accumuler de l'énergie, de la stocker et de la restituer en un temps plus ou moins long.

Pont thermique : zone ayant un défaut d'isolation.

VMC (ventilation mécanique contrôlée) : assure le renouvellement de l'air à l'intérieur des pièces.

Doc. 2 Exemple d'une construction bioclimatique de 150 m² (en été)

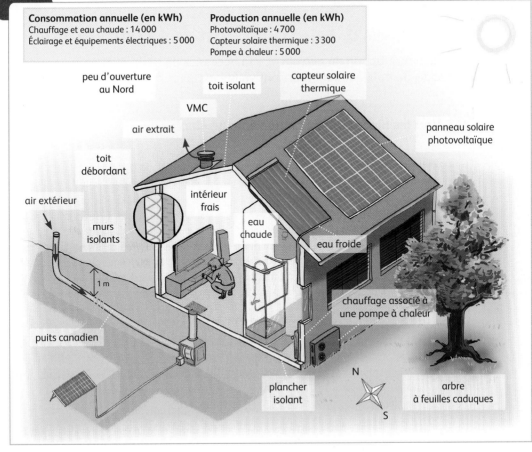

Consommation annuelle (en kWh)
Chauffage et eau chaude : 14 000
Éclairage et équipements électriques : 5 000

Production annuelle (en kWh)
Photovoltaïque : 4 700
Capteur solaire thermique : 3 300
Pompe à chaleur : 5 000

(Labels on figure:) peu d'ouverture au Nord · toit isolant · capteur solaire thermique · VMC · air extrait · panneau solaire photovoltaïque · toit débordant · intérieur frais · air extérieur · murs isolants · eau chaude · eau froide · 1 m · chauffage associé à une pompe à chaleur · puits canadien · plancher isolant · N · S · arbre à feuilles caduques

Doc. 3 Thermographie d'une maison

Le passage d'une caméra thermique sur la surface d'un bâtiment permet de mettre en évidence les zones chaudes et les zones froides. Après traitement de l'image, les zones les plus froides sont restituées en couleur bleu-vert, alors que les zones les plus chaudes sont en couleur rouge-orange.

1 Analyser les documents

a. Pourquoi le Grenelle de l'environnement s'intéresse-t-il au secteur du bâtiment ?

b. Citer trois ressources d'énergie renouvelable permettant de produire de l'énergie domestique.

c. À l'aide des **documents 1 et 2**, expliquer l'utilité d'un arbre à feuilles caduques.

d. Trouver un avantage (été comme hiver) à la présence d'un toit débordant.

2 Interpréter

a. Pour que l'utilisateur dispose d'une énergie électrique de 1 kWh, il faut qu'une centrale électrique produise 2,58 kWh.
Calculer l'énergie maximale par m² autorisée pour une maison neuve « tout » électrique en 2013.

b. Quelle zone de la maison semble mal isolée sur le **document 3** ?

c. Faire le bilan énergétique (énergie produite moins énergie consommée) pour la maison du **document 2**. Est-ce une construction à énergie positive ?

ACTIVITÉ DOCUMENTAIRE

Activités

3

Économies d'énergie dans les transports

▶ Suite à la raréfaction du pétrole et à la nécessité de réduire les émissions de dioxyde de carbone, de nouveaux moteurs ont vu le jour, ainsi que de nouveaux carburants.

Doc. 1 Vers les biocarburants et le véhicule électrique

Une voiture électrique dépasse les $100 \ km \cdot h^{-1}$

La « Jamais Contente », une voiture électrique, fut la première à franchir la barre des $100 \ km \cdot h^{-1}$. Ce record, ainsi que le développement des tramways et des trains, fit croire à l'avènement de l'électricité dans le domaine du transport.

Le moteur thermique

La barre des $200 \ km \cdot h^{-1}$ fut dépassée en 1909 par le français Victor Héméry, avec une voiture à moteur thermique. Ce moteur assurait le meilleur rapport entre performance mécanique, coût et facilité d'usage et d'approvisionnement en carburant. De nos jours, la majorité du parc automobile est équipé de moteur thermique.

1899	1909	
XIXᵉ siècle	XXᵉ siècle	XXIᵉ siècle

millions de tonnes équivalent pétrole

- Hydrogène
- Biocarburant
- Électricité
- Pétrole

(graphique : 2001, 2010, 2020, 2030, 2040, 2050 ; axe vertical de 0 à 70)

Des solutions alternatives

D'autres types de moteurs (électrique, hybride, utilisant une pile à combustible...) ainsi que de nouveaux carburants sont aujourd'hui développés.

◀ *Projet européen pour l'évolution des sources d'énergie dans les transports (2004).*

Doc. 2 Les véhicules hybrides

• Le véhicule hybride équipé de deux modes de propulsion, un moteur thermique et un moteur électrique, est commercialisé depuis quelques années. Lorsque la vitesse du véhicule est inférieure à $25 \ km \cdot h^{-1}$ environ, le moteur électrique s'enclenche et permet de réaliser des trajets allant jusqu'à 25 km. Au-delà, le moteur thermique peut à son tour fonctionner.

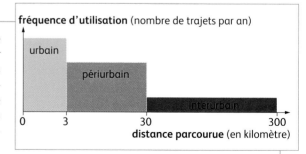

fréquence d'utilisation (nombre de trajets par an)

- urbain
- périurbain
- interurbain

distance parcourue (en kilomètre)
(axe : 0, 3, 30, 300)

• Sur les longs trajets, la gestion des flux d'énergie optimise les fonctionnements des moteurs thermique et électrique. Lors de fortes accélérations, la sollicitation des deux moteurs simultanément est possible. En phase de décélération et de freinage, la conversion de l'énergie cinétique permet la recharge de la batterie. À l'arrêt, cette opération de recharge de la batterie peut être réalisée en une heure et demie environ, sur des bornes disposées en ville, dans les entreprises ou au domicile.

Doc. 3 Les biocarburants

● La **première génération** de biocarburants est issue de produits alimentaires. Ils sont actuellement produits sous deux formes :

– le biodiesel (issu d'huiles de colza, de tournesol et de soja), incorporé au gazole sous forme de carburant banalisé ;

– l'éthanol (issu de plantes sucrières, de blé ou de maïs), incorporé à l'essence sous forme de carburant banalisé (SP 95, SP 98 et SP 95-E10, sans indication particulière).

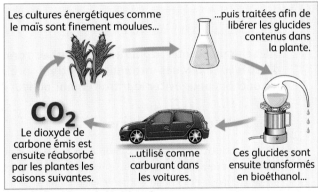

Les cultures énergétiques comme le maïs sont finement moulues...

...puis traitées afin de libérer les glucides contenus dans la plante.

CO_2
Le dioxyde de carbone émis est ensuite réabsorbé par les plantes les saisons suivantes.

...utilisé comme carburant dans les voitures.

Ces glucides sont ensuite transformés en bioéthanol...

▲ Cycle du carbone du bioéthanol.

▲ Culture d'algues pour la production de biocarburant de troisième génération.

● Les biocarburants de **deuxième génération**, destinés à ne pas entrer en concurrence avec les cultures vivrières, utilisent les résidus agricoles et forestiers, ou des cultures dédiées de plantes à croissance rapide, et pouvant avoir d'autres qualités comme permettre la fixation des sols, nécessiter peu d'eau… En 2010, la production française de biocarburants avoisinait les trois millions de tonnes, soit :

– la mobilisation d'une surface estimée à environ 2 millions d'hectares ;

– 8 millions de tonnes équivalent CO_2 économisées ;

– la production d'environ 2,5 millions de tonnes équivalent pétrole, soit autant d'économie d'énergie fossile réalisée.

● Les biocarburants de **troisième génération** sont obtenus à partir d'algues. Ils sont encore à l'étude. Ces nouvelles filières présentent des bilans énergétiques favorables : à l'hectare, les microalgues seraient 30 à 100 fois plus productives en énergie qu'un biocarburant oléagineux. De plus, elles permettraient de limiter les problématiques d'usage des sols et de concurrence avec les débouchés alimentaires.

1 Analyser les documents

a. Citer les différents types de moteur évoqués dans le document 1.

b. Pourquoi le moteur thermique a-t-il supplanté le moteur électrique au début du xxᵉ siècle ?

c. Rechercher la signification du mot « biocarburant ». Pourquoi est-il qualifié d'agroressource ?

d. Quelles solutions alternatives au pétrole sont proposées ? Répertorier les avantages et les inconvénients de chacune de ces solutions.

e. Comment la consommation de carburants va-t-elle évoluer globalement dans les quarante prochaines années ? La répartition des différents types de carburants changera-t-elle ? Justifier la réponse à l'aide du document 1.

2 Interpréter

a. Définir le tep (tonne équivalent pétrole). Convertir 2,5 millions de tep en joule, puis en kWh. Quelle quantité d'énergie fossile est économisée grâce à la production de biocarburants ?

b. En quoi l'utilisation de l'énergie électrique provenant du secteur ne résout-elle pas le problème énergétique ?

c. Pourquoi la filière « biocarburant » est-elle contestée ?

d. Rechercher dans le document 2 les arguments qui permettraient de placer les véhicules hybrides dans la catégorie des véhicules économes en énergie fossile.

ACTIVITÉ DOCUMENTAIRE

4

Économie d'atomes et limitation des déchets

▶ La chimie durable, apparue au début des années 1990, vise à minimiser la quantité d'espèces chimiques introduites, à utiliser préférentiellement la catalyse et à limiter les déchets pour éviter leur traitement ou leur élimination.

Doc. 1 L'économie d'atomes

• L'efficacité d'un procédé de synthèse est traditionnellement mesurée par le rendement chimique du produit d'intérêt (celui que l'on souhaite synthétiser), sans tenir compte de la quantité des autres produits formés.

• L'**économie d'atomes** E_{at} est une autre mesure, qui prend en compte les quantités des réactifs et du produit d'intérêt.
Pour une réaction d'équation :

$$aA + bB \rightarrow pP + qQ,$$

l'économie d'atomes est définie comme le rapport de la masse du produit d'intérêt P sur la somme des masses des réactifs engagés dans la réaction :

$$E_{at} = \frac{m_P}{m_A + m_B}.$$

Pour une réaction quasi-totale, ce rapport s'écrit aussi de la façon suivante :

$$E_{at} = \frac{p \times M(P)}{a \times M(A) + b \times M(B)}.$$

où M désigne les masses molaires des espèces chimiques de la réaction.

• En 1965 fut réalisée la première synthèse de l'aspartame, en cinq étapes, et faisant intervenir de nombreux réactifs, dont certains toxiques. Le succès commercial de cet édulcorant a amené les chimistes à développer une voie de synthèse par catalyse enzymatique ne faisant plus intervenir que trois réactifs, réalisant ainsi une « économie d'atomes ».

• Équation chimique de la synthèse historique de l'aspartame en cinq étapes

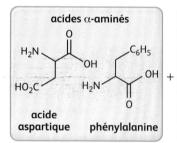

• Équation chimique de la synthèse enzymatique de l'aspartame

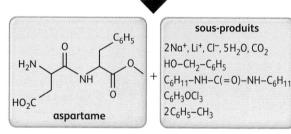

catalyse enzymatique

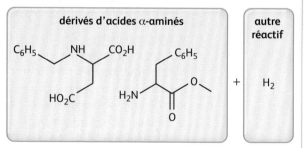

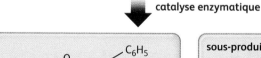

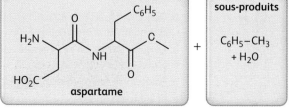

Doc. 2 La limitation des déchets

Dans le cadre de la chimie durable, les procédés de synthèse doivent être moins polluants et consommer moins d'énergie que par le passé. Pour limiter les déchets, trois grandes orientations sont possibles :

– limiter les sous-produits en utilisant des voies de synthèse innovantes ;

– valoriser les sous-produits en les utilisant comme matières premières d'autres synthèses ;

– créer des matériaux biodégradables. Ainsi, de nouveaux matériaux composites utilisant des ressources agricoles ou forestières (fibres de lin, de chanvre ou d'amidon) ont été développés : leur impact environnemental est limité, car ils sont biodégradables.

▶ *Tests de biodégradation : la norme de la Communauté Européenne valide un produit biodégradable s'il s'est totalement transformé en CO_2 au bout de 45 jours.*

> L'un des chercheurs du laboratoire rennais [« Synthèses et activations de biomolécules », CNRS/ENSCR], Thierry Benvegnu, s'est penché sur un problème rencontré par l'industrie routière, celui des émulsifiants utilisés pour fluidifier les bitumes avant leur application sur les routes. « Une fois le bitume appliqué, ces émulsifiants se dispersent dans le sol ; or ils sont généralement non bio-dégradables et toxiques, notamment pour les espèces aquatiques », commente le chercheur. Avec ses collègues, il a donc imaginé et mis au point un procédé pour synthétiser un émulsifiant « bio », à partir de la glycine bétaïne, un des co-produits de l'industrie sucrière et des alcools et amines gras des huiles de tournesol et de colza. Bilan des travaux : un émulsifiant biodégradable, moins toxique, obtenu par un procédé qui ne nécessite pas de solvant, qui ne produit pas de rejet et qui utilise des matières premières végétales naturelles jusqu'alors non ou peu valorisées, en particulier hors du domaine alimentaire ! »

D'après Stéphanie Belaud, extrait de l'article « Les recettes d'une chimie verte » du dossier « La chimie passe au vert », du Journal du CNRS n° 193, février 2006.

▲ *Un exemple de procédé durable.*

1 Comprendre les documents

a. Rappeler la définition du rendement d'une transformation chimique et expliquer pourquoi il est insuffisant pour rendre compte de l'efficacité d'un procédé industriel.

b. Citer trois objectifs de la chimie durable.

c. Quel est l'intérêt d'utiliser des matériaux composites plutôt que des métaux ?

d. Citer les qualités du nouvel émulsifiant utilisé pour fluidifier les bitumes du point de vue de la chimie durable.

2 Interpréter

a. Entre quelles valeurs l'économie d'atomes est-elle comprise ? À quels cas correspondent les valeurs extrêmes ?

b. Calculer les valeurs de l'économie d'atomes pour les deux voies de synthèse de l'aspartame.

c. Quel type de réaction chimique (endothermique ou exothermique) permet de « consommer moins d'énergie que par le passé » ?

d. Quelle nuance pourrait-on apporter à la définition du mot « co-produit » par rapport à celle du mot « sous-produit » ?

3 Conclure

Rédiger une courte synthèse expliquant en quoi l'économie d'atomes E_{at} permet de quantifier une transformation chimique du point de vue de la chimie durable.

Vocabulaire

Sous-produit ou co-produit : produit de la réaction autre que le produit d'intérêt (le produit que l'on souhaite effectivement synthétiser).

Valoriser : recycler des déchets industriels, les transformer en matière première.

5

Chimie douce et respect de l'environnement

▶ La notion de chimie douce proposée par Jacques Livage a pour objectif de synthétiser des matériaux en s'inspirant du vivant. Elle vise à réaliser des synthèses à des températures proches de la température ambiante, en milieu aqueux, avec un apport énergétique faible, et à préserver l'environnement.

Doc. 1 Un procédé d'extraction «propre»

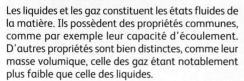

▲ *Le traitement préalable du liège par le dioxyde de carbone supercritique permet d'extraire les espèces chimiques responsables du goût du bouchon dans le vin.*

▲ *États d'un corps pur en fonction de la pression P et de la température T.*

● Dans le domaine agroalimentaire, l'extraction est une opération industrielle importante. Elle peut être réalisée selon trois procédés :

– une extraction à l'eau ;

– une extraction par solvant organique ;

– une extraction par fluide supercritique (du dioxyde de carbone le plus souvent).

● La première méthode est la moins efficace et peut dénaturer le goût. La seconde méthode, qui a été utilisée pendant des années, tend à être remplacée par la dernière pour des raisons de santé (traces résiduelles de solvants), d'impact sur l'environnement, de coût et de saveur.

● Le dioxyde de carbone supercritique permet de solubiliser la plupart des espèces organiques de faible masse moléculaire. Ce procédé d'extraction est utilisé pour décaféiner le café, débarrasser le houblon de son amertume ou le liège des chlorophénols et des chloroanisoles, responsables du goût de bouchon dans le vin. Dans ce dernier cas, le procédé d'extraction au dioxyde de carbone supercritique se décompose selon les étapes suivantes :

– le liège est introduit dans l'extracteur ;

– le dioxyde de carbone est acheminé vers l'extracteur après avoir été comprimé sous plusieurs dizaines de bars (pression supérieure à 73 bar) et chauffé entre 30 °C et 40 °C ;

– le fluide supercritique présent dans l'extracteur se charge ainsi en espèces extraites, puis il est détendu. Le dioxyde de carbone retrouve alors l'état gazeux, qui lui permet de se séparer de l'extrait ;

– l'extrait est récupéré, tandis que le dioxyde de carbone est recyclé pour être de nouveau utilisé.

L'état fluide supercritique

Les liquides et les gaz constituent les états fluides de la matière. Ils possèdent des propriétés communes, comme par exemple leur capacité d'écoulement. D'autres propriétés sont bien distinctes, comme leur masse volumique, celle des gaz étant notablement plus faible que celle des liquides.

Lorsque l'on augmente la température et la pression d'un corps pur, on peut obtenir un état fluide dont les propriétés sont intermédiaires entre celles des gaz et celles des liquides : on parle alors de fluide supercritique.

Par exemple, de l'eau supercritique à une température de 374 °C et une pression de 74 bar a une masse volumique dix fois plus faible que l'eau liquide à température ambiante et cent fois plus élevée que l'eau gazeuse à 100 °C et 1 bar.

Doc. 2 **Des matériaux bio-inspirés**

Qu'elle soit « douce » ou « écologique », la chimie des matériaux du futur vise à économiser l'énergie tout en protégeant l'environ-nement. Alors que les verres et céramiques « tradi-
5 tionnels » sont élaborés par fusion de matières premières à très haute température (supérieures à 1 000 °C), la chimie douce met en jeu des réactions à des températures plus proches de la température ambiante (20-200 °C).

10 L'évolution de l'Homme est intimement liée à sa maîtrise des matériaux, l'art de copier la nature, de transformer la matière, de lui donner une forme, à la recherche d'une utilité pratique ou esthétique. C'est donc en observant la créativité des micro-
15 organismes planctoniques qui savent fabriquer des verres et des céramiques à température ambiante, à partir d'espèces dissoutes dans les eaux de mer, que les scientifiques ont eu l'idée de pratiquer la « chimie douce », en modifiant des procédés
20 pour que les températures de réaction soient plus proches de la température ambiante.

La capacité naturelle de certaines bactéries non pathogènes à réaliser la biominéralisation, c'est-à-dire à fabriquer des céramiques de carbonate de
25 calcium ($CaCO_3$), est ainsi employée en architec-ture. En raison de son innocuité pour l'Homme et l'environnement et de ses propriétés calcifiantes, la variété *Bacillus cereus*, que l'on trouve dans le sol, produit une « biopatine », qui permet de protéger
30 les façades des monuments. […]

▲ *Vitre de grande surface traitée par le procédé sol-gel.*

L'industrie utilise un autre procédé qui se déroule à des températures proches de la température ambiante, le « procédé sol-gel », pour recouvrir des vitres de surfaces protectrices et actives : anti-UV,
35 antireflet, anti-IR… Il permet de synthétiser des verres de silice (SiO_2) ou verres hybrides, à partir de réactions moléculaires en phase liquide. La polymérisation du mélange [d'un milieu] appelé « sol » conduit, en présence de sel et à pH acide, à
40 un « gel » de suspensions colloïdales. La viscosité du gel ainsi obtenu est particulièrement adaptée au dépôt de films minces.

D'après Sandrine Irace-Guigand, centre de vulgarisation de la connaissance, Université Paris-Sud 11. Article publié en juillet/août 2006 dans Sciences Ouest n° 234.

Vocabulaire

Suspension colloïdale : dispersion de particules de petite taille (entre 2 nm et 2 μm) dans un liquide.

1 Comprendre les documents

a. Pourquoi faut-il travailler à plus de 73 bar pour réaliser l'extraction par le dioxyde de carbone supercritique ?

b. Donner l'état physique du dioxyde de carbone lors des différentes étapes de l'extraction.

c. Comment justifier le choix du dioxyde de carbone supercritique comme solvant lors d'une extraction ?

d. D'après le **document 2**, pourquoi est-il intéressant de travailler à température ambiante ?

2 Interpréter

a. Rappeler l'objectif d'une extraction. Quel type d'extraction est souvent réalisé au lycée ?

b. Citer un inconvénient du procédé d'extraction au dioxyde de carbone supercritique.
Citer un avantage de ce procédé du point de vue de la chimie douce.

c. Le chimiste sait fabriquer du carbonate de calcium à partir de solutions d'ions carbonate et d'ions calcium.
D'après le **document 2**, pourquoi est-il nécessaire d'utiliser des micro-organismes pour réaliser cette réaction dans le domaine de l'architecture ?

d. Pourquoi est-il intéressant de contrôler la viscosité d'un gel pour le traitement des surfaces ?

3 Conclure

Citer trois objectifs de la chimie douce présentés dans ces documents.

6

Valorisation du dioxyde de carbone

▶ La combustion des hydrocarbures fossiles produit du dioxyde de carbone, l'un des principaux gaz à effet de serre. Les recherches actuelles pour limiter les émissions de ce gaz s'orientent vers trois directions: la réduction de sa production, son stockage et sa valorisation.

Doc. 1 · Utilisation du dioxyde de carbone dans le monde

● Les émissions de dioxyde de carbone dans l'atmosphère sont à la fois naturelles et anthropiques: celui-ci est en effet fabriqué dans les centrales de production d'électricité, les raffineries, les cimenteries, les usines sidérurgiques, ou encore lors de la transformation de la biomasse.

● Pour éviter la libération du dioxyde de carbone anthropique dans l'atmosphère, en complément du captage et du stockage géologique, on peut le valoriser.

● Le dioxyde de carbone CO_2 peut être utilisé de plusieurs manières:

– **sans transformation**, le dioxyde de carbone est utilisé pour ses propriétés physiques, comme solvant ou comme réfrigérant par exemple;

– **par réaction chimique** avec une autre espèce chimique fortement réactive, le dioxyde de carbone peut mener à la synthèse d'un produit chimique de base (par exemple l'urée) ou d'un produit à valeur énergétique plus forte que celle du dioxyde de carbone;

– **par l'intermédiaire de la photosynthèse au sein d'organismes biologiques** tels que les algues, le dioxyde de carbone peut être utilisé pour synthétiser des produits d'intérêt (glucides, lipides et composés cellulosiques).

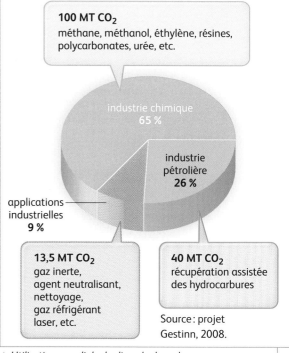

100 MT CO_2
méthane, méthanol, éthylène, résines, polycarbonates, urée, etc.

industrie chimique **65 %**

industrie pétrolière **26 %**

applications industrielles **9 %**

13,5 MT CO_2
gaz inerte, agent neutralisant, nettoyage, gaz réfrigérant laser, etc.

40 MT CO_2
récupération assistée des hydrocarbures

Source: projet Gestinn, 2008.

▲ *Utilisation mondiale du dioxyde de carbone.*

Vocabulaire

Anthropique: créé par l'homme, relatif à l'industrie humaine.

Photobioréacteur: dispositif fermé de culture de microalgues, qui utilise un milieu transparent pour laisser passer la lumière nécessaire à la croissance des algues.

▲ *Culture et sélection d'algues dans des photobioréacteurs.*

Doc. 2 **Comparaison de deux procédés de valorisation du dioxyde de carbone**

● **Synthèse de l'urée**

La synthèse de l'urée est réalisée à partir d'ammoniac NH_3 et de dioxyde de carbone dans des conditions de hautes pression et température, selon la réaction d'équation :

$$2\,NH_3 + CO_2 \rightarrow NH_2{-}C({=}O){-}NH_2 + H_2O.$$

● **Synthèse de l'acide salicylique**

L'équation de réaction de la synthèse de l'acide salicylique, précurseur de l'aspirine est :

Cette réaction a lieu à 150 °C environ et sous une pression de 10 bar.

▲ *Publicité pour l'aspirine.*

Espèce chimique synthétisée	Masse de produit synthétisée par an dans le monde (en tonne)	Masse de dioxyde de carbone valorisé (en tonne)
urée	130 millions	entre 70 et 100 millions
acide salicylique	70 000	?

▲ *Comparaison des deux procédés de valorisation du CO_2.*

❶ Comprendre les documents

a. Pourquoi est-il intéressant de valoriser le dioxyde de carbone ?

b. Quelles sont les disciplines concernées par les trois méthodes de valorisation du CO_2 ?

c. Calculer la masse de CO_2 valorisée par an lors de la synthèse industrielle de l'acide salicylique. *Masses molaires atomiques (en $g \cdot mol^{-1}$) :* $M(H) = 1$; $M(C) = 12$; $M(O) = 16$.

❷ Interpréter

a. Rechercher la masse de dioxyde de carbone produite annuellement dans le monde. La comparer à la masse de dioxyde de carbone valorisée actuellement.

b. Quel est l'avantage de la valorisation du CO_2 par rapport au stockage géologique ?

c. Faire une recherche pour déterminer les différentes utilisations industrielles de l'urée et de l'acide salicylique.

❸ Conclure

Rédiger une courte synthèse présentant les différentes manières de valoriser le dioxyde de carbone.

Bilan

Le chimiste contribue au respect de l'environnement par deux voies principales.

▶ **La chimie durable**

Elle repose sur plusieurs principes, parmi lesquels :

– l'économie d'atomes, une méthode de synthèse qui consiste à maximiser le nombre d'atomes de réactifs transformés en produit (celui souhaité) au cours de la synthèse ;

– la limitation des déchets et leur recyclage ;

– la production d'agroressources, c'est-à-dire de végétaux qui fournissent des composés de base nécessaires à l'énergie, la chimie et les matériaux ;

– la chimie douce, qui se déroule à température ambiante en solution aqueuse ;

– un choix pertinent de solvants.

▶ **La valorisation du dioxyde de carbone**

Elle permet de limiter les rejets de dioxyde de carbone dans l'atmosphère.

Exercices Documentaires

Parcours en autonomie

Deux parcours d'exercices pour travailler en autonomie selon ses besoins.

Préparer l'évaluation — 1 – 3 – 7

Approfondir — 2 – 5 – 13

1 ★ Quel isolant thermique choisir ?

Compétences générales *Extraire et exploiter des informations*

DOC 1. Définitions

① La **conductivité thermique** λ (en $W \cdot m^{-1} \cdot K^{-1}$) caractérise l'isolation thermique d'un matériau. Plus la conductivité thermique λ est faible, plus ce matériau est isolant.

② La **résistance thermique** R_{th} d'un matériau traduit sa capacité à s'opposer au transfert thermique. Pour un matériau d'épaisseur e, de surface S et de conductivité thermique λ, on a : $R_{th} = \dfrac{e}{\lambda S}$ avec e en m, S en m^2 et λ en $W \cdot m^{-1} K^{-1}$.

Propriété : la résistance thermique d'une paroi composée de plusieurs matériaux en série est la somme des résistances thermiques de chacun des matériaux.

③ **L'énergie grise** d'un matériau ou d'un produit est l'énergie qu'il faut dépenser pour fabriquer, distribuer le produit, mais aussi pour extraire les matières premières, et pour éliminer ou recycler le produit en fin de vie.

DOC 2. Données pour différents matériaux de construction

Matériau	λ ($W \cdot m^{-1} \cdot K^{-1}$) pour une température de 20 °C	Énergie grise d'origine non renouvelable (kWh/m³)	Impact environnemental (kg équivalent CO_2/m³)
air sec	0,026	0	0
béton	0,92	219	80
bois	0,10 à 0,36	de 332 à 560	−388
brique de terre cuite	0,84	1 306	280
cuivre	390		
laine de verre	0,04	de 210 à 1 200	de 26 à 150
ouate de cellulose	0,041	de 50 à 152	de 9 à 27
paille	0,04	1	−165
placoplâtre	0,25	1 100	200
polystyrène expansé	0,036	486	67

1. Préciser l'unité SI de la résistance thermique.

2. a. À l'aide des définitions, préciser les caractéristiques d'un bon isolant thermique.

b. À partir des données du tableau, citer les cinq matériaux considérés comme étant de bons isolants thermiques, et les classer selon l'ordre décroissant de leur énergie grise.

c. Classer ces cinq matériaux en tenant compte de leur impact environnemental. Comparer les deux classements.

3. L'isolation thermique d'un bâtiment nécessite l'utilisation d'un vitrage adapté. Le simple vitrage correspond à une épaisseur de verre de 4 mm, alors que le double vitrage (4-16-4) correspond à deux plaques de verre de 4 mm séparées par une épaisseur de 16 mm d'air.
De nos jours, les constructeurs proposent du triple vitrage : (4-16-4-16-4).
Réaliser un schéma de ce vitrage. Calculer la résistance thermique de chaque vitrage, et vérifier que le triple vitrage offre la meilleure isolation thermique possible.

Donnée : λ(verre) = $1,2\ W \cdot m^{-1} \cdot K^{-1}$.

2 ★ Tour Élithis

Compétences générales *Extraire et exploiter des informations*

DOC 1. La tour Élithis

La tour Élithis à Dijon.

Inaugurée en 2009, la tour Élithis est un immeuble de 5 000 m² conçu selon la norme HQE (Haute qualité environnementale). Ses concepteurs souhaitaient réaliser un bâtiment à «énergie positive» et prévoyaient une consommation d'énergie inférieure à 20 kWh par m² et par an, tous usages confondus.

Pour vérifier ces performances, des capteurs ont été installés sur tout le bâtiment.

En 2010, un premier bilan énergétique a été dressé. Des différences apparaissent entre l'estimation et la consommation réelle d'énergie.

Les performances attendues ne sont pas encore atteintes, elles nécessitent probablement une meilleure adaptation du comportement des usagers.

DOC 2. Bilan énergétique de la tour Élithis en 2010

	Consommation théorique	Consommation réelle	Production théorique	Production réelle
	kWh$_{ep}$/m^2/an		kWh/m^2/an	
Chauffage	2,0	6,3		
Rafraîchissement	10,6	2,2		
Ventilation	13,1	14,1		
Pompes et auxiliaires	1,1	2,6		
Ascenseurs	3,6	3,6		
Éclairage	10,5	9,5		
Activité professionnelle	24,2	54,6		
Total des postes	65,1	97,6		
Photovoltaïque			50,0	48,0
TOTAL	15,1	49,6		

Source : Le Moniteur.

a. Citer trois exemples d'utilisation de l'énergie électrique dans la tour Élithis.

b. Comparer les consommations d'énergie estimées et mesurées. Comment expliquer la différence observée ?

3 ★★ Le diagnostic de performance énergétique

Compétences générales *Extraire et exploiter des informations*

Le diagnostic de performance énergétique renseigne sur la performance énergétique d'un logement ou d'un bâtiment, en évaluant sa consommation d'énergie primaire nécessaire aux équipements de chauffage, de production d'eau chaude sanitaire, de refroidissement et de ventilation. Il évalue aussi son impact en termes d'émission de gaz à effet de serre. Deux grandeurs sont indiquées sur les étiquettes :
– la consommation d'énergie primaire, par unité de surface et par an en kWh$_{ep}$·m^{-2}·an^{-1} ;
– les émissions de gaz à effet de serre (GES), en kilogramme d'équivalent CO_2 par unité de surface et par an (kgCO$_{2éq}$·m^{-2}·an^{-1}).
Deux exemples d'étiquette sont présentés ci-dessous.

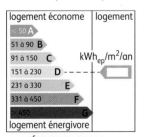

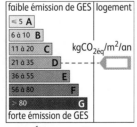

Étiquette énergie	**Étiquette climat**

1. Rechercher la signification des termes « équivalent CO_2 ».

2. Une maison individuelle de surface habitable égale à 110 m^2 consomme $3,5 \times 10^{10}$ J par an pour le chauffage et l'eau chaude sanitaire.
Convertir l'énergie consommée en kWh. Pourquoi préfère-t-on utiliser cette unité plutôt que le joule ? S'agit-il d'une énergie primaire ou finale ?

Calculer son classement énergétique ainsi que celui relatif à l'émission de gaz à effet de serre, dans le cas où la maison est équipée :
a. tout électrique ; **b.** d'une chaudière à gaz ;
c. d'un chauffage au bois.
Conclure.

Données
– Énergie primaire : énergie emmagasinée dans la ressource, disponible dans la nature, avant toute transformation.
– Énergie finale : énergie utilisée par le consommateur.
– 1 kWh = $3,6 \times 10^6$ J.
– Lorsque l'on consomme 1 Wh d'énergie électrique, la centrale électrique a dû produire 2,58 Wh d'électricité.
– Équivalence entre l'émission de CO_2 des combustibles courants et la consommation d'énergie finale :

Source d'énergie	électricité	charbon	fioul	gaz	bois
Émission CO_2 (g/kWh)	90	384	300	234	13

4 ★ Train of the future…

Trains are a naturally environmentally-friendly mode of transport. The AGV goes even further. The AGV's 15 % lower energy consumption results in savings of 650 000 kWh for a train travelling 500 000 km a year. Although the AGV generates no CO_2 itself, the type of power station that produces the electricity will be a source of CO_2. Today operators can choose to purchase "carbon-free" electricity and thus eliminate any contribution to their "Carbon Footprint" from the energy used by their electric trains. The AGV is designed for end-of-life recyclability with a target to use over 90 % of recyclable materials. Finally the AGV makes less external noise as it runs, lessening its environmental impact, thanks to its aerodynamic design […].
The AGV delivers superior lifecycle cost performance. Operators can count on:
• Energy consumption savings of 15 % : thanks to the train's articulated architecture, the permanent magnet motors improved efficiency and body shape optimized for aerodynamics and thanks to the train's total weight, at 410 tonnes (for a 200 m long AGV), 70 tonnes lighter than competitors.
• Further energy savings come from the AGV's maximized use of regenerative electrodynamic braking, in which energy is returned in priority to the power supply network during braking phases.

AGV, Full speed ahead into the 21st century, Alstom.

a. Que signifie le sigle AGV ?

b. Quel est le pourcentage du gain sur la masse de l'AGV par rapport à ses concurrents ?

c. Quel est l'intérêt du freinage électrodynamique par récupération ?

d. Rechercher ce que l'on appelle « électricité sans carbone ».

e. Quels sont les deux atouts de l'AGV du point de vue du respect de l'environnement ?

5 ★★ **Vitres électrochromes**

Compétences générales *Extraire et exploiter des informations*

DOC 1. Principe des vitres électrochromes

• Pour améliorer le bilan énergétique des bâtiments, l'Ademe, en partenariat avec Saint-Gobain Recherche, développe des matériaux capables de réagir aux conditions climatiques, tels que les vitrages électrochromes.

L'électrochromisme est la propriété qu'ont certaines espèces chimiques de changer de couleur de manière réversible lors d'une réaction d'oxydoréduction. Cette réaction est contrôlée par l'application d'une tension électrique.

Un exemple de matériau électrochromique est le trioxyde de tungstène (WO_3) incolore, qui est la principale espèce chimique utilisée dans la production de vitres électrochromes, ou vitres « intelligentes ».

• Lorsqu'une tension (de l'ordre de 1 ou 2 V) est appliquée entre les couches transparentes et conductrices (en jaune dans le schéma ci-après) d'une vitre, un champ électrique s'établit et les cations Li^+ se déplacent uniformément à travers l'électrolyte (en vert) vers la couche électrochromatique (WO_3 sur le schéma). Un transfert d'électrons modélisés par la demi-équation rédox s'effectue et engendre la formation d'un « bronze de tungstène » de couleur bleue :

$$WO_3 + x\,Li^+ + x\,e^- = Li_xWO_3.$$

La quantité d'ions impose le niveau de coloration de la vitre. La couleur est persistante une fois obtenue mais elle est réversible, il suffit pour cela d'inverser la tension appliquée ! Cette réaction n'est pas instantanée, elle nécessite quelques secondes.

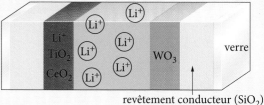

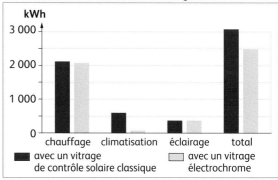

Schéma d'une vitre électrochrome.

DOC 2. Comparaison des consommations annuelles d'énergie de deux types de vitrage différents (simulation sur 10 m² de vitrage sud)

kWh

(histogramme : chauffage, climatisation, éclairage, total ; ■ avec un vitrage de contrôle solaire classique ; ☐ avec un vitrage électrochrome)

a. La réaction de formation du « bronze de tungstène » est-elle une oxydation ou une réduction ?
Préciser le nom du réducteur ou de l'oxydant.

b. Reproduire le schéma du document 1 en précisant le sens de branchement du générateur qui permet d'observer la coloration du film d'oxyde de tungstène d'incolore à bleu, ainsi que le sens de migration des porteurs de charges.

c. Commenter les données du document 2, et justifier le fait que de tels vitrages permettent de faire des économies d'énergie.

6 **Objectif BAC** *Rédiger une synthèse de documents*

→ **Dossier BAC, page 546**

Cet exercice s'appuie sur des ressources disponibles sur le site élève : www.nathan.fr/siriuslycee/eleve-termS.

Télécharger le dossier « Ressources pour l'exercice 6 » du chapitre 21, qui porte sur la comparaison de plusieurs modes de transport, dont le transport fluvial. Ce dossier comporte :
– un texte sur le trafic fluvial ;
– un tableau de comparaison de différents modes de transport ;
– une carte présentant le canal Seine-Nord-Europe.

→ **À partir des documents, rédiger une synthèse de 10 ou 15 lignes maximum sur les avantages et les inconvénients du transport fluvial par rapport aux autres modes de transport.**
Le texte rédigé devra être clair et structuré et l'argumentation reposera sur les données numériques issues des documents proposés.

7 Économie d'atomes

Compétences générales *Extraire et exploiter des informations*

L'économie d'atomes E_{at} est une grandeur qui permet de déterminer quelle proportion d'atomes des réactifs est utilisée dans la formation du produit d'intérêt.

Pour une réaction quasi-totale d'équation $aA + bB \rightarrow pP + qQ$, où P est le produit d'intérêt, l'économie d'atomes s'écrit de la façon suivante (M masses molaires) :

$$E_{at} = \frac{p \times M(P)}{a \times M(A) + b \times M(B)}.$$

Analysons la réaction de déshydrohalogénation du 2-bromo-2-méthylpropane par l'éthanolate de sodium à température ambiante, qui conduit au 2-méthylpropène :

$CH_3–CBr(CH_3)–CH_3 + NaOC_2H_5$
$\rightarrow CH_3–(CH_3)C=CH_2 + NaBr + HOC_2H_5$

Le produit d'intérêt est ici le 2-méthylpropène.
La formation du produit d'intérêt peut aussi être réalisée en phase gazeuse en chauffant fortement $CH_3–CBr(CH_3)–CH_3$.

a. Relever dans la classification périodique les masses molaires des différents atomes utilisés lors de ces synthèses.

b. Calculer l'économie d'atomes dans le cas de la première synthèse.

c. Que pensez-vous de cette synthèse du point de vue de l'économie d'atomes ?

d. Calculer l'économie d'atomes dans le cas de la deuxième synthèse. Pourquoi n'est-elle toutefois pas intéressante du point de vue de la chimie durable ?

8 Des solvants innovants

Compétences générales *Extraire et exploiter des informations*

DOC 1. Des alternatives aux solvants organiques

La grande majorité des réactions de synthèse en chimie fine est réalisée dans des solvants organiques. Cependant, [...] la question de l'environnement suscite une profonde inquiétude dans le monde de la recherche industrielle
5 et académique. L'un des aspects prioritaires vers lequel convergent nombre d'approches consiste à remplacer ou même à supprimer les solvants organiques, membres de la famille des COV (composés organiques volatils) responsables de la dégradation de la couche d'ozone, et
10 participant ainsi au réchauffement climatique. Dans le domaine de la synthèse, les solvants organiques sont très souvent indispensables pour la réalisation des réactions, en permettant la mise en contact effectif des molécules réactives, en ajustant la viscosité du système réactionnel,
15 ou en assurant un rôle de « tampon thermique », indispensable dans le cas de réactions exothermiques. Par contre, cette commodité se traduit par des inconvénients désormais inacceptables dans notre société : toxicité, souvent inflammabilité, émission de COV, etc. Si ces
20 solvants ne disparaissent pas complètement, il est vrai que les concepts de chimie verte nous conduisent à repenser systématiquement leur utilisation. Certains ont proposé de développer des réactions sans solvant. D'autres ont envisagé l'utilisation de nouveaux milieux
25 comme les microémulsions, les fluides supercritiques, les phases fluorées et les liquides ioniques. Parmi ces propositions, ces derniers se révèlent particulièrement prometteurs. Plusieurs de leurs caractéristiques répondent aux critères recherchés, comme leur tension de
30 vapeur quasi-nulle qui interdit leur évaporation (et donc toute pollution atmosphérique) et facilite leur recyclage. La plupart d'entre eux semblent peu toxiques et sont ininflammables.

D'après « Réactions de synthèse organique en liquides ioniques », C. Ollivier, M. Malacria, F. Guillen, J.-P. Goddard, J.-C. Plaquevent, Y. Génisson, 10 nov. 2008, www.techniques-ingenieur.fr

Vocabulaire : pour un corps pur, on appelle **tension de vapeur** la pression du gaz constitué de ce corps pur qui surmonte le liquide, à l'équilibre.

Les composés organiques volatils s'envolent...

DOC 2. Deux exemples de solvants ioniques

a. Quel est le rôle du solvant lors des réactions en chimie organique ?
Citer deux solvants organiques que vous avez eu l'occasion de manipuler au collège et au lycée.

b. Pourquoi les réactions faisant intervenir des espèces solides ne peuvent-elles pas s'envisager sans solvant ?

c. Pourquoi le chlorure de sodium Na^+, Cl^- ne peut-il pas être envisagé comme solvant ionique ?

d. Quelle propriété concernant la vaporisation des solvants fait que les chimistes s'orientent vers l'utilisation préférentielle des liquides ioniques par rapport aux solvants traditionnels ?

Exercices

L'acide benzoïque est naturellement présent dans certaines plantes. Il est utilisé comme conservateur alimentaire (sous le symbole E210) et comme précurseur de nombreuses synthèses de substances organiques. La quantité d'acide benzoïque utilisée dans le monde est telle que sa production ne peut pas être envisagée par sa seule extraction de produits naturels. Il doit être synthétisé.

➔ **Comparons l'impact environnemental de deux procédés de synthèse, l'un réalisé dans le laboratoire d'un lycée, et l'autre dans l'industrie.**
À partir des documents suivants, comparer les deux procédés de synthèse afin de déterminer lequel des deux est le plus proche des principes de la chimie verte. La réponse devra être rédigée en 30 lignes maximum, et comprendra une introduction, un développement et une conclusion.

DOC 1. Synthèse au lycée

Au lycée, la synthèse est réalisée par une oxydation de l'alcool benzylique par le permanganate de potassium, en milieu basique. L'ion permanganate est réduit en dioxyde de manganèse, selon l'équation donnée ci-dessous. L'acide benzoïque est ensuite précipité par acidification du milieu réactionnel.

$$3\ C_6H_5CH_2OH + 4\ MnO_4^-$$
$$\rightarrow 3\ C_6H_5CO_2^- + 4\ MnO_2 + 4\ H_2O + HO^-$$
$$C_6H_5CO_2^- + H_3O^+ \rightarrow C_6H_5CO_2H + H_2O$$

Le protocole de cette synthèse est décrit ci-dessous.

■ Dans un ballon tricol muni d'un réfrigérant à eau, d'une ampoule de coulée et d'un système d'agitation, introduire 2,6 mL d'alcool benzylique et 25 mL d'une solution d'hydroxyde de sodium à 10 % en masse.

■ Porter le mélange à ébullition, puis, tout en continuant à chauffer, verser 100 mL d'une solution de permanganate de potassium à 0,30 mol·L⁻¹.

■ Chauffer à reflux pendant 15 min.

■ Refroidir jusqu'à température ambiante, puis filtrer pour éliminer le dioxyde de manganèse formé.

■ Ajouter au filtrat une solution d'acide chlorhydrique à 35 % jusqu'à obtenir un pH voisin de 1 (10 mL environ).

■ Refroidir en dessous de 10 °C dans un bain de glace, puis essorer sous pression réduite et rincer à l'eau glacée.

■ Sécher le produit brut à l'étuve à 80 °C, jusqu'à masse constante.

Précipitation de l'acide benzoïque en milieu acide.

DOC 2. Synthèse industrielle

L'acide benzoïque est produit industriellement par oxydation partielle du toluène en phase liquide par le dioxygène gazeux en présence d'un catalyseur : le pentoxyde de vanadium V_2O_5. L'équation de la réaction est :

$$C_6H_5CH_3 + \frac{3}{2}\ O_2 \rightarrow C_6H_5CO_2H + H_2O.$$

Le protocole de cette synthèse est décrit ci-dessous.

■ Le toluène est introduit, en présence du catalyseur (0,3 % de sa masse) et d'air, dans le réacteur à 150 °C et sous une pression de 2,5 bar.

■ La phase gazeuse, composée de toluène, de vapeur d'eau et d'azote, est condensée et recueillie dans un décanteur.

■ La phase surnageante est recyclée, tandis que la phase inférieure (eau+impuretés) est éliminée.

■ Le gaz inerte passe dans un adsorbeur-désorbeur contenant du charbon actif de façon à récupérer le toluène qui retournera à l'alimentation du réacteur.

■ Le reste de la solution toluénique contenant l'acide benzoïque qui s'écoule à la base du réacteur est rectifié dans une colonne qui sépare le toluène en tête, un résidu en pied et la totalité de l'acide benzoïque à l'état fondu en milieu de colonne.

DOC 3. Quelques-uns des douze principes de la chimie verte

1. La prévention de la pollution à la source en évitant la production de résidus.

2. L'économie d'atomes et d'étapes qui permet de réaliser, à moindre coût, l'incorporation de fonctionnalités dans les produits recherchés tout en limitant les problèmes de séparation et de purification.

3. La conception de synthèses moins dangereuses grâce à l'utilisation de conditions douces et la préparation de produits peu ou pas toxiques pour l'Homme et l'environnement.

5. La recherche d'alternatives aux solvants polluants et aux auxiliaires de synthèse.

6. La limitation des dépenses énergétiques avec la mise au point de nouveaux matériaux pour le stockage de l'énergie et la recherche de nouvelles sources d'énergie à faible teneur en carbone.

9. L'utilisation des procédés catalytiques de préférence aux procédés stœchiométriques avec la recherche de nouveaux réactifs plus efficaces et minimisant les risques en terme de manipulation et de toxicité. La modélisation des mécanismes par les méthodes de la chimie théorique doit permettre d'identifier les systèmes les plus efficaces à mettre en œuvre (incluant de nouveaux catalyseurs chimiques, enzymatiques et/ou microbiologiques).

D'après documents Éduscol.

10 ★ Valorisation du dioxyde de carbone

Compétences générales *Extraire et exploiter des informations*

Depuis les années 1990, de nombreuses voies alternatives au pétrole ont été envisagées pour la synthèse de combustibles, de produits chimiques organiques, comme des polymères. L'utilisation du dioxyde de carbone comme matière première est l'une de ces voies.

La conversion du dioxyde de carbone en espèces chimiques organiques met en jeu des réactions fortement endothermiques, et qui nécessitent donc l'intervention de molécules hautement réactives (comme les époxydes) ou de catalyseurs.

La production de polycarbonates à partir d'époxydes est une voie de synthèse qui serait compétitive par rapport à la synthèse à base de pétrole. L'entreprise Novomer utilise un catalyseur breveté pour la copolymérisation catalytique du CO_2 avec des époxydes, selon la réaction d'équation :

$$n\left(\underset{\text{époxyde}}{\triangle\hspace{-0.4em}O} + CO_2\right) \longrightarrow \left(\underset{\text{polymère}}{O\text{—}O\text{—}O\text{—}C(=O)}\right)_n$$

La voie de synthèse classique des polycarbonates fait intervenir la réaction du phénol C_6H_5–OH avec du phosgène $COCl_2$. Le produit obtenu est le Carbonate de DiPhényle (DPC) qui, en réaction avec le bisphénol A (BPA), conduit au polycarbonate.

a. Le groupe caractéristique des carbonates est représenté ci-contre.

Expliquer pourquoi le motif de répétition présenté est celui d'un polycarbonate.

b. Faire une recherche pour déterminer la dangerosité du phosgène.

c. Selon vous, en considérant que le dioxyde de carbone est un produit issu de la combustion des molécules carbonées, pourquoi cette molécule ne peut-elle réagir qu'avec des « molécules hautement réactives » ?

d. Expliquer en quoi l'utilisation du dioxyde de carbone est une voie d'avenir pour la synthèse des polycarbonates.

11 ★★ Des agroressources pour remplacer le pétrole

Compétences générales *Extraire et exploiter des informations*

L'huile de ricin est extraite d'un arbrisseau originaire du nord-est de l'Afrique et du Moyen-Orient.

C'est une plante perpétuelle ou annuelle selon les variétés, et résistante aux fortes sécheresses. Les graines sont riches en huile et en protéines, mais contiennent une toxalbumine très dangereuse.

Les Anciens utilisaient cette huile comme baume pour les plaies cutanées, et elle est utilisée aujourd'hui en chirurgie ophtalmologique. Elle sert également dans la fabrication de certains cuirs artificiels d'ameublement, de colorants, de produits d'imperméabilisation, de vernis, d'adhésifs, et comme lubrifiant industriel ou automobile.

Par distillation sous pression réduite de l'huile de ricin, on obtient l'œnanthal et l'acide undécylénique qui, transformé en acide 11-aminoundécanoïque, conduit à un polyamide, le rilsan.

acide undécylénique

acide 11-aminoundécanoïque

formule topologique du motif de répétition du rilsan

a. Pourquoi l'huile de ricin est-elle une agroressource intéressante comparée au maïs par exemple ?

b. Citer les secteurs d'utilisation de l'huile de ricin.

c. Rechercher les propriétés physiques qui font de l'huile de ricin un bon lubrifiant pour moteur.

d. À partir de deux molécules d'acide 11-aminoundécanoïque, écrire l'équation de la réaction de formation d'un dimère précurseur du rilsan. Quelle petite molécule est formée lors de cette transformation ?

12 Recyclage

Compétences générales *Extraire et exploiter des informations*

Les réactions de réduction des espèces organiques nécessitent souvent d'utiliser des réducteurs utilisant des sels de métaux dangereux, comme par exemple le tétrahydroaluminate de lithium LiAlH4 ou encore du dihydrogène, et une catalyse par des métaux très chers, comme le palladium.

Récemment, des équipes de chercheurs se sont penchées sur de nouveaux réducteurs permettant de satisfaire à quelques impératifs de la chimie durable. Les espèces chimiques présentant une liaison silicium-hydrogène Si–H semblent être prometteuses.

L'utilisation de tétraméthyldisiloxane (TMDS) présente plusieurs avantages par rapport aux huiles de silicones hydrogénées. Il s'agit d'un sous-produit de l'industrie du silicone, et le sous-produit obtenu en fin de réaction, qui est un silicone linéaire, peut être valorisé, notamment pour le traitement hydrofuge de matériaux. [Le TMDS] est facile à travailler avec des quantités de Si–H proches de la stœchiométrie.

industries du silicone

\ / \ /
Si   Si   + R ⬭ groupe caractéristique à réduire
H O H
TMDS

R ▭ + \ / \ /
Si   Si
O   O $_n$

polymère linéaire recyclable, traitemement hydrofuge des matériaux

[…]Le TMDS associé à des métaux faiblement ou non toxiques permet la réduction […] d'amides en aldéhydes.

TMDS
catalyseur à base de titane

D'après M. Lemaire et al. ; *L'Actualité chimique*, numéros 353-354, 2011, pages 22 et 23.

a. Expliquer en quoi l'utilisation du TMDS permet de faire du recyclage dans l'industrie chimique.

b. Pourquoi son utilisation permet-elle aussi de limiter les déchets ?

c. La réaction de réduction de l'amide présentée forme comme sous-produit la diméthylamine $(CH_3)_2NH$.
Quelle quantité de TMDS faut-il introduire par mole d'amide pour réaliser la réaction ? Justifier à l'aide des données du texte.

13 ★★ **Valorisation du CO_2 par hydrogénation**

Compétences générales *Extraire et exploiter des informations*

L'hydrogénation du dioxyde de carbone CO_2 est la voie la plus utilisée pour la valorisation du CO_2 par réaction chimique. Le diagramme ci-dessous présente quelques voies de synthèse.

CH_4 CH_3OH
$+ H^+ + e^-$ H_2
H_2
$HCO_2H \leftarrow^{H_2} CO_2 \xrightarrow{H_2} CO + H_2O \xrightarrow{H_2}$ alcanes
H_2
$CH_4 + H_2O$

a. L'hydrogénation du CO_2 par voie directe peut conduire au méthane, à l'acide méthanoïque ou encore au méthanol.
Quelle information, non mentionnée dans le diagramme, permet de savoir quelle espèce sera formée dans chaque cas ?

b. Faire une recherche pour déterminer les grands domaines d'utilisation du méthanol dans l'industrie.

c. La méthode de Sabatier permet la conversion de dioxyde de carbone en méthane grâce au dihydrogène.
Ajuster l'équation de la réaction. Quel inconvénient présente cette synthèse du point de vue du dihydrogène ?

d. Le méthane est aussi synthétisé par la voie électrochimique $(H^+ + e^-)$.
Sous quelle forme l'énergie nécessaire à cette transformation est-elle fournie ?

e. Quel est l'intérêt de réaliser l'hydrogénation partielle du dioxyde de carbone en monoxyde de carbone ?

14 **Objectif BAC** *Rédiger une synthèse de documents* ➡ **Dossier BAC, page 546**

Cet exercice s'appuie sur des ressources disponibles sur le site élève : www.nathan.fr/siriuslycee/eleve-termS.

Télécharger le dossier «Ressources pour l'exercice 14» du chapitre 21, qui porte sur des méthodes qui respectent les critères de la chimie durable.
Ce dossier contient :
– les douze principes de la chimie verte ;
– un extrait d'article présentant la synthèse d'éthers de glycérol ;
– un extrait d'article sur la réaction de Tischenko ;
– un extrait d'article sur la catalyse hétérogène pour dépolluer l'air et l'eau.

➔ **À partir de ces documents, rédiger une synthèse d'environ 30 lignes permettant de mettre en évidence les différents outils que les chimistes utilisent pour satisfaire aux critères de la chimie durable.**

Les molécules tensioactives emprisonnent un film d'eau pour créer la surface des bulles.

Contrôle de la qualité: dosages par étalonnage

La composition chimique du lait de vache varie notamment avec l'alimentation apportée aux animaux. Pour contrôler la qualité du lait, les chimistes dosent certaines espèces qu'il contient. Pour cela, ils mesurent la conductivité du lait, qu'ils comparent à celle d'une gamme étalon, réalisant ainsi un dosage par étalonnage.

COMPÉTENCES EXIGIBLES

▸ Déterminer la concentration d'une espèce chimique à l'aide de courbe d'étalonnage en utilisant la spectrophotométrie dans le domaine de la santé, de l'environnement ou du contrôle de la qualité.
→ *Activité expérimentale 3 et exercice d'application 7*

▸ Déterminer la concentration d'une espèce chimique à l'aide de courbe d'étalonnage en utilisant la conductimétrie dans le domaine de la santé, de l'environnement ou du contrôle de la qualité.
→ *Activité expérimentale 4 et exercice d'application 8*

▸ Faire l'analogie entre deux lois : $A_\lambda = \sum \varepsilon_{\lambda, i} \ell [X_i]$ et $\sigma = \sum \lambda_i [X_i]$. → *Exercice d'application 9*

Compétences générales mises en œuvre

• *Extraire et exploiter des informations* • *Communiquer et argumenter*

1

Contrôle de qualité du lait

▶ Produit fragile, le lait peut facilement être contaminé par des micro-organismes, ce qui modifie sa composition chimique. Quels critères scientifiques permettent de contrôler la qualité de ce produit et d'assurer aux utilisateurs qu'ils consomment un produit sain ?

D'après l'Afnor (Association française de normalisation), la qualité d'un produit correspond à son aptitude à satisfaire les besoins des utilisateurs. La qualité se mesure par la conformité d'un produit à
5 des normes quantitatives définies par cet organisme. Ces normes sont particulièrement strictes dans le domaine de l'alimentation. En effet, un aliment doit respecter quatre critères de qualité : qualité hygiénique, qualité nutritionnelle, qualité organoleptique
10 et qualité d'usage (aliment se conservant longtemps et facile à stocker).

Afin de répondre aux exigences nationales ou européennes, les industries agroalimentaires sont amenées à effectuer de nombreux contrôles de qualité.

1 *Importance du contrôle de qualité dans le secteur agroalimentaire.*

Critère analysé	Norme	Résultat d'analyse
germes totaux	entre 50 000 /mL et 100 000 /mL	125 000 /mL
cellules somatiques	entre 250 000 /mL et 400 000 /mL	251 000 /mL
pH à 20 °C	entre 6,4 et 6,8	6,6
densité du lait entier à 20 °C	entre 1,028 et 1,033	1,031
température d'ébullition (en °C)	entre 100,15 et 100,17	100,15
température de fusion (en °C)	entre −0,56 et −0,52	−0,53

2 *Quelques résultats d'analyses effectuées sur un lait de vache.*

3 *Prélèvement d'un échantillon de lait pour un dosage.*

Le lait contient naturellement de nombreux ions. Lorsque les vaches souffrent de mammite (inflammation des mamelles), le lait est impropre à la consommation. Celui-ci contient alors une quantité trop importante
5 d'ions sodium Na^+ et chlorure Cl^-. Une simple mesure de la conductivité du lait permet de déterminer si le lait est « mammiteux » : une conductivité trop élevée traduira en effet une concentration trop importante en ions dans le lait.
10 Cette mesure, rapide et fiable, est effectuée dès la traite du lait.

4 *Une pathologie fréquente : la mammite.*

❶ Faire une recherche

a. Rechercher la signification des termes suivants : germe, cellule somatique, organoleptique.

b. A quels moments la qualité du lait est-elle contrôlée ?

❷ Analyser les documents

a. Pourquoi fait-on appel à des techniciens pour contrôler la qualité du lait ?

b. Les critères de qualité sont-ils uniquement des critères « chimiques » ? Les classer en différentes catégories.

c. Le lait analysé dans le document 2 est-il conforme aux normes, et donc consommable ?

❸ Rédiger une synthèse de documents

Rédiger une courte synthèse expliquant le rôle du scientifique dans le contrôle de la qualité du lait.

Activités

2

Mesures de conductivité

▶ La conductivité σ d'une solution représente la capacité de cette solution à conduire le courant électrique. Quels paramètres peuvent influencer la conductivité d'une solution ?

5 *Zoom sur une cellule de conductimétrie.*

SOLUTIONS ■ S : acide chlorhydrique ($H_3O^+(aq)$, $Cl^-(aq)$).

■ S' : solution de chlorure de sodium ($Na^+(aq)$, $Cl^-(aq)$).

■ Ces solutions ont la même concentration molaire en soluté apporté : $c = 1,0 \ mmol \cdot L^{-1}$.

Expérience 1

■ Étalonner le conductimètre (→ **fiche pratique 11**).

■ Mesurer la conductivité σ de chaque solution. Reproduire et compléter le tableau suivant.

Solution	S	S'
σ (mS·m^{-1})		

① Observer

a. Comparer les valeurs de conductivité des deux solutions étudiées.

b. Outre les valeurs de conductivité mesurées, qu'est-ce qui différencie les solutions S et S' ?

② Interpréter

La nature des ions influence-t-elle la conductivité d'une solution ? Justifier.

VERRERIE DISPONIBLE ■ Deux fioles jaugées de 50,0 mL.

■ Deux fioles jaugées de 100 mL.

■ Des pipettes jaugées de 25,0 mL, 20,0 mL et 10,0 mL.

Expérience 2

■ Préparer quatre solutions de chlorure de sodium à partir de la solution mère S'. Les concentrations molaires des solutions filles S_1, S_2, S_3 et S_4 sont indiquées dans le tableau suivant.

Solution	S'	S_1	S_2	S_3	S_4
Concentration c (en 10^{-4} mol·L^{-1})	10,0	5,0	4,0	2,0	1,0
Volume de la fiole jaugée utilisée (mL)	–	50,0	50,0	100	100
Volume V de l'échantillon à prélever (mL)	–				
Conductivité σ (mS·m^{-1})					

■ Mesurer la conductivité σ des cinq solutions.

■ Reproduire et compléter le tableau ci-dessus.

Vocabulaire

La lettre grecque σ se prononce « sigma ».

③ Interpréter et conclure

a. À l'aide d'un tableur-grapheur, placer les points d'abscisse c et d'ordonnée σ.

b. En utilisant l'outil « courbe de tendance », choisir le modèle linéaire et faire passer la droite par l'origine du repère.

c. Donner l'équation de la courbe de tendance calculée par le logiciel.

d. Quel lien y a-t-il entre la conductivité et la concentration d'une solution ionique ?

Activités

3

Dosage du fer dans un médicament

▶ La notice du TimoFerol® indique qu'une gélule contient 50 mg de fer.
Vérifions-le par un dosage.

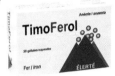

SOLUTIONS ■ Solutions de sulfate d'hydroxylammonium, d'éthanoate de sodium et d'orthophénantroline.

■ Solution S de sel de Mohr à 0,35 g·L⁻¹ en ions Fe^{2+}.

■ Solution S_0 obtenue par dissolution du contenu d'une gélule de TimoFerol® dans 2,00 L d'eau.

Expérience

A **Préparation de la gamme d'étalonnage**

■ Numéroter six tubes à essais de 1 à 6.

■ À l'aide de pipettes graduées, introduire dans chaque tube à essais :
– 5 mL de la solution de sulfate d'hydroxylammonium ;
– 5 mL de la solution d'éthanoate de sodium ;
– 0,5 mL de la solution d'orthophénantroline.

■ En utilisant les volumes donnés dans le tableau ci-dessous, introduire dans chaque tube à essais n° i :
– un échantillon de volume V_S de la solution de sel de Mohr ;
– un échantillon de volume V_{eau} d'eau distillée.

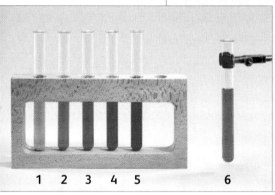

Tube à essais	1	2	3	4	5
V_S (mL)	0,5	1,0	1,5	2,0	2,5
V_{eau} (mL)	2,0	1,5	1,0	0,5	0

■ Mesurer l'absorbance $A_{510, i}$ des solutions contenues dans les tubes à essais n° 1 à 5, à la longueur d'onde $\lambda = 510$ nm.

B **Mesure de l'absorbance de la solution S_0**

■ Dans le tube à essais n° 6, introduire un échantillon de 2,5 mL de la solution S_0.

■ Mesurer l'absorbance $A_{510, 6}$ de la solution du tube à essais n° 6 à la longueur d'onde $\lambda = 510$ nm.

6 *Échelle de teinte obtenue avec l'ion triorthophénantroline fer (II) et solution à doser.*

❶ Comprendre le protocole

Les solutions étalons sont préparées avec un excès d'orthophénantroline. Pourquoi ?

❷ Exploiter les résultats

a. Calculer les concentrations massiques c_m (en mg·L⁻¹) en ions Fe^{2+} dans chaque tube à essais.

b. À l'aide d'un tableur-grapheur, placer les points d'abscisse $c_{m, i}$ et d'ordonnée $A_{510, i}$.

c. En utilisant l'outil « courbe de tendance », choisir le modèle linéaire et faire passer la droite par l'origine du repère.

d. En utilisant la courbe d'étalonnage obtenue, déterminer la concentration massique $c_{m, 6}$ en ions fer (II) dans la solution du tube à essais n° 6.

❸ Conclure

a. Calculer la concentration massique en ions Fe^{2+} dans la solution S_0.

b. En déduire la masse de fer présente dans une gélule de TimoFerol®.

c. Conclure sur la qualité de la boîte commercialisée.

Coup de pouce

Les ions Fe^{2+} réagissent avec l'orthophénantroline selon une réaction quasitotale pour former une espèce de couleur orange.

ACTIVITÉ EXPÉRIMENTALE   **Compétences expérimentales** mises en œuvre
• *S'approprier* • *Analyser* • *Réaliser* • *Valider*

Activités

4

Quelle utilisation pour ce bidon ?

▶ La lessive Saint-Marc Cristaux de soude® est utilisée pour le nettoyage de diverses surfaces, pour la lessive, pour adoucir l'eau, etc. Ce produit est constitué de carbonate de sodium hydraté, de formule chimique : $Na_2CO_3, 10\ H_2O$.

Démarche d'investigation

Dans une cantine, on trouve un bidon contenant un liquide sur lequel on peut lire : « Saint-Marc ».

Sur un paquet de lessive Saint-Marc®, on lit les indications ci-dessous.

Concentrations

Vaisselle : 50 à 100 g / litre d'eau chaude

Lessivage des murs : 50 à 100 g / litre d'eau chaude

Débouchage des tuyaux : 500 g / seau d'eau bouillante

Surface grasse : 100 g / bassine d'eau chaude

→ *Ce bidon a-t-il été préparé pour faire la vaisselle ?*

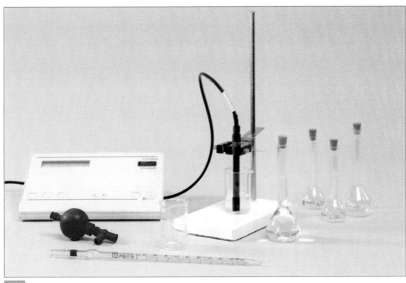

7 *Matériel disponible.*

Solutions et matériel disponibles :

– la solution Saint-Marc® du bidon diluée cent fois ;

– une solution S_0 de carbonate de sodium hydraté de concentration molaire $c_0 = 5,0\ mmol \cdot L^{-1}$;

– une pipette graduée de 10,0 mL ;

– des fioles jaugées de 50,0 mL et 100 mL ;

– un conductimètre ;

– une cellule conductimétrique.

Vocabulaire

La soude est l'autre nom de l'hydroxyde de sodium NaOH (s).

Les « cristaux de soude » de cette lessive sont en fait des cristaux de carbonate de sodium.

1 Formuler des hypothèses

Compte-tenu du matériel disponible, proposer une démarche pour déterminer l'utilisation du bidon contenant la solution de Saint-Marc®.

2 Débattre

Quelles démarches peuvent permettre d'évaluer la concentration de la solution contenue dans le bidon ?

3 Expérimenter pour conclure

a. Mettre en œuvre les manipulations proposées.

b. Pour quelle utilisation le bidon a-t-il été préparé ?

Pour vérifier ses acquis
→ FICHE A page 424

1 Conductimétrie

1.1 Conductivité d'une solution

Une solution ionique, également appelée **solution électrolytique**, est une solution qui conduit le courant électrique. Le passage du courant électrique dans une solution est dû au déplacement des ions dans deux sens opposés **(figure 8)**. Les cations se déplacent dans le sens conventionnel du courant électrique, et les anions dans le sens inverse (le sens de déplacement des électrons).

> La **conductivité** σ d'une solution est une grandeur qui représente la capacité de cette solution à conduire le courant électrique. Elle s'exprime en **siemens par mètre** ($S \cdot m^{-1}$).

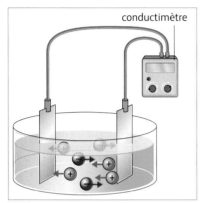

8 Le passage du courant dans une solution est dû au déplacement des ions dans deux sens opposés.

Plus la conductivité d'une solution ionique est grande, plus cette solution conduit facilement le courant électrique.

La conductivité σ est mesurée à l'aide d'un conductimètre relié à une **cellule de conductimétrie** **(document 9)**.

Remarque. Un conductimètre doit, comme un pH-mètre, être étalonné avant d'effectuer des mesures **(→ fiche pratique 11)**.

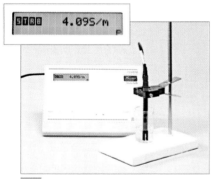

9 Mesure de la conductivité d'une solution ionique à l'aide d'un conductimètre.

1.2 Relation entre la conductivité et la concentration

La conductivité σ d'une solution dépend de la nature et des concentrations $[X_i]$ des n ions X_i présents dans cette solution.

$$\sigma = \sum_{i=1}^{n} \lambda_i [X_i]$$

λ_i en siemens mètre carré par mole ($S \cdot m^2 \cdot mol^{-1}$)
$[X_i]$ en mole par mètre cube ($mol \cdot m^{-3}$)
σ en siemens par mètre ($S \cdot m^{-1}$)

La grandeur λ_i, appelée **conductivité ionique molaire**, dépend de l'ion X_i ainsi que de la température de la solution.

Attention. Cette relation n'est valable que pour des solutions suffisamment diluées, c'est-à-dire pour lesquelles la concentration totale en ions est inférieure à environ 10 mmol·L^{-1}.

Remarque. La relation $\sigma = \sum_{i=1}^{n} \lambda_i [X_i]$ est parfois appelée **loi de Kohlrausch**.

Les conductivités ioniques molaires des ions oxonium $H_3O^+(aq)$ et hydroxyde $HO^-(aq)$ sont supérieures à celles des autres ions **(tableau 11 page 451)**. Ces ions conduisent donc mieux le courant électrique que les autres. En effet, dans le cas des ions hydroxyde et oxonium, en plus du déplacement des ions, il y a un transfert de charges électriques entre les molécules d'eau **(figure 10)**.

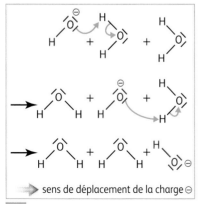

sens de déplacement de la charge ⊖

10 Transfert des ions hydroxyde HO^- dans l'eau.

APPLICATION On considère une solution de chlorure de sodium (Na^+(aq), Cl^-(aq)) de concentration $c = 10,0$ mmol·L^{-1}.
À l'aide du **tableau 11**, calculer la conductivité σ de cette solution.

Réponse. La solution de chlorure de sodium est obtenue par dissolution dans l'eau de chlorure de sodium solide, selon la réaction d'équation :
$$NaCl(s) \rightarrow Na^+(aq) + Cl^-(aq).$$
Il y a ainsi autant d'ions chlorure que d'ions sodium dans la solution.
D'où : $$[Na^+] = [Cl^-] = c.$$
La conductivité σ de la solution est donnée par la relation :
$$\sigma = \lambda_{Na^+}[Na^+] + \lambda_{Cl^-}[Cl^-] = (\lambda_{Na^+} + \lambda_{Cl^-})\,c.$$
La concentration c doit être exprimée en mol·m^{-3} :
$$c = 10,0 \text{ mmol·L}^{-1} = 10,0 \text{ mol·m}^{-3}.$$
A. N. : $\sigma = (5,01 \times 10^{-3} + 7,63 \times 10^{-3}) \times 10,0 = 126$ mS·m^{-1}.

Ions	λ ($S·m^2·mol^{-1}$)
H_3O^+	$35,0 \times 10^{-3}$
HO^-	$19,9 \times 10^{-3}$
Na^+	$5,01 \times 10^{-3}$
Cl^-	$7,63 \times 10^{-3}$
K^+	$7,35 \times 10^{-3}$
NO_3^-	$7,14 \times 10^{-3}$

11 *Conductivité ionique molaire de quelques ions.*

Les unités

• En conductimétrie, les concentrations sont exprimées en mol·m^{-3}.
$$1 \text{ mol·L}^{-1} = 10^3 \text{ mol·m}^{-3}$$
• On remarque que :
$$1 \text{ mmol·L}^{-1} = 1 \text{ mol·m}^{-3}.$$

1.3 Analogie avec la loi de Beer-Lambert

En conductimétrie et en spectrophotométrie, il existe des lois simples et similaires qui permettent de relier une grandeur physique (la conductivité σ ou l'absorbance A_λ) à une grandeur chimique : la concentration molaire des espèces présentes en solution. Le tableau ci-dessous met en parallèle les lois utilisées en conductimétrie et en spectrophotométrie.

Technique utilisée	conductimétrie	spectrophotométrie
Phénomène physique mis en jeu	conduction du courant électrique	absorption de la lumière
Relation	$\sigma = \sum\limits_{i=1}^{n} \lambda_i\,[X_i]$	$A_\lambda = \sum\limits_{i=1}^{n} (\varepsilon_{\lambda,i}\,\ell)\,[X_i]$
Grandeur physique mesurée	σ	A_λ
Grandeur molaire associée	λ_i	$\varepsilon_{\lambda,i}\,\ell$

ε en L·mol^{-1}·cm^{-1}
ℓ en cm
$[X_i]$ en mol·L^{-1}
A_λ sans unité

2 Dosages par étalonnage

Les produits de notre quotidien (aliment, eau, médicament, etc.) sont issus de procédés de fabrication pouvant comporter de nombreuses étapes. Les quantités des espèces chimiques qu'ils contiennent peuvent évoluer en fonction des matières premières. Il est donc nécessaire, pour notre sécurité, d'effectuer des **contrôles de qualité** réguliers en déterminant les concentrations de certaines espèces chimiques dissoutes.

2.1 Définitions

• **Doser** une espèce chimique dans une solution consiste à déterminer la concentration molaire c_0 inconnue de l'espèce en solution.
• Le **dosage par étalonnage** consiste à comparer une propriété physique d'un échantillon à la même propriété physique pour une gamme d'étalons.

12 *Prélèvement d'un échantillon de crème antiride pour le contrôle de qualité.*

La gamme d'étalons est constituée de plusieurs solutions de concentrations c_i connues de l'espèce à doser. Les solutions sont appelées des **solutions étalons**.

Remarque. On utilise plusieurs solutions étalons pour limiter l'incertitude due aux différentes sources d'erreur lors de l'expérience.

2.2 Courbe d'étalonnage

Les concentrations $[X_i]$ des espèces présentes en solution s'expriment en fonction de la concentration c en soluté apporté. L'analyse de l'équation de la réaction de dissolution permet alors de montrer que la grandeur σ ou A_λ est proportionnelle à c (exercice d'application du **§1.2**).

Lors d'un dosage par étalonnage, la technique utilisée et la grandeur physique mesurée dépendent de l'espèce chimique que l'on cherche à doser.

13 *Gamme d'étalons de solutions d'ions triiodure I_3^- en solution aqueuse.*

Technique utilisée	la conductimétrie si l'espèce chimique à doser conduit le courant électrique	la spectrophotométrie si l'espèce chimique à doser absorbe la lumière
Grandeur physique mesurée	la conductivité σ	l'absorbance A_λ
Points à tracer	$(c_i ; \sigma_i)$	$(c_i ; A_{\lambda, i})$

- Les points $(c_i ; \sigma_i)$ ou $(c_i ; A_{\lambda, i})$ peuvent être modélisés par une courbe appelée **courbe d'étalonnage**.
- Dans le cadre des solutions diluées, pour un dosage par spectrophotométrie ou par conductimétrie, la courbe d'étalonnage est une **droite** passant par l'origine du repère.

La droite d'étalonnage peut être tracée à l'aide d'un tableur-grapheur, en utilisant l'option « courbe de tendance », qui permet de tracer la droite passant « au plus près » des points et par l'origine du repère. L'outil informatique permet par ailleurs de calculer l'équation de la droite d'étalonnage et de donner un critère de qualité de l'étalonnage, grâce au coefficient de détermination (→ **exercice 14 page 457**).

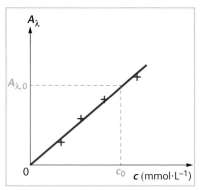

14 *Détermination de la concentration c_0 sur la droite d'étalonnage.*

2.3 Détermination de la concentration

Pour déterminer la concentration inconnue c_0, on mesure l'absorbance $A_{\lambda, 0}$ ou la conductivité σ_0 de la solution à doser, puis on utilise la courbe d'étalonnage pour trouver c_0 (**figure 14**).

La détermination de c_0 peut se faire directement par lecture graphique ou par calcul, en utilisant l'équation de la droite d'étalonnage.

Exemple. La droite d'étalonnage du **document 15** a été obtenue à partir de mesures de conductivité effectuées sur des solutions de nitrate de potassium. L'outil informatique donne l'équation de cette droite : $\sigma = k\,c$, avec $k = 14{,}49$ mS·m^2·mol^{-1}. La conductivité σ_0 d'une solution de nitrate de potassium de concentration inconnue c_0 est : $\sigma_0 = 50{,}7$ mS·m^{-1}.

La concentration c_0 est donc égale à : $c_0 = \dfrac{50{,}7}{14{,}49} = 3{,}50$ mol·m^{-3}.

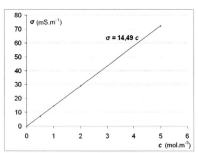

15 *Tracé de la droite d'étalonnage à l'aide d'un tableau-grapheur.*

L'ESSENTIEL

→ Conductivité et concentration molaire

• La conductivité σ d'une solution est une grandeur qui représente la capacité de cette solution à conduire le courant électrique. Elle s'exprime en siemens par mètre ($S \cdot m^{-1}$).

• La conductivité σ d'une solution et les concentrations $[X_i]$ des n ions $[X_i]$ présents dans cette solution sont liées par la relation :

$$\sigma = \sum_{i=1}^{n} \lambda_i [X_i]$$

λ_i en $S \cdot m^2 \cdot mol^{-1}$
$[X_i]$ en $mol \cdot m^{-3}$
σ en siemens par mètre ($S \cdot m^{-1}$)

• λ_i est la conductivité ionique molaire d'un ion. Elle dépend de la nature de l'ion et de la température de la solution.

• Cette loi est parfois appelée **loi de Kohlrausch.**

→ Analogie entre deux lois

Technique utilisée	Relation	Grandeur physique mesurée
conductimétrie	$\sigma = \sum_{i=1}^{n} \lambda_i [X_i]$	σ
spectrophotométrie	$A_\lambda = \sum_{i=1}^{n} (\varepsilon_{\lambda, i}\, \ell)\, [X_i]$ ε en $mol^{-1} \cdot L \cdot cm^{-1}$ ℓ en cm $[X_i]$ en $mol \cdot L^{-1}$ A_λ sans unité	A_λ

• La relation de proportionnalité entre les n concentrations $[X_i]$ et la concentration apportée c permet de montrer que la grandeur σ ou A_λ est proportionnelle à c.

→ Dosage par étalonnage

• Comment déterminer la concentration inconnue c_0 d'une solution ?

la conductimétrie, si l'espèce à doser conduit le courant électrique	Choix d'une technique	la spectrophotométrie, si l'espèce à doser absorbe la lumière

Préparation des solutions étalons de concentrations connues

mesure de la conductivité σ	Mesure d'une grandeur physique pour chaque solution étalon	mesure de l'absorbance A_λ

mesure de la conductivité σ_0	Mesure d'une grandeur physique pour la solution à doser	mesure de l'absorbance $A_{\lambda, 0}$

Tracé de la droite d'étalonnage et détermination de la concentration inconnue c_0

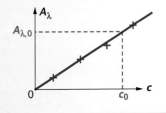

Exercices Application

MANUEL NUMÉRIQUE ▶ **EXERCICES INTERACTIFS**

1 Mots manquants

Compléter avec un ou plusieurs mots.

a. En immergeant une cellule conductimétrique dans une solution ionique, on mesure la .... de la solution, en siemens par mètre.

b. La conductivité d'une solution représente sa capacité à ....

c. Une solution est d'autant plus conductrice que sa conductivité est ....

d. La courbe représentant la conductivité σ d'une solution ionique en fonction de sa concentration molaire c est appelée droite ....

e. En spectrophotométrie, la relation utilisée pour déterminer la concentration molaire c à partir d'une mesure d'absorbance est la loi de ....

2 QCM

Cocher la réponse exacte.

a. Dans une solution ionique, le passage du courant électrique est dû à un déplacement des :
- ☐ molécules d'eau
- ☐ ions
- ☐ électrons

b. La conductivité d'une solution est une grandeur représentant la capacité d'une solution à :
- ☐ s'opposer au courant électrique
- ☐ conduire le courant électrique
- ☐ produire du courant électrique

c. L'unité de la conductivité est :
- ☐ $S \cdot m$
- ☐ $S \cdot mol^{-1}$
- ☐ $S \cdot m^{-1}$

d. Pour calculer la conductivité d'une solution à partir des conductivités molaires exprimées en $S \cdot m^2 \cdot mol^{-1}$, la concentration c en soluté apporté doit être exprimée en :
- ☐ $mol \cdot m^{-3}$
- ☐ $mol \cdot L^{-1}$
- ☐ $g \cdot L^{-1}$

e. Le tracé de la droite d'étalonnage, en conductimétrie, s'obtient en mesurant la conductivité :
- ☐ d'une même solution ionique à des concentrations différentes
- ☐ de différentes solutions ioniques ayant la même concentration en soluté apporté
- ☐ d'une même solution ionique à des températures différentes

f. La concentration d'un échantillon d'acide chlorhydrique est $c = 2,6 \times 10^{-3}$ mol·L⁻¹. La somme des conductivités ioniques molaires des ions chlorure et oxonium vaut $4,3 \times 10^{-2}$ S·m²·mol⁻¹. La conductivité σ de cette solution en S·m⁻¹ est égale à :
- ☐ $1,1 \times 10^{-4}$
- ☐ $1,1 \times 10^{-1}$
- ☐ $6,0 \times 10^{-2}$

→ **Solutions détaillées en fin de manuel pour vérifier vos réponses et comprendre vos erreurs.**

Parcours en autonomie

Trois parcours d'exercices pour travailler en autonomie selon ses besoins.)

Maîtriser les bases — 4 – 7 – 8

Préparer l'évaluation — 13 – 17 – 18 – 22

Approfondir — 27 – 28 – 29

COMPÉTENCES EXIGIBLES

3 Calculer la conductivité d'une solution

On considère une solution aqueuse de nitrate d'argent $(Ag^+(aq), NO_3^-(aq))$ de concentration molaire en soluté apporté :
$$c = 2,0 \text{ mmol} \cdot L^{-1}.$$
Calculer la conductivité σ de cette solution.

Conductivités ioniques molaires
$\lambda_{Ag^+} = 6,19 \times 10^{-3}$ S·m²·mol⁻¹ ; $\lambda_{NO_3^-} = 7,14 \times 10^{-3}$ S·m²·mol⁻¹.

4 Calculer la conductivité d'une solution

Une solution est obtenue par dissolution dans un litre d'eau de 2,4 mmol de sulfate de sodium selon la réaction d'équation :
$$Na_2SO_4(s) \rightarrow 2\,Na^+(aq) + SO_4^{2-}(aq).$$
Les concentrations molaires effectives des ions présents dans une solution de sulfate de sodium sont :
$$[Na^+] = 4,8 \times 10^{-3} \text{ mol} \cdot L^{-1} ; \quad [SO_4^{2-}] = 2,4 \times 10^{-3} \text{ mol} \cdot L^{-1}.$$
Calculer la conductivité σ de cette solution.

Conductivités ioniques molaires
$\lambda_{Na^+} = 5,01 \times 10^{-3}$ S·m²·mol⁻¹ ;
$\lambda_{SO_4^{2-}} = 16,0 \times 10^{-3}$ S·m²·mol⁻¹.

5 Calculer une concentration

La conductivité d'une solution d'hydroxyde de sodium $(Na^+(aq), HO^-(aq))$ est : $\sigma = 0,144$ S·m⁻¹.
Calculer la concentration c en soluté apporté de cette solution, en mol·L⁻¹.

Conductivités ioniques molaires
$\lambda_{Na^+} = 5,01 \times 10^{-3}$ S·m²·mol⁻¹ ;
$\lambda_{HO^-} = 19,9 \times 10^{-3}$ S·m²·mol⁻¹.

Cristaux d'hydroxyde de sodium et solution aqueuse correspondante.

6 Comparer des conductivités ioniques molaires

On mesure la conductivité de deux solutions ioniques différentes S_1 et S_2 de même concentration molaire c en soluté apporté.

S_1 est une solution aqueuse de sulfate de fer (II) (Fe^{2+}(aq), SO_4^{2-}(aq)), de conductivité $\sigma_1 = 72,4\ mS \cdot m^{-1}$.
S_2 est une solution aqueuse de sulfate de plomb (Pb^{2+}(aq), SO_4^{2-}(aq)), de conductivité $\sigma_2 = 80,7\ mS \cdot m^{-1}$.
Quel ion conduit plus facilement le courant électrique ?

7 Exploiter une courbe d'étalonnage

Une solution aqueuse S_0 de dichromate de potassium ($2\,K^+$(aq), $Cr_2O_7^{2-}$(aq)) a une concentration molaire en soluté apporté $c_0 = 5,0 \times 10^{-3}\ mol \cdot L^{-1}$. La couleur de cette solution est orange. On réalise quatre solutions étalons S_i en diluant la solution mère S_0. On mesure l'absorbance $A_{400,\,i}$ à la longueur d'onde $\lambda_m = 400\ nm$ pour chacune de ces solutions, on obtient alors la droite d'étalonnage représentée ci-dessous.

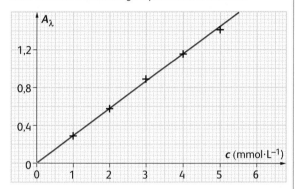

a. On mesure, dans les mêmes conditions, l'absorbance d'une solution de dichromate de potassium de concentration inconnue c_1 en soluté apporté. On trouve $A_{400} = 1,04$. Déterminer la concentration c_1.

b. Quelle serait la valeur de l'absorbance A'_{400}, dans les mêmes conditions de mesure, d'une solution de dichromate de potassium de concentration en soluté apporté $c' = 2,5\ mmol \cdot L^{-1}$?

8 Exploiter une courbe d'étalonnage

Le graphique ci-dessous représente la droite d'étalonnage obtenue à partir de six solutions étalons de chlorure de potassium.

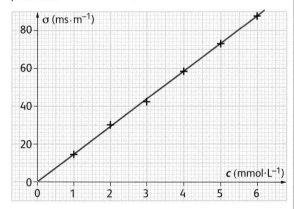

Un bécher contient une solution de chlorure de potassium de concentration inconnue c en soluté apporté. La mesure de la conductivité de cette solution donne :
$$\sigma = 54\ mS \cdot m^{-1}.$$

a. À partir de la courbe d'étalonnage, déterminer la concentration c en soluté apporté de la solution de chlorure de potassium.

b. Quelle serait la valeur de la conductivité σ' d'une solution de chlorure de potassium de concentration en soluté apporté $c' = 5,4 \times 10^{-3}\ mol \cdot L^{-1}$?

9 Faire l'analogie entre deux lois

a. Nommer les grandeurs σ et λ utilisées en conductimétrie.

b. Nommer la grandeur A_λ utilisée en spectrophotométrie.

c. En comparant les lois liant A_λ et la concentration d'une part, et σ et la concentration d'autre part, proposer un nom pour la grandeur $(\varepsilon_\lambda\,\ell)$.

COMPÉTENCES GÉNÉRALES

10 Changer d'unité

Exprimer les conductivités suivantes en $S \cdot m^{-1}$:
$\sigma_1 = 0,059\ S \cdot cm^{-1}$;
$\sigma_2 = 0,706\ mS \cdot cm^{-1}$;
$\sigma_3 = 0,340\ mS \cdot mm^{-1}$.

11 Exploiter une équation de réaction

On considère deux solutions aqueuses :
– une solution d'iodure de potassium KI ;
– une solution de chlorure de cuivre $CuCl_2$.
Ces deux solutions ont la même concentration molaire en soluté apporté : $c = 2,00 \times 10^{-3}\ mol \cdot L^{-1}$.
Pour chacune de ces solutions :

a. écrire l'équation de dissolution du soluté dans l'eau ;

b. calculer les concentrations $[X_i]$ des espèces en solutions ;

c. calculer la conductivité σ.

Conductivités ioniques molaires (en $mS \cdot m^2 \cdot mol^{-1}$) :
$\lambda_{K^+} = 7,35$; $\lambda_{I^-} = 7,70$; $\lambda_{Cu^{2+}} = 10,7$; $\lambda_{Cl^-} = 7,63$.

12 Réaliser un graphique

Le tableau ci-dessous rassemble des valeurs d'absorbance A_λ d'une solution d'ions triiodure I_3^- de concentration molaire en soluté apporté $c = 4,0 \times 10^{-5}\ mol \cdot L^{-1}$, pour différentes longueurs d'onde λ et en présence d'empois d'amidon.

λ (nm)	400	450	500	525	550	570
A_λ	0,250	0,375	0,413	0,425	0,525	0,792

λ (nm)	590	600	610	620	630	650
A_λ	0,972	1,00	0,961	0,875	0,755	0,425

a. Tracer la courbe représentant l'absorbance A_λ en fonction de la longueur d'onde λ.

b. Pourquoi doit-on réaliser des mesures d'absorbance à une longueur d'onde bien définie ?

c. À quelle longueur d'onde doit-on réaliser des mesures d'absorbance de solutions aqueuses d'ions triiodure ?

EXERCICE RÉSOLU

13 **Dosage d'un détartrant pour cafetière**

Énoncé Un détartrant pour cafetière vendu dans le commerce se présente sous la forme d'une poudre blanche. Cette poudre est essentiellement constituée d'un acide fort, l'acide sulfamique, de formule H_2N–SO_3H.

On souhaite déterminer le pourcentage d'acide sulfamique dans un détartrant en appliquant le protocole suivant.

Introduire une masse $m = 1,00$ g de poudre détartrante dans une fiole jaugée de 200,0 mL et compléter à l'eau distillée. Agiter pour homogénéiser afin d'obtenir la solution S_0 de concentration c_0. Diluer la solution S_0 au 1/10e, ce qui permet d'obtenir un volume $V = 100,0$ mL de solution S de concentration c.

Préparer ensuite cinq solutions étalons S_i d'acide sulfamique de concentration c_i. Pour chacune d'entre elles, mesurer la conductivité σ_i.

Les résultats sont reportés dans le tableau ci-contre.

Une mesure de la conductivité de la solution S donne : $\sigma_S = 20,5$ mS·m^{-1}.

Donnée : masse molaire de l'acide sulfamique, $M = 97,0$ g·mol^{-1}.

Solution S_i	S_1	S_2	S_3	S_4	S_5
c_i (mmol·L^{-1})	2,00	4,00	6,00	8,00	10,0
σ_i (mS·m^{-1})	8,10	16,3	23,9	32,2	40,1

❶ Quel volume V_0 de solution mère S_0 doit-on prélever pour obtenir 100,0 mL de la solution S ? Avec quelle verrerie prélève-t-on ce volume ?

❷ À l'aide d'un tableur-grapheur, tracer la droite d'étalonnage. Déterminer la concentration c de la solution S puis la valeur de la concentration c_0 de la solution mère S_0.

❸ Calculer la quantité n_0 d'acide sulfamique dans le volume $V_{S_0} = 200,0$ mL de solution mère S_0.

❹ Déterminer la masse m_0 d'acide sulfamique présent dans 1,00 g de poudre détartrante.

❺ Quelle est la proportion en masse P d'acide sulfamique dans le détartrant ?

Une solution

❶ La solution S est dix fois moins concentrée que la solution S_0, d'où : $c_0 = 10\,c$.

Par ailleurs, il y a conservation de la quantité de matière au cours d'une dilution, on a donc : $c_0 \times V_0 = c \times V$.

Le volume V_0 de solution à prélever est :

$$V_0 = \frac{c}{c_0} \times V = \frac{V}{10} = \frac{100,0}{10} = 10,0 \text{ mL.}$$

On prélève le volume V_0 avec une pipette jaugée de 10,0 mL.

❷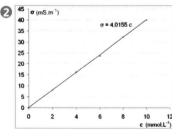

La droite d'étalonnage permet de lire :
$c = 5,10$ mmol·L^{-1}
$= 5,10 \times 10^{-3}$ mol·L^{-1}.

La solution S_0 est dix fois plus concentrée que la solution S.
D'où :
$c_0 = 10 \times c$
$= 5,10 \times 10^{-2}$ mol·L^{-1}.

❸ $n_0 = c_0 \times V_{S_0} = 5,10 \times 10^{-2} \times 0,200 = 1,02 \times 10^{-2}$ mol.

❹ $m_0 = n_0 \times M = 1,02 \times 10^{-2} \times 97,0 = 0,989$ g.

❺ $P = \dfrac{m_0}{m} = \dfrac{0,989}{1,00} = 0,989$ soit 98,9 %.

Le détartrant pour cafetière contient de l'acide sulfamique presque pur.

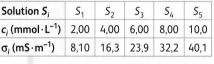

Énoncé
On peut utiliser la conductimétrie car l'acide sulfamique est un acide fort, et réagit donc avec l'eau de façon quasi-totale pour former des ions.

Connaissances
Au cours d'une dilution, il y a conservation de la quantité de matière.

Raisonner
Ne pas oublier que l'on a dilué dix fois la solution S_0.

Rédiger
Écrire les relations littérales avant d'effectuer les calculs.

14 ZOOM SUR... la droite d'étalonnage

On souhaite doser par spectrophotométrie le colorant alimentaire « bleu patenté » présent dans un sirop. On prépare des solutions étalons S_i de bleu patenté et, pour chacune d'elles, on mesure l'absorbance $A_{\lambda,i}$. Les résultats sont regroupés dans le tableau ci-dessous.

Solution S_i	S_1	S_2	S_3	S_4	S_5
Concentration c_i (en 10^{-6} mol·L^{-1})	2,0	4,0	6,0	8,0	10
Absorbance $A_{\lambda,i}$	0,205	0,410	0,608	0,821	1,05

a. Saisir les valeurs du tableau dans un tableur-grapheur.

b. En utilisant le menu « diagramme », représenter graphiquement A_λ en fonction de c.

c. En utilisant l'outil « courbe de tendance », tracer la droite passant « au plus près » des points et par l'origine du repère.

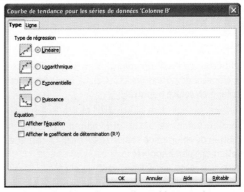

Outil « courbe de tendance » d'un tableur-grapheur.

Conseils Le coefficient de détermination R^2 est un nombre qui permet de juger la qualité de l'ajustement linéaire. R^2 est compris entre 0 et 1.
- Si $R^2 = 0$, alors les points sont éloignés de la droite.
- Si $R^2 = 1$, tous les points se trouvent sur la droite.
- Plus R^2 est proche de 1, plus les points sont proches de la droite.

d. La droite obtenue passe-t-elle près des points ? Justifier.

e. Donner l'équation de la droite obtenue.

f. En comparant la loi de Beer-Lambert avec l'équation de la droite, donner la valeur numérique du produit $\varepsilon_\lambda \ell$.

g. Une solution de bleu patenté de concentration inconnue c' possède, dans les mêmes conditions de mesure, une absorbance A'_λ égale à 0,530. Déterminer la concentration c'.

Prélèvement d'un échantillon de sirop dans l'usine Teisseire.

15 Apprendre à rédiger

Voici l'énoncé d'un exercice et un guide (en vert) ; ce guide vous aide à rédiger la solution détaillée et à retrouver les réponses aux questions posées.

Énoncé

On dissout une masse m de sulfate de cuivre solide $CuSO_4$ (s) dans un volume $V = 1,0$ L d'eau. On note c la concentration en soluté apporté de la solution obtenue. On mesure la conductivité de cette solution et on obtient : $\sigma = 67$ mS·m^{-1}.

a. Établir les relations entre les concentrations molaires des ions sulfate SO_4^{2-} (aq) et cuivre (II) Cu^{2+} (aq) et la concentration molaire en soluté apporté c.

▸ Écrire l'équation de dissolution du sulfate de cuivre dans l'eau.

▸ Construire éventuellement un tableau d'évolution pour cette réaction totale afin de conclure.

b. À l'aide de la valeur de la conductivité σ de la solution, déterminer la concentration molaire c en soluté apporté en mol·L^{-1}.

▸ Écrire la relation entre la conductivité d'une solution ionique et les concentrations molaires des ions présents dans cette solution.

▸ Faire l'application numérique en constatant qu'il n'est pas utile de convertir σ en S·m^{-1} et λ en S·m^2·mol^{-1}.

▸ Convertir la concentration molaire c en mol·L^{-1} et vérifier que $c = 2,5 \times 10^{-3}$ mol·L^{-1}.

c. Quelle est la valeur de la masse m de sulfate de cuivre introduit initialement ?

▸ Rappeler la relation entre la quantité de matière et la masse d'une espèce chimique.

▸ Exprimer la masse molaire de sulfate de cuivre en fonction des masses molaires des atomes qui le constituent.

▸ Faire l'application numérique afin de trouver $m = 0,40$ g.

Données

– Masses molaires :
$M(O) = 16$ g·mol^{-1} ; $M(S) = 32$ g·mol^{-1} ; $M(Cu) = 63,5$ g·mol^{-1}.

– Conductivités molaires (en mS·m^2·mol^{-1}) :
$\lambda(SO_4^{2-}) = 16$; $\lambda(Cu^{2+}) = 11$.

16 ★ Conductivité d'un mélange de solutions

Compétence générale *Exploiter des informations*

Un bécher contient un volume $V_1 = 30{,}0$ mL d'une solution de chlorure de potassium ($K^+(aq)$, $Cl^-(aq)$) de concentration molaire en soluté apporté :

$$c_1 = 3{,}50 \times 10^{-3} \text{ mol·L}^{-1}.$$

On ajoute dans ce bécher un volume $V_2 = 20{,}0$ mL d'une solution de chlorure de sodium ($Na^+(aq)$, $Cl^-(aq)$) de concentration en soluté apporté :

$$c_2 = 5{,}00 \times 10^{-3} \text{ mol·L}^{-1}.$$

a. Quels sont les ions présents dans le mélange ?

b. Calculer la concentration molaire de chaque ion.

c. Calculer la conductivité σ du mélange obtenu.

17 ★ Dosage du bleu de méthylène dans un collyre

Compétences générales *Exploiter des informations – Commenter un résultat*

Un collyre contient du bleu de méthylène. L'étiquette du flacon porte l'indication : « 20 mg de bleu de méthylène pour 100 mL de collyre ». On souhaite vérifier cette indication par une méthode spectrophotométrique.

On dispose d'une solution mère S_0 de bleu de méthylène de concentration massique : $c_{m,0} = 10$ mg·L^{-1}. On prépare des solutions étalons S_i par dilution de la solution S_0. Pour chacune des solutions S_i, on mesure, à la longueur d'onde $\lambda_m = 660$ nm, l'absorbance $A_{660,i}$.

On trace ensuite la droite d'étalonnage correspondante.

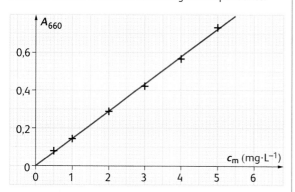

Le collyre étant trop concentré, on le dilue 50 fois. La solution obtenue est notée S.

L'absorbance de la solution S, dans les mêmes conditions de mesure, est : $A_{660} = 0{,}567$.

a. Pourquoi peut-on réaliser ce dosage par spectrophotométrie ?

b. Déterminer la concentration massique c_m en bleu de méthylène dans la solution diluée S.

c. En déduire la concentration massique $c_{m,B}$ en bleu de méthylène dans le collyre.

d. Calculer la masse m_B de bleu de méthylène présent dans 100 mL de collyre.

e. Comparer cette valeur à la masse de bleu de méthylène dans le collyre indiquée sur l'étiquette. Conclure.

18 ★ Solution de Lugol®

Compétences générales *Réaliser un graphique – Exploiter des informations*

La solution de Lugol® est un antiseptique inventé par Jean Guillaume Auguste Lugol, médecin français (1786-1851).

La solution de Lugol® est composée de 1 g de diiode I_2 et de 2 g d'iodure de potassium KI dans 100 mL d'eau.

On souhaite vérifier cette composition par une méthode spectrophotométrique.

1. À partir d'une solution S_0 de diiode de concentration molaire en soluté apporté $c_0 = 5{,}0 \times 10^{-3}$ mol·L^{-1}, on prépare cinq solutions étalons. On verse dans cinq tubes à essais un volume V_i de solution S_0 et on complète avec de l'eau distillée pour obtenir un volume final $V = 10$ mL. On mesure ensuite l'absorbance $A_{480,i}$ de chaque solution étalon à la longueur d'onde $\lambda_m = 480$ nm.

Les résultats sont regroupés dans le tableau ci-dessous.

Solution S_i	S_1	S_2	S_3	S_4	S_5
Volume V_i (mL)	1,0	2,0	4,0	6,0	8,0
Concentration c_i (mol·L^{-1})					
Absorbance $A_{480,i}$	0,23	0,49	0,96	1,45	1,92

a. Exprimer la relation entre c_i, V_i, c_0 et V.

b. Calculer c_i pour chacune des solutions étalons. Recopier et compléter le tableau précédent.

c. Tracer la courbe représentant l'absorbance $A_{480,i}$ en fonction de la concentration.

2. L'absorbance d'une solution de Lugol® diluée 20 fois, dans les mêmes conditions de mesure, est : $A_{480} = 0{,}92$.

a. Déterminer la concentration molaire c en diiode dans la solution de Lugol® diluée puis la concentration en diiode c_L dans la solution de Lugol® commerciale.

b. Calculer la quantité de matière n_L de diiode présente dans 100 mL de solution de Lugol®. À quelle masse m_L de diiode correspond cette quantité de matière ?

c. Comparer cette valeur à la masse de diiode écrite dans la composition de la solution de Lugol®. Calculer l'écart relatif en pourcentage. Conclure.

Donnée : masse molaire de l'iode, $M(I) = 126{,}9$ g·mol^{-1}.

19 ★ Dosage d'une solution de KMnO$_4$

Compétences générales *Utiliser les TICE – Argumenter*

On souhaite doser par conductimétrie et spectrophotométrie une solution S_0 de permanganate de potassium. On prépare différentes solutions étalons S_i de permanganate de potassium. Pour chacune de ces solutions, on mesure la conductivité σ_i ainsi que l'absorbance $A_{520,i}$.

Les résultats sont rassemblés dans le tableau suivant.

Solution S_i	S_1	S_2	S_3	S_4	S_5	S_6
c_i (mmol·L^{-1})	0,10	0,20	0,40	0,60	0,80	1,0
σ_i (en 10^{-3} S·m^{-1})	1,33	2,81	5,33	8,10	10,9	13,6
$A_{520,i}$	0,194	0,390	0,775	1,166	1,554	1,922

a. À l'aide d'un tableur-grapheur, placer sur un premier graphique les points de coordonnées $(c_i ; \sigma_i)$ et, sur un second graphique, les points de coordonnées $(c_i ; A_{520,i})$.

b. Tracer les deux droites d'étalonnage, puis déterminer leur équation à l'aide de l'outil « courbe de tendance ».

c. On mesure l'absorbance et la conductivité de la solution S_0. On obtient : $A_{520,0} = 1,080$ et $\sigma_0 = 7,40$ mS·m^{-1}.
Calculer les deux valeurs de la concentration en soluté apporté de S_0. Comparer les valeurs obtenues et conclure.

20 ✶ Science in English

Solutions of sodium chloride of various concentrations have been prepared. The conductivity of each solution has been measured. All the data is shown in the table below.

Solution	Concentration (mmol·L^{-1})	Conductivity (mS·m^{-1})
A	1,0	14
B	2,0	26
C	3,0	39
D	4,0	49
E	5,0	63

A solution F is prepared with sodium chloride, but its concentration is unknown. Its conductivity is 44 mS·m^{-1}.

a. En utilisant un tableur-grapheur, placer les points représentant la conductivité σ en fonction de la concentration c.

b. Déterminer la relation numérique entre la concentration en chlorure de sodium de la solution et la conductivité.

c. En utilisant le graphique d'une part, puis en utilisant la relation numérique d'autre part, calculer la concentration en chlorure de sodium de la solution F. Comparer les résultats obtenus et les commenter.

21 ✶✶ Quantité de sucre dans le raisin

Compétences générales *Utiliser les TICE – Exploiter des informations*

Utilisation d'un réfractomètre.

En viticulture, les vendanges commencent lorsque les grappes de raisin ont atteint leur maturité optimale. Lorsque la concentration en sucre (saccharose) atteint ou dépasse 200 g par litre de jus, on estime que le raisin est mûr.
Pour déterminer la teneur en sucre du raisin, on utilise un réfractomètre.

La réfractométrie est une technique basée sur la mesure de l'indice de réfraction n d'une solution ou d'un milieu transparent. Pour déterminer la quantité de sucre présent dans deux jus de raisin, on réalise l'expérience suivante.
À l'aide d'un réfractomètre, on mesure l'indice de réfraction n_i de différentes solutions S_i de saccharose, les concentrations massiques $c_{m,i}$ des solutions étant connues.
Les résultats sont rassemblés dans le tableau suivant.

Solution S_i	S_1	S_2	S_3	S_4	S_5
$c_{m,i}$ (g·L^{-1})	50,0	100	150	200	250
n_i	1,338	1,345	1,351	1,358	1,366

a. À l'aide d'un tableur-grapheur, placer les points de coordonnées $(c_{m,i} ; n_i)$.

b. Tracer la droite passant « au plus près » des points. Déterminer l'équation de cette droite.

c. Les indices de réfraction des jus de raisin étudiés (notés A et B) sont respectivement : $n_A = 1,347$ et $n_B = 1,360$.
Calculer les concentrations massiques en sucre des jus de raisin A et B. Que peut-on dire de ces jus ?

d. Sachant qu'il faut 16,83 g de sucre par litre de jus pour obtenir un degré d'alcool, déterminer le degré d'alcool du vin obtenu à partir du raisin vendangé.

22 ✶✶ Dosage d'un produit déboucheur d'évier

Compétences générales *Proposer un protocole expérimental – Exploiter des informations*

Sur l'étiquette d'un produit liquide déboucheur d'évier, on peut lire : « solution d'hydroxyde de sodium à 10 % ».
On souhaite vérifier cette indication. Pour cela, on prépare cinq solutions étalons à partir d'une solution mère S_0 d'hydroxyde de sodium NaOH, et on mesure la conductivité pour chaque solution étalon. La concentration en soluté apporté de la solution S_0 est $c_0 = 1,0 \times 10^{-1}$ mol·L^{-1}. Les solutions étalons ont toutes le même volume $V = 50,0$ mL.

a. Proposer un protocole pour préparer les solutions étalons S_i dont les concentrations c_i sont indiquées dans le tableau ci-dessous.

Solution S_i	S_1	S_2	S_3	S_4	S_5
Volume V_i (mL)					
c_i (mmol·L^{-1})	1,0	3,0	5,0	7,0	9,0
σ_i (mS·m^{-1})	24,8	75,0	124,0	174,5	224,1

b. Compléter la deuxième ligne du tableau.

c. Tracer la droite d'étalonnage correspondante.

d. La solution de déboucheur liquide, que l'on note S, est trop concentrée pour un tel dosage : on la dilue donc 500 fois. La solution obtenue est notée S' et sa conductivité vaut :
$$\sigma' = 149 \text{ mS·m}^{-1}.$$
À l'aide de la droite d'étalonnage, déterminer la concentration c' en soluté apporté de la solution S'.

e. En déduire la concentration c en soluté apporté de la solution S.

f. La masse volumique de la solution S est :
$$\rho = 1,2 \times 10^3 \text{ kg·m}^{-3}.$$
En déduire le pourcentage en masse d'hydroxyde de sodium dans la solution S et le comparer avec celui indiqué sur l'étiquette.

23 ECE Évaluation des compétences expérimentales

Cet exercice permet de travailler les compétences expérimentales suivantes : • S'approprier • Analyser

On souhaite vérifier par conductimétrie la concentration en acide chlorhydrique présent dans un détartrant WC. Pour cela, on dispose du matériel décrit ci-dessous.

Matériel disponible : un bécher de 100 mL ; un bécher de 50 mL ; une fiole jaugée de 1,0 L ; une fiole jaugée de 500 mL ; une pipette graduée de 5 mL ; une pipette graduée de 10 mL ; une pipette jaugée de 5,0 mL ; une pipette jaugée de 10,0 mL.

La solution commerciale étant trop concentrée, on la dilue 200 fois.

a. Parmi les éléments de verrerie mis à disposition, choisir ceux que l'on doit utiliser pour réaliser la dilution.

b. Décrire le mode opératoire à suivre pour réaliser la dilution de la solution commerciale.

c. Parmi les pictogrammes suivants, lequel doit figurer sur la bouteille de détartrant ?

 ① ② ③

24 ✴ Vidéo d'un dosage

Compétence générale *Exploiter des informations*

Cet exercice s'appuie sur des ressources disponibles sur le site élève : www.nathan.fr/siriuslycee/eleve-termS.

Visionner les vidéos de l'exercice 24 du chapitre 22, qui concernent deux dosages.

a. Sur quelle technique les dosages des solutions étudiées reposent-ils ?

b. Pour l'expérience de la première vidéo, que peut-on dire de l'incertitude sur la valeur trouvée pour la concentration ?

c. Quelle est l'erreur commise lors de l'expérience de la seconde vidéo ?

25 Objectif BAC *Exploiter des documents*

 **Dossier BAC, page 546**

→ **Le contrôle de la qualité du vin passe par le dosage de nombreuses espèces chimiques qu'il contient. Étudions le dosage du fer d'un vin.**

À partir de ces documents, rédiger une synthèse d'environ 30 lignes permettant de déterminer si le vin analysé dans le document 2 présente un risque de casse ferrique. Pour cela, on s'attachera à expliquer le rôle de l'acide sulfurique, des ions thiocyanate et du peroxyde d'hydrogène, en utilisant des équations de réaction.

La démonstration se fera par la construction d'une courbe d'étalonnage appropriée, puis par la détermination graphique des concentrations molaires et massiques en fer contenu dans le vin blanc.

DOC 1. La casse ferrique

Le vin contient naturellement des ions fer (II) Fe^{2+} et fer (III) Fe^{3+}. Si le vin contient du dioxygène dissous, les ions fer (II) s'oxydent en ions fer (III), ce qui peut être gênant pour la qualité du vin. En effet, si la concentration en ions fer (III) est trop importante, ces ions précipitent avec les ions phosphate PO_4^{3-} présents dans le vin. C'est la casse ferrique. Le risque de casse ferrique est important lorsque la concentration en ions Fe^{3+} dépasse 10 mg·L^{-1}. Il est donc nécessaire de connaître la concentration totale en fer dans un vin pour éviter la casse ferrique.

DOC 2. Données expérimentales

1. Principe du dosage par étalonnage

Les ions fer (III) réagissent avec les ions thiocyanate SCN$^-$ pour former un ion de couleur rouge sang : l'ion thiocyanato fer (III) $[Fe(SCN)]^{2+}$. Afin de déterminer la quantité totale de fer dans un vin, il faut que tout le fer soit sous forme d'ions fer (III). Il faut donc oxyder les ions fer (II) en ions fer (III). Cette étape se fait par ajout de peroxyde d'hydrogène H_2O_2. Les demi-équations rédox mises en jeu sont :

$$Fe^{3+}(aq) + e^- = Fe^{2+}(aq)$$
$$H_2O_2(aq) + 2\,H^+(aq) + 2\,e^- = 2\,H_2O\,(\ell)$$

2. Préparation de la gamme étalon

Les solutions étalons S_i d'ions thiocyanatofer (III) sont préparées dans des tubes à essais. Pour chacune de ces solutions étalons, on mesure l'absorbance $A_{468,\,i}$. Les données obtenues sont rassemblées dans le tableau suivant.

Solution S_i	S_1	S_2	S_3	S_4	S_5
Concentration c_i (en 10^{-4} mol·L^{-1})	0,70	1,4	2,1	2,8	3,5
Absorbance $A_{468,\,i}$	0,330	0,635	0,978	1,35	1,73

3. Préparation de la solution à doser

Dans un sixième tube à essais, on verse 1,5 mL d'acide sulfurique, 1,0 mL de thiocyanate de potassium, 7,5 mL de vin blanc et 2,0 mL d'eau oxygénée. On note S_{vin} la solution obtenue. L'absorbance de la solution S_{vin}, dans les mêmes conditions de mesure, est : $A_{468} = 0,854$.

Masses molaires (en g·mol^{-1}) :
$M(O) = 16,0$; $M(S) = 32,1$; $M(Fe) = 55,8$.

26 Apprendre à chercher

La résolution de cet exercice nécessite de trouver les étapes du raisonnement.
→Une aide est disponible en fin de manuel.

Énoncé. On mélange un volume V_1 d'une solution d'hydroxyde de sodium avec un volume deux fois plus important d'une solution d'hydroxyde de potassium.
La solution d'hydroxyde de sodium est trois fois plus concentrée que la solution d'hydroxyde de potassium.
Le mélange obtenu a un volume de 600 mL et son pH est égal à 11,4.
→*Déterminer la conductivité σ du mélange obtenu.*

Données
– L'hydroxyde de sodium NaOH et l'hydroxyde de potassium KOH se dissocient totalement dans l'eau.
– Conductivités ioniques molaires (en $S·m^2·mol^{-1}$) :
$\lambda_{Na^+} = 5,01 \times 10^{-3}$; $\lambda_{HO^-} = 19,9 \times 10^{-3}$; $\lambda_{K^+} = 7,35 \times 10^{-3}$.

27 ★★ Détermination du pK_a de l'acide éthanoïque

Compétence générale *Restituer ses connaissances*

On souhaite déterminer le pK_a du couple acide éthanoïque/ion éthanoate CH_3CO_2H (aq)/$CH_3CO_2^-$ (aq). Pour cela, on étalonne un conductimètre et on mesure la conductivité σ d'une solution S d'acide éthanoïque de concentration en soluté apporté : $c = 1,00 \times 10^{-2}$ mol·L^{-1}.
On trouve : σ $= 1,59 \times 10^{-2}$ S·m^{-1}.

a. Écrire l'équation de la réaction de l'acide éthanoïque avec l'eau.

b. Donner la relation entre la constante d'acidité K_a du couple CH_3CO_2H (aq)/$CH_3CO_2^-$ (aq) et les concentrations des espèces mises en jeu à l'équilibre chimique.

c. Donner l'expression de la conductivité σ de la solution en fonction des concentrations des espèces chimiques.

d. Dans l'expression du **c.**, dans quelle unité est exprimée la concentration molaire d'une espèce chimique ?

e. Donner l'expression de la concentration molaire finale c_f en ions oxonium H_3O^+ dans la solution S en fonction de σ. Calculer cette concentration et l'exprimer en mol·L^{-1}.

f. Comparer la concentration molaire c et la concentration finale en ions éthanoate. Quelle approximation peut-on faire sur la concentration finale en acide éthanoïque ?

g. À partir de cette approximation, exprimer la constante d'acidité K_a en fonction de c_f et c.

h. Calculer K_a et en déduire la valeur du pK_a correspondant.

Conductivité ionique molaire de l'ion éthanoate :
$$\lambda = 4,09 \times 10^{-3} \text{ S·m}^2\text{·mol}^{-1}.$$

28 ★★ Dosage du glucose libre d'un jus de fruit

Compétences générales *Restituer ses connaissances – Exploiter des informations*

1. Mélange initial
On prélève un volume $V = 2,0$ mL d'une solution de jus de fruit que l'on verse dans une fiole jaugée de 50,0 mL. On y ajoute un volume $V_0 = 20,0$ mL d'une solution colorée de diiode, de concentration en soluté apporté $c_0 = 2,0 \times 10^{-2}$ mol·L^{-1}. On complète au trait de jauge par une solution d'hydroxyde de sodium afin de maintenir un excès d'ions hydroxyde dans le milieu réactionnel. On note n_G la quantité de glucose initialement présent. Quelle est la quantité n_D de diiode initialement introduit ?

2. Réaction entre le glucose et le diiode
Le glucose (que l'on note RCHO) réagit avec le diiode. Il se forme alors des ions iodure I^- (aq) et le glucose se transforme en ion gluconate, qui sera noté RCO_2^-(aq).
Dans le mélange étudié, on suppose que seul le diiode est coloré. L'équation de la réaction totale est :
$$I_2\,(aq) + R\text{CHO}\,(aq) + 3\,HO^-\,(aq)$$
$$\rightarrow 2\,I^-\,(aq) + RCO_2^-\,(aq) + 2\,H_2O\,(\ell)$$

a. Identifier les couples oxydant/réducteur et reconnaître pour chacun l'oxydant et le réducteur.

b. Au bout d'une demi-heure, l'aspect de la solution n'évolue plus, celle-ci restant partiellement colorée.
Quel est le réactif limitant ?

c. Recopier et compléter le tableau d'évolution en bas de page.

d. En déduire que la quantité de glucose n_G introduit dans la solution peut s'écrire : $n_G = n_D - n_R$, où n_R représente la quantité de diiode n'ayant pas réagi.

3. Dosage du diiode en excès
On souhaite déterminer la quantité de diiode n_R n'ayant pas réagi. Pour cela, on prépare cinq solutions S_i de diiode de concentrations différentes et on mesure l'absorbance $A_{\lambda, i}$ de chacune. Les valeurs obtenues permettent de tracer la courbe représentant l'absorbance $A_{\lambda, i}$ en fonction de la concentration c, représentée ci-dessous.

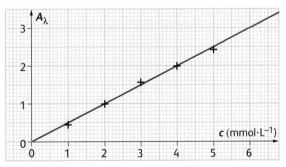

Équation	$I_2\,(aq) + R\text{CHO}\,(aq) + 3\,HO^-\,(aq) \rightarrow 2\,I^-\,(aq) + RCO_2^-\,(aq) + 2\,H_2O\,(\ell)$					
État	Avancement	Quantités de matière				
initial	0	n_D	n_G	en excès	0	0	solvant
en cours	x						
final	x_{max}	n_R					

a. L'absorbance du mélange étudié vaut 1,5. En utilisant la courbe représentée sur la page précédente, déterminer la valeur de la concentration en diiode restant dans la solution. En déduire la quantité n_R de diiode restant. (On rappelle que cette solution a été préparée dans une fiole jaugée de 50,0 mL.)

b. En utilisant la relation établie à la question **2. d.**, déterminer la quantité de glucose n_G initialement introduit.

4. Conclusion

Calculer la quantité de glucose n'_G et la masse m_G de glucose présent dans un litre de jus de fruit.

Donnée : masse molaire du glucose, $M = 180 \text{ g·mol}^{-1}$.

---

29 ★★ **La « vraie » loi de Kohlrausch**

Compétences générales *Extraire des informations – Effectuer un calcul*

La linéarité entre concentration des ions et conductivité de la solution n'est valable que pour les solutions diluées. Aux plus fortes concentrations, cette loi doit être améliorée.

Une espèce ionique de formule $AX(s)$ se dissocie dans l'eau selon l'équation : $AX(s) \rightarrow A^+(aq) + X^-(aq)$.

On définit la conductivité molaire Λ_{AX} du soluté $AX(s)$ comme la somme des conductivités ioniques molaires des ions libérés après dissolution : $\Lambda_{AX} = \lambda_{A^+} + \lambda_{X^-}$.

Λ_{AX} peut se mettre sous la forme $\Lambda_{AX} = \dfrac{\sigma}{c}$, où σ est la conductivité de la solution et c la concentration molaire en soluté apporté.

1. Étude du sulfate de zinc

Le sulfate de zinc $ZnSO_4(s)$ se dissocie totalement dans l'eau. On dispose de plusieurs solutions S_i de sulfate de zinc, de concentrations molaires c_i connues. Pour chacune de ces solutions, on mesure sa conductivité σ_i. Les données sont rassemblées dans le tableau suivant.

Solution S_i	S_1	S_2	S_3	S_4	S_5	S_6
c_i (mmol·L^{-1})	0,10	0,20	0,50	1,0	5,0	10
σ_i (en 10^{-3} S·m^{-1})	3,51	6,87	16,5	31,2	121	189

a. Recopier et compléter le tableau précédent en ajoutant trois lignes :
– concentration c_i en mol·m^{-3} ;
– $\sqrt{c_i}$ en mol$^{1/2}$·m$^{-3/2}$;
– Λ_i en S·m^2·mol^{-1}.

b. Calculer la conductivité molaire Λ_i pour chaque solution S_i et compléter le tableau.

c. À l'aide d'un tableur-grapheur, placer les points d'abscisse $\sqrt{c_i}$ et d'ordonnée Λ_i.

d. La loi de Kohlrausch s'écrit : $\Lambda = \Lambda° + k\sqrt{c}$ où $\Lambda°$ et k sont des constantes. Montrer que l'étude menée ici permet de justifier cette écriture.

2. Étude de l'acide éthanoïque

On réalise la même expérience en remplaçant le sulfate de zinc par de l'acide éthanoïque. L'acide éthanoïque est un acide faible. Les valeurs des concentrations c_i et des conductivités σ_i des différentes solutions d'acide éthanoïque étudiées sont regroupées dans le tableau suivant.

Solution S_i	S_1	S_2	S_3	S_4	S_5	S_6
c_i (mmol·L^{-1})	0,10	0,20	0,50	1,0	5,0	10
σ_i (en 10^{-3} S·m^{-1})	2,25	3,22	5,35	7,80	18,5	25,0

a. Reprendre les questions **1. a.** à **c.** avec les nouvelles solutions.

b. Quelle est l'allure de la courbe obtenue ? Est-elle semblable à celle obtenue dans la question **1.** ? Proposer une explication.

---

30 **Objectif BAC** *Rédiger une synthèse de documents* ➤ **Dossier BAC, page 546**

Cet exercice s'appuie sur des ressources disponibles sur le site élève : www.nathan.fr/siriuslycee/eleve-termS.

Télécharger le dossier « Ressources pour l'exercice 30 » du chapitre 22.
Ce dossier comporte :
– la fiche technique d'un appareil de mesure utilisé en aquariophilie ;
– une fiche technique décrivant les conditions de survie d'une espèce de poisson ;
– un document sur la notion de dureté d'une eau.

➜ **À partir de l'étude de ces documents, rédiger une synthèse de 20 lignes afin d'expliquer pourquoi il est nécessaire de mesurer la dureté d'une eau d'un aquarium et comment cette mesure peut être réalisée rapidement.**

Le texte rédigé devra être clair et structuré, et l'argumentation reposera sur les documents proposés.

Poissons Néon (Paracheirodon innesi).

Contrôle de la qualité: dosages par titrage direct

De nombreuses espèces chimiques peuvent être à l'origine de la pollution d'une rivière: nitrates, pesticides, engrais, plomb… Pour **contrôler la qualité de l'eau d'une rivière**, un technicien prélève un échantillon de cette eau, puis réalise un titrage. Cette technique expérimentale permet de déterminer les quantités de matière des espèces chimiques présentes dans l'eau.

- Établir l'équation de la réaction support de titrage à partir d'un protocole expérimental.
  → *Exercice d'application 3*

- Déterminer la concentration d'une espèce chimique par titrage par le suivi d'une grandeur physique dans le domaine de la santé, de l'environnement ou du contrôle de la qualité. → *Activité expérimentale 2 et exercices d'application 4 et 8*

- Déterminer la concentration d'une espèce chimique par titrage, par la visualisation d'un changement de couleur dans le domaine de la santé, de l'environnement ou du contrôle de la qualité.
  → *Activité expérimentale 4 et exercice d'application 6*

- Interpréter qualitativement un changement de pente dans un titrage conductimétrique.
  → *Exercice d'application 7*

Compétences expérimentales mises en œuvre

ACTIVITÉ EXPÉRIMENTALE • *S'approprier* • *Analyser* • *Réaliser* • *Valider*

1 Première approche d'un dosage par titrage

▶ **Pour comprendre l'évolution des quantités de matière lors d'un dosage par titrage, on peut modéliser ces quantités par des briques de construction.**

DISPOSITIF A ■ Dans un cristallisoir, placer 10 briques jaunes (une brique jaune est notée *J*) modélisant le réactif à titrer.

■ Dans une bouteille coupée, retournée et fermée par une allumette, introduire 25 briques blanches (une brique blanche est notée *B*) modélisant le réactif titrant.

DISPOSITIF B ■ À l'aide d'une pipette jaugée, prélever un échantillon de volume $V_S = 10,0$ mL d'une solution *S* de diiode (I_2) de concentration c_S. L'introduire dans un erlenmeyer et ajouter un barreau aimanté.

■ Remplir la burette graduée avec une solution de thiosulfate de sodium (2 Na^+(aq), $S_2O_3^{2-}$(aq)) de concentration $c = c_S$.

■ Placer l'erlenmeyer sur un agitateur magnétique.

Expériences

A Faire tomber deux briques blanches dans le cristallisoir et les accrocher à une brique jaune pour former un objet (noté *O*). Réaliser 12 fois cette étape.

Donnée. L'équation de la « réaction » s'écrit :
$$2B + J \rightarrow O.$$

B Ajouter un échantillon de volume $V_n = 2,0$ mL de solution de thiosulfate de sodium à la solution de diiode. Réaliser 12 fois cette étape.

Donnée. L'équation de la réaction support de titrage s'écrit :
$$I_2(aq) + 2\,S_2O_3^{2-}(aq) \rightarrow 2\,I^-(aq) + S_4O_6^{2-}(aq).$$

❶ Analyser la modélisation

a. Compléter le tableau suivant.

Étape *n*	Nombre de briques blanches restant dans le cristallisoir	Nombre de briques jaunes restant dans le cristallisoir
0	0	10
1		
etc.		

b. On étudie le cas où $n < 10$.
Pour chaque étape *n*, quelle est la couleur des briques limitant la réaction ?

c. Quelle est la couleur des briques ayant limité la réaction pour $n > 10$?

d. On étudie le cas où $n = 10$. Quelles sont les briques limitant la réaction ?

e. Trouver une relation entre le nombre $n_{J,i}$ de briques jaunes initialement introduites dans le cristallisoir et le nombre $n_{B,e}$ de briques blanches versées lorsque $n = 10$.

❷ Retour à la chimie

a. On note V_e le volume de solution de thiosulfate de sodium versé à l'étape $n = 10$. Donner la valeur de V_e.

b. On note V le volume total de solution de thiosulfate de sodium versé.
Quel(s) est (sont) le(s) réactif(s) limitant(s) si $V < V_e$? si $V > V_e$? si $V = V_e$?

c. Trouver une relation entre la quantité de matière $n_{I_2,i}$ de diiode initialement introduit et la quantité de matière $n_{S_2O_3^{2-},e}$ d'ion thiosulfate versé lorsque $n = 10$.

d. L'étape $n = 10$ est appelée l'**équivalence**. Proposer une définition de ce terme.

ACTIVITÉ EXPÉRIMENTALE • *S'approprier* • *Analyser* • *Réaliser* • *Valider*

2 Contrôle qualité par titrage conductimétrique

▶ **L'eau du robinet est constituée d'eaux de surface et d'eau souterraine. Elle est traitée de façon à respecter une soixantaine de critères de qualité fixés par la loi. La concentration massique en ions chlorure doit notamment être inférieure à 250 mg·L⁻¹.**

Expérience

- Étalonner le conductimètre (→ **Fiche pratique 11**).
- À l'aide d'une éprouvette graduée, prélever un échantillon d'eau du robinet de volume $V_{eau} = 200$ mL. Le verser dans un bécher et introduire un barreau aimanté.
- Rincer puis remplir la burette graduée avec une solution de nitrate d'argent $(Ag^+(aq), NO_3^-(aq))$ de concentration molaire $c = 10$ mmol·L⁻¹.
- Placer le bécher sur un agitateur magnétique, disposer la burette au-dessus du bécher, puis placer la cellule du conductimètre dans le bécher.
- Ajouter la solution de nitrate d'argent millilitre par millilitre. Après chaque ajout, relever la mesure de la conductivité σ.

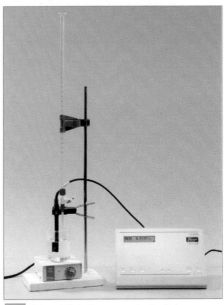

1 *Dispositif de titrage conductimétrique.*

Données

– Masse molaire atomique : $M(Cl) = 35{,}5$ g·mol⁻¹.

– Conductivité ionique molaire λ :

Ion	Ag⁺	Cl⁻	NO₃⁻
λ (en S·m²·mol⁻¹)	$6{,}2 \times 10^{-3}$	$7{,}6 \times 10^{-3}$	$7{,}1 \times 10^{-3}$

Coup de pouce

Lors de la réaction entre les ions chlorure et les ions argent, il y a formation d'un précipité blanc de chlorure d'argent AgCl(s).

① Analyser un protocole expérimental

a. Réaliser un schéma annoté du dispositif de titrage.

b. Quel est le réactif titrant ? Quel est le réactif titré ?

c. Écrire l'équation de la réaction support de titrage.

d. Pourquoi le titrage peut-il être suivi par des mesures conductimétriques ?

② Exploiter les résultats

a. À l'aide d'un tableur-grapheur, placer les points expérimentaux en présentant en abscisse le volume total V de solution de nitrate d'argent versé et en ordonnée la conductivité σ.

b. À l'aide des données, interpréter qualitativement le changement de pente.

c. Déterminer graphiquement, en utilisant l'outil « courbe de tendance », le volume V_e de solution de nitrate d'argent versé à l'équivalence.

③ Conclure

a. À l'équivalence, quelle relation existe-t-il entre la quantité $n_{Ag^+,e}$ d'ion argent Ag⁺ versé à l'équivalence et celle $n_{Cl^-,i}$ d'ion chlorure Cl⁻ initialement introduit ?

b. Calculer la concentration molaire c', puis la concentration massique c'_m, en ions chlorure dans l'eau du robinet.

c. Cette eau est-elle conforme à la législation ?

3

Repérer l'équivalence par le suivi du pH

▶ Comment déterminer le volume V_e de réactif titrant versé à l'équivalence par le suivi d'une grandeur physique, le pH ?

2 Dispositif de titrage pH-métrique.

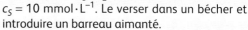

Expérience

■ Étalonner le pH-mètre (→ **Fiche pratique 10**).

■ À l'aide d'une pipette jaugée, prélever un échantillon de volume $V_S = 20{,}0$ mL d'une solution S d'acide éthanoïque (CH_3CO_2H) de concentration $c_S = 10$ mmol·L^{-1}. Le verser dans un bécher et introduire un barreau aimanté.

■ Rincer puis remplir la burette graduée avec une solution d'hydroxyde de sodium (Na^+(aq), HO^-(aq)) de concentration $c = 10$ mmol·L^{-1}.

■ Placer le bécher sur un agitateur magnétique et disposer la burette au-dessus du bécher.

■ Placer la sonde du pH-mètre dans le bécher et ajouter si nécessaire de l'eau distillée pour que la sonde soit immergée.

■ Ajouter la solution d'hydroxyde de sodium, millilitre par millilitre. Après chaque ajout, relever la mesure du pH. Reporter les valeurs obtenues dans un tableau.

❶ Analyser un protocole expérimental

a. Réaliser un schéma annoté du dispositif de titrage.

b. Quel est le réactif titrant ? Quel est le réactif titré ?

c. Écrire l'équation de la réaction support de titrage.

d. Pourquoi peut-on réaliser un suivi pH-métrique de ce titrage ?

❷ Exploiter les résultats

a. En utilisant les données du protocole, calculer le volume minimum de la solution d'hydroxyde de sodium à verser pour que la quasi-totalité de l'acide éthanoïque initialement présent ait été consommée par la réaction support du titrage.
Ce volume est noté V_e.

b. À l'aide d'un tableur-grapheur, placer les points expérimentaux en présentant en abscisse le volume total V de solution d'hydroxyde de sodium versé et en ordonnée le pH de la solution.

c. Pourquoi le pH augmente-t-il lors du titrage ?

❸ Conclure

a. Que constate-t-on graphiquement lorsque le volume V versé est proche du volume V_e versé à l'équivalence ?

b. Comment pourrait-on procéder expérimentalement pour déterminer plus précisément le volume versé à l'équivalence ? Recommencer l'expérience en mettant en œuvre cette amélioration.

ACTIVITÉ EXPÉRIMENTALE   • S'approprier • Analyser • Réaliser • Valider

4 Titrage utilisant un indicateur coloré

▶ Les simulations de titrage permettent de choisir convenablement un indicateur coloré de pH. Réalisons une simulation, puis mettons en pratique un dosage par titrage utilisant un indicateur de fin de réaction.

Simulation

■ À l'aide du logiciel Dozzzaqueux, simuler le titrage d'une solution S d'acide lactique ($C_2H_5OCO_2H$) de volume $V_S = 20,0$ mL, de concentration $c_S = 20$ mmol·L^{-1}, par une solution d'hydroxyde de sodium (Na^+ (aq), HO^- (aq)) de concentration $c = 50$ mmol·L^{-1}. Le logiciel trace l'évolution du pH de la solution en fonction du volume V de la solution d'hydroxyde de sodium versé.

■ Tracer la courbe souhaitée, puis l'imprimer.

TICE

Le logiciel Dozzzaqueux est téléchargeable à l'adresse suivante : http://jeanmarie. biansan.free.fr/ dozzzaqueux.html

Indicateur	Couleur de la forme acide	Zone de virage	Couleur de la forme basique
hélianthine	rouge	2,4 – 4,4	jaune
phénolphtaléine	incolore	8,2 – 9,9	rose

 Zone de virage de quelques indicateurs colorés de pH.

❶ Exploiter les résultats

a. Déterminer, grâce à la simulation, le volume V_e de la solution d'hydroxyde de sodium versé à l'équivalence.

b. Placer sur la courbe obtenue la zone de virage de l'hélianthine et de la phénolphtaléine. Dans le cas de l'hélianthine, mesurer le volume versé pour lequel la solution est clairement rouge, puis clairement jaune. Dans le cas de la phénolphtaléine, mesurer le volume versé pour lequel la solution commence à rosir, puis est clairement rose.

c. L'un de ces indicateurs colorés permet de repérer l'équivalence de ce titrage. Lequel et pourquoi ?

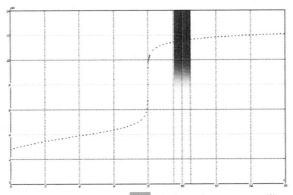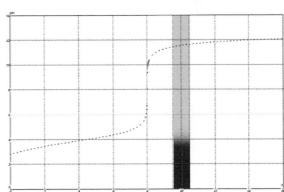

 Résultats obtenus par un élève.

❷ Imaginer et mettre en œuvre un protocole

Un lait n'est plus frais lorsque sa concentration massique en acide lactique dépasse 1,8 g·L^{-1}.

a. À l'aide de la première partie de l'activité, proposer un protocole expérimental pour contrôler la qualité d'un lait. Le titrage peut être réalisé en ajoutant de l'eau distillée et en gardant un bécher témoin afin de mieux visualiser le changement de couleur.

b. Mettre en œuvre la démarche expérimentale choisie.

Pour vérifier ses acquis
→ FICHE B page 424

1 Principe d'un dosage par titrage

1.1 Définition

● Un **dosage par titrage** (couramment appelé titrage) permet de déterminer la quantité de matière d'une espèce chimique présente dans une solution.

● Cette technique est souvent utilisée en laboratoire afin de déterminer les quantités de différentes espèces chimiques présentes dans notre quotidien. Elle permet ainsi de faire un contrôle de qualité.

● Au cours d'un dosage par titrage, l'espèce chimique à titrer (notée A), réagit avec une quantité connue d'une espèce chimique (notée B) appelée espèce titrante.
● Cette réaction est rapide et quasi-totale. Elle est appelée **réaction support de titrage**.

> **Vocabulaire**
>
> Souvent, par abus de langage, on utilise les termes «titrage d'une solution 1 par une solution 2», alors qu'il faudrait dire : «titrage d'une espèce A contenue dans une solution 1 par une espèce B contenue dans une solution 2».

Exemple. Titrage d'une solution d'ammoniac ($NH_3(aq)$) par de l'acide chlorhydrique ($H_3O^+(aq)$, $Cl^-(aq)$).
L'équation de la réaction support de titrage s'écrit :
$$NH_3(aq) + H_3O^+(aq) \rightarrow NH_4^+(aq) + H_2O(\ell).$$

Remarque. Un dosage par titrage est une technique destructive, alors qu'un dosage par étalonnage est une technique non destructive.

1.2 Équivalence lors d'un titrage

● Lors d'un titrage, on introduit progressivement une solution contenant l'espèce titrante B dans une solution de volume V_A contenant l'espèce à titrer A. Dans la première partie du titrage, l'espèce titrante est entièrement consommée et la quantité de réactif titré diminue.

> L'état du système pour lequel les réactifs ont été introduits dans les proportions stœchiométriques est appelé l'**équivalence**.

● On note V_B le volume de réactif titrant versé et $V_{B,e}$ celui versé à l'équivalence :
– pour $V_B < V_{B,e}$, le réactif titrant est limitant ;
– pour $V_B = V_{B,e}$, le réactif titrant et le réactif titré sont limitants, ils ont été introduits dans les proportions stœchiométriques ;
– pour $V_B > V_{B,e}$, le réactif titré est limitant.

● **À l'équivalence**, la quantité de matière de l'espèce B versée est notée $n_{B,e}$ et l'avancement de la réaction support de titrage est noté x_e. La quantité de matière de l'espèce A initialement introduite est notée $n_{A,i}$.
Le tableau d'évolution d'une réaction support de titrage d'équation $aA + bB \rightarrow cC + dD$ (où a, b, c, d sont des nombres stœchiométriques et C, D les produits) est donné ci-après.

5 Mesure de la quantité d'ions nitrate dans une usine d'eau potable.

Équation		$a\,A$	$+\quad b\,B$	$\rightarrow\quad c\,C$	$+\,d\,D$
État	Avancement	\multicolumn{4}{c}{Quantités de matière}			
initial	0	$n_{A,\mathrm{i}}$	$n_{B,\mathrm{e}}$	0	0
à l'équivalence	x_{e}	$n_{A,\mathrm{i}} - a\,x_{\mathrm{e}}$	$n_{B,\mathrm{e}} - b\,x_{\mathrm{e}}$	$c\,x_{\mathrm{e}}$	$d\,x_{\mathrm{e}}$

À l'équivalence, le réactif titré et le réactif titrant sont limitants, donc :
$$n_{A,\mathrm{i}} - a\,x_{\mathrm{e}} = 0 \quad \text{et} \quad n_{B,\mathrm{e}} - b\,x_{\mathrm{e}} = 0.$$

À l'équivalence, on peut donc écrire une relation entre la quantité de réactif titré initialement introduit et la quantité de réactif titrant versé à l'équivalence :
$$\frac{n_{A,\mathrm{i}}}{a} = \frac{n_{B,\mathrm{e}}}{b}.$$

Exemple. Titrage d'une solution de diiode (I_2) par une solution de thiosulfate de sodium ($2\,Na^+(aq),\ S_2O_3^{2-}(aq)$).

L'équation de la réaction support de titrage s'écrit :
$$I_2(aq) + 2\,S_2O_3^{2-}(aq) \rightarrow 2\,I^-(aq) + S_4O_6^{2-}(aq).$$

À l'équivalence, on peut écrire la relation suivante : $\dfrac{n_{I_2,\mathrm{i}}}{1} = \dfrac{n_{S_2O_3^{2-},\mathrm{e}}}{2}.$

● De la relation $\dfrac{n_{A,\mathrm{i}}}{a} = \dfrac{n_{B,\mathrm{e}}}{b}$, on peut déduire la concentration c_A de l'espèce A présente dans la solution titrée en fonction de la concentration c_B de l'espèce B présente dans la solution titrante :
$$\frac{c_A V_A}{a} = \frac{c_B V_{B,\mathrm{e}}}{b}, \quad \text{donc} \quad c_A = \frac{a}{b} \times \frac{V_{B,\mathrm{e}}}{V_A} \times c_B.$$

1.3 Mise en œuvre pratique

● En pratique, l'échantillon de volume V_A de la solution à titrer est prélevé avec du matériel de précision (document 6) et versé soit dans un bécher s'il faut aussi introduire une électrode ou une sonde, soit dans un erlenmeyer.

● On ajoute parfois de l'eau distillée à la solution à titrer. Cette dilution ne modifie pas la quantité de matière de l'espèce A, et ne modifie donc pas le volume $V_{B,\mathrm{e}}$ versé à l'équivalence.

● La solution titrante est versée progressivement à l'aide d'une burette graduée. Le titrage s'effectue sous agitation magnétique. L'agitation doit être modérée en cas de titrage conductimétrique.

● Au cours d'un titrage, soit on suit l'évolution d'une grandeur physique comme le pH ou la conductivité σ, soit on utilise un indicateur de fin de réaction pour repérer l'équivalence.

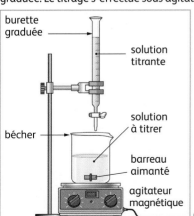

burette graduée

solution titrante

solution à titrer

bécher

barreau aimanté

agitateur magnétique

7 Schéma du montage expérimental d'un titrage.

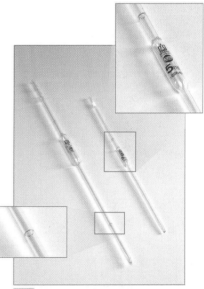

6 Verrerie de précision utilisée pour prélever l'échantillon de la solution à titrer : pipette jaugée à un trait et pipette jaugée à deux traits.

Mesures et incertitudes

S'il est écrit 10 mL ± 0,05 mL sur la pipette jaugée, cela signifie que la probabilité de verser un volume compris entre 9,95 mL et 10,05 mL est de 95 %.

2 Titrage par suivi d'une grandeur physique

2.1 Titrage pH-métrique

Lorsque l'on suit l'évolution du pH d'une solution, on effectue un **titrage pH-métrique**. La réaction support de titrage est alors une réaction acido-basique.

> Lors d'un titrage pH-métrique, l'équivalence est repérée par une brusque variation du pH, appelée **saut de pH**.

Afin de pouvoir tracer des points expérimentaux régulièrement répartis, il faut ajouter la solution titrante millilitre par millilitre pour $V < 0,9\,V_e$ et $V > 1,1\,V_e$. En revanche, il faut « resserrer » les mesures au voisinage de V_e (en faisant par exemple une mesure tous les 0,2 mL).

Exemple. Titrage pH-métrique d'acide chlorhydrique $(H_3O^+(aq), Cl^-(aq))$ de concentration $c_S = 10\ \text{mmol·L}^{-1}$ et de volume $V_S = 10,0\ \text{mL}$ par une solution d'hydroxyde de sodium $(Na^+(aq), HO^-(aq))$ de concentration $c = 10\ \text{mmol·L}^{-1}$ **(figure 8)**.

L'équation de la réaction support de titrage s'écrit :
$$H_3O^+(aq) + HO^-(aq) \rightarrow 2\,H_2O(\ell).$$

Pour déterminer les coordonnées du point à l'équivalence, on utilise la méthode des tangentes parallèles.

On trace deux tangentes à la courbe, parallèles et placées de part et d'autre du saut de pH, dans la zone où la courbe a une grande courbure. On trace ensuite la droite parallèle et équidistante à ces deux tangentes. Cette droite coupe la courbe de titrage au point d'abscisse $V_e = 10,0\ \text{mL}$ et d'ordonnée $pH_e = 7,0$.

Remarque. La méthode des tangentes parallèles n'est valable que pour le titrage d'un acide fort par une base forte concentrée ou d'une base forte par un acide fort concentré. Cependant, dans les autres cas, elle donne des résultats de volume équivalent très acceptables.

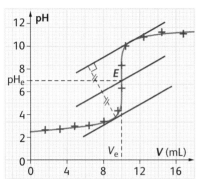

8 *Courbe de titrage pH-métrique de l'acide chlorhydrique par une solution d'hydroxyde de sodium et construction des tangentes parallèles.*

APPLICATION Titrage pH-métrique d'une solution d'ammoniac $(NH_3(aq))$ de concentration c_S et de volume $V_S = 10,0\ \text{mL}$ par de l'acide chlorhydrique $(H_3O^+(aq), Cl^-(aq))$ de concentration $c = 20\ \text{mmol·L}^{-1}$ **(figure 9)**.

L'équation de la réaction support de titrage s'écrit :
$$NH_3(aq) + H_3O^+(aq) \rightarrow NH_4^+(aq) + H_2O(\ell).$$

Quelle est la valeur de la concentration c_S ?

Réponse. L'abscisse du point à l'équivalence est $V_e = 7,5\ \text{mL}$.
À l'équivalence, on peut écrire la relation suivante :
$$\frac{n_{NH_3,\,i}}{1} = \frac{n_{H_3O^+,\,e}}{1}\ ,\ \text{donc}\ c_S \times V_S = c \times V_e.\ \text{On obtient :}\ c_S = \frac{V_e}{V_S} \times c.$$

A.N. : $c_S = \dfrac{7,5 \times 10^{-3}}{10,0 \times 10^{-3}} \times 20 \times 10^{-3} = 1,5 \times 10^{-2}\ \text{mol·L}^{-1}.$

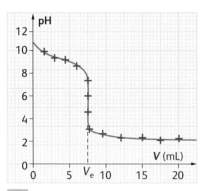

9 *Courbe de titrage pH-métrique d'une solution d'ammoniac par de l'acide chlorhydrique.*

Cours

TICE

Un logiciel de simulation de courbes de titrage est téléchargeable à l'adresse suivante :

www.chimsoft.com

2.2 Titrage conductimétrique

A Repérer l'équivalence

Lorsque l'on suit l'évolution de la conductivité σ d'une solution, on effectue un **titrage conductimétrique**.

Remarque. En pratique, pour que l'évolution de la conductivité avec le volume de solution titrante versée soit linéaire, le volume versé de solution titrante au cours du titrage doit être petit devant le volume initialement introduit de la solution titrée.

Toutes les espèces ioniques participent à la conductivité de la solution, y compris celles qui n'apparaissent pas dans l'équation de la réaction support de titrage, appelées **ions spectateurs**.

> Lors d'un titrage conductimétrique, l'équivalence est repérée par un **changement de pente** de la courbe représentant la conductivité σ en fonction du volume V de solution titrante versée.

Exemple. Titrage conductimétrique de l'acide chlorhydrique $(H_3O^+(aq), Cl^-(aq))$ de concentration $c_S = 10$ mmol·L^{-1}, de volume $V_S = 200{,}0$ mL, par une solution d'hydroxyde de sodium ou soude $(Na^+(aq), HO^-(aq))$ de concentration $c = 2{,}0 \times 10^{-1}$ mol·L^{-1} (figure 10). L'équation de la réaction support de titrage s'écrit :

$$H_3O^+(aq) + HO^-(aq) \rightarrow 2\,H_2O(\ell).$$

Le volume V_e versé à l'équivalence est égal à 10,0 mL.

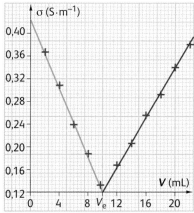

10 *Courbe de titrage conductimétrique de l'acide chlorhydrique par une solution d'hydroxyde de sodium.*

Lors d'un titrage conductimétrique, contrairement à un titrage pH-métrique, il n'est pas nécessaire de « resserrer » les mesures au voisinage du volume équivalent.

B Interpréter qualitativement un changement de pente

● L'interprétation du changement de pente peut se faire par l'analyse des conductivités molaires des espèces présentes à chaque étape du titrage. Le volume de la solution variant peu au cours du titrage, le raisonnement peut se faire aussi bien sur les quantités de matière que sur les concentrations.

● Prenons l'exemple du titrage d'une solution d'acide éthanoïque (CH_3CO_2H) de concentration c_S, de volume $V_S = 200$ mL, par une solution d'hydroxyde de sodium $(Na^+(aq), HO^-(aq))$ de concentration $c = 2{,}0 \times 10^{-1}$ mol·L^{-1} (figure 11). L'équation de la réaction support de titrage s'écrit :

$$CH_3CO_2H(aq) + HO^-(aq) \rightarrow CH_3CO_2^-(aq) + H_2O(\ell).$$

Les conductivités ioniques molaires en S·m^2·mol^{-1} des ions présents sont :

$$\lambda(Na^+) = 5{,}0 \times 10^{-3};\ \lambda(HO^-) = 20 \times 10^{-3};\ \lambda(CH_3CO_2^-) = 4{,}1 \times 10^{-3}.$$

La courbe de titrage peut être décomposée en deux parties :

– **avant l'équivalence** : le réactif limitant est HO$^-$. Des ions Na$^+$ sont introduits et des ions $CH_3CO_2^-$ se forment dans la solution titrée : la conductivité σ augmente.

– **après l'équivalence** : le réactif limitant est CH_3CO_2H. La quantité des ions $CH_3CO_2^-$ n'évolue plus. Des ions HO$^-$ et Na$^+$ sont introduits sans être consommés : la conductivité σ augmente beaucoup plus fortement, car la conductivité ionique molaire de HO$^-$ est plus élevée que celle de $CH_3CO_2^-$.

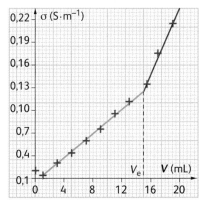

11 *Courbe de titrage conductimétrique d'une solution d'acide éthanoïque par une solution d'hydroxyde de sodium.*

3 Titrage utilisant un indicateur de fin de réaction

● Dans le cas où le réactif titrant, le réactif à titrer ou un produit de la réaction est coloré, on peut suivre l'évolution de la couleur de la solution lors du titrage.

> Lorsque l'une des espèces titrante, titrée ou produite est colorée, l'équivalence est repérée par **le changement de couleur** de la solution.

Exemple. Titrage d'une solution incolore de peroxyde d'hydrogène ($H_2O_2(aq)$) par une solution violette contenant des ions permanganate $MnO_4^-(aq)$: avant l'équivalence, les ions permanganate MnO_4^- sont en défaut, donc la solution est incolore. Après l'équivalence, ils sont en excès : la solution est violette.

● Dans le cas où le réactif titrant, le réactif à titrer et les produits de la réaction sont incolores, on peut introduire une espèce qui modifie la couleur du milieu différemment avant et après l'équivalence.
Cette espèce est appelée **indicateur de fin de réaction**, elle sert à repérer l'équivalence.

> Si aucune des espèces titrante, titrée ou produite n'est colorée, on peut ajouter à la solution à titrer un indicateur de fin de réaction. L'équivalence est alors repérée par **le changement de couleur** de la solution.

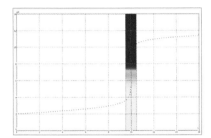

12 La zone de virage du BBT est comprise dans la zone de forte variation de pH du titrage étudié.

● Un indicateur coloré de pH est un indicateur de fin de réaction. Il est choisi de manière à ce que sa zone de virage soit comprise dans la zone de forte variation de pH **(figure 12)**.

Indicateur	Couleur de la forme acide	Zone de virage	Couleur de la forme basique
hélianthine	rouge	2,4 – 4,4	jaune
BBT	jaune	6,0 – 7,6	bleu
phénolphtaléine	incolore	8,2 – 9,9	rose

14 Exemples d'indicateurs colorés de pH.

13 En présence de BBT, la solution est jaune si son pH est inférieur à 6,0 et bleue si son pH est supérieur à 7,6.

Exemple. On ajoute quelques gouttes de bleu de bromothymol (BBT) dans l'acide chlorhydrique ($H_3O^+(aq)$, $Cl^-(aq)$), puis on réalise son titrage par une solution d'hydroxyde de sodium ($Na^+(aq)$, $HO^-(aq)$). Juste avant l'équivalence, le BBT donne une coloration jaune à la solution. Juste après l'équivalence, le BBT donne une couleur bleue à la solution **(document 13)**. Le changement de couleur brutal de la solution lors du titrage permet de déterminer le volume à l'équivalence.

● Il existe aussi des indicateurs de fin de réaction spécifiques.

Exemple. L'empois d'amidon permet de repérer l'équivalence d'un titrage faisant intervenir du diiode. Il forme avec le diiode une espèce chimique responsable de la couleur bleue de la solution **(document 15)**.

15 En présence d'empois d'amidon, le diiode forme une espèce qui donne la couleur bleue à la solution.

L'ESSENTIEL

→ **Principe d'un dosage par titrage**

- Un dosage par titrage permet de déterminer la quantité de matière d'une espèce chimique présente en solution.

- Au cours d'un dosage par titrage, l'espèce chimique à titrer (notée A) réagit avec une quantité connue d'une espèce chimique, appelée espèce titrante (notée B).
Cette réaction est rapide et quasi-totale. Elle est appelée **réaction support de titrage**.

- L'équation de la réaction support de titrage s'écrit :
$$a\,A + b\,B \rightarrow c\,C + d\,D$$

- À l'équivalence, les réactifs ont été introduits dans les proportions stœchiométriques.
On peut écrire une relation entre la quantité de matière du réactif titré initialement introduit et la quantité de matière du réactif titrant versé à l'équivalence :
$$\frac{n_{A,\,i}}{a} = \frac{n_{B,\,e}}{b}$$

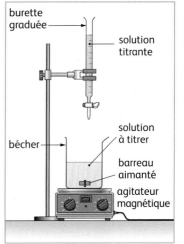

Schéma expérimental du montage utilisé lors d'un titrage.

→ **Repérage de l'équivalence**

... pour un titrage pH-métrique

- Lorsque l'on suit l'évolution du pH d'une solution, on effectue un **titrage pH-métrique**.

- La réaction support de titrage est une réaction acido-basique.

- L'équivalence est repérée par une brusque variation du pH, appelée **saut de pH**.

... pour un titrage conductimétrique

- Lorsque l'on suit l'évolution de la conductivité σ d'une solution, on effectue un **titrage conductimétrique**.

- L'équivalence est repérée par un **changement de pente** des courbes tracées à partir des points expérimentaux.

... pour un titrage utilisant un indicateur de fin de réaction

- Si aucune des espèces titrante, titrée ou produite n'est colorée, on peut utiliser un indicateur de fin de réaction et suivre l'évolution de la couleur de la solution au cours du titrage.

- L'équivalence est repérée par le **changement de couleur** de la solution.

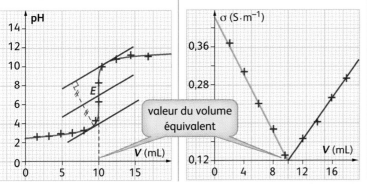

Exercices Application

1 Mots manquants

Compléter avec un ou plusieurs mots.

a. La réaction support de titrage doit être rapide et ....

b. À l'équivalence, le réactif titrant et le réactif titré ont été introduits dans les proportions ....

c. Lors d'un titrage pH-métrique, l'équivalence est repérée par une ....

d. Lors d'un titrage conductimétrique, on suit l'évolution de la .... de la solution.

e. L'équivalence est repérée par un changement de .... lors d'un titrage conductimétrique.

f. Lorsque l'espèce titrante, l'espèce titrée ou les produits sont incolores, on peut utiliser un .... pour repérer l'équivalence.

2 QCM

Cocher la réponse exacte.

a. Avant l'équivalence :
☐ le réactif titrant est limitant
☐ le réactif titré est limitant
☐ le réactif titrant et le réactif titré sont limitants

b. L'équation d'une réaction support de titrage s'écrit :
$$a\,A + b\,B \rightarrow c\,C + d\,D.$$
À l'équivalence, on peut écrire une relation entre la quantité $n_{A,i}$ du réactif titré A initialement introduit et la quantité $n_{B,e}$ du réactif titrant B versé à l'équivalence :

☐ $\dfrac{n_{A,i}}{b} = \dfrac{n_{B,e}}{a}$ ☐ $\dfrac{n_{A,i}}{a} = \dfrac{n_{B,e}}{b}$ ☐ $n_{A,i} = n_{B,e}$

c. On étudie le titrage d'une solution d'acide méthanoïque (HCO_2H) par une solution d'hydroxyde de sodium ($Na^+(aq)$, $HO^-(aq)$). Lors de ce titrage :
☐ le réactif titrant est HO^- et le réactif titré est HCO_2H
☐ le réactif titrant est HCO_2H et le réactif titré est HO^-
☐ le réactif titrant est Na^+ et le réactif titré est HCO_2H

d. Un indicateur coloré de pH est choisi de manière à ce que sa zone de virage comprenne :
☐ le volume à l'équivalence
☐ le pH initial de la solution à titrer
☐ la zone de forte variation de pH

e. On réalise un titrage en plaçant dans la burette une solution d'hydroxyde de sodium ($Na^+(aq)$, $HO^-(aq)$) et dans l'erlenmeyer de l'acide chlorhydrique ($H_3O^+(aq)$, $Cl^-(aq)$). L'équation de la réaction support de titrage s'écrit :
☐ $Na^+(aq) + Cl^-(aq) \rightarrow NaCl(s)$
☐ $H_3O^+(aq) + HO^-(aq) \rightarrow 2\,H_2O(\ell)$
☐ $2\,H_2O(\ell) \rightarrow H_3O^+(aq) + HO^-(aq)$

> → **Solutions détaillées en fin de manuel pour vérifier vos réponses et comprendre vos erreurs.**

Parcours en autonomie

Trois parcours d'exercices pour travailler en autonomie selon ses besoins.

Maîtriser les bases — 4 – 7 – 8

Préparer l'évaluation — 12 – 17 – 19

Approfondir — 28 – 30

COMPÉTENCES EXIGIBLES

3 Écrire l'équation de la réaction

Voici des extraits de protocoles expérimentaux.

Protocole 1. On réalise expérimentalement un titrage dont la réaction support de titrage est une réaction acido-basique d'une solution d'acide méthanoïque (HCO_2H) par une solution d'hydroxyde de sodium ($Na^+(aq)$, $HO^-(aq)$).

Protocole 2. On réalise expérimentalement un titrage dont la réaction support de titrage est une réaction acido-basique de l'acide chlorhydrique ($H_3O^+(aq)$, $Cl^-(aq)$) par une solution d'hydroxyde de sodium ($Na^+(aq)$, $HO^-(aq)$). On ajoute quelques gouttes d'un indicateur coloré (BBT).

Protocole 3. On réalise expérimentalement un titrage dont la réaction support de titrage est une réaction d'oxydoréduction d'une solution contenant des ions permanganate MnO_4^- par une solution contenant des ions fer (II) Fe^{2+}.

Pour chaque protocole, écrire l'équation de la réaction support de titrage.

Données. Demi-équations rédox : $Fe^{3+}(aq) + e^- = Fe^{2+}(aq)$; $MnO_4^-(aq) + 8\,H^+(aq) + 5\,e^- = Mn^{2+}(aq) + 4\,H_2O(\ell)$.

4 Donner une relation à l'équivalence

a. Définir l'équivalence d'un titrage.

b. Déterminer, pour chaque protocole de l'exercice **3**, la relation à l'équivalence entre la quantité de réactif titré initialement introduit et celle du réactif titrant versé à l'équivalence.

5 Suivre une grandeur physique

a. Citer deux grandeurs qui peuvent être mesurées pour réaliser le suivi d'un titrage. Donner le nom des appareils permettant de mesurer ces grandeurs.

b. Préciser le nom et l'unité des grandeurs notées en abscisse et en ordonnée de la courbe de titrage dans les deux cas précédents.

6 Choisir un indicateur de fin de titrage

a. Donner trois exemples de titrage où l'équivalence est repérée par un changement de couleur.

b. Comment choisit-on convenablement un indicateur coloré de pH ?

7 Interpréter un changement de pente

On étudie le titrage d'une solution d'acide nitrique $(H_3O^+(aq), NO_3^-(aq))$ de volume $V_S = 200$ mL et de concentration $c_S = 1,0 \times 10^{-2}$ mol·L^{-1} par une solution d'hydroxyde de sodium $(Na^+(aq), HO^-(aq))$ de concentration $c = 2,0 \times 10^{-1}$ mol·L^{-1}.

L'équation de la réaction support de titrage s'écrit :
$$H_3O^+(aq) + HO^-(aq) \rightarrow 2\,H_2O\,(\ell).$$

On obtient la courbe ci-dessous, représentant la conductivité σ en fonction du volume V de solution d'hydroxyde de sodium versé.

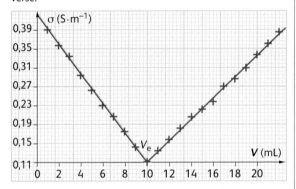

Interpréter qualitativement le changement de pente.

Conductivités molaires ioniques (en mS·m²·mol⁻¹) :
$\lambda(H_3O^+) = 35$; $\lambda(HO^-) = 20$; $\lambda(Na^+) = 5,0$; $\lambda(NO_3^-) = 7,1$.

8 Déterminer une concentration

On réalise le titrage pH-métrique d'une solution d'ammoniac (NH_3) de volume $V_S = 10,0$ mL, de concentration c_S par de l'acide chlorhydrique $(H_3O^+(aq), Cl^-(aq))$ de concentration $c = 1,0 \times 10^{-2}$ mol·L^{-1}. L'équation de la réaction support de titrage s'écrit : $NH_3(aq) + H_3O^+(aq) \rightarrow NH_4^+(aq) + H_2O(\ell)$.

On obtient la courbe ci-dessous, représentant le pH en fonction du volume V d'acide chlorhydrique versé.

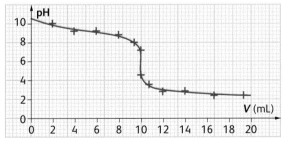

a. Déterminer par la méthode des tangentes le volume d'acide versé à l'équivalence.

b. Déterminer la relation à l'équivalence entre la quantité de réactif titré initialement introduit et celle du réactif titrant versé à l'équivalence.

c. En déduire la concentration c_S.

9 Annoter un schéma

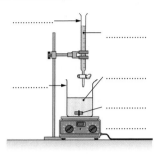

Annoter le schéma du dispositif de titrage représenté ci-dessus.

10 Interpréter des graphiques

L'une des courbes représentées ci-dessous est celle d'un titrage pH-métrique d'une solution d'acide faible par une solution de base forte. L'autre est celle d'un titrage pH-métrique d'une solution de base faible par une solution d'acide fort.

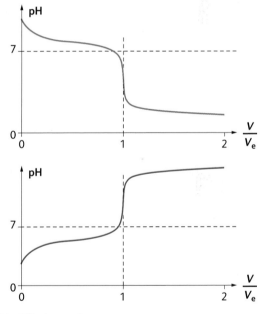

Identifier les courbes.

11 Lire un tableau

Le tableau ci-dessous rassemble des indicateurs colorés de pH.

Indicateur	Couleur de la forme acide	Zone de virage	Couleur de la forme basique
hélianthine	rouge	2,4 – 4,4	jaune
BBT	jaune	6,0 – 7,6	bleu
phénolphtaléine	incolore	8,2 – 9,9	rose

a. Choisir un indicateur coloré adapté au titrage de l'exercice **8** parmi ceux du tableau.

b. Comment évolue la couleur du milieu lors du titrage ?

EXERCICE RÉSOLU

Site élève

12 Vitamine C

Énoncé On souhaite déterminer la masse d'acide ascorbique ($C_6H_8O_6$) dans un comprimé de vitamine « C 500 ».

On écrase un comprimé de vitamine C 500 dans un mortier. On introduit la poudre dans une fiole jaugée de 100,0 mL ; on complète avec de l'eau distillée. Après homogénéisation, on obtient la solution S.
On prélève un échantillon de la solution S de volume $V_S = 10,0$ mL que l'on titre avec une solution d'hydroxyde de sodium (Na^+(aq), HO^-(aq)) de concentration $c = 2,0 \times 10^{-2}$ mol·L^{-1}.
La courbe de ce titrage pH-métrique est présentée ci-contre. V représente le volume de solution d'hydroxyde de sodium versée.

❶ Quel est le réactif titrant ? Quel est le réactif titré ?

❷ Écrire l'équation de la réaction support de titrage.

❸ Déterminer le volume versé à l'équivalence par lecture directe sur la courbe.

❹ Déterminer la relation à l'équivalence entre la quantité $n_{C_6H_8O_6,i}$ du réactif titré initialement introduit et la quantité $n_{HO^-,e}$ du réactif titrant versé à l'équivalence.

❺ Calculer la quantité d'acide ascorbique présent dans la solution titrée de volume $V_S = 10,0$ mL.

❻ En déduire la masse d'acide ascorbique contenu dans un comprimé, en milligramme. Comparer cette valeur à celle du fabricant en prenant en compte les incertitudes expérimentales.

Données
– Couples acido-basiques $C_6H_8O_6$(aq)/$C_6H_7O_6^-$(aq) et H_2O(ℓ)/HO^-(aq).
– Masse molaire moléculaire : $M_{C_6H_8O_6} = 176$ g·mol^{-1}.

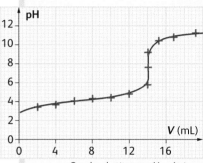
Courbe de titrage pH-métrique.

Énoncé

L'énoncé précise la solution titrée, qui contient le réactif titré, et la solution titrante, qui contient le réactif titrant.

Une solution

❶ Le réactif titrant est l'ion hydroxyde HO^- présent dans la solution d'hydroxyde de sodium et le réactif titré est l'acide ascorbique $C_6H_8O_6$.

❷ L'équation de la réaction support de titrage s'écrit :

$$C_6H_8O_6\,(aq) + HO^-\,(aq) \rightarrow C_6H_7O_6^-\,(aq) + H_2O\,(\ell).$$

❸ La brusque variation de pH (saut de pH) a lieu lorsque le volume de réactif titrant versé est de 14,0 mL. Donc $V_e = 14,0$ mL.

❹ À l'équivalence : $\dfrac{n_{C_6H_8O_6,i}}{1} = \dfrac{n_{HO^-,e}}{1}$. D'où : $n_{C_6H_8O_6,i} = n_{HO^-,e}$.

❺ $n_{HO^-,e} = c \times V_e$ donc $n_{C_6H_8O_6,i} = c \times V_e$.

A.N. : $n_{C_6H_8O_6,i} = 2,0 \times 10^{-2} \times 14,0 \times 10^{-3} = 2,8 \times 10^{-4}$ mol.

❻ $m_{C_6H_8O_6} = 10 \times n_{C_6H_8O_6,i} \times M_{C_6H_8O_6}$.

A.N. : $m_{C_6H_8O_6} = 10 \times 2,8 \times 10^{-4} \times 176 = 0,49$ g $= 4,9 \times 10^2$ mg.

L'indication « C 500 » signifie qu'un comprimé contient 500 mg de principe actif. L'écart observé avec la mesure est dû à l'incertitude :
– sur le volume de la fiole jaugée lors de la fabrication de la solution ;
– sur le volume lors du prélèvement d'échantillon ;
– sur la concentration de la solution titrante ;
– sur la lecture graphique du volume équivalent V_e.

Rédiger

Toujours vérifier que l'équation de la réaction est ajustée.

Application numérique

Le résultat final doit comporter deux chiffres significatifs car la concentration c est donnée avec deux chiffres significatifs.

Raisonner

Multiplier la quantité de matière d'acide ascorbique par 10 pour obtenir la masse présente dans 100,0 mL de solution.

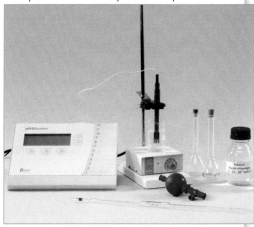

Avant d'écrire le protocole, il faut d'abord rédiger la liste du matériel et des solutions nécessaires. Chaque étape du protocole est ensuite décrite à l'aide de verbes d'action à l'infinitif. En revanche, il n'est pas nécessaire d'expliquer comment se manipule le matériel, car cette compétence est censée être connue de l'expérimentateur.

Un élève rédige un protocole expérimental afin de déterminer la concentration molaire d'une solution d'acide éthanoïque par titrage pH-métrique.

> • Liste du matériel : agitateur magnétique, bécher, burette graduée, pH-mètre et sonde pH-métrique, pipette jaugée de 10,0 mL.
> • Solution d'acide éthanoïque, solution d'hydroxyde de sodium de concentration $c = 2,0 \times 10^{-2} \ mol \cdot L^{-1}$.
> • Protocole expérimental
> – Prélever un échantillon de volume $V_S = 10,0$ mL d'une solution d'acide éthanoïque.
> – L'introduire dans un bécher et ajouter un barreau aimanté.
> – Rincer puis remplir la burette graduée avec une solution de concentration $c = 2,0 \times 10^{-2} \ mol \cdot L^{-1}$.
> – Placer le bécher sur un agitateur magnétique et disposer la burette au-dessus du bécher.
> – Placer la sonde du pH-mètre dans le bécher en s'assurant qu'elle plonge bien dans la solution.
> – On note la valeur du pH après chaque ajout de la solution titrante.

a. Que manque-t-il dans la liste du matériel ?

b. Quel matériel nécessaire au titrage est absent de la photographie ? Lequel n'est pas utile ?

c. Quelles précisions doit-on apporter dans les première et troisième puces du protocole ?

d. Quelle précision est inutile dans la cinquième puce du protocole ?

e. Quelles modifications doit-on faire pour améliorer la rédaction de la dernière ligne du protocole ?

f. Rédiger un protocole corrigé.

▼ *Proposition de matériel pour cette expérience.*

---

14 **Apprendre à rédiger**

Voici l'énoncé d'un exercice et un guide (en vert) ; ce guide vous aide à rédiger la solution détaillée et à retrouver les réponses aux questions posées.

Énoncé

On titre une solution contenant du dioxyde de soufre (SO_2) de concentration inconnue c_S par une solution de diiode (I_2) de concentration $c = 50 \ mmol \cdot L^{-1}$.

On prélève un échantillon de la solution à titrer de volume $V_S = 10,0$ mL. On introduit quelques gouttes d'empois d'amidon dans la solution à titrer pour repérer l'équivalence. Le volume V_e versé à l'équivalence est égal à 8,0 mL.

a. A-t-on réalisé un titrage pH-métrique, conductimétrique ou utilisé un indicateur de fin de réaction ?

> ▶ Identifier dans l'énoncé une indication concernant le repérage de l'équivalence et rédiger la réponse.

b. Quel est le réactif titrant ? Quel est le réactif titré ?

> ▶ Repérer dans l'énoncé la solution titrée afin de conclure sur l'espèce titrée. Repérer ensuite l'espèce titrante.

c. Écrire l'équation de la réaction support de titrage.

> ▶ Utiliser la réponse à la question précédente.

> ▶ Après avoir écrit l'équation de la réaction, vérifier la conservation des éléments et de la charge électrique, sans pour autant écrire cette vérification sur votre copie.

d. Déterminer la relation à l'équivalence entre la quantité n_i du réactif titré initialement introduit et celle n_e du réactif titrant versé à l'équivalence.

> ▶ Donner la définition de l'équivalence de ce titrage et la traduire par une relation entre les quantités de matière.

e. Déterminer la concentration molaire en dioxyde de soufre de la solution.

> ▶ Utiliser la relation précédente et la réécrire en fonction de V_S, c_S, V_e et c. En déduire l'expression de c_S.

> ▶ Faire une application numérique. Analyser les chiffres significatifs et l'unité, et vérifier que $c_S = 40 \ mmol \cdot L^{-1}$.

Données

Couples oxydant/réducteur et demi-équations rédox :
$I_2(aq)/I^-(aq)$; $I_2(aq) + 2 \ e^- = 2 \ I^-(aq)$; $SO_4^{2-}(aq)/SO_2(aq)$;
$SO_4^{2-}(aq) + 4 \ H^+(aq) + 2 \ e^- = SO_2(aq) + 2 \ H_2O(\ell)$.

15 ★ Exploiter une courbe

Compétence générale *Restituer ses connaissances*

On réalise le titrage conductimétrique d'une solution d'ammoniac (NH_3) de volume $V_S = 200$ mL, de concentration c_S, par de l'acide chlorhydrique (H_3O^+ (aq), Cl^- (aq)) de concentration $c = 2{,}0 \times 10^{-2}$ mol·L^{-1}.

L'équation de la réaction support de titrage s'écrit :

$$NH_3 \,(aq) + H_3O^+ \,(aq) \rightarrow NH_4^+ \,(aq) + H_2O \,(\ell).$$

On obtient alors la courbe ci-dessous, représentant la conductivité σ en fonction du volume V d'acide chlorhydrique versé.

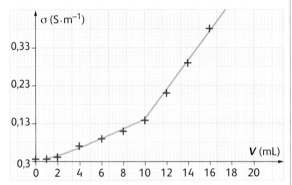

a. Déterminer le volume versé à l'équivalence.

b. Déterminer la relation à l'équivalence entre la quantité de réactif titré initialement introduit et celle de réactif titrant versé à l'équivalence.

c. En déduire la concentration c_S.

16 ★ Titrage d'une solution d'éthylamine

Compétence générale *Exploiter des informations*

On réalise le titrage pH-métrique d'une solution d'éthylamine ($C_2H_5NH_2$) de volume $V_S = 20{,}0$ mL, de concentration c_S, par de l'acide chlorhydrique (H_3O^+ (aq), Cl^- (aq)) de concentration $c = 1{,}0 \times 10^{-1}$ mol·L^{-1}. En suivant l'évolution du pH en fonction du volume d'acide chlorhydrique versé, on obtient la courbe de titrage représentée ci-dessous.

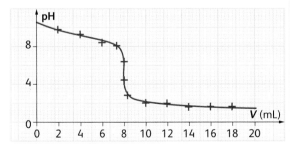

a. Réaliser un schéma annoté du montage de titrage.

b. Écrire l'équation de la réaction support de titrage.

c. Déterminer graphiquement le volume V_e versé à équivalence.

d. Définir l'équivalence de ce titrage.

e. Déterminer la concentration c_S de la solution d'éthylamine.

f. On souhaite utiliser pour ce titrage un indicateur coloré de pH parmi ceux rassemblés ci-dessous.

Indicateur coloré	Zone de pH de virage
rouge de chlorophénol	4,8 – 6,4
phénolphtaléine	8,2 – 9,9
jaune d'alizarine	10,2 – 12,1

Pourquoi le jaune d'alizarine est-il inadapté pour ce titrage ?

g. Parmi les indicateurs colorés du tableau, choisir, en justifiant, celui qui pourrait être utilisé.

Donnée. Couples acido-basiques :
$C_2H_5NH_3^+$ (aq)/$C_2H_5NH_2$ (aq) et H_3O^+ (aq)/H_2O (ℓ).

17 ★ Réaction de précipitation

Compétence générale *Restituer ses connaissances*

Avant de réaliser le titrage d'une eau minérale, on la dégaze par agitation. On réalise ensuite le protocole suivant.

• Prélever un échantillon de cette eau de volume $V_S = 20{,}0$ mL, l'introduire dans un bécher. Ajouter dans le bécher un volume d'environ 200 mL d'eau distillée. Plonger dans ce milieu une cellule de conductimétrie.

• À l'aide d'une burette graduée, ajouter progressivement une solution aqueuse de nitrate d'argent (Ag^+ (aq), NO_3^- (aq)) de concentration molaire $c = 20$ mmol·L^{-1}.

• Le mélange obtenu dans le bécher est maintenu sous une agitation régulière mais lente.

La courbe d'évolution de la conductivité σ du mélange en fonction du volume V versé de la solution de nitrate d'argent est donnée ci-dessous.

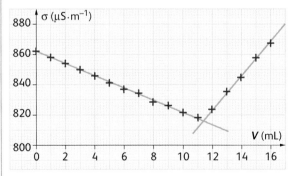

Lors de ce titrage, les ions chlorure Cl^- (aq) réagissent avec les ions argent Ag^+ (aq) pour former un précipité blanc de chlorure d'argent $AgCl$(s). La transformation associée à la réaction est quasi-totale. L'équation de la réaction de précipitation est la suivante :

$$Ag^+ \,(aq) + Cl^- \,(aq) \rightarrow AgCl(s).$$

a. En déduire la relation entre la quantité n_i d'ions chlorure initialement présents et la quantité n_e d'ions argent versés à l'équivalence.

b. À quel état du système le point d'intersection des deux segments de droite correspond-il ? En déduire la valeur du volume V_e de la solution de nitrate d'argent versé à l'équivalence.

c. En utilisant les questions précédentes, calculer la concentration molaire c_S des ions chlorure dans l'eau minérale étudiée.

d. Calculer la concentration massique c_m des ions chlorure dans cette eau minérale. On donnera le résultat en mg·L^{-1}.

Donnée. Masse molaire des ions chlorure, $M = 35,5$ g·mol^{-1}.

18 ✴ Choix d'un indicateur coloré

Compétences générales *Effectuer un raisonnement scientifique – Utiliser les TICE*

On étudie le titrage d'une solution d'acide dichloroéthanoïque (Cl_2CHCO_2H) de volume $V_S = 10,0$ mL, de concentration $c_S = 18$ mmol·L^{-1}, par une solution d'hydroxyde de sodium (Na^+(aq), HO^-(aq)) de concentration $c = 20$ mmol·L^{-1}. On souhaite suivre l'évolution du pH de la solution en fonction du volume V de la solution d'hydroxyde de sodium versé.

a. À l'aide du logiciel Dozzzaqueux, réaliser une simulation de la courbe représentant le pH en fonction du volume V pour ce titrage.

b. Utiliser le logiciel pour déterminer l'indicateur coloré de pH adapté à ce titrage.

19 ✴ Vérification de la valeur d'une concentration

Compétence générale *Exploiter des informations*

L'étiquette d'un flacon porte l'indication suivante : « solution d'hydroxyde de sodium (Na^+(aq), HO^-(aq)) à 6,0 mol·L^{-1} ». Cette solution sera notée S_0. Un expérimentateur souhaite vérifier l'indication portée sur l'étiquette.

Il prépare, à partir de la solution S_0, 1,0 L de solution S_1 de concentration 100 fois plus petite que celle de S_0.

Il prélève un échantillon de la solution S_1 de volume $V_1 = 10,0$ mL, qu'il titre ensuite à l'aide d'acide chlorhydrique (H_3O^+(aq), Cl^-(aq)) de concentration $c = 0,10$ mol·L^{-1}.

L'équivalence est repérée grâce à la présence d'un indicateur coloré : le BBT.

pH = 4   pH = 9

a. Proposer un protocole expérimental permettant de préparer la solution S_1.

b. Lorsque l'expérimentateur note le volume versé à l'équivalence, il écrit dans un premier temps « $V_e = 6$ mL », puis il corrige et écrit : « $V_e = (6,0 \pm 0,1)$ mL ».
Pourquoi a-t-il fait cette correction ?

c. Décrire le changement de couleur à l'équivalence.

d. Lorsqu'il pense avoir atteint l'équivalence, l'expérimentateur ajoute à la solution titrée une goutte de solution S_1. Que doit-il observer si le volume à l'équivalence a été repéré à la goutte près ?

e. Écrire l'équation de la réaction support de titrage.

f. Déterminer la concentration c_1 de la solution S_1.

g. En déduire la concentration c_0 de la solution S_0. L'indication portée sur l'étiquette est-elle correcte ?

Données

– Couleur de la forme acide du BBT : jaune.
– Couleur de la forme basique du BBT : bleu.

20 ✴ Incertitude de la mesure

Compétence générale *Commenter des résultats*

Huit groupes d'élèves d'une séance de TP ont réalisé un titrage et noté sur leur feuille de compte-rendu le volume versé à l'équivalence.
Le professeur rassemble les résultats de chaque groupe au tableau.

Groupe	1	2	3	4	5	6	7	8
V_e (mL)	12	12,0	12,2	12,1	11,9	12,0	12,0	12

a. À l'aide d'une calculatrice, déterminer la valeur de la moyenne et de l'écart-type de la série de résultats.

b. En utilisant les données de la **fiche méthode 3**, donner le résultat collectif de la classe sous la forme :
$$V_e = (\dots \pm \dots) \text{ mL}.$$

21 ✴ Science in English 🇬🇧

We dose a solution of salicylic acid ($C_7H_6O_3$) by a solution of sodium hydroxide (Na^+(aq), HO^-(aq)) which concentration is $c = 2,5 \times 10^{-2}$ mol·L^{-1}. We take a sample of the solution of salicylic acid of volume $V_S = 20,0$ mL.

We measure the pH after every addition. The results are the following ones :

V (mL)	0	1,0	2,0	4,0	6,0	7,0
pH	2,5	2,7	2,9	3,3	3,8	4,3

V (mL)	7,4	7,5	7,6	8,0	9,0	10,0
pH	5,1	9,3	10,0	10,7	11,0	11,3

a. À l'aide d'un tableur-grapheur, placer les points expérimentaux en représentant en abscisse le volume V de solution d'hydroxyde de sodium versé et en ordonnée le pH de la solution.

b. Écrire l'équation de la réaction support de titrage.

c. Déterminer graphiquement le volume V_e versé à l'équivalence.

d. Déterminer la concentration molaire d'acide salicylique.

Donnée. Couple acide-base :
$$C_7H_6O_3 \text{ (aq)}/C_7H_5O_3^- \text{ (aq)}.$$

22 ✴ Méthode de la dérivée

Compétences générales *Extraire et exploiter des informations*

Dans un bécher contenant un échantillon de volume V_S d'une solution d'acide fort AH de concentration c_S, on ajoute progressivement une solution de base forte (B) de concentration c.
Un simulateur permet de tracer les deux courbes suivantes :
– la courbe de titrage pH-métrique, représentant le pH en fonction du volume V de solution de base forte versé ;
– la courbe représentant $\dfrac{dpH}{dV}$ en fonction de V, où $\dfrac{dpH}{dV}$ est le coefficient directeur de la tangente à la courbe de titrage.

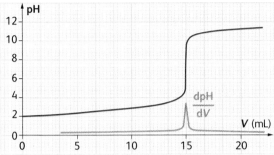

a. Déterminer les coordonnées $(V_e ; pH_e)$ du point à l'équivalence en utilisant la méthode des tangentes.

b. La courbe $\dfrac{dpH}{dV}$ présente un maximum, noté I.
Déterminer l'abscisse de I et comparer la valeur trouvée à celle du volume V_e.

c. Pourquoi l'utilisation de la courbe dérivée n'est-elle pas utilisable pour un titrage réalisé au laboratoire, et non pas simulé ?

23 ✴ Vidéo d'un titrage

Compétence générale *Extraire des informations*

Cet exercice s'appuie sur des ressources disponibles sur le site élève :
www.nathan.fr/siriuslycee/eleve-termS.

Visionner la vidéo du chapitre 23, concernant un titrage dont la réaction support de titrage est une réaction d'oxydoréduction.
a. Rédiger le protocole associé à ce titrage.
b. Déterminer la concentration de la solution titrée.

24 ECE Évaluation des compétences expérimentales

Cet exercice permet de travailler les compétences expérimentales suivantes : • S'approprier • Analyser

On souhaite titrer une solution contenant des ions fer (II) Fe^{2+} de volume $V_S = 20{,}0$ mL, de concentration $c_S = 1{,}5 \times 10^{-2}$ mol·L^{-1}, par une solution de peroxodisulfate de potassium $(2K^+(aq), S_2O_8^{2-}(aq))$ de concentration c. On indique d'autre part que l'orthophénantroline ferreuse est de couleur rouge en présence d'ions fer (II), et bleue en l'absence d'ions fer (II) et s'il y a des ions Fe^{3+} dans la solution.

a. Le volume maximal délivré par une burette est de 25 mL. Déterminer une concentration c de la solution de peroxodisulfate de potassium adaptée à ce titrage.

b. Proposer un protocole expérimental.

Données. Couples oxydant/réducteur :
$$Fe^{3+}(aq)/Fe^{2+}(aq) \; ; \; S_2O_8^{2-}(aq)/SO_4^{2-}(aq).$$

25 Objectif BAC *Effectuer un raisonnement scientifique*

Dossier BAC, page 546

Publicité pour l'eau minérale Vichy datant des années 1900.

➔ Les eaux minérales contiennent des ions hydrogénocarbonate HCO_3^-, plus communément appelés bicarbonate. De nombreuses études médicales tendent à prouver que les eaux bicarbonatées auraient des effets bénéfiques pour la santé. Comment déterminer la concentration molaire c_S en ions hydrogénocarbonate d'une eau minérale ?

On prélève un échantillon d'eau minérale de volume $V_S = 50{,}0$ mL. On titre cette solution par de l'acide chlorhydrique $(H_3O^+(aq), Cl^-(aq))$ de concentration $c = 2{,}0 \times 10^{-2}$ mol·L^{-1} et en présence de vert de bromocrésol.
À l'équivalence, le volume V_e d'acide chlorhydrique versé est égal à 14,6 mL.

a. En faisant l'analyse complète de ce titrage, déterminer si la concentration massique en ions hydrogénocarbonate HCO_3^- de l'eau minérale est en accord avec les indications de l'étiquette.

Calcium (Ca^{++})	80	Sulphates (SO$_4^-$)	12,6
Magnesium (Mg^{++})	26	Chlorides (Cl$^-$)	6,8
Sodium (Na$^+$)	6,5	Nitrates (NO$_3^-$)	3,7
Potassium (K$^+$)	1	Silica (SiO$_2$)	15
Bicarbonates (HCO$_3^-$)	360		

(Les concentrations massiques sont exprimées en mg·L^{-1}.)

b. Le **titre alcalimétrique complet TAC** est lié à la concentration totale en ions hydrogénocarbonate $HCO_3^-(aq)$ et carbonate $CO_3^{2-}(aq)$.
Le titre alcalimétrique complet d'une solution est le volume (exprimé en mL) d'une solution d'acide fort à 0,020 mol·L^{-1} nécessaire pour doser 100 mL de solution en présence de vert de bromocrésol.
Déterminer le TAC de l'eau minérale, en considérant qu'il n'y pas d'ions carbonate dans cette eau.

Données. Couple acido-basique $(CO_2, H_2O)/HCO_3^-(aq)$.
Masse molaire de HCO_3^-, $M = 61$ g·mol^{-1}.

26 Apprendre à chercher

La résolution de cet exercice nécessite de trouver les étapes du raisonnement.
→ **Une aide est disponible en fin de manuel.**

Énoncé

On dilue dix fois une solution de peroxyde d'hydrogène (H_2O_2) de concentration c_0. On obtient une solution de peroxyde d'hydrogène de concentration c'. On prélève un échantillon de cette solution diluée de volume $V' = 10{,}0$ mL, que l'on titre à l'aide d'une solution de permanganate de potassium ($K^+(aq)$, $MnO_4^-(aq)$) de concentration $c = 0{,}025$ mol·L^{-1}. Le volume de solution titrante versé à l'équivalence est : $V_e = 14{,}8$ mL.

Données. Couples oxydant/réducteur :
$O_2(g)/H_2O_2(aq)$; $MnO_4^-(aq)/Mn^{2+}(aq)$.

→ *Déterminer la concentration c_0.*

27 ✷✷ Acide citrique

Compétence générale *Restituer ses connaissances*

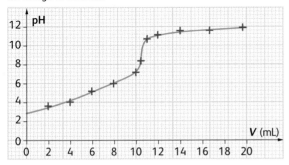

L'acide citrique est un additif alimentaire utilisé dans l'industrie comme acidifiant. Il est présent naturellement en grande quantité dans le citron. C'est un triacide, c'est-à-dire que chaque molécule d'acide citrique peut céder trois ions H^+. On le note H_3A.

On réalise le titrage pH-métrique d'une solution d'acide citrique (H_3A) de volume $V_S = 10{,}0$ mL, de concentration c_S, par une solution d'hydroxyde de sodium ($Na^+(aq)$, $HO^-(aq)$) de concentration $c = 2{,}0 \times 10^{-2}$ mol·L^{-1}.
L'équation de la réaction support de titrage s'écrit :

$$H_3A(aq) + 3\,HO^-(aq) \rightarrow A^{3-}(aq) + 3\,H_2O(\ell).$$

En suivant l'évolution du pH en fonction du volume de la solution d'hydroxyde de sodium versé, on obtient la courbe de titrage ci-dessous.

a. Déterminer le volume V_e versé à l'équivalence.
b. Définir l'équivalence de ce titrage.
c. Déterminer la relation à l'équivalence entre la quantité de réactif titré initialement introduit et celle de réactif titrant versé à l'équivalence.
d. Déterminer la concentration c_S de la solution d'acide citrique.

28 ✷✷ Déterminer une valeur de pK_a

Compétences générales *Extraire et exploiter des informations – Restituer ses connaissances*

On titre une solution d'acide éthanoïque (CH_3CO_2H) par une solution d'hydroxyde de sodium ($Na^+(aq)$, $HO^-(aq)$).
Les courbes tracées à l'aide d'un logiciel représentent :
– l'évolution du pH en fonction du volume V de solution d'hydroxyde de sodium ajoutée (courbe ❶) ;
– les pourcentages des espèces acide éthanoïque CH_3CO_2H et ions éthanoate $CH_3CO_2^-$ en fonction du volume V (courbes ❷ et ❸).

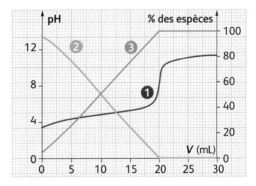

a. Écrire l'équation de la réaction support de titrage.
b. Déterminer, grâce à la courbe ❶, la valeur du volume V_e versé à l'équivalence.
c. Déterminer la valeur du volume $\dfrac{V_e}{2}$ correspondant à la demi-équivalence. Quelle est la valeur du pH correspondante ? La comparer à la valeur du pK_a du couple $CH_3CO_2H/CH_3CO_2^-$.
d. Identifier les courbes ❷ et ❸.
e. Que peut-on dire des concentrations des espèces acide et basique conjuguées présentes dans le mélange au point d'intersection des courbes ❷ et ❸ ?
f. Donner la relation entre la constante d'acidité K_a du couple $CH_3CO_2H/CH_3CO_2^-$ et les concentrations des espèces du milieu.
g. En déduire une valeur approchée du pK_a du couple $CH_3CO_2H/CH_3CO_2^-$.
h. Le pH du milieu varie-t-il de manière significative autour de la demi-équivalence ? Quelle propriété possède alors le milieu ?

Donnée. pK_a ($CH_3CO_2H/CH_3CO_2^-$) = 4,8.

29 ✷✷ Acide lactique

Compétence générale *Justifier un protocole expérimental*

On s'intéresse à la détermination de l'acidité d'un lait.
Le lait frais contient essentiellement de l'eau (87 % en masse) mais aussi des glucides, des protéines et des corps gras. Le lactose $C_{12}H_{22}O_{11}$ est le glucide le plus abondant. Des bactéries peuvent provoquer sa transformation en acide 2-hydroxy-propanoïque, usuellement appelé acide lactique ($C_3H_6O_3$).

Bien que l'acide lactique ne soit pas le seul acide présent, on caractérise l'acidité du lait par son équivalent en acide lactique. Dans la détermination de l'acidité du lait, le protocole standard prescrit l'usage de phénolphtaléine et un titrage par une solution de soude $(Na^+(aq), HO^-(aq))$ de concentration $1/9 \text{ mol} \cdot L^{-1}$, dite soude Dornic. Le volume équivalent est relevé lorsque la couleur de la solution devient rose.

a. Écrire l'équation de la réaction support de titrage.

b. Dans l'industrie laitière, l'acidité d'un lait s'exprime en **degré Dornic** (°D). Un degré Dornic correspond à 0,1 g d'acide lactique par litre de lait. L'acidité d'un lait frais doit être inférieure à 18 °D.

Dans un bécher, on verse un échantillon de lait de volume $V_S = 10,0$ mL et on ajoute deux gouttes de solution de phénolphtaléine. La burette est remplie de soude Dornic. L'apparition d'une couleur rose correspond à un volume de soude Dornic versé de 3,2 mL.

Avec quel instrument de verrerie prélève-t-on 10,0 mL de lait ?

c. Déterminer l'acidité du lait, exprimée en degré Dornic. Ce lait est-il frais ?

d. Expliquer l'intérêt de la soude Dornic et du degré Dornic. Pourquoi prélever un échantillon de lait de 10 mL ?

Données
– Couple acido-basique : $C_3H_6O_3/C_3H_5O_3^-$.
– Masse molaire de l'acide lactique : $M = 90 \text{ g} \cdot \text{mol}^{-1}$.

---

30 ★★ **Dioxyde de soufre**

Compétence générale *Exploiter des informations*

Le dioxyde de soufre SO_2 est un gaz présent dans l'air pollué. Lorsque l'on fait barboter un grand volume d'air dans un litre d'eau, le dioxyde de soufre se dissout dans l'eau. Il est possible, par la suite, de le titrer en solution à l'aide d'une solution de permanganate de potassium $(K^+(aq), MnO_4^-(aq))$; une réaction d'oxydoréduction se produit alors. La concentration massique du dioxyde de soufre dans l'air pollué est ainsi déduite de ce titrage.

Lorsque la concentration massique en dioxyde de soufre dépasse 500 µg par m³, la population est alertée.

Une solution S est préparée en faisant barboter un volume de $1,00 \times 10^4$ m³ d'air pollué dans un volume $V_0 = 1,00$ L d'eau. Un volume $V_1 = 10,0$ mL de cette solution est versé dans un bécher de 100 mL. La solution violette de permanganate de potassium de concentration $c = 1,0 \times 10^{-2} \text{ mol} \cdot L^{-1}$ est ensuite versée goutte à goutte jusqu'à persistance de la coloration violette de la solution.

Prélèvements de polluants (dioxyde de soufre, particules en suspension, etc.) par une station mobile du réseau national ATMO.

a. Les couples oxydant/réducteur mis en jeu sont :
$SO_4^{2-}(aq)/SO_2(aq)$;
$MnO_4^-(aq)/Mn^{2+}(aq)$.
En déduire que l'équation de la réaction support de titrage s'écrit :
$$2\ MnO_4^-(aq) + 5\ SO_2(aq) + 2\ H_2O(\ell)$$
$$\rightarrow 4\ H^+(aq) + 5\ SO_4^{2-}(aq) + 2\ Mn^{2+}(aq).$$

b. Définir l'équivalence de ce titrage.

c. Donner la relation entre la quantité n_1 de dioxyde de soufre initialement présente dans la solution S et la quantité n_e d'ions permanganate introduite à l'équivalence.

d. Sachant que le volume équivalent V_e du titrage est égal à 8,0 mL, en déduire la concentration molaire c_1 en dioxyde de soufre dissous dans la solution S.

e. Calculer la masse m_1 de dioxyde de soufre présente dans un volume $V_0 = 1,00$ L de la solution S.

f. En déduire la masse m_2 de dioxyde de soufre gazeux par mètre cube d'air pollué.

g. Exprimer cette masse en µg. Le seuil d'alerte est-il atteint ?

---

31 Objectif BAC *Rédiger une synthèse de documents* → **Dossier BAC, page 546**

Cave à vin, Beaune (Bourgogne).

Cet exercice s'appuie sur des ressources disponibles sur le site élève : www.nathan.fr/siriuslycee/eleve-termS.

Télécharger le dossier « Ressources pour l'exercice 31 » du chapitre 23, qui concerne le titrage d'espèces présentes dans le vin.
Ce dossier contient :
– des extraits d'un article du *BUP* présentant quelques espèces chimiques présentes dans le vin, et des méthodes pour les doser ;
– un article présentant quelques grandeurs physiques mesurables du vin, et leur influence sur la qualité du vin.

→ **Rédiger en 25 lignes environ une synthèse de ces deux documents. Cette synthèse devra présenter quelques exemples d'espèces chimiques présentes dans le vin. Un exemple de titrage d'une espèce chimique sera présenté, en précisant ses caractéristiques (espèce titrante, espèce titrée, grandeur physique suivie et norme en vigueur).**

Stratégie de la synthèse organique

Les chimistes désignent par réacteur le lieu où se déroulent les réactions chimiques. Dans l'industrie, ces réacteurs peuvent parfois contenir plusieurs centaines de mètres cubes de réactifs. Au laboratoire, les **bioréacteurs** permettent de réaliser des transformations chimiques faisant intervenir des micro-organismes par des méthodes plus respectueuses de l'environnement.

COMPÉTENCES EXIGIBLES

- Effectuer une analyse critique de protocoles expérimentaux pour identifier les espèces mises en jeu, leurs quantités et les paramètres expérimentaux. → *Activités documentaires 1 et 2*

- Justifier le choix des techniques de synthèse et d'analyse utilisées. → *Activités documentaires 3 et 4*

- Comparer les avantages et les inconvénients de deux protocoles. → *Activité documentaire 5*

• **Ce chapitre n'a pas la structure habituelle** : il est composé d'activités et de bilans qui aident à acquérir les bons réflexes pour analyser des protocoles expérimentaux.

• **Les activités 1 à 4** portent sur l'analyse de deux protocoles expérimentaux différents : l'un permet d'obtenir un produit solide, l'aspirine, et le second un produit liquide, l'essence de Wintergreen. L'activité 1 doit nécessairement être réalisée, puis vous pouvez choisir une ou plusieurs activités parmi les activités 2 à 4.

• **L'objectif de l'activité 5** est de comparer deux protocoles permettant de synthétiser une même espèce chimique, l'acétate d'isoamyle.

Protocoles expérimentaux de deux synthèses organiques

▶ L'aspirine (acide acétylsalicylique) est une substance active aux propriétés analgésiques et anti-inflammatoires. C'est le médicament le plus consommé au monde.

Protocole A : synthèse de l'aspirine

■ **(A1)** Dans un ballon monocol de 100 mL, introduire une masse d'acide salicylique de 6,0 g. Ajouter un volume de 12 mL d'anhydride éthanoïque et 5 gouttes d'acide sulfurique concentré. Adapter un réfrigérant à eau sur le ballon et placer le milieu réactionnel sous agitation magnétique. Chauffer à 70 °C pendant 20 minutes à partir du moment où la solution est limpide.

■ **(A2)** Refroidir ensuite le contenu du ballon avant de le verser doucement et sous agitation dans un bécher contenant un mélange eau-glace (75 g). Attendre que le produit cristallise. Essorer le solide obtenu sur Büchner, le laver deux fois à l'eau glacée. Récupérer le solide et le sécher dans une étuve à 80 °C.

■ **(A3)** Mesurer la température de fusion du produit brut synthétisé. Réaliser une chromatographie sur couche mince (dépôts : acide salicylique, produit brut, cachet d'aspirine ; éluant : mélange de 6 mL d'acétate de butyle, 4 mL de cyclohexane et 2 mL d'acide méthanoïque).

■ **(A4)** Recristalliser si nécessaire 5 g de produit brut dans environ 15 mL d'un mélange équivolumique éthanol / eau. Pour cela, introduire le brut réactionnel dans un ballon surmonté d'un réfrigérant. Le dissoudre dans le mélange de solvants porté à ébullition. Laisser ensuite refroidir lentement à température ambiante, puis dans un bain de glace. Essorer le solide obtenu sur Büchner. Le sécher sur Büchner puis dans une étuve à 80 °C et le peser.

■ **(A5)** Mesurer la température de fusion du produit purifié. Vérifier la pureté du produit grâce à une C.C.M.

▶ L'essence de Wintergreen (salicylate de méthyle) peut être extraite d'un petit buisson appelé *Gaultheria Procumbens*. D'odeur agréable, elle est utilisée en parfumerie.

Protocole B : synthèse de l'essence de Wintergreen

■ **(B1)** Dans un ballon monocol de 100 mL placé sous une sorbonne (hotte), introduire une masse d'acide salicylique de 5,0 g. Ajouter un volume d'environ 25 mL de méthanol puis, lentement, 4 mL d'acide sulfurique concentré. Refroidir si nécessaire. Adapter un réfrigérant à eau sur le ballon et placer le milieu réactionnel sous agitation magnétique. Chauffer à reflux pendant 2 heures.

■ **(B2)** Laisser ensuite refroidir le contenu du ballon à température ambiante. Ajouter 25 mL d'eau glacée et transvaser le tout dans une ampoule à décanter. Extraire deux fois la phase aqueuse avec environ 15 mL de cyclohexane. Réunir les phases organiques. Effectuer un lavage de la phase organique avec 25 mL d'une solution d'hydrogénocarbonate de sodium ($NaHCO_3$) à 5 %, dans un grand erlenmeyer. Un fort dégagement gazeux se produit. Puis, dans l'ampoule à décanter, effectuer un lavage de la phase organique avec 25 mL d'eau. Vérifier que le pH de la phase aqueuse se situe autour de 7. Recueillir la phase organique. La sécher avec du sulfate de magnésium anhydre. Filtrer sur papier plissé en récupérant le filtrat dans un ballon taré de 100 mL. Évaporer le solvant sous pression réduite grâce à un évaporateur rotatif.

■ **(B3)** Mesurer l'indice de réfraction du produit.

■ **(B4)** Réaliser si nécessaire une distillation du liquide obtenu.

■ **(B5)** Mesurer l'indice de réfraction du produit purifié.

🔵 Retrouver les étapes d'une synthèse organique

Le protocole expérimental d'une synthèse organique peut se découper en plusieurs étapes, matérialisées ici par des puces numérotées (**Ax**) ou (**Bx**).

Associer, pour chacun des protocoles A et B, les différentes puces aux trois étapes d'une synthèse organique (transformation, traitement, identification).

Compétences générales mises en œuvre

• *Extraire et exploiter des informations* • *Argumenter* • *Effectuer des calculs*

1 Identifier les espèces chimiques mises en jeu

▶ **Identifions les espèces chimiques mises en jeu dans les protocoles A et B, ainsi que leur quantité de matière.**

• L'équation de la réaction réalisée lors du protocole A est la suivante :

acide acétylsalicylique

• L'équation de la réaction réalisée lors du protocole B est la suivante :

salicylate de méthyle

1 *Équations de réaction pour les protocoles A et B.*

1 Identifier les espèces chimiques mises en jeu

a. Identifier les réactifs de chacune des synthèses décrites dans les protocoles A et B. Retrouver leur formule à partir de l'équation de la réaction.

b. Nommer le produit d'intérêt pour chacune des synthèses envisagées. Quel est le sous-produit formé ? Retrouver leur formule à partir de l'équation de la réaction.

c. Quel est le rôle de l'acide sulfurique concentré utilisé dans chacune des synthèses ? Comment cette espèce chimique apparaît-elle dans l'écriture de l'équation de réaction ?

d. Citer deux caractéristiques d'un solvant. Un réactif peut-il également jouer le rôle de solvant ?

2 Déterminer les quantités de matière mises en jeu

a. On peut lire sur la bouteille d'acide sulfurique concentré utilisée : « 98 % (en masse) ; masse volumique $1,84 \ kg \cdot L^{-1}$ ».

Calculer la quantité d'acide sulfurique H_2SO_4 par litre de liquide.

b. Recopier et compléter le tableau suivant, correspondant à l'introduction des espèces chimiques pour le protocole A.

Espèce chimique introduite	État physique	Masse m (en g) ou volume V (en mL) introduit	M (en $g \cdot mol^{-1}$)	Masse volumique (en $kg \cdot L^{-1}$)	Quantité de matière n introduite (mol)
acide salicylique			138,1	–	
anhydride éthanoïque			102,1	1,05	
acide sulfurique concentré			98,1	1,84	

c. Après calcul des quantités de matière introduites, retrouver le rôle respectif des différentes espèces chimiques introduites lors du protocole A.

d. Un solvant est-il introduit lors de cette synthèse ?

e. Quel est le réactif limitant ?

f. Lors d'une synthèse, on obtient 6,2 g d'aspirine. Calculer le rendement de la transformation.

Avant toute manipulation, on identifie, à l'aide du protocole, le rôle des espèces chimiques mises en jeu (réactifs, solvant ou catalyseur). On détermine ensuite les quantités de matière introduites et le réactif limitant, ce qui permettra de calculer le rendement de la synthèse organique.

▶ **Comment reconnaître un réactif ?**

Un réactif se trouve à l'état solide ou liquide. Il s'écrit à gauche de la flèche dans l'équation de réaction.

▶ **Comment reconnaître un solvant ?**

• Un solvant est introduit en grande quantité par rapport aux autres espèces chimiques. Il se trouve à l'état liquide et permet de solubiliser les réactifs.

Attention : un solvant peut aussi être un réactif !

• Il existe un nombre limité de solvants (exemples : eau, éthanol, méthanol, cyclohexane).

▶ **Comment reconnaître un catalyseur ?**

La plupart des synthèses organiques utilisent un catalyseur. Celui-ci est en général introduit en petite quantité par rapport aux autres espèces chimiques. Il se trouve à l'état liquide ou solide. Le solvant et le catalyseur sont souvent écrits au-dessus de la flèche dans l'équation de la réaction.

ACTIVITÉ DOCUMENTAIRE

Compétences générales mises en œuvre
• *Extraire et exploiter des informations* • *Justifier un protocole expérimental*

2 Étape de transformation

▶ Étudions quelques critères de choix de certains paramètres expérimentaux, sur l'exemple des étapes de transformation des protocoles A et B (étapes A1 et B1).

1 Choix des paramètres expérimentaux

Certains paramètres expérimentaux sont spécifiés dans les protocoles d'expérience proposés. Lesquels ?

Coup de pouce

Les espèces organiques peuvent se dégrader si elles sont soumises à une température trop élevée.

A. Température

a. Pourquoi est-il nécessaire de chauffer les espèces chimiques introduites dans le ballon ?

b Que signifie « chauffer à reflux » ?

c. Comparer la température du milieu réactionnel pour chacun des protocoles.

Données : les températures d'ébullition du méthanol et de l'anhydride éthanoïque sont respectivement 65 °C et 139 °C.

B. Solvant

a. Pour la synthèse de l'essence de Wintergreen (protocole B), quel réactif joue le rôle de solvant ? Justifier.

b. Préciser si ce solvant est polaire.

c. Justifier le fait que cette espèce chimique solubilise l'autre réactif.

d. Pourquoi est-il nécessaire de solubiliser les espèces introduites dans le ballon ?

e. Donner alors une autre raison de chauffer le milieu réactionnel.

C. Durée de la transformation

a. Comparer les durées de transformation des protocoles A et B.

b. Quels paramètres expérimentaux permettent de diminuer cette durée ?

2 Choix du montage

a. Les protocoles A et B utilisent tous les deux le montage de chauffage à reflux. Le schématiser et le légender.

b. Préciser les précautions à prendre au laboratoire pour que le montage soit effectué en sécurité.

c. Justifier la nécessité d'un tel montage.

3 Aspects liés à la sécurité

a Quels équipements individuels de sécurité doit-on porter lorsque l'on met en œuvre un protocole expérimental au laboratoire ?

b. Les pictogrammes présents sur les étiquettes des bouteilles de méthanol et d'acide sulfurique concentré sont reproduits sur le **document 3**.

Quelles précautions supplémentaires doit-on prendre pour manipuler ces substances ?

2 Dispositif de chauffage à reflux.

Méthanol	Acide sulfurique concentré

3 Pictogrammes de sécurité.

c. Dans le protocole B, avant chauffage du milieu réactionnel, on demande de verser l'acide « lentement » et de « refroidir si nécessaire ». Pourquoi ?

d. Comment réaliser le refroidissement d'une solution ?

Bilan

Lors de l'étape de transformation, l'expérimentateur peut choisir plusieurs paramètres expérimentaux (durée d'une transformation, température, solvant…). Il choisit également le montage expérimental.

▶ **Comment justifier le choix des paramètres expérimentaux ?**

• Plusieurs paramètres peuvent permettre de diminuer la durée d'une transformation : la température, le choix du solvant, les concentrations des réactifs et l'utilisation d'un catalyseur.
Attention : l'augmentation de la température peut dégrader les espèces chimiques.
• Le solvant doit quant à lui être choisi de manière à solubiliser les réactifs.

▶ **Quel montage choisir pour l'étape de transformation ?**

solvant peu volatil et température ambiante	solvant volatil et/ou chauffage nécessaire
↓	↓
agitateur magnétique	chauffage à reflux

3 Étape de traitement

▶ À l'issue de l'étape de transformation, le milieu réactionnel, appelé brut réactionnel, contient de nombreuses espèces chimiques. Il est donc traité afin de séparer le produit d'intérêt des autres espèces (étapes A2, A4 et B2 des protocoles étudiés).

Protocole **A** **Synthèse de l'aspirine**

1 Choix du montage

a. Dans quel état physique le produit d'intérêt se trouve-t-il à la fin de la transformation ?

b. Quelles sont les autres espèces chimiques présentes dans le milieu réactionnel à la fin de la transformation ?

c. Quel matériel de chimie est utilisé pour séparer le produit d'intérêt des autres espèces chimiques ? Que doit-on faire pour l'utiliser en sécurité ?

d. Comme s'appelle l'opération de séparation ainsi réalisée ?

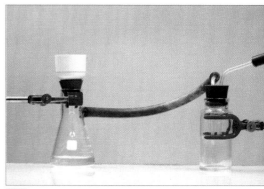

4 *Matériel utilisé pour réaliser l'essorage d'un solide.*

Aide. Essorer un solide permet de récupérer ce solide. Lors d'une filtration, on récupère un filtrat.

2 Choix des techniques expérimentales utilisées

a. Pourquoi faut-il refroidir le contenu du ballon et le placer sur un mélange eau-glace ?

b. Quelles espèces chimiques sont éliminées lors des lavages ?

c. Pourquoi le lavage est-il effectué à l'eau glacée ?

d. Pourquoi placer le solide récupéré à l'étuve ?

Données

Espèce chimique	Solubilité dans l'eau
acide sulfurique	très soluble
anhydride éthanoïque	très soluble
acide salicylique	soluble

Température	Solubilité de l'aspirine dans l'eau (en g . L^{-1})
20 °C	2,0
25 °C	3,3
37 °C	10
100 °C	70

Protocole **B** **Synthèse de l'essence de Wintergreen**

1 Choix du montage

À l'aide de la figure 5, décrire les différentes étapes d'une extraction liquide-liquide.

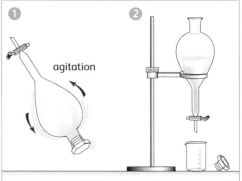

agitation

5 ▶ *Extraction liquide/liquide.*

2 Choix des techniques expérimentales utilisées

a. Quelle(s) opération(s) qualifie-t-on de « lavage » ?

Aide. • L'**extraction liquide/liquide** permet de faire passer le produit d'intérêt (et non les autres espèces) du solvant initial vers un autre solvant.
• Le **lavage** permet de transférer certaines espèces chimiques (mais pas le produit d'intérêt) du solvant initial vers un autre solvant.

b. Pourquoi est-il judicieux « d'extraire deux fois la phase aqueuse avec environ 15 mL de cyclohexane » ?

c. Pourquoi doit-on « laver » la phase organique avec une solution d'hydrogénocarbonate de sodium ? Écrire l'équation de la réaction chimique qui a lieu lors de cette étape.
Quelle espèce chimique est ainsi éliminée ?

Aide. L'ion hydrogénocarbonate HCO_3^- est la base conjuguée du couple $(CO_2(g), H_2O(\ell))/HCO_3^-(aq)$.

d. Pourquoi ne réalise-t-on pas cette opération directement dans l'ampoule à décanter ?

e. Pourquoi doit-on finalement « laver » la phase organique à l'eau ?

f. À l'issue de ce traitement, quelles sont les espèces chimiques présentes dans la phase organique ?

g. Quels traitements supplémentaires sont effectués sur la phase organique ?

Données
– Masse volumique : du cyclohexane, $\rho_1 = 0,78 \ kg \cdot L^{-1}$; du méthanol, $\rho_2 = 0,79 \ kg \cdot L^{-1}$.
– Solubilité à 25 °C

Espèce chimique	Solubilité dans l'eau	Solubilité dans le cyclohexane
essence de Wintergreen	faible	élevée
acide salicylique	moyenne	élevée
méthanol	moyenne	élevée
H_2SO_4	élevée	très faible
HCO_3^-	élevée	très faible

Bilan

À l'issue de l'étape de transformation, le mélange réactionnel contient les produits synthétisés, le solvant, le catalyseur, éventuellement les réactifs en excès ou en défaut si la transformation n'est pas totale, et des impuretés. Une suite de traitements est alors effectuée pour récupérer le produit d'intérêt.

▶ **Quel matériel choisir lors de l'étape de traitement ?**

• Si le produit a précipité :

• Si le produit est en solution :

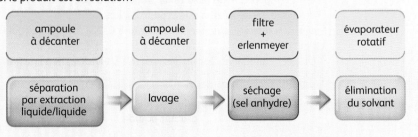

• *Extraire et exploiter des informations* • *Commenter des résultats*

4 Étapes d'identification et de purification

▶ Une fois le produit d'intérêt isolé, il est nécessaire de l'identifier, d'évaluer sa pureté et de le purifier si nécessaire (étapes A3 à A5 et B3 à B5 des protocoles étudiés).

1 Choix des techniques expérimentales utilisées

a. Quelles sont les techniques d'identification mises en œuvre dans chacun des protocoles A et B ?

b. Quelles sont les techniques de purification envisagées ? Dessiner les montages expérimentaux utilisés.

2 Interpréter des résultats expérimentaux

- $\theta_{\text{fus, mesurée}} = 130\ °C$
- Résultat de la C.C.M. (étape A3)
  A : acide salicylique
  B : produit brut
  C : aspirine

Donnée :
$\theta_{\text{fus, tabulée}} = 134\text{–}136\ °C.$

- Indice de réfraction mesuré : $n_{\text{mesuré}} = 1,535$
- Spectre IR en phase condensée

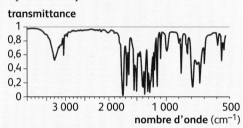

Donnée : indice de réfraction tabulé, $n_{\text{tabulé}} = 1,536.$

6 Résultats expérimentaux obtenus lors d'une synthèse de l'aspirine (protocole A).

7 Résultats expérimentaux obtenus lors d'une synthèse de l'essence de Wintergreen (protocole B).

a. Pour chaque protocole, identifier le produit formé grâce aux résultats expérimentaux. Quelle est l'impureté majoritaire ?

b. Est-il nécessaire de purifier le produit ? Justifier. Quelles analyses complémentaires pourraient être envisagées ?

3 Faire une recherche

Rechercher le but et le principe d'une recristallisation.

Bilan

À l'issue de l'étape de traitement, il est nécessaire de calculer le rendement de la synthèse, d'identifier le produit isolé et éventuellement de le purifier.

▶ **Quelles sont les techniques d'identification ?**
- On peut réaliser des mesures comparatives :
  – de la température de fusion si le produit est solide ;
  – de l'indice de réfraction si le produit est liquide ;
  – des rapports frontaux en réalisant une C.C.M. s'il est possible de révéler les espèces chimiques.
- On peut également réaliser des spectres UV-visible, IR ou de RMN.

▶ **Quelle technique de purification utiliser ?**

produit solide ⟹ recristallisation
produit liquide ⟹ distillation

ACTIVITÉ DOCUMENTAIRE • *Extraire et exploiter des informations*

5 Comparaison de deux protocoles

▶ Les deux protocoles A et B suivants permettent de synthétiser l'acétate d'isoamyle, espèce chimique à odeur de poire. Comparons ces deux protocoles.

Protocole A

■ Dans un ballon de 100 mL, introduire 10 mL d'alcool isoamylique, 30 mL d'acide éthanoïque et environ 1 g d'acide paratoluène sulfonique (APTS). Porter le mélange à reflux pendant 30 minutes.

■ Laisser refroidir puis transférer le mélange dans un bécher contenant environ 80 g de glace. Transférer le tout dans une ampoule à décanter. Séparer les phases aqueuse et organique. Effectuer un lavage de la phase organique avec une solution de carbonate de sodium à 20 %. Ajouter la solution de carbonate de sodium par petites portions, du fait du dégagement gazeux. Effectuer ensuite un lavage à l'eau. Vérifier que le pH de la phase aqueuse est voisin de 7 en utilisant du papier pH.

■ Sécher alors la phase organique avec du sulfate de magnésium anhydre. Filtrer sur papier plissé et mesurer la masse de liquide obtenu.

■ Mesurer l'indice de réfraction du produit obtenu.

Protocole B

■ Dans un ballon bicol de 50 mL muni d'un barreau d'agitation magnétique, dissoudre 18 mmol (1,8 g) d'éthanoate de potassium dans 0,13 mol (8 mL) d'acide éthanoïque. Ajouter ensuite 12 mmol (1,8 g) de bromure d'isoamyle et chauffer le mélange réactionnel ainsi obtenu 90 minutes à reflux.

■ Laisser alors le mélange réactionnel revenir à température ambiante puis ajouter une solution saturée de carbonate de sodium jusqu'à ce que le pH soit légèrement basique (pH ≈ 8–9). Réaliser ensuite une extraction de la phase aqueuse avec deux fois 20 mL d'éthoxyéthane, laver la phase organique avec une solution aqueuse saturée en chlorure de sodium et la sécher sur sulfate de magnésium anhydre. Évaporer le solvant à l'évaporateur rotatif.

■ Effectuer une chromatographie sur couche mince du produit obtenu en utilisant un mélange cyclohexane/acétate d'éthyle (90/10) et révéler la plaque sous lampe UV. Mesurer l'indice de réfraction du produit formé.

Nom	alcool isoamylique	bromure d'isoamyle	APTS	acide éthanoïque (forte odeur)	éthanoate de potassium
Formule topologique	OH	Br	–	O OH	O O⊖ K⊕
Prix	1 L : 32,00 €	100 g : 23,80 €	100 g : 20,80 €	1 L : 37,30 €	500 g : 69,50 €
Pictogrammes de sécurité					

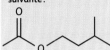

Coup de pouce

L'acétate d'isoamyle est l'espèce chimique suivante :

1 Analyser les documents

a. Écrire l'équation de réaction pour chaque protocole.

b. Pour chaque protocole, calculer le prix de la manipulation dû aux réactifs introduits.

c. Quelles précautions de sécurité faut-il prendre avant de manipuler les espèces chimiques mises en jeu dans chaque protocole ?

d. Quel aspect lié à la sécurité et au coût oublie-t-on souvent en fin de manipulation ?

e. Quels critères autres que le coût et les aspects liés à la sécurité faut-il prendre en compte pour choisir la synthèse la plus intéressante à mettre en œuvre ?

2 Comparer les protocoles A et B

a. L'étape de traitement est-elle identique dans les protocoles A et B ?

b. Quelles sont les techniques d'identification envisagées dans chaque cas ?

c. Un expérimentateur doit synthétiser cette espèce chimique.
Sans tenir compte des coûts, quel protocole mettriez-vous en œuvre dans votre lycée compte-tenu du matériel disponible et des différents aspects liés à la réaction ? Répondre de nouveau à cette question, en prenant cette fois en compte les coûts.

Exercices Application

MANUEL NUMÉRIQUE ▶ **EXERCICES INTERACTIFS**

1 Mots manquants

Compléter avec un ou plusieurs mots.

a. Les espèces chimiques introduites lors d'une synthèse organique peuvent jouer différents rôles : réactifs, ..., solvant.

b. Un catalyseur est introduit en .... quantité.

c. Pour favoriser une transformation chimique, l'expérimentateur peut choisir la température et le .... lors de l'étape de transformation.

d. Si le produit d'intérêt est en solution dans un solvant, il est séparé par ...., grâce à une ....

e. La chromatographie sur couche mince est une méthode ....

f. Pour purifier un solide, on réalise une ....

2 QCM

Cocher la réponse exacte.

On étudie la transformation décrite par l'équation de réaction suivante :

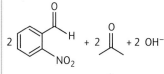

Lors de cette synthèse, on introduit 10 mL d'alcool, 30 mL d'acide et 1 g d'APTS.

Données. Masses molaires (en g·mol^{-1}) : alcool, $M_1 = 88$; acide, $M_2 = 60$; APTS, $M_3 = 172$; ester, $M_4 = 130$.

a. Dans cette synthèse, le produit d'intérêt est :
☐ de l'eau ☐ un ester ☐ un amide

b. Dans cette synthèse, l'APTS joue le rôle de :
☐ réactif ☐ produit ☐ catalyseur

c. Sachant que la masse volumique de l'alcool est 0,81 kg·L^{-1} et celle de l'acide 1,05 kg·L^{-1}, le réactif limitant est :
☐ l'alcool ☐ l'acide ☐ l'ester

d. Une manipulation a permis d'obtenir 7,6 g d'ester. Le rendement est de :
☐ 10 % ☐ 64 % ☐ 76 %

e. Le produit obtenu est liquide. Par conséquent, il ne pourra pas être caractérisé par :
☐ sa masse volumique
☐ une chromatographie sur couche mince
☐ sa température de fusion

f. Pour purifier le produit liquide obtenu, on peut réaliser :
☐ une distillation
☐ une chromatographie sur couche mince
☐ une recristallisation

→ **Solutions détaillées en fin de manuel pour vérifier vos réponses et comprendre vos erreurs.**

Parcours en autonomie

Trois parcours d'exercices pour travailler en autonomie selon ses besoins.

Maîtriser les bases ~ 4 ~ 5 ~ 7

Préparer l'évaluation ~ 11 ~ 14 ~ 17

Approfondir ~ 19 ~ 21

> **Pour tous les exercices de ce chapitre,** utiliser les masses molaires données dans la classification périodique des éléments, présentée dans les rabats.

COMPÉTENCES EXIGIBLES

Utiliser le document ci-dessous pour les exercices 3 à 8 .

L'indigo, molécule naturelle issue de l'indigotier, est un colorant utilisé pour les teintures. On peut le synthétiser en une étape, selon l'équation de réaction suivante :

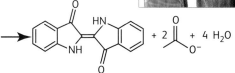

Le protocole de la synthèse envisagée est le suivant.

> Dans un ballon bicol de 50 mL, dissoudre 500 mg de 2-nitro-benzaldéhyde dans 10 mL d'acétone et 17 mL d'eau distillée. Agiter vigoureusement la solution. Grâce à une ampoule de coulée, ajouter 2,5 mL de soude de concentration 2 mol·L^{-1}. Continuer l'agitation pendant 10 minutes après le changement de couleur de la solution.

3 Déterminer des quantités de matière

a. Écrire la formule brute du 2-nitrobenzaldéhyde, puis calculer sa masse molaire. Calculer la quantité de matière introduite.

b. La densité de l'acétone est : $d = 0{,}79$.
Calculer la quantité de matière introduite.

c. Calculer la quantité d'ions hydroxyde introduits.

d. Quel est le rôle de l'eau distillée ?

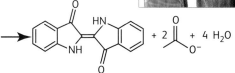

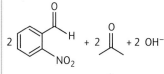

4 Identifier le réactif limitant

a. Recopier puis compléter autant que possible le tableau suivant à l'aide des données fournies.

Espèce chimique	2-nitro-benzaldhéhyde	acétone	hydroxyde de sodium (NaOH)
État physique			
Masse			
Volume			
Concentration			
Masse molaire			
Densité		0,80	
Quantité de matière			

b. Déterminer le réactif limitant.

5 Réaliser le schéma du montage

Réaliser un schéma légendé du montage utilisé pour effectuer cette transformation.

6 Aspects liés à la sécurité

a. Quels équipements de protection individuels doivent être portés lors des séances de TP ?

b. Sur l'étiquette du 2-nitrobenzaldéhyde, on trouve les informations suivantes.

> **Attention**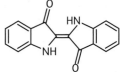
>
> H302 Nocif en cas d'ingestion.
> H315 Provoque une irritation cutanée.
> H319 Provoque une sévère irritation des yeux.
> H335 Peut irriter les voies respiratoires.
> P261 Éviter de respirer les poussières/fumées/gaz/ brouillards/vapeurs/aérosols.
> P305 + P351 + P338 EN CAS DE CONTACT AVEC LES YEUX : rincer avec précaution à l'eau pendant plusieurs minutes. Enlever les lentilles de contact si la victime en porte et si elles peuvent être facilement enlevées. Continuer à rincer.

Quelles précautions doit-on prendre pour manipuler cette espèce chimique ?

7 Choix des techniques de traitement

Un produit solide de couleur bleue est obtenu en suspension dans le solvant.

a. Quelle(s) opération(s) doit (doivent) alors être effectuée(s) sur le mélange réactionnel ?

b. Quel matériel est utilisé pour effectuer cette (ces) opération(s) ?

8 Choix des techniques d'analyse, de purification

a. Après séchage, quelles techniques peuvent être utilisées pour analyser le solide bleu obtenu ?

b. Quelle technique est utilisée pour purifier un solide ?

9 Exploiter des spectres UV-visible et IR

La formule topologique de l'indigo est représentée ci-contre.

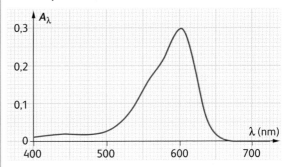

a. Entourer les groupes caractéristiques de l'indigo.

b. Cette espèce chimique est colorée.
Justifier en donnant une caractéristique de sa structure.

c. Des analyses spectrales ont été réalisées sur l'indigo synthétisé.
On obtient les spectres A et B suivants.

DOC 1. Spectre A (solvant chloroforme)

DOC 2. Spectre B (en phase condensée)

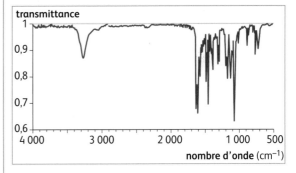

Quel est le spectre UV-visible ? le spectre IR ? Justifier.

d. Retrouver, dans le spectre IR, les bandes correspondant aux liaisons C=O et N–H de l'indigo.

e. Exploiter le spectre UV-visible pour justifier la couleur d'une solution d'indigo pour teinture.

10 Analyser un résultat expérimental

La synthèse de l'indigo décrite page précédente a été réalisée : elle conduit à une masse de produit obtenu $m_1 = 375$ mg.

a. En s'aidant de l'exercice 4, identifier le réactif limitant.

b. Définir le rendement et le calculer pour la synthèse réalisée.

Aide. Attention aux nombres stœchiométriques dans l'équation de la réaction.

EXERCICE RÉSOLU

11 Préparation de la menthone

Énoncé La menthone est une espèce chimique utilisée pour aromatiser certaines boissons. Elle peut être préparée par oxydation du menthol. Les formules topologiques du menthol et de la menthone sont représentées ci-dessous.

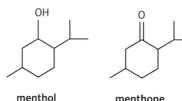

menthol   menthone

L'oxydation est réalisée en milieu aqueux et acide par l'ion dichromate ($Cr_2O_7^{2-}$), de couleur orange, qui est transformé en ion chrome (III) (Cr^{3+}), de couleur verte. La synthèse est réalisée à partir d'une quantité $n_{1, i}=0,10$ mol de menthol et $n_{2, i}=0,080$ mol d'ions dichromate en solution aqueuse acide. Un chauffage à reflux est nécessaire.

❶ Écrire la demi-équation rédox qui rend compte de l'oxydation du menthol en menthone, en utilisant les formules brutes.

❷ Écrire l'équation de la réaction d'oxydation du menthol.

❸ Déterminer le réactif limitant.

❹ Quel est le solvant utilisé ?

❺ Préciser la couleur de la solution dans le ballon après le chauffage à reflux, et avant l'étape de traitement.

Donnée. La demi-équation rédox du couple $Cr_2O_7^{2-}$ (aq)/Cr^{3+}(aq) s'écrit :
$$Cr_2O_7^{2-} (aq) + 6\ e^- + 14\ H^+(aq) = 2\ Cr^{3+}(aq) + 7\ H_2O (\ell).$$

Une solution

❶ La demi-équation rédox correspondant à l'oxydation du menthol en menthone s'écrit :
$$C_{10}H_{20}O (aq) = C_{10}H_{18}O (aq) + 2\ H^+(aq) + 2\ e^-$$

❷
$$C_{10}H_{20}O (aq) = C_{10}H_{18}O (aq) + 2\ H^+(aq) + 2\ e^-\ (\times 3)$$

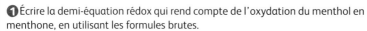

$$Cr_2O_7^{2-}(aq) + 6\ e^- + 14\ H^+(aq) = 2\ Cr^{3+}(aq) + 7\ H_2O (\ell)$$

$$3\ C_{10}H_{20}O (aq) + Cr_2O_7^{2-}(aq) + 8\ H^+(aq) \rightarrow 3\ C_{10}H_{18}O (aq) + 2\ Cr^{3+}(aq) + 7\ H_2O (\ell)$$

❸ Les quantités de matière en fonction de l'avancement x sont :
$$n(C_{10}H_{20}O) = n_{1, i} - 3x \quad \text{et} \quad n(Cr_2O_7^{2-}) = n_{2, i} - x.$$

Si le réactif limitant est le menthol, alors $x_{max, 1} = \dfrac{n_{1, i}}{3} = \dfrac{0,10}{3} = 0,030$ mol.

Si les ions dichromate sont le réactif limitant, alors :
$$x_{max, 2} = \dfrac{n_{2, i}}{1} = \dfrac{0,080}{1} = 0,080 \text{ mol.}$$
$x_{max, 1} < x_{max, 2}$, donc le menthol est le réactif limitant.

❹ Le solvant utilisé est l'eau, car l'oxydation est réalisée en milieu aqueux.

❺ Des ions Cr^{3+} ont été créés, il reste encore des ions dichromate (ce réactif est en excès). La couleur de la solution obtenue sera donc un mélange de vert et d'orange.

Énoncé

L'énoncé précise la couleur des espèces chimiques mises en jeu.

Connaissances

Pour écrire une formule brute à partir d'une formule topologique, il faut lier chaque atome de carbone à des atomes d'hydrogène en nombre suffisant pour que l'atome de carbone soit entouré de quatre liaisons.

Connaissances

Les électrons n'apparaissent jamais dans l'équation de la réaction d'oxydoréduction.

Raisonner

Il faut prendre en compte les nombres stœchiométriques de l'équation de réaction pour déterminer le réactif limitant.

Rédiger

Faire un bilan des espèces présentes, puis conclure.

12 ZOOM SUR... le rôle du pH

Le protocole ci-dessous permet de synthétiser de l'acide benzoïque $C_6H_5CO_2H$ et de l'alcool benzylique $C_6H_5CH_2OH$ à partir de benzaldéhyde C_6H_5CHO. L'équation de la réaction principale est la suivante :

$$2\ C_6H_5-\underset{\underset{H}{|}}{\overset{\overset{O}{\|}}{C}} + HO^- \longrightarrow C_6H_5-\underset{\underset{O^\ominus}{|}}{\overset{\overset{O}{\|}}{C}} + C_6H_5-CH_2-OH$$

■ Dissoudre 10 g d'hydroxyde de potassium dans 10 mL d'eau distillée, dans un erlenmeyer plongé dans un bain d'eau glacée. Transvaser la solution dans un ballon de 50 mL équipé d'une olive aimantée. Ajouter sous hotte 10 mL de benzaldéhyde. Porter le milieu réactionnel au reflux en agitant vigoureusement pendant 1 h 30.
■ Laisser refroidir le milieu réactionnel puis y verser 15 à 20 mL d'eau jusqu'à obtenir une solution homogène. Extraire quatre fois la phase aqueuse en ajoutant à chaque fois 30 mL d'éthoxyéthane. Sécher la phase organique à l'aide de sulfate de magnésium anhydre, puis la filtrer sur un filtre en papier. Recueillir le filtrat dans un ballon, puis évaporer le solvant à l'aide d'un évaporateur rotatif pour recueillir un liquide.
Placer la phase aqueuse dans un erlenmeyer, puis la refroidir à l'aide d'un bain d'eau glacée. L'acidifier sous hotte jusqu'à obtenir une mesure de pH inférieure à 3, à l'aide d'acide chlorhydrique concentré. Un solide précipite. Essorer le solide obtenu sur filtre Büchner. Le rincer à l'eau distillée puis le sécher sur une plaque poreuse.
■ Mesurer la température de fusion du solide obtenu.

a. Identifier les réactifs et les produits.

b. Étape de transformation : pourquoi est-il précisé dans le protocole : « erlenmeyer *plongé dans un bain de glace* » ? Pourquoi faut-il ajouter le benzaldéhyde sous hotte ?

c. Étape de traitement : après ajout d'eau, on obtient une phase homogène, principalement aqueuse.
Préciser sous quelles formes acido-basiques se trouve l'acide benzoïque $C_6H_5CO_2H$ en fonction du pH.

> **Conseils** Il faut exploiter ses connaissances sur les diagrammes de prédominance des espèces d'un couple acido-basique pour déterminer sous quelle forme (ionique ou moléculaire) est une espèce dans une phase donnée.

d. Après l'extraction liquide-liquide, quelle espèce se trouve en phase aqueuse ? Quel produit se trouve en phase organique ?

e. Pourquoi faut-il acidifier la phase aqueuse ?

f. Identifier les produits obtenus sous forme solide et sous forme liquide.

Donnée. pK_a ($C_6H_5CO_2H/C_6H_5CO_2^-$) = 4,2.

---

13 Apprendre à rédiger

Voici l'énoncé d'un exercice et un guide (en vert) ; ce guide vous aide à rédiger la solution détaillée et à retrouver les réponses aux questions posées.

Énoncé
Le paracétamol est un médicament qui possède des propriétés analgésiques. Il peut être synthétisé à partir des espèces dont les formules topologiques sont données ci-dessous.

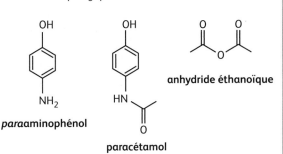

*para*aminophénol

paracétamol

anhydride éthanoïque

a. Repérer les différents groupes caractéristiques dans le paracétamol et le *para*aminophénol.
▶ Recopier les formules topologiques de ces deux espèces chimiques, puis entourer leurs groupes caractéristiques.

b. Identifier les réactifs et le produit d'intérêt obtenu lors de cette synthèse. Un autre produit se forme-t-il lors de cette transformation ?
▶ Afin de savoir si un autre produit se forme, dénombrer les atomes des réactifs et des produits puis conclure.

c. Écrire l'équation de la réaction qui se produit.
▶ L'écriture d'une équation respecte toujours les lois de conservation des éléments et de la charge électrique.
▶ En déduire la formule brute du deuxième produit formé, et faire une hypothèse sur sa formule topologique.

d. Un expérimentateur doit réaliser cette synthèse au laboratoire. Quel réactif choisira-t-il comme réactif limitant ? Pourquoi ?
▶ Comparer les prix au kilogramme des réactifs. Préciser que les masses molaires étant voisines, les quantités de matière à utiliser dans les proportions stœchiométriques sont voisines. Conclure.

Données
– Masses molaires (en g · mol⁻¹) : *para*aminophénol, $M_1 = 109$; anhydride éthanoïque, $M_2 = 102$.
– Coûts : 33,40 euros pour 1 kg d'anhydride éthanoïque ; 19,20 euros pour 100 g de *para*aminophénol.
– Densité de l'anhydride éthanoïque : $d = 1,08$.

14 ★ Oxydation de l'alcool benzylique

Compétences générales *Extraire et exploiter des informations*

■ Dans un ballon tricol de 100 mL surmonté d'un réfrigérant droit, introduire une quantité parfaitement connue voisine de 10 mmol d'alcool benzylique, puis 25 mL d'acétate d'éthyle. Agiter. Ajouter 21 mmol d'ions hypochlorite à partir d'une solution d'eau de Javel de concentration en ions hypochlorite de 0,5 mol·L^{-1}, grâce à une ampoule de coulée, puis 0,60 g de bromure de tétrabutylammonium. Agiter vigoureusement pendant 30 minutes.

■ Transférer le mélange réactionnel dans une ampoule à décanter et séparer les phases. Extraire la phase aqueuse avec deux fois 20 mL d'acétate d'éthyle. Rassembler les phases organiques et laver la phase résultante avec 20 mL

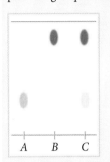

d'une solution d'hydrogénosulfite de sodium à 5 %. Sécher la phase organique sur sulfate de magnésium anhydre et évaporer le solvant à l'évaporateur rotatif.

■ Après traitement, on obtient une huile odorante.

■ Le résultat de la chromatographie sur couche mince du produit obtenu est donné ci-contre (support : SiO$_2$ avec indicateur de fluorescence/ éluant : CH$_2$Cl$_2$).

A : alcool
B : aldéhyde
C : brut réactionnel

a. Identifier les réactifs et le produit.

b. Lorsque l'on introduit l'eau de Javel, on observe deux phases distinctes.
Identifier le solvant dans chacune de ces phases.

c. Quelles sont les espèces chimiques présentes dans chaque phase ?

d. Le bromure de tétrabutylammonium est appelé « catalyseur de transfert de phase ».
Justifier cette appellation.

Aide. Pour que la transformation ait lieu, il faut que les réactifs soient en contact.

e. Une synthèse a permis de synthétiser 0,880 g de produit. Calculer le rendement. Est-il nécessaire de purifier le produit obtenu ? Si oui, comment ?

Données
– Masse molaire du benzaldéhyde : $M = 106$ g·mol^{-1}.
– Équation de la réaction :

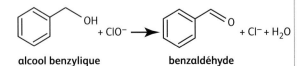

alcool benzylique   benzaldéhyde

15 ★ Synthèse d'un savon

Compétence générale *Proposer un protocole expérimental*

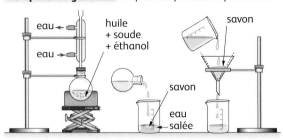

a. À partir de ce schéma, proposer un protocole expérimental permettant de synthétiser un savon.

b. Quelles données ne sont pas spécifiées sur le schéma ?

c. Faire une recherche pour déterminer ces données, puis corriger le protocole précédent.

16 Science in English

Procedure
Dissolve sodium iodide (0,1 mol) in 80 mL acetone in a 250 mL round bottomed flask with magnetic stirring. Add 1-bromobutane (50 mmol) and reflux the mixture for 20 min. Remove the flask from the heating bath and allow the mixture to cool.

a. Identifier les réactifs et le solvant.

b. Le produit d'intérêt est le 1-iodobutane, dont la formule topologique est représentée ci-dessous.

Écrire l'équation de la réaction en faisant apparaître toutes les espèces chimiques introduites lors de l'étape de transformation.

c. Quel est le réactif limitant ?

17 ★ Choix d'un solvant d'extraction

Compétences générales *Extraire et exploiter des informations – Proposer un protocole expérimental*

L'eugénol est une espèce chimique qui peut être extraite directement des clous de girofle, et qui présente des propriétés analgésiques et antiseptiques. La technique d'extraction utilisée, appelée hydrodistillation, conduit à l'obtention d'une solution d'aspect laiteux constituée principalement d'eau, avec des gouttelettes d'huile principalement composées d'eugénol en suspension.

a. Pourquoi la solution possède-t-elle un aspect laiteux ?

b. On souhaite récupérer l'eugénol de cette solution. Quelle technique est utilisée pour le traitement de cette solution ?

c. Quels solvants peut-on utiliser ? Justifier.

d. Rédiger un protocole expérimental.

Données

Solvant S	Solubilité de l'eugénol dans S	Densité	Miscibilité avec l'eau
eau	peu soluble	1,00	–
éthanol	soluble	0,79	miscible
éthoxyéthane	soluble	0,71	non miscible
dichlorométhane	soluble	1,34	non miscible
cyclohexane	soluble	0,78	non miscible

18 ★ La chromatographie sur colonne

Compétence générale *Extraire des informations*

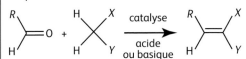

Cet exercice s'appuie sur des ressources disponibles sur le site élève :
www.nathan.fr/siriuslycee/eleve-termS.

Visionner la vidéo de l'exercice 18 du chapitre 24, qui concerne la mise en œuvre de la chromatographie sur colonne.

a. Expliquer le principe de la chromatographie sur colonne.

b. Dans quelle étape du traitement d'un produit organique cette technique peut-elle être mise en œuvre ?

19 ★★ Synthèse d'un biocarburant

Compétence générale *Justifier un protocole expérimental*

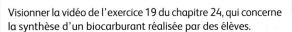

Cet exercice s'appuie sur des ressources disponibles sur le site élève :
www.nathan.fr/siriuslycee/eleve-termS.

Visionner la vidéo de l'exercice 19 du chapitre 24, qui concerne la synthèse d'un biocarburant réalisée par des élèves.

a. Sur cette vidéo, le montage à reflux n'est pas correct. Pourquoi ?

b. Faire une recherche sur la toxicité du méthanol.

c. Relever tous les aspects de sécurité qui ne sont pas respectés dans la vidéo.

d. Rédiger le mode opératoire de la synthèse présentée.

Champ de colza.

20 Objectif **BAC** *Exploiter des documents* → Dossier BAC, page 546

→ On se propose d'analyser un protocole décrivant une réaction de Knoevenagel. Il s'agit d'une réaction importante en chimie organique, car elle permet de créer des liaisons doubles carbone-carbone.
L'équation de cette réaction s'écrit :

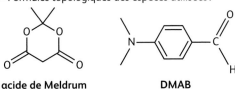

a. Faire l'analyse du protocole ci-contre en déterminant les différentes étapes de la synthèse (transformation, traitement, identification), les réactifs et le solvant.

b. Justifier la nécessité de purifier.

c. Après purification, on obtient une masse de 0,98 g de produit. Donner la formule brute du produit puis calculer le rendement de la synthèse.

d. L'espèce produite est qualifiée de **solvatochrome**. Justifier ce terme par l'analyse des documents.

Données. • Température de fusion : du brut réactionnel, $\theta_{fus} = 166\ °C$; du produit purifié, $\theta = 168\ °C$.
• Formules topologiques des espèces utilisées :

acide de Meldrum   DMAB
• Masse molaire du produit d'intérêt : $M_1 = 275\ \text{g} \cdot \text{mol}^{-1}$.

DOC 1. Protocole (exemple de transformation de Knoevenagel)

Dans un ballon monocol de 100 mL, introduire 0,72 g (5,0 mmol) d'acide de Meldrum, 0,75 g (5,0 mmol) de diméthylaminobenzaldéhyde (DMAB) puis 20 mL d'eau.

Adapter un réfrigérant à eau sur le ballon et chauffer le milieu réactionnel à environ 80 °C pendant 30 minutes.

Un produit orangé apparaît, il précipite pendant le chauffage.

Laisser refroidir et essorer sur filtre Büchner. Laver le solide deux fois avec 10 mL d'eau froide.

Mesurer sa température de fusion. Si nécessaire, effectuer une recristallisation du produit brut dans l'éthanol à 95 %.

Mesurer la température de fusion du produit recristallisé.

DOC 2. Spectre UV-visible du produit dans deux solvants différents ($c = 2,5 \times 10^{-5}\ \text{mol} \cdot \text{L}^{-1}$)

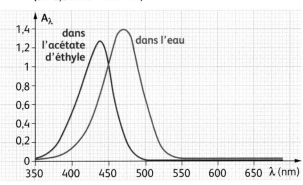

21 ★★ Synthèse de l'acide benzoïque

Compétences générales *Extraire et exploiter des informations*

Le protocole ci-dessous permet de synthétiser l'acide benzoïque. L'équation de la transformation est la suivante :

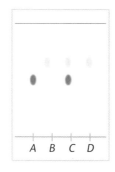

alcool benzylique   **acide benzoïque**

Dans un ballon, introduire 20 mL de soude de concentration voisine de 2 mol·L⁻¹, puis 2,1 g d'alcool benzylique. Ajouter goutte à goutte 100 mL d'une solution de permanganate de potassium de concentration 0,25 mol·L⁻¹. Porter le mélange à reflux pendant 15 minutes.

Refroidir le milieu réactionnel par un bain de glace.

Déposer un papier filtre et une couche de célite sur un filtre Büchner, puis filtrer le mélange obtenu.

Transvaser le filtrat dans un erlenmeyer et acidifier la solution avec de l'acide chlorhydrique de concentration voisine de 2 mol·L⁻¹, jusqu'à obtenir un pH voisin de 1. Essorer le précipité obtenu sur filtre Büchner, puis le laver avec un minimum d'eau distillée glacée.

Sécher à l'étuve.

Effectuer une chromatographie sur couche mince (éluant : cyclohexane/éthoxyéthane 1/1, support : SiO_2).

Vocabulaire. Célite : poudre très fine, composée essentiellement de silice, que l'on dépose sur le filtre Büchner. Ce dispositif permet de filtrer des particules de solide très fines. La chromatographie obtenue est schématisée ci-contre.

A : alcool benzylique
B : acide benzoïque
C : filtrat
D : précipité

a. Écrire la réaction d'oxydation de l'alcool benzylique par l'ion permanganate.

b. Identifier les réactifs, les produits et le solvant.

c. Quel est le solide éliminé lors de la première filtration sur célite ?

d. Quelles espèces chimiques se trouvent dans le filtrat ? sous quelle forme acido-basique ? Justifier.

e. Pourquoi utiliser de l'acide chlorhydrique ?

f. Interpréter la C.C.M. obtenue.

g. Une synthèse a donné une masse d'acide de 1,8 g. Calculer le rendement.

h. Les spectres de RMN de l'acide benzoïque et de l'alcool benzylique sont décrits ci-dessous. Attribuer à chaque molécule son spectre en le justifiant.

Spectre	Déplacement chimique (ppm)	Hauteur de la courbe d'intégration (cm)	Signal
spectre 1	2,5	1	singulet
	4,7	2	singulet
	7,4	5	massif
spectre 2	7,6	5	massif
	12,0	1	singulet

Données
– Masses molaires : de l'alcool benzylique, $M_1 = 108$ g·mol⁻¹ ; de l'acide benzoïque, $M_2 = 122$ g·mol⁻¹.
– Deux demi-équations rédox utiles :
$C_6H_5CH_2OH(aq) + 5\,HO^-(aq) = C_6H_5CO_2^-(aq) + 4\,H_2O(\ell) + 4\,e^-$
$MnO_4^-(aq) + 2\,H_2O(\ell) + 3\,e^- = MnO_2(s) + 4\,HO^-(aq)$
– pK_a ($C_6H_5CO_2H/C_6H_5CO_2^-$) = 4,2.

22 Objectif **BAC** *Rédiger une synthèse de documents*

Dossier BAC, page 546

Cet exercice s'appuie sur des ressources disponibles sur le site élève : www.nathan.fr/siriuslycee/eleve-termS.

Télécharger le dossier « Ressources pour l'exercice 22 » du chapitre 24, qui concerne la comparaison de deux protocoles expérimentaux permettant de synthétiser des esters. Ce dossier comporte :
– trois protocoles de synthèse ;
– des extraits de cahier de laboratoire avec des résultats d'expériences.

→ **À partir de l'étude de ces documents, rédiger une synthèse argumentée d'environ 30 lignes afin d'expliquer quels sont les avantages et les inconvénients de ces synthèses organiques. Une comparaison sera effectuée pour conclure sur les paramètres que peut choisir l'expérimentateur pour obtenir l'espèce souhaitée.**
Le texte rédigé devra être clair et structuré et l'argumentation reposera sur les données numériques issues des documents proposés.

L'une des espèces utilisées dans l'industrie agroalimentaire et ayant un arôme de menthe est un ester.

Sélectivité en chimie organique

Le 8 mai 1964, l'hebdomadaire américain *Life* consacrait un article à la découverte du premier procédé de **synthèse de l'insuline**. Sa synthèse a nécessité d'élaborer une stratégie sélective pour que chacun de ses 70 groupes caractéristiques réagisse l'un après l'autre.

Compétences générales mises en œuvre
• *Extraire et exploiter des informations*

1

Qu'est-ce qu'un réactif chimiosélectif ?

▶ Étudions la transformation de plusieurs réactifs organiques possédant un seul groupe caractéristique, dans des conditions expérimentales identiques.
Peut-on prévoir les produits formés lorsque l'on mélange ces réactifs ?

Réactif d'intérêt	Conditions expérimentales	Produit
⎯⎯OH	En présence de bromure d'hydrogène HBr, dans l'eau, à température ambiante.	⎯⎯Br
⎯⎯	En présence de bromure d'hydrogène HBr, dans l'eau, à température ambiante.	⎯⎯Br
⎯⎯OH	En présence de tribromure de phosphore PBr$_3$, dans l'éthoxyéthane (CH$_3$CH$_2$)$_2$O, à température ambiante.	⎯⎯Br
⎯⎯	En présence de tribromure de phosphore PBr$_3$, dans l'éthoxyéthane (CH$_3$CH$_2$)$_2$O, à température ambiante.	⎯⎯

1 *Différentes transformations en chimie organique.*

Fruits de la passion

Fruits de café

Cranberries

2 *Le prénol est une espèce abondante dans la nature. Il est aussi synthétisé dans l'industrie comme intermédiaire de produits pharmaceutiques et aromatiques.*

1 Analyser le document

Dans le tableau ci-dessus, on étudie la réactivité d'une espèce inorganique (HBr ou PBr$_3$) vis-à-vis d'un alcène ou d'un alcool. Pour chacun des exemples, déterminer la classe fonctionnelle des molécules avec lesquelles le réactif inorganique interagit.

2 Application aux espèces polyfonctionnelles

On s'intéresse au 3-méthylbut-2-èn-1-ol ou prénol, noté *A*, de formule :

A
⎯⎯OH

a. Cette espèce chimique est dite polyfonctionnelle. Pourquoi ?
b. On s'intéresse à la réaction de la molécule *A* avec PBr$_3$. Quel produit obtient-on ?
c. Lors de cette transformation, PBr$_3$ est dit **chimiosélectif**. Proposer alors une définition de ce terme.
d. À votre avis, HBr est-il chimiosélectif vis-à-vis de *A* ?

3 Conclure

Quelle devrait être la propriété d'un réactif inorganique pour permettre de transformer le prénol *A* en 3-bromo-3-méthylbutan-1-ol *B* (représenté ci-dessous) en une seule réaction ?

Br
⎯⎯OH
B

ACTIVITÉ DOCUMENTAIRE • *Extraire et exploiter des informations*

Activités

2 Comparaison de deux voies de synthèse

▶ **Pour effectuer la transformation d'un réactif *A* en produit *B*, plusieurs stratégies de synthèse sont envisageables.**

Pour obtenir un produit *B* à partir d'un réactif *A*, on envisage deux possibilités de synthèse : la voie α, en une seule étape, et la voie β, en trois étapes. On constate expérimentalement que la voie α ne permet pas d'obtenir le produit attendu, tandis que la voie β le permet, avec un rendement global de l'ordre de 40 %.

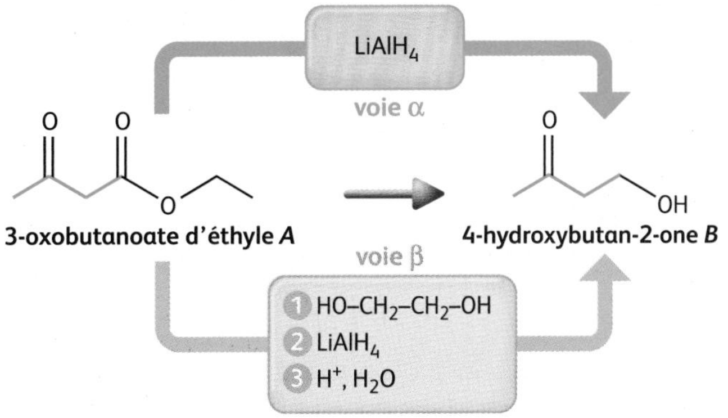

$LiAlH_4$
voie α

3-oxobutanoate d'éthyle *A*   voie β   4-hydroxybutan-2-one *B*

① $HO–CH_2–CH_2–OH$
② $LiAlH_4$
③ H^+, H_2O

3 *Deux voies de synthèse envisagées pour transformer A en B.*

La réaction de l'éthane-1,2-diol avec une espèce possédant le groupe carbonyle forme un acétal. L'acétal formé peut de nouveau se transformer en éthane-1,2-diol s'il est mis en présence d'eau acidifiée. On ne connaît pas d'autres réactions mettant en jeu des acétals.

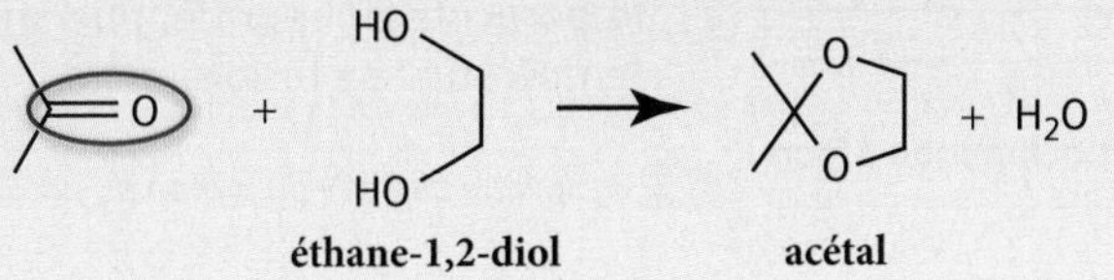

éthane-1,2-diol   acétal   + H_2O

4 *Formation d'acétal à partir de l'éthane-1,2-diol et d'un aldéhyde ou d'une cétone.*

Le tétrahydroaluminate de lithium $LiAlH_4$ est couramment utilisé pour la réduction des réactifs organiques. Il réduit les aldéhydes et les esters en alcool primaire, et les cétones en alcool secondaire.

5 *Propriété de l'espèce $LiAlH_4$.*

❶ Comprendre les documents

a. Recopier les formules topologiques du réactif *A* et du produit *B* et entourer les groupes caractéristiques.

b. Justifier le nom attribué à chacune de ces molécules.

c. Le réactif permettant d'effectuer la réduction de *A* en *B* est-il le même pour les deux voies ? Donner le nom de ce(s) réactif(s).

d. Sur quel groupe caractéristique faut-il agir pour transformer *A* en *B* ?

❷ Interpréter

a. Proposer une formule topologique pour le produit réellement obtenu par la voie α.

b. Proposer une formule topologique pour le produit formé lors de chacune des étapes de la voie β.

c. Les trois réactions de la voie β sont dites **sélectives**.
Proposer une définition d'une réaction sélective.

d. Associer à chacune de ces trois étapes l'un des noms suivants :
réduction ; protection ; déprotection.

❸ Conclure

Rédiger une brève conclusion expliquant l'impasse de la voie α et la stratégie mise en place lors de la voie β.

ACTIVITÉ EXPÉRIMENTALE • *S'approprier* • *Réaliser* • *Valider*

3

Synthèse du paracétamol

▶ Le paracétamol est un médicament utilisé pour ses propriétés analgésiques et antipyrétiques. Cette espèce chimique d'intérêt biologique est obtenue au laboratoire par réaction entre le 4-aminophénol et l'anhydride éthanoïque en milieu aqueux.

Expérience

Sécurité ⚠ *L'anhydride éthanoïque et le 4-aminophénol sont corrosifs : éviter le contact avec la peau et les yeux.*

■ Dans un ballon tricol muni d'une agitation magnétique, d'un réfrigérant à eau et d'une ampoule de coulée, introduire 5,0 g de 4-aminophénol.

■ Grâce à l'ampoule de coulée, ajouter rapidement 15 mL d'eau puis lentement 6,0 mL d'anhydride éthanoïque (formule ci-contre).

■ Chauffer 20 minutes à reflux.

■ Laisser revenir à température ambiante puis transvaser le mélange réactionnel dans un bécher.

■ Le refroidir dans un bain de glace : le paracétamol précipite.

■ Essorer sous vide (→ **fiche pratique 12**) et laver les cristaux à l'eau glacée.

■ Essorer puis sécher les cristaux sur papier-filtre.

■ Si nécessaire, recristalliser la moitié du produit obtenu dans l'eau pour obtenir le paracétamol purifié, puis mesurer sa température de fusion.

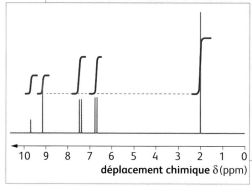

déplacement chimique δ (ppm)

6 ▶ *Spectre de RMN du proton du paracétamol.*

Formule semi-développée	HO—◯—NH₂	HO—◯—NH	O=◯—◯—HO—NH₂	O=◯—O—◯—NH₂
Nom	4-aminophénol	N-(4-hydroxyphényl) éthanamide	1-(5-amino-2-hydroxy-phényl) éthanone	éthanoate de 4-aminophényle
Masse molaire (g·mol⁻¹)	109	151	151	151
Température de fusion (°C)	190	171	112	–

7 *Données sur différentes espèces chimiques.*

❶ Identifier le produit

a. À partir de la mesure de la température de fusion, identifier le paracétamol.

b. En déduire l'équation de la réaction.

c. Attribuer les signaux du spectre de RMN à chaque groupe de protons équivalents.

❷ Analyser la réaction

a. Quel atome du 4-aminophénol joue le rôle de donneur de doublet d'électrons ? Quel atome de l'anhydride éthanoïque joue le rôle d'accepteur de doublet d'électrons ?

b. Quel autre atome du 4-aminophénol est un site donneur de doublet d'électrons ?

c. La transformation est-elle sélective ? Pourquoi ?

4 La synthèse peptidique

▶ **Les dipeptides sont des molécules obtenues par réaction entre deux acides α-aminés, deux espèces chimiques polyfonctionnelles. Montrons que la synthèse peptidique nécessite de protéger puis déprotéger des groupes caractéristiques.**

8 *Les boissons « light » contiennent de l'aspartame.*

On peut obtenir un amide à partir d'une amine et d'un acide carboxylique selon la suite de réactions ci-dessous.

ⓐ

$$\underset{\substack{\text{acide}\\\text{éthanoïque}}}{\text{OH}} + \underset{\substack{\text{chlorure}\\\text{de thionyle}}}{SOCl_2} \longrightarrow \underset{\substack{\text{chlorure}\\\text{d'éthanoyle}}}{\text{Cl}} + HCl + \underset{\substack{\text{dioxyde}\\\text{de soufre}}}{SO_2}$$

ⓑ

$$\text{Cl} + \underset{\text{méthylamine}}{(H_2N{-})} \longrightarrow \underset{\text{NH}}{} + HCl$$

9 *Formation d'un amide.*

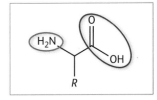

11 *Formule générale d'un acide α-aminé.*

$$\underset{\text{aspartame}}{H_2N \cdots NH \cdots O{-} \; C_6H_5} + H_2O \longrightarrow \underset{\text{dipeptide } D}{H_2N \cdots NH \cdots OH} + CH_3OH \;\; \text{méthanol}$$

10 *L'aspartame est un édulcorant intense qui s'hydrolyse partiellement en un dipeptide que l'on notera D.*

1 Analyser les documents

a. Identifier les groupes caractéristiques du dipeptide *D*.

b. Écrire les formules topologiques des acides α-aminés dont il se compose :
– l'acide aspartique, de formule brute $C_4H_7NO_4$;
– la phénylalanine, de formule brute $C_9H_{11}NO_2$.

2 Interpréter

Combien de dipeptides différents peut-on obtenir à partir d'un mélange d'acide aspartique et de phénylalanine ?

3 Émettre des hypothèses

Pour obtenir un seul dipeptide au laboratoire, on effectue les étapes suivantes :
– on protège le groupe amino $-NH_2$ d'un acide α-aminé et le groupe carboxyle de l'autre ;
– on active le groupe carboxyle restant en le faisant réagir avec du chlorure de thionyle ;
– on fait réagir entre elles les deux espèces protégées ;
– on déprotège les groupes caractéristiques.

a. Quel groupe caractéristique de la phénylalanine a été protégé lors de la synthèse de l'aspartame ?

b. Montrer que deux groupes caractéristiques ont été protégés dans l'acide aspartique lors de la synthèse de l'aspartame.

c. Faire un récapitulatif des différentes étapes à effectuer pour obtenir l'aspartame à partir d'acide aspartique et de phénylalanine.

Vocabulaire

On **active** un groupe caractéristique en le transformant en un autre groupe caractéristique plus réactif.

nomenclature des espèces
polyfonctionnelles
→ **CHAPITRE 15** page 306

1 Réactif chimiosélectif et réaction sélective

Une espèce polyfonctionnelle appartient à plusieurs classes fonctionnelles ou possède plusieurs groupes caractéristiques identiques.

• Un **réactif chimiosélectif** est un réactif qui transforme un ou plusieurs groupes caractéristiques (et éventuellement les doubles liaisons carbone-carbone $C=C$) d'une espèce polyfonctionnelle sans modifier les autres.

• Lors d'une **réaction sélective**, une espèce polyfonctionnelle réagit avec un réactif chimiosélectif.

Exemple

La synthèse des céphalosporines fait intervenir des enzymes qui permettent la transformation sélective d'un groupe caractéristique des amides, à l'exclusion de tous les autres.

2 Protection et déprotection de groupes caractéristiques

2.1 Nécessité de la protection

● On souhaite réaliser la transformation sélective suivante.

● Il existe deux méthodes pour transformer sélectivement un groupe caractéristique d'une espèce polyfonctionnelle :
– **voie directe** : on utilise un réactif chimiosélectif capable de transformer sélectivement le groupe caractéristique *B* en *C* sans modifier le groupe caractéristique *A* ;
– **voie indirecte** : si le réactif qui permet de transformer *B* en *C* n'est pas chimiosélectif et transforme également le groupe caractéristique *A*, alors on doit procéder préalablement à la protection du groupe *A*.

> La protection d'un groupe caractéristique est l'une des étapes d'une stratégie de synthèse d'une espèce polyfonctionnelle. Elle permet à un groupe caractéristique d'être préservé lors d'une synthèse utilisant un réactif non chimiosélectif.

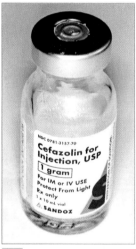

12 *Les céphalosporines constituent une famille d'une trentaine de molécules antibiotiques.*

A est le groupe caractéristique qui ne doit pas être modifié.
B est le groupe caractéristique que l'on souhaite transformer.
C est le groupe caractéristique que l'on souhaite obtenir.

2.2 Stratégie en trois étapes

Pour réaliser la transformation du **§2.1**, on envisage d'utiliser le chlorure de thionyle $SOCl_2$. Cependant, ce réactif n'est pas chimiosélectif, comme le montre la transformation ci-dessous.

$$B \quad A \qquad C \qquad D$$
$$HO\!-\!\!-\!OH \; + \; 2\,SOCl_2 \longrightarrow Cl\!-\!\!-\!Cl \; + \; 2\,SO_2$$
$$+ \; 2\,HCl$$

Pour obtenir le produit attendu, on doit donc effectuer la protection du groupe caractéristique **A**. Cette voie indirecte se décompose en trois étapes.

● Protection du groupe **A**

$$B \quad A \qquad P \qquad\qquad B \quad A\!-\!P$$
$$HO\!-\!\!-\!OH \; + \; -\!OH \longrightarrow HO\!-\!\!-\!O\!- \; + \; H_2O$$

Un réactif chimiosélectif noté **P** transforme sélectivement le groupe **A**. Le nouveau groupe **A–P** est appelé **groupe protégé**, il s'agit d'un groupe d'atomes qui peut contenir plusieurs groupes caractéristiques.

● Transformation du groupe **B** en groupe **C**

$$B \qquad A\!-\!P \qquad\qquad C \qquad A\!-\!P$$
$$HO\!-\!\!-\!O\!- \; + \; SOCl_2 \longrightarrow Cl\!-\!\!-\!O\!- \; + \; HCl \; + \; SO_2$$

Le nouveau groupe protégé **A–P** est inerte vis-à-vis de $SOCl_2$, alors que le groupe caractéristique **A** ne l'est pas.

● Déprotection du groupe **A–P**

$$C \qquad A\!-\!P \qquad\qquad C \qquad A \qquad P$$
$$Cl\!-\!\!-\!O\!- \; + \; H_2O \longrightarrow Cl\!-\!\!-\!OH \; + \; -\!OH$$

Pour obtenir le produit attendu, porteur des groupes caractéristiques **C** et **A**, il faut **déprotéger** le groupe **A–P** en utilisant un réactif chimiosélectif ne modifiant pas **C**. Le groupe caractéristique **A** se retrouve à la fin des trois étapes, il a donc été protégé lors de la transformation de **B** en **C**.

Remarques
● La stratégie de protection permet de contourner le problème de la non-chimiosélectivité d'un réactif vis-à-vis de deux groupes caractéristiques. Cependant, pour qu'elle soit efficace :
– chacune des étapes doit se réaliser avec un bon rendement ;
– chacune des étapes doit être sélective.

● Cette méthode présente néanmoins des inconvénients :
– le rendement global de la synthèse est en général plus petit que lorsqu'on utilise des réactifs chimiosélectifs ;
– un grand nombre d'atomes n'apparaissant pas dans le produit final doivent être utilisés, ce qui est contraire aux principes de la chimie durable.

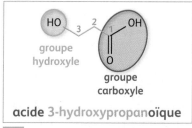

$$HO \quad {}_3 \quad {}_2 \quad OH$$
$$_1$$
$$O$$

groupe hydroxyle

groupe carboxyle

acide 3-hydroxypropanoïque

13 *Groupes caractéristiques du réactif.*

14 *La quinine, médicament utilisé lors des crises de paludisme, est une espèce naturelle extraite de l'écorce de quinquina. Les chimistes ont réalisé sa synthèse totale en 12 étapes avec trois protections de groupe caractéristique.*

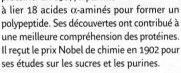

groupe amino H_2N — groupe carboxyle — OH

R

15 *Formule générale d'un acide α-aminé. R est un groupe d'atomes spécifique à chaque acide α-aminé.*

Hermann Emil Fischer

Prix Nobel de chimie en 1902

En 1894, Emil Fischer mit au point de nouvelles méthodes pour purifier les acides α-aminés et déterminer la manière dont ils se combinent les uns par rapport aux autres au sein d'une protéine. En 1907, il parvint à lier 18 acides α-aminés pour former un polypeptide. Ses découvertes ont contribué à une meilleure compréhension des protéines. Il reçut le prix Nobel de chimie en 1902 pour ses études sur les sucres et les purines.

16 *En 1964, Panayotis G. Katsoyannis réalisa la synthèse d'une hormone, l'insuline, polypeptide constitué de 51 acides α-aminés.*

3 Application à la synthèse peptidique

● Deux acides α-aminés liés entre eux par une « liaison peptidique » forment un dipeptide. Le type de molécule formée dépend du nombre d'acides α-aminés liés entre eux.

Nombre d'acides α-aminés liés entre eux	inférieur à 50	entre 50 et 100	supérieur à 100
Type de molécule	peptide	polypeptide	protéine

● Au début du XXe siècle, Emil Fischer s'est intéressé à la nature de la « liaison peptidique » et a montré que les dipeptides contenaient le groupe caractéristique des amides. À la suite de ces travaux, il a synthétisé artificiellement en 1901 le premier dipeptide artificiel.

● Le groupe caractéristique d'un amide d'un dipeptide résulte de la transformation entre le groupe carboxyle $-CO_2H$ d'un acide α-aminé 1 et le groupe amino $-NH_2$ d'un acide α-aminé 2, schématisée par :

groupe caractéristique d'un amide

acide α-aminé 1   acide α-aminé 2   dipeptide

● Les acides α-aminés sont des espèces polyfonctionnelles : chaque acide α-aminé possède un groupe amino et un groupe carboxyle. La réaction entre deux acides α-aminés conduit donc à la formation de quatre dipeptides distincts. Pour obtenir le dipeptide souhaité, il faut qu'un seul groupe amino réagisse ; tous les autres doivent donc être protégés. Il en est de même pour les groupes carboxyle.

● Pour synthétiser un dipeptide unique à partir de deux acides α-aminés, il faut :

1 protéger le groupe amino d'un acide α-aminé et protéger le groupe carboxyle de l'autre acide α-aminé ;

2 effectuer le « couplage » entre les groupes amino et carboxyle non protégés ;

3 déprotéger le groupe amino et le groupe carboxyle protégés lors de la première étape.

Remarques

● Le « couplage » entre le groupe amino et le groupe carboxyle se fait en transformant au préalable le groupe carboxyle en un groupe plus réactif.
● Les groupes d'atomes R_1 et R_2 des acides α-aminés peuvent aussi posséder des groupes caractéristiques, qu'il faut alors également protéger.
● La méthode présentée ici se révèle peu utilisable pour la synthèse des protéines car le nombre d'étapes est trop élevée. On privilégie aujourd'hui des synthèses enzymatiques hautement sélectives.

L'ESSENTIEL

→ Réactif chimiosélectif

- Un **réactif chimiosélectif** est un réactif qui transforme un ou plusieurs groupes caractéristiques (et éventuellement les doubles liaisons $C = C$) d'une espèce polyfonctionnelle sans modifier les autres.

- Lors d'une **réaction sélective**, une espèce polyfonctionnelle réagit avec un réactif chimiosélectif.

Exemple

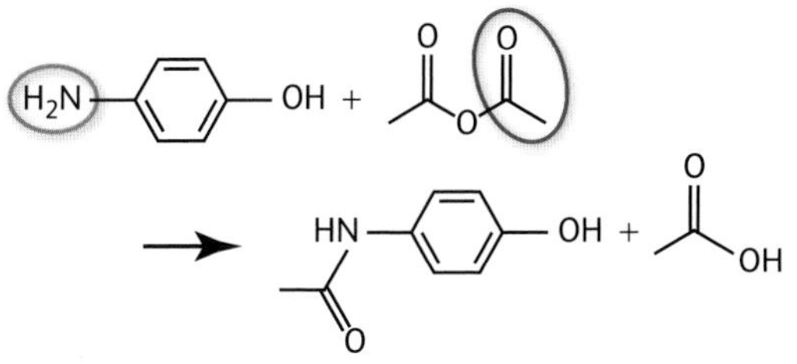

→ Protection, transformation, déprotection

Lorsque le réactif utilisé lors de la transformation chimique d'une espèce polyfonctionnelle n'est pas chimiosélectif, on effectue la protection d'un groupe caractéristique pour obtenir le produit attendu. Cette stratégie se décompose en trois étapes.

- **Protection**

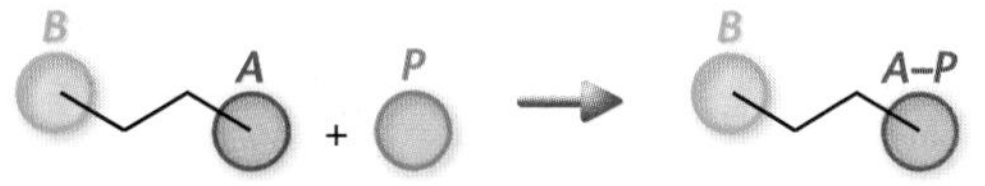

- **Transformation du groupe à modifier**

- **Déprotection**

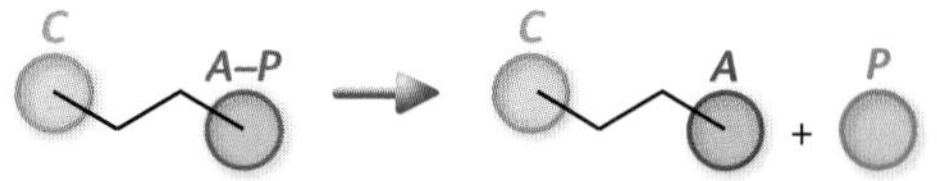

→ Application à la synthèse peptidique

Le groupe caractéristique d'un amide d'un dipeptide se forme par réaction entre le groupe carboxyle $-CO_2H$ d'un acide α-aminé 1 et le groupe amino $-NH_2$ d'un autre acide α-aminé 2, schématisée par :

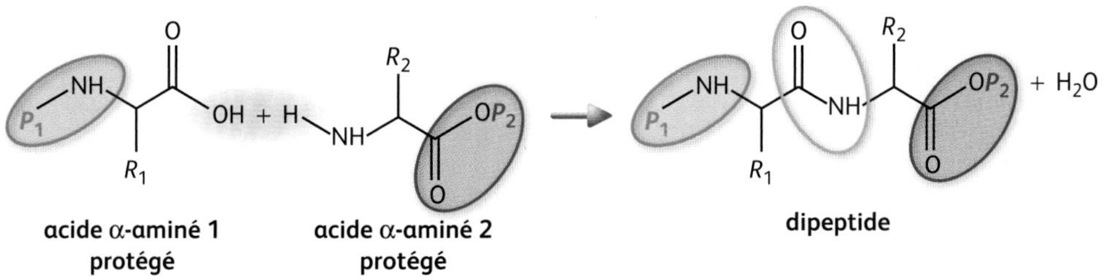

acide α-aminé 1 protégé   acide α-aminé 2 protégé   dipeptide

Pour synthétiser un dipeptide unique à partir de deux acides α-aminés, il faut réaliser successivement les étapes suivantes :

1. protéger le groupe amino d'un acide α-aminé et le groupe carboxyle de l'autre acide α-aminé ;

2. effectuer le « couplage » entre les groupes amino et acide carboxylique non protégés ;

3. déprotéger le groupe amino et le groupe carboxyle protégés lors de la première étape.

Exercices Application

1 Mots manquants

Compléter avec un ou plusieurs mots.

a. Un réactif chimiosélectif est un réactif qui transforme un ou plusieurs groupes caractéristiques (et éventuellement les doubles liaisons C=C) d'une espèce .... sans modifier les autres.

b. Pour transformer sélectivement un groupe caractéristique d'une espèce chimique polyfonctionnelle, on peut réaliser la .... des autres groupes caractéristiques.

c. Si une réaction ne transforme qu'un seul groupe caractéristique à l'exclusion de tous les autres, alors elle est dite ....

d. Pour former un dipeptide à partir de deux acides α-aminés distincts, il faut protéger un groupe .... et un groupe amino.

2 QCM

Cocher la réponse exacte.

a. Un groupe protecteur :
☐ est toujours un réactif chimiosélectif
☐ est toujours une espèce chimique polyfonctionnelle
☐ peut protéger un groupe caractéristique quelconque

b. Une réaction de protection :
☐ est une réaction sélective
☐ doit se faire avec un faible rendement
☐ est une réaction acido-basique

c. L'équation de réaction ci-dessous représente l'étape de protection d'une synthèse.

$$HO\underset{O}{\overset{OH}{\diagdown}} + —OH \longrightarrow HO\underset{O}{\overset{O}{\diagdown}} + H_2O$$

Dans cette étape :
☐ le groupe hydroxyle est le groupe protégé
☐ le méthanol n'est pas un réactif chimiosélectif
☐ la réaction est sélective

d.

$$H_2N\diagdown\underset{O}{\overset{O}{\diagdown}}NH\diagdown\underset{O}{\overset{OH}{\diagdown}}$$

portion issue de l'acide α-aminé 1   portion issue de l'acide α-aminé 2

Pour synthétiser le dipeptide ci-dessus, il faut :
☐ protéger le groupe carboxyle de l'acide α-aminé 1
☐ protéger le groupe amino de l'acide α-aminé 1
☐ protéger le groupe amino de l'acide α-aminé 2

→ **Solutions détaillées en fin de manuel pour vérifier vos réponses et comprendre vos erreurs.**

Parcours en autonomie

Trois parcours d'exercices pour travailler en autonomie selon ses besoins.

Maîtriser les bases — 5 – 6 – 9

Préparer l'évaluation — 10 – 13

Approfondir — 18 – 19

COMPÉTENCES EXIGIBLES

3 Identifier des groupes caractéristiques

Indiquer, parmi les molécules ci-dessous, celles qui sont des espèces polyfonctionnelles, et identifier leurs classes fonctionnelles.

a $\diagup\diagdown\diagdown OH$

b $H_2N\diagdown\underset{OH}{\overset{O}{\diagdown}}$

c OH O

d $\diagup\diagdown\underset{OH}{\overset{O}{\diagdown}}$

e $\underset{}{\overset{O}{\diagdown}}\diagdown\underset{OH}{\overset{O}{\diagdown}}$

f $\diagup\diagdown\underset{NH_2}{\overset{O}{\diagdown}}$

4 Réaction sélective ?

Dans les équations de réaction ci-dessous, le réactif d'intérêt a été indiqué par un numéro.

$$\text{(1)} \quad + H_2 \longrightarrow$$

$$2\ PCl_3 + 3\ HO\diagdown\diagdown\diagdown\underset{OH}{\overset{O}{\diagdown}}\text{(2)}$$

$$\longrightarrow 3\ Cl\diagdown\diagdown\diagdown\underset{Cl}{\overset{O}{\diagdown}} + 2\ P(OH)_3$$

a. Reproduire les formules des réactifs d'intérêt et entourer leur(s) groupe(s) caractéristique(s).

b. Entourer le ou les groupes caractéristiques modifiés par la transformation. De même, entourer les modifications de chaîne carbonée s'il y a lieu.

c. En déduire si ces réactions sont sélectives.

5 Exploiter des informations sur la protection

La 3-nitroacétophénone est une espèce bifonctionnelle que l'on souhaite réduire sélectivement.

(schéma de réaction : cétone aromatique avec groupe NO$_2$ → alcool aromatique avec groupe NH$_2$, transformation ① en présence de LiAlH$_4$)

1. La transformation ci-dessus n'est pas sélective. Pourquoi ?

2. On envisage alors les transformations successives suivantes.

(schéma de réactions : transformations ②, ③, ④ entre différentes molécules portant les groupes NO$_2$ et NH$_2$)

La transformation ③ se fait dans les mêmes conditions que la transformation ① .

a. Quel est l'intérêt de la transformation ② ? Quel groupe caractéristique a été protégé ?

b. Quel nom donne-t-on à la transformation ④ ?

c. Quelles sont les transformations sélectives ?

6 Exploiter des informations sur la protection

On analyse la réaction dont l'équation est :

(schéma : phénylalanine avec groupes OH, NH$_2$ + CH$_3$OH + SOCl$_2$ → ester avec NH$_2$ + 2 HCl + SO$_2$)

a. Identifier les groupes caractéristiques du réactif d'intérêt.

b. Le méthanol CH$_3$OH constitue-t-il un réactif chimiosélectif pour cette transformation ? Même question pour le chlorure de thionyle SOCl$_2$.

c. Cette réaction pourrait-elle être une étape de protection ? Si oui, pour quel groupe caractéristique ?

7 Identifier un site accepteur de doublets

L'acide phénoxyacétique (2) est obtenu à partir du phénol (1) et de l'acide chloroéthanoïque, selon la réaction d'équation :

(schéma : phénol (1) + acide chloroéthanoïque → (2) acide phénoxyacétique + HCl)

a. Montrer qu'il s'agit d'une réaction de substitution.

b. L'atome d'oxygène de la molécule (1) est un atome donneur de doublet d'électrons.
Identifier, sur l'acide chloroéthanoïque, deux atomes de carbone accepteurs de doublet d'électrons.

c. Le transfert de doublet d'électrons de l'atome donneur vers l'un des atomes accepteurs identifiés ci-dessus conduit au produit (2).
Identifier alors l'atome accepteur.

d. La réaction est-elle sélective ?

e. Quel produit obtiendrait-on par une réaction de substitution qui serait modélisée par un transfert d'électrons du site donneur de la molécule (1) vers l'autre site accepteur de l'acide chloroéthanoïque ?

COMPÉTENCES **GÉNÉRALES**

8 Exercer son esprit critique

Depuis le 22 décembre 2009, le néotame tend à remplacer l'aspartame comme édulcorant de synthèse. Son incidence sur la santé a fait l'objet d'études scientifiques contradictoires. Voici trois explications différentes qui justifient l'utilisation du néotame.

– Le néotame, contrairement à l'aspartame, ne contient pas de phénylalanine.

– L'hydrolyse du néotame ne produit pas de phénylalanine.

– Dans les conditions biologiques de la digestion, l'hydrolyse du néotame ne produit pas de phénylalanine.

Les formules topologiques du néotame et de l'aspartame sont représentées ci-contre.

(formule topologique)

$R - = H - $: aspartame
$R - = (H_3C)_3C - CH_2 - CH_2 - $: néotame

Rechercher la formule semi-développée de la phénylalanine, puis indiquer laquelle de ces explications vous semble la plus pertinente. Expliquer pourquoi les autres sont erronées.

9 Effectuer une recherche documentaire

La sérigraphie est un procédé utilisé principalement dans le domaine des industries graphiques (signalétique, textile, etc.). Elle est aussi utilisée dans le domaine des arts visuels.

Rechercher des informations sur la technique de la sérigraphie et expliquer en quoi elle s'apparente à une stratégie de synthèse de protection-déprotection.

Ingrid Bergman, avec chapeau, d'Andy Warhol, sérigraphie, 1983.

EXERCICE RÉSOLU

Site élève

10 Synthèse d'un dipeptide

Énoncé Le Dipeptiven **d** est utilisé en milieu hospitalier lors d'une nutrition parentérale pour des patients en réanimation.

Les étapes permettant de synthétiser un dipeptide analogue sont représentées à la fin de l'énoncé.

❶ Recopier les formules topologiques des molécules **a**, **b** et **d** et entourer leurs groupes caractéristiques, puis identifier les classes fonctionnelles correspondantes.

❷ Identifier, parmi les cinq étapes ci-dessous, les étapes de protection et de déprotection, en précisant les groupes protégés.

Préparation de mélanges pour nutrition parentérale.

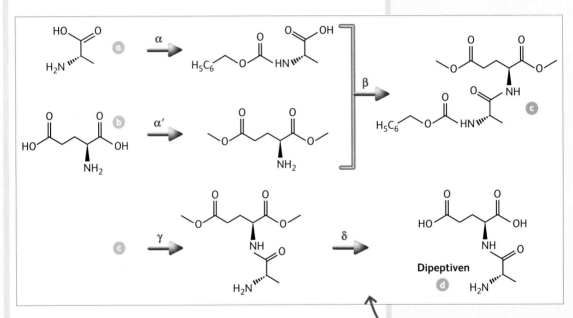

Une solution

❶

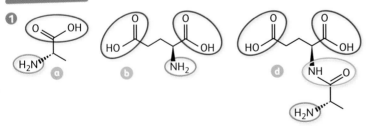

Les molécules **a**, **b** et **d** appartiennent aux classes fonctionnelles des amines et des acides carboxyliques.
La molécule **d** appartient aussi à la classe fonctionnelle des amides.

❷ Étape α : protection du groupe amino $-NH_2$.
Étape α' : protection des deux groupes carboxyle $-CO_2H$.
Étape β : étape de « couplage ».
Étape γ : déprotection du groupe amino $-NH_2$.
Étape δ : déprotection des deux groupes carboxyle $-CO_2H$.

Énoncé

Les schémas réactionnels proposés ne font apparaître que les réactifs et produits d'intérêt. Ce ne sont pas des équations de réaction.

Raisonner

Un groupe que l'on souhaite protéger sera déprotégé en fin de synthèse.

La rétrosynthèse consiste à déterminer quels sont les réactifs d'intérêt à utiliser pour synthétiser une espèce chimique donnée.

Le glutathion (formule ci-dessous) est un tripeptide connu et utilisé pour ses propriétés antioxydantes.

a. Recopier la formule topologique du glutathion et entourer les deux groupes caractéristiques d'un amide.

b. On considère qu'un amide peut être synthétisé par réaction de substitution entre le groupe –OH d'un acide carboxylique et le groupe –NHR d'une amine.
Écrire l'équation de la réaction entre un acide carboxylique et une amine pour former un amide. Quelle petite molécule est aussi formée lors de cette réaction ?

c. À partir de l'analyse précédente, déduire quels sont les trois acides α-aminés qui permettent de former le glutathion.

Conseil Il faut ici raisonner en imaginant la synthèse à l'envers, c'est-à-dire en identifiant les liaisons qu'il faut rompre pour obtenir les trois acides α-aminés.

La molécule étant complexe, il faut d'abord s'entraîner au raisonnement en reprenant l'amide obtenu à la question **b.** :
lors de cette rupture formelle, il faut retrouver l'acide carboxylique en attribuant le groupe –OH à l'atome de carbone doublement lié à un atome d'oxygène, puis l'amine en attribuant le groupe –H à l'atome d'azote.

Une fois ce raisonnement compris, le reproduire à deux reprises sur les deux liaisons à rompre du glutathion.

d. En déduire quels sont les groupes caractéristiques qui ne doivent pas être transformés lors de la synthèse.

---

12 **Apprendre à rédiger**

Voici l'énoncé d'un exercice et un guide (en vert) ; ce guide vous aide à rédiger la solution détaillée et à retrouver les réponses aux questions posées.

Énoncé

Le tétrahydroborate de sodium $NaBH_4$ est un réducteur : les aldéhydes sont réduits en alcool primaire et les cétones en alcool secondaire.

a. Quel produit obtient-on lorsqu'on utilise le tétrahydroborate de sodium pour réduire le 4-oxopentanal ?

▸ Identifier le nombre d'atomes de carbone de la chaîne carbonée du réactif à partir du radical « pent- ».

▸ Identifier les groupes caractéristiques du réactif d'après le suffixe « -al » et le préfixe « oxo- », ainsi que leur position.

▸ À l'aide de l'énoncé, écrire la formule du produit obtenu.

b. La transformation est-elle sélective ?

▸ Rappeler la définition d'une transformation sélective avant de répondre à la question.

c. Lorsqu'on utilise $NaBH_4$ en présence de chlorure de cérium (III) $CeCl_3$, on obtient le 4-hydroxypentanal.
Commenter.

▸ Déterminer, d'après son nom, la chaîne carbonée du produit obtenu.

▸ Déterminer, d'après son nom, les groupes caractéristiques du produit obtenu.

▸ À l'aide du nom du produit, attribuer aux groupes caractéristiques leur position.

▸ En déduire quels groupes caractéristiques ont été transformés puis conclure.

d. On désire maintenant synthétiser la 5-hydroxypentan-2-one à partir du 4-oxopentanal.
Proposer une stratégie de synthèse qui utilise le tétrahydroborate de sodium comme réducteur.

▸ Exploiter la réponse à la question **a.** afin de montrer qu'une protection de groupe caractéristique est nécessaire.

▸ Préciser le groupe caractéristique à protéger. Écrire la formule de l'espèce protégée en choisissant un symbole pour le groupe protégé.

▸ Écrire les réactions de protection-transformation-déprotection sans chercher à ajuster les nombres stœchiométriques.

Pour tous les exercices d'entraînement et de synthèse, on rappelle que la formule générique d'un acide α-aminé est :

où R est un groupe spécifique à chaque acide α-aminé.

13 Comparaison de réactifs inorganiques réducteurs

Compétence générale *Exploiter des informations*

Dans l'exercice ⑤, une méthode permettant de réduire sélectivement la 3-nitroacétophé-none est présentée.

Une autre voie consiste à faire réagir cette molécule avec le chlorure d'étain $SnCl_2$. Il se forme alors un produit dont le spectre IR est donné ci-dessous.

transmittance

(graphique : transmittance en fonction du nombre d'onde, de 4 000 à 400 cm^{-1}, avec une flèche indiquant 1 710 cm^{-1})

nombre d'onde (cm^{-1})

a. À l'aide des tables de données spectroscopiques disponibles dans les rabats, déterminer quel groupe caractéristique a été réduit, puis donner la formule semi-développée du produit de formule brute C_8H_9NO.

b. Comparer avec la réduction réalisée dans l'exercice ⑤. Commenter.

Données
– Lorsqu'il est réduit, le groupe carbonyle se transforme en groupe hydroxyle.
– Lorsqu'il est réduit, le groupe nitro $-NO_2$ se transforme en groupe amino $-NH_2$.

14 ★Science in English 🇬🇧

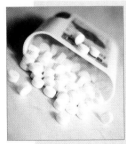

Because the *N*-terminus of a peptide chain is distinct from the *C*-terminus, a small peptide composed of different aminoacids may have several constitutional isomers. For example, a dipeptide made from two different amino acids may have two different structures. Thus, aspartic acid (*Asp*) and phenyla-lanine (*Phe*) (see above) may be combined to make *Asp-Phe* or *Phe-Asp*. Note that the amino acid on the left is the *N*-terminus. The methyl ester of the first dipeptide is the artificial sweetener aspartame, which is nearly 200 times sweeter than sucrose. Neither of the component amino acids is sweet (*Phe* is actually bitter), and derivatives of the other dipeptide (*Phe-Asp*) are not sweet.

(schéma du dipeptide : N-terminal H_2N ... R_1 ... NH ... R_2 ... C-terminal OH)

Aspartic acid is the α-aminoacid with a lateral chain of $-R_1 = -CH_2CO_2H$; phenylalanine is the α-aminoacid with a lateral chain of $-R_2 = -CH_2C_6H_5$.

D'après le site Internet www2.chemistry.msu.edu

a. Écrire les formules semi-développées des dipeptides notés *Phe-Asp* et *Asp-Phe*.

b. Les acides α-aminés qui les composent portent-ils des atomes de carbone asymétriques ? Si oui, lesquels ?

c. Combien d'atomes de carbone asymétriques les dipeptides possèdent-ils ?

d. Le texte ci-dessus permet-il de déterminer sans ambiguïté la structure de la molécule possédant un pouvoir sucrant élevé ?

15 ECE Évaluation des compétences expérimentales

Cet exercice permet de travailler les compétences expérimentales suivantes : • Analyser • Valider

Pour réaliser la protection du groupe carbonyle du 3-oxobu-tanoate d'éthyle, on suit le protocole suivant.

■ Dans un ballon, introduire :
– 15 mL de 3-oxobutanoate d'éthyle (de densité $d_1 = 1,02$) ;
– 9 mL d'éthane-1,2-diol ($d_2 = 1,11$) ;
– 40 mg d'acide *para*toluènesulfonique (APTS) ;
– 40 mL de cyclohexane ($d_3 = 0,78$).
■ Réaliser le montage d'entraînement hétéroazéotropique grâce à l'appareil de Dean-Stark.
■ Porter le mélange à reflux jusqu'à ce que le volume d'eau récupéré soit constant.
■ Après refroidissement, verser le mélange réactionnel dans une ampoule à décanter.
■ Laver avec 15 mL de solution aqueuse d'hydroxyde de sodium à 5 %, puis laver avec des portions de 20 mL d'eau.

a. Identifier les réactifs, le catalyseur et le solvant.
b. Écrire les formules semi-développées des réactifs.
c. Identifier, parmi les formules ci-dessous, le produit attendu.

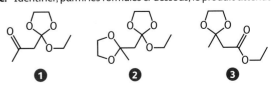

❶   ❷   ❸

d. Quelle(s) méthode(s) d'analyse permettrai(en)t de vérifier que la protection a été réalisée ?

→ La synthèse peptidique nécessite de réaliser des séquences de type protection-couplage-déprotection. Lorsque les acides α-aminés utilisés ont des chaînes latérales possédant des groupes caractéristiques, la synthèse se complique. Étudions une synthèse peptidique présentant cette particularité.

DOC 1. Une stratégie de synthèse

Du fait de la polyfonctionnalité des acides α-aminés, la synthèse peptidique nécessite d'élaborer une véritable stratégie. La difficulté est encore plus grande quand l'un des acides α-aminés est trifonctionnel, ce qui est le cas dans la synthèse de
5 l'aspartame, un édulcorant présent dans de nombreux produits alimentaires.

Le schéma rétrosynthétique simplifié de l'aspartame fait apparaître l'acide aspartique et un dérivé de la phénylalanine.

• Pour qu'il y ait couplage peptidique, il faut faire réagir la
10 fonction acide (**1**) avec la fonction amine du dérivé de la phénylalanine ; cette sélectivité est réalisée en activant la fonction acide (**1**) sans activer la fonction acide (**2**) (**document 2**). La protection de la fonction acide (**2**) est donc nécessaire.

• La fonction acide (**1**), une fois activée, ne doit pas réagir sur
15 la fonction amine d'une autre molécule d'acide aspartique ; par conséquent il faut aussi protéger la fonction amine de l'acide aspartique.

Choix des groupes protecteurs

• La protection de la fonction amine
20 en amide est exclue car la liaison peptidique est aussi une liaison amide et serait donc détruite lors de la déprotection.

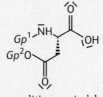

Une fonction qui se déprotège dans des conditions qui n'al-
25 tèrent pas un amide est par exemple un carbamate (Gp^1- = R^1–O–CO–).

• Les protections les plus courantes pour les acides carboxy- liques sont les fonctions esters : $Gp^2 = R^2$. Cette protection impose une contrainte : déprotéger Gp^2, sans toucher à l'ester
30 méthylique de l'aspartame final.

Enfin, l'élégance de la synthèse consiste à déprotéger Gp^1 et Gp^2 dans une même étape de la synthèse. Ceci est réalisé si $R^1- = R^2- = C_6H_5–CH_2–$ car [ils] se déprotègent tous les deux par hydrogénolyse.

D'après « L'aspartame : un édulcorant intense », Valéry Prévost, Christelle Langrand et Joëlle Vidal, *BUP* n° 1467.

DOC 2. Schéma rétrosynthétique simplifié de l'aspartame

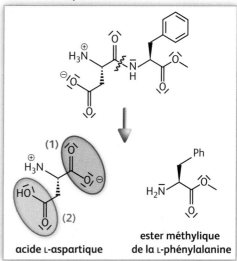

acide L-aspartique — ester méthylique de la L-phénylalanine

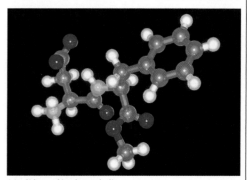

Modèle moléculaire de l'aspartame.

Couples acido-basiques :
R–NH_3^+/ R–NH_2 et R–CO_2H/ R–CO_2^-.

a. L'aspartame appartient entre autres à la classe fonctionnelle des amides.
Recopier sa formule topologique et entourer le groupe caractéristique qui justifie cette affirmation.

b. L'aspartame est présenté ici sous la forme d'une espèce présentant des groupes caractéristiques chargés.
Justifier cette représentation par l'écriture d'une équation de réaction mettant en évidence la migration d'un ion H$^+$.

c. Formellement, un amide peut être obtenu par réaction entre un acide carboxylique et une amine.
Expliquer, par l'écriture d'une équation de réaction, pourquoi les auteurs indiquent que « la protection de la fonction acide (**2**) est nécessaire ».

d. De la même manière, expliquer pourquoi « il faut aussi protéger la fonction amine de l'acide aspartique ».

e. En étudiant les deux derniers paragraphes du texte, écrire la formule topologique de l'acide aspartique protégé qui sera utilisé lors du couplage peptidique, puis celle du dipeptide totalement protégé.

f. Expliquer pourquoi le groupe Gp^1- ne peut pas être le groupe R^1–CO– lors de cette synthèse.

g. Expliquer pourquoi le groupe Gp^2- ne peut pas être le groupe CH$_3-$ lors de cette synthèse.

h. À partir de cette analyse, rédiger une synthèse d'environ 15 lignes permettant de mettre en évidence quelques critères de choix des groupes protecteurs lors des synthèses organiques.

17 Apprendre à chercher

La résolution de cet exercice nécessite de trouver les étapes du raisonnement.
→ **Une aide est disponible en fin de manuel.**

Énoncé

Le néotame est un édulco-rant qui tend à remplacer l'aspartame. Deux des liaisons qu'il faut créer pour synthétiser le néotame sont identifiées sur la formule ci-contre (en rouge).

Données. Quelques réactions possibles :

$$R-Cl + H_2N-R' \rightarrow R-NH-R' + HCl$$
$$R-CO_2H + HO-R' \rightarrow R-C(=O)O-R' + H_2O$$
$$R-CO_2H + H_2N-R' \rightarrow R-C(=O)(NH)-R' + H_2O$$

→ *Proposer trois molécules à faire réagir ensemble pour créer ces deux liaisons. Proposer un scénario pour réaliser la synthèse du néotame à partir d'acides α-aminés en utilisant des groupes protecteurs dont on ne précisera pas la structure.*

18 ✶ Bromation

Compétence générale *Extraire des informations*

L'acide 4-méthylbenzoïque *A* est utilisé dans la synthèse industrielle du polyéthylène téréphtalate PET. On étudie la réaction suivante, mettant en jeu la molécule *A*.

$$+ C_4H_4BrNO_2 \longrightarrow B + C_4H_5NO_2$$

a. Déterminer la formule brute de la molécule *B*.
b. La réaction appelée **bromation** est une substitution d'un ou plusieurs atomes de la molécule *A* par un atome de brome Br.

Identifier les molécules obtenues dans les cas suivants :
– substitution de l'atome d'hydrogène H appartenant au cycle carboné ;
– substitution de l'atome d'hydrogène H appartenant au groupe méthyle $-CH_3$.

c. Déterminer la formule semi-développée de *B* à l'aide des données de RMN ci-dessous et des tables de données spec-troscopiques disponibles dans les rabats.
d. La réaction est-elle sélective ?

Données de RMN

δ	Multiplicité	Intégration
4,28 ppm	singulet	2
7,05 ppm	doublet	2
7,92 ppm	doublet	2
10,81 ppm	singulet	1

19 ✶✶ Stratégie de synthèse

Compétence générale *Exploiter des informations*

Les réactifs ❶ et ❷ ci-dessous réagissent pour former ❸. On voudrait cependant synthétiser ❹.

a. La transformation écrite est-elle sélective ? Justifier.
b. Modéliser par des flèches courbes les transferts d'électrons permettant d'expliquer la formation de ❸.
c. Proposer une stratégie de synthèse permettant de synthé-tiser ❹ à partir notamment de ❶ et ❷.

Électronégativités des atomes

O	C	H	Mg	Br
3,44	2,55	2,2	1,31	2,96

20 Objectif BAC *Rédiger une synthèse de documents*

Dossier BAC, page 546

Cet exercice s'appuie sur des ressources disponibles sur le site élève :
www.nathan.fr/siriuslycee/eleve-termS.

Télécharger le dossier « Ressources pour l'exercice 20 » du chapitre 25.
Ce dossier comporte :
– un texte présentant la notion de sélectivité induite par l'utilisation des enzymes ;
– un schéma présentant l'adéquation entre une enzyme et son substrat ;
– un texte en anglais présentant quelques domaines industriels d'utilisation des enzymes ;
– un schéma présentant les douze principes fondateurs de la chimie durable ;
– un extrait d'une émission télévisée traitant des bioplastiques.

→ **Rédiger une synthèse d'environ 30 lignes mettant en évidence les avantages des enzymes, leur mode d'action et leur adéquation avec les principes de la chimie durable.**

Bioplastiques biodégradables fabriqués à partir de protéine de lait.

Transmettre et stocker de l'information

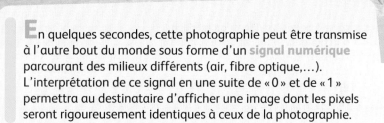

En quelques secondes, cette photographie peut être transmise à l'autre bout du monde sous forme d'un **signal numérique** parcourant des milieux différents (air, fibre optique,...). L'interprétation de ce signal en une suite de « 0 » et de « 1 » permettra au destinataire d'afficher une image dont les pixels seront rigoureusement identiques à ceux de la photographie.

COMPÉTENCES EXIGIBLES

Identifier les éléments d'une chaîne de transmission d'informations.
→ *Exercice 3*

Recueillir et exploiter des informations concernant des éléments de chaînes de transmission d'informations et leur évolution récente.
→ *Activité documentaire 1 et exercice 4*

Associer un tableau de nombres à une image numérique.
→ *Activité expérimentale 2 et exercice 5*

Mettre en œuvre un protocole expérimental utilisant un capteur pour étudier un phénomène optique.
→ *Activités expérimentales 3 et 4*

Reconnaître des signaux de nature analogique et des signaux de nature numérique.
→ *Activité documentaire 5 et exercice 6*

Mettre en œuvre un protocole expérimental utilisant un convertisseur analogique numérique pour étudier l'influence des différents paramètres sur la numérisation d'un signal. → *Activité expérimentale 6 et exercice 7*

Exploiter des informations pour comparer les différents types de transmission.
→ *Activité expérimentale 8 et exercice 8*

Caractériser une transmission numérique par son débit binaire et évaluer l'affaiblissement d'un signal.
→ *Activités expérimentales 7 et 8 et exercices 9 et 10*

Mettre en œuvre un dispositif de transmission de données (câble, fibre optique). → *Activité expérimentale 9*

Expliquer le principe de la lecture d'un disque optique par une approche interférentielle et relier la capacité de stockage au phénomène de diffraction.
→ *Activité documentaire 10 et exercices 11 et 12*

Compétences générales mises en œuvre
• *Extraire et exploiter des informations* • *Communiquer et argumenter*

ACTIVITÉ DOCUMENTAIRE

1

Informations et chaînes de transmission

▶ Comment les nombreuses informations que nous échangeons quotidiennement sont-elles transmises?

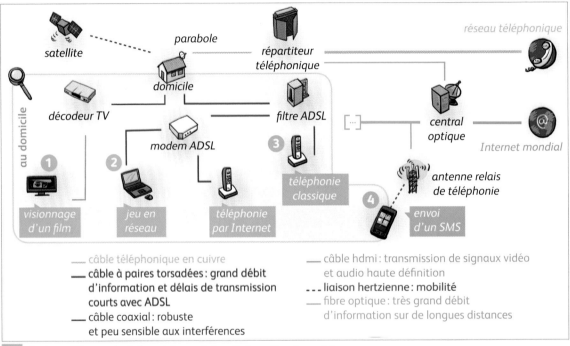

_____ câble téléphonique en cuivre

___ câble à paires torsadées: grand débit d'information et délais de transmission courts avec ADSL

___ câble coaxial: robuste et peu sensible aux interférences

_____ câble hdmi: transmission de signaux vidéo et audio haute définition

- - - liaison hertzienne: mobilité

_____ fibre optique: très grand débit d'information sur de longues distances

1 *Quelques éléments de chaînes de transmission d'information du quotidien.*

2002
Internet:
débit jusqu'à 1 Mbit/s, émission Wi-Fi;
Téléphone fixe; Téléphone par Internet:
illimité vers les fixes.

2012
Internet
débit jusqu'à 100 Mbit/s (si éligibilité à la fibre);
TV connectée
(disponible sur la télévision, le smartphone, la tablette ou l'ordinateur): jusqu'à 140 chaînes, vidéo à la demande et autres services multimédia;
Téléphone par Internet
illimité vers les fixes et les mobiles;
Téléphone mobile
(possibilité de station émettrice 3G à domicile): appels illimités, SMS/MMS illimités, Internet (débit réduit au-delà de 2 Go).

2 ▲ *Comparaison d'offres «Internet» en 2002 et 2012.*

❶ Analyser le document

a. Quels **types d'information** sont transférés par les quatre **chaînes de transmission** repérées par des numéros sur la **figure 1**?

b. Pour échanger ces informations, un ou des signaux sont transmis entre un ou plusieurs **émetteur(s)** et **récepteur(s)**.
Schématiser les quatre chaînes de transmission suggérées dans la **figure 1** selon le modèle ci-dessous.

c. Pour chacun des quatre usages étudiés, proposer une qualité justifiant les chaînes de transmission utilisées pour échanger ces informations.

❷ Conclure
À l'aide des **documents 1 et 2**, rédiger une courte synthèse afin d'exposer l'évolution des offres des fournisseurs d'accès à Internet entre 2002 et 2012.

▶ **Différents types d'informations**

Les informations que l'on échange quotidiennement sont de différents types : voix, sons, images, données numériques, vidéos, textes, etc.

▶ **Chaîne de transmission de l'information**

Un signal est défini comme une grandeur physique (tension, courant, champ électromagnétique, onde sonore ou lumineuse) qui transmet une information. La transmission des informations s'effectue le long d'une « chaîne » comportant au moins un **émetteur** et un **récepteur**.

Pour transmettre le signal, on utilise souvent des ondes électromagnétiques (OEM) dont la fréquence est adap-

tée au **milieu de propagation**. Lors de l'émission, le signal électromagnétique est porteur des informations à échanger. À la réception, les informations sont extraites de ce signal.

▶ **Caractéristiques d'une transmission**

Les choix des caractéristiques de la chaîne de transmission (type de signal transmis, milieu de propagation, émetteur et récepteur, etc) se font en fonction des propriétés recherchées (rapidité, sans délai, fiabilité, sécurisation, grande portée, mobilité, peu coûteuse, etc) (tableau 3).

Émetteur(s)/ Récepteur(s)	Type d'information	Milieu(x) de propagation	Signal porteur de l'information	Portée	Propriétés
lecteur Blu-ray / télévision	vidéo et sons	câble HDMI (câble audio-vidéo)	OEM haute fréquence (de l'ordre de 100 MHz)	quelques mètres au maximum	transmission rapide (haut débit d'informations) et fiable
téléphone portable/ borne de « paiement sans contact »	données bancaires	air (technologie de « communication en champ proche »)	OEM haute fréquence (de l'ordre de 10 MHz)	une dizaine de centimètres au maximum	transmission sécurisée, de durée d'initialisation courte
compteur électrique « communiquant »/lecteur du distributeur	données de consommation électrique	réseau électrique (technologie de transmission par courants porteurs)	OEM de fréquence de l'ordre de 1 MHz	jusqu'à plusieurs milliers de kilomètres	transmission rapide et fiable
téléphone 1/ antenne relais 1/ antenne relais 2/ téléphone 2	sons, textes et images	air et câbles en cuivre ou fibres optiques des réseaux de communication	OEM haute fréquence (de l'ordre du GHz dans l'air)	plusieurs milliers de kilomètres	transmission permettant la mobilité
modem Internet/ dispositif sur la prise 1/ dispositif sur la prise 2/ décodeur TV	multimédia	réseau électrique (technologie de transmission par courants porteurs)	OEM de fréquence de 10 kHz à 10 MHz	plusieurs dizaines de mètres	transmission rapide et pratique (ne nécessite pas de câble spécifique à installer)

3 *Exemples de chaînes de transmission et quelques caractéristiques associées.*

2 Codage d'une image numérique

▶ **Comment est codée, dans le fichier source d'une image numérique, pour chaque pixel, l'information qui permet d'afficher cette image ?**

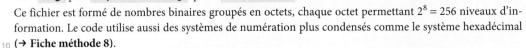

Un éditeur d'images numériques et pixellisées, tel que le logiciel GIMP, permet de choisir le nombre de pixels, leur intensité lumineuse et leur couleur. Sur la capture d'écran ci-contre, une **Nouvelle image** a été créée (1 **pixel** en **largeur** et 1 pixel en **hauteur**), de fond blanc.

5 Cette image d'un pixel blanc est sauvegardée en format « brut » (.raw) en utilisant les options **Sélectionner le type de fichier** puis **Données d'image raw**. On constate dans **Image** puis **Propriétés de l'image** que la **Taille du fichier** est de 3 octets.

Ce fichier est formé de nombres binaires groupés en octets, chaque octet permettant $2^8 = 256$ niveaux d'information. Le code utilise aussi des systèmes de numération plus condensés comme le système hexadécimal

10 (→ **Fiche méthode 8**).

La figure ci-dessous représente la lecture du codage du pixel blanc. Il indique que ce pixel blanc est codé par 3 octets : le premier octet à gauche (FF) indique l'intensité affectée à la composante rouge (un nombre entre 0

pour l'intensité nulle et 255 pour l'intensité maximale, soit FF en hexadécimal), les deuxième et troisième octets codent respectivement les composantes verte et bleue. Les

15 trois intensités étant égales, le pixel ainsi codé reconstitue du blanc par synthèse additive.

Pour une image plus complexe et avec ce même codage, les autres pixels sont également codés par 3 octets écrits à la suite les uns des autres.

4 *Utilisation du logiciel GIMP (les mots surlignés correspondent aux menus du logiciel).*

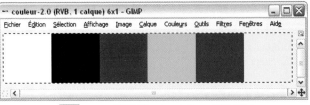

5 *L'outil **Crayon**, adapté d'une **Brosse** de type **Circle (01)** permet de réaliser des pixels.*

Expérience

■ Avec le logiciel GIMP, créer une image de largeur 6 pixels et de hauteur 1 pixel. À l'aide de la touche « + », zoomer pour que la zone définie soit bien visible. Ajuster à 0 ou à 255 l'intensité des composantes RVB afin de réaliser l'image du document 5.

■ Enregistrer sous le nom « couleur » cette image en données d'image raw puis noter sa taille.

■ Dans **Image** puis **Mode**, choisir le mode **Niveaux de gris** à la place du mode RVB utilisé précédemment.

■ Enregistrer sous le nom « gris » cette nouvelle image en données d'image raw puis noter sa taille.

1 Interpréter

a. Prévoir le codage hexadécimal de l'image du fichier « couleur » et calculer sa taille en octets (→ **Fiche méthode 8**). Comparer la taille calculée à celle lue dans les propriétés du fichier.

b. Interpréter la taille du fichier « gris ».

Coup de pouce

Le logiciel libre HexEdit permet de lire le code complet des fichiers images, quel que soit leur format.

2 Conclure

a. Sous quelle forme un ordinateur ou tout autre appareil numérique enregistre-t-il une image ?

b. L'enregistrement dans un format habituel crée un fichier de taille différente de celle du fichier raw correspondant (par exemple, couleur.bmp « pèse » 74 octets).

Rechercher des indications supplémentaires intégrées au codage du fichier couleur.bmp qui permettent un traitement complet de ce fichier (affichage sur écran, impression papier…).

▶ **Image numérique et pixellisation**

Une image numérique est une image composée d'une succession de pixels : à chaque pixel est attribuée une couleur, obtenue par synthèse additive de trois composantes rouge, verte et bleue (RVB).

▶ **Stockage d'une image numérique**

Une image numérique contient des informations codées en langage **binaire**, c'est-à-dire sous forme de « bits » habituellement notés 0 et 1. Comme tout fichier numérique, une image numérique est stockée sous forme d'une succession de mots binaires : les **octets** (→ **Fiche méthode 8**). À chaque pixel de l'image correspond un certain nombre d'octets suivant le codage adopté. Le fichier d'une image numérique contient un tableau de nombres décrivant l'intensité des trois composantes (RVB) ou les niveaux de gris de chacun de ses pixels (document 6).

▶ **En codage RVB : un pixel est codé par trois octets**

Chaque octet, soit 8 bits, permet donc de disposer de $2^8 = 256$ niveaux par couleur, du plus sombre (0) au plus lumineux (255) (document 6 ⓐ).

Pour un pixel, ce codage utilise 24 bits (3×8 bits). Le pixel a ainsi $2^{24} \approx 16$ millions de couleurs possibles.

Remarque. L'œil ne fait pas la différence entre deux couleurs proches dans ce codage, on parle de « vraies » couleurs.

▶ **En niveaux de gris (codage 8 bits) : un pixel est codé par un octet**

Il y a ainsi $2^8 = 256$ nuances possibles (document 6 ⓑ).

Remarque. L'œil étant davantage sensible au vert, un pixel vert en codage RVB prend, en niveaux de gris, une nuance plus claire qu'un pixel rouge ou bleu.

R	V	B	R	V	B	R	V	B
187	81	60	187	92	64	172	133	102
168	81	57	172	103	73	172	133	102
166	91	62	161	103	74	173	125	101

un pixel est codé par trois octets

N	N	N
102	110	139
98	116	139
105	113	133

un pixel est codé par un octet

6 *Tableaux des nombres associés à quelques pixels issus d'une image numérisée d'une partie du tableau « Les Coquelicots » de Monet* ⓐ *en codage RVB ;* ⓑ *en niveaux de gris.*

ACTIVITÉ EXPÉRIMENTALE

Compétences expérimentales mises en œuvre
• *S'approprier* • *Analyser* • *Réaliser* • *Valider*

3 Étude d'une figure de diffraction

▶ L'étude d'une figure de diffraction enregistrée sous forme d'une image numérique permet de déterminer la longueur d'onde de la radiation du laser utilisé.

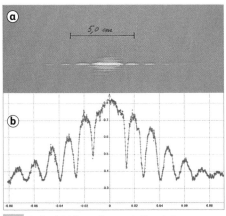

7 *Le logiciel Regavi permet d'exploiter la figure de diffraction* **(a)** *et de déterminer la distribution de l'intensité lumineuse* **(b)**.

DISPOSITIF ■ On réalise un montage permettant d'obtenir, sur un écran éloigné, la figure de diffraction par une fente de la lumière issue d'une diode laser (choisir la fente la plus fine d'une série de fentes de largeurs connues).

■ Une webcam ou un appareil photographique enregistre la figure de diffraction (document 7 **(a)**). Un logiciel de traitement de données (→ **Fiche pratique 4**) permet de réaliser des mesures et d'obtenir la distribution de l'intensité lumineuse de l'image (figure 7 **(b)**).

Expérience

■ Placer la webcam de manière à obtenir un enregistrement satisfaisant. Tracer sur l'écran une longueur de référence qui servira à déterminer l'échelle du document.

■ Avec le logiciel de traitement d'images, réaliser l'acquisition de la figure de diffraction et étalonner l'image ; puis réaliser la distribution de son intensité lumineuse (figure 7 **(b)**).

1 Observer

a. Quelle information supplémentaire déduit-on de la figure de distribution de l'intensité lumineuse par rapport à l'image observée ?

b. Mesurer, sur la courbe de distribution d'intensité, la distance L entre les deux premiers minima d'intensité limitant la tache centrale.

c. À l'œil nu, les parties correspondant aux minima d'intensité semblent noires. Est-ce le cas d'après la courbe fournie par le logiciel ?

2 Interpréter

a. Proposer une explication au fait que les minima n'aient pas, ici, une intensité nulle.

b. Estimer l'incertitude ΔL de la mesure de la largeur de la tache centrale (→ **Dossier « Mesures et incertitudes »**).

c. Comparer la distance ℓ séparant deux minima consécutifs des taches secondaires à la largeur de la tache centrale. En déduire une méthode pour mesurer avec une plus grande précision la largeur L de la tache centrale.

Coup de pouce

L'incertitude repose-t-elle sur la taille d'un pixel à l'écran ou sur l'estimation de la position des minima ?

3 Imaginer et mettre en œuvre un protocole

a. Proposer un protocole permettant de déterminer avec précision la longueur d'onde λ de la radiation émise par le laser.

b. Après discussion, mettre en œuvre le protocole, relever les mesures et déterminer la longueur d'onde λ de la radiation du rayonnement émis par le laser.

c. Calculer, en pourcentage, l'écart relatif entre cette valeur λ et la valeur λ_0 annoncée par le fabricant, en utilisant l'expression : $\left| \dfrac{\text{valeur obtenue} - \text{valeur attendue}}{\text{valeur attendue}} \right|$.

Donner une explication à cet écart. Proposer une amélioration possible du protocole.

4 Interférences en lumière blanche

▶ **On dispose de la photographie numérique d'une figure d'interférence de la lumière blanche par des fentes d'Young. Comment exploiter cette image pour étudier le phénomène d'interférence ?**

Les fentes d'Young sont deux fentes parallèles de même largeur a et distantes de a_{1-2}, placées à la distance D d'un écran.

Éclairées en lumière monochromatique de longueur d'onde λ, les fentes d'Young donnent un phénomène d'interférence dont l'interfrange i est : $i = \dfrac{\lambda D}{a_{1-2}}$.

Éclairées en lumière monochromatique de longueur d'onde λ, une fente mince donne un phénomène de diffraction ; la tache centrale de diffraction a une largeur L donnée par : $L = \dfrac{2D\lambda}{a}$.

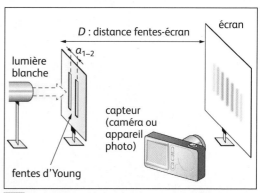

8 *Diffraction et interférences en lumière monochromatique.*

9 *Expérience en lumière blanche.*

Les photosites, sensibles à la lumière, sont chacun recouverts d'un filtre rouge, vert ou bleu permettant d'enregistrer l'image pixellisée (en codage RVB).

Les longueurs d'onde des maxima de transmission des filtres sont : $\lambda_R \approx 600$ nm ; $\lambda_V \approx 520$ nm ; $\lambda_B \approx 450$ nm.

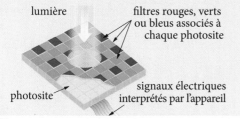

10 *Capteur de l'appareil photographique.*

11 *Photographie de la figure d'interférence dans la frange centrale de diffraction commune aux deux fentes.*

Mettre en œuvre une démarche expérimentale

La photographie de la figure d'interférence en lumière blanche du document 11 est disponible sur le site élève : www.nathan.fr/siriuslycee/eleve-termS.

À l'aide des documents ci-dessus, mettre en œuvre une démarche expérimentale pour interpréter la figure d'interférence observée en lumière blanche en utilisant toutes les informations disponibles dans une image numérique. Pour cela, extraire les composantes R, V et B de l'image, étudier les courbes de distribution de l'intensité lumineuse pour chaque composante, et utiliser les valeurs numériques données pour valider les propositions.

Aides

– Un éditeur d'image tel que le logiciel GIMP permet d'isoler les composantes rouge, verte ou bleu (RVB) d'une image. Dans le menu « Couleur », choisir « Composants », puis « Décomposer », décocher toutes les options et valider. On obtient alors trois images en niveaux de gris, pour lesquelles chaque pixel a la même intensité que la composante R, V ou B du pixel correspondant de l'image de départ.
– Un logiciel d'analyse d'images tel que SalsaJ permet de tracer la courbe de distribution de l'intensité lumineuse d'une image.

Compétences générales mises en œuvre

ACTIVITÉ DOCUMENTAIRE • *Extraire et exploiter des informations* • *Effectuer un raisonnement scientifique*

5 Analogique ou numérique?

▶ **Les signaux numériques sont de plus en plus utilisés et se distinguent des signaux analogiques. Comment reconnaître la nature analogique ou numérique d'un signal?**

On analyse le son capté par un microphone. La figure ⓐ est obtenue lorsque le microphone est directement branché sur l'oscilloscope. La figure ⓑ est obtenue lorsque le microphone est branché sur la carte d'acquisition d'un ordinateur.

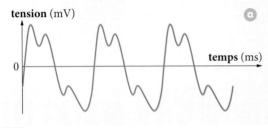
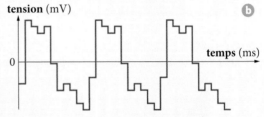

12 *Signal analogique et signal numérique.*

Vocabulaire

Signal: grandeur physique (par exemple une tension, un champ électromagnétique…) qui transmet de l'information.

Signal de nature analogique: transmet des informations sous la forme de variations continues d'une grandeur physique.

Signal de nature numérique: transmet des informations sous la forme de valeurs discrètes.

Bruit: perturbations diverses qui modifient un signal lors de sa transmission.

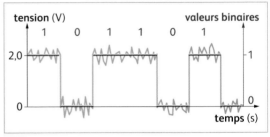

13 *Signal numérique à transmettre **(en rouge)** et signal numérique bruité reçu après transmission* (en vert).

❶ Analyser les documents

a. Quelle grandeur souhaite-t-on analyser dans le document 12? Quelle est la grandeur observée sur l'oscillogramme 12 ⓐ? Le signal étudié est-il analogique ou numérique?

b. Comment voit-on que le signal transmis par la carte d'acquisition de l'ordinateur (figure 12 ⓑ) est un signal numérique?

c. Quelle est l'information binaire transmise par le signal de la figure 13? Quelle est la différence entre le signal numérique à transmettre et le signal effectivement transmis?

❷ Conclure

a. D'après l'exemple du document 12, un signal numérique est-il moins ou plus précis que le signal analogique auquel il correspond?

b. L'une des explications de l'utilisation accrue des signaux numériques est leur immunité face au bruit.
À l'aide de la figure 13, justifier cette affirmation.
Est-elle valide quelle que soit l'amplitude du signal?

ACTIVITÉ EXPÉRIMENTALE • *S'approprier* • *Analyser* • *Réaliser* • *Valider*

Activités

6

Numérisation d'un signal sonore

▶ **Il est possible d'enregistrer un signal sonore avec un ordinateur muni d'une carte d'acquisition. Quels sont les paramètres à fixer pour que la numérisation soit correcte ?**

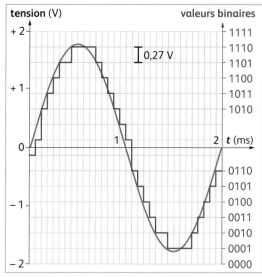

14 *Représentation de la conversion analogique (bleu) – numérique (rouge) à l'aide d'une carte d'acquisition sur le calibre [–2 V ; +2 V].*

1 Étude préalable

Le Convertisseur Analogique Numérique (CAN) d'une carte d'acquisition réalise la conversion d'un signal analogique en signal numérique **(figure 14)**.

a. Que vaut le **nombre n de bits** (ou « résolution ») de la carte d'acquisition utilisée pour la numérisation ?

b. Le signal numérisé varie par sauts de tension, multiples d'une valeur appelée **pas** de la numérisation. Le pas correspond au plus petit écart de tension entre deux points du signal numérisé.

Quel est la valeur du pas utilisé pour la numérisation ? Comment varierait le pas p de l'acquisition si le nombre de bits du CAN était plus important ? La conversion de l'analogique vers le numérique serait-elle alors plus précise ? Moins précise ?

c. On note U_C le calibre choisi (les tensions minimale et maximale mesurables sont $-U_C$ et $+U_C$), N la valeur décimale du nombre binaire le plus grand du CAN (exemple $N = 15$ pour le nombre 1111).

Établir la relation entre U_C, N et le pas p.

d. Appliquer cette relation à l'exemple de la **figure 14** en précisant les valeurs de chaque terme puis prévoir l'influence d'un changement de calibre sur la valeur du pas, sachant que le nombre de bits de la carte n'est pas modifiable.

DISPOSITIF Un générateur de tension sinusoïdale ($f = 50$ Hz) est relié simultanément à un oscilloscope analogique et à une carte d'acquisition connectée à un ordinateur.

Expérience Réaliser plusieurs acquisitions de la même tension sinusoïdale de fréquence $f = 50$ Hz en fixant un même nombre de points de mesures (une centaine par exemple), mais en augmentant la **période d'échantillonnage T_e** : 1 ms, 2 ms, 5 ms, 10 ms et 20 ms.

2 Observer et interpréter

a. Les signaux numérisés ont-ils la même allure que le signal analogique observé sur l'oscilloscope ? Dans quel cas le signal numérisé est-il le plus ressemblant au signal analogique ?

b. Le nombre de points de mesure étant limité, quel compromis suppose l'utilisation d'une **fréquence d'échantillonnage** élevée ?

3 Conclure

a. Pour que la numérisation d'un son soit la plus fidèle possible, faut-il utiliser une carte d'acquisition avec un nombre de bits important ou faible ?

b. Doit-on adapter la fréquence d'échantillonnage à la fréquence du son ?

c. Quel inconvénient ces choix impliquent-ils du point de vue du stockage de l'enregistrement ?

d. En utilisant un microphone, mettre en pratique ces conclusions pour réaliser une numérisation du son émis par un diapason.

Bilan   Signal analogique et signal numérique

▶ Signal analogique

Les grandeurs physiques mesurables (intensité sonore, intensité lumineuse, pression, tension, etc.) varient généralement de façon **continue**, c'est-à-dire qu'elles peuvent prendre une infinité de valeurs différentes. Un capteur qui suit l'évolution d'une grandeur physique fournit un signal (souvent une tension) lui aussi continu et à l'image de cette grandeur : on parle de **signal analogique**.

▶ Signal numérique

Pour qu'un signal analogique soit exploitable par un appareil numérique, il doit être converti en un signal porteur d'une information ne prenant que des **valeurs discrètes** : on parle de **signal numérique**.

L'information numérique peut-être contenue dans la variation de différentes grandeurs physiques, comme par exemple :

– La **tension** d'un signal. Sur la figure 15, la tension représentée prend quatre valeurs discrètes. L'information numérique transmise est ici associée à ces quatre valeurs et correspond à quatre nombres binaires 00, 01, 10 et 11 (codage sur 2 bits soit 2^2 valeurs possibles).

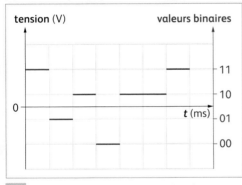

15 *La tension de ce signal transporte l'information numérique sur quatre valeurs discrètes.*

– La **fréquence de la tension** d'un signal. Sur la figure 16, la tension représentée a une amplitude constante et sa fréquence ne peut prendre que deux valeurs. L'information numérique transmise est ici associée aux valeurs de la fréquence et correspond à un nombre binaire 1010, suivi de 1001 (codage sur 4 bits soit 2^4 valeurs possibles).

▶ Quel signal choisir ?
Analogique ou numérique ?

Pour un signal numérique, l'information est associée à un nombre fini de valeurs déterminées.

Le signal numérique contient donc une information moins « riche » que celle du signal analogique dont il peut être issu.

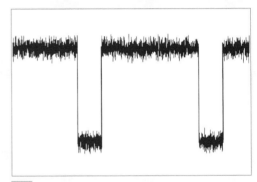

17 *Signal numérique bruité.*

Par contre, si un signal analogique est très sensible aux perturbations (parasites par exemple), un signal numérique est peu sensible au **bruit** et peut transmettre l'information qu'il contient de manière beaucoup plus fidèle (figure 17).

Outre leur plus grande immunité face au bruit, les signaux numériques ont pour principaux avantages de pouvoir se régénérer à l'identique, d'autoriser une transmission facile de plusieurs types de données avec un même signal (voix, images, données…), et de permettre une détection et une correction efficaces des erreurs de transmission. Ainsi, la plupart des signaux de télécommunication sont aujourd'hui des signaux numériques.

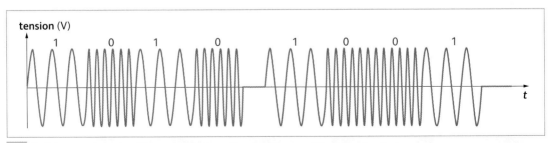

16 *La fréquence de ce signal transporte l'information numérique sur 16 valeurs discrètes .*

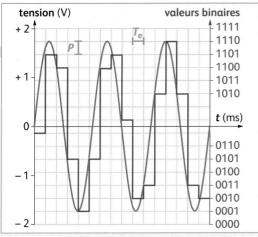

18 *Signal analogique **(en bleu)** et signal numérisé **(en rouge)** par une carte d'acquisition de résolution 4 bits : les valeurs mesurées sont traduites par un code de 4 bits offrant 16 (2^4) combinaisons possibles.*

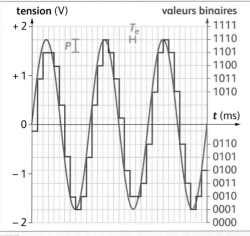

19 *Cas d'une fréquence d'échantillonnage supérieure (T_e inférieure) à celle de la figure 18 : davantage d'échantillons sont mesurés sur la même durée.*

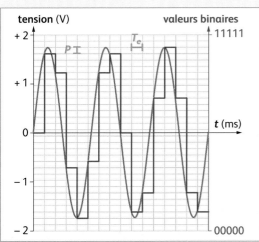

20 *Cas d'une résolution plus grande (les mesures sont traduites par un code de 5 bits offrant 32 = 2^5 combinaisons possibles) que sur la figure 18 : le pas p diminue.*

▶ Numérisation

La **numérisation** consiste à transposer sous forme numérique une information contenue dans un signal analogique (souvent une tension électrique issue d'un capteur).

▶ Échantillonnage et quantification

Cette tension est d'abord **échantillonnée**, c'est-à-dire mesurée périodiquement pour ne retenir qu'un nombre limité de valeurs. Ces valeurs sont traduites par un convertisseur analogique/numérique (CAN) sous forme de nombres binaires qui ne peuvent prendre qu'un nombre fini de valeurs : le signal numérique obtenu est **quantifié** (figure 18).

▶ Paramètres d'une numérisation

La **qualité** de la conversion dépend essentiellement de la valeur de la **fréquence d'échantillonnage** f_e (nombre de mesures effectuées par seconde) et de celle du **pas p** (plus petit écart de tension entre deux points du signal numérisé) des mesures. Le pas p est lié au **nombre n de bits** (résolution) du convertisseur : pour un calibre donné plus n est grand et plus p est petit.

Le signal numérisé est d'autant plus proche du signal analogique que :
– la fréquence d'échantillonnage est grande : la durée entre deux mesures (la période d'échantillonnage T_e) est alors plus faible (figure 19) ;
– le pas du convertisseur est faible : les mesures sont alors codées sur un nombre plus important de valeurs binaires (figure 20).

Ces deux choix sont limités car ils impliquent une augmentation du nombre de données à traiter. Par exemple, la numérisation d'un son à une fréquence d'échantillonnage élevée améliore sa qualité mais limite la durée de l'enregistrement ou nécessite de grandes capacités de stockage.

> **Exemple**
>
> L'enregistrement de la musique sur CD audio correspond à une numérisation des sons à une fréquence d'échantillonnage de 44,1 kHz, avec une résolution de 16 bits (et sur deux voies). La période d'échantillonnage T_e est alors voisine de 25 µs. Pour obtenir au moins 10 points de mesure par période du son, sa fréquence doit être au maximum de 4 kHz.

7 Propagation libre d'un signal

▶ La propagation libre des signaux qu'échangent nos téléphones mobiles nous permet de communiquer. Quelles sont les propriétés de la propagation libre d'un signal?

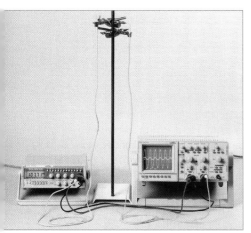

21 *Dispositif expérimental.*

> **DISPOSITIF** Une des bornes d'un long fil de connexion est branché à un GBF (générateur basse fréquence) délivrant un signal sinusoïdal. Un autre long fil de connexion est relié à une voie d'un oscilloscope.

Expérience

■ Régler le GBF pour que le signal délivré ait une fréquence de 100 kHz et une amplitude de plusieurs volts.

■ Placer les deux fils longs à quelques centimètres l'un de l'autre sans relier entre elles les deux bornes libres (document 21).

■ Faire les réglages nécessaires pour observer les signaux sur l'oscilloscope (quelques périodes visibles et une grande amplitude).

■ Sans modifier les réglages de l'oscilloscope, séparer les fils d'environ un mètre.

1 Observer

a. Reproduire sur un même schéma l'allure des oscillogrammes lorsque les fils sont proches et lorsqu'ils sont éloignés.

b. Déterminer la fréquence des deux signaux observés.

2 Interpréter

a. Dans l'expérience, quel élément joue le rôle d'émetteur? de récepteur?

b. Quel est le milieu de propagation?
Pourquoi peut-on qualifier la propagation du signal de **libre**?

c. Comparer la fréquence et l'amplitude du signal émis et du signal reçu.

d. Proposer une solution simple, autre que la transmission hertzienne (transmission par OEM ne nécessitant pas de milieu matériel) afin de recevoir le signal à l'identique.

3 Conclure

Lorsqu'un signal se propage, seule une partie de l'énergie émise par l'émetteur atteint le récepteur : on dit que le signal subit un **affaiblissement**.

a. Pour qu'une information soit plus sûrement détectable, faut-il transmettre un signal analogique ou numérique?

b. Les technologies évoquées dans le document 22 sont-elles basées sur des propagations libres du signal qui portent l'information? Proposer une explication à la recommandation évoquée à la dernière phrase.

Comment partager la connexion 3G d'un téléphone mobile?

Si votre smartphone est relié à Internet par une connexion 3G, il est possible d'en faire profiter votre ordinateur lors de vos déplacements.

Pour cela, choisissez l'option de partage de votre connexion Wi-Fi (le point d'accès Wi-Fi portable de votre smartphone peut partager sa connexion Internet 3G avec votre PC). Sur le téléphone, le Wi-Fi étant (en plus de la 3G) activé, la consommation électrique sera élevée, reliez donc le smartphone au PC grâce à un câble USB…

D'après *Micro Hebdo* n° 719, janvier 2012.

22 *Extrait d'un magazine informatique.*

ACTIVITÉ DOCUMENTAIRE

8 Étude de différents supports de transmission

▶ **Quels sont les principaux supports de transmission et leurs caractéristiques ?**

Type de transmission	Vitesse de propagation du signal	Distance parcourue par le signal	Atténuation typique du signal	Remarques
guidée par ligne téléphonique avec technologie ADSL	2×10^8 m·s^{-1}	quelques km	15 dB pour une ligne de 1 km	Le débit d'informations décroît avec la longueur de la ligne.
guidée par fibre optique monomode d'une ligne de télécommunication	2×10^8 m·s^{-1}	plusieurs dizaines de km	0,2 dB pour une fibre de 1 km	Onéreux, mais très performant. Des « répéteurs » permettent de régénérer un signal numérique à l'identique pour le transmettre sur des dizaines de milliers de km.
transmission hertzienne Wi-Fi d'un réseau local	3×10^8 m·s^{-1}	quelques dizaines de m en intérieur	importante	Le débit diminue rapidement avec la distance.
transmission hertzienne de chaînes satellites	3×10^8 m·s^{-1}	plusieurs dizaines de milliers de km	importante	Délai de transmission du signal élevé (environ 0,5 s) du fait de la distance à parcourir.

23 Tableau comparatif de quelques caractéristiques de transmissions d'information.

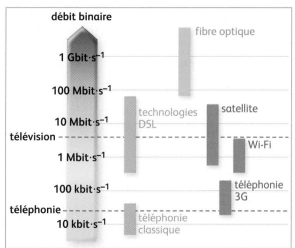

24 Débits d'une connexion selon le support (*câble de cuivre, fibre optique* ou *air en transmission hertzienne*) et la technologie de la transmission. En pointillés : débits minimums nécessaires à deux applications.

1 Interpréter les documents

Le **débit binaire** d'une connexion représente la quantité de données transmises pendant une unité de temps.

a. Indiquer une unité possible pour le débit. Quel type de support permet les meilleurs débits de transmission ?

b. En considérant qu'un signal est exploitable si au moins 1 % de son énergie initiale est reçue, déterminer la distance maximale de la transmission dans le cas de la fibre optique monomode.

Aide. Une atténuation de 20 dB correspond à une dissipation d'énergie du signal de 99 %.

c. Quelle solution est utilisée en télécommunication pour transmettre des signaux sur de très longues distances par fibre optique ?

2 Conclure

a. Dans certaines villes, les fournisseurs d'accès à Internet proposent des abonnements dits « fibre », lorsque des fibres optiques sont installées jusqu'au domicile.

Quelle est la conséquence pour le débit des communications ? Pour l'atténuation ? Pourquoi ces offres ne sont-elles pas proposées partout ?

b. Selon leur lieu de résidence, certains abonnés à des formules Internet comprenant la télévision ne peuvent pas la recevoir par le biais de leur modem ; les opérateurs proposent alors généralement d'obtenir la télévision par satellite. Proposer une explication.

c. Pourquoi la téléphonie par Internet, bien que ne nécessitant pas un débit d'informations important, n'est-elle pas généralement pas transmise par satellite ?

9 Propagation guidée d'un signal

▶ **Peut-on utiliser un câble coaxial pour transmettre un signal audio sur une longue distance ?**

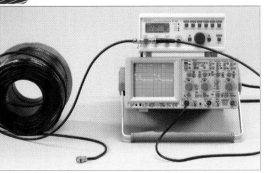

25 *Dispositif expérimental.*

DISPOSITIF Un générateur de fonctions envoie un signal électrique dans un câble coaxial, de longueur $L = 100$ m. Un oscilloscope permet d'analyser ce signal (document 25).

Expérience

■ À l'aide de l'oscilloscope, régler le générateur afin d'obtenir des impulsions de durée 0,5 µs, se répétant toutes les 5 µs.

■ Adapter, par l'intermédiaire d'un té, le câble coaxial à la sortie du générateur. L'autre extrémité du câble n'est pas branchée.

■ Sur la deuxième sortie du té, brancher l'oscilloscope afin d'observer le signal en début de câble coaxial (document 26).

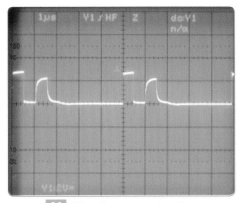

26 *Allure des signaux observés.*

1 Observer

L'oscillogramme peut être interprété comme la superposition du signal émis par le générateur et d'un signal réfléchi en bout de câble (document 26).

a. Déterminer la durée Δt séparant le début de ces deux signaux.

b. La durée cherchée peut être augmentée d'un multiple de la période T des impulsions. Quel paramètre du montage doit-on modifier pour mesurer sans ambiguïté la valeur réelle de Δt ?

c. Mesurer les amplitudes U_E du signal émis et U_R du signal réfléchi.

2 Interpréter

a. Exprimer et calculer la vitesse de propagation v du signal électrique dans le câble coaxial. La comparer à la vitesse de propagation de la lumière dans le vide.

b. À quel phénomène est liée la différence d'amplitude entre les deux signaux ? Quelle autre conséquence due à la propagation observe-t-on sur le signal réfléchi ?

c. Le **coefficient d'atténuation** α représente l'atténuation que subit le signal dans un câble, il est déterminé par la relation :

$$\alpha = \frac{1}{\ell} \times 20 \log \frac{U_e}{U_s}$$

U_e: amplitude du signal en entrée (V)
U_s: amplitude en sortie de câble (V)
ℓ : longueur du câble (m)
α : coefficient d'atténuation (dB·m^{-1})

Calculer le coefficient d'atténuation du câble utilisé pour le signal étudié.

3 Proposer et réaliser un protocole expérimental

À l'aide du matériel disponible, proposer un montage permettant de transmettre la musique issue d'un lecteur audio d'un côté à l'autre de la salle. Réaliser le montage.

4 Conclure

L'atténuation du signal est-elle ici un problème contraignant ? En serait-il de même si l'on souhaitait transférer le signal audio sur plusieurs kilomètres avec un câble coaxial ? Comment peut-on, en pratique, surmonter cette difficulté ?

▶ **Propagation libre et propagation guidée**

La propagation d'un signal porteur d'informations est :

– **libre** si le signal peut se propager sur une zone étendue, comme c'est le cas de la transmission hertzienne utilisée en téléphonie ou en radiophonie ;

27 *Depuis leur apparition, les téléphones portables utilisent la propagation libre de signaux.*

– **guidée** si le signal est contraint de suivre un support comme un câble coaxial, un câble à paires torsadées ou une fibre optique.

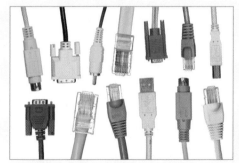

28 *Câbles (généralement en cuivre) utilisés en informatique pour la propagation guidée.*

▶ **Qualité d'une transmission**

La **qualité d'une transmission** de données est en partie caractérisée par son **débit** et par l'**atténuation** que subit le signal. Dans le cas d'une transmission d'un signal numérique, le **débit binaire** s'exprime en $bit \cdot s^{-1}$ ou en $octet \cdot s^{-1}$ et représente la quantité d'informations pouvant être transférée par unité de temps.

Lors d'une transmission, le signal subit un **affaiblissement** traduisant une **dissipation d'énergie** : la puissance du signal en sortie, notée $\mathcal{P}_s$, est inférieure à la puissance du signal en entrée, notée $\mathcal{P}_e$.

Cet affaiblissement peut être apprécié par l'**atténuation** A de la transmission :

$$A = 10 \log \frac{\mathcal{P}_e}{\mathcal{P}_s}$$

$\mathcal{P}_e$ en watt (W)
$\mathcal{P}_s$ en watt (W)
A en décibel (dB)

▶ **Coefficient d'atténuation d'un câble**

L'affaiblissement est d'autant plus important que la distance ℓ parcourue par le signal est grande.

Le **coefficient d'atténuation** α d'une ligne ou d'un câble traduit ce phénomène :

$$\alpha = \frac{1}{\ell} \times 10 \log \frac{\mathcal{P}_e}{\mathcal{P}_s}$$

$\mathcal{P}_e$ en watt (W)
$\mathcal{P}_s$ en watt (W)
ℓ en mètre (m)
α en $dB \cdot m^{-1}$

Remarques.

– Dans le cas où l'information est transmise par un courant dans un câble, les puissances $\mathcal{P}_e$ et $\mathcal{P}_s$ sont proportionnelles aux carrés des amplitudes U_e et U_s du signal en entrée et en sortie de ligne.

Comme $\log \dfrac{\mathcal{P}_e}{\mathcal{P}_s} = \log \left(\dfrac{U_e}{U_s}\right)^2 = 2 \log \dfrac{U_e}{U_s}$,

l'atténuation s'écrit donc : $A = 20 \log \dfrac{U_e}{U_s}$,

et le coefficient d'atténuation : $\alpha = \dfrac{1}{\ell} \times 20 \log \dfrac{U_e}{U_s}$.

– L'utilisation de la **fibre optique** (document 29) présente de grands avantages : le débit maximum possible est encore loin d'être atteint (il dépend des équipements mis en place) et le coefficient d'atténuation est faible.

L'emploi de répéteurs, utilisés pour régénérer un signal numérique à l'identique (grand avantage des signaux numériques), permet la transmission par fibre optique à haut débit et sur de longues distances des signaux dans les réseaux de télécommunication.

Dans ce cas, on utilise des **fibres optiques monomodes** permettant des débits binaires très supérieurs à celui des fibres multimodes, et présentant une atténuation plus limitée.

29 *Fibres optiques.*

Compétences générales mises en œuvre
• *Extraire et exploiter des informations*

10

Disque optique et données numériques

▶ **Les disques optiques les plus connus (CD, DVD et Blu-ray) sont les supports d'une information accessible par l'utilisation d'un laser. Comment lire l'information numérique stockée ?**

Un CD est principalement constitué d'un substrat en matière plastique (polycarbonate) et d'une fine couche métallique réfléchissante. Cette surface réfléchissante porte l'information le long du sillon très fin d'une piste
5 en forme de spirale ⓐ. L'information binaire est enregistrée sous la forme d'alvéoles réparties le long de la piste ⓑ, donnant à cette dernière un profil constitué de plats et de creux ⓒ. Pour lire les données stockées sur le CD, un faisceau laser est focalisé sur le sillon qu'il peut
10 intégralement parcourir du fait de la rotation du disque.

Lorsque le rayon de la lumière laser atteint un plat ou le fond d'un creux, il est réfléchi. La profondeur des creux correspond au quart de la longueur d'onde λ_{poly} de la radiation du laser dans le polycarbonate.
15 Après réflexion, l'intensité de la lumière varie en fonction du profil de la piste. La lumière réfléchie atteint un capteur qui traduit les variations d'intensité lumineuse en variations de tension ⓓ. Ce signal comporte alors l'information numérique stockée sur
20 le disque.

30 *Stockage et lecture de données numériques sur un CD.*

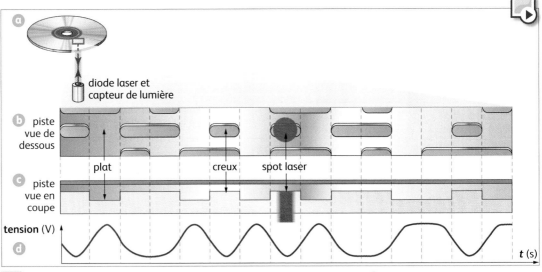

31 ⓐ *Lecture de la piste d'un CD.* ⓑ *Allure des alvéoles d'une partie de la piste.* ⓒ *Profil de la piste vu en coupe.*
ⓓ *Allure du signal électrique fourni par le capteur de lumière.*

1 **Interpréter les documents**

a. Quelle est la longueur supplémentaire parcourue par un rayon de lumière atteignant le fond d'un creux par rapport à un rayon se réfléchissant sur un plat ?

b. En observant la partie ⓑ de la **figure 31**, expliquer pourquoi deux rayons du spot laser représenté peuvent interférer après réflexion. Que peut-on dire de l'intensité lumineuse lorsque ces deux rayons interfèrent ?

2 **Conclure**

Expliquer pourquoi l'intensité lumineuse reçue par le capteur varie au cours de la lecture en précisant où se situe le spot lorsque l'intensité est minimale ou maximale.

Stockage optique

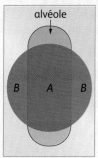

32 *Spot recouvrant une alvéole.*

Un CD est formé d'un substrat en matière plastique (polycarbonate) et d'une fine couche métallique sur laquelle ont été creusées des **alvéoles** (à l'écriture des données), disposées le long d'une piste en spirale. Ces alvéoles permettent le codage numérique en binaire.

▶ **Principe de lecture d'un disque optique**
Lorsque le faisceau laser du lecteur balaie la piste, la **différence de marche** δ entre deux rayons se réfléchissant sur la piste peut conduire à des **interférences constructives ou destructives** selon deux cas :
– lorsque le faisceau est sur un plat entre deux alvéoles, $\delta = 0$. Les interférences sont donc constructives et l'intensité lumineuse est maximale ;
– lorsque le faisceau atteint une alvéole (figure 32) :
$\delta = \dfrac{\lambda_{poly}}{2}$ pour un rayon qui se réfléchit sur un plat (aux bords du spot en *B*) et un autre qui se réfléchit au fond d'un creux (au centre du spot en *A*). Les interférences sont donc destructives et l'intensité lumineuse est minimale.

▶ **Codage des données numériques**
Par souci de performance, le codage binaire des données utilisé consiste à attribuer :
– un « 1 » lors du passage d'un plat à un creux ou vice-versa, c'est-à-dire lorsque la tension fournie par le capteur **varie** ;

– un « 0 » lorsque la tension est **stable** (soit dans un état haut, soit dans un état bas).

▶ **Capacités de stockage**
La capacité de stockage d'un disque est liée au nombre et donc à la taille de ses alvéoles. Or, le phénomène de diffraction dû au système de focalisation impose au faisceau laser de converger non pas en un point, mais sur une certaine surface : c'est le **spot** (figure 32). Ainsi, la taille des alvéoles est limitée car le principe de lecture contraint les alvéoles à avoir une taille proche de celle du spot du laser.
Afin d'augmenter la capacité des disques, il faut disposer d'un plus grand nombre d'alvéoles en diminuant leur taille. Il faut donc diminuer également la taille du spot, en réduisant l'écart angulaire ($\theta = \dfrac{1,22\lambda_{poly}}{a}$) dû au **phénomène de diffraction**. Deux solutions sont mises en œuvre : diminuer la longueur d'onde du faisceau laser, concevoir des systèmes de focalisation plus convergents (figure 33).

▶ **Principe de l'écriture**
Pour un disque inscriptible, un laser d'écriture peut changer, par chauffage, l'état d'une zone du substrat située avant la surface réfléchissante, si bien que l'indice optique de cette zone augmente. Cette modification revient à changer la valeur de λ_{poly} de manière à créer des interférences comparables à celles dues aux alvéoles d'un disque pressé.

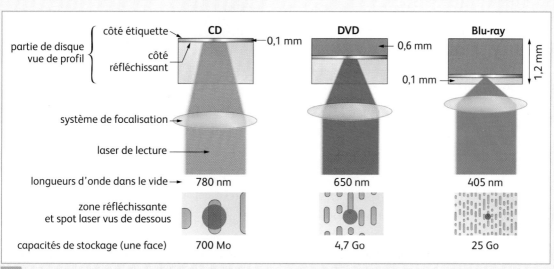

33 *Comparaison des technologies CD, DVD et Blu-ray.*

Exercices / Application

1 Mots manquants

Compléter avec un ou plusieurs mots.

a. Lors de la transmission d'une information, un signal est échangé entre un .... et un ....

b. Une image numérique est composée de .... , chacun étant caractérisé par une couleur codée par trois .... en codage RVB ou un .... en niveaux de gris.

c. Pour un signal analogique, l'information est représentée par .... de valeurs. Pour un signal numérique, l'information est associée à .... de valeurs déterminées.

d. La numérisation consiste à convertir un signal .... en signal .... Le signal numérisé est d'autant plus fidèle que la .... est grande et que le pas de la conversion est .... , et donc que le nombre de bits du convertisseur est ....

e. Un câble électrique ou une fibre optique sont des modes de transmission .... , alors que la transmission hertzienne est qualifiée de ....

f. Pour une durée donnée, une transmission numérique échange d'autant plus d'informations que son débit binaire est .... Il peut s'exprimer en ....

g. L'atténuation d'une transmission s'exprime en .... Le coefficient d'atténuation de la ligne de transmission s'exprime en ....

h. La lecture d'un disque otique repose sur le phénomène .... La capacité de stockage d'un disque optique est limitée par le phénomène de ....

2 QCM

Cocher la réponse exacte.

a. Le code RVB « 255 ; 0 ; 255 » correspond à un pixel :
☐ magenta   ☐ jaune   ☐ cyan

b. Lors d'une numérisation :
☐ le signal numérique et le signal analogique possèdent rigoureusement la même information
☐ le signal numérique contient plus d'informations
☐ le signal analogique contient plus d'informations

c. Par rapport à un signal analogique, un signal numérique :
☐ se transmet de manière plus fidèle
☐ ne peut pas être régénéré aussi fidèlement
☐ est plus sensible au bruit

d. Si la puissance du signal en sortie de ligne est cent fois plus petite qu'en entrée, l'atténuation de la transmission vaut :
☐ 20 dB   ☐ 2 dB   ☐ 100 dB

e. Le morceau de piste de disque optique schématisé ci-contre correspond à l'information binaire :
☐ 1001   ☐ 101   ☐ 0110

→ **Solutions détaillées en fin de manuel pour vérifier vos réponses et comprendre vos erreurs.**

Trois parcours d'exercices pour travailler en autonomie selon ses besoins.

Maîtriser les bases — 5 – 7 – 10

Préparer l'évaluation — 13 – 16 – 17

Approfondir — 22 – 25 – 28 – 31

Pour les exercices de ce chapitre, on admettra que :

• 1 octet = 8 bits ; 1 Ko = 1 024 octets ; 1 Mo = 1 024 Ko.

• L'atténuation A d'une transmission est :

$$A = 10\log\frac{\mathscr{P}_e}{\mathscr{P}_s} \quad \begin{array}{l} \mathscr{P}_e \text{ en watt (W)} \\ \mathscr{P}_s \text{ en watt (W)} \\ A \text{ en décibel (dB)} \end{array}$$

• Le coefficient d'atténuation α d'un câble est :

$$\alpha = \frac{1}{\ell} \times 10\log\frac{\mathscr{P}_e}{\mathscr{P}_s} \quad \begin{array}{l} \mathscr{P}_e \text{ en watt (W)} \\ \mathscr{P}_s \text{ en watt (W)} \\ \ell \text{ en mètre (m)} \\ \alpha \text{ en dB·m}^{-1} \end{array}$$

COMPÉTENCES EXIGIBLES

3 Identifier une chaîne de transmission

Pour les deux systèmes de transmission illustrés, indiquer :
– le type de signal qui sert à la transmission de la voix ;
– le milieu de propagation ;
– l'émetteur et le récepteur de ce signal.

4 Comprendre l'évolution des communications

Pour les réseaux de communication, la « **convergence** » désigne l'évolution des technologies et des services vers des standards et des matériels compatibles entre eux.

Donner des exemples de convergences entre des services autrefois distincts les uns des autres. Par quel réseau unique ces communications tendent-elles à transiter ?

Aide : le moteur de recherche du site **http://www.ant. developpement-durable.gouv.fr** permet de comprendre les enjeux de la convergence en France.

5 Associer un tableau de nombres à une image

a. Quelle est la couleur d'un pixel de code RVB « 0 ; 0 ; 255 » ? de code « 255 ; 255 ; 0 » ?

b. Quel est le code RVB d'un pixel de couleur cyan ?

c. Quel est le code en niveaux de gris d'un pixel blanc ?

6 Reconnaître des signaux

a. Rappeler ce qui différencie un signal numérique d'un signal analogique.

b. À partir des figures ci-dessous, indiquer la nature analogique ou numérique des tensions représentées, sachant que l'information de ces signaux est représentée par la valeur de la tension.

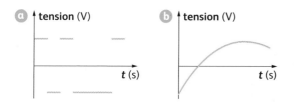

7 Étudier la numérisation d'un signal

On numérise une tension en effectuant deux acquisitions. Les signaux numérisés sont représentés ci-dessous.

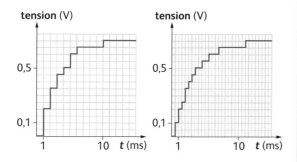

a. À quoi reconnaît-on que les signaux sont numériques ?

b. Déterminer le pas p de chacune des conversions.

c. Déterminer la fréquence d'échantillonnage f_e utilisée pour chacune des acquisitions.

d. Dans quel cas la numérisation est-elle la plus fidèle ?

8 Comparer différents types de transmission

On s'intéresse à trois supports de transmission : un câble en cuivre d'un réseau téléphonique classique, un câble coaxial d'un service de télévision, et une fibre optique d'un réseau de télécommunication.

Le graphique suivant présente l'évolution de l'atténuation des transmissions en fonction du débit binaire d'information, lorsque les câbles ou les fibres optiques ont une longueur de 1 km. On a par ailleurs repéré les débits nécessaires à trois applications : téléphonie, musique de qualité CD et télévision.

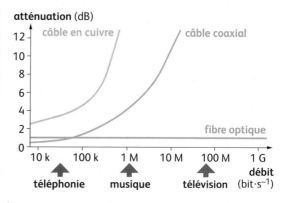

À partir du graphique ci-dessus, expliquer pourquoi :

a. la télévision n'est pas fournie par les réseaux de téléphonie classique par câble ;

b. un opérateur de télévision par câble doit parfois régénérer le signal avant de le fournir à un abonné ;

c. la fibre optique est privilégiée pour les réseaux internationaux de télécommunication.

9 Caractériser une transmission numérique

Le signal vidéo issu d'une webcam, enregistrant des images de 5,0 Ko, est transféré par une connexion Internet. Déterminer le débit binaire nécessaire à la connexion pour que la vidéo apparaisse fluide, c'est-à-dire pour qu'elle affiche 30 images par seconde.

10 Évaluer l'affaiblissement d'un signal

Évaluer l'affaiblissement en puissance, en calculant $\frac{\mathscr{P}_e}{\mathscr{P}_s}$, du signal transmis par la tête d'une parabole le long d'un câble de longueur $\ell = 50$ m sachant que le coefficient d'atténuation du câble pour ce type de transmission vaut 0,20 dB·m^{-1}.

11 Expliquer la lecture d'un disque optique

a. Au cours de la lecture d'un disque optique, dans le cas où le spot laser est situé sur une alvéole, indiquer :
– si les rayons du faisceau laser se réfléchissent sur un plat et/ou un creux ;
– si tous les rayons réfléchis sont en phase ;
– si le signal détecté est maximal ou minimal.

b. Répondre à la question précédente dans le cas où le spot laser n'est pas situé sur une alvéole.

Donnée : la profondeur une alvéole correspond au quart de la longueur d'onde du rayonnement de la diode laser de lecture.

12 Expliquer le stockage sur disque optique

Expliquer ce qui limite la capacité de stockage d'un disque optique et présenter deux solutions liées au laser de lecture qui ont permis l'amélioration de cette capacité.

EXERCICE RÉSOLU

13 Numérisation d'un signal sonore

Énoncé Afin de numériser un signal sonore, on utilise un microphone relié à une carte d'acquisition de résolution 8 bits utilisée sur le calibre [−1,0 V ; +1,0 V]. On enregistre, pendant une durée $\Delta t = 100$ ms et de la manière la plus fidèle possible avec cette carte, un son pur de fréquence $f = 500$ Hz.

❶ On considère que, pour ce calibre, la quantification de la numérisation est satisfaisante si le pas est inférieur à 0,01 V.
Déterminer le pas p de la carte avec le calibre choisi et conclure sur la qualité de la quantification.

❷ On considère que l'échantillonnage est correct à condition qu'au moins 10 points de mesure soient effectués sur une période du signal à numériser. Est-ce le cas ici ?

❸ Déterminer le nombre d'octets alors enregistrés par l'ordinateur.

❹ Aurait-on pu modifier un paramètre d'acquisition afin d'obtenir un fichier plus petit sans que la qualité du signal soit affectée, pour une même durée totale d'enregistrement ?

Donnée : la fréquence d'échantillonnage maximale de la carte vaut $f_e = 1,0$ MHz.

Une solution

❶ Les tensions mesurables sur le calibre [−1,0 V ; +1,0 V] occupent un intervalle $\Delta U = 2,0$ V. Or, la résolution de la carte vaut $n = 8$ bits, donc le nombre le plus grand que peut fournir la carte est le nombre binaire 11111111, de valeur décimale $N = 255$.

Le pas de la conversion s'écrit donc : $p = \dfrac{\Delta U}{N}$. A.N. : $p = \dfrac{2,0}{255} = 0,0078$ V.

Le pas de la conversion est inférieur à 0,01 V, donc la quantification est satisfaisante.

❷ La numérisation étant la plus fidèle possible, la fréquence d'échantillonnage doit être la plus grande possible et vaut $f_e = 1,0$ MHz.
La période d'échantillonnage T_e associée représente la durée séparant deux mesures. Cette durée est donc :

$$T_e = \frac{1}{f_e}. \quad \text{A.N. :} \quad T_e = \frac{1}{1,0 \times 10^6} = 1,0 \times 10^{-6} \text{ s.}$$

Or, la période du signal à numériser est :

$$T = \frac{1}{f}. \quad \text{A.N. :} \quad T = \frac{1}{500} = 2,00 \times 10^{-3} \text{ s.}$$

Il y a ainsi $\dfrac{T}{T_e} = \dfrac{2,00 \times 10^{-3}}{1,0 \times 10^{-6}} = 2,0 \times 10^3$ points de mesure par période du signal à numériser. L'échantillonnage est donc correct.

❸ À chaque mesure, l'ordinateur enregistre un nombre binaire de 8 bits, c'est-à-dire un octet. À la fréquence d'échantillonnage choisie, 1,0 million de mesures sont effectuées en une seconde. Pendant la durée $\Delta t = 100$ ms, le nombre de mesures est dix fois plus petit. Il y a donc $1,0 \times 10^5$ octets enregistrés.

❹ Le critère lié à l'échantillonnage est ici largement vérifié. Une fréquence d'échantillonnage $f'_e = 5\,000$ Hz suffirait pour obtenir dix mesures sur une période du signal à numériser. Dans ce cas, le nombre de mesures effectuées sur une même durée totale serait beaucoup plus petit, avec une baisse de qualité sans doute peu sensible.

Raisonner
Faire le lien entre l'intervalle des tensions mesurables par la carte et les différentes valeurs qu'elle est susceptible d'associer.

Calculer
La calculatrice Windows® permet la conversion binaire-décimal.

Connaissances
Rappeler le rôle de la fréquence d'échantillonnage sur la qualité de la numérisation.

Raisonner
On peut répondre en comparant les fréquences, mais le raisonnement avec les périodes est plus évocateur vis-à-vis du critère étudié ici.

DOC 1. Accès à Internet par les technologies ADSL.

L'ADSL (Asymetric Digital Subscriber Line : ligne numérique asymétrique d'abonné) fait partie de la famille des technologies DSL, basées sur le transport d'informations numériques par le câble de cuivre assurant la desserte téléphonique. Ceci est possible car la transmission de la voix n'utilise que la bande de fréquence de 300 à 3 400 Hz, alors que le cuivre peut transmettre une gamme de fréquences beaucoup plus large.

Outre l'ADSL, dont le débit maximum est de 8 Mbit/s, on utilise en France des variantes de la famille DSL :

– le ReADSL (Reach extended ADSL), de portée accrue de 5 à 10 %, mais dont les débits dans la zone éloignée du répartiteur restent limités à 512 kbit/s ;

– l'ADSL2+, permettant d'atteindre des débits de 25 Mbit/s pour des distances toutefois limitées par rapport au répartiteur.

D'après le site Internet http://www.ant.developpement-durable.gouv.fr

DOC 2. Schéma du principe de la desserte par ADSL.

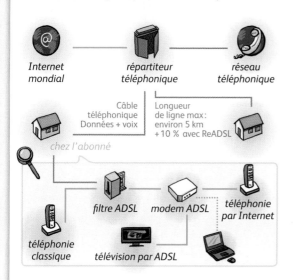

DOC 3. Bandes de fréquences utilisées par différentes variantes DSL.

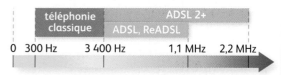

DOC 4. Débits comparés des technologies ADSL et ADSL2+ en fonction de la longueur de la ligne.

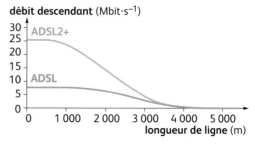

1. a. Pour la téléphonie par Internet avec l'ADSL, préciser le premier support de transmission depuis le domicile.

b. Pourquoi le transport d'information par ADSL n'affecte-t-il pas les communications de téléphonie classique ?

2. a. Proposer une explication au fait que la technologie ADSL2+ permet d'obtenir des débits plus importants que l'ADSL.

b. Pourquoi un abonnement avec ADSL2+ n'est-il généralement pas proposé à un usager situé dans un hameau ?

---

15 **Apprendre à rédiger**

Voici l'énoncé d'un exercice et un guide (en vert) ; ce guide vous aide à rédiger la solution détaillée et à retrouver les réponses aux questions posées.

Énoncé

Un appareil photographique numérique porte l'indication « 12 Mpixels ».
Les propriétés du fichier image d'une photographie réalisée avec cet appareil indiquent les caractéristiques suivantes : «*Dimension : 4 000 × 3 000. Taille : 3,06 Mo. Type : image compressée JPEG.*».

a. D'après l'indication « 12 Mpixels », quelle devrait être, en Mo, la taille du fichier de la photographie enregistrée en données brutes et en utilisant le codage RVB des pixels ?

▶ Préciser en début de rédaction les hypothèses de départ (nombre de pixels de l'image, nombre d'octets décrivant un pixel en codage RVB), puis, vérifier par calcul après conversion en Ko puis Mo, que la taille du fichier devrait être de 34 Mo.

b. Comparer à la taille indiquée dans les propriétés du fichier de l'image.
Proposer une explication à l'écart observé.

▶ Indiquer les tailles des deux fichiers avant de conclure que l'hypothèse du calcul précédent est fausse.

▶ Préciser l'intérêt du format choisi pour l'enregistrement de l'image numérique.

EXERCICE RÉSOLU

16 Lecture de l'information d'un CD

Énoncé Un lecteur CD utilise un laser de longueur d'onde dans le vide $\lambda_0 = 780$ nm. Au cours de la lecture, le faisceau atteint la piste réfléchissante après avoir traversé une couche transparente de polycarbonate (figure ci-dessous). La lumière réfléchie se dirige vers un capteur, situé au voisinage de la source, qui reçoit le signal lumineux.

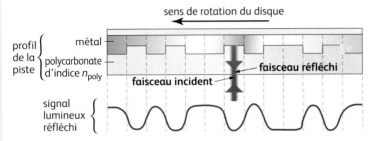

① Déterminer la longueur d'onde λ_{poly} du rayonnement du faisceau lors de son parcours dans le CD.

② Pourquoi le signal lumineux réfléchi par la piste est-il minimal lorsque le spot laser est situé sur une alvéole ?

③ Pourquoi peut-on dire du signal lumineux détecté qu'il s'agit d'un signal numérique ? Déterminer le code binaire enregistré sur la partie de la piste considérée ici (lecture de gauche à droite sur la figure ci-dessus).

Données :
– dans un milieu d'indice n, la longueur d'onde λ est reliée à la longueur d'onde dans le vide λ_0 par la relation $\lambda = \dfrac{\lambda_0}{n}$;
– indice de réfraction du polycarbonate $n_{poly} = 1,55$;
– la profondeur d'une alvéole vaut $e = 125$ nm ;
– le codage binaire utilisé repose sur les transitions d'intensité lumineuse : un 1 est associé à un changement rapide d'intensité et un 0 est associé à une intensité pratiquement constante.

Une solution

① La longueur d'onde à considérer est celle du rayonnement laser dans le polycarbonate, soit : $\lambda_{poly} = \dfrac{\lambda_0}{n_{poly}}$. A.N. : $\lambda_{poly} = \dfrac{780}{1,55} = 503$ nm.

② Lorsque le spot atteint une alvéole, une partie du faisceau se réfléchit au fond du creux (*A*) tandis que les parties latérales du faisceau se réfléchissent sur les plats adjacents à l'alvéole (*B*). Un rayon se réfléchissant au fond du creux parcourt donc un chemin optique plus long qu'un rayon se réfléchissant sur une zone plate.
La différence de marche, du fait de l'aller-retour, vaut : $\delta = 2e = 2 \times 125 = 250$ nm ; soit : $\delta \approx \dfrac{\lambda_{poly}}{2}$.
Ainsi, ces deux rayons se retrouvent après réflexion en situation d'interférences destructives. L'ensemble de la lumière réfléchie ici possède donc une intensité minimale lorsqu'elle atteint le capteur.

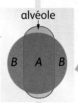

③ Le codage du signal est tel que l'information est représentée par une caractéristique ne pouvant prendre que deux états : soit l'intensité varie (code 1), soit elle ne varie pratiquement pas (code 0). Le signal est donc un signal porteur d'une information numérique : il s'agit d'un signal numérique.
D'après l'allure du signal, l'information lue ici est : 111101110111.

Schématiser /
Repérer les parties du faisceau sur un schéma.

Raisonner /
Faire le lien entre la profondeur d'une alvéole et la longueur d'onde du rayonnement laser pour montrer la possibilité d'interférences destructives.

Connaissances /
Utiliser la définition d'un signal numérique.

L'atténuation A d'une transmission, en dB, a pour expression :

$$A = 10 \log \frac{\mathcal{P}_e}{\mathcal{P}_s}$$

$\mathcal{P}_e$: puissance du signal en entrée (W)
$\mathcal{P}_s$: puissance du signal en sortie de ligne (W)
A : atténuation (dB)

Le coefficient d'atténuation α d'une ligne ou d'un câble a pour expression :

$$\alpha = \frac{1}{\ell} \times 10 \log \frac{\mathcal{P}_e}{\mathcal{P}_s}$$

$\mathcal{P}_e$: puissance du signal en entrée (W)
$\mathcal{P}_s$: puissance du signal en sortie (W)
ℓ : longueur de la ligne (m)
α : coefficient d'atténuation (dB$\cdot$m^{-1})

1. Comprendre les relations

Pour apprécier un affaiblissement, on dispose de A et du rapport $\frac{\mathcal{P}_e}{\mathcal{P}_s}$.

a. Compléter le tableau ci-dessous relatif à l'atténuation d'une transmission en exprimant les deux dernières colonnes en % .

Conseils Remplir le tableau en utilisant un tableur ou une calculatrice avec la fonction tableur.

b. Trouver un avantage et un inconvénient à l'utilisation de A plutôt qu'à l'utilisation du rapport $\frac{\mathcal{P}_e}{\mathcal{P}_s}$.

c. À partir des expressions rappelées ci-dessus, donner la relation entre l'atténuation A d'une transmission et le coefficient d'atténuation α d'une ligne de transmission. L'atténuation est-elle proportionnelle à la longueur ℓ de la ligne ?

2. Exploiter les relations

Conseils Pour les questions suivantes, utiliser l'une des expressions du tableau. Au besoin, adapter le calcul afin de prendre en compte la longueur d'un câble avec le coefficient d'atténuation.

a. Évaluer l'atténuation lors d'une transmission pour laquelle la puissance d'un signal est divisée par trois en sortie de câble.

b. Un câble de 100 m a un coefficient d'atténuation de 0,220 dB$\cdot$m^{-1}.
En déduire, en % , les pertes lors de la transmission.

	Les relations encadrées permettent le calcul à partir de la donnée A			
Atténuation A en dB : $A = 10 \log \dfrac{\mathcal{P}_e}{\mathcal{P}_s}$	Rapport des puissances : $\dfrac{\mathcal{P}_e}{\mathcal{P}_s} = 10^{A/10}$	Part de la puissance transmise : $\dfrac{\mathcal{P}_s}{\mathcal{P}_e} = 10^{-A/10}$		Part de la puissance dissipée («pertes») : $1 - \dfrac{\mathcal{P}_s}{\mathcal{P}_e} = 1 - 10^{-A/10}$
1,0				
2,0				
3,0				
10				
20				
30				
40				

---

18 Apprendre à rédiger

Voici l'énoncé d'un exercice et un guide (en vert) ; ce guide vous aide à rédiger la solution détaillée et à retrouver les réponses aux questions posées.

Énoncé

Un SMS comportant 35 caractères est transmis entre deux téléphones portables en 1,23 s.

Données : un caractère (lettre, chiffre, etc.) est codé par un octet ; un pixel d'une image suit le code RVB.

a. Déterminer le débit binaire de l'envoi de ce SMS.

▸ Déterminer, en justifiant avec précision, le nombre d'octet(s) par caractère, le nombre d'octets échangés lors de la transmission, etc.

▸ Après le calcul du débit binaire, justifier l'unité et le nombre de chiffres significatifs du résultat soit 28,5 octet$\cdot$s^{-1}.

b. Pour un même débit binaire, combien de temps nécessite-rait l'envoi d'une image de résolution 320 pixels × 240 pixels ? Commenter le résultat sachant que la durée d'initialisation d'une communication par SMS est de l'ordre de 1 s.

▸ Rappeler le nombre d'octet(s) définissant un pixel. Indiquer le nombre d'octets nécessaire à la description de l'image.

▸ En déduire que la durée de la transmission est $8,08 \times 10^3$ s.
Attention aux chiffres significatifs.

▸ Commenter un résultat qui ne semble pas cohérent est difficile : il faut rédiger une réponse qui s'appuie sur une donnée de l'énoncé ou sur une connaissance du quotidien.

19 Communication en champ proche

Compétences générales *Extraire et exploiter des informations*

Les téléphones portables actuels sont parfois dotés de la technologie de « communication en champ proche » qui permet une communication sans fil à courte portée.

Le tableau ci-dessous compare cette technologie à la technologie Bluetooth® V2.1, déjà largement répandue.

Technologie	communication en champ proche	Bluetooth® V2.1
Fréquence des ondes utilisées	13,56 MHz	entre 2,4 et 2,5 GHz
Portée	de l'ordre de 10 cm	de l'ordre d'une dizaine de mètres
Débit binaire de la transmission	424 kbit·s⁻¹	2,1 Mbit·s⁻¹
Durée d'initialisation de la connexion	inférieure à 0,1 s	quelques secondes

À partir des caractéristiques du tableau, expliquer pourquoi la technologie de communication en champ proche est plus adaptée que la technologie Bluetooth® V2.1 pour permettre le "paiement sans contact" par téléphone mobile.

20 Évolution des accès à Internet

Compétences générales *Extraire et exploiter des informations*

Le graphique ci-dessous présente une évolution liée aux technologies d'accès à Internet au domicile.

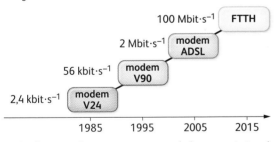

a. Quelle caractéristique importante de la transmission de données est représentée sur le graphique ?

b. En utilisant le graphique, citer une application envisageable en 2005 qu'il n'était pas possible d'obtenir en 1995 par un abonnement Internet classique.

c. Rechercher les significations des termes ADSL et FTTH. Quels sont, à l'arrivée au domicile, les supports des communications utilisant ces technologies ?

21 Coefficient d'atténuation d'une ligne

Compétence générale *Effectuer un raisonnement scientifique*

Les graphiques suivants représentent un signal en entrée de ligne, puis en sortie après un parcours de 16 m.

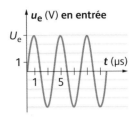
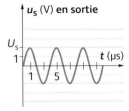

a. Évaluer l'affaiblissement en amplitude du signal entre l'entrée et la sortie de la ligne.

b. En admettant que les puissances P_e et P_s varient comme le carré des amplitudes U_e et U_s, établir l'expression du coefficient d'atténuation de la ligne puis le calculer.

22 Choix d'un échantillonnage

Compétence générale *Restituer ses connaissances*

On souhaite numériser le signal électrique fourni par un microphone captant le son pur émis par un diapason de fréquence $f = 440$ Hz. Le signal électrique a la même fréquence que celle du diapason.

On admet qu'un échantillonnage est satisfaisant à condition que la fréquence d'échantillonnage soit au moins vingt fois plus grande que la fréquence du signal à numériser.

a. Comment doit être la fréquence d'échantillonnage pour que la numérisation soit la plus fidèle possible ?

b. Le nombre maximal de mesures est limité par le système d'acquisition et vaut ici $N = 1\,000$ échantillons.

Quelle fréquence d'échantillonnage f_e choisir pour obtenir un enregistrement fidèle pendant $\Delta t = 0,040$ s ?

c. Conclure sur la qualité de l'échantillonnage.

23 Traitements d'une photographie

Compétence générale *Effectuer un raisonnement scientifique*

Un appareil numérique enregistre une photographie.

a. La luminosité de la photographie n'est pas satisfaisante. On procède alors à une retouche avec un éditeur d'images. Les pixels de code RVB « 220 ; 220 ; 0 » ont pour nouveau code « 203 ; 203 ; 0 ». L'image a-t-elle été éclaircie ou assombrie ?

b. Les pupilles des yeux d'une personne sont rouges sur la photographie. À l'aide d'un éditeur d'images, on corrige ces « yeux rouges ». Proposer une explication du traitement réalisé en termes de modification du code des pixels.

24 ★ Taille d'une image numérique

Compétence générale *Restituer ses connaissances*

À partir d'un éditeur d'image, on crée le drapeau français. Chaque rectangle de couleur a pour dimension 100 pixels × 200 pixels. On enregistre cette image en données brutes avec le codage RVB des pixels.

a. Déterminer la définition de cette image, c'est-à-dire le nombre total de pixels qu'elle comporte.

En déduire la taille du fichier en Ko.

b. Combien d'images de ce type peut-on enregistrer sur un disque amovible de capacité 4,0 Go ?

Voice over Internet Protocol (VoIP), is a technology that allows you to make voice calls using a broadband Internet connection instead of a regular phone line.

Pulse-code modulation (PCM) is the method used in VoIP to digitally represent voices.

PCM streams have two basic properties that determine their fidelity to the original analog signal:

– the sampling rate, which is the number of times per second that samples are taken;

– and the bit depth, which determines the number of possible digital values that each sample can take.

In the following diagram, the blue analog signal is digitalised by the red PCM stream.

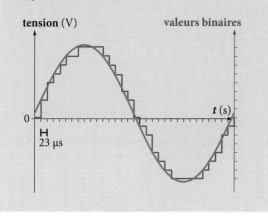

a. La voix est-elle un signal analogique ou numérique ? En quel signal est-elle convertie lors d'une communication VoIP ?

b. Quels sont les deux paramètres essentiels de la modulation d'impulsion codée (PCM) ? Déterminer les valeurs de ces paramètres pour l'exemple illustré.

26 **ECE** **Évaluation des compétences expérimentales**

Cet exercice permet de travailler les compétences expérimentales suivantes : • **S'approprier** • **Analyser** • **Réaliser** • **Valider**

À l'aide d'un montage de dispersion par un réseau de la lumière issue d'une lampe à vapeur atomique, deux photographies de spectres ont été obtenues, prises dans des conditions similaires :

Spectre du rayonnement d'une lampe à vapeur de mercure (Hg).

Spectre du rayonnement d'une lampe à vapeurs de mercure (Hg), cadmium (Cd).

Ces deux photographies sont téléchargeables sur le site élève : www.nathan.fr/siriuslycee/eleve-termS.

a. Proposer une démarche, exploitant ces deux photographies, qui permette de déterminer les longueurs d'onde dans le vide de radiations émises par les vapeurs de cadmium.

b. En utilisant un logiciel de traitement d'images (SalsaJ par exemple) et un tableur, valider votre résultat en montrant notamment que la dispersion du réseau est une fonction affine de la longueur d'onde dans le vide.

Données

Longueurs d'onde dans le vide (en nm) des raies principales du mercure : 365 ; 405 ; 436 ; 546 ; 578.

---

27 **Objectif BAC** *Rédiger une synthèse de documents*

Dossier BAC, page 546

Cet exercice s'appuie sur des ressources disponibles sur le site élève : www.nathan.fr/siriuslycee/eleve-termS.

Télécharger le dossier « Ressources pour l'exercice 27 » du chapitre 26 concernant la technologie Wi-Fi et la technologie dite « Li-Fi », en cours de recherche en 2012.

Ce dossier contient :

– un document présentant la technologie Wi-Fi, issu de différentes sources web ;

– l'article « Et si la lumière remplaçait le Wi-Fi ? » de *L'ordinateur individuel-SVM*, janvier 2012 ;

– un extrait de la vidéo de la conférence de Harald Hass du 15 juillet 2011 présentant le principe du Li-Fi.

➜ **L'objectif de cet exercice est de présenter les principaux avantages et inconvénients de la technologie Wi-Fi, et de montrer comment la technologie Li-Fi peut répondre à certains points faibles du Wi-Fi. Il s'agira d'évoquer les problématiques liées à l'utilisation du Wi-Fi, que le Li-Fi pourrait en partie résoudre ainsi qu'au remplacement éventuel du Wi-Fi par le Li-Fi.**

La synthèse de documents (de 25 à 30 lignes) devra être claire et structurée, et reposera sur les informations des documents proposés.

Le Li-Fi utilise la lumière visible comme vecteur de transfert de données.

Exercices Synthèse

28 Apprendre à chercher

La résolution de cet exercice nécessite de trouver les étapes du raisonnement.
→ **Une aide est disponible en fin de manuel.**

Énoncé.

Le signal fourni par la tête d'une antenne parabole a l'allure ci-dessous. On peut remarquer qu'il ne peut prendre qu'un nombre limité de phases (valeur de la tension au début d'une sous partie du signal).

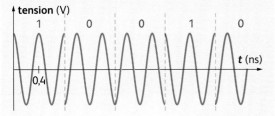

Ce signal est transféré vers un récepteur satellite par un câble coaxial de 25 m dont les caractéristiques mentionnées par le fabricant sont données ci-dessous.

> *Câble coaxial 25 m – Triple blindage TNT – 17 VAtC Spécial numérique terrestre et satellite – Diamètre extérieur : 6,8 mm – Impédance : 75 Ω – Rayon de courbure miminum : 50 mm – Capacité nominale : 51 pF/m – Vitesse de propagation : 85 % – Résistance de l'âme : 16,8 Ω/km – Atténuation à 862 MHz : 17 dB pour 100 m – Atténuation à 2 400 MHz : 38,8 dB pour 100 m.*

a. Le signal transmis par la tête de la parabole est-il analogique ou numérique ?

b. Déterminer la puissance du signal entrant dans le récepteur sachant que la tête de la parabole fournit un signal de puissance 2,0 mW.

29 ★★ La technologie Blu-ray

Compétences générales *Extraire et exploiter des informations – Effectuer un raisonnement scientifique*

Un disque Blu-ray double couche porte 50 Go de données vidéo et audio numériques. La lecture de ces données s'effectue grâce à une diode laser de longueur d'onde dans le vide de 405 nm. Les longueurs d'onde
5 dans le vide des lasers de lecture sont de 650 nm pour un CD et de 780 nm pour un DVD.

Un câble HDMI fournit un signal audio et un signal vidéo à un téléviseur qui affiche alors, avec une fréquence de 60 Hz, une suite d'images composées de
10 1 920 pixels de large et de 1 080 pixels de haut.

Dans le codage RVB, un pixel est défini par trois octets. Un octet correspond à huit bits.

L'enregistrement du signal audio sur le disque s'est effectué avec une fréquence d'échantillonnage
15 $f_e = 44,1$ kHz et une résolution de 16 bits sur deux voies.

a. Quel est l'intérêt d'utiliser un laser de longueur d'onde 405 nm dans la technologie Blu-ray ?

b. Indiquer l'émetteur, le récepteur et le support de propagation des signaux lors de la lecture du disque.

c. Dans l'hypothèse où le signal audio est restitué d'une manière identique à son enregistrement, montrer que le débit de la transmission audio est de 1,41 Mbit·s⁻¹.

d. Calculer le nombre d'octets nécessaires à la description d'une image affichée par le téléviseur dans l'hypothèse du codage RVB des pixels.

e. Déterminer le débit binaire de la transmission du signal vidéo et montrer que, par rapport à lui, le débit lié à la transmission audio est négligeable.

f. Quelle est la durée totale possible pour la vidéo présentée dans le texte ? Commenter le résultat.

30 ★★ Étude du signal issu d'une télécommande

Compétences générales *Extraire et exploiter des informations – Effectuer un raisonnement scientifique*

Une télécommande émet un signal électromagnétique du domaine de l'infrarouge.

a. Une photographie de la diode émettrice d'une télécommande lors de la pression d'une touche permet de visualiser la lumière émise par la diode.
Que peut-on dire de la **sensibilité spectrale** de l'appareil photographique par rapport à celle de l'œil ?

b. À l'aide d'une photodiode sensible au rayonnement infrarouge et d'un système d'acquisition, on enregistre sur ordinateur la représentation de l'évolution du signal émis. Voici ci-dessous une partie du signal obtenu par acquisition avec une fréquence d'échantillonnage $f_{e_1} = 100$ Hz.

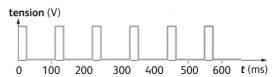

Déterminer la fréquence f du signal observé.

c. Avec une fréquence d'échantillonnage $f_{e_2} = 10$ kHz, on obtient l'acquisition ci-dessous, correspondant à un créneau (un « pic »), de la représentation précédente :

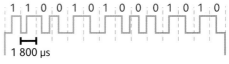

S'agit-il d'un signal analogique ou numérique ? Préciser le code utilisé.

d. Le signal porteur de l'information est un signal électromagnétique sinusoïdal appartenant au domaine du proche infrarouge, de fréquence f_{IR} d'environ 10^{14} Hz.
Cette fréquence est-elle visible sur les enregistrements ? Aurait-on pu y avoir accès avec un autre échantillonnage ?

Donnée. Le temps de réponse du montage (durée minimale pendant laquelle le système peut suivre l'évolution) comportant la photodiode est de 10 µs.

31 ★★ **Transmission de signaux numériques**

Les graphiques **ⓐ** et **ⓑ** ci-contre représentent deux signaux numériques associés à des niveaux de tension.

a. Combien de niveaux de tension représente chacun des deux signaux ?

b. Pour lequel des signaux la transmission a-t-elle un débit plus élevé ?

c. Les allures des signaux après une propagation de 100 m dans un câble sont représentées sur les graphiques **ⓒ** et **ⓓ**. Les fluctuations des valeurs de tension sont dues aux « bruits » lors de la propagation.
Quel autre phénomène explique l'allure des signaux après propagation ?

d. Par une méthode que l'on explicitera, évaluer le coefficient d'atténuation du câble.

Aide : on admet que les puissances $\mathscr{P}_e$ et $\mathscr{P}_s$ des signaux en entrée et sortie de câble varient comme le carré des tensions u_e et u_s correspondantes.

e. Dans lequel des cas **ⓒ** ou **ⓓ** la réception du signal risque-t-elle de comporter de nombreuses erreurs ? Expliquer.

f. En général, l'atténuation dans un câble est plus importante pour un signal de grande fréquence. La transmission à grande distance peut-elle avoir une influence sur le débit ?

g. En pratique, on utilise des « répéteurs » pour transmettre des signaux sur de longues distances.
Proposer une explication au rôle de ces répéteurs.
À votre avis, le débit de la transmission est-il affecté par leur emploi ?

ⓐ tension (V)

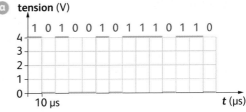

ⓑ tension (V)

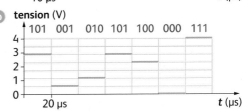

ⓒ tension (V)

ⓓ tension (V)

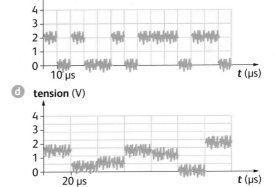

---

32 Objectif BAC *Rédiger une synthèse de documents* ⟶ **Dossier BAC, page 546**

Cet exercice s'appuie sur des ressources disponibles sur le site élève :
www.nathan.fr/siriuslycee/eleve-termS.

Télécharger le dossier « Ressources pour l'exercice 32 » du chapitre 26, qui présente les principales technologies et situations concernant le réseau Internet.
Ce dossier contient :
– un schéma descriptif de différentes situations de desserte des communications Internet selon la configuration du territoire (zone urbaine dense, hameau isolé, etc) ;
– un tableau comparatif des principales technologies de communication du réseau Internet ;
– un lexique définissant quelques termes techniques.

➜ **L'objectif de cet exercice est de rédiger une synthèse de documents afin d'expliquer les principales offres qu'un fournisseur d'accès à Internet est susceptible de proposer à un usager selon ses besoins (choix des technologies associées à l'offre) et sa situation géographique.**
L'argumentation devra faire référence aux notions de débit d'information et d'atténuation vues dans le chapitre.
Le texte rédigé (de 25 à 30 lignes) devra être clair et structuré et reposera sur des données issues des documents proposés.

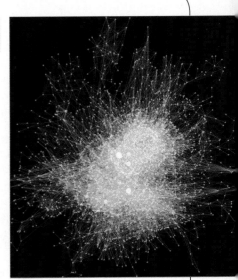

Représentation d'artiste du réseau Internet.

▶ Ces exercices concernent les chapitres **21 à 26** du manuel.
▶ Les exercices « Cap vers le Supérieur » font appel à des compétences non exigibles en Terminale S : ils ont pour objectif de préparer aux études supérieures.

1 L'eau de Dakin

L'eau de Dakin est un antiseptique utilisé pour le lavage des plaies et des muqueuses. C'est une solution rose à l'odeur d'eau de Javel. Elle fut mise au point lors de la Première Guerre mondiale par Henry Drysdale Dakin.

Elle a une odeur d'eau de Javel en raison de la présence d'ions hypochlorite ClO^- et une couleur rose en raison de la présence de permanganate de potassium. L'objectif de cet exercice est de déterminer la quantité de permanganate de potassium présent dans cette solution. On réalise pour cela un dosage par étalonnage spectrophotométrique, puis un dosage par titrage utilisant un indicateur de fin de réaction.

1. Dosage spectrophotométrique

Afin de réaliser une gamme étalon, préparer un échantillon de volume $V_0 = 1,00$ L d'une solution aqueuse S_0 de permanganate de potassium, par dissolution de permanganate de potassium solide $KMnO_4$ (s). La concentration molaire en soluté apporté de la solution mère S_0 est :
$$c_0 = 1,0 \times 10^{-3} \text{ mol·L}^{-1}.$$
À partir de la solution mère S_0, on prépare cinq solutions étalons dont on mesure l'absorbance A_{530} à la longueur d'onde $\lambda_m = 530$ nm. On obtient alors la droite d'étalonnage représentée ci-dessous.

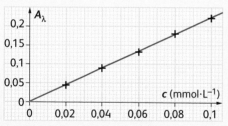

L'absorbance de l'eau de Dakin dans les mêmes conditions de mesure ($\lambda = 530$ nm) est $A_{530} = 0,14$.

a. Calculer la masse molaire M_0 du permanganate de potassium.

b. Quelle masse m_0 de permanganate de potassium doit-on peser pour préparer 1,00 L de solution S_0 ?

c. Dans quelle verrerie prépare-t-on la solution mère S_0 ?

d. Pourquoi peut-on réaliser un dosage par spectrophotométrie sur l'eau de Dakin ?

e. Déterminer la concentration molaire c en permanganate de potassium dans l'eau de Dakin.

f. Ce dosage par étalonnage aurait-il pu être réalisé par conductimétrie ? Justifier.

2. Dosage par titrage

On titre l'eau de Dakin par une solution acidifiée de sulfate de fer (II) de concentration $c' = 1,0 \times 10^{-3}$ mol·L^{-1}.

On prélève un échantillon de sulfate de fer (II) de volume $V' = 5,0$ mL. L'eau de Dakin est dans la burette.
Le volume d'eau de Dakin versé à l'équivalence est $V_e = 15,9$ mL.

a. Quel est le réactif titrant ? Quel est le réactif titré ?

b. Écrire la réaction support de titrage.

c. Déterminer la relation entre la quantité n_D d'eau de Dakin versée à l'équivalence et la quantité n_i d'ions Fe^{3+} initialement introduits.

d. Déterminer la concentration c en permanganate de potassium dans l'eau de Dakin.

e. Comparer ce résultat à celui trouvé à la question 1. **e.**

f. L'étiquette d'un flacon d'eau de Dakin porte l'indication : « 0,0010 g de permanganate de potassium pour un volume de 100 mL ».
À partir des résultats précédents, déterminer la masse m_1 de permanganate de potassium présent dans 100 mL d'eau de Dakin.

g. Comparer cette valeur à la masse lue sur le flacon. Calculer l'écart relatif en pourcentage. Conclure.

Données

– $KMnO_4$ est un solide ionique se dissociant totalement dans l'eau en ion potassium et en ion permangante.

– Masses molaires (en g·mol^{-1}) : M (K) = 39,1 ; M (O) = 16,0 ; M (Mn) = 54,9.

– Couples oxydant/réducteur et demi-équations rédox :
Fe^{3+} (aq)/Fe^{2+} (aq) ; Fe^{3+} (aq) + e^- = Fe^{2+} (aq) ;
MnO_4^- (aq)/Mn^{2+} (aq) ;
MnO_4^- (aq) + 8 H^+ (aq) + 5 e^- = Mn^{2+} (aq) + 4 H_2O (ℓ).

2 Concentration d'un vinaigre

On souhaite déterminer la concentration en acide éthanoïque (CH_3CO_2H) d'un vinaigre.
On dilue ce vinaigre dix fois, on obtient la solution S.
On prélève un échantillon de la solution S de volume $V_S = 20,0$ mL que l'on titre à l'aide d'une solution aqueuse d'hydroxyde de sodium (Na^+(aq), HO^-(aq)) de concentration $c = 0,20$ mol·L^{-1}.
L'équivalence est repérée grâce à la présence d'un indicateur coloré, la phénolphtaléine.
Le virage de l'indicateur a lieu pour un volume versé de solution d'hydroxyde de sodium $V_e = 10,0$ mL.

a. Qu'observe-t-on à l'équivalence ?

b. Écrire l'équation de la réaction support de titrage.

c. Définir l'équivalence de ce titrage.

d. Déterminer la concentration c_S de la solution diluée, puis la concentration en acide éthanoïque dans le vinaigre.

e. Le poisson contient de la triméthylamine $(CH_3)_3N$, espèce chimique basique d'odeur désagréable. Lorsque l'on ajoute du vinaigre dans l'eau de cuisson du poisson, il se forme des ions éthanoate et triméthylammonium dépourvus d'odeur.

Écrire l'équation de la réaction qui a lieu entre l'acide éthanoïque présent dans le vinaigre et la triméthylamine.

Données

Indicateur coloré	Teinte acide	Zone de virage	Teinte basique
phénolphtaléine	incolore	8,2-9,9	rose

3 Transmission par fibre optique

Les fibres optiques utilisées en télécommunication permettent la transmission d'informations sur de longues distances et à haut débit. Ces fibres optiques possèdent un coefficient d'atténuation faible, si bien que le facteur limitant d'une transmission n'est en général pas l'atténuation, mais plutôt la « dispersion » du signal.

Données. Avec les notations usuelles, le coefficient d'atténuation est donné par :

$$\alpha = \frac{1}{\ell} \times 10\log\frac{P_E}{P_S}$$

La vitesse de propagation de la lumière dans un milieu d'indice optique n vaut : $v = \frac{c}{n}$.

DOC 1. Fibre optique à saut d'indice

La figure ci-dessous représente une fibre optique dite « à saut d'indice », car l'indice optique passe d'une valeur n_1 dans le cœur à une valeur n_2 dans la gaine.

ⓐ
cœur (n_1)

gaine (n_2)

Une impulsion lumineuse arrive, à l'instant $t = 0$ s, sous forme d'un faisceau conique convergent à l'entrée de la fibre optique. Le faisceau a pour demi-angle au sommet l'angle i_{max} correspondant à l'angle maximal pour que tout rayon du faisceau soit guidé dans la fibre (phénomène de réflexion totale sur les parois du cœur), comme illustré ci-dessous.

Pour une fibre à saut d'indice, le rayon considéré doit vérifier $n_1\sin\theta = n_2$ (limite de la réflexion totale). Dans ce cas, lorsque le rayon (en rouge) qui subit la réflexion parcourt une distance d_2, le rayon dans l'axe (en bleu) parcourt une distance $d_1 = d_2 \sin\theta$.

DOC 2. Allures du signal en entrée (à gauche) et en sortie de fibre (à droite)

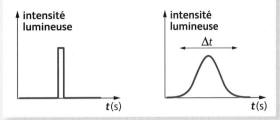

DOC 3. Signal lumineux émis en entrée de fibre optique

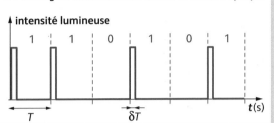

DOC 4. Aspect de différents types de fibres optiques et débits binaires associés

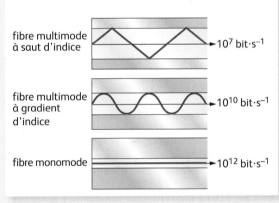

1. Le coefficient d'atténuation d'une fibre optique de télécommunication vaut $\alpha = 1{,}0 \times 10^{-5}$ dB·m^{-1} pour un signal à haut débit.

Exprimer en % la part de la puissance initiale toujours présente après une propagation d'une longueur $L = 1{,}0$ km dans cette fibre optique.

2. a. On considère un rayon arrivant sous incidence normale ($i = 0°$) dans la fibre **(document 1)**.

Déterminer dans ce cas la durée t_1 du trajet de la lumière jusqu'en sortie de fibre, de longueur L.

b. Déterminer la durée t_2 du trajet de la lumière dans le cas d'un rayon arrivant sous l'angle maximal i_{max}.

c. Du fait de la dispersion (retard entre les rayons), l'impulsion lumineuse subit un élargissement temporel en sortie de fibre optique **(document 2)**.

Montrer que l'élargissement temporel Δt de l'impulsion en sortie de fibre peut s'écrire :

$$\Delta t = \frac{L \times n_1}{c}\left(\frac{n_1}{n_2} - 1\right)$$

d. Calculer Δt pour $L = 1{,}0$ km, $n_1 = 1{,}456$ et $n_2 = 1{,}410$ (fibre silice/silicone).

3. Une diode laser émet un signal lumineux en entrée de fibre optique. Ce signal, représenté sur le **document 3**, est composé d'impulsions très brèves de durées δT, séparées d'une durée T ou multiple de T (δT est très petit devant T).

a. S'agit-il d'un signal analogique ou numérique ? Expliquer.

b. Exprimer le débit lié à la transmission de ce signal.

4. a. Quelle durée minimale doit séparer deux impulsions successives pour qu'elles ne se superposent pas en sortie de fibre ?

b. En déduire le débit maximal (en bits par seconde) de cette fibre optique.

c. Le comparer à une ligne « ADSL » permettant un transfert de 8 Mbit·s^{-1}.

5. Une fibre optique multimode à gradient d'indice ou une fibre optique monomode permettent des débits d'information beaucoup plus élevés que ceux possibles avec une fibre à saut d'indice **(document 4)**. Proposer une explication.

Cap vers LE SUPÉRIEUR

4 Synthèse d'une espèce à odeur de banane

Les molécules odorantes synthétiques se substituent de plus en plus souvent à celles d'origine végétale ou animale. En effet, l'extraction de produits naturels n'est pas suffisante pour satisfaire les besoins du marché.

L'objectif de cet exercice est d'étudier un protocole permettant de synthétiser une espèce chimique alimentaire à odeur et saveur de banane, selon la réaction suivante :

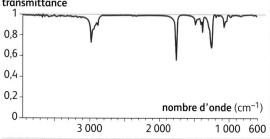

alcool isoamylique + acide acétique → acétate d'isoamyle + H_2O (APTS)

DOC 1. Protocole expérimental

■ Dans un ballon de 100 mL, introduire 10,0 mL d'alcool isoamylique, 30 mL d'acide acétique et environ 1 g d'acide paratoluène sulfonique (noté APTS). Porter le mélange à reflux pendant 30 minutes.

■ Laisser refroidir puis transférer le mélange dans un bécher contenant environ 80 g de glace. Transférer le tout dans une ampoule à décanter. Séparer les phases aqueuse et organique. Effectuer un lavage de la phase organique avec une solution de carbonate de sodium (Na_2CO_3) à 20 %. Ajouter la solution de carbonate de sodium, par petites portions du fait du dégagement gazeux. Effectuer ensuite un lavage à l'eau. Vérifier que le pH de la phase aqueuse est voisin de 7 en utilisant du papier pH.

■ Sécher alors la phase organique avec du sulfate de magnésium anhydre. Filtrer sur papier plissé et noter la masse de liquide obtenu.

■ Mesurer l'indice de réfraction du produit obtenu. Enregistrer le spectre IR.

DOC 2. Spectre IR obtenu

transmittance

(graphique : axe vertical de 0 à 1 par pas de 0,2 ; axe horizontal « nombre d'onde (cm^{-1}) » graduée 3 000, 2 000, 1 000, 600)

a. Identifier le(s) groupe(s) caractéristique(s) de l'espèce chimique ayant l'arôme de banane.

b. La réaction envisagée est-elle une substitution, une addition ou une élimination ?

c. Grâce à l'équation de réaction, identifier le rôle de chacune des espèces chimiques introduites.

d. Quel est le réactif limitant ?

e. Après ajout d'eau, quelles sont les espèces chimiques contenues dans la phase organique ? dans la phase aqueuse ?

f. La phase aqueuse éliminée est-elle acide, basique ou neutre ?

g. Quelles espèces chimiques sont éliminées de la phase organique grâce à l'étape de lavage avec la solution de carbonate de sodium ? Pourquoi effectue-t-on un dernier lavage à l'eau ? L'ensemble de ces opérations s'appelle **lavage à neutralité**. Justifier ces termes.

h. Préciser la nature du dégagement gazeux observé.

i. Pourquoi est-il nécessaire de sécher la phase organique ?

j. Une manipulation a permis d'obtenir 7,64 g d'acétate d'isoamyle. Calculer le rendement de cette synthèse.

k. La valeur de l'indice de réfraction du produit obtenu est 1,4005. Est-il nécessaire de purifier le produit ?

l. Interpréter le spectre IR obtenu.

Données

– Valeurs de pK_a : pK_a (CH_3CO_2H/$CH_3CO_2^-$) = 4,8 ; pK_{a_1}((CO_2, H_2O)/HCO_3^-)) = 6,4 ; pK_{a_2}(HCO_3^-/CO_3^{2-}) = 10,4.

– Acétate d'isoamyle : indice de réfraction, $n = 1,4000$; masse molaire, $M = 130$ g·mol^{-1}.

– Densités et masses molaires

Espèce chimique	alcool isoamylique	acide acétique	APTS	eau
Densité	0,81	1,05	–	1,00
Masse molaire (g·mol^{-1})	88,0	60,0	190	18,0

5 Suivi pH-métrique

Les monoacides sont des espèces capables de libérer un proton H$^+$. Il existe aussi des polyacides, espèces chimiques capables de libérer plusieurs protons. L'objectif de cet exercice est d'étudier la courbe de titrage pH-métrique d'un diacide et d'en analyser les particularités. L'acide malonique ($HO_2C-CH_2-CO_2H$) est un diacide. On le note H_2A.

On titre une solution d'acide malonique par une solution d'hydroxyde de sodium ($Na^+(aq)$, $HO^-(aq)$). On réalise un suivi pH-métrique et on obtient la courbe ci-dessous.

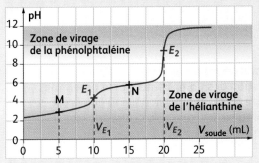

a. Commenter l'allure de la courbe.

b. Écrire les deux équations de réaction support de titrage successives.

c. On constate que le deuxième saut de pH a lieu pour un volume exactement double de celui du premier saut de pH. Ce résultat était-il prévisible ?

d. Les indicateurs colorés utilisés sont-ils adaptés à ce titrage ? Justifier.

6 Synthèse d'une espèce odorante

Le citronellal ou 3,7-diméthyloct-6-énal est l'un des principes actifs connus de l'huile essentielle de feuilles d'eucalyptus citronné.

Il est couramment utilisé comme réactif de synthèses organiques, ou comme base de parfums.

L'objectif de cet exercice est d'étudier la transformation du citronellal en 7-hydroxy-3,7-diméthyloctanal.

DOC 1. Protocole expérimental

■ Dans un ballon bicol de 25 mL, peser 2,415 g de citronellal. À l'aide d'un bain d'eau et de glace, refroidir pour atteindre une température de 10 °C, puis ajouter goutte à goutte 1,65 mL de morpholine en veillant à ce que la température ne dépasse pas 20–25 °C. Maintenir l'agitation pendant 15 minutes à cette température.

■ Dans un ballon bicol de 25 mL, placer 2,45 mL d'eau, refroidir le ballon à –15°C et ajouter goutte à goutte 3,35 mL (62,6 mmol) d'une solution d'acide sulfurique concentrée. Lorsque la température est redescendue à –15 °C, additionner goutte à goutte le contenu du premier ballon. Lorsque l'addition est terminée, remonter la température à +30 °C et agiter vigoureusement pendant 5 minutes.

■ Ajouter le mélange précédent dans un ballon contenant 100 mL de solution aqueuse saturée de chlorure de sodium, 50 g de glace, 5,50 mL (62,6 mmol) de solution aqueuse de soude (à 35 % en masse) et 20 mL d'éther.

■ Extraire la phase aqueuse avec deux fois 10 mL d'éther et laver la phase organique avec deux fois 4 mL de solution aqueuse saturée de chlorure de sodium. Sécher sur sulfate de sodium anhydre puis éliminer le solvant à l'évaporateur rotatif. On recueille 2,56 g de produit brut.

DOC 2. Spectre IR du produit brut

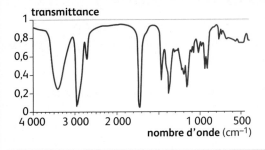

DOC 3. Équations de réaction dans le désordre

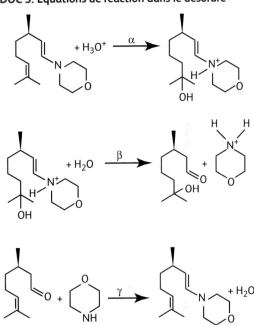

a. Identifier le citronellal à partir de son nom. Associer chaque équation de réaction du **document 3** à une étape du protocole et remettre dans l'ordre les différentes étapes de la synthèse.

b. Identifier parmi ces étapes une protection de groupe caractéristique ainsi que la déprotection associée.

c. Quel groupe caractéristique est protégé ?

d. Représenter le transfert d'électrons modélisant la création d'une liaison C–N lors de l'étape γ.

e. Identifier le réactif limitant puis calculer le rendement de la synthèse.

f. Citer deux arguments justifiant que cette synthèse ne respecte pas les principes de la chimie durable.

g. Vérifier que le spectre IR correspond à celui du produit attendu.

Données

Réactifs	Masse molaire	Densité
citronellal	154 g·mol⁻¹	0,856
morpholine	87 g·mol⁻¹	0,999

Objectif BAC

Les épreuves de Physique-Chimie au BAC

À la fin de l'année scolaire, vous allez passer l'épreuve de Physique-Chimie, divisée en deux parties : l'épreuve d'ECE (Évaluation des Compétences Expérimentales), comptant pour 4 points sur 20, et l'épreuve écrite, comptant pour 16 points sur 20. À partir de la session 2012-2013, ces épreuves évoluent. Voici les réponses à vos questions concernant ces nouvelles épreuves.

▶ Qu'est-ce que l'ECE et comment se déroule-t-elle ?

● L'**ECE** est l'**Évaluation de vos Compétences Expérimentales** dans le cadre de l'environnement du laboratoire. Cette épreuve dure **1 heure**. Le sujet est tiré au sort par le candidat parmi deux sujets d'épreuves différents et porte essentiellement sur les compétences expérimentales du programme de Terminale S, sans exclure celles des classes antérieures.

Les candidats ayant choisi les sciences physiques et chimiques comme **enseignement de spécialité** tirent au sort soit un sujet de l'enseignement de spécialité, soit un sujet de l'enseignement spécifique.

● Lors de cette épreuve, le candidat est amené à s'**approprier** et **analyser** une problématique, à **justifier** ou à proposer un protocole expérimental, à le **réaliser**, à **porter un jugement critique** sur la pertinence des hypothèses et des résultats en vue de les **valider** ; à **faire preuve d'initiative, d'autonomie** et à **communiquer** en utilisant des langages et des outils pertinents.

● La **démarche expérimentale** est évaluée : si le candidat fait une erreur dans son protocole expérimental, il ne sera pas pénalisé, à condition d'expliquer pourquoi son protocole n'a pas fonctionné.

➔ *Pour découvrir l'ECE : deux sujets pages 547 à 551.*

▶ Comment se déroule l'épreuve écrite ?

● Cette épreuve a pour objectif d'évaluer des compétences portant essentiellement sur le programme de Terminale. Elle est constituée de **trois exercices** (dont le troisième exercice sur 5 points porte sur le programme de spécialité si le candidat a choisi la Physique-Chimie en enseignement de spécialité). La répartition des points sur les trois exercices est inhérente au sujet et ne suit pas de règle générale (un exercice peut être noté sur 5 points, sur 12 points…).

● Les exercices peuvent être des exercices de Physique, de Chimie ou mélangeant **Physique et Chimie**. Les questions seront plus ou moins guidées. Dans cette épreuve, l'**autonomie** du candidat est évaluée.

● Parmi ces trois exercices, il peut y avoir un exercice de **synthèse de documents** dont l'objectif sera d'**extraire et d'exploiter des informations** issues de documents de différentes natures (certains documents peuvent être en anglais), de porter un jugement critique sur les informations, de les synthétiser en un nombre limité de lignes, afin d'argumenter votre propos.

➔ *Vous trouverez dans ce dossier de nombreux exercices pour vous préparer à l'épreuve écrite du BAC, pages 552 à 593.*

Sujet 1

Étude d'une solution de peroxyde d'hydrogène (H₂O₂) ou eau oxygénée

Ce sujet comporte une ou deux feuilles individuelles sur lesquelles le candidat doit consigner ses réponses.

Le port de la blouse correctement attachée et des lunettes est obligatoire au laboratoire de chimie.

Contexte du sujet

L'eau oxygénée est une solution aqueuse de peroxyde d'hydrogène H_2O_2, utilisée par exemple en pharmacie pour désinfecter les plaies (solution de concentration voisine de 1 mol·L⁻¹), ou en coiffure pour décolorer des mèches de cheveux (solution de concentration voisine de 2 mol·L⁻¹).

Ce sujet propose de déterminer la concentration molaire c_p en peroxyde d'hydrogène d'un flacon du commerce dont l'étiquette ne fait pas mention de son utilisation.

Pour cela, on dispose de tout le matériel habituellement présent dans un lycée et d'une solution acidifiée de permanganate de potassium ($K^+(aq)$, $MnO_4^-(aq)$).

Documents mis à disposition du candidat

Données

• **Demi-équations rédox**

$MnO_4^-(aq) + 8\,H^+(aq) + 5\,e^- = Mn^{2+}(aq) + 4\,H_2O\,(\ell)$

$H_2O_2(aq) = O_2(g) + 2\,H^+(aq) + 2\,e^-$

• Les ions $Mn^{2+}(aq)$ et le peroxyde d'hydrogène sont incolores.
Les solutions de permanganate de potassium sont de couleur violette.

• Sécurité : les solutions de peroxyde d'hydrogène de concentration environ égale à 1 mol·L⁻¹ provoquent des brûlures si le contact est prolongé avec la peau. Les solutions dix fois moins concentrées sont manipulables avec moins de risques et en utilisant des gants de protection.

• La réaction entre les ions permanganate et le peroxyde d'hydrogène est rapide et quasi-totale.

Travail à effectuer

a. En analysant ces données, proposer une méthode de détermination de la concentration en peroxyde d'hydrogène du flacon. Justifier vos choix expérimentaux. Ecrire ci-dessous le plan des différentes expériences à mener.

....

➔ *Présenter oralement vos conclusions à l'examinateur pendant une durée d'environ cinq minutes (appel 1). Si l'examinateur donne son accord, mettre en œuvre le protocole proposé*

et répondre aux questions b. et c. ci-dessous. Sinon, suivre le protocole et répondre aux questions de la feuille présentée page suivante.

b. Donner la concentration molaire c_p en peroxyde d'hydrogène de la solution commerciale. Commenter.

....

c. Faire une analyse des différentes sources d'incertitudes de toutes les phases de la manipulation.

....

Sujet 1. Étude d'une solution de peroxyde d'hydrogène (H_2O_2) ou eau oxygénée

Cette deuxième partie n'est distribuée à l'élève que si le protocole présenté à l'examinateur ne donne pas satisfaction.

Le protocole proposé ici consiste en un dosage par titrage.

1. Dilution

La solution de peroxyde d'hydrogène du flacon, notée S_p, a une concentration $c_p \approx 1$ mol·L^{-1}, ce qui est trop élevé pour ce type de protocole. On se propose donc dans un premier temps de la diluer dix fois pour en faire une solution S_0 de concentration molaire c_0.

Le protocole proposé est le suivant.

> À l'aide d'une éprouvette graduée, prélever un échantillon de volume $V_c = 10{,}0$ mL de la solution S_p. L'introduire dans une fiole jaugée de volume 100,0 mL. Compléter avec de l'eau distillée jusqu'au trait de jauge.

Faire une analyse critique de ce protocole et proposer les modifications nécessaires. Mettre alors en œuvre la manipulation.

2. Préparation de la burette graduée

Vous disposez de solutions de permanganate de potassium aux concentrations 1,00 mol·L^{-1}, $2{,}00 \times 10^{-1}$ mol·L^{-1}, $2{,}00 \times 10^{-2}$ mol·L^{-1} et $1{,}00 \times 10^{-3}$ mol·L^{-1}.

En analysant le matériel dont vous disposez et en effectuant un calcul approprié, justifiez du choix de la concentration c de la solution titrante à utiliser.

→ *Préparer la burette pour le titrage. Appeler l'examinateur afin qu'il vérifie cette phase de la manipulation (appel 2).*

3. Titrage

a. Mettre en œuvre le titrage.

→ *Lorsque la solution dans le bécher prend une teinte rose pâle, interrompre le titrage et appeler l'examinateur (appel 3).*

Volume versé à l'équivalence :

$$V_e = \text{_____}$$

b. Calculer la concentration molaire en peroxyde d'hydrogène de la solution S_1.

c. En déduire concentration molaire c_p en peroxyde d'hydrogène de la solution S_p. Commenter.

d. Faire une analyse des différentes sources d'incertitudes de toutes les phases de la manipulation.

Sujet 2

Effet Doppler pour vérifier la loi de Hubble

Ce sujet est accompagné de deux feuilles individuelles sur lesquelles le candidat doit consigner ses résultats.

Contexte du sujet

La loi de Hubble indique que la valeur v de la vitesse d'éloignement des galaxies est proportionnelle à la distance D qui nous sépare d'elle : $v = H_0 \times D$ où H_0 est appelée constante de Hubble.

L'unité légale de la constante de Hubble est le s^{-1} mais le **parsec** (symbole **pc**) étant une unité de longueur utilisée en astronomie (1 pc = $3{,}086 \times 10^{16}$ m), il est courant d'exprimer H_0 en (km/s)/Mpc. Au début des années 2000, l'utilisation du télescope spatial Chandra a conduit à la valeur suivante : $H_0 = 77$ (km/s)/Mpc, avec une incertitude de 15 %.

Cela signifie qu'une galaxie, située à 1 Mpc de nous, s'échappe avec une vitesse d'environ 77 km·s^{-1}.

Le but de l'épreuve est d'utiliser le spectre de la lumière émise par cinq galaxies pour vérifier que la loi de Hubble s'applique dans leur cas, et de déterminer une valeur de la constante de Hubble.

Matériel mis à disposition

Le candidat dispose :
– d'un ordinateur muni du logiciel de traitement d'images SalsaJ et d'un logiciel de traitement de données ;
– d'une image au format jpeg.

Documents mis à disposition du candidat

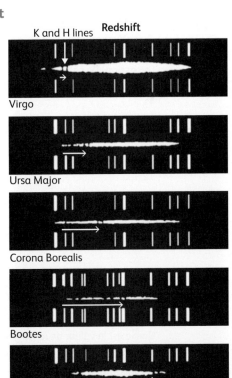

DOC. Spectres de galaxies

L'image fournie (ci-contre) présente les spectres relatifs à cinq galaxies.

On a identifié dans chaque spectre deux raies d'absorption (K et H) du calcium ionisé. Ces raies sont indiquées sur le spectre de Virgo par la flèche verticale.

On retrouve ces raies sur les autres spectres.

Dans tous les cas, on les observe décalées vers les grandes longueurs d'onde.

Pour ces galaxies lointaines, on considèrera que ce décalage (indiqués par la flèche horizontale) est dû uniquement à l'effet Doppler-Fizeau créé par l'expansion de l'Univers (c'est-à-dire par la fuite des galaxies).

Le décalage Doppler $\Delta\lambda$ en longueur d'onde de la raie H dans le spectre de la lumière d'une galaxie s'éloignant à la vitesse v dans la direction de visée est donnée par la relation :

$$\frac{\Delta\lambda}{\lambda} = \frac{v}{c}$$

avec $c = 3{,}00 \times 10^8$ m·s^{-1}.

– La raie H est, parmi les deux raies, celle de droite. Sa longueur d'onde lorsque la source de lumière est au repos est égale à $\lambda = 396,85$ nm. Son déplacement vers le rouge (« Redshift ») est indiqué par une flèche horizontale.

– Chaque spectre est entouré d'un spectre de référence pris en laboratoire, sur le même cliché que la galaxie, et dans les mêmes conditions. Les raies a, b, c, d, e, f, et g du spectre de référence ont respectivement les longueurs d'ondes suivantes (en nm) :

388,87 / 396,47 / 402,62 / 414,38 / 447,15 / 471,31 / 501,57.

– Le tableau ci-dessous indique la distance D qui sépare la Terre de chaque galaxie à la date de la réalisation de leur spectre.

Galaxie	Hydra	Bootes	Corona Borealis	Ursa Major	Virgo
D (m)	$2,4 \times 10^{25}$	$1,4 \times 10^{25}$	$1,0 \times 10^{25}$	$4,5 \times 10^{24}$	$1,3 \times 10^{24}$

Sujet 2. Effet Doppler pour vérifier la loi de Hubble

Document à compléter pendant l'épreuve et à rendre au jury en sortant de la salle d'examen.

Travail à effectuer

1. a. Rédiger un protocole appelé **(1)** qui permet, à l'aide du logiciel de traitement d'images, de déterminer la longueur d'onde de la raie H dans le spectre d'Hydra et la vitesse d'éloignement (**récession**) de cette galaxie.

....

....

....

....

....

....

....

➜ *Appeler l'examinateur pour vérifier le protocole 1 (appel 1).*

Mettre en œuvre le protocole.

b. Résultat obtenu après la mise en œuvre du protocole
Quelle est la valeur de la longueur d'onde de la raie H dans le spectre de la lumière d'Hydra ?
Réponse : $\lambda' = $ ....

c. Exploitation
À partir du résultat précédent et des données de l'énoncé, déterminer la valeur de la vitesse v de récession d'Hydra.

2. **a.** Rédiger un protocole appelé (2) qui permet, à l'aide des logiciels de traitement d'images et de données, de vérifier que la loi de Hubble s'applique dans le cas des cinq galaxies.

....

....

....

....

....

....

....

....

➜ *Appeler l'examinateur pour vérifier le protocole 2 (appel 2).*

Mettre en œuvre le protocole.

b. Résultats obtenus après la mise en œuvre du protocole

Galaxie	Hydra	Bootes	Corona Borealis	Ursa Major	Virgo
D (m)	$2,4 \times 10^{25}$	$1,4 \times 10^{25}$	$1,0 \times 10^{25}$	$4,5 \times 10^{24}$	$1,3 \times 10^{24}$
v (m·s^{-1})					

Quelles grandeurs sont placées en abscisse et en ordonnée pour vérifier la loi de Hubble ?
Quelle est l'expression littérale du modèle choisi pour vérifier la loi de Hubble ?

c. Exploitation
On considère ici que le modèle convient si les points expérimentaux suivent l'évolution donnée par le modèle avec un écart relatif inférieure à 15 %. Le modèle choisi convient-il ?

....

....

Quelle est la valeur obtenue pour la constante de Hubble ?

....

....

....

Cette valeur est-elle compatible avec celle indiquée dans le document introductif ?

....

....

....

....

1 Poussières intersidérales (5 points)

PROBLÉMATIQUE

Le dossier suivant comporte :
– un texte sur les poussières interstellaires ;
– un rappel de la loi de Wien ;
– des photos de la nébuleuse de l'Aigle obtenues en lumière visible et dans différents domaines de l'infrarouge.

QUESTIONS

À partir de l'étude des documents, rédiger une synthèse pour expliquer l'intérêt de l'astronomie infrarouge dans l'étude des nuages interstellaires. Proposer ensuite un commentaire du document 3 en donnant une interprétation des différents aspects de la même zone de ciel représentée.

Doc 1. Les poussières interstellaires

On donne le nom de nuages interstellaires à des accumulations de gaz et de poussières dans notre Galaxie. Les poussières sont des particules solides dont les dimensions sont inférieures au µm et dont la présence dans l'espace intersidéral se chiffre en quelques particules par hm³ dans les nuages les plus denses. Mais, à l'échelle de l'Univers, leur effet sur la lumière est spectaculaire au point de créer des zones complètement obscures en lumière visible.

Deux effets se conjuguent pour produire cette extinction : absorption et diffusion.

– La diffusion de la lumière est la réémission de l'onde incidente dans toutes les directions de l'espace. Cet effet dépend de la longueur de l'onde et des dimensions de la particule diffusante. Il diminue lorsque la longueur d'onde augmente. Le rayonnement visible est fortement diffusé par les poussières interstellaires alors que le rayonnement infrarouge subit très peu le phénomène.

– L'absorption est un transfert de l'énergie du rayonnement incident à la matière.

L'absorption de la lumière émise par les étoiles proches chauffe les nuages de poussières et le rayonnement thermique qui en résulte est intense dans le domaine de l'infrarouge.

Doc 3. La nébuleuse de l'Aigle sous différents aspects

Doc 2. Loi de Wien

Le spectre continu du rayonnement thermique émis par un corps à la température T a une intensité maximale pour une longueur d'onde λ_{max} donnée par la relation :

$$\lambda_{max} = \frac{2,90 \times 10^{-3}}{T} \qquad \begin{array}{l} \lambda_{max} \text{ en mètre ;} \\ T \text{ en kelvin.} \end{array}$$

A. Photographie en lumière visible.
B. Photographie en infrarouge proche (1-2 µm).
C. Photographie en infrarouge moyen-lointain (7 µm).
D. Photographie en infrarouge lointain (50 µm).

2 Autour du téléphone (6 points)

PROBLÉMATIQUE

Du plus rudimentaire au plus perfectionné, le téléphone permet la communication entre les êtres humains.
– Comment le transport de l'information est-il possible ?
– Pourquoi les téléphones à fréquences vocales ont-ils remplacé les téléphones à impulsions ?
– Les satellites de télécommunication utilisés peuvent-ils être en orbite géostationnaire ou en orbite terrestre basse ?

A. Le téléphone pot de yaourt

Doc 1. Présentation du téléphone pot de yaourt

Pour s'amuser, des enfants ont réalisé un téléphone à l'aide de deux pots de yaourt reliés par un fil.

En parlant, le premier enfant crée une onde sonore qui fait vibrer le fond du pot de yaourt. Cette perturbation se propage dans le fil, puis atteint le fond du deuxième pot de yaourt qui se met à vibrer à son tour créant ainsi une onde sonore perceptible par le deuxième enfant.

Doc 2. Modélisation du téléphone pot de yaourt

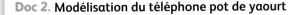

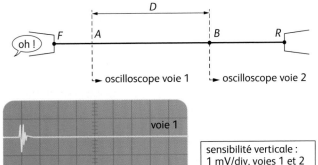

Deux capteurs sont placés en deux points A et B distants de $D = 20$ m sur le fil.

Les capteurs enregistrent l'amplitude d'une perturbation au cours du temps.

sensibilité verticale : 1 mV/div, voies 1 et 2

sensibilité horizontale : 5 ms/div

Doc 3. Modification de la source de la perturbation

Cette expérience consiste à placer, devant le pot de yaourt émetteur, un haut-parleur qui émet des ondes sonores sinusoïdales de fréquence f_E. Les ondes sinusoïdales qui se propagent dans le fil ont la même fréquence.

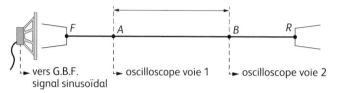

vers G.B.F.
signal sinusoïdal
oscilloscope voie 1
oscilloscope voie 2

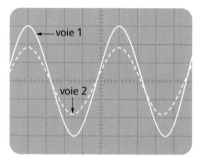

sensibilité verticale : 1 mV/div pour les deux voies

sensibilité horizontale : 1 ms/div

Lorsque la distance D est égale à 20,0 m, on obtient l'enregistrement ci-dessus.

Lorsque l'on éloigne le point B du point A, on constate que les signaux se retrouvent dans la même configuration pour les valeurs de la distance : $D = 25,0$ m, $D = 30,0$ m, $D = 35,0$ m…

QUESTION — Partie A.

Après avoir rappelé le type d'onde se propageant le long du fil reliant les deux pots de yaourt, déterminer par deux méthodes la célérité de cette onde.

B. Le téléphone à fréquences vocales

Doc 1. Du téléphone à impulsions au téléphone à fréquences vocales

Le cadran est un disque rotatif que l'on fait tourner jusqu'à une butée. Celui-ci retourne alors à sa position initiale grâce à un ressort en émettant vers la ligne téléphonique le nombre d'impulsions correspondant au chiffre souhaité. Grâce au progrès de l'électronique, le téléphone à cadran a été remplacé par le téléphone à clavier alphanumérique : la pression sur une touche envoyait le nombre d'impulsions correspondant au chiffre souhaité.

De nos jours, les téléphones à fréquences vocales émettent des notes de musique à chaque pression sur une touche. Ce système a permis le développement de nombreux serveurs vocaux : vente par correspondance, consultation de notre messagerie…

Doc 2. Le code DMTF

La téléphonie à fréquences vocales utilise le code DMTF (dual tone multi frequency) développé par la firme américaine Bell. Il correspond à la combinaison de deux ondes sonores sinusoïdales de même amplitude et de fréquence audible émises simultanément. Huit fréquences de référence ont été choisies afin de coder seize touches.

	1 209 Hz	1 336 Hz	1 477 Hz	1 633 Hz
697 Hz	1	2	3	A
770 Hz	4	5	6	B
852 Hz	7	8	9	C
941 Hz	*	0	#	D

Doc 3. Exemples de son émis par une touche de téléphone

Les signaux électriques issus de l'enregistrement du son émis par les touches 2 et D du téléphone sont représentés ci-dessous :

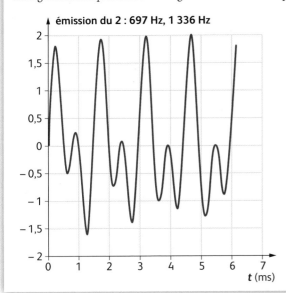

émission du 2 : 697 Hz, 1 336 Hz

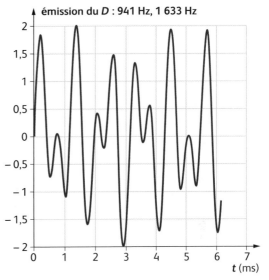

émission du D : 941 Hz, 1 633 Hz

QUESTION **Partie B.**

Après avoir justifié la forme des signaux électriques obtenus lors de l'enregistrement des sons émis par les touches 2 et D du téléphone à fréquences vocales, représenter l'allure des spectres correspondants.

C. Le téléphone par satellite

DONNÉES

Célérité de la lumière dans l'air $c = 3 \times 10^5$ km·s^{-1}.

Doc. Téléphone par satellite

Même concurrencée par les câbles optiques terrestres ou sous-marins, l'application qui est toujours la plus importante pour les satellites de communication est la téléphonie internationale. Les centraux locaux transportent les appels jusqu'à une station terrienne d'où ils sont émis en direction d'un satellite géostationnaire. Ensuite ce satellite les retransmet vers une autre station qui procède à la réception et l'acheminement final.

Extrait de http://www.techno-science.net/?onglet =glossaire&definition=2669

QUESTIONS

1. Schématiser la chaîne de transmission décrite dans le document depuis le téléphone fixe d'appel, jusqu'au téléphone mobile de réception selon le modèle ci-dessous :

émetteur → (milieu de propagation) → récepteur émetteur → (milieu de propagation) → émetteur

Préciser la nature des différents milieux de propagation.

2. Quelle est la nature du signal transmis ? Préciser le type (libre ou guidé) de chaque propagation de la chaîne de transmission décrite sur le document ci-contre.

3. Un satellite géostationnaire a une orbite située dans le plan équatorial de la Terre à une altitude de $3,6 \times 10^4$ km. Il est alors fixe dans le référentiel terrestre.
Quel est l'intérêt d'utiliser en téléphonie des satellites géostationnaires plutôt que des satellites à défilement ?
Évaluer la durée minimale entre l'émission d'un appel téléphonique et sa réception pour une transmission par satellite.

3 Lecture d'un CD (6 points)

Doc 1. Principe de fonctionnement

Un CD est un disque en polycarbonate (matière plastique transparente) recouvert d'une couche métallique réfléchissante, elle-même protégée par un vernis. La face supérieure peut être imprimée ou recouverte d'une étiquette.

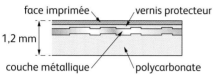

A. Vue en coupe d'un CD.

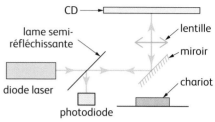

B. Tête de lecture d'un lecteur de CD.

Les informations sont stockées sous forme de plats et de cuvettes sur une spirale qui commence sur le bord intérieur du CD et finit sur le bord extérieur. Les cuvettes ont une profondeur e et une largeur de 0,67 µm.

La tête de lecture est constituée d'une diode laser émettant une radiation de longueur d'onde dans le vide $\lambda_0 = 780$ nm et d'une photodiode détectant la lumière réfléchie par la surface métallisée du CD.

La lumière émise par la diode laser traverse une lame semi-réfléchissante avant de se réfléchir sur un miroir. L'ensemble miroir-lentille est monté sur un chariot mobile horizontalement pour permettre au faisceau laser de balayer un rayon du disque et verticalement pour assurer la mise au point du faisceau sur le CD.

La surface du disque défile devant le faisceau laser à une vitesse de 1,2 m/s quelle que soit la position du faisceau.

Quand le faisceau laser frappe un plat, l'éclairement de la photodiode est maximal. Quand il frappe une cuvette, l'éclairement est minimal.

L'éclairement constant de la photodiode (cuvette ou plat) correspond au codage 0. Le passage d'un plat à un creux ou d'un creux à un plat entraîne un changement de l'éclairement de la photodiode. C'est ce changement qui est codé 1. La longueur d'un bit est normalisée. Elle correspond à la distance parcourue par la surface du CD devant le faisceau laser en 231,4 ns.

Quand le faisceau laser frappe une cuvette, une partie du faisceau est réfléchie par le fond de la cuvette et le reste par le bord, car le diamètre du faisceau est plus grand que la largeur de la cuvette.

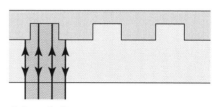

C. Coupe du CD suivant un rayon.

Doc 2. Formulaire

$$\lambda_{poly} = \frac{\lambda_0}{n}$$
$$n = \frac{c}{v}$$

Interférence constructive si :
$$\delta = d_2 - d_1 = k\lambda_{poly}$$

Interférence destructive si :
$$\delta = d_2 - d_1 = (2k+1)\frac{\lambda_{poly}}{2}$$

avec $k \in \mathbb{Z}$.

QUESTIONS

1. a. Les cuvettes dont parle l'énoncé sont-elles situées sous le CD ou dans le polycarbonate ?

b. Quel est l'intérêt de cette situation ?

c. Quelle est la longueur d'un bit ?

d. L'indice du polycarbonate est $n = 1,55$. Calculer la longueur d'onde de la lumière dans l'épaisseur du CD.

2. a. Lorsque le faisceau frappe une cuvette, l'éclairement de la photodiode est minimal. Pourtant, le fond des cuvettes est réfléchissant comme les plats. Comment expliquer ce phénomène ?

b. Exprimer la différence de marche entre les deux parties du faisceau réfléchi (plat et cuvette) en fonction de la profondeur e de la cuvette.

c. Calculer la plus petite profondeur e de la cuvette pour obtenir un éclairement minimal.

d. Pourquoi l'éclairement de la photodiode n'est-il pas nul ?

4 Modélisation de l'absorption infrarouge (8 points)

PROBLÉMATIQUE

Quels sont les facteurs qui influencent la position des bandes d'absorption en spectroscopie infrarouge ?
On se propose d'étudier l'influence de différents paramètres lors des oscillations de différents systèmes
masse-ressort afin d'envisager une application simplifiée au principe de la spectroscopie infrarouge.

A. Constante de raideur d'un ressort

Doc. 1. Étude de l'allongement

On considère deux ressorts, qui possèdent la même longueur à vide (c'est-à-dire
lorsqu'aucune force ne s'exerce sur leurs
extrémités) $l_0 = 3,0$ cm. L'une des extrémités de chacun de ces ressorts est fixée à
un support horizontal. À l'autre extrémité
est fixé un objet, de masse m variable. On
négligera la masse du ressort devant m.
On mesure pour chaque valeur de m la
longueur du ressort à l'équilibre l_{eq}.

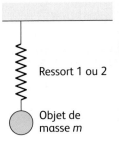

Ressort 1 ou 2

Objet de
masse m

Le tableau 1 (respectivement 2) regroupe les valeurs mesurées expérimentalement pour le ressort 1(respectivement 2) :

m (g)	10	20	30	40
l_{eq} (cm)	3,8	4,6	5,4	6,2

Tableau 1.

m (g)	10	20	30	40
l_{eq} (cm)	3,2	3,4	3,6	3,8

Tableau 2.

QUESTIONS Partie A.

a. Vérifier que pour chaque ressort,
l'allongement $x = l_{eq} - l_0$ est proportionnel à
la masse m.
On admettra par la suite que la constante
de proportionnalité est $\dfrac{g}{k}$, où g est
le champ de pesanteur local et k une
constante, appelée « constante de raideur »,
caractéristique du ressort.

b. Déterminer l'unité d'une constante
de raideur k.

c. Déduire des mesures expérimentales que
$k_2 = 4\,k_1$ (k_i étant la constante de raideur du
ressort i).
On prendra $g = 9,8$ N·kg^{-1}.

B. Oscillations libres du pendule élastique

Doc. 2. Étude expérimentale des oscillations

On enregistre des oscillations libres du système masse-ressort, à partir du moment où on lâche la masse après avoir étiré
verticalement le système de sa position d'équilibre. Le graphique ci-après traduit les mouvements observés pour cinq expériences différentes dans lesquelles on décide de faire varier la nature du ressort utilisé, la masse m attachée à l'extrémité
mobile et l'allongement initial x_0.

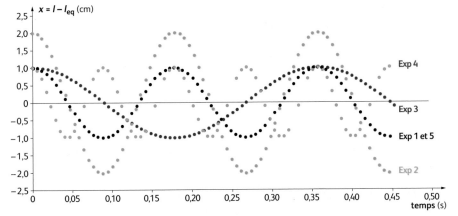

Expérience 1: ressort 1;
m = 10 g ; x_0 = 1,0 cm
Expérience 2: ressort 1;
m = 10 g ; x_0 = 2,0 cm
Expérience 3: ressort 1;
m = 40 g ; x_0 = 1,0 cm
Expérience 4: ressort 2;
m = 10 g ; x_0 = 1,0 cm
Expérience 5: ressort 2;
m = 40 g ; x_0 = 1,0 cm

QUESTIONS

a. Quelle est l'influence de la masse sur la période des oscillations du système ?

b. Quelle est l'influence de la constante de raideur du ressort sur la période des oscillations du système ?

c. Vérifier que l'élongation initiale n'a pas d'influence sur la période des oscillations du ressort.

d. Déterminer par analyse dimensionnelle les valeurs des coefficients α et β dans l'expression de la période $T = cm^{\alpha}k^{\beta}$.
c est une constante sans dimension.

e. Vérifier la pertinence de l'expression obtenue avec les résultats expérimentaux.

Doc. 3. Ressort lié à deux objets

Lorsque l'on considère un ressort horizontal de constante de raideur k dont les deux extrémités sont reliées à deux objets de masses différentes m_1 et m_2, on observe un mouvement analogue à celui du cas du système masse-ressort vertical. On peut alors démontrer que la période des oscillations libres observées lorsque les frottements sont négligeables s'exprime selon :

$$T = 2\pi\sqrt{\frac{\mu}{k}}$$

où $\mu = \dfrac{m_1 m_2}{(m_1 + m_2)}$ est la masse réduite du système.

QUESTIONS — Partie B.

a. Que devient cette formule quand les deux masses sont égales ?

b. Que devient cette formule quand l'une des deux masses est négligeable devant l'autre ?

C. Étude simplifiée du principe de la spectroscopie infrarouge

Dans un modèle simple, on peut considérer que chaque liaison chimique d'une molécule se comporte comme un système masses-ressort dont la constante de raideur correspond à la force de la liaison chimique. Une radiation (dans le domaine de l'infrarouge) ne peut alors être absorbée qu'à condition que son nombre d'onde coïncide avec la période des oscillations libres de la liaison chimique.

DONNÉES

Masses molaires :
- $M(O) = 16{,}0 \text{ g·mol}^{-1}$ • $M(C) = 12{,}0 \text{ g·mol}^{-1}$
- $M(N) = 14{,}0 \text{ g·mol}^{-1}$

Constante d'Avogadro $N_A = 6{,}02 \cdot 10^{23} \text{ mol}^{-1}$

QUESTIONS — Partie C.

1. Calculs préliminaires

a. Rappeler le lien entre le nombre d'onde σ et la longueur d'onde λ, puis entre la longueur d'onde et la période T d'une onde électromagnétique.

b. En déduire le lien entre le nombre d'onde et la période d'une onde électromagnétique.

c. Application. Dans le cas du monoxyde de carbone, la bande relative à l'élongation de la liaison CO se situe aux alentours de 2 170 cm^{-1}. Estimer la valeur de la constante de raideur associée à la liaison triple CO.

2. Influence de la masse réduite

a. Comment justifier que le nombre d'onde d'un type de liaison donné dépend avant tout de la nature des deux atomes impliqués, et finalement assez peu des autres atomes de la molécule ?

b. Comment, néanmoins, justifier simplement que pour un aldéhyde, on observe une bande caractéristique (fine et intense) de la liaison C=O centrée entre 1 720 et 1 740 cm^{-1} alors que pour une cétone, cette même bande apparaît plutôt entre 1 710 et 1 720 cm^{-1} ?

c. Comment expliquer que la chaîne carbonée reliée à l'atome d'oxygène n'ait quasiment aucun effet sur la position de la bande caractéristique de la liaison 0–H d'un alcool en phase gazeuse (3 600 cm^{-1}) ?

3. Influence de la force de la liaison

On relève expérimentalement que les positions des bandes d'absorption relatives à l'élongation de liaisons engageant au moins un atome de carbone dépend avant tout de la multiplicité de cette liaison :

C≡C / C≡O / C≡N : environ 2 200 cm^{-1}
C=C / C=O / C=N : environ 1 700 cm^{-1}
C–C / C–O / C–N : environ 1 000 cm^{-1}

a. Prouver que ces observations ne peuvent pas s'interpréter par l'influence de la masse réduite.

b. En déduire que la force d'une liaison dépend avant tout de la multiplicité de cette liaison.

c. Préciser comment évolue la force d'une liaison avec cette multiplicité.

5 Une utilisation de la spectroscopie de RMN du proton en médecine : la SRM (7 points)

d'après La Spectrométrie du Proton par Résonance Magnétique Nucléaire in Vivo, N. ElTannir, C. David, Projet DESS "TBH", UTC, 01-02, URL : http://www.utc.fr/~farges/dess_tbh/01_02/Projets/spectrometrie/spectrometrie.htm

PROBLÉMATIQUE

Comment la spectroscopie de RMN du proton peut-elle apporter des informations sur un tissu vivant, constitué d'un grand nombre d'espèces ?

Doc. Spectres de RMN de quelques espèces naturelles

L'IRM n'est pas la seule utilisation de la spectroscopie de RMN dans le domaine de la médecine. La SRM (Spectroscopie par Résonance Magnétique) est une utilisation de la spectroscopie de RMN *in vivo*, souvent en complément de l'IRM. La SRM du proton est surtout utilisée pour effectuer des diagnostics sur le cerveau. Elle peut permettre d'identifier la nature d'une tumeur détectée lors d'un examen par IRM, en détectant des variations de concentrations de certaines espèces chimiques présentes dans le cerveau. Certaines biopsies peuvent être remplacées par des procédures de SRM nettement moins invasives et douloureuses.

L'image par résonance magnétique, en IRM, est réalisée essentiellement à partir de la fréquence de résonance des protons de l'eau présente en grande quantité dans le corps humain. La SRM permet de mesurer les fréquences de résonance des protons d'autres espèces chimiques présentes dans l'organisme, en supprimant le signal provenant des protons de l'eau.

Parmi les principales espèces chimiques étudiées en SRM du proton, on trouve :

la Choline (Cho), dont la présence dans une concentration supérieure à la normale peut traduire la prolifération de cellules membranaires dans le cas d'une tumeur.

Le Lactate (Lac), normalement non détecté dans les spectres relatifs à des cerveaux sains. Les tumeurs malignes cérébrales sont traduites par une augmentation de la concentration en lactate.

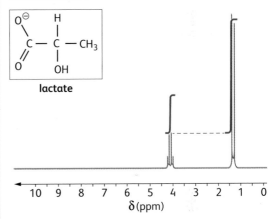

Fig. 2. Spectre de RMN du proton du lactate.

La Créatine (Cr), souvent utilisée comme référence en SRM, sa concentration étant peu affectée lors d'une pathologie.

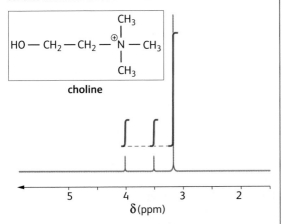

Fig. 1. Spectre de RMN du proton de la choline.

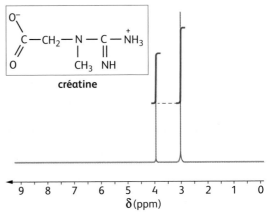

Fig. 3. Spectre de RMN du proton de la créatine.

Les lipides

Présents en trop faible quantité dans un cerveau sain pour être observables, ils sont visibles dans les spectres du proton du cerveau surtout autour et dans les tumeurs. Le cholestérol peut être considéré comme un exemple de lipide.

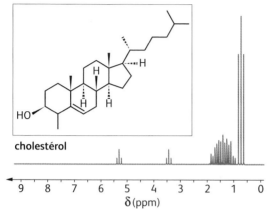

Fig. 4. Spectre de RMN du proton du cholestérol.

Sur un spectre obtenu par SRM du proton, les médecins repèrent rapidement les signaux de différentes espèces usuellement présentes dans l'organisme (fig. 5).
Ce spectre montre la présence importante de choline, par rapport à la créatine qui sert de référence. Cette analyse évoque une suspicion de processus tumoral (fig. 6).

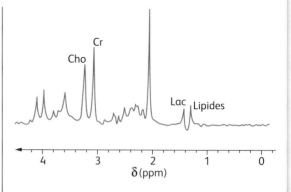

Fig. 5. Exemple de SRM du proton dans le cas d'un cerveau sain.

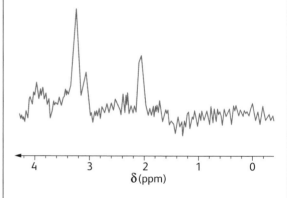

Fig. 6. SRM dans un cas de suspicion d'un processus tumoral du cerveau (cas clinique du CHU de Caen).

QUESTIONS

A. De la RMN...

1. Interpréter – dans la mesure du possible – les spectres de RMN (cf. figures 1, 2 et 3) du proton de la choline, du lactate et de la créatine, sachant que les atomes d'hydrogène directement liés à un atome d'oxygène ou d'azote ne donnent pas de signaux sur ces spectres.

2. Établir un lien entre la formule du cholestérol (cf. figure 4) et les déplacements chimiques de la majorité des signaux du spectre de RMN correspondant. On pourra s'aider d'une table de déplacements chimiques.

B. ... à la SRM.

1. On s'intéresse à la choline, au lactate et à la créatine. Par combien de signaux chacune de ces espèces est-elle repérée sur un spectre obtenu par SRM du proton sur un cerveau sain (figure 5) ?

2. Proposer une hypothèse, pour chacune de ces trois espèces chimiques, pour justifier une telle interprétation d'un spectre de RMN du proton dans le domaine de la SRM : essayer ainsi de faire le lien entre le spectre de RMN du proton de chacune des trois espèces et le spectre obtenu par SRM dans le cas d'un cerveau sain.

3. Le cholestérol peut être considéré comme un lipide. Est-ce cohérent avec le repérage des lipides sur un spectre obtenu par SRM ?

4. Comparer le spectre obtenu par SRM dans le cas d'une suspicion de tumeur au cerveau (figure 6) et celui obtenu pour un cerveau sain (document 5), et faire le lien avec le diagnostic médical.

5. Quels sont les avantages d'une technique comme la SRM par rapport à un prélèvement dans l'organe étudié (biopsie) ? Par rapport à l'IRM ?

6 La règle des (*n* + 1)-uplets (6 points)

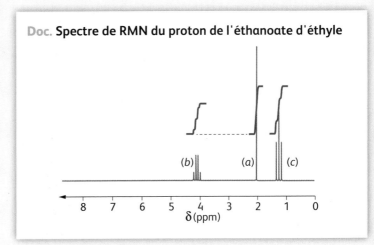

L'objectif est de comprendre la règle des (*n* + 1)-uplets.

Doc. **Spectre de RMN du proton de l'éthanoate d'éthyle**

QUESTIONS

1. Donner la formule semi-développée de l'éthanoate d'éthyle.

2. En utilisant la règle des (*n* + 1)-uplets, attribuer chacun des signaux *a*, *b* et *c* observés sur le spectre à l'un des groupes de protons équivalents de la molécule étudiée. On note par la suite H_a, H_b et H_c les noyaux des atomes d'hydrogène responsables des signaux *a*, *b* et *c*.

3. Chaque noyau d'atome d'hydrogène joue le rôle d'un petit champ magnétique qui peut s'additionner (↑) ou se soustraire (↓) au champ créé par le spectromètre.

a. Recopier et compléter le tableau ci-contre.

b. Interpréter le nombre et la taille relative des pics du signal des noyaux H_c.

4. Utiliser le raisonnement mené à la question **3.** pour retrouver quel type de multiplet est obtenu pour un proton ayant trois protons équivalents voisins.

1er noyau d'atome d'hydrogène voisin des atomes H_c	↑			
2e noyau d'atome d'hydrogène voisin des atomes H_c	↓			
Bilan	↑↓			

5. Proposer une modélisation pour un proton H_d ayant pour voisins deux protons non équivalents H_e et H_f.

a. si ces deux protons sont dans des environnements chimiques semblables ;

b. si ces deux protons sont dans des environnements chimiques différents.

$$C - C - C$$
$$H_e \qquad H_d \qquad H_f$$

6. On donne le spectre du propan-1-ol, en précisant qu'un atome d'hydrogène porté par un atome d'oxygène n'est pas considéré comme voisin des autres atomes d'hydrogène.

a. Donner la formule semi-développée du propan-1-ol.

b. Attribuer chaque signal du spectre à un groupe de protons équivalents de la molécule.

c. Existe-t-il des protons ayant pour voisins deux types de protons non équivalents dans le propan-1-ol ?

Est-on alors dans le cas de la question **5. a.** ou **5. b.** ? Argumenter la réponse.

propan-1-ol

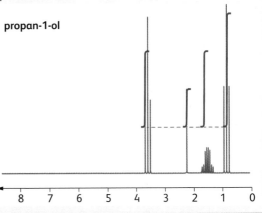

7 Vin et fermentation (12 points)

Pour améliorer les qualités organoleptiques d'un vin, certains vignerons ensemencent les lies avec une bactérie lactique de manière à réaliser la transformation de l'acide malique en acide lactique, suivant la réaction d'équation :

$$HO_2C–CH(OH)–CH_2–CO_2H(aq) \rightarrow CH_3–CH(OH)–CO_2H(aq) + CO_2(g)$$

(acide malique)   acide lactique

QUESTIONS

1. Quel peut être le rôle des bactéries dans la transformation ?

2. a. Écrire la formule développée de l'acide malique, entourer les groupes caractéristiques de la molécule et les nommer.
b. Quel(s) type(s) de modification l'acide malique subit-il au cours de la transformation ?
c. Écrire la formule développée de l'acide lactique et identifier son(ses) carbone(s) asymétrique(s).
d. Une représentation d'un énantiomère de l'acide lactique obtenue à l'aide d'un logiciel de modélisation moléculaire est donnée ci-dessous.

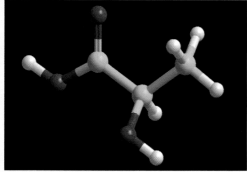

Donner sa représentation de Cram ainsi que celle de son énantiomère.

3. La simulation des spectres de RMN du proton de l'acide lactique et de l'acide malique a été réalisée. Une partie des spectres est représentée ci-contre (les autres signaux, qui n'apparaissent pas sur les spectres sont tous des singulets). Attribuer les spectres en justifiant.

Aide. Le plus souvent, un atome d'hydrogène porté par un atome d'oxygène n'est pas considéré comme voisin d'autres atomes d'hydrogène.

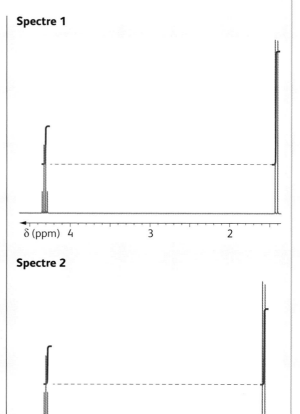

Spectre 1

δ (ppm)   4   3   2

Spectre 2

δ (ppm)   4   3

4. Pour suivre l'évolution de la fermentation malolactique les vignerons utilisent couramment la chromatographie sur papier. L'éluant utilisé est un mélange de butan-1-ol et d'acide éthanoïque.

QUESTIONS

a. Écrire les formules toologiques des molécules de l'éluant.

b. Indiquer la polarisation des liaisons polaires du butan-1-ol.

5. Chromatographie

On ajoute à l'éluant du bleu de bromophénol. Sa forme acide notée H*In* est jaune et sa forme basique notée *In⁻* est bleue.

Un vigneron a suivi la fermentation malolactique par chromatographie et a obtenu le résultat suivant :

30 oct	6 nov	13 nov	20 nov

a. L'éluant est de couleur bleue. Le vigneron attribue les taches jaunes à la présence, dans les dépôts, d'espèces acides. Le justifier, à l'aide de l'écriture de l'équation d'une réaction acido-basique.

On pourra utiliser la notation générique H*A* pour une espèce acide du vin.

b. En plus des acide malique et lactique le vin contient de l'acide tartrique qui n'est pas transformé par la fermentation malolactique. Recopier le chromatogramme et attribuer chaque tache à une espèce.

c. Proposer une définition à la durée de la fermentation malolactique et en estimer la valeur.

6. Dosage de l'acide malique

Un dosage précis de la quantité d'acide malique présent dans le vin peut également être effectué.

Le principe du dosage est le suivant :

L'acide malique est sous sa forme basique (appelée malate). Il réagit avec un excès de glutamate et de Nicotinamide Adénine Dinucléotide (noté NAD) selon la réaction d'équation :

Malate + glutamate + NAD
$$\rightarrow \text{aspartate} + \text{oxoglutarate} + \text{NADH}$$

Le NADH formé est dosé par spectrophotométrie. La transformation s'effectue en présence de deux enzymes : la malate déshydrogénase (notée MDH) et la glutamate oxaloacétate transaminase (notée GOT).

a. Qu'est-ce qu'une enzyme ? Quel est son rôle dans une transformation ?

b. Justifier que le dosage de NADH permet de déterminer la concentration de l'acide malique dans le vin.

c. Pour effectuer le dosage de NADH, un étalonnage a été réalisé. L'absorbance A_{340} à 340 nm de solutions étalon de NADH de concentrations c, placées dans des cuves de longueur $\ell = 1{,}0$ cm a été mesurée. Les résultats obtenus sont les suivants :

c (mmol.L⁻¹)	$5{,}0 \cdot 10^{-2}$	0,10	0,15	0,20	0,25
A_{340}	0,312	0,640	0,948	1,27	1,56

Quelle relation doit-on vérifier entre A, ℓ et c ?

d. Vérifier que les résultats expérimentaux sont en accord avec cette relation.

e. Une solution S d'acide malique de concentration molaire inconnue c_0 a subi la transformation enzymatique décrite précédemment. Elle a été diluée au 1/100ᵉ. L'absorbance A_{340} de la solution placée dans une cuve de longueur $\ell = 1{,}0$ cm a été mesurée et vaut 0,940. Déterminer c_0.

f. En déduire la concentration massique c_m de l'acide malique dans la solution S.

8 Identification des produits d'une réaction (4 points)

Doc. Données spectroscopiques des produits

Un mélange de 2-bromopentane noté A, de méthanol et d'eau, porté à 80 °C, conduit à trois produits :
– un produit noté X, de formule brute $C_5H_{12}O$, est formé très majoritairement ;

– deux produits notés Y et Z, de formule brute C_5H_{10}, sont formés à l'état de traces ;

Les données spectroscopiques des trois produits sont présentées ci-dessous.

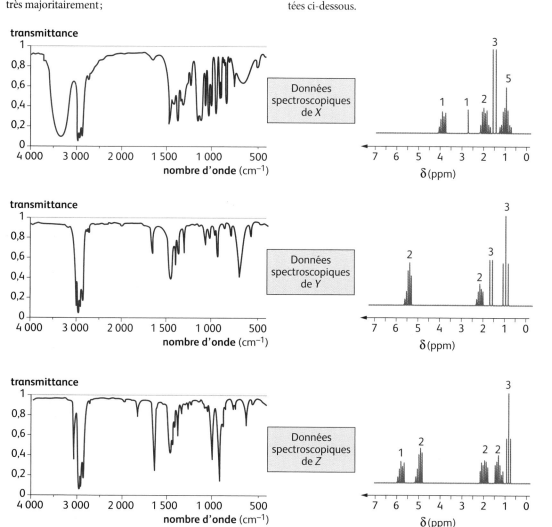

QUESTIONS

a. Vérifier que les produits obtenus sont le pentan-2-ol, le pent-2-ène et le pent-1-ène.

b. Traduire chaque transformation $A \rightarrow X$, $A \rightarrow Y$ et $A \rightarrow Z$ par une équation de réaction.

c. Préciser pour chaque réaction s'il s'agit d'une addition, d'une élimination ou d'une substitution.

d. Pour chaque réaction, identifier les liaisons rompues. Déterminer les charges partielles sur ces liaisons.
À l'aide d'une flèche courbe, représenter le mouvement du doublet d'électrons associé à la rupture.

e. Modéliser par une flèche courbe le transfert d'électrons lié à la formation de la liaison C–O du pentan-2-ol.

9 Structure fine d'un spectre IR (4 points)

PROBLÉMATIQUE

La spectroscopie IR est très utilisée pour identifier les liaisons d'une molécule organique.
Dans le cas des molécules diatomiques en phase gazeuse, le spectre présente une allure
de bandes fines, incluses dans une « enveloppe » de bandes plus larges.
Ce problème propose d'en comprendre la raison.

Doc 1. Niveaux d'énergie d'une molécule à l'intérieur d'un niveau d'énergie électronique

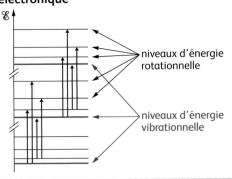

Doc 2. Spectre IR basse résolution du monoxyde de carbone

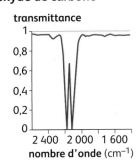

Doc 3. Spectre IR haute résolution du monoxyde de carbone

En abscisse est porté le nombre d'onde du rayonnement absorbé et en ordonnée une grandeur rendant compte
de l'absorption du rayonnement par le monoxyde de carbone.

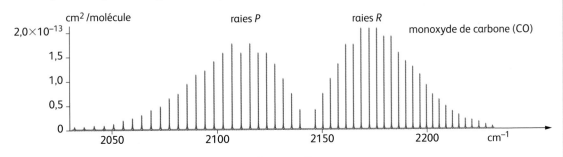

Spectre d'absorption de la molécule CO dans l'intervalle [2 000 cm⁻¹ ; 2 250 cm⁻¹].

QUESTIONS

Le spectre IR d'une molécule se fait par les transitions énergétiques à l'intérieur d'un même niveau d'énergie
électronique.
a. Rappeler la relation entre la fréquence d'une radiation absorbée par une molécule et la variation d'énergie
de la molécule.
On rappelle que le nombre d'onde d'une radiation lumineuse est l'inverse de sa longueur d'onde.
b. A partir de ces documents, rédiger une synthèse d'environ 20 lignes permettant de comprendre pourquoi
le spectre haute résolution du monoxyde de carbone apparait comme des « paquets » de bandes fines.
L'argumentation devra utiliser un vocabulaire scientifique adapté et présenter une introduction, un
développement et une conclusion.

10 Dédoublement des énantiomères (5 points)

PROBLÉMATIQUE

De nombreuses synthèses organiques conduisent à la formation d'espèces chimiques chirales sous forme d'un mélange racémique. Au travers de l'étude de quelques documents, ce sujet propose d'élaborer une stratégie pour séparer les espèces chimiques d'un tel mélange.

Doc 1. Mélange racémique

Les mélanges en quantité égales de deux énantiomères occupent une place importante en chimie, d'une part parce qu'ils sont l'aboutissement naturel des méthodes de synthèse conventionnelles, et d'autre part parce que la cristallisation des mélanges d'énantiomères fournit dans neuf cas sur dix des assemblages ordonnés de stœchiométrie 1 : 1. Depuis l'époque de Pasteur, le terme racémique, utilisé comme adjectif ou comme substantif, désigne de tels mélanges. Une substance chirale peut ainsi se présenter sous trois états : elle peut-être racémique, constituée de l'un ou l'autre des énantiomères purs, constituée d'un mélange des deux en quantités variables différentes de 1 : 1. Dans le deuxième cas, on parle de substance énantiomériquement pure, ou simplement énantiopure.

[…] La séparation des énantiomères constituant un racémique est une opération importante, à laquelle Pasteur a donné le nom évocateur de dédoublement.

[…] Dans le cas où l'on doit différencier les deux énantiomères, il est commode de les désigner par le signe de leur pouvoir rotatoire, que l'on écrira (+) ou (-) pour dextrogyre ou lévogyre, respectivement, et (±) pour le racémique.

Molécules chirales, stéréochimie et propriétés, André Collet, Jeanne Crassous, Jean-Pierre Dutasta et Laure Guy
EDPSciences/CNRS Editions, 2006

Doc 2. Propriétés physiques

Deux énantiomères ont presque toutes leurs propriétés physiques identiques. Il est donc très difficile de trouver une technique permettant de les séparer directement, comme par exemple une distillation ou une chromatographie utilisant des phases fixes et mobiles achirales.

Par contre, deux diastéréoisomères ont des propriétés physiques différentes. Par exemple, leur solubilité dans un solvant peut être différente : une molécule peut très bien se dissoudre dans un solvant alors qu'un de ses diastéréoisomères ne le pourra pas.

Doc 3. Sels chiraux

Les acides carboxyliques chiraux qu'on notera $R_2^*-CO_2H$ peuvent réagir avec des amines chirales $R_1^*NH_2$ selon une réaction acido-basique pour former des sels solides. La nature fournit de nombreuses amines chirales sous forme énan-

(+)-méthylbenzylamine

tiopure, telle que la (+)-méthylbenzylamine. Il est ensuite aisé de réaliser la séparation des deux espèces du sel en le plaçant dans une solution acide.

QUESTIONS

a. Rappeler la définition d'un mélange racémique.
b. Pourquoi est-il difficile de séparer les deux espèces d'un mélange racémique ?
c. À l'issue d'une synthèse, un chercheur obtient de l'acide 2-méthylbutanoïque sous forme d'un mélange racémique. En s'aidant des documents, rédiger un protocole permettant de réaliser le dédoublement des deux énantiomères de ce mélange.
La rédaction de ce protocole devra s'accompagner, à chaque étape, d'une justification claire des choix effectués.

11 Jeux de balle (6 points)

PROBLÉMATIQUE

Dans les jeux comme le tennis, le ping-pong… les joueurs doivent anticiper les rebonds de la balle pour se placer correctement et la renvoyer suivant la direction et avec la vitesse qu'ils jugent gagnantes.
On souhaite étudier, sur l'exemple d'une balle de golf lancée «sans effet» et qui rebondit sur une surface plane, horizontale et dure, les modifications du mouvement dues au rebond.

Doc 1. Enregistrement du mouvement

La trajectoire de la balle que l'on étudie est représentée ci-dessous:

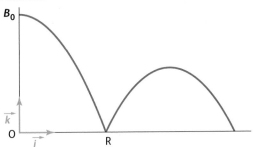

Le mouvement de la balle a été enregistré. On a relevé les coordonnées x et z du centre B de la balle en fonction du temps avec un logiciel d'acquisition de données vidéo.
On a choisi, dans le plan vertical de la trajectoire:
– l'origine $O(x_0 = 0$ et $z_0 = 0)$ à la verticale du point de lancement de la balle, au centre de la balle lorsqu'elle est posée sur le sol;
– l'axe $(O ; \vec{k})$ est orienté vers le haut.
– l'origine des dates $t_0 = 0$ s à l'instant du lancement de la balle.

On obtient les courbes $x(t)$ et $z(t)$ ci-dessous:

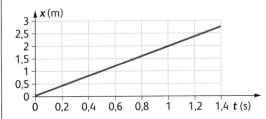

Courbe x(t).

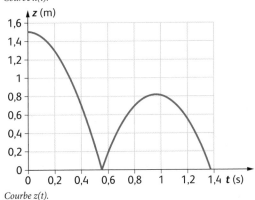

Courbe z(t).

Doc 2. Analyse de la vitesse

Avec un logiciel de traitement des données, on calcule les coordonnées v_x et v_z du vecteur vitesse du point B. On obtient les courbes représentant $v_x(t)$ et $v_z(t)$ ci-dessous:

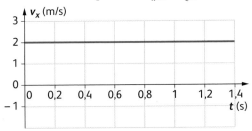

Courbe $v_x(t)$.

Courbe $v_z(t)$.

QUESTIONS

1. Après avoir relevé les valeurs des coordonnées (x_R, z_R) de la position du rebond montrer, en vous appuyant sur les graphes $v_x(t)$ et $v_z(t)$, que la balle a un mouvement de chute libre (c.a.d. le vecteur accélération du point B est $\vec{a} = \vec{g}$) de l'instant du lancer à l'instant juste avant le rebond. Vérifier (en justifiant) qu'il en est de même après le rebond.

2. Quelles sont les modifications du vecteur vitesse du centre de la balle dues au rebond ?

3. a. Rappeler l'expression de l'énergie mécanique $\mathcal{E}_m$ de la balle.
b. Montrer que l'énergie mécanique $\mathcal{E}_{m1}$ de la balle reste constante avant le rebond. Calculer sa valeur.
c. L'énergie mécanique de la balle est modifiée juste après le rebond. Calculer sa nouvelle valeur $\mathcal{E}_{m2}$. Expliquer la variation d'énergie mécanique de la balle lors du rebond.

12 Saturne à l'étude (12 points)

PROBLÉMATIQUE

Les données concernant les planètes sont nombreuses. Pour Saturne par exemple, les ouvrages donnent son rayon $R_S = 6{,}0 \times 10^4$ km, ou encore sa période de rotation $T_s = 10$ h 47 min, sa masse $M_s = 5{,}69 \times 10^{26}$ kg, le rayon de l'orbite de certains de ses satellites comme Titan, $R = 1{,}22 \times 10^6$ km et sa période de révolution autour de Saturne $T = 15{,}9$ jours terrestres. La sonde européenne Cassini-Huygens nous a d'ailleurs livré en juillet 2004 les premiers clichés des anneaux de Saturne permettant ainsi d'en étudier la structure en détail. L'utilisation de sondes spatiales permet d'enrichir les connaissances concernant les planètes et leurs satellites. Mais comment peut-on déterminer la masse d'une planète ou encore sa période de rotation à partir d'observations depuis la Terre ? Pour répondre à cette question, nous allons nous intéresser au cas de Saturne.

DONNÉES

- Constante de gravitation universelle $G = 6{,}67 \times 10^{-11}$ SI
- Le décalage Doppler-Fizeau $\Delta\lambda$ entre λ et λ' respecte la relation :
$$\frac{|\Delta\lambda|}{\lambda} = \frac{2v}{c} \ \text{avec} \ c = 3{,}00 \times 10^8 \ \text{m·s}^{-1}.$$

Doc 1. Caractéristiques du mouvement de Titan et masse de Saturne

On se place dans le référentiel saturno-centrique, centré sur Saturne et dont les trois axes sont dirigés vers trois étoiles lointaines supposées fixes.

On considère que la planète Saturne et son satellite Titan sont des corps dont la répartition des masses est à symétrie sphérique.

On étudie le mouvement du centre O de Titan. L'excentricité orbitale de Titan étant très faible, on considèrera sa trajectoire circulaire de rayon R dont le centre est confondu avec le centre de Saturne.

Doc 2. Effet de la rotation de Saturne

La figure ① ci-contre schématise le spectre de la lumière reçue sur Terre en provenance directe du Soleil. Le fond continu coloré est causé par la lumière blanche issue de sa photosphère. Les raies d'absorption sont caractéristiques des éléments présents dans son atmosphère.

La figure ② schématise le spectre de la lumière reçue sur Terre en provenance Saturne. La fente du spectroscope se situe dans le plan équatorial de Saturne. Cette planète diffuse la lumière du Soleil. On y retrouve donc les raies noires d'absorption mais celles-ci sont inclinées du fait du mouvement de rotation de Saturne.

En effet, certains des points de l'équateur de Saturne, comme W sur la figure ③, s'approchent de la Terre pendant que d'autres, tels que E, s'en éloignent. Le point S n'a lui aucun mouvement suivant la direction de visée. Du fait de l'effet Doppler-

Figure 1

Figure 2

Fizeau, les parties de raies d'absorption correspondant à W se décalent dans un sens tandis que celles correspondant à E se décalent dans l'autre sens. Il apparaît donc une inclinaison des raies dans leur ensemble.

L'utilisation d'un logiciel de traitement d'image a conduit au résultat suivant. Une raie d'absorption a pour longueur $\lambda = 447,5925$ nm d'onde au milieu du spectre et $\lambda' = 447,5620$ nm le long de la bordure supérieure.

Figure 3 Saturne en opposition

QUESTIONS

A. 1. Forces
On considère que la seule force gravitationnelle exercée sur Titan de masse M_T provient de Saturne.
a. Représenter qualitativement sur un schéma, Saturne, Titan, et la force extérieure qui s'exerce sur Titan.
b. Donner l'expression vectorielle de cette force.

A. 2. Accélération
a. Déterminer l'expression vectorielle de l'accélération $\vec{a}$ du centre de Titan en précisant la loi utilisée.
b. On se place dans la base orthonormée $(\vec{u_t}, \vec{u_n})$ centrée en O dans laquelle $\vec{u_t}$ est un vecteur unitaire porté par la tangente à la trajectoire et orienté dans le sens du mouvement et $\vec{u_n}$ un vecteur unitaire perpendiculaire à $\vec{u_t}$ et dirigé vers l'intérieur de la trajectoire.
On donne l'expression de $\vec{a}$ dans la base orthonormée $(\vec{u_t}, \vec{u_n})$: $\vec{a} = a_t\vec{u_t} + a_n\vec{u_n}$.
Donner les expressions littérales de a_t et de a_n en fonction de la valeur v de la vitesse du satellite.

A. 3. Vitesse et période de révolution
a. Montrer que le mouvement de Titan est uniforme puis retrouver l'expression de la vitesse de Titan sur son orbite autour de Saturne :

$$v = \sqrt{\frac{GM_S}{R}}.$$

b. Établir l'expression de la période de révolution de Titan :

$$T = 2\pi\sqrt{\frac{R^3}{GM_S}}.$$

c. Les valeurs de T et R citées dans l'encadré « Problématique » de l'exercice sont déduites de mesures effectuées grâce à des observations depuis la Terre. Vérifier que ces valeurs permettent de retrouver la valeur de la masse de Saturne citée dans ce même document.

B. a. Dans la situation de la figure ③, la partie supérieure du spectre de la figure ② correspond-elle à la lumière diffusée par W, S ou E ? Et celle de la partie centrale ?
b. Déterminer, dans le référentiel terrestre, la valeur de la vitesse v du point W suivant la direction de visée.
c. En utilisant la valeur précédente et celle du rayon R_S de Saturne donnée en début d'exercice, déterminer la valeur de la période de rotation T_S de Saturne. Est-elle compatible avec la valeur citée dans le document ?

13 Satellites terrestres et troisième loi de Kepler (7 points)

adapté d'un sujet de Bac

PROBLÉMATIQUE

La troisième loi de Kepler énoncée dans le cas des planètes peut-elle être vérifiée dans le cas de satellites en orbite circulaire autour de la Terre ?

Pour répondre à cette question nous allons étudier les caractéristiques du mouvement de satellites artificiels en orbite circulaire autour de la Terre.

Doc 1. Mouvement du satellite Giove-A autour de la Terre

Connaître sa position exacte dans l'espace et dans le temps, autant d'informations qu'il sera nécessaire d'obtenir de plus en plus fréquemment avec une grande fiabilité. Dans quelques années, ce sera possible avec le système de radionavigation par satellite GALILEO, initiative lancée par l'Union européenne et l'Agence spatiale européenne (ESA). Ce système mondial assurera une complémentarité avec le système actuel GPS (Global Positioning System).

GALILEO repose sur une constellation de trente satellites et des stations terrestres permettant de fournir des informations concernant leur positionnement à des usagers de nombreux secteurs (transport, services sociaux, justice, etc.).

Le premier satellite du programme, Giove-A, a été lancé le 28 décembre 2005.

D'après le site http://www.cnes.fr/

QUESTIONS

1. a. Sans souci d'échelle, faire un schéma représentant la Terre, le satellite sur sa trajectoire et la force exercée par la Terre sur le satellite. Dans quel référentiel le mouvement du satellite est-il décrit ?
b. En utilisant les notations des données, donner l'expression vectorielle de cette force.
On notera $\vec{u}$ le vecteur unitaire dirigé de O vers G.
c. En appliquant la seconde loi de Newton au satellite, déterminer l'expression du vecteur-accélération $\vec{a}$ du point G.
d. Montrer alors que le mouvement de Giove-A est uniforme et vérifier que la valeur v de la vitesse du satellite est telle que : $v^2 = G\dfrac{M_T}{R}$ avec $R = R_T + h$.
e. Déterminer l'expression de la période de révolution T du satellite Giove-A en fonction de G, M_T et R. Calculer sa valeur.

DONNÉES

• Constante de gravitation :
$G = 6,67 \times 10^{-11}$ m$^3 \cdot$kg$^{-1} \cdot$s^{-2}
• La Terre est supposée sphérique et homogène. On appelle O son centre, sa masse $M_T = 5,98 \times 10^{24}$ kg et son rayon $R_T = 6,38 \times 10^3$ km
• Le satellite Giove-A est assimilé à un point matériel G de masse $m_{sat} = 700$ kg. Il est supposé soumis à la seule interaction gravitationnelle due à la Terre, et il décrit de façon uniforme un cercle de centre O, à l'altitude $h = 23,6 \times 10^3$ km.

Doc 2. Comparaison avec d'autres satellites terrestres

Il existe actuellement deux systèmes de positionnement par satellites : le système américain GPS et le système russe GLONASS.

Le tableau fourni sur suivant, rassemble les périodes de révolution T et les rayons R des trajectoires des satellites correspondants, ainsi que les données relatives aux satellites de type Météosat.

Satellite	R (km)	T (s)	R³ (km³)	T² (s²)
GPS	$20,2 \times 10^3$	$2,88 \times 10^4$	$8,24 \times 10^{12}$	$8,29 \times 10^8$
GLONASS	$25,5 \times 10^3$	$4,02 \times 10^4$	$1,66 \times 10^{13}$	$1,62 \times 10^9$
GALILEO				
METEOSAT	$42,1 \times 10^3$	$8,58 \times 10^4$	$7,46 \times 10^{13}$	$7,36 \times 10^9$

Ces données permettent de tracer la courbe donnant T^2 en fonction de R^3.

QUESTIONS

2. a. Donner les valeurs qui permettent de compléter la ligne du tableau relative au satellite Giove-A (GALILEO) et tracer la courbe T^2 en fonction R^3.
b. Montrer que le résultat de la question **1. e** est conforme au tracé obtenu.
c. Répondre à la question posée en début d'exercice.

14 Galilée et la méthode expérimentale (4 points)

PROBLÉMATIQUE

Les travaux de Galilée concernant les oscillations du pendule ont été à l'origine de la conception de l'horloge à balancier par Huyghens. À travers l'étude d'extraits de textes de Galilée confrontons les résultats des expériences qu'il a réalisées avec nos connaissances.

Doc 1. La vulgarisation scientifique par Galilée

Extrait 1

J'ai pris deux boules, l'une en plomb et l'autre en liège, celle-la au moins 100 fois plus lourde que celle-ci, puis j'ai attaché chacune d'elles à deux fils très fins tous deux de quatre coudées fixées par le haut. Puis les écartant alors de la position perpendiculaire, je les lâchais en même temps [...] ; une bonne centaine d'allées et venues accomplies par les boules elles-mêmes, m'ont clairement montré qu'entre la période du corps pesant et celle du corps léger, la coïncidence est telle que sur mille vibrations comme sur cent, le premier n'acquiert sur le second aucune avance, fut-ce la plus minime, mais que tous deux ont un rythme de mouvement rigoureusement identique.

Extrait 2

Notez ici deux détails qui méritent d'être connus. L'un, c'est que les vibrations de ce pendule se font nécessairement et en des temps si déterminés qu'il est absolument impossible de les faire accomplir en des temps différents, sauf à allonger ou raccourcir la corde ; vous pouvez aussi vous en assurer tout de suite par l'expérience : accrochez une pierre à une ficelle dont vous tenez l'autre bout en main, et, essayez par tous les moyens que vous voudrez, sauf l'allongement ou le raccourcissement de la ficelle d'arriver à la faire osciller autrement que dans son temps déterminé : vous verrez que c'est absolument impossible.

L'autre détail est vraiment étonnant : le même pendule fait ses vibrations avec la même fréquence (du moins les différences sont très petites et presque imperceptibles), que les arcs sur cette circonférence soient très grands ou très petits. Je le déclare, que nous écartions d'un, deux ou trois degrés seulement ou bien de 70, 80, voire d'un angle droit, une fois qu'on l'aura laissé en liberté, dans les deux cas les vibrations auront la même fréquence [...].

Galilée, Discours concernant deux sciences nouvelles PUF, 1995

Extrait 3

Dans ce court extrait du Dialogue sur les deux grands systèmes du Monde, Galilée expose ses idées à travers le discours de Salviati.

Salviati : Pour obtenir un premier pendule dont la durée d'oscillations soit le double de celui d'un second pendule, il convient de donner au premier une longueur quadruple de celle du second.

Galilée, Dialogue sur les deux grands systèmes du monde

1 coudée équivaut à 50 cm.

Doc 2. Influence de l'amplitude sur la période

Pour des oscillations de faible amplitude, la période des oscillations du pendule de Galilée que l'on modélise par un fil à l'extrémité duquel est fixé un point matériel de masse m, s'exprime par

la relation $T_0 = 2\pi\sqrt{\dfrac{\ell}{g}}$ où ℓ représente la longueur du pendule.

Lorsque l'amplitude augmente, le graphe ci-dessous montre la variation du rapport $\dfrac{T}{T_0}$ avec l'amplitude θ_0.

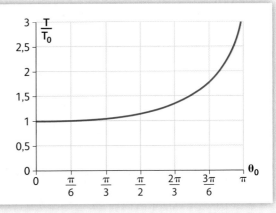

QUESTIONS

A. Extraire des informations

a. Relever dans les extraits les expressions qui montrent que les oscillations des pendules qu'étudie Galilée sont libres.

b. Quel terme utilise-t-on actuellement pour désigner «le temps déterminé» du pendule?

c. En vous appuyant sur les trois extraits, préciser si, pour Galilée, la durée d'une «allée et venue» du pendule dépend: de sa masse? de sa longueur? de l'amplitude de ses oscillations?

B. Analyser les résultats de Galilée

d. Quels sont les résultats obtenus par Galilée qui sont vérifiés par les données ci-dessus? Quels sont les résultats qui ne le sont pas?

e. Pour un pendule de 4 coudées de long, calculer la valeur de sa période pour une amplitude très faible (2 ou 3°). Quelle est la valeur de la période T lorsque l'amplitude est de 90°?

Quel est l'écart relatif entre les deux valeurs de période? Comment peut-on expliquer que Galilée n'ait pas mesuré de différence?

15 La mesure du temps (3 points)

Doc 1. La précision des horloges

Depuis 1967, l'horloge atomique au césium sert à la définition de l'unité de temps: la seconde.

Une horloge atomique au césium est une horloge dans laquelle la mesure du temps est basée sur la fréquence d'un oscillateur à quartz. Cette fréquence est contrôlée par le rayonnement émis par des atomes de césium (Cs 133), à l'état fondamental lors de leur transition entre deux niveaux hyperfins d'énergie notés $\mathcal{E}_1$ et $\mathcal{E}_2$.

Lorsque la fréquence de l'onde électromagnétique générée par l'oscillateur à quartz est égale à la fréquence de la transition entre les niveaux $\mathcal{E}_1$ et $\mathcal{E}_2$ les atomes de césium dans le niveau $\mathcal{E}_1$ absorbent un quantum d'énergie et passent au niveau d'énergie $\mathcal{E}_2$. En comptant la proportion d'atomes de césium qui ont subi la transition, on détermine si la fréquence générée par le quartz est égale à la fréquence de la transition ou si elle s'en éloigne. Un système d'asservissement permet alors de corriger la fréquence de l'horloge.

Alors que les horloges à quartz ont une précision de l'ordre de 10^{-10}, les horloges atomiques commerciales actuelles ont une précision de l'ordre de 10^{-14} et l'horloge atomique Pharao, a une précision qui atteint 10^{-16}.

La seconde est la durée de 9 192 631 770 périodes de la radiation correspondant à la transition entre deux niveaux hyperfins de l'état fondamental de l'atome de césium 133.

Doc 2. Échelle de fréquence des rayonnements électromagnétiques

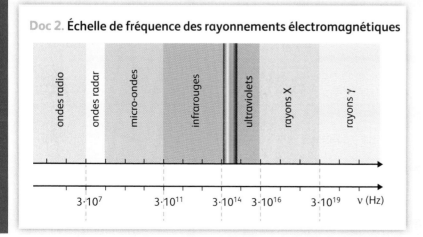

DONNÉES

- Constante de Planck:
  $h = 6,63 \times 10^{-34}$ J·s.
- Célérité de la lumière dans le vide et dans l'air:
  $c = 299\,792\,458$ m·s^{-1}.

QUESTIONS

1. Quelle est la fréquence de l'onde électromagnétique correspondant à la transition de l'atome de césium 133 entre les niveaux $\mathscr{E}_1$ et $\mathscr{E}_2$?

2. À quel domaine du spectre électromagnétique correspond cette onde ?

3. Sur un diagramme représenter les niveaux d'énergie $\mathscr{E}_1$ et $\mathscr{E}_2$ de l'atome de césium, indiquer la transition correspondant à l'absorption d'un photon. Quelle est la valeur de la différence d'énergie entre ces deux niveaux ?

4. Quelle est pour une durée d'un jour, l'incertitude sur la mesure du temps d'une horloge à quartz ? d'une horloge atomique commerciale ?

16 Extraction de l'huile d'olive (12 points)

Doc 1. Deux procédés d'extraction de l'huile d'olive

De nos jours, avec la promotion des vertus bénéfiques pour la santé de l'huile d'olive, la demande ne cesse d'augmenter et par conséquent la production croît constamment.

Des procédés d'extraction de l'huile d'olive ont été développés afin d'extraire un maximum d'huile.

Le document ci-contre en présente deux.

Les grignons constituent un sous-produit d'extraction composé des peaux, des résidus de la pulpe et des fragments des noyaux. Les margines désignent les rejets liquides autres que l'huile d'olive, composés des «eaux» issues du fruit et des processus de lavage et de traitement.

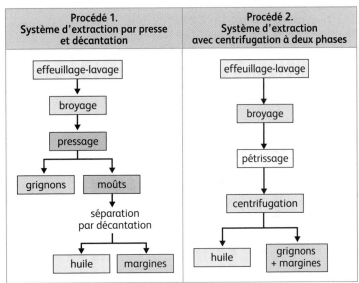

PROBLÉMATIQUE

Le problème posé est le suivant :
Pourquoi préférer de nos jours le procédé 1 au procédé 2 ?
Sara et Bernard, deux élèves de terminale scientifique, tentent de donner des éléments de réponse à cette question.

DONNÉES

- Masse molaire de l'acide oléique en $g \cdot mol^{-1}$: $M_{AH} = 282\ g \cdot mol^{-1}$.
- Électronégativité selon l'échelle de Pauling et numéro atomique de l'hydrogène et de l'oxygène : $\chi(H) = 2{,}20$; $\chi(O) = 3{,}44$ et $Z(H) = 1$; $Z(O) = 8$.
- Valeur du champ de pesanteur terrestre : $g = 9{,}8\ m \cdot s^{-2}$.

A. Décantation et centrifugation

Afin de comparer la décantation et la centrifugation, Sara et Bernard réalisent chacun un mélange identique d'huile (masse volumique : ρ_{huile}) et d'un petit volume d'eau (masse volumique : ρ_{eau}).

Doc 2. Décantation

Bernard verse le mélange dans une ampoule à décanter. Lors de la décantation, une goutte d'eau de volume V se déplace dans l'huile vers le bas avec une vitesse $\vec{v}$ sous l'action de trois forces : le poids de la goutte d'eau, la poussée d'Archimède $\vec{\Pi}$ exercée par l'huile (verticale, orientée vers haut de valeur égale à celle du poids d'une goutte d'huile de volume V) et la force de frottement $\vec{f}$ exercée par l'huile, colinéaire et opposée au vecteur vitesse $\vec{v}$. La valeur de $\vec{f}$ est proportionnelle à la valeur de $\vec{v}$ soit $f = kv$.

Doc 3. Centrifugation

Sara verse le mélange qu'elle a préparé dans le tube d'une centrifugeuse (figure A). Lors de la centrifugation, le support du tube (le godet) s'incline, le tube se déplace dans un plan horizontal (figure B) et un point M du tube décrit, vu de dessus, le mouvement indiqué sur la figure C.

Alors que Bernard attend une dizaine de minutes pour obtenir une séparation convenable de l'huile et de l'eau, Sara obtient le même résultat en quelques dizaines de secondes.

Sara et Bernard cherchent une explication. La lecture d'un article scientifique leur en donne une :

« **Par rapport au référentiel lié au tube**, tout se passe comme si une goutte G, située à une distance r de l'axe de rotation, se trouvait **dans un champ de pesanteur $\vec{g}$' égal à l'opposé du vecteur accélération, déterminé par rapport au référentiel terrestre**, d'un point M du tube situé à la même distance r de l'axe ».

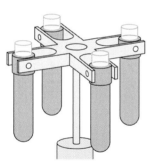

A. Centrifugeuse de laboratoire à godets mobile

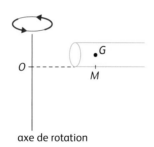

axe de rotation

B. Position du tube au cours de la centrifugation.

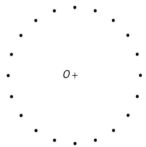

C. Positions de M à intervalles de temps égaux.

QUESTIONS Partie A.

1. Montrer que lors de la décantation l'expression de la valeur v de la vitesse d'une goutte d'eau en mouvement rectiligne et uniforme dans l'huile est de la forme :

$$v = \frac{\rho_{eau} - \rho_{huile}}{k} Vg \text{ (relation 1).}$$

2. a. Le mouvement de M est-il circulaire et uniforme dans le référentiel terrestre ? Justifier.

b. Donner les caractéristiques (direction, sens et expression de la valeur) du vecteur accélération $\vec{a}_M$ de M dans le référentiel terrestre se déplaçant, dans ce référentiel, à la vitesse $\vec{v}_M$.

c. Reproduire le schéma du document 3. C. et représenter le vecteur $\vec{g}$'. Par comparaison avec le mouvement étudié en 1, indiquer la direction et le sens du mouvement qu'une goutte d'eau dans l'huile tend à adopter lors de la centrifugation.

d. En prenant $r = 10$ cm et une fréquence de rotation $f = 2,5 \times 10^3$ tour/minute, comparer les valeurs de g' et g.

e. Pourquoi la centrifugeuse permet-elle un gain de temps pour séparer l'huile et l'eau ?

B. Molécules constituant l'huile d'olive et acidité

Sara et Bernard s'intéressent maintenant à la composition d'une huile d'olive. Ils étudient le document suivant.

Doc 4. **Dégradation et acidité d'une huile**

L'huile d'olive est essentiellement constituée de triglycérides comme l'oléine (ou oléate de glycéryle) dont la formule semi-développée ① est donnée ci-contre.

Une huile se dégrade naturellement sous l'action de l'eau, lors du lavage, des différents traitements ou simplement du fait de l'humidité de l'air. L'équation qui modélise la transformation, appelée hydrolyse d'un triglycéride, peut être écrite sous la forme ② ci-après.

Lorsque des triglycérides sont dégradés, les acides gras qui les constituaient sont détachés et errent librement dans l'huile : ils sont alors dits « acides gras libres ». Leur pourcentage massique dans l'huile est appelé « acidité de l'huile » et se calcule en considérant que les « acides gras libres » sont l'acide oléique, stéréoisomère Z de l'acide octadec-9-ènoïque dont la formule semi-développée est :

$$CH_3 - (CH_2)_7 - CH = CH - (CH_2)_7 - \overset{\overset{\displaystyle O}{\|}}{C} - OH$$

Une acidité de 1,0 % signifie que l'huile se comporte comme une huile ne contenant que l'acide oléique comme acide gras libre à raison de 1,0 gramme d'acide oléique libre pour 100 grammes d'huile.

① Exemple d'un corps gras : l'oléine

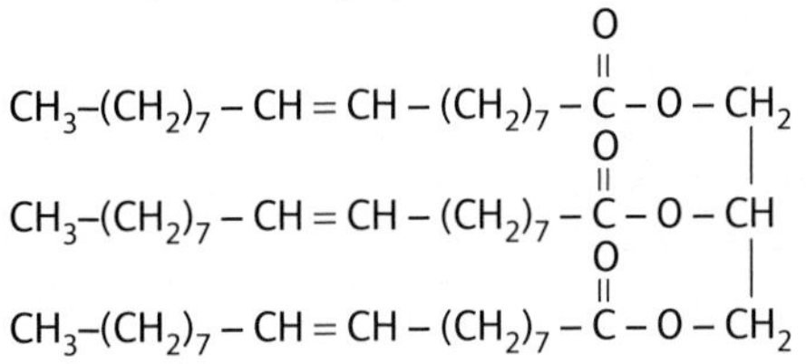

$$CH_3-(CH_2)_7 - CH = CH - (CH_2)_7 - \overset{\overset{\displaystyle O}{\|}}{C} - O - CH_2$$
$$CH_3-(CH_2)_7 - CH = CH - (CH_2)_7 - \overset{\overset{\displaystyle O}{\|}}{C} - O - CH$$
$$CH_3-(CH_2)_7 - CH = CH - (CH_2)_7 - \overset{\overset{\displaystyle O}{\|}}{C} - O - CH_2$$

② Équation de l'hydrolyse d'un corps gras

$$\begin{array}{l} \overset{\overset{\displaystyle O}{\|}}{R-C}-O-CH_2 \\ \overset{\overset{\displaystyle O}{\|}}{R-C}-O-CH \ + \ 3H_2O \ \longrightarrow \ 3\,R-\overset{\overset{\displaystyle O}{\|}}{C}-OH + \begin{array}{l} HO-CH_2 \\ HO-CH \\ HO-CH_2 \end{array} \\ \overset{\overset{\displaystyle O}{\|}}{R-C}-O-CH_2 \end{array}$$

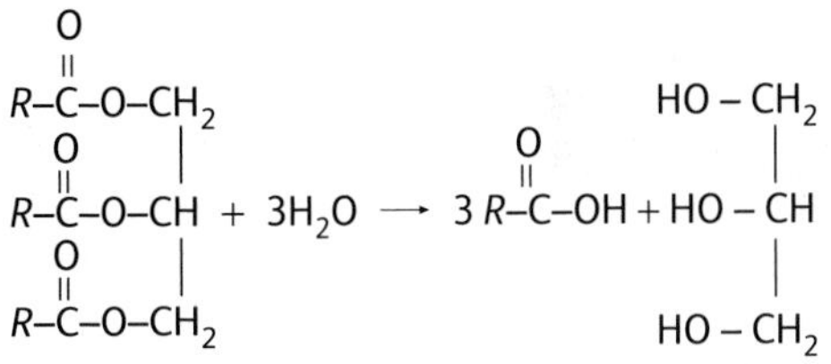

L'acidité d'une huile ne se perçoit jamais sous la forme d'un goût acide mais sous la forme d'un goût ou d'une odeur rance (« de moisi »).

L'acidité libre d'une huile est limitée à 0,8 % pour une huile d'olive vierge extra et peut atteindre 2,0 % pour une huile d'olive vierge. Ce classement constitue bien entendu un critère de choix pour le consommateur.

QUESTIONS   **Partie B.**

1. Comprendre l'hydrolyse d'un corps gras
a. Représenter le groupe caractéristique présent dans une molécule de triglycéride et nommer la classe fonctionnelle correspondante.
b. Donner la représentation de Lewis de la molécule d'eau.
Déterminer la polarisation des liaisons en lien avec l'électronégativité et identifier le site donneur de doublet d'électrons de la molécule d'eau.
c. Reproduire l'équation de la réaction d'hydrolyse du triglycéride et relier par une flèche courbe les sites

donneur et accepteur en vue d'expliquer la formation ou la rupture de liaisons lors de cette réaction.

2. La molécule d'acide oléique
a. La réaction d'hydrolyse de l'oléine conduit à la formation d'acide oléique. En utilisant la formule semi-développée de l'acide octadec-9-ènoïque donnée dans le document, représenter les deux stéréoisomères de configuration possibles de cette molécule.
b. S'agit-il d'énantiomères ou de diastéréoisomères ? Justifier.

3. Acidité d'une huile

L'huile et l'eau n'étant pas miscibles, Sara et Bernard choisissent de préparer des solutions non pas aqueuses mais alcooliques utilisant l'éthanol comme solvant, favorisant ainsi le contact des réactifs.

Dans un erlenmeyer de 250 mL, Sara introduit une masse $m_0 = 2{,}0$ g d'huile d'olive, un volume de 100 mL d'alcool (éthanol à 95 %) contenant l'huile et 3 gouttes de phénolphtaléine, indicateur coloré permettant de repérer l'équivalence du titrage. Sous agitation permanente, Bernard verse alors dans l'erlenmeyer une solution S alcoolique de potasse, K^+ (alcool) $+ OH^-$ (alcool), de concentration molaire apportée $c_1 = 4{,}0 \times 10^{-3}$ mol·L^{-1}. Le volume nécessaire de S à verser pour atteindre l'équivalence du titrage est : $V_E = 8{,}1$ mL.

a. On note AH (alcool) la formule des acides gras présents initialement dans l'huile d'olive et dissous dans l'alcool. Écrire l'équation de la réaction de titrage.

b. Définir l'équivalence de ce titrage.

c. En déduire l'expression de la quantité n_0 d'acides gras libres présents dans le prélèvement dosé en fonction de c_1 et V_E.

d. Déterminer la valeur de l'acidité de l'huile d'olive.

e. L'huile d'olive titrée peut-elle faire partie de la catégorie des huiles d'olive vierge extra ?

C. Analyse de données

Le document suivant récapitule quelques informations consignées par les deux élèves suite à leur recherche sur internet concernant les deux procédés d'extraction d'huile d'olive.

Doc 5. Quelques données relatives aux deux procédés d'extraction de l'huile d'olive

Déterminations	Procédé 1	Procédé 2
Acidité	1,0	0,5
Sous-produits		
Grignons (kg/100 kg d'olive)	46	76
Taux d'humidité (%) des grignons	36	60
Margines (L/100 kg d'olive)	75	3,6
Huile totale dans les sous-produits (kg/100 kg d'olive)	7,8	2,8
Durée de conservation	210 j	265 j
Antioxydants naturels	288 ppm	314 ppm

Commentaires

• Les grignons, riches en sucre, protéines, antioxydants… sont valorisables par compostage en vue d'une utilisation en alimentation animale. Un taux d'humidité élevée nécessite néanmoins une opération de séchage et donc un surcoût de traitement.

• Les margines sont des « eaux » très polluantes, fortement chargées en matière organique et affectent particulièrement la qualité des eaux dans lesquelles elles sont déversées. Elles colorent les eaux et leur forte charge organique exige, pour être diminuée, une forte consommation d'oxygène entraînant une eutrophisation des eaux. Épandues sur les sols, les margines réduisent la qualité des sols car elles contiennent des substances toxiques qui se fixent dans les sols.

QUESTION

Répondre au problème posé en tenant compte des informations extraites des parties A, B et C.

17 Dosage de la vitamine C (7 points)

L'acide L-ascorbique, ou vitamine C, est présent dans de nombreux aliments frais d'origine végétale.
C'est un composé antiscorbutique, anti-infectieux et stimulant pour l'organisme.
La molécule de vitamine est représentée ci-contre.

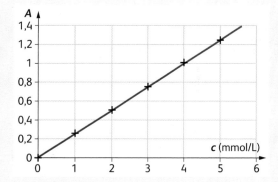

QUESTIONS

1. Étude la molécule de l'acide L-ascorbique
a. Recopier la molécule d'acide L-ascorbique. Entourer les groupes caractéristiques et nommer le groupe OH.
b. Combien d'atomes de carbone asymétriques possède cette molécule ?
c. Combien de stéréoisomères de configuration possède la vitamine C ?
d. Représenter la molécule d'acide D-ascorbique, énantiomère de l'acide L-ascorbique.

2. Oxydation de la vitamine C
En cas de carence sévère, la vitamine C est directement injectée par intraveineuse. La solution injectable est conditionnée sous forme d'ampoules portant l'indication « 1 g/5 mL ».

On introduit le contenu d'une ampoule dans une fiole jaugée de 200 mL que l'on complète avec de l'eau distillée jusqu'au trait de jauge. On note S_C la solution obtenue.
On prélève un échantillon de la solution S_C de volume $V_C = 20{,}0$ mL. On ajoute à l'échantillon de solution S_C un volume $V = 50{,}0$ mL d'une solution brune de diiode I_2 de concentration $c = 1{,}5 \times 10^{-2}$ mol·L^{-1}. Le mélange obtenu, noté M, s'éclaircit mais garde une couleur jaune orangé.
a. Écrire l'équation de la réaction entre le diiode et l'acide L-ascorbique.
b. Le diiode est introduit en excès. Quelle indication permet de le vérifier ?

3. Dosage de l'excès de diiode
On dose l'excès de diiode présent dans le mélange M.
Pour cela, on mesure l'absorbance du mélange M à la longueur d'onde $\lambda_{max} = 470$ nm.
On obtient $A_{470} = 0{,}65$.
On utilise ensuite une droite d'étalonnage obtenue à partir des différentes solutions étalons de diiode.
a. La longueur d'onde λ_{max} correspond à l'absorbance maximale A_{max} du mélange M.

Quelle est la couleur de la lumière absorbée par le mélange M ? Quelle est la couleur de ce mélange ? Est-ce en accord avec l'observation faite ?
b. À l'aide de la droite d'étalonnage, déterminer la concentration C' de diiode restant dans le mélange, puis la quantité de matière n' correspondante.
c. Sachant qu'une mole d'acide L-ascorbique réagit avec une mole de diiode, montrer que la quantité n_C de vitamine C présent initialement dans le mélange M est : $n_C = 5{,}7 \times 10^{-4}$ mol.
d. En déduire la concentration C_C en vitamine C de la solution S_C.
e. Calculer la quantité de matière de vitamine C présent dans la fiole de 200 mL.
f. En déduire la masse d'acide L-ascorbique contenu dans une ampoule. Comparer cette valeur à celle du fabriquant.

4. Titrage direct de la vitamine C
Le pK_a de la vitamine C vaut 4,1.
a. La vitamine C est-elle un acide fort ou un acide faible ?
b. Le titrage direct de la vitamine C doit-il être réalisé avec de l'acide chlorhydrique (H_3O^+ (aq), Cl^- (aq)) ou avec une solution d'hydroxyde de sodium ? (Na^+ (aq), HO^- (aq)) ? Justifier.
c. Écrire l'équation de la réaction support du titrage de la vitamine C.

DONNÉES

Masses molaires
- $M(H) = 1,0 \text{ g} \cdot \text{mol}^{-1}$
- $M(O) = 16,0 \text{ g} \cdot \text{mol}^{-1}$
- $M(C) = 12,0 \text{ g} \cdot \text{mol}^{-1}$

Couples oxydant/réducteur et demi-équations rédox
- $I_2 \text{(aq)} / I^- \text{(aq)} : I_2 \text{(aq)} + 2 e^- = 2 I^- \text{(aq)}$
- $C_6H_6O_6 \text{(aq)} / C_6H_8O_6 \text{(aq)} : C_6H_6O_6 \text{(aq)} + 2 H^+ \text{(aq)} + 2 e^- = C_6H_8O_6 \text{(aq)}$

Couples acido-basiques
- $C_6H_8O_6 \text{(aq)} / C_6H_7O_6^- \text{(aq)}$
- $H_3O^+ \text{(aq)} / H_2O (\ell)$
- $H_2O(\ell) / HO^- \text{(aq)}$

18 Suivi cinétique d'une réaction par conductimétrie

(5 points)

Le 2-chloro-2-méthylpropane, de formule $(CH_3)_3C{-}Cl$, peut réagir avec l'eau pour former le 2-méthylpropan-2-ol, de formule $(CH_3)_3C{-}OH$, et du chlorure d'hydrogène HCl, un acide fort.

Cette réaction se produit à volume V constant.

Le suivi temporel de cette réaction est réalisé par conductimétrie : on mesure la conductivité σ du milieu réactionnel en fonction du temps. On obtient alors la courbe suivante :

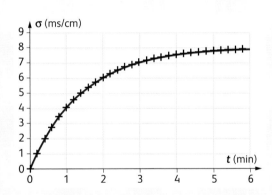

QUESTIONS

a. Écrire l'équation de la réaction du 2-chloro-2-méthylpropane avec l'eau.

b. Pourquoi la réaction peut-elle être suivie par conductimétrie ?

c. Exprimer la conductivité σ du milieu réactionnel en fonction des concentrations en ions oxonium et chlorure.

d. Montrer que l'avancement x de la réaction peut se mettre sous la forme :

$$x = \frac{V\sigma}{\lambda_{H_3O^+} + \lambda_{Cl^-}}$$

Déterminer le temps de demi-réaction de cette transformation. Justifier votre démarche.

f. Déterminer la concentration en ions oxonium dans le milieu à l'état final.

g. En déduire le pH du milieu à l'état final.

DONNÉES

Conductivités molaires ioniques
- $\lambda_{H_3O^+} = 35,0 \times 10^{-3} \text{ S} \cdot \text{m}^2 \cdot \text{mol}^{-1}$
- $\lambda_{Cl^-} = 7,63 \times 10^{-3} \text{ S} \cdot \text{m}^2 \cdot \text{mol}^{-1}$

19 Poêle de masse ou poêle à accumulation (3 points)

Doc 1. Le poêle de masse

Le poêle de masse est utilisé depuis l'époque romaine et a survécu au temps. Ce poêle à bois est constitué de matériaux réfractaires, comme la stéatite, qui accumulent la chaleur générée par un feu de bois et par la circulation de la fumée. L'énergie thermique est restituée pendant des heures…
De ce fait, une à trois heures de combustion suffisent pour dégager essentiellement par rayonnement de l'énergie thermique pendant 12 à 24 heures.

Ainsi, alors que la température de combustion au-dessus du foyer est comprise entre 800 et 1 000 °C, celle des produits de combustion à la sortie du poêle est d'environ 200 °C et en surface elle est au maximum de 100 °C.
Ces poêles en stéatite ont un rendement supérieur à 80 % et une teneur des fumées en CO inférieure à 0,1 %.

Doc 2. Principe de fonctionnement

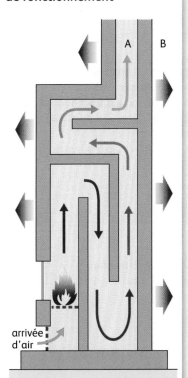

La fumée circule dans le poêle avant de s'échapper afin de transmettre son énergie thermique aux matériaux réfractaires

Crédit : la rédaction d'Ecosources
http://www.cstb.fr/pdf/atec/GS14-O/AO061046.PDF

Doc 3. Extrait de notice technique

Le poêle est un appareil constitué essentiellement d'éléments en stéatite de 30 à 90 mm d'épaisseur.
Seules les grilles et les portes sont en fonte.
Caractéristiques principales de la stéatite :
• Composition minérale :
– Talc ($Mg_3Si_4O_{10}(OH)_2$) : 40 - 50 %
– Magnésite ($MgCO_3$) : 40 - 50 %
– Penninite ($Mg_5 Al_2Si_3O_{10}(OH)_8$) : 5 - 8 %
• Point de fusion : 1 630 - 1 640 °C
Un m² de stéatite à 100 °C dégage environ 0,95 kW.

Doc 4. Caractéristiques de quelques matériaux

Matériau	Masse volumique ($kg \cdot m^{-3}$)	Capacité thermique spécifique ($kJ \cdot kg^{-1} \cdot K^{-1}$)	Conductivité thermique ($W \cdot m^{-1} \cdot K^{-1}$)
Fonte	7 500	0,530	71
Brique réfractaire	1 700	0,840	0,6
Stéatite	2 980	0,980	6.4

QUESTIONS

1. Définir le terme « *matériau réfractaire* ».
2. Citer trois avantages liés à l'utilisation de la stéatite.
3. Calculer l'énergie que peut fournir pendant 24 heures un m² de stéatite dont la température est maintenue constante et égale à 100 °C, en prenant un rendement de 80 %.
4. Calculer le flux thermique traversant la paroi en stéatite du poêle entre A et B. (Aire de la paroi 0,45 m², épaisseur 7 cm).

20 Synthèse de documents concernant la chimie verte (6 points)

PROBLÉMATIQUE

L'ibuprofène est un analgésique (anti-douleur) et un anti-inflammatoire au même titre que l'aspirine. La molécule a été découverte par la société Boots dans les années 1960 et cette société a breveté une synthèse qui a longtemps été la méthode de choix pour la production industrielle. Cette synthèse a permis de produire annuellement des milliers de tonnes d'ibuprofène mais elle s'est accompagnée de la formation d'une quantité encore plus importante de sous-produits non utilisés et non recyclés qu'il a fallu détruire ou retraiter. Dans les années 1990, la société BHC met au point un procédé qui répond aux principes de la chimie durable.

Ibuprofène

D'après le site http://culturesciences.chimie.ens.fr/

QUESTION

À partir de vos connaissances, des informations extraites des documents 1, 2 et 3 suivants et de leur mise en relation, expliquer pourquoi la synthèse de l'ibuprofène par le procédé BHC, s'inscrit dans le cadre d'une chimie durable. La réponse ne devra pas dépasser 30 lignes. Elle devra être structurée et utiliser le vocabulaire scientifique adéquat.

Doc 1. Trois principes parmi les douze de la chimie durable

La prévention : il vaut mieux produire moins de déchets qu'investir dans l'assainissement ou l'élimination des déchets.

L'économie d'atomes est une approche qui cherche à maximiser le nombre d'atomes de réactifs transformés en produit au cours de la synthèse. Elle permet de réduire la quantité de résidus de réaction, voire de les supprimer totalement. Son cadre théorique propose un classement des réactions en fonction de l'économie d'atomes qu'elles offrent, classement qui permet d'optimiser les schémas de synthèses.

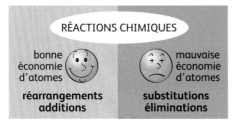

La catalyse joue un rôle central dans la chimie moderne, en effet elle permet en général de :
– réduire la consommation d'énergie, ce qui présente un intérêt économique et environnemental ;
– diminuer les efforts de séparation puisqu'elle augmente la sélectivité des réactions ;
– diminuer la quantité de réactifs utilisés.

D'après le site http://culturesciences.chimie.ens.fr/

Doc 2. L'utilisation atomique : un nouveau concept issu de la chimie verte

L'efficacité d'un procédé est traditionnellement mesurée par le rendement chimique, sans tenir compte de la quantité de sous-produits formés. La chimie verte propose une évolution de ce concept qui prend en compte la réduction des déchets à la source. À cette fin, de nouveaux indicateurs de l'efficacité des procédés ont été introduits comme l'utilisation atomique ou **économie atomique**. Celle-ci est définie comme le rapport de la masse molaire du produit recherché sur la somme des masses molaires de tous les produits qui apparaissent dans l'équation stœchiométrique. Si les sous-produits de la réaction ne sont pas tous identifiés, alors la conservation de la matière permet de remplacer le dénominateur par la somme des masses molaires de tous les réactifs.

$$\text{Utilisation atomique} = \frac{M(\text{produit désiré})}{\sum_i M(\text{produit } i)} \times 100\,\%$$

Considérons par exemple la réaction suivante :

$$\underset{\substack{| \\ Br}}{\overset{\substack{CH_3 \\ |}}{H_3C - C - CH_2}} \underset{H}{\overset{|}{}} + NaOC_2H_5 \longrightarrow H_3C - \overset{\substack{CH_3 \\ |}}{C} = CH_2 + HOC_2H_5 + NaBr$$

Le produit recherché est ici le méthylpropène (en vert). On classe les atomes des réactifs en deux catégories : ceux qui sont incorporés dans le produit désiré (en vert) et ceux qui se retrouvent dans des sous-produits indésirables (en rouge). L'utilisation atomique est dans ce cas :

$$\frac{M(\text{méthylpropène})}{M(\text{méthylpropène}) + M(\text{éthanol}) + M(\text{bromure de sodium})} \times 100\,\% = 27\,\%$$

Cela signifie que même si le rendement de la réaction est de 100 %, seuls 27 % en masse des atomes de réactifs sont incorporés dans le produit. Les 73 % qui restent constituent des déchets qu'il faudra séparer puis traiter pour les recycler ou les détruire, avec un impact environnemental et financier important. Un procédé sera donc d'autant plus efficace, que son utilisation atomique sera proche de 100 %.

La notion traditionnelle de rendement ne suffit plus pour évaluer l'efficacité des procédés chimiques. Essayer de mettre en œuvre une chimie verte impose d'introduire des concepts nouveaux !

D'après le site http://culturesciences.chimie.ens.fr/

Doc 3. Deux procédés de synthèse industrielle de l'ibuprofène

Dans les schémas de synthèse page suivante, on a représenté en noir les atomes qui se retrouvent dans le produit d'intérêt et en rouge ceux qui forment des sous-produits à retraiter.

La masse molaire de l'ibuprofène est de 206 g·mol⁻¹.

L'acide éthanoïque, CH_3COOH, résidu du procédé BHC est un composé de base de l'industrie chimique. C'est en particulier un précurseur de l'acétate de vinyle $CH_3COOCH=CH_2$ dont le polymère est utilisé pour fabriquer des peintures et des adhésifs.

Doc 3. Deux procédés de synthèse industrielle de l'ibuprofène (suite)

Procédé de la société Boots : réactions stœchiométriques

Numéro des réactifs apportés pour réaliser la synthèse	Formule brute	Masse molaire en g.mol⁻¹
1	$C_{10}H_{14}$	134
2	$C_4H_6O_3$	102
4	$C_4H_7ClO_2$	122,5
5	C_2H_5ONa	68
7	H_3O^+	19
9	NH_3O	33
12	H_4O_2	36

Procédé catalytique BHC : réactions catalysées

Numéro des réactifs apportés pour réaliser la synthèse	Formule brute	Masse molaire en g.mol⁻¹
1	$C_{10}H_{14}$	134
2	$C_4H_6O_3$	102
4	H_2	2
6	CO	28

D'après le site http://culturesciences.chimie.ens.fr/

21 D'un médicament à un autre : synthèse de la benzocaïne (7 points)

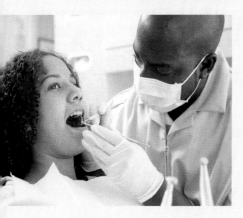

PROBLÉMATIQUE

L'acide *para*aminobenzoïque représentée ci-contre (ou acide 4-aminobenzoïque) aide à protéger la peau contre les excès du soleil. Il joue le rôle de filtre pour les UVB. Il est nommé PABA par la nomenclature des constituants cosmétiques.

La benzocaïne (ou 4-aminobenzoate d'éthyle) est utilisée comme anesthésique local et est employée pour soulager les douleurs dentaires. Étudions sa synthèse.

Doc 1. Protocole expérimental

Dans un ballon bicol, introduire 0,70 g (5,1 mmol) de PABA et environ 10 mL d'éthanol à 95 %. Agiter jusqu'à dissolution du solide. Adapter au ballon un réfrigérant à eau. Ajouter, sous vive agitation, par le deuxième col du ballon, avec précaution, goutte à goutte, environ 1 mL d'acide sulfurique concentré. Porter le mélange au reflux, sous agitation, pendant une heure.

À la fin du chauffage, laisser refroidir le mélange réactionnel à température ambiante. Verser alors le contenu du ballon dans un bécher de 250 mL, contenant 10 mL d'eau distillée. Ajouter par petites fractions, une solution saturée de carbonate de sodium (Na_2CO_3), tout en agitant. Un fort dégagement gazeux se produit puis un solide blanc se forme. Contrôler le pH de la solution au papier pH. Arrêter lorsqu'un pH d'environ 9 est atteint.

Refroidir le contenu du bécher à l'aide d'un bain de glace. Essorer sur Büchner le précipité blanc formé. Le laver avec un peu d'eau. Garder le filtrat pour une analyse ultérieure par CCM.

Effectuer une recristallisation du solide obtenu précédemment dans environ 20 mL d'éthanol. Dès que le solide est dissous, retirer le bloc de chauffage et ajouter de l'eau (entre 5 et 10 mL). Attendre qu'un trouble apparaisse puis refroidir à l'aide d'un bain de glace.

Essorer les cristaux obtenus sur Büchner puis les sécher à l'aide d'un morceau de papier.

Réaliser une CCM en utilisant une plaque recouverte de gel de silice avec indicateur de fluorescence, en faisant quatre dépôts : solutions A, B, C et D suivantes.

L'éluant choisi est l'acétate d'éthyle.

Solution	Produit	Solvant
A	PABA	Ethanol
B	Produit brut	Ethanol
C	Produit recristallisé	Ethanol
D	Filtrat	–

Mesurer la température de fusion du produit brut ainsi que du produit recristallisé.

Doc 2. Résultats

Les résultats obtenus pour les caractérisations envisagées sont : θ_{fus} (brut) = 91 °C, θ_{fus} (recristallisé) = 89 °C.

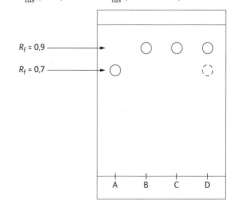

Doc 3. Analyse spectroscopique du produit de la synthèse

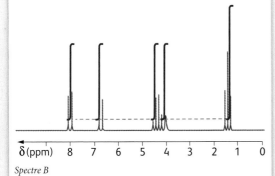

transmittance

Spectre A

Spectre B

La benzocaïne est un acide.
Le pK_a associé vaut 2,5. Le PABA est un diacide :
$pK_{a1} = 2,5$ et $pK_{a2} = 4,9$.
$pK_a((CO_2, H_2O) / HCO_3^-) = 6,3$; $pK_a(HCO_3^- / CO_3^{2-}) = 10,3$

Températures de fusion
• θ_{fus} (PABA) = 189°C
• θ_{fus} (benzocaïne) = 89°C,

Masses molaires
• M (PABA) = 137 g·mol^{-1}
• M (benzocaïne) = 165 g·mol^{-1}

QUESTIONS

1. Transformation étudiée
a. Après avoir écrit leur formule semi-développée, entourer les groupes caractéristiques présents dans le PABA (acide 4-aminobenzoïque), dans la benzocaïne (4-aminobenzoate d'éthyle). Nommer le groupe caractéristique azoté.
b. Écrire l'équation de la transformation étudiée en utilisant les formules topologiques. Quelle molécule simple accompagne la formation de le benzocaïne ?
c. La transformation est-elle sélective ? Préciser s'il s'agit d'une réaction d'addition, d'élimination ou de substitutions.
d. L'atome d'oxygène de la molécule d'éthanol est-il donneur ou accepteur de doublet d'électrons ?
e. Modéliser le transfert d'électrons associé à la formation de la nouvelle liaison.

2. Analyse du protocole expérimental
a. Identifier les réactifs, le catalyseur et le solvant. Quel est le réactif limitant ?
b. Faire un bilan des espèces présentes à la fin de la transformation. Le milieu est-il acide, basique ou neutre ?
c. Établir le diagramme de prédominance des espèces chimiques issues des ions carbonate CO_3^{2-}. En déduire la nature du gaz qui se dégage lors du traitement du brut réactionnel par ajout d'une solution de carbonate de sodium (Na_2CO_3) ?
d. Déterminer les groupes caractéristiques qui possèdent des propriétés acido-basiques en solution aqueuse.
e. Établir les diagrammes de prédominance acido-basiques du PABA et de la benzocaïne. En déduire sous quelle forme se trouvent ces deux espèces chimiques à pH = 9 ?
f. Pourquoi faut-il refroidir le contenu du bécher à l'aide d'un bain de glace ?
g. Schématiser le dispositif expérimental utilisé lors du lavage du solide.

3. Analyse de résultats expérimentaux
a. Interpréter les résultats de la CCM et commenter les températures de fusion obtenues.
b. La purification envisagée était-elle nécessaire ? Justifier.
c. Une synthèse a donné une masse de 0,25 g de produit d'intérêt, après purification. Calculer le rendement.
d. Des analyses spectrales ont été réalisées sur le produit purifié (doc. 3). Identifier les spectres. Justifier.
e. Retrouver dans le spectre IR, les bandes correspondant aux liaisons des groupes caractéristiques de la benzocaïne.
f. Faire l'analyse complète du spectre de RMN. Justifier la forme des signaux.

22 La réversine 121 (4 points)

Groupes protecteurs :

-Bn	-t-Bu	-Boc
$-CH_2-C_6H_5$	$-C(CH_3)_3$	$-CO_2C(CH_3)_3$

Doc. La réversine : une molécule complexe

La réversine 121 est utilisée dans le cadre des chimiothérapies anticancéreuses. C'est un dipeptide dont certains groupes caractéristiques sont protégés :

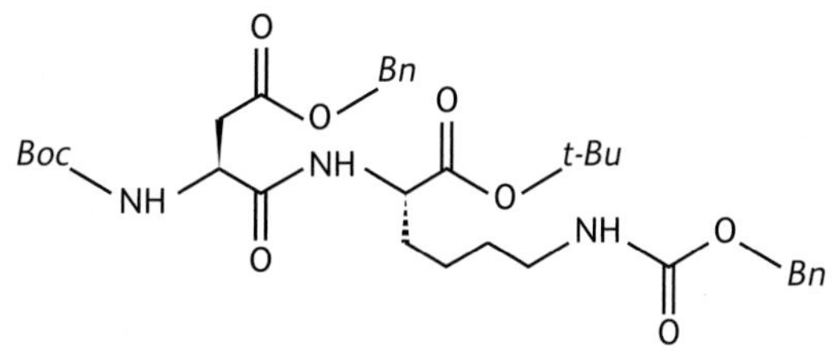

QUESTIONS

a. Identifier le groupe caractéristique d'un amide par lequel sont liés les deux acides α-aminés qui constituent la réversine.
b. Identifier sur la molécule de réversine 121 les chaînes carbonées de ces deux acides α-aminés.

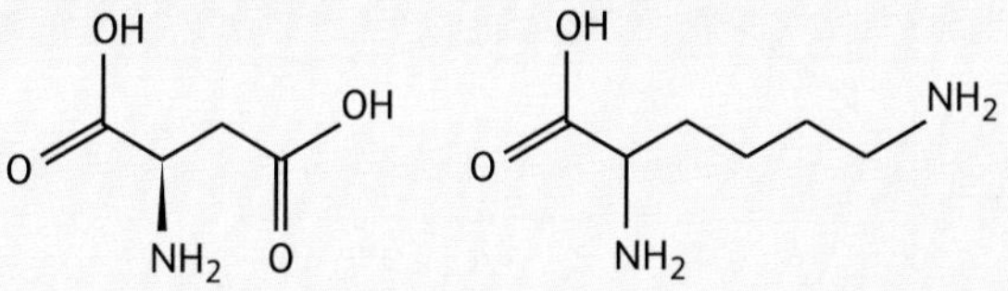

c. Quels sont les groupes caractéristiques protégés ?
d. Pourquoi ces protections sont-elles nécessaires ? Donner deux molécules qui pourraient se former en l'absence de protection.

23 Synthèse de documents : un exemple de contrôle du produit d'une réaction (6 points)

PROBLÉMATIQUE

Lorsqu'on ajoute du bromure d'hydrogène HBr à du buta-1,3-diène (R), on obtient deux produits, le 3-bromobut-1-ène (P_1) et le 1-bromobut-2-ène (P_2) dans des proportions qui varient avec les conditions expérimentales.
L'objectif de cette étude de document est d'expliquer pourquoi les conditions expérimentales modifient les proportions de produits formés.

QUESTION

Rédiger une synthèse de 15 à 20 lignes expliquant les résultats expérimentaux du document 1. Vous préciserez quelles conditions de température et de durée de réaction favorisent la formation du produit appelé « produit cinétique » et lesquelles favorisent la formation du produit appelé « produit thermodynamique » (ou énergétique).

Doc 1. Proportions des espèces P_1 et P_2 obtenues après 10 h de réaction

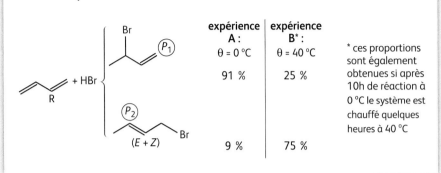

	expérience A : θ = 0 °C	expérience B* : θ = 40 °C
P_1	91 %	25 %
P_2 (E + Z)	9 %	75 %

* ces proportions sont également obtenues si après 10h de réaction à 0 °C le système est chauffé quelques heures à 40 °C

Doc 2. Évolution des proportions des espèces R, P_1 et P_2 au cours de la transformation

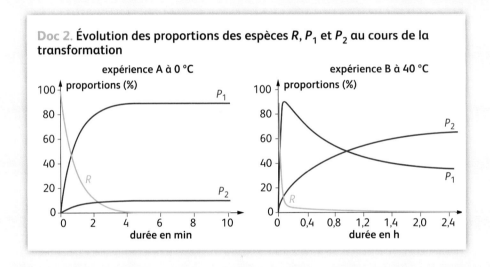

expérience A à 0 °C

expérience B à 40 °C

Doc 3. Niveaux d'énergie relatifs des systèmes chimiques contenant les produits P_1 et P_2

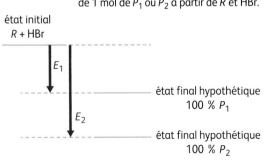

E_1 et E_2 s'expriment en kJ·mol⁻¹ ce sont les énergies libérées par la formation de 1 mol de P_1 ou P_2 à partir de R et HBr.

état initial
R + HBr

E_1

état final hypothétique
100 % P_1

E_2

état final hypothétique
100 % P_2

Doc 4. Réactions permettant d'interpréter la formation de P_1 et P_2 à partir de R

α

β

γ

δ

24 Mesure de la distance Terre-Lune (5 points)

Doc. Principe de la mesure

Pour mesurer la distance Terre-Lune au cm près, on utilise un faisceau laser. On mesure le temps mis par une impulsion laser pour faire un aller-retour entre la Terre et la Lune. Si en théorie, la mesure est simple, la réalisation est beaucoup plus délicate ! Le laser utilisé est un laser YAG à impulsions émettant une lumière verte de longueur d'onde $\lambda = 532$ nm. Chaque impulsion a une durée de 300 ps et transporte une énergie de 300 mJ. Le faisceau est daté au départ et envoyé par le télescope de 1,50 m de diamètre de l'Observatoire de la Côte d'Azur. Sur la Lune, des réflecteurs déposés par les astronautes américains renvoient dans la direction incidente le faisceau laser. À son retour, la lumière est filtrée et datée. La différence entre les dates d'émission et de réception permet de calculer la durée puis la distance. On assimile les réflecteurs à un carré d'aire 0,30 m².

(d'après les données du site internet de l'OCA)

QUESTIONS

a. Établir la relation entre la durée Δt de l'aller-retour, la distance D à mesurer et la célérité c de la lumière.

b. En admettant que la célérité de la lumière reste égale à sa valeur dans le vide sur toute l'étendue de la trajectoire, quelle incertitude maximale peut-on avoir sur la mesure de la durée pour déterminer D à un cm près ?

c. Le faisceau laser émis par le télescope a un angle de divergence de $2,0 \times 10^{-5}$ rad. Calculer le diamètre de la tache de lumière sur la Lune située à $3,80 \times 10^5$ km de la Terre.

d. Calculer le rendement « aller » défini par $\rho_A = \dfrac{\text{aire du réflecteur}}{\text{aire de la tache lumineuse}}$.

Au retour, le faisceau réfléchi est plus ouvert car le phénomène de diffraction par le réflecteur est plus important que celui provoqué par le télescope. La tache lumineuse sur la Terre a un diamètre de 22 km.

e. Pourquoi le phénomène de diffraction est-il plus important au retour qu'à l'aller ?

f. Calculer le rendement retour défini par $\rho_R = \dfrac{\text{aire du télescope}}{\text{aire de la tache}}$ et le rendement total $\rho_T = \rho_A \times \rho_R$.

g. Calculer l'énergie transportée par un photon et en déduire le nombre de photons émis par impulsion.

h. Dans le meilleur des cas (diffusion par l'atmosphère négligeable), combien de photons pénètrent dans le télescope au retour ?

i. Pourquoi filtre-t-on la lumière reçue ?

j. L'expérience montre qu'un tir sur cent seulement donne un écho détectable. Le laser émet 10 impulsions par seconde. Combien de temps faut-il pour obtenir une mesure de la distance Terre-Lune ?

Objectif BAC

25 Ralentissement et refroidissement des atomes par laser (8 points)

PROBLÉMATIQUE

On appelle « atomes froids » des atomes animés de vitesses proches de zéro. Un ensemble de tels atomes est l'équivalent d'un gaz dont la température est proche du zéro absolu. Les atomes froids jouent un rôle très important dans la recherche en physique fondamentale. Ils sont utilisés dans des horloges atomiques, permettant un gain considérable de précision.

On se propose de montrer comment on peut obtenir des atomes froids en utilisant des faisceaux laser.

Doc 1. Principe du ralentissement d'un faisceau d'atomes par laser

Le principe de cette méthode est de ralentir un faisceau d'atomes par chocs successifs avec des photons transportés par un faisceau laser.

Pour simplifier, nous ne considèrerons ici que le cas d'atomes se déplaçant suivant la même direction que le faisceau laser et en sens opposé.

Les photons doivent avoir une énergie dite résonante, c'est-à-dire égale à l'énergie d'une transition électronique de l'atome. Dans ce cas, un photon peut être absorbé par l'atome qui est porté à un état excité. Celui-ci retombe ensuite à son état fondamental en émettant un photon dans une direction aléatoire.

Après un grand nombre de cycles absorption-émission, les photons réémis ont en moyenne une quantité de mouvement nulle.

Mais les atomes reçoivent pour chaque photon incident une variation de quantité de mouvement toujours dans la même direction. Ils finissent par être fortement freinés.

En fait, du point de vue de l'atome en mouvement, la longueur d'onde des photons incidents n'est pas strictement égale à la longueur d'onde du laser mesurée dans le laboratoire à cause de l'effet Doppler-Fizeau : elle varie avec la vitesse de l'atome. Pour tenir compte de cet effet, on peut, par exemple, moduler la longueur d'onde du laser.

Doc 2. Refroidissement des atomes par effet Doppler

Le ralentissement d'un faisceau ne suffit pas pour réduire l'agitation thermique des atomes jusqu'à atteindre une température proche du zéro absolu. Il existe plusieurs méthodes pour obtenir ce résultat dont le refroidissement par effet Doppler. Selon cette technique, le gaz obtenu après ralentissement subit l'action simultanée de plusieurs couples de faisceaux lasers. Chaque couple est constitué de deux faisceaux de même direction mais de sens opposés, dont la longueur d'onde est légèrement supérieure à une longueur d'onde résonante des atomes.

Pour un atome, la probabilité d'absorber un photon est maximale si la longueur d'onde de celui-ci est égale à la longueur d'onde de résonance. Mais cette probabilité reste non nulle si ces longueurs d'onde sont légèrement différentes. La probabilité d'absorption diminue lorsque la différence des deux longueurs d'onde augmente. Combinée avec l'effet Doppler, cette propriété permet de ralentir les atomes du gaz comme s'ils étaient englués dans un milieu visqueux auquel on donne le nom imagé de « mélasse optique ».

1. Analyse des documents.

a. Qu'appelle-t-on «transition électronique d'un atome» ?

b. Donner la signification de l'expression «énergie résonante» utilisée dans les documents.

c. Qu'est-ce que l'effet Doppler (ou Doppler-Fizeau) ?

2. Principe du ralentissement d'un faisceau d'atomes par laser.

Dans cette partie, on ne tient pas compte de l'effet Doppler-Fizeau. On se place dans les conditions simplificatrices suivantes : les photons se propagent suivant la direction de la vitesse des atomes, dans le sens opposé. Le système formé par un atome et un photon sera considéré comme isolé.

a. À quelle condition concernant sa longueur d'onde un photon peut-il interagir avec un atome dans les conditions de la technique décrite ? Quelle propriété du laser justifie son utilisation concernant cette condition ?

b. Rappeler l'expression de la quantité de mouvement d'un photon de longueur d'onde dans le vide λ.

c. Un photon de longueur d'onde dans le vide λ est absorbé par un atome de masse m animé de la vitesse v. Exprimer la variation de vitesse de l'atome. Effectuer le calcul numérique pour un atome de rubidium (Rb).

d. Après un grand nombre de cycles absorption-émission, on peut négliger l'effet de l'émission sur le mouvement de l'atome. Pourquoi ?

e. Combien faut-il de cycles absorption-émission pour amener un atome de rubidium animé initialement d'une vitesse $v = 300$ m·s^{-1} à une vitesse proche de 0 ? Que pourrait-il se passer si on n'interrompait pas l'effet du laser lorsque l'atome est quasiment immobile ?

3. Refroidissement par laser

On considère maintenant le gaz d'atomes, globalement immobile, obtenu après ralentissement d'un faisceau d'atomes.

a. Bien que le gaz d'atomes soit globalement immobile, les atomes conservent encore un mouvement individuel. Comment nomme-t-on ce mouvement ? Justifier que, dans le document 2, on utilise le terme de «refroidissement» pour caractériser le freinage des atomes du gaz alors que dans le document 1 on a utilisé le terme de «ralentissement» pour les atomes du faisceau ?

b. On envisage un atome situé sur le trajet des faisceaux d'un couple de faisceaux lasers (disposés et réglés comme l'indique le document 2), avec une vitesse parallèle aux faisceaux (voir schéma ci-dessous). En utilisant les indications du document 2, montrer que la probabilité que l'atome absorbe un photon d'un faisceau n'est pas la même pour les deux faisceaux. Préciser pour quel faisceau la probabilité est la plus grande.

En déduire que cet atome est freiné quel que soit le sens de son déplacement.

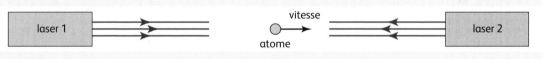

- $m_{Rb} = 1,45 \times 10^{-25}$ kg
- $\lambda = 7,8 \times 10^2$ nm
- Constante de Planck : $h = 6,63 \times 10^{-34}$ J·s

26 La téléphonie mobile 4G (4 points)

PROBLÉMATIQUE

Pourquoi les opérateurs de téléphonie mobile sont-ils contraints de payer des licences afin de pouvoir émettre les signaux utiles à la téléphonie mobile 4G ?
L'objectif de cet exercice est d'y répondre au travers d'une synthèse de documents.

Doc 1. Extrait d'un article de l'Express.fr, publié le 22/12/2011

« Le ministre de l'Industrie, Éric Besson, s'est félicité jeudi du «succès intégral» de l'appel d'offres pour les licences de téléphonie mobile 4G, indiquant que l'État va empocher un milliard d'euros de recettes supplémentaires venant des opérateurs, soit un total de 3,5 milliards. »

Doc 2. Rôle de l'ARCEP

C'est l'ARCEP (Autorité de régulation des communications électroniques et des postes) qui est chargée de définir les conditions d'utilisation des fréquences dédiées aux services de communications électroniques, téléphonie et internet en particulier.
Cette autorité délivre des autorisations d'utilisation de bandes de fréquences, c'est-à-dire d'intervalles de fréquences.

Doc 3. D'après le rapport au parlement de l'ARCEP : « La montée vers le très haut débit »

La capacité totale qui peut être délivrée par le réseau d'un opérateur dépend directement de la quantité de fréquences dont celui-ci dispose. À technologie égale, la capacité est, au premier ordre, proportionnelle à la quantité de fréquences.

Deux bandes ont été identifiées pour l'introduction des réseaux mobiles à très haut débit. Il s'agit, d'une part, de la bande 2 500-2 690 MHz (dite «bande 2,6 GHz»), et d'autre part, de la bande 791-862 MHz (dite «bande 800 MHz»), issue du dividende numérique, dont 2×30 MHz peuvent être effectivement utilisés.

Ces ressources représentent un total de 250 MHz, qui viennent s'ajouter aux 380 MHz déjà affectés aux réseaux mobiles. Ces ressources en fréquences supplémentaires, et l'emploi de technologies de nouvelle génération plus performantes, augmenteront donc significativement les débits d'information par rapport à la 3G. Cependant, les débits réels pour le consommateur dans une situation particulière demeureront dépendants de sa distance à la station de base (antenne relais) la plus proche, du nombre d'utilisateurs simultanés et du profil de trafic par utilisateur.

QUESTIONS

Rédiger une synthèse de documents afin de répondre à la problématique.
Le texte rédigé (de 25 à 30 lignes) devra être clair et structuré et reposera sur des données issues des documents proposés.

Doc 4. Les fréquences radio, d'après http://www.ant.developpement-durable.gouv.fr

Les ondes radio

Les technologies dites hertziennes (ou radio) sont basées sur la radiodiffusion : des ondes électromagnétiques, portant l'information à transmettre, sont émises dans l'air.

Les applications sont multiples : télévision, radiophonie, téléphonie mobile, réseaux d'accès internet sans fil, applications militaires, communications avec les satellites….

Le spectre radiofréquence utilisé par les technologies de transmission radio est limité : il s'étend de quelques hertz à 300 gigahertz.

Les fréquences utilisées en France sont concentrées entre quelques centaines et quelques milliers de MHz.

application		fréquence
🎵📻	Radio FM	≈ 100 MHz
📺	TNT	450-860 MHz
📱	GSM(2G)	≈ 900 et 1 800 MHz
	UMTS (3G)	≈ 1 900 et 2 100 MHz
💻	Wi-Fi (b-g)	≈ 2 400 MHz
	WiMAX	≈ 3 500 MHz

Fréquences utilisées en France par quelques applications de communication grand public.

Propagation des ondes radio

– Plus la fréquence est basse, plus la portée des ondes radio est élevée et plus les ondes sont capables de traverser les obstacles ou de les contourner (phénomène de diffraction).

– Si on génère plusieurs ondes de même fréquence en un même endroit et au même instant, il n'est alors plus possible de distinguer les différents signaux (phénomène d'interférence). À l'inverse, plusieurs signaux radio peuvent cohabiter sans interférence si leurs fréquences sont différentes.

Information d'un signal radio

La fréquence détermine la capacité de l'onde à transmettre de l'information : plus la fréquence est élevée, plus les variations de signal sont nombreuses dans un intervalle de temps donné. Or l'information numérique, utilisée par la plupart des applications radio, est constituée de variations du signal représentant des successions de 0 et de 1 (les bits) ; plus le signal varie souvent, plus on peut véhiculer de bits par seconde, et donc plus le débit de transmission de l'information numérique est élevé.

Évolution des besoins en radiofréquences

L'évolution des applications entraîne une évolution des besoins. Par exemple, le remplacement de la télévision analogique par la télévision numérique terrestre (TNT) a permis de libérer fin 2011 la bande des 800 MHz pour les besoins de la future génération de téléphonie mobile, la 4G ; ce «dividende numérique» intéresse de nombreux acteurs car les fréquences concernées se situent dans le domaine des centaines de MHz, particulièrement adapté aux réseaux mobiles à très haut débit. La bande des 2,6 GHz est aussi appréciable car adaptée au milieu urbain.

27 Échantillonnage d'une image (10 points)

PROBLÉMATIQUE

À quoi correspond l'échantillonnage pour une photographie numérique ?
L'objectif de cet exercice est de proposer une réponse au problème après avoir répondu aux questions à l'aide des documents fournis.

Doc 1. Photographies numériques de la Lune

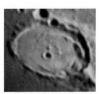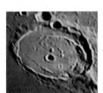

Ces images correspondent au recadrage sur un même cratère de trois images numériques de la Lune, réalisées dans des conditions différentes à l'aide d'une lunette astronomique équipée d'un capteur CCD. L'image de gauche est dite sous-échantillonnée, celle du centre possède un échantillonnage correct, et celle de droite est suréchantillonnée.

1. À partir du document 2 et de vos connaissances, montrer que le critère de Nyquist - Shannon est vérifié dans le cas de l'échantillonnage associé à l'enregistrement d'une musique de qualité CD. Donner une explication au fait que ce critère ne soit pas plus largement vérifié.

2. *Le document 5 décrit un dispositif permettant d'enregistrer des images numériques d'astres.* Déterminer la focale de la lunette astronomique nécessaire pour que l'échantillonnage de l'image soit optimal.

3. Répondre au problème de départ en montrant les analogies et différences entre l'échantillonnage d'un son et celui d'une image (on pourra réaliser un tableau).

Doc 2. **Échantillonnage d'un son**

– L'échantillonnage a pour but de convertir un signal analogique, comme un son, en un signal numérique représenté par un nombre fini de valeurs binaires, afin qu'il soit exploitable par un appareil numérique.

Au cours de l'échantillonnage d'un son capté par un microphone, des valeurs de la tension produite par ce dernier, variant à l'image de l'onde sonore, sont prélevées périodiquement. Si la fréquence de ces prélèvements, appelée fréquence d'échantillonnage, est trop petite, alors le son ne sera pas correctement numérisé.

– Selon le critère de Nyquist - Shannon, pour obtenir un signal numérisé correct, il faut que la fréquence d'échantillonnage f_e soit au moins égale au double de la fréquence maximale f_{max} présente dans le signal analogique : $f_e \geqslant 2f_{max}$.

– L'enregistrement d'une musique de qualité CD correspond à une numérisation des sons avec une fréquence d'échantillonnage de valeur $f_e = 44{,}1$ kHz.

Doc 3. **Principe d'une lunette astronomique**

– Dans une lunette astronomique, un objectif collecte la lumière et la concentre pour former une image (au niveau du «foyer» F), qui est agrandie par un oculaire devant lequel un observateur place son œil.

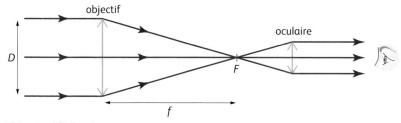

Schéma simplifié d'une lunette astronomique

– Deux caractéristiques essentielles d'une lunette sont :
• le «diamètre d'ouverture» D correspond au diamètre de l'objectif;
• la «focale» f correspondant à la distance séparant l'objectif du foyer F.

– Il est possible de retirer l'oculaire pour placer au point F le capteur CCD d'une caméra qui permettra d'enregistrer une image numérique ou une vidéo numérique.

Doc 4. Résolution d'une lunette astronomique

– On peut considérer les étoiles autres que le Soleil comme ponctuelles du fait des très grandes distances qui nous séparent d'elles. Pourtant, l'image d'une étoile dans une lunette astronomique n'est pas un point, mais une tache due à la diffraction de la lumière par le support de l'objectif.

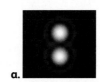

a.   **b.**

*Image agrandie de deux étoiles : **a.** proches ; **b.** trop proches pour être séparées convenablement.*

Image agrandie d'une étoile observée dans une lunette.

– Si deux étoiles sont séparées par un angle α petit, il se peut que les deux taches de diffraction se superposent de telle manière que l'on ne distingue pas les deux taches.

– Pour caractériser la capacité d'un instrument à séparer deux étoiles (ou détails) proches, on définit sa résolution R correspondant à l'angle minimal séparant deux détails vus séparés. On considère que la résolution d'une lunette astronomique de diamètre d'ouverture D s'exprime :

$$R = \frac{120}{D}$$

avec D en mm et R en seconde d'arc ".
(1 seconde d'arc, notée ", correspond à un angle de 1/3 600e de degré)

Doc 5. Dispositif de photographie d'astres

– On utilise une lunette astronomique de diamètre d'ouverture D = 60 mm. Un capteur CCD placé au foyer permet d'enregistrer des images numériques de la partie de ciel observée. Ce capteur est composé de photosites sensibles à l'intensité lumineuse qu'ils reçoivent.

Ils ont chacun une forme de carré de 5,6 µm de côté et sont disposés selon un quadrillage de 500 photosites par 500 photosites.

Ces photosites génèrent un signal électrique interprété par un ordinateur qui enregistre alors une image numérique pour laquelle les pixels sont codés en niveaux de gris. Ici, à chaque photosite est associé un pixel de l'image numérique.

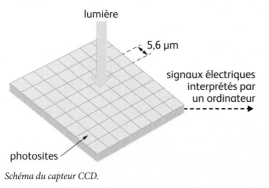

lumière

5,6 µm

signaux électriques interprétés par un ordinateur

photosites

Schéma du capteur CCD.

– L'échantillonnage d'une image représente la portion angulaire de l'espace correspondant à un pixel de l'image numérique (ou vue par un photosite du capteur de lumière). L'échantillonnage s'exprime alors en seconde d'arc par pixel (" / pixel) ou en seconde d'arc par photosite (" / photosite).

L'échantillonnage optimal est celui qui permet :
– de discerner les détails de l'image projetée par la lunette astronomique ;
– d'obtenir un champ (portion de ciel observée sur l'image enregistrée) grand.

On montre que la valeur numérique de l'échantillonnage optimal correspond à la moitié de celle de la résolution de la lunette astronomique.

– La taille des photosites d'un capteur n'étant pas modifiable, l'échantillonnage optimal d'une image peut être obtenu en adaptant la focale f de la lunette astronomique, selon la relation :

$$f = \frac{206 \times \text{taille d'un photosite}}{\text{échantillonnage optimal}} \ ;$$

avec la taille d'un photosite en µm, l'échantillonnage optimal en " / pixel, et f en mm.

Mesures et incertitudes

Introduction

En physique, faire une mesure (appelée quelquefois mesurage) consiste à rechercher la valeur numérique d'une grandeur ; mais il est impossible de connaitre la **valeur exacte** (appelée valeur vraie) de la grandeur à cause des **erreurs de mesure**.

L'erreur de mesure est donc la différence entre la valeur mesurée et la valeur exacte : celle-ci étant inconnue, l'erreur de mesure est également inconnue.

Pour juger de la précision d'une mesure, nous ne pouvons qu'associer une **incertitude de mesure** à la **valeur mesurée**. Étudions tout d'abord les différentes causes d'erreurs, puis les différentes méthodes pour évaluer les incertitudes de mesure et enfin, la façon de présenter le résultat.

Quelques cas pratiques dans les chapitres du manuel

1 Les sources d'erreurs

Nous pouvons distinguer deux types d'erreurs.

1.1 L'erreur systématique

C'est une erreur qui prend toujours la même valeur sur chaque mesure répétée, valeur qui est inconnue.

● Cette erreur affecte toujours le résultat de la mesure dans le même sens.

L'origine de cette erreur systématique est souvent un défaut de l'appareil de mesure ou un défaut du protocole expérimental.

Il faut corriger le défaut si c'est possible, sinon il faut apporter une correction au résultat obtenu.

1.2 L'erreur aléatoire

C'est une erreur que l'on constate en réalisant un grand nombre de mesures, dans les mêmes conditions, de la même grandeur. Dans ce cas, les différents résultats se répartissent de part et d'autre de la valeur moyenne obtenue.

● Les origines de cette erreur aléatoire sont multiples ; elles tiennent à la mesure elle-même ou à l'opérateur, mais peuvent aussi être liées au phénomène mesuré (instabilité ou variabilité en fonction d'un paramètre comme la température par exemple).

▶ **Exemple.** Sur la figure 1, le centre représente la valeur vraie (inconnue) et les points rouges les résultats de mesures à l'aide d'un appareil pénalisé par une erreur systématique importante. Cet appareil est néanmoins **fidèle** car les résultats sont très voisins lors de mesures répétées dans les mêmes conditions.

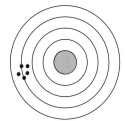

Figure 1. Mesures fidèles mais pas justes.

▶ **Exemple.**
Un appareil **est juste** lorsque les résultats obtenus ne sont pas entachés d'erreurs systématiques.

Des résultats très dispersés comme ceux de la figure 2 sont dus à une erreur aléatoire.

● La radioactivité est un exemple de phénomène aléatoire, mais portant sur un grand nombre d'événements.

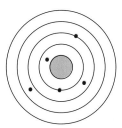

Figure 2. Mesures justes mais pas fidèles.

2 Incertitude et précision

2.1 L'incertitude

• L'incertitude de mesure (appelée aussi incertitude absolue) sur un résultat x, notée Δx, est un paramètre associé au résultat de la mesure pour **juger de la qualité de la mesure**.

• Selon le type de mesure, on définit une incertitude de type A ou B.

→ L'incertitude de type A concerne les mesures que l'on peut effectuer plusieurs fois, dans les mêmes conditions, et l'évaluation de ce type d'incertitude fait appel au calcul statistique.

→ L'incertitude de type B concerne le cas d'une mesure unique, et l'évaluation de ce type d'incertitude doit prendre en compte l'instrument de mesure et l'utilisateur.

2.2 La précision

Pour **comparer la qualité de différentes mesures**, l'incertitude Δx ne suffit plus : il faut utiliser la notion de **précision**. Par exemple, une incertitude de 1 cm sur une mesure de 20 cm donne plus de précision à cette mesure qu'une incertitude de 1 mm sur une mesure de 10 mm.

Il faut comparer l'incertitude à la valeur mesurée pour apprécier la précision d'une mesure.

On définit alors l'incertitude relative par le rapport $\dfrac{\Delta x}{x}$, exprimé en général en pourcentage.

Plus l'incertitude relative est petite, plus la mesure est précise (plus la précision est grande).

Dans l'exemple précédent, le rapport $\dfrac{\Delta x}{x}$ vaut $\dfrac{1}{20}$ soit 5 % dans le premier cas, et $\dfrac{1}{10}$ soit 10 % dans le deuxième cas : cette mesure est donc moins précise.

3 Évaluation des incertitudes sur une mesure

Le résultat d'une mesure sera toujours donné sous la forme d'un intervalle de valeurs probables, associé à un niveau de confiance donné.

3.1 Évaluation des incertitudes sur une série de mesures (type A)

*On ne traite ici que le cas d'une série de mesures obtenues par une méthode **ne comportant pas d'erreurs systématiques**.*

Lorsqu'on réalise plusieurs fois la mesure d'une grandeur, les résultats sont dispersés (existence d'erreurs aléatoires ou lorsque le phénomène est aléatoire). Pour obtenir une estimation de cette grandeur, on répète des mesures indépendantes (sans influence les unes sur les autres), ce qui suppose la même méthode, le même type de matériel de mesure, sur une durée limitée dans le temps.

On dispose de n mesures indépendantes dont les résultats sont notés $x_1, x_2, \ldots, x_n$.

En Statistique, un ensemble de p objets constitue une population. En prélevant n objets dans cette population, on constitue un échantillon de taille n ($n < p$). On peut donc considérer que les n mesures constituent un **échantillon de taille n**.

Quelle est alors la meilleure estimation de la grandeur inconnue ?

Quelle confiance peut-on accorder au résultat donné ?

● Dispersion des mesures et incertitude-type

La variance σ^2 d'un ensemble de mesures x_i ($i = 1$ à p) est définie en mathématique par :

$$\sigma = \sqrt{\dfrac{\displaystyle\sum_{i=1}^{p} (x_i - \mu)^2}{p}}$$

où μ désigne la moyenne de la population et σ l'écart-type **de la série.**

L'écart-type mesure la dispersion de la série autour de la valeur moyenne : la dispersion de la série est d'autant plus grande que l'écart-type est grand.

Mesures et incertitudes

Dans le cas d'un échantillonnage, la moyenne de la population μ n'est pas accessible, on ne dispose que de la moyenne $\bar{x}$ de l'échantillon.

● La moyenne $\bar{x}$ des mesures de l'échantillon est le **meilleur estimateur de l'échantillon des n mesures indépendantes** (et obtenues par une méthode ne comportant pas d'erreurs systématiques).

$$\bar{x} = \frac{x_1 + x_2 + x_3 + \dots + x_n}{n} = \frac{\sum\limits_{i=1}^{n} x_i}{n}.$$

● La théorie statistique montre alors que la meilleure estimation **de la dispersion** est mesurée par l'écart-type expérimental défini :

$$s_{exp} = \sqrt{\frac{\sum\limits_{i=1}^{n}(x_i - \bar{x})^2}{n-1}}.$$

(s_{exp} est noté souvent σ_{n-1} par les calculatrices.)

● Le meilleur estimateur de cet écart-type est **l'incertitude-type s** donnée par :

$$s = \frac{s_{exp}}{\sqrt{n}}.$$

Incertitude-type élargie et intervalle de confiance

● L'intervalle de confiance à un taux de confiance choisi est un intervalle dans lequel la valeur cherchée a une certaine probabilité de se trouver.

Dans les cas que nous rencontrerons, les bornes de l'intervalle de confiance dépendent du nombre de mesures n et du choix du niveau de confiance et sont égales à $[\bar{x} - ks \; ; \bar{x} + ks]$.

s est l'incertitude-type et k le facteur d'élargissement.
L'incertitude-type élargie de mesure est $\Delta x = ks$.

Par exemple, sur deux échantillons de mesures de tailles différentes, au niveau de confiance de 95 % :

n	moyenne	s_{exp}	k	incertitude
20	39,6	6,7	2,09	3,1
500	38,9	6,1	1,96	0,5

Dans la majorité des cas étudiés au lycée, pour un niveau de confiance de 95 %, la valeur de k peut être prise égale à 2 et $\Delta x = 2s$.

En conclusion, $\Delta x = 2\dfrac{s_{exp}}{\sqrt{n}}$.

Expérience support d'étude

Pour mesurer la longueur d'onde d'une onde ultrasonore, une méthode consiste à déplacer un récepteur d'ultrasons par rapport à un deuxième récepteur restant fixe. On repère sur un oscilloscope dix coïncidences des deux signaux, correspondant à un déplacement L du récepteur mobile, ce qui permettra de mesurer la longueur d'onde. **Cherchons à déterminer l'incertitude sur L.**

Analyse des mesures

Vingt groupes d'élève réalisent les mesures, avec du matériel identique, et obtiennent les résultats suivants. (L'unité utilisée est le cm, non noté dans la partie statistique.)

n°	1	2	3	4	5	6	7	8	9	10
L	8,3	8,3	8,3	8,7	8,7	8,2	8,6	8,5	8,2	8,2
n°	11	12	13	14	15	16	17	18	19	20
L	8,2	8,2	8,3	8,6	8,2	8,5	8,5	8,6	8,7	8,6

● Pour cet échantillon, la moyenne est :

$$\bar{L} = \frac{L_1 + L_2 + L_3 + \dots + L_{20}}{20} = 8,42.$$

● La relation de définition de s_{exp} (ou un tableur ou une calculatrice), permettent de calculer l'écart-type expérimental, on obtient :

$$s_{exp} = \sqrt{\frac{(8,3 - 8,42)^2 + (8,3 - 8,42)^2 + \dots + (8,6 - 8,42)^2}{19}}$$

$$s_{exp} = 0,196\,3.$$

● L'incertitude-**type est donc** :

$$s = \frac{0,196\,3}{\sqrt{20}} = 0,043\,89.$$

● Le choix du niveau de confiance à 95 % correspond à la valeur de k très voisine de 2.
L'incertitude-type élargie est donc :

$$k\,s = 2 \times 0,043\,89 = 0,087 \text{ que l'on arrondit à } 0,09.$$

Ainsi, l'incertitude ΔL sur la mesure de L est $\Delta L = 0,09$ cm.
Ces calculs montrent que la valeur recherchée pour L est dans l'intervalle $[8,42 - 0,09 \; ; 8,42 + 0,09]$, soit dans l'intervalle $[8,33 \; ; 8,51]$, avec une probabilité de 95 %.
On écrira le résultat sous la forme :

$$L = (8,42 \pm 0,09) \text{ cm,}$$

avec un niveau de confiance de 95 %.

3.2 Évaluation des incertitudes sur une mesure unique (type B)

L'incertitude-type est évaluée par un jugement scientifique lié à plusieurs sources d'informations, essentiellement les données fournies par le fabricant de l'instrument et les tests réalisés par celui-ci. L'estimation de l'incertitude-type s dépend de l'instrument de mesure. Voici quelques cas de figure possibles.

① Appareil avec graduations

On prendra comme incertitude-type une grandeur représentée par :

$$s = \frac{1 \text{ graduation}}{\sqrt{12}}.$$

② Appareil avec indication du fabricant

On prendra comme incertitude-type une grandeur représentée par :

$$s = \frac{\text{écart fabricant}}{\sqrt{3}}.$$

③ Une expérience (mise au point en optique par exemple) permet de déterminer les valeurs extrêmes d'une mesure. On pose : $a = \frac{x_{max} - x_{min}}{2}$.

On prendra comme incertitude-type une grandeur représentée par :

$$s = \frac{a}{\sqrt{3}}.$$

(On retrouve le premier cas de figure avec $a = \frac{1}{2}$ graduation.)

Exemples

1. Un réglet de 20 cm gradué en mm est utilisé pour mesurer une longueur.

Le résultat est $x = 125,0$ mm et $s = \frac{1}{\sqrt{12}} = 0,288$ arrondi à 0,3.

L'incertitude-type est $s = 0,3$ mm.

2. Une mesure de volume est réalisée avec une burette de 20 mL sur laquelle on lit : ± 0,05 mL. La valeur lue est 13,45 mL.

En respectant les consignes de bon usage de ce matériel, on a :

$$s = \frac{0,05}{\sqrt{3}} = 0,029 \text{ arrondi à } 0,03.$$

L'incertitude-type est $s = 0,03$ mL.

4 Évaluation des incertitudes sur une mesure avec plusieurs sources d'erreurs

Lorsque plusieurs sources d'erreurs interviennent, le résultat doit tenir compte de toutes les sources d'erreurs. Lorsque des erreurs systématiques sont présentes, une étude doit être entreprise pour les éliminer ou corriger le résultat en conséquence.

Lorsqu'une mesure fait intervenir plusieurs grandeurs incertaines, le calcul de l'incertitude-type dépend de la relation qui existe entre ces grandeurs.

Exemple 1

Si $y = x_1 + x_2$, l'incertitude Δy est calculée avec la relation : $\Delta y = \sqrt{\Delta x_1^2 + \Delta x_2^2}$.

Exemple 2

Si $y = \dfrac{x_1}{x_2}$, l'incertitude Δy est calculée avec la relation :

$$\frac{\Delta y}{y} = \sqrt{\left[\frac{\Delta x_1}{x_1}\right]^2 + \left[\frac{\Delta x_2}{x_2}\right]^2}.$$

Cas d'un dosage

Le résultat d'un dosage acido-basique est donné par la relation :

$$c_A = \frac{c_B V_{B,e}}{V_A}.$$

L'incertitude sur la concentration sera calculée avec la relation suivante :

$$\frac{\Delta c_A}{c_A} = \sqrt{\left[\frac{\Delta c_B}{c_B}\right]^2 + \left[\frac{\Delta V_{B,e}}{V_{B,e}}\right]^2 + \left[\frac{\Delta V_A}{V_A}\right]^2}.$$

5 Chiffres significatifs

5.1 Chiffres significatifs

- Les chiffres significatifs d'une valeur numérique sont tous les chiffres autres que les « 0 » situés à gauche du nombre, sans tenir compte de la puissance de 10.
- Dans l'écriture scientifique $a \times 10^n$, avec $1 \leqslant a < 10$ et n entier positif ou négatif, le nombre de chiffres significatifs est égal au nombre de chiffres de a.

▶ **Exemple**

- 0,042 0 mm comporte 3 chiffres significatifs, les deux « 0 » placés à gauche ne sont pas significatifs.
- Avec l'écriture scientifique, on retrouve ce résultat : 0,042 0 mm = $4,20 \times 10^{-2}$ mm comporte 3 chiffres qui sont tous significatifs.

5.2 Après un calcul

● Cas général

Le résultat d'un calcul doit être présenté avec le même nombre de chiffres significatifs que la donnée la moins précise.

● Cas particuliers

- Si une donnée est un **nombre exact**, son nombre de chiffres significatif n'intervient pas.
- Pour une **somme ou une différence de données**, c'est le nombre de chiffres après la virgule qui fixe le nombre de chiffres significatifs du résultat.
- Pour une **fonction** logarithme, ou une **fonction** puissance, un calcul de bornes de l'intervalle est nécessaire.

▶ **Exemples**

- Si $L = 8,51$ m et $t_2 - t_1 = 0,82$ s, la vitesse donnée par la relation :

$$\frac{L}{t_2 - t_1} = \frac{8,51}{0,82} = 10,34 \text{ m·s}^{-1}$$

sera arrondie à deux chiffres significatifs : 10 m·s^{-1}.

- Si la durée de 15 périodes est 23,8 s, la période vaut $T = 1,59$ s car la donnée a 3 chiffres significatifs (15 est une valeur exacte non entachée d'incertitude).
- Si on calcule : $(4,003\ 9 + 206,038\ 5 - 210,048\ 2)u$, on trouve $-0,005\ 8u$ avec 2 chiffres significatifs malgré les 5 chiffres significatifs initiaux.
- La valeur pH = 9,2 provenant d'une mesure comprise entre 9,15 et 9,25 donne l'intervalle de concentration molaire suivant $[5,62 \times 10^{-10} ; 7,079\ 4 \times 10^{-10}]$.

Le résultat doit être donné avec un seul chiffre significatif.

6 Présentation du résultat

- Le résultat d'une mesure doit comporter obligatoirement :
– la valeur mesurée ou la valeur moyenne ;
– l'incertitude ;
– le symbole de l'unité.

- Selon les cas, il faut aussi indiquer le niveau de confiance (en général 95 %) et calculer la précision du résultat (indispensable pour comparer la qualité de deux mesures).
La précision s'exprime par l'incertitude relative $\frac{\Delta x}{x}$.

- Compte tenu des conditions de mesures au lycée, la plupart des résultats seront donnés avec un seul chiffre significatif pour l'incertitude Δx.

$$x = \bar{x} \pm \Delta x, \text{ symbole de l'unité}$$
Niveau de confiance : 95 %.

APPLICATION Le résultat d'une série de 15 mesures du volume V d'une pipette de 20 mL donne une valeur moyenne de 20,139 mL. L'écart-type expérimental calculé est 0,62 mL.
Écrire le résultat de la mesure et calculer sa précision.

Réponse. Le meilleur estimateur de cet écart-type est l'incertitude-type s donnée par $s = \frac{s_{\exp}}{\sqrt{n}}$.

Donc $\frac{0,62}{\sqrt{15}} = 0,160$ mL.

Pour un niveau de confiance de 95 %, l'incertitude est égale à $2s$, donc le résultat s'écrit : $V = (20,139 \pm 0,320)$ mL.

On ne conserve qu'un seul chiffre significatif pour l'incertitude : on arrondit cette incertitude à 0,3 mL.

Dans ce cas, le dernier chiffre significatif de la valeur moyenne est le chiffre après la virgule. On trouve : $V = (20,1 \pm 0,3)$ mL, au niveau de confiance 95 %.

La précision de la mesure est donnée par :

$$\frac{\Delta V}{V} = \frac{0,3}{20,1} \text{ soit environ 1,5 %.}$$

7 Comparaison avec une valeur de référence

● Lorsque l'on connaît une valeur de référence (appelée valeur tabulée) pour la grandeur mesurée, il faut comparer la moyenne $\overline{x}$ des mesures avec cette valeur prise dans des « tables ».

● La mesure est satisfaisante lorsque la valeur tabulée est à l'intérieur de l'intervalle [$\overline{x} - \Delta x$; $\overline{x} + \Delta x$].

Lorsque cela n'est pas le cas, c'est généralement (au lycée) à cause de sources d'erreurs non détectées : la mesure est alors à rejeter.

Mais cela peut être dû au fait que le niveau de confiance n'est pas adapté à l'expérience réalisée, ou encore au fait que la moyenne $\overline{x}$ des mesures fait partie des quelques cas hors intervalle prévus par le calcul statistique. Dans ce cas, c'est la méthode de mesure qui n'est pas satisfaisante.

Exemples. La valeur de g est connue en un lieu donné, la valeur de la vitesse de propagation du son dans l'air peut être calculée en tenant compte de la température de l'air, la valeur d'un indice de réfraction,…

8 Mesure à rejeter dans une série

● Dans une série de mesures, si certaines d'entre elles s'écartent trop de la valeur moyenne, il faut les rejeter et refaire le calcul de la moyenne.

Lorsque le résultat est tiré d'un graphique (coefficient directeur d'une droite par exemple), on élimine le ou les points qui sont trop éloignés de la droite.

● Dans le cas d'une série statistique, on calcule l'écart entre la valeur testée et la valeur moyenne. Si cet écart est supérieur à $2\Delta x$, la mesure testée doit être rejetée.

Exemple : conductivité d'une solution de détartrant pour cafetière en fonction de la concentration.

En bleu : ajustement linéaire en tenant compte de toutes les mesures.

En rouge : ajustement linéaire en ne tenant pas compte de la mesure visiblement erronée.

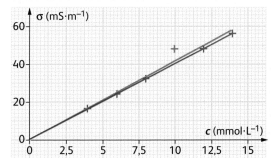

9 Proposition pour améliorer la démarche

● L'analyse de l'incertitude permet une remise en cause de la méthode utilisée, notamment lorsque l'incertitude semble déraisonnable.

Il faut alors analyser les sources d'erreurs non soupçonnées : un instrument de mesure non adapté (mauvais calibre) ou non étalonné (pH-mètre, conductimètre), ou un protocole peu fiable.

● Par exemple, les incertitudes seront toujours fortes lorsque le calcul de la grandeur étudiée se réduit à une différence de nombres très grands et voisins l'un de l'autre : on rencontre ce cas dans les mesures de calorimétrie quand la différence de température est faible.

Exploiter un graphique

Exemple. On filme le mouvement d'un palet de hockey sur glace et on mesure la distance d qu'il parcourt en fonction du temps t.
On veut trouver une relation simple entre ces deux grandeurs physiques.

t (s)	0,04	0,08	0,12	0,16	0,20	0,24	0,28	0,32
d (m)	0,4	0,8	1,35	1,75	2,10	2,55	3,05	3,40

Pour cela, on trace le graphique représentant la distance d en fonction du temps t, soit $d = f(t)$.

1 Représenter les points expérimentaux

• Tracer deux axes perpendiculaires, l'un horizontal et l'autre vertical. Écrire sur chaque axe la grandeur représentée et son unité.

• Graduer les deux axes et indiquer clairement l'échelle choisie.

• L'origine du graphique est le point (0 ; 0). Chaque couple du tableau est représenté par un point dans ce système d'axes.

• Mentionner le titre du graphique.
On obtient l'ensemble de points ci-contre.

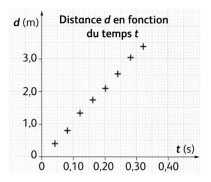

2 Exploiter le graphique

• On observe l'ensemble de points obtenu. Dans certains cas, il est possible de tracer une droite passant « au plus près » de ces points.

• **Attention :** ne jamais joindre les points par des segments de droite.

• Cette opération peut être effectuée à l'ordinateur, avec un logiciel approprié comme un tableur-grapheur, en utilisant l'outil « courbe de tendance ».

• Dans notre exemple, il est possible de faire passer une droite de façon qu'il y ait presque autant de points au-dessus qu'en dessous de la droite.

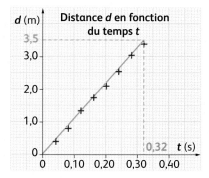

3 « Modéliser » la situation expérimentale

• L'équation de la courbe fournit alors une relation mathématique qui lie les deux grandeurs. On dit que l'**on a modélisé la situation expérimentale**.

• Dans le cas d'une droite, on peut déterminer son équation à partir du graphique. L'équation de toute droite non parallèle à l'axe des ordonnées est $y = ax + b$, où a est le coefficient directeur de la droite et b l'ordonnée à l'origine.
La droite passe par l'origine, donc $b = 0$.

Le coefficient directeur est donné par :
$$a = \frac{d(t_1) - d(t_2)}{t_1 - t_2} = \frac{3,5 - 0}{0,32 - 0} = 10,9 \approx 11.$$
Ainsi, les mesures expérimentales peuvent être modélisées par une droite d'équation $d = 11t$.

Remarque. Le coefficient directeur est rarement un nombre sans dimension. Ici, a s'exprime en $m \cdot s^{-1}$, qui est le rapport des grandeurs distance par temps.

Utiliser un tableur-grapheur

1 Présentation

- Un tableur est un logiciel qui permet de créer et de manipuler des tableaux de données.

- À l'ouverture du logiciel (LibreOffice, Excel, …), apparaît sur l'écran une feuille de calculs composée de **lignes** et de **colonnes** formant des cellules.

- Chaque **cellule** est repérée par sa position par rapport aux lignes et aux colonnes.

- **Exemple.** Le nombre 18 est dans la cellule B4.

B4		▼	*f*x Σ =	18
	A	B	C	
1	0	0		
2	10	1		
3	20	9		
4	30	18		
5				

2 Calculs dans un tableur

Le tableur est un logiciel de calcul qui possède de nombreuses fonctions mathématiques préprogrammées.

- **Exemple de calcul simple**

1. Dans la cellule sélectionnée, on écrit une formule qui commence **toujours** par le signe =.

2. Un appui sur la touche Entrée valide le calcul et le résultat de l'opération s'affiche. « =A3+B4 » est remplacé par 38.

3. Le résultat est modifié automatiquement si le contenu des cellules A3 ou B4 est modifié.

	A	B
1	0	0
2	10	1
3	20	9
4	30	18
5		=A3+B4

	A	B
1	0	0
2	10	1
3	20	9
4	30	18
5		38

- **Exemple de calcul utilisant la fonction sinus**

On souhaite afficher dans la colonne B les sinus des angles de la colonne A.

1. À l'aide du menu **Insertion/Fonction**, on écrit la formule « =SIN(RADIANS(A2)) » dans la cellule B2.

2. On recopie le contenu de la cellule B2 dans les autres cellules de la colonne B.

	A	B	C
1	angle	sinus	
2		=SIN(RADIANS(A2))	
3	10		
4	20		
5	30		

	A	B
1	angle	sinus
2	0	0
3	10	0,17
4	20	0,34
5	30	0,50

3 Le grapheur

Associé au tableur, le grapheur permet de représenter sous forme graphique des données numériques. On utilise le menu **Insertion/Diagramme** ou **Graphique**.

Exemple. On souhaite représenter graphiquement *d* en fonction de *t* (exemple de la fiche méthode 1).

1. On sélectionne la zone à représenter.

	A	B
1	**t**	**d**
2	0,04	0,40
3	0,08	0,80
4	0,12	1,35
5	0,16	1,75
6	0,20	2,10
7	0,24	2,55
8	0,28	3,05
9	0,32	3,40

2. On choisit un mode de représentation.

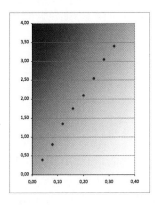

3. Pour obtenir la droite d'ajustement, utiliser le menu **Graphique/Ajouter une courbe de tendance**.

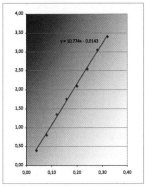

L'analyse dimensionnelle

1 Qu'est-ce que l'analyse dimensionnelle ?

- Deux grandeurs A et B sont dites homogènes s'il existe un réel α tel que $A = \alpha B$.
On dit alors que A et B ont même dimension (vocabulaire international, norme NF X 02-001).
La dimension d'une grandeur X se note dim X, sauf pour les grandeurs de base que sont la longueur, la masse, le temps, l'intensité électrique, la quantité de matière et la température qui seront notées respectivement **L**, **M**, **T**, **I**, **N** et Θ.

- Faire **l'analyse dimensionnelle** d'une relation consiste à remplacer, dans la relation, chaque lettre symbolisant une grandeur par la dimension de cette grandeur.

- Les dimensions des grandeurs respectent les règles de calcul suivantes :
– la dimension d'une grandeur est obtenue à partir des relations entre les valeurs de ces grandeurs (scalaire) ;
– les deux membres d'une égalité doivent avoir la même dimension ;
– les deux membres d'une somme ou d'une différence doivent avoir la même dimension ;
– la dimension d'un produit (resp. d'un quotient) est le produit (resp. le quotient) des dimensions ;
– une grandeur qui est égale au quotient de deux grandeurs de même dimension n'a pas de dimension. (**Exemple :** la densité est un nombre sans dimension.)

Exemple. Quelle est la dimension de la grandeur force ?
- On cherche une relation connue qui contient la grandeur force. $\longrightarrow$ $F = m\,a$
- On écrit la dimension de m. $\longrightarrow$ dim $m = $ **M**
- On écrit la dimension de a en utilisant la relation $a = \dfrac{\text{vitesse}}{\text{durée}}$. $\longrightarrow$ dim $a = \dfrac{\text{dim}\,v}{\text{T}} = (\text{dim } v) \times \text{T}^{-1}$
- On écrit la dimension de v en utilisant la relation $v = \dfrac{\text{longueur}}{\text{durée}}$. $\longrightarrow$ dim $v = \dfrac{\text{L}}{\text{T}} = \text{L}\,\text{T}^{-1}$
- En appliquant les règles de calcul ci-dessus, on obtient la dimension de F. $\longrightarrow$ dim $a = \text{L}\,\text{T}^{-1}\text{T}^{-1} = \text{L}\,\text{T}^{-2}$
dim $(ma) = $ dim $m \times$ dim a
dim $F = \text{M}\,\text{L}\,\text{T}^{-2}$

2 Analyse dimensionnelle et unité d'une grandeur

Toutes les grandeurs qui ont une dimension ont une unité. Dans le système international, les unités des grandeurs importantes ont un nom, les autres s'exprimant en fonction du nom de ces unités.
L'analyse dimensionnelle permet de déterminer l'unité des grandeurs dérivées.

Remarque. Une grandeur sans dimension peut être dotée d'une unité. (Par exemple, un angle est une grandeur sans dimension, son unité dans le système international SI est le radian.)

Exemple. Quelle est l'unité de la conductivité molaire ionique λ en fonction de l'unité de conductance, le siemens (S) ?
Donnée. La conductance électrique G est l'inverse de la résistance électrique R. G est donnée par la relation $G = \sigma \dfrac{s}{L}$ (s est la section et L la longueur d'un conducteur, σ est sa conductivité).

- On cherche une relation (la plus simple possible) qui contient la grandeur λ puis on écrit l'équation aux dimensions. $\longrightarrow$ $\sigma = \sum_{i=1}^{n} \lambda_i [X_i]$

- La relation de définition de la concentration molaire est $[X] = \dfrac{n}{V}$ donc on connaît la dimension de X. $\longrightarrow$ dim $\sigma = (\text{dim } \lambda) \times (\text{dim } [X])$
dim $\lambda = \dfrac{\text{dim } \sigma}{\text{dim}[X]}$
avec dim $[X] = \dfrac{\text{N}}{\text{L}^3} = \text{N}\,\text{L}^{-3}$

- Pour obtenir la dimension de σ, on utilise la donnée de l'énoncé. $\longrightarrow$ $\sigma = \dfrac{GL}{s}$

- Puis l'équation aux dimensions permet de conclure. $\longrightarrow$ dim $\sigma = (\text{dim } G) \times \dfrac{\text{L}}{\text{L}^2}$
dim $\sigma = (\text{dim } G) \times \text{L}^{-1}$

- En remplaçant, on obtient la dimension de λ. $\longrightarrow$ $(\text{dim } \lambda) = (\text{dim } G)\,\text{L}^{-1}\,\text{N}^{-1}\,\text{L}^3 = (\text{dim } G)\,\text{L}^2\,\text{N}^{-1}$

L'unité de λ a pour symbole S·m²·mol⁻¹.

Appliquer l'analyse dimensionnelle

1 Pour vérifier l'homogénéité d'une relation

Les deux membres d'une égalité ont même dimension. Ainsi on vérifie l'homogénéité d'une relation en cherchant la dimension de chaque membre de l'égalité.

Exemple. Montrer que la relation $v = \sqrt{\dfrac{g\lambda}{2\pi}}$ est homogène.

(v est la vitesse d'une onde sur l'eau, λ sa longueur d'onde.)

– La dimension du membre de gauche est celle du quotient distance / temps. → $\dim v = \mathbf{L\,T^{-1}}$

– On applique les règles de calcul. → $\dim\sqrt{\dfrac{g\lambda}{2\pi}} = \sqrt{\dim\dfrac{g\lambda}{2\pi}}$

– 2π est un nombre sans dimension. → $\dim\sqrt{\dfrac{g\lambda}{2\pi}} = \sqrt{\dim g\lambda}$

$\dim\sqrt{\dfrac{g\lambda}{2\pi}} = \sqrt{\dim g}\sqrt{\dim \lambda}$

– La dimension de λ est celle d'une longueur, et celle de g est celle d'une accélération. → $\dim \lambda = \mathbf{L}$
$\dim g = \mathbf{L\,T^{-2}}$

– On constate que les deux membres de l'égalité ont la même dimension, celle d'une vitesse. → $\dim\sqrt{\dfrac{g\lambda}{2\pi}} = \sqrt{\mathbf{L\,T^{-2}}}\sqrt{\mathbf{L}}$

$\dim\sqrt{\dfrac{g\lambda}{2\pi}} = \mathbf{L\,T^{-1}}$

La relation $v = \sqrt{\dfrac{g\lambda}{2\pi}}$ est donc homogène.

2 Pour trouver une relation

L'étude expérimentale d'un phénomène peut mettre en évidence la dépendance de plusieurs grandeurs entre elles. Si ces grandeurs ont une dimension, l'analyse dimensionnelle permet alors de trouver la relation qui existe entre elles, aux constantes sans dimension près.

Exemple. Retrouver la dépendance de la période T d'un pendule avec l'intensité de la pesanteur g et la longueur L du pendule.

– On cherche une relation générale de la forme $T = k\,L^{\alpha}\,g^{\beta}$, α et β étant les inconnues. → $T = k\,L^{\alpha}\,g^{\beta}$

– On écrit la dimension de T, en se rappelant que k est sans dimension. → $\dim T = (\dim L)^{\alpha}(\dim g)^{\beta}$

– La dimension de g peut être donnée par le poids. → $\dim L = \mathbf{L}$; $P = m\times g$ donc $\dim g = \dfrac{\dim P}{M}$

– Pour la dimension de la force $\vec{P}$, il faut utiliser la loi de Newton. → $\vec{F} = m\vec{a}$ donc $\dim F = \mathbf{M\,L\,T^{-2}}$
$\dim P = \dim F = \mathbf{M\,L\,T^{-2}}$
et enfin : $\dim g = \dfrac{\mathrm{MLT^{-2}}}{M} = \mathbf{L\,T^{-2}}$

– On écrit l'équation aux dimensions en remplaçant les dimensions de L et de g par les expressions trouvées, sans oublier les exposants. → $T = \mathbf{L}^{\alpha}\,(\mathbf{L\,T^{-2}})^{\beta}$
$T = \mathbf{L}^{\alpha+\beta}\,\mathbf{T^{-2\beta}}$

– On identifie les exposants dans les deux membres de l'égalité. À gauche, les exposants sont 1 pour $\mathbf{T}$ et 0 pour $\mathbf{L}$. → $0 = \alpha + \beta$; $1 = -2\beta$

– On résout le système pour déterminer les valeurs de α et de β. → $\beta = -\dfrac{1}{2}$ et $\alpha = \dfrac{1}{2}$

$T = k\sqrt{\dfrac{L}{g}}$ et varie comme la racine carrée de $\dfrac{L}{g}$.

Les fonctions logarithme

1 Logarithme népérien ln

● La fonction *logarithme népérien*, notée **ln(x)**, est définie sur l'intervalle $]0 ; +\infty[$.

C'est la primitive de la fonction $x \mapsto \dfrac{1}{x}$ et telle que $\ln(0) = 1$.

Cette fonction est disponible sur les calculatrices scientifiques avec le symbole ln.

Sa courbe représentative est présentée ci-dessous.

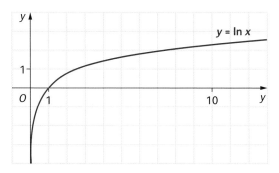

● Les principales propriétés de cette fonction sont les suivantes.

Pour tous a et b de $]0 ; +\infty[$, pour tout nombre c :

● $\ln(1) = 0$

● $\ln(a \times b) = \ln(a) + \ln(b)$

● $\ln(a^c) = c \times \ln(a)$

● $\ln(\dfrac{a}{b}) = \ln(a) - \ln(b)$

● $\ln(a) = c$ si et seulement si $a = e^c$.

2 Logarithme décimal log

● La fonction *logarithme décimal*, noté **log (x)**, est définie sur l'intervalle $]0 ; +\infty[$ par :

$$\log(x) = \frac{\ln(x)}{\ln(10)}$$

Cette fonction est disponible sur les calculatrices scientifiques avec le symbole log.

Sa courbe représentative est présentée ci-dessous.

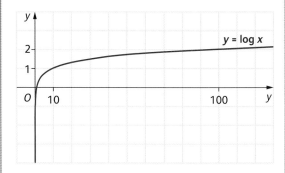

● Les principales propriétés de cette fonction sont les suivantes.

Pour tous a et b de $]0 ; +\infty[$, pour tout nombre c :

● $\log(1) = 0$ et $\log(10) = 1$

● $\log(a \times b) = \log(a) + \log(b)$

● $\log(a^c) = c \times \log(a)$

● $\log(\dfrac{a}{b}) = \log(a) - \log(b)$

● $\log(a) = c$ si et seulement si $a = 10^c$.

3 Échelle logarithmique

Le logarithme décimal est un outil mathématique particulièrement utile pour faire des représentations de grandeurs physiques qui prennent des valeurs s'étalant sur plusieurs ordres de grandeurs.

Exemple 1. L'intensité perceptible par l'oreille humaine peut varier de 10^{-12} W·m^{-2} à 1 W·m^{-2}. Son rapport à l'intensité sonore de référence $I_0 = 10^{-12}$ W·m^{-2} s'étend donc de 1 à 10^{12}, ce qui ne peut pas se représenter sur une échelle linéaire. En revanche, l'expression du niveau d'intensité sonore $L = 10 \log(I/I_0)$ s'étend de 0 à 120 dB, ce qui peut se représenter sur une échelle linéaire.

						I/I_0
10^0	10^2	10^4	10^6	10^8	10^{10}	10^{12}
0	20	40	60	80	100	120

$$L = 10 \log(I/I_0)$$

Exemple 2. En solution aqueuse, la concentration en ions oxonium H_3O^+ peut varier, en mol·L^{-1}, de $10^0 = 1$ à 10^{-14}, ce qui ne peut pas se représenter sur une échelle linéaire. En revanche, l'expression pH $= -\log[H_3O^+]$ s'étend de 0 à 14 ce qui peut se représenter sur une échelle linéaire.

							$[H_3O^+]$ en mol·L^{-1}
10^0	10^{-2}	10^{-4}	10^{-6}	10^{-8}	10^{-10}	10^{-12}	10^{-14}
0	2	4	6	8	10	12	14

$$\text{pH} = -\log[H_3O^+]$$

Opérations sur les vecteurs

1 Constructions graphiques

● Construction de la somme de deux vecteurs

Pour construire le vecteur $\vec{S} = \vec{P} + \vec{F}$:

– on choisit une échelle et on représente $\vec{F}$;

– à l'extrémité de $\vec{F}$, on représente $\vec{P}$;

– le vecteur somme $\vec{S}$ est obtenu en joignant l'origine de $\vec{F}$ et l'extrémité de $\vec{P}$.

Exemple. Somme de deux vecteurs force

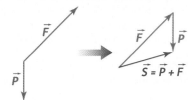

● Construction de la différence de deux vecteurs

Pour construire le vecteur $\vec{D} = \vec{V}_2 - \vec{V}_1$:

– on choisit une échelle et on représente $\vec{V}_2$;

– à l'extrémité de $\vec{V}_2$, on représente $-\vec{V}_1$;

– le vecteur différence $\vec{D}$ est obtenu en joignant l'origine de $\vec{V}_2$ et l'extrémité de $-\vec{V}_1$.

Exemple. Différence de deux vecteurs vitesse

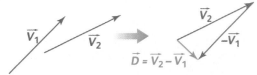

2 Coordonnées d'un vecteur

● Les coordonnées d'un vecteur $\vec{V}$ dans un repère orthonormal $(O\,;\vec{i},\vec{j},\vec{k})$ sont définies par :

$$\vec{V} = V_x\,\vec{i} + V_y\,\vec{j} + V_z\,\vec{k}$$

● On trouve les coordonnées du vecteur :

– soit en calculant la différence des coordonnées de l'extrémité et de l'origine du vecteur ;

– soit en utilisant l'angle θ et la norme du vecteur.

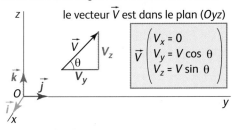

le vecteur $\vec{V}$ est dans le plan (Oyz)

$$\vec{V}\begin{pmatrix} V_x = 0 \\ V_y = V\cos\theta \\ V_z = V\sin\theta \end{pmatrix}$$

Exemple. Vecteur $\vec{g}$

Axe vertical orienté vers le bas	Axe vertical orienté vers le haut
Les vecteurs $\vec{g}$ et $\vec{k}$ sont colinéaires et de même sens.	Les vecteurs $\vec{g}$ et $\vec{k}$ sont colinéaires et de sens contraires.

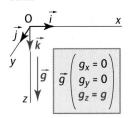

$$\vec{g}\begin{pmatrix} g_x = 0 \\ g_y = 0 \\ g_z = g \end{pmatrix}$$

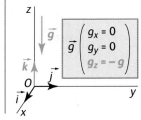

$$\vec{g}\begin{pmatrix} g_x = 0 \\ g_y = 0 \\ g_z = -g \end{pmatrix}$$

3 Vecteur dérivée

Le vecteur dérivée du vecteur $\overrightarrow{AB}$ est le vecteur dont les coordonnées sont les dérivées des coordonnées du vecteur $\overrightarrow{AB}$.

Si : $\qquad \overrightarrow{AB} = x(t)\,\vec{i} + y(t)\,\vec{j} + z(t)\,\vec{k}$

alors : $\qquad \dfrac{d\overrightarrow{AB}}{dt} = \dfrac{dx}{dt}\,\vec{i} + \dfrac{dy}{dt}\,\vec{j} + \dfrac{dz}{dt}\,\vec{k}$

Exemple. Si $\quad \overrightarrow{OM}\begin{cases} x(t) = 0 \\ y(t) = (V_0\cos\alpha)t + y_0 \\ z(t) = -\dfrac{1}{2}gt^2 + (V_0\sin\alpha)t + z_0 \end{cases}$

alors $\quad \dfrac{d\overrightarrow{OM}}{dt}\begin{cases} \dfrac{dx}{dt} = 0 \\ \dfrac{dy}{dt} = V_0\cos\alpha \\ \dfrac{dz}{dt} = -gt + V_0\sin\alpha \end{cases}$

Nomenclature des molécules organiques

1 Nomenclature des alcanes

● Le nom d'un alcane ramifié est constitué :

– des noms des groupes alkyle liés à la chaîne principale, c'est-à-dire la chaîne carbonée linéaire la plus longue. Chacun groupe alkyle est précédé du **numéro** de l'atome de carbone de la chaîne carbonée principale lié au groupe alkyle ;

– du nom de l'alcane linéaire correspondant au nombre d'atomes de carbone de la chaîne principale.

● Lorsque des groupes alkyle sont présents plusieurs fois, le nom du groupe alkyle est précédé d'un **préfixe multiplicateur** (« di », « tri », « tétra »,…) et les numéros des atomes de carbone liés au groupes apparaissent autant de fois qu'il y a de groupes alkyle.

Remarques.

– Les groupes sont nommés par ordre alphabétique ; le préfixe multiplicateur n'intervient pas dans la détermination de l'ordre alphabétique des groupes alkyle.

– La numérotation peut commencer par un bout ou par l'autre de la chaîne principale. On choisit alors la numérotation pour laquelle le plus petit nombre apparaissant est le plus faible possible. S'il n'est pas possible de départager ainsi les deux numérotations, on poursuit la comparaison avec le deuxième plus petit nombre, le troisième, et ainsi de suite.

Exemple. 4-éthyl-2,3-diméthylhexane

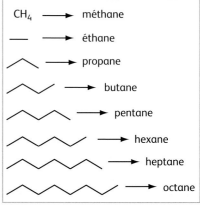

DOC 1. Alcanes linéaires.

On utilise les symboles :
« - » entre numéro et lettre,
et « , » entre numéros

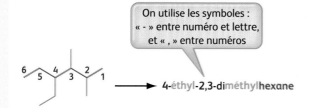

→ 4-éthyl-2,3-diméthylhexane

Formule	Nom du groupe alkyle
—CH$_3$	méthyle
—CH$_2$— CH$_3$	éthyle
⬡ (phényle)	phényle

DOC 2. Groupes alkyles.

2 Nomenclature des alcènes

● Pour nommer un alcène, on détermine la chaîne carbonée linéaire la plus longue et contenant la double liaison. Le numéro du premier atome de carbone de la double liaison est le plus petit possible.

● Le nom de l'alcène est obtenu en substituant le suffixe -ane du nom de l'alcane correspondant à la **chaîne carbonée** linéaire la plus longue et contenant la double liaison, par le **suffixe –ène**, précédé du numéro du premier atome de carbone engagé dans la double liaison.

● Lorsque la chaîne carbonée est ramifiée, les groupes alkyle figurent en préfixe de la même manière que pour les alcanes.

Exemple.

→ 2,3-diméthylpent-2-ène

3 Nomenclature des espèces à un seul groupe caractéristique

● Pour nommer une espèce possédant un seul groupe caractéristique, on détermine la chaîne carbonée linéaire la plus longue et contenant l'atome de carbone qui porte le groupe caractéristique ou contenant l'atome de carbone du groupe caractéristique. Elle est numérotée afin que cet atome de carbone ait le plus petit numéro.

● Le nom de la molécule est alors obtenu en retirant le -e final du nom de l'alcane ou de l'alcène correspondant à cette **chaîne carbonée** par le **suffixe caractéristique de la classe fonctionnelle**. Lorsque la chaîne carbonée est ramifiée, les groupes alkyle figurent en préfixe.

Compléments

a) Dans le cas des alcools, des cétones et des amines possédant le groupe amino -NH_2 : le suffixe est en général précédé par le numéro de l'atome de carbone portant l'atome d'azote ou d'oxygène du groupe caractéristique.

b) Dans le cas des esters, le nom est constitué de deux termes :
– le premier dérive du nom de l'acide carboxylique correspondant à la **chaîne carbonée** contenant l'atome de carbone du groupe caractéristique. Le suffixe -oïque est remplacé par le suffixe **–oate** et le mot « acide » est retiré.
– le second correspond au groupe alkyle lié à l'atome d'oxygène non engagé dans la double liaison du groupe caractéristique.

Classe fonctionnelle	Suffixe
Amine	-amine
Alcool	-ol
Cétone	-one
Aldéhyde	-al
Amide	-amide
Ester	-oate (d'alkyle)
Acide carboxylique	(acide) -oïque

DOC 3. Suffixes associés aux différentes classes fonctionnelles.

Exemples.

2-méthylpropan-1-ol	éthanal	pentan-2-one	acide 2-méthylpropanoïque	2-méthylpropan-2-amine	éthanamide	éthanoate de propyle

4 Nomenclature des espèces à plusieurs groupes caractéristiques

● Pour nommer une espèce polyfonctionnelle, on détermine d'abord ses groupes caractéristiques et on détermine leur ordre de priorité selon une priorité définie.

● On identifie la chaîne carbonée linéaire la plus longue et contenant **le groupe caractéristique prioritaire**.

● Le nom de la molécule s'obtient en retirant le –e final de l'alcane ou de l'alcène correspondant à cette **chaîne carbonée linéaire** par le suffixe caractéristique **du groupe prioritaire**.

● Les éventuels groupes alkyle portés par la chaîne carbonée linéaire sont nommés comme pour les alcanes.

● Les autres groupes caractéristiques sont désignés par des préfixes tels que hydroxy pour le groupe –OH, oxo pour le groupe =O ou amino pour le groupe –NH_2.

Priorité croissante
Acides carboxyliques
Esters
Amides
Aldéhydes
Cétones
Alcools
Amines

DOC 4. Extrait des règles de priorité des classes fonctionnelles.

Préfixes + **Chaîne carbonée linéaire** + **Suffixe du groupe prioritaire**

● **Exemple.** 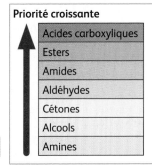 → 4-hydroxy-3,4-diméthylpent-2-énal

Le système binaire

1 Les systèmes de numération

Quel que soit l'entier naturel A, tout entier naturel m s'écrit de manière unique $m = u_n A^n + u_{n-1} A^{n-1} + \ldots + u_1 A^1 + u_0$ où chaque u_i est un entier strictement inférieur à A.

On dit que cette écriture est l'écriture de l'entier m dans le système de base A et on écrit de manière condensée :

$$m = \overline{(u_n u_{n-1} \ldots u_2 u_1 u_0)}_A \, .$$

Le système décimal (base 10)	Le système binaire (base 2)	Le système hexadécimal (base 16)
Avec 10 symboles (0, 1, 2, 3, 4, 5, 6, 7, 8 et 9), la décomposition utilise les puissances de 10.	Avec 2 symboles (0 et 1), la décomposition utilise les puissances de 2.	Avec 16 symboles (0,1, …, 9, A, B, C, D, E et F), la décomposition utilise les puissances de 16.
Exemple. $165 = 1 \times 10^2 + 6 \times 10^1 + 5 \times 10^0$.	**Exemple.** $10100101 =$ $1 \times 2^7 + 0 \times 2^6 + 1 \times 2^5 + 0 \times 2^4$ $+ 0 \times 2^3 + 1 \times 2^2 + 0 \times 2^1 + 1 \times 2^0$ soit $128 + 32 + 4 + 1 = 165$ en écriture décimale.	**Exemple.** $A5 = A \times 16^1 + 5 \times 16^0$. Soit, en remplaçant A par 10 (sa valeur décimale), $160 + 5 = 165$ en écriture décimale.

2 Le codage binaire

● Les machines utilisent le système binaire (en base 2). Une information binaire est alors constituée d'une suite de **bits** (de l'anglais « *binary digit* » : chiffre binaire) représentés par un des deux symboles 0 ou 1. Ainsi codée, l'information peut facilement être stockée et traitée par un appareil numérique. On parle de **langage machine** car les circuits électroniques permettent de distinguer deux états différents (variable booléenne) sans ambiguïté (circuit électrique ouvert ou fermé, diode bloquée ou passante, tension nulle ou différente de zéro,…).

● Les programmeurs utilisent souvent le système hexadécimal : pour passer du binaire à l'hexadécimal, on regroupe les bits par paquets de 4 en commençant par la droite.

● Les nombres binaires à 4 chiffres (0 ou 1) permettent de coder $2^4 = 16$ valeurs différentes (de 0 à 15 en numération décimale, voir ci-contre).

● On regroupe souvent les bits par huit pour former un « mot binaire » appelé **octet** (en anglais Byte, à ne pas confondre avec bit). Les octets permettent de coder $2^8 = 256$ valeurs différentes (de 0 à 255 en numération décimale).

Système binaire	Système décimal
0000	00
0001	01
0010	02
0011	03
0100	04
0101	05
0110	06
0111	07
1000	08
1001	09
1010	10
1011	11
1100	12
1101	13
1110	14
1111	15

À retenir. Un octet permet de coder 256 valeurs différentes.

De 0 à 255 en décimal	De 00000000 à 11111111 en binaire	De 00 à FF en hexadécimal

● Lorsqu'ils sont appliqués aux octets, les **préfixes** de multiples ne représentent pas une puissance de 10, mais une puissance de 2. Par exemple, 1 kilooctet (Ko) = 2^{10} octet = 1 024 octet (et non 1 000 octets).

kilooctet	mégaoctet	gigaoctet
1 Ko = 2^{10} octets = 1 024 octets	1 Mo = 1 024 Ko	1 Go = 1 024 Mo

Utiliser un oscilloscope ▶

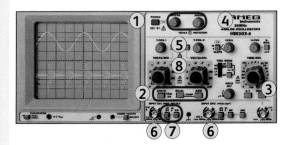 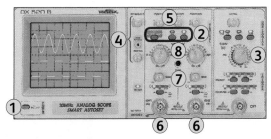

1 Mise en service et réglages

1 Mettre l'appareil sous tension à l'aide de l'interrupteur Marche/Arrêt, désigné POWER.
Une DEL s'illumine.

2 Sélectionner une voie (bouton CHI sorti) ou deux voies (bouton DUAL enfoncé).

3 Régler la sensibilité horizontale (base de temps ou encore durée de balayage) à une valeur moyenne après avoir vérifié que la commande de réglage continu VAR est en butée à gauche (*cf.* motif CAL).

4 Régler la luminosité (bouton INTENS) et la finesse de la trace (FOCUS).

5 Ajuster la trace au milieu de l'écran sur l'axe 0 V à l'aide des boutons X-POS et Y-POS.

2 Visualiser une tension

6 Appliquer la tension à étudier à l'une des voies.

Attention ! Pour visualiser la tension u_{AM}, A doit être relié à la borne rouge et M à la borne noire (masse).

7 Sélectionner le type de tension :
   DC : tension complète
ou AC : tension alternative seule.

En cours d'utilisation, positionner le sélecteur sur GND ou GD de la voie utilisée avant d'ajuster la trace à 0 V.

8 Choisir la sensibilité verticale après avoir vérifié que la commande de réglage continu VAR est en butée à gauche.
Ajuster la sensibilité horizontale (voir **3**) pour que la courbe occupe au mieux les dimensions de l'écran.

3 Mesurer une durée et une tension maximale ou minimale

A Mesurer une durée

● Compter à l'écran le nombre de divisions correspondant à une période T de la courbe : repérer pour cela deux passages successifs du spot par une même valeur et dans le même sens.

● Calculer la période en tenant compte de la sensibilité horizontale (en s/div).

B Mesurer une tension

● Compter à l'écran le nombre de divisions correspondant à U_{max} ou U_{min}.

● Calculer U_{max} ou U_{min} en tenant compte de la valeur de la sensibilité verticale (en V/div).

● **Exemple.** **A** La sensibilité horizontale est 50 µs/div. On compte 4,2 divisions pour une période.

D'où : $T = 50 \times 10^{-6} \times 4,2 = 2,1 \times 10^{-4}$ s.

B La sensibilité verticale est de 2 V/div.
On compte 3 divisions pour U_{max} et –2 pour U_{min}.
D'où :
$$U_{max} = 2 \times 3 = 6 \text{ V} \quad \text{et} \quad U_{min} = -2 \times 2 = -4 \text{ V}.$$

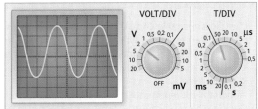

Utiliser un multimètre

☑ À la mise sous tension, vérifier l'état de la pile ou de la batterie.

☑ Avant de brancher le multimètre dans le circuit, en utilisant le bouton rotatif central :

① Choisir la fonction.

ohmmètre

ou

voltmètre en continu

ou

voltmètre en alternatif

ou

ampèremètre
en alternatif
ou en continu

Les valeurs mesurées
en alternatif sont
des **valeurs efficaces**.

Que signifie l'affichage d'une valeur positive ou négative ?

En mode ampèremètre, pour un courant continu, le signe de l'affichage donne le sens du courant. L'indication est positive lorsque le courant entre dans l'ampèremètre par la borne 10 A ou mA ; l'indication est négative si le courant entre dans l'ampèremètre par la borne COM.

En mode voltmètre, pour une tension continue U_{AB}, le signe de l'affichage donne la polarité des points A et B. L'indication est positive ($U_{AB} > 0$) si le point A, relié à la borne V, est relié à la borne + du générateur ou si le courant entre par le point A pour un récepteur.

② **Si on peut régler le calibre,** choisir le plus grand des calibres disponibles.

L'ampèremètre se branche en série.
Exemple. Pour mesurer l'intensité du courant I circulant de A vers B dans le dipôle AB, on débranche le fil de la borne A du dipôle pour le placer sur l'entrée 10 A ou mA du multimètre, puis on relie avec un autre fil la borne COM à la borne A du dipôle.

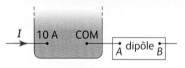

L'ohmmètre se branche sur le conducteur ohmique seul, hors du circuit.

Le voltmètre se branche en dérivation.
Exemple. Pour mesurer la tension U_{AB} entre A et B, sans modifier le circuit, on relie le point A à la borne V et B à la borne COM.

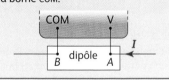

Schéma du branchement d'un oscilloscope (ou d'une carte d'acquisition de données)

L'oscilloscope ou la carte d'acquisition de données d'un ordinateur ne sont pas représentés par un symbole dans le schéma. On représente seulement le départ des deux fils de branchement qui les relient au circuit :
– l'un des deux fils est représenté par une flèche avec le nom ou le numéro de la voie utilisée,
– l'autre fil est représenté par le symbole de masse.
Dans le schéma ci-contre, la tension mesurée sera u_{BM}.

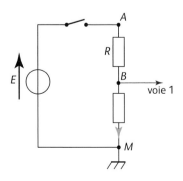

Capture d'images et pointage graphique

1 Pendant l'expérience

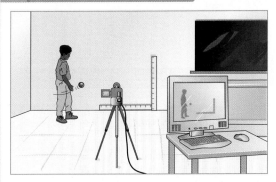

Position des différents éléments

☑ Placer l'axe optique du caméscope orthogonalement au plan de la trajectoire, et centré sur la trajectoire.

☑ Ne pas le placer trop près pour éviter les distorsions d'image dans les angles (usage du zoom).

☑ Disposer deux règles (horizontale et verticale), proches du plan de la trajectoire, pour fixer l'échelle.

☑ Placer deux spots d'éclairage latéralement pour éclairer le plus possible l'objet.

Réglage du logiciel d'acquisition des images sur l'ordinateur

Selon les logiciels, le paramétrage permet de régler :
– la durée de l'enregistrement ;
– la durée entre deux images (webcam). Sinon, elle est fixe et vaut en général 0,04 s pour les caméscopes.

Réglage du caméscope

☑ Utiliser la mise au point manuelle de préférence à la mise au point automatique.

☑ Régler sur une grande vitesse d'obturation ou sur la position « sport » pour un caméscope pour éviter le flou de l'image (ce qui justifie l'éclairage puissant).

2 Le traitement

Il faut transformer le fichier obtenu en un fichier utilisable par le logiciel de pointage qui permet de pointer la position de l'objet sur chaque image. Pour cela :

☑ Sélectionner la séquence qui commence juste au début du lancer.

☑ Créer le fichier AVI et sauvegarder.

☑ Si nécessaire, utiliser un logiciel comme VirtualDub (pour supprimer une image dédoublée par exemple).

3 Le pointage

☑ Charger le fichier AVI avec le logiciel de pointage (*Aviméca, Avistep, Généris, Synchronie*…).

☑ Réaliser l'étalonnage des échelles horizontale et verticale.

☑ Fixer l'origine du système d'axes et leurs sens.

☑ Lancer et réaliser l'acquisition.

☑ Terminer et enregistrer le tableau de mesures réalisé dans le format du logiciel de traitement des données utilisé (*Régressi, Généris, Synchronie*,…).

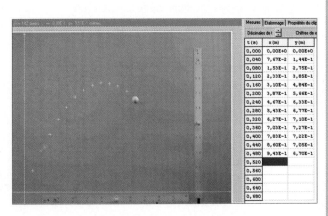

t (s)	x (m)	y (m)
0,000	0,00E+0	0,00E+0
0,040	7,67E-2	1,44E-1
0,080	1,53E-1	2,75E-1
0,120	2,33E-1	3,85E-1
0,160	3,10E-1	4,84E-1
0,200	3,87E-1	5,66E-1
0,240	4,67E-1	6,33E-1
0,280	5,43E-1	6,77E-1
0,320	6,27E-1	7,10E-1
0,360	7,03E-1	7,27E-1
0,400	7,83E-1	7,22E-1
0,440	8,60E-1	7,05E-1
0,480	9,43E-1	6,70E-1
0,520		
0,560		
0,600		
0,640		
0,680		

Traitement de données et modélisation

Les logiciels de traitement de données (*Généris*, *Regressi*, *Synchronie*, …) permettent :
– de représenter graphiquement les grandeurs de tableaux de mesures ;
– de créer d'autres grandeurs par calcul, dérivation, etc. ;
– de réaliser des modélisations.

1 Afficher des graphiques

☑ Choisir les grandeurs à représenter en abscisses.
☑ Choisir les grandeurs à représenter en ordonnées.
☑ Choisir les échelles de représentation.
☑ Afficher à l'écran les points représentatifs (points, croix, ronds…) non reliés entre eux.

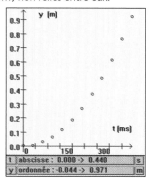

2 Créer de nouvelles grandeurs

Deux types de création de nouvelles grandeurs sont possibles :

– **la création par des calculs déjà programmés dans le logiciel.** Par exemple, on calcule la vitesse *v* à l'aide de la grandeur dérivée de *y* par rapport à *t* (*vue d'écran ci-contre*) ;

– **la création de nouvelles grandeurs par écriture de l'expression.** Par exemple, avec la valeur *v* de la vitesse d'un solide de masse 43 g, on calcule l'énergie cinétique à l'aide de la formule :

$$\mathscr{E}_c = 0,5 \times 0,043 \times v^2.$$

3 Modéliser une situation

Il est nécessaire de connaître au préalable la relation entre les grandeurs étudiées. Dans ce cas, la modélisation consiste à chercher la valeur des paramètres constants de cette relation qui permet d'obtenir une courbe passant au plus près des points représentatifs.

Exemple. Prenons la relation $v = \sqrt{2gy}$ entre la vitesse *v* et l'altitude *y* dans le cas d'une chute libre verticale.

La relation s'écrit $v = (2\,g\,y)^{1/2}$ ou $v = (2*g*y)\verb|^|0,5$ (**document 1**). Au départ, le coefficient *g* est fixé arbitrairement à 5 et la courbe tracée est v_1 (**document 2**). Puis le programme modifie *g* par itérations successives jusqu'à obtenir la courbe v_2 (**document 3**). Le paramètre *g* vaut alors 9,8.

La modélisation réalisée nous donne $v = \sqrt{2 \times 9,8 \times y}$.

Document 1

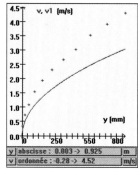

Document 2

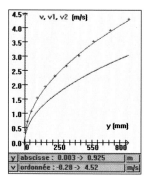

Document 3

Se repérer dans le laboratoire de chimie

1 La sécurité en chimie

- Porter une blouse en coton : les textiles synthétiques peuvent être à l'origine de brûlures.

- Les cheveux longs doivent être attachés.

- Porter des lunettes de sécurité en permanence.

- Porter des gants de protection pour manipuler les produits dangereux.

- Manipuler debout, près de la paillasse.

- Se laver les mains en fin de séance.

- Bien ranger les cartables sous la paillasse pour éviter de trébucher.

- Manipuler avec la paillasse en ordre, les cahiers rangés pour éviter de renverser des flacons.

- Identifier les flacons et la verrerie utilisés.

- **Attention !** Ne pas circuler dans la classe en portant des produits dangereux (acides concentrés, par exemple).

2 La verrerie et les instruments

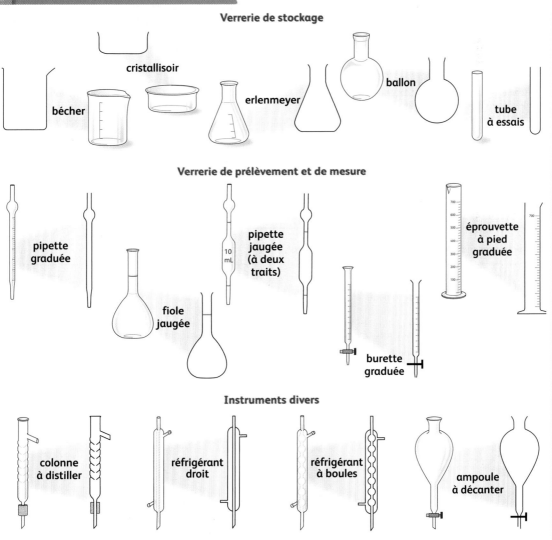

Verrerie de stockage

cristallisoir • bécher • erlenmeyer • ballon • tube à essais

Verrerie de prélèvement et de mesure

pipette graduée • fiole jaugée • pipette jaugée (à deux traits) • burette graduée • éprouvette à pied graduée

Instruments divers

colonne à distiller • réfrigérant droit • réfrigérant à boules • ampoule à décanter

Les pictogrammes de danger

Chaque étiquette d'un flacon de produit chimique contient des informations sur les dangers dus à son utilisation et donne des conseils de prudence.

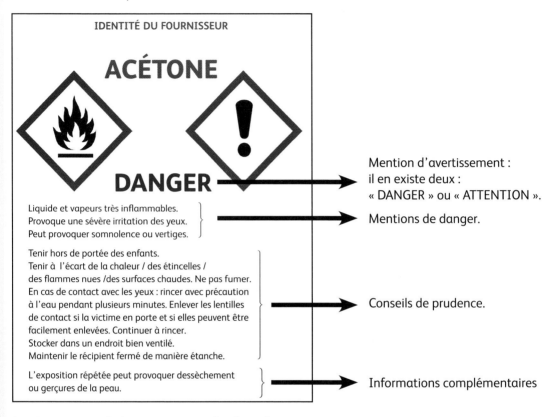

IDENTITÉ DU FOURNISSEUR

ACÉTONE

DANGER ──→ Mention d'avertissement :
il en existe deux :
« DANGER » ou « ATTENTION ».

Liquide et vapeurs très inflammables.
Provoque une sévère irritation des yeux.
Peut provoquer somnolence ou vertiges. ──→ Mentions de danger.

Tenir hors de portée des enfants.
Tenir à l'écart de la chaleur / des étincelles /
des flammes nues /des surfaces chaudes. Ne pas fumer.
En cas de contact avec les yeux : rincer avec précaution
à l'eau pendant plusieurs minutes. Enlever les lentilles ──→ Conseils de prudence.
de contact si la victime en porte et si elles peuvent être
facilement enlevées. Continuer à rincer.
Stocker dans un endroit bien ventilé.
Maintenir le récipient fermé de manière étanche.

L'exposition répétée peut provoquer dessèchement ──→ Informations complémentaires
ou gerçures de la peau.

Les pictogrammes de danger sont au nombre de neuf.

	Corrosif Brûlures de la peau et lésions oculaires graves		**Nocif ou irritant** par contact cutané, par ingestion, par inhalation		**Toxique** par contact cutané, par ingestion, par inhalation
	Danger pour la santé Risque CMR (cancérogène, mutagène ou reprotoxique)		**Inflammable** ou extrêmement inflammable		**Comburant** Peut provoquer ou aggraver un incendie
	Gaz sous pression ou gaz réfrigéré ; peut exploser sous l'effet de la chaleur ou provoquer des brûlures cryogéniques		**Explosif**		**Dangereux pour l'environnement**

Préparer et diluer une solution aqueuse

1 Préparer une solution aqueuse

Exemple. On souhaite préparer une solution aqueuse de saccharose (soluté) de concentration molaire $c = 0,100$ mol·L⁻¹.

Matériel :
balance de précision ; spatule ; coupelle ; entonnoir ;
fiole jaugée de 250 mL ; eau distillée.

Matériel utilisé pour réaliser une solution.

☑ En utilisant la masse molaire moléculaire M, déterminer la masse m de soluté nécessaire pour préparer 1 L de solution à la concentration molaire c. Si nécessaire, calculer la valeur de M.
Ici, $M = 342$ g·mol⁻¹ donc $m = c \times M = 34,2$ g.

☑ Suivant la fiole jaugée dont vous disposez, déterminer la masse de soluté à peser.
Ici, on dispose d'une fiole de 250 mL, donc :

$$m_{pesée} = \frac{34,2}{4} = 8,55 \text{ g.}$$

☑ Poser la coupelle sur la balance et faire la tare.

☑ Peser 8,55 g de saccharose prélevé dans le flacon avec la spatule.

☑ Placer l'entonnoir sur la fiole jaugée, verser le glucose dans la fiole.

☑ Rincer avec l'eau distillée la coupelle et l'entonnoir (pour éviter toute perte de solide).

☑ Remplir la fiole environ aux 3/4 avec de l'eau distillée, boucher et agiter latéralement.

☑ Poser la fiole jaugée sur la paillasse et compléter avec de l'eau distillée jusqu'au trait de jauge.

2 Diluer une solution

Exemple. On souhaite diluer une solution S au 1/10ᵉ.
Matériel : bécher de 50 mL, pipette jaugée 10 mL, fiole jaugée 100 mL, poire à pipeter, eau distillée.

☑ Verser la solution à diluer dans le bécher.

☑ Fixer la poire à pipeter sur la pipette jaugée.

☑ ❶ Prélever 10 mL de la solution S (tenir la pipette verticale, placer l'œil dans l'axe du ménisque).

☑ ❷ Introduire le prélèvement dans la fiole.

☑ ❸ Remplir environ aux 2/3 avec de l'eau distillée, boucher et agiter latéralement.

☑ ❹ Poser la fiole jaugée sur la paillasse et compléter avec de l'eau distillée jusqu'au trait de jauge.
Boucher puis agiter vigoureusement. Déboucher.

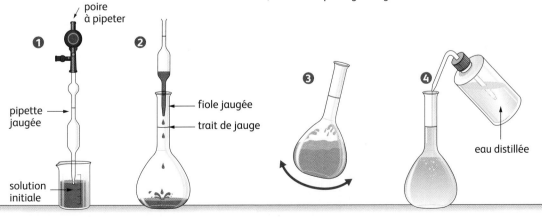

Utiliser un spectrophotomètre

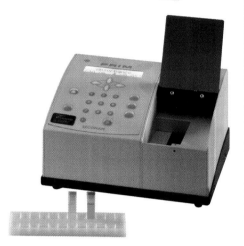

Comment mesurer l'absorbance d'une espèce en solution ?

• Un rayon incident arrivant sur une cuve de spectrophotométrie subit plusieurs phénomènes optiques : réflexion, diffusion et absorption par les parois de la cuve, par le solvant et les solutés.

• Afin de déterminer l'absorbance de l'espèce, il est nécessaire de réaliser dans un premier temps un « blanc », c'est-à-dire de relever l'intensité de la lumière traversant une cuve de mesure contenant le solvant (sans l'espèce chimique dont on souhaite mesurer par la suite l'absorbance).

• Pour les **mesures dans l'UV**, des cuves en quartz sont nécessaires car le plastique et le verre absorbent ces radiations. L'eau absorbant aussi les radiations UV, il faut choisir un solvant transparent dans l'UV comme par exemple le cyclohexane ou le dichlorométhane.

1 Mise en place des cuves

• Remplir une cuve de la solution à étudier ; remplir une cuve identique avec le solvant de la solution à étudier : c'est la cuve de « blanc ».

• Ne pas toucher avec les doigts les faces d'entrée et de sortie du faisceau lumineux qui doivent être parfaitement propres.

• Les cuves doivent être introduites de manière à ce que les faces propres soient perpendiculaires au faisceau lumineux.

2 Spectrophotomètre interfacé à l'ordinateur

A Enregistrement d'un spectre d'absorption

Se placer en mode « spectre » et choisir l'affichage de l'absorbance.

❶ Régler les paramètres d'acquisition :
– la plage de longueurs d'onde à balayer ;
– le « pas » ; en général, on choisit 1 nm.

❷ Lancer l'acquisition ; le logiciel demande d'introduire la cuve de « blanc ». Introduire la cuve de « blanc » et cliquer sur OK.
L'ordinateur enregistre l'intensité de la lumière transmise pour chaque longueur d'onde de la plage choisie.

❸ Remplacer la cuve de « blanc » par la cuve de la solution à étudier. Cliquer sur OK.
L'ordinateur enregistre l'intensité de la lumière transmise pour chaque longueur d'onde, calcule l'absorbance puis affiche le spectre d'absorption.

B Enregistrement de l'absorbance à une longueur d'onde donnée

Se placer en mode « mesure d'absorbance ».
❶ Régler la longueur d'onde de mesure.
❷ Faire de nouveau les étapes ❷ et ❸ du A .

3 Spectrophotomètre non interfacé à l'ordinateur

❶ Régler la longueur d'onde de mesure.

❷ Introduire la cuve de « blanc ». Appuyer sur le bouton « zéro d'absorbance ».

❸ Introduire la cuve de la solution à étudier. Relever l'absorbance affichée.

❹ Pour tracer un spectre, faire de nouveau les trois étapes précédentes pour chacune des longueurs d'onde étudiées.

Effectuer une C.C.M.

La chromatographie sur couche mince (C.C.M.) permet de séparer les espèces chimiques contenues dans un mélange liquide et, aussi, de les identifier par comparaison.

ⓐ Préparation de la cuve à élution

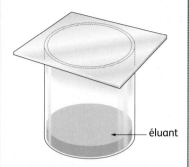

La cuve est un récipient qui peut être fermé par un couvercle, comme un pot de confiture. Introduire dans la cuve le solvant d'élution sur une hauteur de 5 à 10 mm. Fermer la cuve. La cuve se sature en vapeurs d'éluant, souvent en une dizaine de minutes.

ⓑ Préparation de la plaque

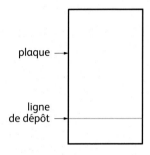

Découper une plaque de chromatographie à la bonne dimension (le vérifier dans une cuve vide).
Y tracer au crayon, une ligne de dépôt très légère à environ 15 mm de son bord inférieur.

ⓒ Dépôt des espèces chimiques

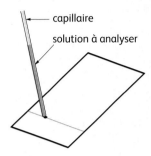

Avec un capillaire, déposer sur la ligne de dépôt une microgoutte de chaque solution à analyser. Le diamètre des taches ne doit pas dépasser 3 mm.

ⓓ Élution

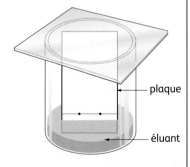

Introduire la plaque dans la cuve. Les dépôts ne doivent pas tremper dans l'éluant. Refermer et laisser la migration s'effectuer le plus haut possible (ou jusqu'à ce que l'éluant arrive à environ 15 mm du bord de la plaque).

ⓔ Séchage de la plaque

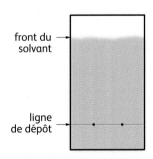

Dès sa sortie, marquer au crayon le niveau atteint par le front du solvant sur la plaque. La laisser sécher à l'air pendant quelques minutes.

ⓕ Révélation

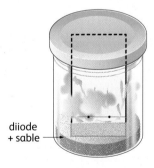

Choisir un mode de révélation en liaison avec les propriétés de l'espèce que l'on veut révéler : diiode (schématisé ici), lampe UV ou révélateur plus spécifique. Le chromatogramme est prêt.

Utiliser un pH-mètre

1 Principe de la mesure

● Un pH-mètre mesure une tension entre deux électrodes qui plongent dans la solution. La tension entre l'électrode de référence et l'électrode de verre est une fonction affine du pH.

● La tension est amplifiée et affichée directement en unité de pH. Certains appareils sont constitués d'une sonde qui réunit les deux électrodes (électrodes combinées).

2 Précautions et entretien

Conserver toujours une électrode de mesure dans une solution de stockage.

Nettoyage d'une électrode

☑ Placer le pH-mètre en position « *attente* ».

☑ Mettre un bécher sous l'électrode et rincer l'électrode du pH-mètre avec de l'eau distillée au moyen d'une pissette.

☑ Sécher avec du papier-filtre.

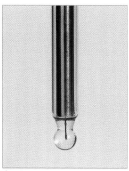

Électrode de verre.

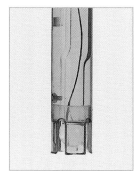

Électrodes combinées.

3 Étalonnage d'un pH-mètre

☑ Sortir les électrodes (ou la sonde) de leur solution de stockage et les nettoyer.

☑ Placer le pH-mètre en mode « *étalonnage* » et suivre les instructions qui s'affichent à l'écran.

☑ Placer la solution d'étalonnage (solution tampon) de pH valant 7,0. Attendre que le pH-mètre se calibre seul, puis valider.

☑ Nettoyer les électrodes (ou la sonde) du pH-mètre.

☑ Placer la solution d'étalonnage de pH valant 4,0. Attendre que le pH-mètre se calibre seul, puis valider.

☑ Nettoyer les électrodes (ou la sonde) du pH-mètre.

4 Mesure du pH d'une solution

Une mesure est toujours réalisée **après étalonnage du pH-mètre**.

☑ Placer le pH-mètre en mode « *mesure* ».

☑ Plonger l'électrode dans la solution dont on désire mesurer le pH.

☑ Agiter doucement la solution avec un barreau magnétique (attention à ne pas heurter l'électrode avec le barreau) et attendre que la valeur indiquée se stabilise.

☑ Nettoyer l'électrode et la remettre dans sa solution de stockage. Lorsque des mesures doivent être effectuées en série, il est possible de plonger l'électrode de mesure dans un bécher d'eau distillée entre deux mesures.

Utiliser un conductimètre

1 Description de l'appareil

L'ensemble conductimétrique est constitué de deux parties :
– une cellule de mesure ou cellule conductimétrique (**document 1**) ;
– un conductimètre.

Le conductimètre fournit la valeur de la résistance R ou de la conductance G de la colonne liquide de l'électrolyte contenue entre les plaques de la cellule.

La cellule conductimétrique.

2 La cellule conductimétrique

● Elle est constituée d'un corps en verre ou en matière plastique supportant deux plaques conductrices parallèles.

● Les cellules du commerce sont en acier inoxydable ou en platine recouvert de noir de platine (platine très divisé).

● Elles sont fragiles et doivent être nettoyées à l'eau distillée (au moyen d'une pissette) après la mesure.

3 Réaliser une mesure

☑ Allumer le conductimètre et se placer en mode « *calibrage* ».

☑ Rincer la cellule à l'eau distillée. Essuyer délicatement sa partie externe à l'aide d'un papier absorbant.

☑ Relever la température de la pièce et lire la valeur de la conductance $\sigma_{\text{étalon}}$ de la solution d'étalonnage à cette température dans une table de données. La solution d'étalonnage est généralement une solution de chlorure de potassium à 0,100 mol·L^{-1}.

☑ Plonger la cellule dans la solution d'étalonnage. Agiter quelques instants puis cesser l'agitation. Attendre que la valeur à l'écran se stabilise, et la corriger afin qu'elle prenne la valeur $\sigma_{\text{étalon}}$.

☑ Retirer la cellule, la rince et l'essuyer.

☑ Placer le conductimètre en mode « *mesure* ».

☑ Plonger la cellule dans la solution dont on désire mesurer la conductance. Attendre que la valeur se stabilise et faire la mesure.

Remarques.

1. Les conductimètres numériques peuvent afficher la conductivité en S/m ou en mS/m.

2. Les mesures de conductimétrie doivent se faire sans agiter ou avec une faible agitation magnétique (environ 1 tour par seconde).

3. Lors d'un titrage conductimétrique, seules les variations de conductance permettent de repérer le volume à l'équivalence. L'opération d'étalonnage n'est alors pas nécessaire.

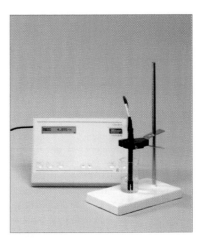

Deux techniques de chimie organique

1 Séparer un liquide et un solide : la filtration

La **filtration simple** consiste à séparer un solide et un liquide à l'aide d'un entonnoir muni d'un papier-filtre.
La **filtration sous pression réduite** est plus rapide et permet de sécher partiellement le solide.

● La filtration sous pression réduite se réalise sur **büchner**, entonnoir à fond plat perforé que l'on recouvre d'un filtre. Le büchner est placé sur une **fiole à vide** reliée à une trompe à eau. On peut également utiliser un entonnoir à **verre fritté**.

● On parle de filtration sous pression réduite car la trompe à eau crée une dépression dans la fiole recevant le filtrat. Cela accélère le passage du liquide à travers le filtre.

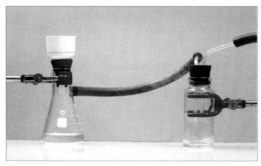

Dispositif pour filtration sous pression réduite : büchner, fiole à vide et fiole de garde reliée à une trompe à eau.

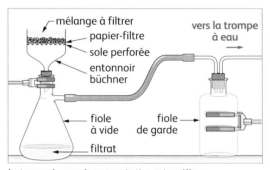

La trompe à eau crée une aspiration qui accélère le passage du liquide à travers le filtre.

2 Réaliser une extraction liquide-liquide

On désire extraire une espèce chimique *E* solubilisée dans un mélange aqueux. On utilise un solvant d'extraction *S* qui n'est pas miscible à l'eau et dans lequel l'espèce *E* est très soluble. *Nous supposons dans les figures ci-dessous que le solvant* S *est moins dense que l'eau.*

ⓐ Introduction du solvant

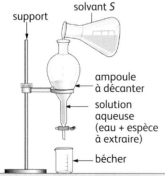

ⓑ Extraction

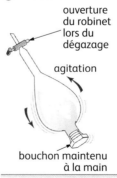

ⓒ Séparation

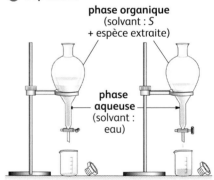

Fermer le robinet de l'ampoule à décanter et placer un récipient collecteur dessous (erlenmeyer ou bécher).
Introduire le mélange aqueux et le solvant d'extraction *S*.

Agiter l'ensemble. De temps en temps, dégazer en ouvrant le robinet et en maintenant l'ampoule à décanter la tête en bas. L'espèce à extraire initialement dans le mélange aqueux est alors transférée dans le solvant d'extraction *S*.

Replacer l'ampoule sur son support et retirer le bouchon. Deux phases liquides décantent. Le solvant qui a la plus grande densité est situé sous l'autre solvant. Récupérer la phase la plus dense dans un bécher en ouvrant le robinet, puis en le fermant avant que l'autre solvant ne coule. Récupérer l'autre phase dans un autre récipient en ouvrant de nouveau le robinet.

THÈME 1 — Ondes et matière

Chapitre 1 — En cas d'erreur : voir l'Essentiel

1 Mots manquants

a. mécaniques
b. logarithmique
c. spatiaux
d. ultraviolets
e. énergies ; accélérateurs de particules

2 QCM

a. **Ondes radio.**
b. **Ultraviolet.**
c. **N'a pas d'unité.** La magnitude fait intervenir un rapport entre énergies ou entre amplitudes.
d. **Augmente d'une unité si l'énergie libérée au foyer est multipliée environ par 30.** La valeur exacte est $\sqrt{1\,000}$.
e. **Flux de particules.** On fait une distinction entre les rayonnements électromagnétiques et les particules qui arrivent de l'espace.
f. **Infrarouge.** Le rayonnement thermique émis par les objets froids a son maximum dans l'infrarouge.
g. **Arrêté par l'atmosphère.** En l'absence d'atmosphère (et en particulier de la couche d'ozone), toute vie serait rendue impossible par les rayonnements ultraviolets de courtes longueurs d'onde.
h. **Le point de la surface terrestre à la verticale du foyer.** Ne pas faire la confusion entre foyer et épicentre. D'autre part, on parle de dégâts pour les réalisations humaines. Ils dépendent de l'occupation du sol ainsi que de sa structure : les dégâts ne sont pas les plus importants à l'épicentre.

Chapitre 2 — En cas d'erreur

1 Mots manquants

a. de matière ; d'énergie	Cours §1.2
b. une dimension	Cours §1.3
c. transversale	Cours §1.3
d. période temporelle	Cours §2.2.A
e. longueur d'onde	Cours §2.2.B

2 QCM

a. **Une bourrasque de vent.**	Cours §1.2
b. **Les vaguelettes de sable dans le désert.**	Cours §1.2
c. **$1,0 \times 10^4$ m.**	Cours §1.4.A
d. **4,00 Hz.**	Cours §2.2.A
e. **Sa longueur d'onde.**	Cours §2.2.B
f. $\lambda = \dfrac{v}{f} \cdot$	Cours §2.2.C

Chapitre 3 — En cas d'erreur

1 Mots manquants

a. fréquence	Cours §1.1
b. 20 Hz ; 20 kHz	Cours §1.1
c. élevée	Cours §1.1
d. timbre	Cours §1.3.B
e. $W \cdot m^{-2}$; dB	Cours §1.2.B
f. purs ; f ou 220 Hz ; $2f$ ou 440 Hz ; $3f$ ou 660 Hz ; le fondamental ; harmoniques	Cours §1.3.A
g. spectrale ; harmoniques	Cours §1.3.B
h. Doppler ; mouvement	Cours §2.1

2 QCM

a. **Longitudinale.**	Cours §1
b. **Son caractère grave ou aigu.**	Cours §1.1
c. **30 dB.**	Cours §1.2.B
d. **$1,0 \times 10^{-7}$ W·m^{-2}.**	Cours §1.2.B
e. **Croît de 3 dB par rapport à celui d'un seul instrument.**	Cours §1.3
f. **L'amplitude relative en fonction de la fréquence.**	Cours §1.3.A

Chapitre 4 — En cas d'erreur

1 Mots manquants

a. diffraction	Cours §1.2.B
b. longueur d'onde	Cours §1.2
c. inférieure	Cours §1.2
d. écart angulaire ; diffraction ; augmente ; diminue	Cours §1.3
e. lumière blanche	Cours §2.2

2 QCM

a. **Diffractée.**	Cours §1.1
b. **Verticale, composée d'une tache centrale très lumineuse et de taches latérales symétriques moins lumineuses.**	Cours §2.1
c. $\dfrac{\lambda}{a}\cdot$	Cours §2.1
d. **$\lambda = 800$ nm.**	Cours §1.3
e. **Blanche.**	Cours §2.2

Chapitre 5 — En cas d'erreur

1 Mots manquants

a. se modifier	Cours §1.1
b. maximale ; constructives	Cours §1.3.A
c. opposition ; destructives	Cours §1.3.A
d. la différence de marche ; constructives	Cours §1.3.C
e. cohérentes ; déphasage	Cours §1.2
f. l'interfrange ; d'interférences	Cours §2.2
g. destructives	Cours §3.2.A

2 QCM

a. **De même largeur que les autres franges.**	Cours §2.2
b. **À n'importe quelle distance des fentes.**	Cours §2.2
c. **Une seule lampe monochromatique munie d'une fente et un système permettant d'obtenir deux sources secondaires.**	Cours §2.1
d. **Une frange blanche et des franges irisées.**	Cours §3.1

Chapitre 6 — En cas d'erreur

1 Mots manquants

a. topologique ; ligne brisée	Cours §1.1
b. double	Cours §1.2
c. hydroxyle	Essentiel
d. amines	Cours §1.2 et 2.2
e. longueur d'onde ; coefficient	Cours §3.2

 **Corrigés**

2 QCM

a. 3-méthylbutan-2-one.
　　　　　　　　Fiche méthode 7
b. Carbonyle.　　　　　　Essentiel
c. Esters.　　　　Cours §1.2 et 2.2
d. Le nombre d'onde.　　Cours §3.3
e. D'identifier la présence de
certains types de liaisons. Cours §3.3

Chapitre 7　　　En cas d'erreur

1 Mots manquants

a. le déplacement chimique
　　　　　　　　　Cours §2.1.A
b. équivalents　　　　Cours §2.1.B
c. proportionnelle　　　Cours §2.2
d. quatre　　　　　　　Cours §2.3

2 QCM

a. **Il y a deux groupes d'atomes d'hydrogène équivalents.** On observe deux signaux sur le spectre, et le nombre de signaux est égal au nombre de groupesde protons équivalents dans la molécule étudiée. **Cours §2.1.B**
b. **Sont plus proches des atomes de chlore et d'oxygène que les protons donnant le signal à 1,24 ppm.** Plus un noyau d'atome d'hydrogène est proche d'atomes électronégatifs, plus son déplacement chimique est grand. **Cours §2.1.A**
c. **Un quadruplet.** Ce signal est formé de quatre pics. **Cours §2.3**
d. **Deux protons.** Le signal comporte 3 pics. D'après la règle des $(n + 1)$-uplets, les protons donnant ce triplet ont donc $(3 - 1) = 2$ protons voisins. **Cours §2.3**
e. $CH_3-CH_2-C(=O)Cl$. Dans cette molécule, on a bien trois protons ayant deux protons voisins et donnant un triplet, et on a aussi deux protons ayant trois protons voisins et donnant ainsi un quadruplet. La formule $CH_3-C(=O)-CH_2Cl$ ne convient pas : aucun proton n'a de protons voisins, son spectre de RMN ne ferait apparaître que des singulets. La formule $CH_3-CH=CCl(OH)$ ne convient pas non plus, puisque cette molécule comporte trois groupes de protons équivalents (et non deux). **Cours §3**

THÈME 2　Lois et modèles

Chapitre 8　　　En cas d'erreur

1 Mots manquants

a. le solide de référence　Cours §1.1
b. repère de temps　　　Cours §1.1
c. horloge　　　　　　　Cours §1.1
d. la dérivée ; position　　Cours §1.3
e. le vecteur vitesse　　　Cours §1.4
f. immobile ; uniforme　Cours §2.3.A
g. son vecteur vitesse　　Cours §3.1
h. système isolé　　　　Cours §3.2
i. référentiel galiléen　Cours §2.3.B

2 QCM

a.

– La représentation de $x(t)$ pour un point en mouvement rectiligne uniforme est une droite :
$$x(t) = v_x\, t + x_0.$$
– La deuxième représentation ($x(t)$ = constante) correspond à un point immobile.
– La troisième représentation correspond à un point dont la vitesse n'est pas constante.　**Cours §1.4**
b. **Le passager est en mouvement rectiligne uniforme dans le référentiel terrestre**, alors qu'il est immobile dans le référentiel du train.
　　　　　　　　Cours §2.3.B
c. **1,0 kg·m·s⁻¹.** $p = mv$, la masse étant en kg et la vitesse en m·s⁻¹.
On a donc :
$p = 0,100 \times \dfrac{36}{3,6} = 1,0$ kg·m·s⁻¹.
　　　　　　　　Cours §3.1

Chapitre 9　　　En cas d'erreur

1 Mots manquants

a. la dérivée ; au temps　Cours §1.1
b. nul　　　　　　　　　Cours §1.2
c. somme ; la quantité de mouvement　　　　　Cours §2.2
d. uniforme　　Cours §3.1 et §4
e. $\vec{g}$; une parabole　　Cours §3.2

2 QCM

a. 1 m·s⁻².　　　　　Cours §1.1
b. – uniforme : courbe ❸.
– accéléré sans être uniformément accéléré : courbe ❶.
– uniformément accéléré : courbe ❷.　　　　　　Cours §1
c. $\vec{F} = m\dfrac{d\vec{v}}{dt}$.　　　　Cours §2.2
d. Il n'y a pas de condition.
　　　　　　　　Cours §2.2

Chapitre 10　　En cas d'erreur

1 Mots manquants

a. uniforme ; cercle ; valeur
　　　　　　　　　Cours §1.1
b. accélération ; perpendiculaire
　　　　　　　　　Cours §1.3
c. héliocentrique　　Cours §3.2.B
d. ponctuels ; répartition sphérique
　　　　　　　　　Cours §2.1
e. uniforme　　　　Cours §2.3.A
f. des orbites ; ellipse ; foyers
　　　　　　　　　Cours §3.1.A
g. des aires ; Soleil ; aires égales
　　　　　　　　　Cours §3.1.B
h. des périodes ; carré ; cube
　　　　　　　　　Cours §3.1.C

2 QCM

a. **Quadruple si la valeur de la vitesse double.**　Cours §2.3.B
b. **Héliocentrique.**　　Cours §2.2
c. $v = \sqrt{\dfrac{GM}{r}}$.　　　Cours §2.3.B
d. $\dfrac{T^2}{r^3} = k$.　　　　Cours §3.1.C
e. **k dépend de la masse de l'astre autour duquel le satellite tourne.**
　　　　　　　　Cours §3.2

Chapitre 11　　En cas d'erreur

1 Mots manquants

a. d'altitude ; A ; B　　Cours §1.2
b. joule　　　　　　　Cours §1.1
c. $\vec{F}$; $\overrightarrow{AB}$　　　　　Cours §1.1
d. diminue ; non conservatives
　　　　　　　　Cours §3.2

2 QCM

a. Dépend du signe
de la charge q.   Cours §1.3
b. Est toujours positif quand le corps
descend.   Cours §1.2
c. Son travail ne dépend pas
du chemin suivi par le point
matériel pendant le déplacement.
                                 Cours §2.1 et 2.2
d. Il y a conversion d'énergie de
A entre les formes potentielle et
cinétique.   Cours §2.2
e. Reste constante en l'absence
de frottement.   Cours §3.2

Chapitre 12   En cas d'erreur

1 Mots manquants

a. référentiels galiléens   Cours §1.2
b. nulle ; photon   Cours §1.2
c. référentiel   Cours §2.1
d. propre   Cours §2.2

2 QCM

a. Égale à c.   Cours §1.2
b. Les mêmes lois de
l'électromagnétisme sont
respectées. Les lois de la physique
sont les mêmes dans tous les
référentiels galiléens. Ceci ne signifie
pas que les mouvements sont décrits
de façons identiques.   Cours §1.2
c. Prend du retard.   Cours §2.2
d. Grande devant τ. Il y a en effet
dilatation des durées pour la particule
en mouvement.   Cours §2.2
e. Supérieure ou égale à sa durée
propre. L'égalité est obtenue pour
un référentiel immobile par rapport
au référentiel de mesure.   Cours §2.2
f. Est vérifiable et peut avoir des
conséquences pratiques. C'est un
effet faible mais mesurable avec des
horloges atomiques. Le GPS est un
exemple où les effets relativistes ont
des conséquences pratiques.
                                     Cours §3.2

Chapitre 13   En cas d'erreur

1 Mots manquants

a. durée d'une transformation
chimique   Cours §1.2
b. temps de demi-réaction   Cours §1.4
c. facteurs cinétiques   Cours §2
d. élevée   Cours §2.1
e. catalyseur   Cours §3.1

2 QCM

a. Du chlorométhane CH_3Cl
                                     Cours §1.3
b. $t_d = 1,4$ min.   Cours §1.2 et 1.3
c. 0,4 min.   Cours §1.4
d. Hétérogène.   Cours §3.2

Chapitre 14   En cas d'erreur

1 Mots manquants

a. conformation   Cours §2.1
b. chirale   Cours §3.1
c. asymétrique   Cours §3.1
d. énantiomères   Cours §3.1
e. racémique   Cours §3.1
f. configuration   Cours §3.1

2 QCM

a.

                                     Cours §1.2
b. La représentation
de Cram.   Cours §1.2
c. Stéréoisomères
de conformation.   Cours §2.1
d. Un clou.   Cours §3.1
e. $ClCH(OH) - CH_3$.   Cours §3.1
f. Énantiomères.   Cours §3.1

Chapitre 15   En cas d'erreur

1 Mots manquants

a. tous les ; tous les   Cours §2.2
b. deux   Cours §2.2
c. remplacé   Cours §2.2
d. électronégatif ; liaison   Cours §3.1
e. moins   Cours §3.1
f. donneur   Cours §3.2
g. donneur ; accepteur   Cours §3.2
h. donneur   Cours §3.2

2 QCM

a. Addition.   Cours §2.2
b. De carbone porte une charge
partielle positive.   Cours §3.1
c. Polarisée.   Cours §3.1
d. C'est un site donneur de doublet
d'électrons.   Cours §3.2
e. D'oxygène n° 2 vers l'atome
de carbone.   Cours §3.2

Chapitre 16   En cas d'erreur

1 Mots manquants

a. pH $= -\log[H_3O^+]$; pH-mètre
                                 Cours §1.1 et 1.2
b. supérieure ; inférieur   Cours §1.3
c. produit ionique de l'eau   Cours §1.3
d. céder ; proton   Cours §2
e. HO^- ; H_3O^+ Cours §2
f. équilibrée ; $\rightleftharpoons$ Cours §2.1
g. exothermique ; augmente
                                     Cours §4.3

2 QCM

a. $1,0 \times 10^{-4}$ mol·L⁻¹.   Cours §1.2
b. $[HO^-] = 2,0 \times 10^{-5}$ mol·L⁻¹.
                                     Cours §1.3
c. Qui peut capter un ion H^+.
                                     Cours §2
d. Augmente d'une unité.   Cours §4.2
e. CH_3NH_2 (aq) $+ H_2O$ (ℓ) $\rightleftharpoons$
$CH_3NH_3^+$ (aq) $+ HO^-$ (aq)   Cours §4.1

Chapitre 17   En cas d'erreur

1 Mots manquants

a. constante d'acidité ;
$pK_a = -\log(K_a)$ Cours §1
b. la base faible   Cours §2.1
c. carboxyle ; amino   Cours §2.2
d. peu ; d'acide ou de base
                                     Cours §3.1

2 QCM

a. Inférieur au pK_a du couple.
                                     Cours §2.1
b. NH_4^+.   Cours §2.1

c. L'espèce prédominante dépend du pK_a du couple.   Cours §2.1

d. $1,3 \times 10^{-6}$ mol·L^{-1}.   Cours §1.1

e. Augmente légèrement. Cours §3.1

Chapitre 18   En cas d'erreur

1 Mots manquants

a. constante d'Avogadro Cours §1.1

b. puissance ; plus   Cours §1.1

c. grand   Cours §1.2

d. interne ; microscopique Cours §2.1

e. température   Cours §2.2

f. température   Cours §2.2

g. différence ; systèmes ; équilibre   Cours §3

h. conduction ; convection ; rayonnement   Cours §3

i. Φ ; transfert thermique Cours §4.1

j. énergie interne ; énergie mécanique   Cours §5

2 QCM

a. 10^{25}.   Cours §1.1

b. Augmente.   Cours §2.1

c. $C \times \Delta T$.   Cours §2.2

d. W.   Cours §4.1

e. $\dfrac{e}{(\lambda \times S)}$ Cours §4.2

Chapitre 19   En cas d'erreur

1 Mots manquants

a. quantifiés   Cours §1.1

b. absorption   Cours §1.2

c. stimulée ; excité   Cours §1.3

d. pompage ; inversion Cours §2.1.A

e. cavité résonante   Cours §2.1.B

f. constructives ; d'amplifier/ d'augmenter   Cours §2.1.B

g. monochromaticité ; cohérence   Cours §2.2

h. transitions   Cours §3

2 QCM

a. Une absorption.   Cours §1.2

b. Gamma.   Cours §3

c. Est un phénomène beaucoup moins probable que l'émission spontanée.   Cours §1.3.B

d. Les radiations dont la longueur d'onde vérifie la relation $2L = n\lambda$ avec n entier non nul.   Cours §2.1.B

Chapitre 20   En cas d'erreur

1 Mots manquants

a. photons   Cours §1.2

b. $h\nu$; constante de Planck   Cours §1.2

c. ondulatoire ; particulaire   Cours §1.1

d. particulaire   Cours §1.2

e. la quantité de mouvement   Cours §2.1

f. un faisceau d'électrons Cours §2.2

g. ondulatoire   Cours §2.2

h. une onde ; une particule Cours §3

i. probabilité   Cours §3

2 QCM

a. $p_r < p_v$. La quantité de mouvement p d'un photon de longueur d'onde λ est : $p = \dfrac{h}{\lambda}$.

La longueur d'onde d'un photon de lumière rouge est supérieure à celle d'un photon de lumière violette : $\lambda_r > \lambda_v$ donc $\dfrac{h}{\lambda_r} < \dfrac{h}{\lambda_v}$ soit $p_r < p_v$.   Cours §1.2

b. $\lambda = \dfrac{h}{p}$.

La relation de Louis de Broglie est bien $\lambda = \dfrac{h}{p}$, h étant la constante de Planck.   Cours §2.1

c. La même vitesse. En effet $\lambda = \dfrac{h}{p}$ et $p = mv$ donc :

$\dfrac{\lambda_p}{\lambda_\alpha} = \dfrac{m_\alpha}{m_p} \times \dfrac{v_\alpha}{v_p} = 4\dfrac{v_\alpha}{v_p}$; si $v_\alpha = v_p$,

$\dfrac{\lambda_p}{\lambda_\alpha} = 4$.   Cours §2.1

d. Le système {photon ; électron}. L'effet Compton s'interprète comme un choc entre deux particules : au cours du choc, seule la quantité de mouvement du système {photon ; électron} se conserve.   Cours §1.2

THÈME 3   Défis du XXIe siècle

Chapitre 22   En cas d'erreur

1 Mots manquants

a. conductivité   Cours §1.1

b. conduire le courant électrique   Cours §1.1

c. élevée/grande   Cours §1.1

d. d'étalonnage.   Cours §2.2

e. Beer-Lambert   Cours §1.3

2 QCM

a. Ions.   Cours §1.1

b. Conduire le courant électrique.   Cours §1.1

c. S·m^{-1}.   Cours §1.1

d. mol·m^{-3}.   Cours §1.2

e. D'une même solution ionique à des concentrations différentes.   Cours §2.1

f. $1,1 \times 10^{-1}$.   Cours §1.2

Chapitre 23   En cas d'erreur

1 Mots manquants

a. quasi-totale   Cours §1.1

b. stœchiométriques   Cours §1.2

c. brusque variation de pH Cours §2.1

d. conductivité   Cours §2.2

e. pente   Cours §2.2

f. indicateur de fin de réaction   Cours §3

2 QCM

a. Le réactif titrant est limitant.   Cours §1.2

b. $\dfrac{n_{A,i}}{a} = \dfrac{n_{B,e}}{b}$.   Cours §1.2

c. Le réactif titrant est HO$^-$ et le réactif titré est HCO$_2$H.   Cours §1.1

d. La zone de forte variation de pH.   Cours §2.1

e. H_3O^+ (aq) + HO$^-$ (aq) $\rightarrow$ 2 H_2O (ℓ)   Cours §1.1

Corrigés 5 minutes CHRONO!

Chapitre 24
En cas d'erreur

1 Mots manquants

a. catalyseur — **Bilan p. 486**

b. petite — **Bilan p. 486**

c. solvant — **Bilan p. 486**

d. extraction liquide/liquide ; ampoule à décanter — **Bilan p. 489**

e. d'identification — **Bilan p. 490**

f. recristallisation — **Bilan p. 490**

2 QCM

a. Un ester. — **Bilan p. 486**

b. Catalyseur. — **Bilan p. 486**

c. L'alcool. — **Bilan p. 486**

d. 64 %. — **Bilan p. 486**

e. Sa température de fusion. — **Bilan p. 490**

f. Une distillation. — **Bilan p. 490**

Chapitre 25
En cas d'erreur

1 Mots manquants

a. polyfonctionnelle — **Cours §1**

b. protection — **Cours §2.1**

c. sélective — **Cours §1**

d. carboxyle — **Cours §3**

2 QCM

a. Est toujours un réactif chimiosélectif. — **Cours §2.2**

b. Est une réaction sélective. — **Cours §2.2**

c. La réaction est sélective. — **Cours §1**

d. Protéger le groupe amino de l'acide α-aminé 1. — **Cours §3**

Chapitre 26
En cas d'erreur

1 Mots manquants

a. émetteur ; récepteur — **Bilan p. 517**

b. pixels ; octets ; octet — **Bilan p. 519**

c. une infinité ; un nombre fini — **Bilan p. 524**

d. analogique ; numérique ; fréquence d'échantillonnage ; petit ; grand — **Bilan p. 525**

e. guidée ; libre — **Bilan p. 529**

f. grand ; bit·s⁻¹ (ou octet·s⁻¹) — **Bilan p. 529**

g. dB ; dB·m⁻¹ — **Bilan p. 529**

h. d'interférence ; diffraction — **Bilan p. 531**

2 QCM

a. Magenta. — **Bilan p. 519**

b. Le signal analogique contient plus d'informations. — **Bilan p. 524**

c. Se transmet de manière plus fidèle. — **Bilan p. 524**

d. 20 dB. — **Bilan p. 529**

e. 1 0 1. — **Bilan p. 531**

THÈME 1 Ondes et matière

Chapitre 1

3 a. Les planètes et les astéroïdes ; les poussières interstellaires.

b. Le Soleil ; les étoiles chaudes.

c. Le rayonnement fossile de l'Univers ; les radiosources lointaines (il s'agit probablement d'ondes émises par des particules chargées fortement accélérées, par la présence d'un trou noir par exemple) ; l'hydrogène interstellaire émet une onde radio de fréquence caractéristique.

4 Sources naturelles : rayonnement cosmique ; on peut aussi citer les particules α et β produites par la radioactivité. Sources artificielles : accélérateurs de particules.

7 a. Récepteur radio ; tous les appareils de communications sans fil (téléphone sans fil ou téléphone portable) ; appareils fonctionnant en wi-fi ; appareils télécommandés (jouets, systèmes de fermetures à distance) ; etc.

b. Appareil photo ; barrière optique (porte d'ascenseur) ; déclenchement automatique des feux de croisement ; etc.

c. Capteur du signal de télécommande d'un téléviseur ; détecteur d'alarme antivol ; etc.

Chapitre 2

3 a. Les brindilles flottent au même endroit avant et après le passage de la perturbation.

b. Les ondes électromagnétiques émises par le Soleil nous apportent de l'énergie par transfert thermique.

7 a. Une onde progressive à une dimension.

b. Le terme « distance crête à crête » est associé à la longueur d'onde, laquelle est la plus petite distance séparant deux points du milieu présentant le même état vibratoire au même instant.

c. La période d'une onde sinusoïdale est la durée nécessaire à l'onde pour parcourir une distance égale à la longueur d'onde à une célérité v.

$$v = \frac{\lambda}{T} \text{ donc } T = \frac{\lambda}{v} = \frac{40}{5,5} = 7,3 \text{ s}$$

d. La fréquence correspond au nombre de périodes temporelles T par unité de temps.

$$F = \frac{1}{T} = \frac{1}{7,3} = 0,14 \text{ Hz}$$

10 a. L'onde décrite est transversale car la perturbation s'effectue dans une direction perpendiculaire à celle de la propagation de l'onde.

b. Échelle : 1,4 cm$_{(schéma)} \rightarrow$ 1,00 m$_{(réel)}$

$ON_{(schéma)} = 4,1$ cm $\rightarrow ON_{(réel)} = 2,9$ m

$$v = \frac{ON_{(réel)}}{t_1 - t_0} = \frac{2,9}{0,2 - 0,0} = 15 \text{ m·s}^{-1}.$$

c. $MN_{(schéma)} = 2,8$ cm $\rightarrow MN_{(réel)} = 2,0$ m

$$\tau = \frac{MN_{(réel)}}{v} = \frac{2,0}{15} = 0,13 \text{ s}.$$

11 a. Le signal visualisé permet d'obtenir la valeur de la période temporelle.

b. $T = b \times nb_H = 500 \times 10^{-6} \times 4,5 = 2,3 \times 10^{-3}$ s = 2,3 ms.

c. $\lambda = v \times T = 340 \times 2,3 \times 10^{-3} = 0,78$ m = 78 cm.

Chapitre 3

4 a. Les oscillogrammes ① et ② correspondent à des sons ayant la même hauteur, car ils ont la même période (durée pour un motif élémentaire) et donc la même fréquence.

b. Les sons correspondant aux autres oscillogrammes sont plus graves puisque leur fréquence est plus faible (période plus grande).

7 a. La forme du signal est différente dans ces oscillogrammes : les timbres sont bien différents.

b. Le son émis par un diapason est pur, son spectre a l'allure suivante :

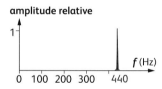

9 a. La perception est identique car l'émetteur et le récepteur sont immobiles l'un par rapport à l'autre :

$$f_{récepteur} = f_{source}.$$

b. La perception est différente car l'émetteur et le récepteur se déplacent l'un par rapport à l'autre. La différence de hauteur est due à l'effet Doppler. La fréquence de l'onde dans le référentiel de la source est différente de celle de l'onde détectée dans le référentiel du récepteur : $f_{récepteur} \neq f_{source}$.

Comme l'émetteur et le récepteur s'éloignent l'un de l'autre, $f_{récepteur} < f_{source}$: le son du klaxon perçu par le piéton est plus grave que celui perçu par le conducteur.

10 a. $L = 10 \log \frac{I}{I_0}$, donc $\frac{L}{10} = \log \frac{I}{I_0}$,

soit $10^{\frac{L}{10}} = \frac{I}{I_0}$.

Ainsi : $I = I_0 \times 10^{\frac{L}{10}}$.

b. Cas du silence : $I = 1,0 \times 10^{-12}$ W·m^{-2}.

Cas du marteau piqueur : $1,0 \times 10^{-1}$ W·m^{-2}.

c. La sensation auditive comme le niveau d'intensité sonore ne varie pas dans les mêmes proportions que l'intensité sonore.

Remarque : si deux sources génèrent chacune un son d'intensité sonore égale, l'intensité du son résultant double mais la sensation auditive se traduit par une augmentation de niveau sonore de seulement 3 dB.

Chapitre 4

4 **a.** L'ouvreuse peut entendre le son grâce au phénomène de diffraction. Lorsque l'onde sonore franchit l'ouverture, il y a étalement des directions de propagation.

b. Plus la dimension de l'ouverture est inférieure à la longueur d'onde, plus le phénomène de diffraction est important. $a > \lambda_a = 0,11$ m = 11 cm, et $a < \lambda_g = 3,0$ m = $3,0 \times 10^2$ cm. Le son grave est donc plus diffracté que le son aigu.

6 **a.** L'écart angulaire de diffraction θ est l'angle entre la direction de propagation en l'absence de diffraction et la direction donnée par le milieu de la première extinction.

b.

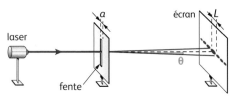

c. $\theta = \dfrac{\lambda}{a}$

7 **a.** a et λ sont du même ordre de grandeur, il est donc pertinent de prendre en compte le phénomène de diffraction.

b.

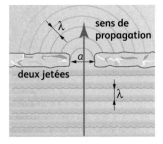

10 **a.** La largeur de la tache centrale est $L = 24$ mm.
b. On a $a = \dfrac{2\lambda D}{L}$, donc $a = 1,1 \times 10^{-4}$ m.
c. $100\lambda = 633 \times 10^2$ nm = $6,33 \times 10^{-5}$ m. Ainsi $a > 100\lambda$ mais ces deux valeurs ont le même ordre de grandeur. Le résultat est donc cohérent.

Chapitre 5

4 **a.** $\lambda = vT = \dfrac{v}{f} \Rightarrow \lambda = \dfrac{340}{4,25 \times 10^4} = 8,00 \times 10^{-3}$ m.
b. Les deux émetteurs, branchés sur le même GBF, constituent des sources d'ondes cohérentes qui émettent en phase. Dans ces conditions, on peut observer des interférences dans la partie commune aux deux faisceaux.

c. Les sources émettent sans déphasage. Il y a interférence constructive en un point du milieu de propagation si la diffé-

rence de trajet entre les sources et ce point n'introduit pas de déphasage, c'est-à-dire si $d_2 - d_1 = k\lambda$ (en appelant d_2 la distance entre le point et E_2 et d_1 la distance entre le point et E_1).
Au contraire, si $d_2 - d_1 = (2k + 1)\dfrac{\lambda}{2}$, les ondes arriveront au point considéré en opposition de phase et les interférences seront destructives.

Points	M	N	P
Distance à E_1 (en mm)	234	252	312
Distance à E_2 (en mm)	226	256	328
$d_2 - d_1$ (en mm)	−8	4	16

Les interférences sont constructives en M et en P ($k = -1$ et $k = 2$) et destructives en N ($k = 0$ et $d_2 - d_1 = \dfrac{\lambda}{2}$).

6 **a.** L'huile ou l'essence qui recouvre l'eau forme une fine couche transparente. La lumière se réfléchit à la surface de séparation air-huile et à la surface de séparation huile-eau. Les rayons réfléchis interfèrent. Pour certaines longueurs d'onde les interférences sont destructives : la lumière réfléchie n'est plus blanche mais colorée.

b. Quand on baisse ou lève la tête, les rayons qui pénètrent dans l'œil n'ont pas la même inclinaison. La différence de marche entre les deux rayons n'est plus la même (elle est minimale en incidence normale). Les interférences sont destructives pour d'autres longueurs d'onde : les couleurs changent.

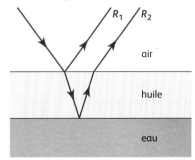

7 **a.** La courbe sur l'écran a une amplitude maximale si les deux ondes ultrasonores arrivent en phase sur le récepteur. Puisqu'elles sont émises en phase, il faut que $D_2 - D_1 = k\lambda$.

b. La plus petite distance entre les deux émetteurs correspond à la plus petite valeur de k non nulle (non nulle car les deux émetteurs ne peuvent pas être au même endroit) donc $k = 1$.
$D_2 = D_1 + \lambda$ d'une part, et $D_2^2 - D_1^2 = d^2$
$(D_1 + \lambda)^2 - D_1^2 = d^2$
$\lambda(2D_1 + \lambda) = d^2$
$\Rightarrow d = \sqrt{\lambda(2D_1 + \lambda)} = \sqrt{8,0 \times (2 \times 200 + 8)} = 57$ mm.

c. La courbe sur l'écran a une amplitude minimale si les deux ondes ultrasonores arrivent en opposition de phase sur le récepteur. Puisqu'elles sont émises en phase, il faut que $D_2 - D_1 = (2k + 1)\dfrac{\lambda}{2}$.
On peut prendre $k = 0$ si on considère que les émetteurs sont de petites tailles (diamètre 16 mm).
On obtient alors $D_2 = D_1 + \dfrac{\lambda}{2}$.
Il suffit donc de remplacer λ par $\dfrac{\lambda}{2}$ dans l'expression précédente, tel que :
$$d = \sqrt{\dfrac{\lambda}{2}\left(2D_1 + \dfrac{\lambda}{2}\right)} = \sqrt{4,0 \times (2 \times 200 + 4)} = 40 \text{ mm}.$$
Remarque : dans les deux cas, on peut négliger λ ou $\dfrac{\lambda}{2}$ devant $2D_1$.

d. Il peut y avoir plusieurs causes expliquant que l'amplitude ne soit pas nulle : l'émetteur 2 est un peu plus loin du récepteur que l'émetteur 1. Le signal est donc un peu plus atténué. D'autre part, pour la même fréquence imposée par le GBF, l'amplitude de l'onde émise peut varier d'un émetteur à l'autre.

8 **a.** La relation $i = f(D)$ indique que pour une longueur d'onde et une distance entre les fentes données, l'interfrange est proportionnelle à la distance D. Le graphe $i = f(D)$ est donc une droite passant par l'origine.

b. Le coefficient directeur de la droite est proportionnel à λ. Il est donc plus petit pour le laser vert (courbe du dessous).

c. Pour $D = 2,20$ m, $\dfrac{i_R}{i_V} = \dfrac{5}{4} \Rightarrow \dfrac{\lambda_R}{\lambda_V} = \dfrac{5}{4}$,

donc $\lambda_V = \dfrac{4}{5}\, \lambda_R = \dfrac{4}{5} \times 650 = 520$ nm.

d. Il est préférable de faire le calcul avec la lumière rouge, car une faute sur λ_V entraîne une faute sur la distance qui sépare les fentes.

$a_{1-2} = \dfrac{\lambda D}{i} = \dfrac{650 \times 10^{-9} \times 2,2}{5,0 \times 10^{-3}} = 2,9 \times 10^{-4}$ m $= 0,29$ mm.

Chapitre 6

3 **a** C_5H_{10} **b** $C_6H_{12}O_2$

c $C_6H_{12}O_2$ **d** $C_5H_{11}NO$

6 **a.** 4-méthylhexan-3-ol

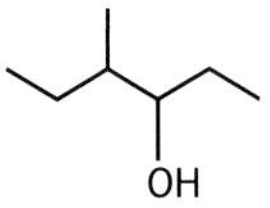

b. 3-éthyl-2,3-diméthylheptanal

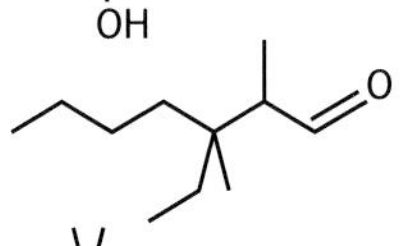

c. 3,3,4-triméthylpentan-2-one

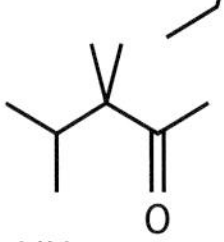

d. 2-méthylpropan-2-amine

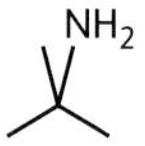

e. 2-éthylpentanoate de butyle

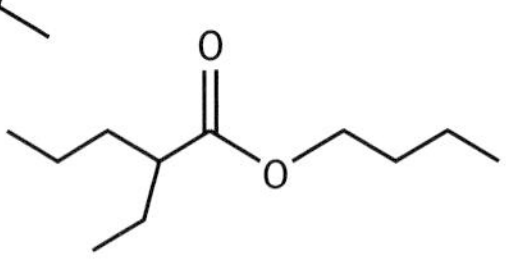

7 **a.** On relève $\lambda_{m,1} = 310$ nm, $\lambda_{m,2} = 340$ nm et $\lambda_{m,3} = 530$ nm.

b. Seule $\lambda_{m,3}$ correspond à une radiation dans le visible. Les radiations de couleur verte sont donc principalement absorbées (mais aussi un peu le bleu à cause de l'épaulement à 500 nm). On en déduit que l'éosine est rouge/rosée en solution aqueuse.

c. On relève $A_{max} = 1,1$ et donc :

$\varepsilon_{max} = \dfrac{A_{max}}{(\ell c)} = \dfrac{1,1}{(1,0 \times 1,0 \times 10^{-5})}$

$= 1,1 \times 10^5$ L·mol^{-1}·cm$^{-1} > 10^3$ L·mol^{-1}·cm^{-1}.

L'éosine est donc une espèce fortement absorbante.

8 **a.** La large bande de très forte absorption aux alentours de 3 350 cm^{-1} correspond à la liaison O–H du groupe hydroxyle. On observe par ailleurs la bande fine de moyenne absorption associée à la même liaison aux alentours de 3 600 cm^{-1}.

b. On n'observe plus que la bande fine de moyenne absorption au voisinage de 3 600 cm^{-1}, la large bande de très forte absorption a disparu. C'est parce que cette bande est liée à la présence de liaisons hydrogène présentes en solution, mais pas en phase gazeuse.

Chapitre 7

3 **a.** Il y a deux formules semi-développées correspondant à la formule brute C_2H_4O :

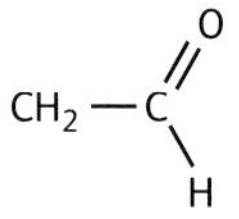

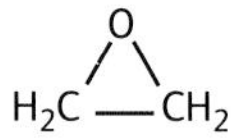

b. Le signal à 9,79 ppm correspond ici à un proton lié à un atome de carbone d'un groupe carbonyle. La molécule étudiée est donc l'éthanal $CH_3 - CH = O$. Le déplacement chimique des protons de l'autre molécule serait compris entre 3,1 et 5,0 ppm d'après la table simplifiée de déplacement chimique.

Remarque : en fait, on pouvait conclure sans la table de valeurs de déplacement chimique. Des deux molécules possibles, l'éthanal est la seule qui possède deux types de protons ; dans l'autre molécule, tous les protons sont équivalents et donneraient donc lieu à un seul signal.

5 **a.** Le spectre comporte trois signaux : il y a donc trois groupes de protons équivalents dans la molécule, ce qui est cohérent avec la formule de la molécule : CH_3–CH_2–**OH**.

b. Le saut de la courbe d'intégration pour le signal vers 1 ppm est trois fois plus grand que celui pour le signal vers 5,5 ppm : le signal à 1 ppm correspond donc aux trois protons du groupe méthyle CH_3– et le signal à 5,5 ppm correspond au proton du groupe hydroxyle –OH. On en déduit que le troisième signal (vers 3,5 ppm) correspond aux deux protons de –CH_2–.
On vérifie que le saut correspondant au signal à 3,5 ppm est deux fois plus grand que celui à 5,5 ppm : le signal à 3,5 ppm correspond donc bien aux deux protons de –CH_2–.

6 **a.** Le signal vers 1 ppm comporte 3 pics : c'est un triplet. Le signal vers 3,5 ppm comporte 4 pics : c'est donc un quadruplet.

b. Les protons du triplet ont comme voisins $3 - 1 = 2$ protons équivalents entre eux, et les protons du quadruplet ont comme voisins $4 - 1 = 3$ protons équivalents entre eux.
Ceci est cohérent avec la présence d'un groupe éthyle CH_3–CH_2– dans l'éthanol : les protons de CH_3– ont comme voisins les deux protons de –CH_2– , et les protons de –CH_2– ont comme voisins les trois protons de CH_3–.

THÈME 2 **Lois et modèles**

Chapitre 8

4 **a.** À $t_0 = 0$ s, $x(t_0) = 1$ et $y(t_0) = 3$.
Le vecteur position est par définition :

$\overrightarrow{OA}(t_0) = x(t_0) + y(t_0)\vec{j} = \vec{i} + 3\vec{j}.$

b. Le vecteur vitesse est la dérivée du vecteur position par rapport au temps :

$$\vec{v}(t) = \frac{\overrightarrow{dOA}}{dt} = v_x \vec{i} + v_y \vec{j}$$

$$v_x = \frac{dx}{dt} = 5 \text{ m·s}^{-1} \; ; \; v_y = \frac{dy}{dt} = 0.$$

c. Le vecteur vitesse est un vecteur constant, la trajectoire est une droite et le mouvement est rectiligne uniforme.

5 **a.** Le vecteur vitesse est la dérivée du vecteur position par rapport au temps.

b. L'expression approchée du vecteur vitesse étant

$$\vec{v}(t_3) = \frac{\overrightarrow{A_2 A_4}}{2\tau}$$

Le vecteur vitesse à la date t_3 a la même direction et le même sens que le vecteur $\overrightarrow{A_2 A_4}$.
Sa valeur est donnée par : $v(t_3) = \frac{A_2 A_4}{2\tau}$.
En tenant compte de l'échelle : $A_2 A_4 = \frac{2,4}{0,5} = 4,8$ cm.

$$v(t_3) = \frac{4,8 \times 10^{-2}}{2 \times 40 \times 10^{-3}} = 0,60 \text{ m·s}^{-1}.$$

7 **a.** Le vecteur quantité de mouvement d'un point matériel de masse m et animé d'une vitesse $\vec{v}$ est : $\vec{p} = m\vec{v}$.
Le vecteur quantité de mouvement d'un système matériel est égal à la somme des vecteurs quantités de mouvement des n points matériels qui le constituent : $\vec{p} = \sum_{i=1}^{n} \vec{p_i}$.

b. $p = mv = 1,0 \times 10^3 \times \frac{120}{3,6} = 3,3 \times 10^4 \text{ kg·m·s}^{-1}$.

c. On note M, la masse du camion et V, sa vitesse.
$p = mv = MV$; d'où $V = \frac{m}{M} v$
AN : $V = \frac{1}{30} \times 120 = 4,0 \text{ km·h}^{-1}$.

8 **a.** Dans le référentiel terrestre considéré comme galiléen, on étudie le système constitué par les deux patineurs.

b. Avant qu'ils ne se repoussent, les patineurs sont immobiles, leur quantité de mouvement est nulle. La quantité de mouvement du système est alors nulle : $\vec{p} = \vec{0}$.
Lorsque A et B se sont repoussés, la quantité de mouvement du système est : $\vec{p}' = \vec{p_A} + \vec{p_B}$.
Les frottements étant négligeables, chacun des patineurs est soumis à deux forces qui se compensent, son poids et la réaction du sol : le système étudié est isolé.
Dans ce cas, il y a conservation de la quantité de mouvement : $\vec{p} = \vec{p}'$ soit $\vec{0} = \vec{p_A} + \vec{p_B}$.
Les vecteurs quantité de mouvement de A et de B sont opposés : $\vec{p_A} = -\vec{p_B}$.

c. L'égalité précédente se traduit par :

$$m_A \vec{v_A}(t) = -m_B \vec{v_B}(t) \text{ soit } \vec{v_B}(t) = -\frac{m_A}{m_B} \vec{v_A}(t).$$

Les vecteurs vitesse ont même direction mais des sens opposés.
Si $v_A = 4,0 \text{ m·s}^{-1}$, $v_B = \frac{m_A}{m_B} v_A = \frac{50}{80} \times 4,0 = 2,5 \text{ m·s}^{-1}$.

Chapitre 9

6 **a.** et **b.** Le parachutiste équipé est le système choisi. Les forces qui s'exercent sur le système sont : son poids $\vec{P}$ de valeur $P = 800$ N et la force $\vec{F}_{air}$ due à l'air.
En appliquant la deuxième loi de Newton au système dont la masse est constante :

$$\vec{P} + \vec{F}_{air} = m\vec{a}.$$

Le vecteur accélération $\vec{a}$ est vertical vers le bas et sa valeur est de $a = \frac{P - F_{air}}{m}$.

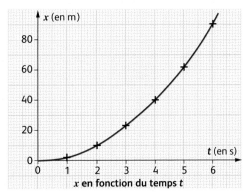

	1	2	3	4
Accélération	$a = 10 \text{ m·s}^{-2}$	$a = 5,6 \text{ m·s}^{-2}$	$a = 1,2 \text{ m·s}^{-2}$	$a = 0 \text{ m·s}^{-2}$
Nature du mouvement	accéléré	accéléré	accéléré	uniforme

9 **a.** Le champ $\vec{E}$ est uniforme ; il est donc identique en M et N. Ce champ est orthogonal aux plaques A et B, son sens va de la plaque portant une charge positive A à la plaque B, et sa valeur est :

$$E = \frac{400}{0,10} = 4,0 \times 10^3 \text{ V·m}^{-1}.$$

La force qui s'exerce sur un électron est alors $\vec{f_e} = -e\vec{E}$ et elle est identique pour un électron en M ou en N. $\vec{f_e}$ est orthogonale aux plaques A et B, son sens va de la plaque B à la plaque A et sa valeur $f_e = 6,4 \times 10^{-16}$ N.

b. et **c.** Comme $\vec{a} = \frac{\vec{f_e}}{m}$, l'accélération $\vec{a}$ a donc même direction, même sens que la force électrique et sa valeur est :

$$a = 7,0 \times 10^{14} \text{ m·s}^{-2}.$$

10 **a.** La représentation graphique de $x(t)$ a une « allure » de parabole.

x en fonction du temps t

b. Avec un tableur on peut calculer les valeurs de v_x en chaque point M_i d'abscisse x_i par :

$$v_{x,i} = \frac{x_{i+1} - x_{i-1}}{t_{i+1} - t_{i-1}}.$$

v_x en fonction du temps t

v_x est une fonction linéaire de t, de coefficient directeur 5×10^{-2} (en exprimant v_x en m·s^{-1} et t en s).

c. Du graphe **b.** on déduit que $a_x = \dfrac{dv_x}{dt} = 5 \times 10^{-2}$ = cte.

Le vecteur accélération de ce mouvement rectiligne est donc constant en direction (trajectoire droite), en sens (sens positif de l'axe) et en valeur $a = 5 \times 10^{-2}$ m·s^{-2}.

Le mouvement est donc rectiligne uniformément varié, ici il est accéléré.

Chapitre 10

4 **a.** L'accélération n'est pas nulle car le vecteur vitesse est modifié : il change de direction.

b. Le vecteur accélération du véhicule est :
– radial. Sa direction est celle du rayon de cercle correspondant à la trajectoire du véhicule ;
– centripète. Il est orienté vers le centre du cercle ;
– sa valeur est $a = \dfrac{v^2}{R} = \dfrac{\left(\dfrac{30}{3,6}\right)^2}{300} = 2,3 \times 10^{-1}$ m·s^{-2}.

c. Si v est multipliée par 3 (soit une vitesse de 90 km·h^{-1}), a est multipliée par $3^2 = 9$.

5 **a.** $\dfrac{r}{L} = \dfrac{23,5 \times 10^3}{15} = 1,6 \times 10^3$. L est donc négligeable devant r.

Deimos peut être considéré comme ponctuel.

b. En considérant Mars à répartition sphérique de masse et Deimos ponctuel, on peut écrire, d'après la loi d'interaction gravitationnelle : $\vec{F}_{Mars/Deimos} = -G \dfrac{M_{Deimos}M_{Mars}}{r^2}\vec{u}_{OD}$; $\vec{u}_{OD}$ est un vecteur unitaire de direction (OD) orienté de O vers D.

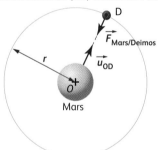

c. En considérant que M_{Deimos} est constante, l'application de la deuxième loi de Newton donne la relation :
$$\vec{F}_{Mars/Deimos} = M_{Deimos}\,\vec{a}_{Deimos}.$$

d. $\vec{a}_{Deimos}$ est donc colinéaire à $\vec{F}_{Mars/Deimos}$, donc à $\vec{u}_{OD}$.

$\vec{a}_{Deimos}$ a pour direction la droite (OD) confondue avec le rayon de cercle correspondant à la trajectoire.

Le mouvement de Deimos est circulaire et son vecteur accélération est radial. Le mouvement de Deimos est donc uniforme.

10 **a.** Dans la relation $v = \sqrt{\dfrac{GM}{r}}$: G est la constante de gravitation universelle, M la masse de Saturne et r le rayon de l'orbite de la particule étudiée.

b. v augmente si r diminue. Pour être plus rapide, une particule doit donc être plus proche du centre de Saturne. Par contre, la masse de la particule n'intervient pas dans l'expression de v.

c. La période de révolution est la durée de parcours d'une circonférence de longueur $L = 2\pi r$. Le mouvement étant uniforme :

$v = \dfrac{L}{T}$ soit $T = \dfrac{2\pi r}{v} = \dfrac{2\pi r}{\sqrt{\dfrac{GM}{r}}} = 2\pi r \sqrt{\dfrac{r}{GM}}$ donc $T = 2\pi \sqrt{\dfrac{r^3}{GM}}$.

d. T est différent si r est différent. Ainsi $T_A \neq T_B$. Si A est B sont alignés à un instant donné, lorsque B aura fait un tour, A ne l'aura pas encore terminé. A et B ne peuvent rester alignés. Les anneaux de Saturne ne peuvent donc pas être d'un seul tenant.

Chapitre 11

3 **a.** Le travail de la force $\vec{F}$ exercée par le déménageur pour déplacer l'armoire sur une longueur $L = 5$ m de A à B est égal à $\mathcal{W}_{AB}(\vec{F}) = \vec{F} \cdot \vec{AB}$. Comme $\vec{F}$ et $\vec{AB}$ ont même direction et même sens $\mathcal{W}_{AB}(\vec{F}) = F \times L$ soit $\mathcal{W}_{AB}(\vec{F}) = 4 \times 10^2 \times 5 = 2 \times 10^3$ J.

Le travail est moteur : il favorise le déplacement et sa valeur est positive.

b. Le poids $\vec{P}$ de l'armoire est une force verticale donc toujours orthogonale au déplacement horizontal $\vec{AB}$. Le travail du poids $\mathcal{W}_{AB}(\vec{P})$, qui s'exprime par le produit scalaire $\vec{P} \cdot \vec{AB}$, est donc nul.

5 **a.** La force électrique $\vec{F}_E$ est liée au champ électrique $\vec{E}$ par la relation $\vec{F}_E = |q|\vec{E}$.

La charge q étant positive, les vecteurs $\vec{F}_E$ et $\vec{E}$ ont même direction et même sens.

$\vec{F}_E$ a pour valeur : $F_E = |q|E$

A.N. : $F_E = 3,2 \times 10^{-19} \times 5 \times 10^4 = 1,6 \times 10^{-14}$ N.

b. Le travail de la force électrique constante $\vec{F}_E$ ne dépend que de la tension U entre les plaques A et B. On a alors $\mathcal{W}_{AB}(\vec{F}_E) = q\,U_{AB}$.

Dans le condensateur plan, la tension entre les plaques A et B et la valeur du champ électrique E sont liées par la relation :

$$E = \dfrac{U_{AB}}{d} \text{ soit } U_{AB} = Ed.$$

On en déduit $\mathcal{W}_{AB}(\vec{F}_E) = qEd = F_E d$ soit $\mathcal{W}_{AB}(\vec{F}_E) = 1,6 \times 10^{-14} \times 0,10 = 1,6 \times 10^{-15}$ J.

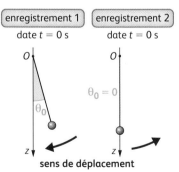

9 **a.** Pour l'enregistrement 1, à la date $t = 0$ s, l'abscisse angulaire θ a sa valeur maximale $\theta_0 = 15°$. Quand t augmente, θ diminue : le pendule part donc de sa position d'élongation maximale vers la position d'équilibre.

Pour l'enregistrement 2, à la date $t = 0$ s, l'abscisse angulaire θ a la valeur $\theta_0 = 0$. Quand t augmente, θ augmente : le pendule part donc de sa position d'équilibre et se déplace dans le sens positif choisi.

b. L'amplitude des oscillations est :
– pour l'enregistrement 1 : $\theta_{1max} = 15°$;
– pour l'enregistrement 2 : $\theta_{2max} = 10°$.

c. La période du pendule est $T = 0,5$ s.

Chapitre 12

3 La célérité de la lumière dans le vide est indépendante du mouvement de la source. Le résultat sera c (si la mesure est faite dans le vide), quelle que soit la vitesse de l'étoile.

7 Dans le référentiel R, seul C est en mouvement. Les horloges de A et de B donneront des indications identiques tandis que l'horloge de C sera en retard.

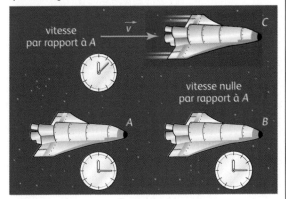

10 **a.** La durée de vie mesurée est $\tau_m = \dfrac{\tau}{\sqrt{\left(1 - \dfrac{v_1^2}{c^2}\right)}}$, où τ

désigne la durée de vie de la particule dans son référentiel propre : $\tau_m = 6,6 \times 10^{-8}$ s.

b. Dans son référentiel propre, sa durée de vie est :

$$\tau = \tau_m \times \sqrt{\left(1 - \dfrac{v_2^2}{c^2}\right)} = 9,0 \times 10^{-11} \text{ s.}$$

12 La synchronisation des horloges terrestres et embarquées sur les satellites des systèmes GPS prend en compte la relativité du temps.

Chapitre 13

3 Les deux premiers dépôts correspondent aux deux réactifs. La représentation de la plaque montre que seul le *para*-aminophénol est visible après révélation. L'intensité de la tache correspondante diminue au cours du temps.
On peut définir la durée de la transformation comme étant la durée nécessaire pour que, dans les mêmes conditions de dépôt, cette tache ne soit plus visible, ce qui correspond au dépôt 5 et donc à une durée de 15 min.

5 **a.** Notons RCl le 2-chloro-2-méthylpropane et ROH le 2-méthylpropan-1-ol.
Le tableau d'évolution de la réaction est :

Équation		RCl	+ H_2O → ROH +	H^+	+	Cl^-
État	Avancement		Quantités de matière (mol)			
initial	0	$n_0 = 2$ mol	excès	0	0	0
en cours	x	$n_0 - x$	excès	x	x	x

L'avancement maximal x_{max} est égal à n_0.
La durée de la transformation t_d correspond à la date où l'avancement vaut $0,9\, x_{max}$ donc $0,9\, n_0$. À cette date la quantité de RCl restante est $n_0 - 0,9\, n_0 = 0,1\, n_0 = 0,2$ mol.

Pour mesurer t_d, on lit sur le graphique, pour chaque courbe, l'abscisse des points d'ordonnée 0,2 mol.
On obtient :

Courbe	Propanone	Eau	t_d
Rouge	50 %	50 %	4,5 min
Bleue	25 %	75 %	3,4 min
Verte	0	100	2,4 min

b. t_d dépend de la nature du solvant qui constitue donc un facteur cinétique.

10 **a.** Pour étudier l'influence de la concentration initiale c_1 en ions éthanolate, Félix doit la modifier sans modifier la concentration initiale c_2 en iodométhane. Il peut par exemple modifier le volume V_1 de l'échantillon de solution (S_1) d'ions éthanolate, mais conserver le volume V_2 de l'échantillon de l'autre solution (S_2) ainsi que le volume total V_{tot} en adaptant le volume V_e d'éthanol versé.
Il peut choisir par exemple de réaliser les expériences 2 ou 3 (ou les deux…) décrites dans le tableau ci-dessous.

b. Il suffit d'échanger le rôle des solutions (S_1) et (S_2).

Expérience	V_1	V_2	V_e	V_{tot}	$c_1 = c\dfrac{V_1}{V_{tot}}$	$c_2 = c\dfrac{V_2}{V_{tot}}$
1	10 mL	10 mL	20 mL	40 mL	0,50 mol·L⁻¹	0,50 mol·L⁻¹
2	5,0 mL	10 mL	25 mL	40 mL	0,25 mol·L⁻¹	0,50 mol·L⁻¹
3	20 mL	10 mL	10 mL	40 mL	1,0 mol·L⁻¹	0,50 mol·L⁻¹

L'expérience 1 correspond à l'expérience décrite dans l'énoncé.

Chapitre 14

3 **a.** Méthanol CH_3OH

b. Dichlorométhane CH_2Cl_2

c. Éthane-1,2-diol $CH_2(OH) - CH_2(OH)$

5 **a.** $CH_3 - {}^*CHBr - CH_2Br$
b. $CH_2Br-CHBr-CH_2Br$: pas d'atome de carbone asymétrique.
c. $CH_3 - {}^*CHBr - {}^*CH(OH) - CH_3$
d. $CH_3 - CH_2 - {}^*CHCl - CH_3$

8 **a.** 1-bromo-1-chloroéthan-1-ol $ClCHBr-CH_2(OH)$

b. Acide 2-hydroxypropanoïque (ou acide lactique)
$CH_3 - CH(OH) - CO_2H$

Corrigés

c. Acide 2-aminopropanoïque (ou alanine) $CH_3 - CH(NH_2) - CO_2H$

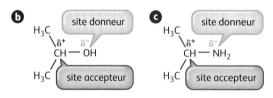

10 **ⓐ** Énantiomères.
ⓑ Diastéréoisomères.
ⓒ Molécules identiques (pas de C asymétrique).
ⓓ Énantiomère.

Chapitre 15

5 **a.** Addition. **b.** Substitution. **c.** Élimination.

6 **a. b. c.**
ⓐ

H_3C
$\overset{\delta^+}{CH} \overset{\delta^-}{-} CH_3$
H_3C

ⓑ site donneur
H_3C
$\overset{\delta^+}{CH} \overset{\delta^-}{-} OH$
H_3C site accepteur

ⓒ site donneur
H_3C
$\overset{\delta^+}{CH} \overset{\delta^-}{-} NH_2$
H_3C site accepteur

ⓓ site donneur
H_3C
$\overset{\delta^-}{CH} \overset{\delta^+}{-} BH_2$
H_3C site accepteur

ⓔ site donneur
H_3C
$\overset{\delta^+}{CH} \overset{\delta^-}{-} Br$
H_3C site accepteur

9
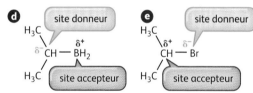

Chapitre 16

3

Acide	ClOH	HCO_3^-	H_3PO_4	H_3O^+	H_2S	HS^-
Base	ClO^-	CO_3^{2-}	$H_2PO_4^-$	H_2O	HS^-	S^{2-}

5 La base et l'acide sont introduits en même quantité (10,0 mmol). L'avancement maximal de la réaction acido-basique est donc de 10,0 mmol.

Si l'avancement final est quasiment égal à 10,0 mmol, la réaction est quasi-totale ; dans le cas contraire, elle est équilibrée :

$$HNO_2 \text{ (aq)} + HCO_2^- \text{ (aq)} \rightleftharpoons NO_2^- \text{ (aq)} + HCO_2H \text{ (aq)}$$
$$CH_3NH_2 \text{ (aq)} + H_3O^+ \text{ (aq)} \rightarrow CH_3NH_3^+ \text{ (aq)} + H_2O \text{ (}\ell\text{)}$$
$$H_2S \text{ (aq)} + HO^- \text{ (aq)} \rightarrow HS^- \text{ (aq)} + H_2O \text{ (}\ell\text{)}$$
$$(CO_2, H_2O)\text{(aq)} + H_2O \text{ (}\ell\text{)} \rightleftharpoons HCO_3^- \text{ (aq)} + H_3O^+ \text{ (aq)}$$

8 **a.** La réaction de dissolution de l'hydroxyde de sodium dans l'eau est :
$$NaOH \text{ (s)} \rightarrow Na^+ \text{ (aq)} + HO^- \text{ (aq)}.$$

b. La solution est réalisée en introduisant une quantité d'hydroxyde de sodium de $\dfrac{0,5}{(23 + 16 + 1)} = 1,25 \times 10^{-2}$ mol dans 1,00 L d'eau. La concentration en ions HO^- est donc :
$$[HO^-] = 1,25 \times 10^{-2} \text{ mol} \cdot L^{-1}.$$
On en déduit la concentration en ions H_3O^+ :
$$[H_3O^+] = \frac{K_e}{[HO^-]} = 8,0 \times 10^{-13} \text{ mol} \cdot L^{-1},$$
puis le pH = $-\log [H_3O^+]$ = 12,1.

c. Lorsque la solution est diluée 10 fois, la concentration en ions HO^- est divisée par 10, la concentration en ions H_3O^+ est multipliée par 10, et le pH diminue d'une unité, d'où pH = 11,1.

Chapitre 17

4 **a.** Les groupes carboxyle $-CO_2H$ et amine $-NH_2$ ont des propriétés acido-basiques.

b. Le pK_a du couple $-CO_2H/-CO_2^-$ vaut 2,3, celui du couple $-NH_3^+/-NH_2$ vaut 9,7.

c. On trace les domaines de prédominance de l'acide et de la base de chaque couple puis on combine les deux diagrammes :

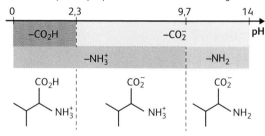

d. D'après le diagramme, à pH = 7,5 l'espèce prédominante est :

CO_2^-
NH_3^+

6 Si la teinte est jaune, l'espèce majoritaire est l'acide.
D'après le diagramme de prédominance de l'acide et de la base du couple représenté ci-dessous, on peut en déduire que le pH est inférieur à 5.

acide	base
0         $pK_a = 5$ 14   pH

C•12

8 **a.** L'acide conjugué est l'ion $CH_3-NH_3^+$.

b. $pH = pK_a + \log\left(\dfrac{[CH_3-NH_2]}{[CH_3-NH_3^+]}\right)$.

c. Pour $\left(\dfrac{[CH_3-NH_2]}{[CH_3-NH_3^+]}\right) = 10$, $pH = pK_a + \log 10 = pK_a + 1$

donc $pK_a = pH - 1 = 10,7$.

d. Si $pH = 9,7$ alors : $\log\left(\dfrac{[CH_3-NH_2]}{[CH_3-NH_3^+]}\right) = pH - pK_a = 9,7 - 10,7 = -1$

donc $\left(\dfrac{[CH_3-NH_2]}{[CH_3-NH_3^+]}\right) = \dfrac{1}{10}$. Il faut que la solution soit dix fois

plus concentrée en acide. Il faut donc ajouter dix fois plus d'acide conjugué, c'est-à-dire $1,0 \times 10^{-2}$ mol.

Chapitre 18

5 La quantité de matière, en mol, est $n = \dfrac{m}{M}$, où m est la masse du système en g et M sa masse molaire en $g \cdot mol^{-1}$. Le nombre d'entités s'exprime alors :

$$N = nN_A \text{ avec } N_A = 6,02 \times 10^{23}\ mol^{-1}.$$

– 200 g de paraffine de masse molaire $320\ g \cdot mol^{-1}$:

• $n = \dfrac{200}{320} = 6,25 \times 10^{-1}$ mol

• $N = 0,625 \times 6,02 \times 10^{23} = 3,76 \times 10^{23}$; l'ordre de grandeur est 10^{23}.

– 2 L d'eau liquide :

• $n = \dfrac{2 \times 10^3}{18} = (111,11) = 1 \times 10^2$ mol

• $N = 1,1 \times 10^2 \times 6,02 \times 10^{23} = 6,7 \times 10^{25}$ mol ; l'ordre de grandeur est 10^{26}.

– 20 g d'argent :

• $N = \dfrac{20}{108} = 1,9 \times 10^{-1}$ mol

• $N = 1,9 \times 10^{-1} \times 6,02 \times 10^{23} = 1,1 \times 10^{23}$; l'ordre de grandeur est 10^{23}.

7 **a.** Le morceau de cuivre est un système condensé. Lors du chauffage, il existe au sein de ce système une différence de température. Il apparaît donc un transfert thermique de type conduction thermique.

b. $\Delta \mathcal{U} = C\,\Delta T$, où C est la capacité thermique du système et ΔT l'écart de température au sein du système.
A.N. : $\Delta \mathcal{U} = 173,7 \times (90 - 20) = 12$ kJ en tenant compte des chiffres significatifs.

13 **a.** On utilise la formule du cours : $\Phi = \dfrac{\lambda S}{e}\Delta T$ soit $\lambda = \dfrac{e\Phi}{S\Delta T}$
A.N : $\lambda = 0,20 \times \dfrac{210}{(20 \times (22 - 8,0))} = 0,15\ W \cdot m^{-1} \cdot K^{-1}$.

b. La comparaison de la valeur trouvée en **a.** avec les données de l'exercice permet d'identifier le matériau comme étant du bois de sapin.

Chapitre 19

3 Pour que le photon soit absorbé, il faut que l'atome soit dans l'état fondamental. Il va ainsi gagner de l'énergie pour passer dans l'état excité.
Au contraire, lors de l'émission stimulée, le photon n'est pas absorbé car l'atome est déjà dans l'état excité. Le photon incident va induire la désexcitation de l'atome et l'émission d'un photon.

4 **a.** Le pompage permet de faire passer les atomes du niveau fondamental au niveau excité $\mathscr{E}_3$ (flèche rouge sur le schéma).

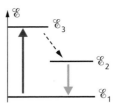

L'émission stimulée qui constitue la lumière émise par le laser correspond à la transition du niveau $\mathscr{E}_2$ vers le niveau $\mathscr{E}_1$ (flèche verte).

b. Il peut y avoir émission spontanée mais elle est peu probable :
– entre les niveaux $\mathscr{E}_3$ et $\mathscr{E}_1$ car le niveau $\mathscr{E}_3$ se désexcite très vite vers le niveau $\mathscr{E}_2$ pour réaliser l'inversion de population ;
– entre les niveaux $\mathscr{E}_2$ et $\mathscr{E}_1$ car le niveau $\mathscr{E}_2$ a été choisi de telle sorte que sa durée de vie soit grande (durée de vie = temps moyen de désexcitation spontanée).

7 **a.** C'est la grande cohérence de la lumière du laser qui permet d'obtenir des interférences sans placer de fente source.

b. Utilisons la relation donnant l'interfrange vue au chapitre 5 :

$$i = \dfrac{\lambda D}{a_{1-2}} \Rightarrow \lambda = \dfrac{i a_{1-2}}{D} = \dfrac{2,53 \times 10^{-3} \times 0,50 \times 10^{-3}}{2,00}$$
$$\lambda = 6,3 \times 10^{-7}\ m.$$

8 **a.** La longueur d'onde est de l'ordre du micromètre. Elle appartient au domaine des infrarouges.

b. Calculons l'énergie transportée par le photon associé à cette radiation :

$$\mathscr{E} = h\nu = \dfrac{hc}{\lambda} = \dfrac{6,63 \times 10^{-34} \times 3,00 \times 10^8}{1,60 \times 10^{-6}} = 1,24 \times 10^{-19}\ J.$$

Convertissons cette énergie en eV.

$$\mathscr{E} = \dfrac{1,24 \times 10^{-19}}{1,60 \times 10^{-19}} = 0,78\ eV.$$

Cette énergie permet des transitions entre des niveaux d'énergie rotationnelle et entre des niveaux d'énergie vibrationnelle mais elle est insuffisante pour permettre des transitions électroniques.

Chapitre 20

4 **a.** L'énergie du photon étant $\mathscr{E} = h\nu$, la fréquence est :

$$\nu = \dfrac{\mathscr{E}}{h}.$$

AN : $\nu = \dfrac{2,0 \times 10^{-15}}{6,63 \times 10^{-34}} = 3,0 \times 10^{18}$ Hz.

La longueur d'onde est :

$$\lambda = \dfrac{c}{\nu}.$$

AN : $\lambda = \dfrac{3,0 \times 10^8}{3,0 \times 10^{18}} = 1,0 \times 10^{-10}$ m $= 0,10$ nm.

Ce photon n'appartient pas au domaine du visible (400 à 800 nm).

b. La quantité de mouvement est donnée par la relation :

$$p = \dfrac{h}{\lambda} = \dfrac{\mathscr{E}}{c}$$

AN : $p = \dfrac{2,0 \times 10^{-15}}{3,0 \times 10^8} = 6,7 \times 10^{-24}\ J \cdot s \cdot m^{-1}$.

8 **a.** Pour l'électron, la longueur d'onde est :
$$\lambda = \frac{h}{p_e} = \frac{6,63 \times 10^{-34}}{9,11 \times 10^{-31} \times 3,0 \times 10^5} = 2,42 \times 10^{-9}\ \text{m}.$$
Pour le proton, la longueur d'onde est :
$$\lambda = \frac{h}{p_p} = \frac{6,63 \times 10^{-34}}{1,67 \times 10^{-27} \times 1,64 \times 10^3} = 2,42 \times 10^{-10}\ \text{m}.$$

b. Pour des ondes électromagnétiques, les longueurs d'onde correspondraient au domaine des rayons X.

9 – Le caractère ondulatoire de la matière est significatif quand un faisceau d'électrons donne une figure de diffraction lorsqu'il est envoyé sur un cristal. (Expérience réalisée par Davisson et Germer en 1927). La diffraction par un cristal est observée avec d'autres particules matérielles : neutrons, atomes, molécules.
– L'effet photoélectrique est en exemple de cas qui ne s'interprète pas avec le modèle ondulatoire de la lumière ; lorsqu'un faisceau lumineux frappe un métal, des électrons sont émis par ce métal mais il existe un seuil en fréquence caractéristique de ce métal. Le modèle particulaire permet d'expliquer l'existence de ce seuil : l'énergie du photon ($\mathscr{E} = h\nu$) doit être supérieure à une énergie seuil ($\mathscr{E}_0 = h\nu_0$), soit $\nu \geq \nu_0$.
(On peut citer également l'expérience de Compton).

10 **a.** À la date $t = 10$ s, la position de l'impact d'un photon semble aléatoire.
b. À la date $t = 500$ s, la figure qui apparaît est celle des interférences : des franges apparaissent.
c. Les zones les plus claires correspondent à une probabilité de présence maximale des photons, alors que les plus sombres correspondent à une probabilité de présence minimale.
d. Dans cette expérience, le caractère ondulatoire des photons se manifeste lorsqu'ils sont en nombre suffisant, ce qui est réalisé à la date $t = 500$ s.

THÈME 3 Défis du XXIe siècle

Chapitre 22

4 La conductivité σ de la solution est donnée par la relation :
$$\sigma = \lambda_{Na^+}[Na^+] + \lambda_{SO_4^{2-}}[SO_4^{2-}]$$
Les concentrations doivent être exprimées en mol·m⁻³ :
$[Na^+] = 4,8$ mol·m⁻³ et $[SO_4^{2-}] = 2,4$ mol·m⁻³
D'où : $\sigma = (5,01 \times 10^{-3} \times 4,8) + (16,0 \times 10^{-3} \times 2,4)$
$\sigma = 6,2 \times 10^{-2}$ S·m⁻¹.

7 **a.** Par lecture graphique, on trouve : $c = 3,6$ mmol·L⁻¹.
b. Par lecture graphique, on trouve : $A'_{400} = 0,72$.

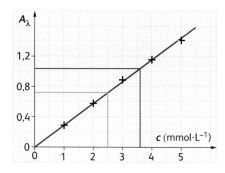

8 **a.** Par lecture graphique, on trouve : $c = 3,7$ mmol·L⁻¹.
b. Par lecture graphique, on trouve : $\sigma' = 79$ mS·m⁻¹.

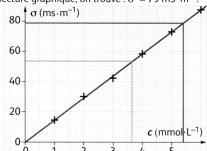

Chapitre 23

4 **a.** À l'équivalence, les réactifs ont été introduits dans les proportions stœchiométriques.
b. Protocole 1 : $\dfrac{n_{HCO_2H,\, i}}{1} = \dfrac{n_{HO^-,\, e}}{1}$;

Protocole 2 : $\dfrac{n_{H_3O^+,\, i}}{1} = \dfrac{n_{HO^-,\, e}}{1}$;

Protocole 3 : $\dfrac{n_{MnO_4^-,\, i}}{1} = \dfrac{n_{Fe^{2+},\, e}}{5}$.

7 Le volume de la solution est presque constant au cours du titrage. On peut donc raisonner sur les quantités de matière plutôt que sur les concentrations. Avant l'équivalence, le réactif limitant est HO⁻. Les ions H_3O^+ sont consommés, des ions Na^+ sont introduits et la quantité d'ions NO_3^- n'évolue pas.
La conductivité diminue car la conductivité ionique molaire de H_3O^+ est beaucoup plus grande que celle de Na^+.
Après l'équivalence, le réactif limitant est H_3O^+. La quantité d'ions NO_3^- n'évolue pas. Des ions HO⁻ et Na^+ sont introduits sans être consommés, donc la conductivité augmente.

8 **a.** On trace deux tangentes à la courbe, parallèles et placées de part et d'autre du saut de pH où la courbe a une grande courbure. On trace ensuite la droite parallèle et équidistante à ces deux tangentes. Cette droite coupe la courbe de titrage au point d'abscisse $V_e = 10,0$ mL.

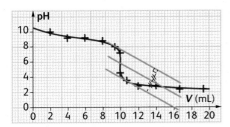

b. À l'équivalence, les réactifs ont été introduits dans les proportions stœchiométriques.
$$\frac{n_{NH_3, i}}{1} = \frac{n_{H_3O^+, e}}{1}.$$
c. Donc on peut écrire $c_s V_s = c V_e$, soit $c_s = \dfrac{cV_e}{V_s}$
$$c_s = \frac{1,0 \times 10^{-2} \times 10,0 \times 10^{-3}}{10,0 \times 10^{-3}} = 1,0 \times 10^{-2} \text{ mol·L}^{-1}.$$

Chapitre 24

4 a.

Espèce chimique	2-nitrobenzal-déhyde	Acétone	Hydroxyde de sodium (NaOH)
État physique	solide	liquide	en solution
Masse	500 mg	/	/
Volume	/	10 mL	2,5 mL
Concentration	/	/	2 mol·L^{-1}
Masse molaire	151 g·mol^{-1}	58 g·mol^{-1}	40 g·mol^{-1}
Densité	/	0,80	/
Quantité de matière	$3,3 \times 10^{-3}$ mol	$1,4 \times 10^{-1}$ mol	5×10^{-3} mol

b. Vu les nombres stœchiométriques, c'est le 2-nitrobenzaldéhyde qui est le réactif limitant.

5

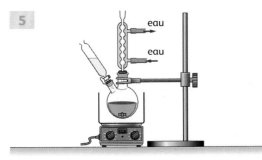

7 a. Afin de séparer le produit solide formé du reste du mélange réactionnel, il faut essorer le solide. Il faut ensuite laver le solide.

b. Ces opérations sont effectuées grâce à un filtre Büchner placé sur une fiole à vide.

Chapitre 25

5 1. La transformation n'est pas sélective car la molécule de 3-nitroacétophénone possède deux groupes caractéristiques, et les deux sont transformés.
2. a. La transformation **(2)** est sélective ; elle permet la protection du groupe carbonyle.
b. La transformation **(4)** est appelée déprotection.

c. Les transformations **(2)**, **(3)** et **(4)** sont toutes des transformations sélectives ; parmi les deux groupes caractéristiques de la molécule, un seul est transformé.

6 a. Le réactif d'intérêt possède un groupe amino et un groupe carboxyle (c'est un acide α-aminé).

b. Le méthanol réagit sélectivement avec le groupe carboxyle, à l'exclusion du groupe amino. C'est un réactif chimiosélectif pour cette transformation. Même chose pour SOCl$_2$.

c. Cette réaction pourrait être utilisée pour protéger le groupe carboxyle.

9 On considère un tissu qu'on ne veut encrer que sur certaines zones et pas sur d'autres, qu'il va donc falloir protéger. On réalise un écran recouvert d'une émulsion photosensible :
– les zones de l'écran qui correspondent aux zones de tissu à protéger sont exposées au rayonnement UV ; l'émulsion photosensible y durcit ; l'encre ne pénétrera ainsi pas dans le tissu pour ces zones-là, que l'on peut appeler zones protégées.
– les autres zones ne sont pas exposées au rayonnement UV ; l'émulsion est rincée, le tissu en-dessous de ces zones n'est pas protégé.
Lorsqu'on retire l'écran de sur le tissu, cela revient à le déprotéger, puisque toutes les zones peuvent alors être encrées.

Chapitre 26

5 a. Le premier pixel est bleu, le second est jaune (superposition d'une lumière rouge et d'une lumière verte d'intensité identique).

b. Le cyan est obtenu par superposition d'une lumière verte et bleue dans des proportions identiques, donc un pixel cyan a pour code RVB : « 0 ; 255 ; 255 ».

c. Un pixel blanc en niveau de gris est associé à la valeur la plus grande d'un octet : « 255 ».

7 a. Ces signaux sont numériques car ils sont représentés par un nombre fini de valeurs déterminées.

b. Le pas p d'une conversion correspond au plus petit écart de tension possible entre deux points de mesure. Dans les deux cas, $p = 0,05$ V.

c. Dans le premier cas la période d'échantillonnage vaut $T_e = 1$ ms, donc la fréquence d'échantillonnage vaut :
$$f_e = \frac{1}{T_e} = 10^3 \text{ Hz} = 1 \text{ kHz}.$$

Dans le deuxième cas, $f_e = 2$ kHz.
d. La numérisation est la plus fidèle dans le second cas car davantage de points de mesure sont enregistrés pour une même durée d'acquisition (de manière générale, une acquisition est d'autant plus fidèle que le pas est petit et que la fréquence d'échantillonnage est grande).

10 L'affaiblissement en puissance est tel que :
$$\alpha = \frac{1}{\ell} \times 10 \log \frac{P_E}{P_S} ;$$
donc : $\log \dfrac{P_E}{P_S} = \dfrac{\alpha\ell}{10} = \dfrac{0,20 \times 50}{10} = 1,0$ dB.

Ainsi $\dfrac{P_E}{P_S} = 10$; le signal est 10 fois moins puissant en sortie qu'en entrée de câble.

THÈME 1 Ondes et matière

Chapitre 1

25 a. Si N est le nombre de neutrinos émis en une seconde par le Soleil, combien de neutrinos solaires traversent en une seconde la surface d'une sphère de rayon r centrée sur le Soleil ?

b. Donner l'expression littérale du rapport entre les nombres de neutrinos solaires traversant en une seconde la surface s sur la Terre et la surface de la sphère de rayon R (distance Terre-Soleil) centrée sur le Soleil.

c. Faire le calcul numérique et comparer le résultat avec celui que l'on obtient avec les nombres de neutrinos donnés dans le document.

Chapitre 2

27 a. Identifier les ondes S et P en comparant leur célérité.

b. Donner deux expressions pour la distance d en fonction de la célérité de chacune des ondes et de leur durée de propagation.

c. Faire la différence entre les durées de propagation des deux ondes.

Chapitre 3

25 a. Quelles raies doit-on utiliser comme référence pour obtenir une échelle du spectre la plus précise possible ?

b. Compléter le tableau suivant.

Distance sur le papier	Différence de longueur d'onde en réalité
entre les raies de référence $d_0 = \ldots\ldots$	entre les raies de référence $\Delta\lambda_0 = \ldots\ldots$
Décalage Doppler subi par la raie K matérialisé par la flèche $d = \ldots\ldots$	Décalage Doppler de longueur d'onde recherché $\Delta\lambda = ?$

En déduire la valeur du décalage Doppler de longueur d'onde de la raie K et, en utilisant les données, la valeur de la vitesse v de la galaxie.

Chapitre 4

24 a. Réaliser un schéma.

b. Déterminer une relation entre la longueur d'onde λ de la source, la largeur de la fente a, la distance fente-écran D et la largeur de la tache centrale L.

c. Déterminer une relation entre λ_1, λ_2, L_1 et L_2.

d. Calculer la valeur de la longueur d'onde λ_2.

Chapitre 5

25 a. Le dispositif permet-il d'obtenir des interférences sonores ?

b. Que peut-on dire des interférences quand l'amplitude de la courbe observée sur l'oscilloscope est maximale ? Quelle relation peut-on alors écrire entre OS_1 et OS_2 ? En déduire une relation entre L, ℓ, et λ.

c. Montrer que la distance dont il faut déplacer le micro pour passer d'un maximum au suivant est égale à $\frac{\lambda}{2}$.

d. Calculer la longueur d'onde λ des ondes sonores et en déduire la célérité.

Chapitre 6

25 a. Écrire les formules topologiques correspondant à chacune des molécules proposées.

b. Identifier les liaisons caractéristiques figurant dans chacune d'elle : C=O, O–H et/ou N–H.

c. Utiliser la table de spectroscopie IR du rabat pour conclure sur la nature des liaisons dont les bandes d'absorption sont effectivement observées sur le spectre.

Chapitre 7

32 a. Proposer toutes les formules semi-développées possibles correspondant à la formule brute C_3H_7Br.

b. En utilisant le nombre de signaux et en analysant leur multiplicité, attribuer à chacun des spectres l'une des formules proposées à la question précédente.

THÈME 2 Lois et modèles

Chapitre 8

24 a. Énoncer la loi de conservation de la quantité de mouvement.

b. Préciser le système à étudier dans cet exercice et formuler les hypothèses nécessaires à l'application de la loi de conservation de la quantité de mouvement.

c. Écrire la relation vectorielle entre les quantités de mouvement avant et après le choc.

d. En tenant compte que les vitesses sont toutes suivant une même direction, établir une relation entre les masses des deux particules et les valeurs des vitesses.

e. On note m_{He}, la masse d'un noyau d'hélium et m_n, la masse d'un neutron, montrer que : $\dfrac{m_{He}}{m_n} = \dfrac{v + v_2}{v_1}$.

Chapitre 9

27 a. Établir les équations horaires des mouvements de B et de S dans un même repère que l'on choisira.

b. Écrire les conditions pour que :
– S et B se rencontrent ;
– le point de rencontre soit au-dessus du sol.

c. Déterminer les coordonnées du point de rencontre et en déduire la condition sur la vitesse de lancement de la balle.

Chapitre 10

26 a. Sur un schéma, représenter la Terre de centre T, le satellite S et représenter la force exercée par la Terre sur le satellite. En donner l'expression vectorielle et compléter le schéma en y reportant les données utiles.

b. Appliquer la deuxième loi de Newton afin d'établir l'expression vectorielle du vecteur accélération.

c. Reproduire tour à tour les schémas ci-dessous et expliquer pourquoi ils ne peuvent pas convenir pour représenter la trajectoire d'un satellite géostationnaire.

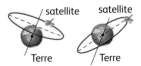

Terre — satellite — satellite — Terre

d. Dans quel plan doit se situer la trajectoire d'un satellite géostationnaire ?

e. Dans l'approximation des trajectoires circulaires, le mouvement d'un satellite est uniforme. Établir l'expression de la valeur v de la vitesse du satellite en fonction des données.

f. En déduire l'expression de la période T_S de révolution du satellite.

g. Quelle est la relation entre la période T_{Terre} de rotation de la Terre et la période T_S de révolution du satellite autour de la Terre pour que celui-ci soit géostationnaire ?

h. Exprimer l'altitude h du satellite en fonction de T_S, la constante de gravitation universelle G, le rayon R_T et la masse M_T de la Terre.

i. Calculer h et vérifier l'affirmation de l'énoncé.

Chapitre 11

27 **a.** Expliquer comment évoluerait l'énergie mécanique du pendule en l'absence de frottement. Que représente le travail $\overrightarrow{W frot}$ des forces de frottement ?

b. Déterminer la valeur T de la période des oscillations du pendule.

c. Déterminer sur le graphique les valeurs de l'énergie mécanique du pendule $\mathcal{E}_{m0}$ à $t_0 = 0$ s puis $\mathcal{E}_m$ à $t = T$. En déduire le rapport (en valeur absolue) du travail des forces de frottement entre les dates $t_0 = 0$ s et $t = T$ et de l'énergie mécanique $\mathcal{E}_{m0}$ de l'oscillateur.

Chapitre 12

30 **a.** Exprimer, pour un occupant de la Terre, la durée Δt_m du voyage en fonction de la distance parcourue D et la vitesse du vaisseau V.

b. Exprimer la durée Δt_p du voyage pour les occupants du vaisseau en fonction de V, c, et Δt_m.

c. En déduire une équation ayant V comme seule inconnue.

d. Résoudre cette équation.

Chapitre 13

24 **a.** Pourquoi la couleur bleue n'apparaît-elle pas immédiatement ?

b. Quelle quantité de diiode est nécessaire pour consommer tous les ions thiosulfate introduits ?

c. En déduire la valeur de l'avancement x de la réaction (1) en fonction de n_0 lorsque la couleur apparaît.

d. Quelle est la valeur de l'avancement maximal de la réaction (1) ?

Chapitre 14

29 **1. a.** Recopier les formules semi-développées des deux espèces et identifier par une étoile (*) les atomes de carbone asymétriques.

2. a. En utilisant la représentation de Cram ci-dessous, dessiner un des stéréoisomères du 2-bromo-1,2-dichloro-1-fluoroéthane qu'on notera A.

b. Représenter l'image de A dans un miroir plan et vérifier que cette image B n'est pas superposable à A.

c. Inverser la position des atomes de chlore et de brome de l'atome de carbone numéro 2 de la molécule A pour dessiner la molécule C. Quelle relation de stéréochimie lie A et C ? Justifier.

d. Dessiner l'image D dans un miroir de la molécule C. Vérifier que D n'est superposable à aucune autre des molécules A, B et C.

3. a. En utilisant le schéma ci-dessous, compléter la représentation de Cram du 1,2-dibromo-1,2-dichloroéthane, qu'on notera X.

b. Dessiner l'image (notée Y) de X dans un miroir plan. Quelle est la relation de stéréochimie entre X et Y ?

c. Dessiner un diastéréoisomère de X, qu'on notera Z.

d. Identifier un élément de symétrie de la molécule Z. Z est-elle chirale ? Conclure sur le nombre de stéréoisomères de configuration de la molécule de 1,2dibromo-1,2-dichloroéthane.

4. Quelle différence importante y a-t-il entre le 2-bromo-1,2-dichloro-1-fluoro-

éthane et le 1,2-dibromo-1,2-dichloroéthane, expliquant la différence du nombre de stéréoisomères de configuration de ces deux espèces ?

Chapitre 15

29 **a.** Étudier le produit obtenu en présence de magnésium : identifier la liaison créée.

b. Sur les réactifs, déterminer la charge partielle portée par les deux atomes de carbone qui forment la nouvelle liaison et justifier que sans magnésium la transformation n'est pas observable.

c. Relever l'électronégativité du magnésium et la comparer à celle du carbone.

d. Pour conclure, se reporter à l'activité 2 page 305.

Chapitre 16

31 **a.** Écrire les équations de réaction des trois acides forts avec l'eau.

b. En s'appuyant sur leurs tableaux d'évolution, exprimer la relation entre la concentration totale en ions H_3O^+ et les concentrations en ions NO_3^-, SO_4^{2-} et Cl^-.

Chapitre 17

28 **a.** Représenter les domaines de prédominance des formes acido-basiques de chaque indicateur coloré.

b. En déduire les zones de virage du mélange.

Chapitre 18

29 **a.** Quels sont les différents matériaux impliqués dans les échanges thermiques ?

b. Quel est le type de transfert thermique associé aux échanges thermiques ?

c. Quelle est la température d'équilibre thermique ?

d. Dans quel sens se font les transferts thermiques entre les trois matériaux ?

Chapitre 19

23 **a.** Calculer l'énergie transportée dans une impulsion et l'énergie d'un photon. En déduire le nombre de photons par impulsion.

b. Calculer la distance parcourue par la lumière en 100 fs. En déduire le volume, en mm^3, dans lequel se trouvent les photons.

Chapitre 20

27 **a.** Rappeler l'hypothèse de Louis De Broglie.

b. Établir la relation entre la longueur d'onde associée à un électron et son énergie cinétique.

c. Calculer la longueur d'onde associée à un électron dont l'énergie cinétique est de 60 eV, en précisant les unités à utiliser.

d. Calculer la longueur d'onde dans le vide des rayons X utilisée dans l'expérience.

e. Montrer que l'expérience valide l'hypothèse de Louis de Broglie sur le caractère ondulatoire des particules matérielles.

THÈME 3 **Défis du XXIe siècle**

Chapitre 22

26 **a.** Calculer la concentration en ions oxonium dans le mélange, puis en déduire celle en ions hydroxyde.

b. Exprimer la concentration en ions hydroxyde dans le mélange en fonction de c_2, la concentration molaire en soluté apporté de la solution d'hydroxyde de potassium.

c. Calculer les concentrations en soluté apporté pour chacune des solutions.

d. Déterminer les volumes respectifs des solutions introduits dans le mélange.

e. Exprimer la conductivité σ du mélange en fonction des concentrations des différents ions présents.

Chapitre 23

26 **a.** Écrire l'équation de la réaction support de titrage.

b. Définir l'équivalence de ce titrage.

c. Déterminer la concentration c' de la solution diluée de peroxyde d'hydrogène.

d. En déduire la concentration c_0.

Chapitre 25

17 **a.** Identifier la nature des liaisons {1} et {2} à créer.

b. Parmi les réactions proposées dans les données, identifier celles permettant de former {1} et {2}.

c. Reproduire la formule semi-développée du néotame puis effacer les liaisons {1} et {2}. Obtenir ainsi les ébauches des trois molécules à faire réagir.

d. Compléter ces ébauches à l'aide des réactifs proposés dans les données.

Chapitre 26

28 **a.** L'information transmise est-elle associée à une infinité ou à un nombre fini de valeurs ?

b. – Montrer que :
$$P_S = P_E \times 10^{-\frac{\alpha \ell}{10}}.$$

– Justifier le choix d'une des deux atténuations mentionnées dans les indications du fabricant.

– En déduire le coefficient d'atténuation α.

– Déterminer la longueur ℓ de la transmission à partir des indications du fabricant.

– Réaliser l'application numérique.

PROGRAMME

OBSERVER – Ondes et matière

Les ondes et les particules sont supports d'informations.
Comment les détecte-t-on ? Quelles sont les caractéristiques et les propriétés des ondes ?
Comment réaliser et exploiter des spectres pour identifier des atomes et des molécules ?

Notions et contenus	Compétences exigibles	Chapitres
Ondes et particules		
Rayonnements dans l'Univers Absorption de rayonnements par l'atmosphère terrestre.	Extraire et exploiter des informations sur l'absorption de rayonnements par l'atmosphère terrestre et ses conséquences sur l'observation des sources de rayonnements dans l'Univers. Connaître des sources de rayonnement radio, infrarouge et ultraviolet.	Chapitre **1**
Les ondes dans la matière Houle, ondes sismiques, ondes sonores. Magnitude d'un séisme sur l'échelle de Richter.	Extraire et exploiter des informations sur les manifestations des ondes mécaniques dans la matière.	
Niveau d'intensité sonore.	Connaître et exploiter la relation liant le niveau d'intensité sonore à l'intensité sonore.	Chapitre **3**
Détecteurs d'ondes (mécaniques et électromagnétiques) **et de particules** (photons, particules élémentaires ou non).	Extraire et exploiter des informations sur : – des sources d'ondes et de particules et leurs utilisations ; – un dispositif de détection. *Pratiquer une démarche expérimentale mettant en œuvre un capteur ou un dispositif de détection.*	Chapitre **1**
Caractéristiques des ondes		
Ondes progressives. Grandeurs physiques associées. Retard.	Définir une onde progressive à une dimension. Connaître et exploiter la relation entre retard, distance et vitesse de propagation (célérité). *Pratiquer une démarche expérimentale visant à étudier qualitativement et quantitativement un phénomène de propagation d'une onde.*	
Ondes progressives périodiques, ondes sinusoïdales.	Définir, pour une onde progressive sinusoïdale, la période, la fréquence et la longueur d'onde. Connaître et exploiter la relation entre la période ou la fréquence, la longueur d'onde et la célérité. *Pratiquer une démarche expérimentale pour déterminer la période, la fréquence, la longueur d'onde et la célérité d'une onde progressive sinusoïdale.*	Chapitre **2**
Ondes sonores et ultrasonores. Analyse spectrale. Hauteur et timbre.	Réaliser l'analyse spectrale d'un son musical et l'exploiter pour en caractériser la hauteur et le timbre.	Chapitre **3**
Propriétés des ondes		
Diffraction. Influence relative de la taille de l'ouverture ou de l'obstacle et de la longueur d'onde sur le phénomène de diffraction. Cas des ondes lumineuses monochromatiques, cas de la lumière blanche.	Savoir que l'importance du phénomène de diffraction est liée au rapport de la longueur d'onde aux dimensions de l'ouverture ou de l'obstacle. Connaître et exploiter la relation $\theta = \lambda/a$. Identifier les situations physiques où il est pertinent de prendre en compte le phénomène de diffraction. *Pratiquer une démarche expérimentale visant à étudier ou utiliser le phénomène de diffraction dans le cas des ondes lumineuses.*	Chapitre **4**
Interférences. Cas des **ondes lumineuses monochromatiques**, cas de la **lumière blanche**. Couleurs interférentielles.	Connaître et exploiter les conditions d'interférences constructives et destructives pour des ondes monochromatiques. *Pratiquer une démarche expérimentale visant à étudier quantitativement le phénomène d'interférence dans le cas des ondes lumineuses.*	Chapitre **5**
Effet Doppler.	Exploiter l'expression du décalage Doppler de la fréquence dans le cas des faibles vitesses. Utiliser des données spectrales et un logiciel de traitement d'images pour illustrer l'utilisation de l'effet Doppler comme moyen d'investigation en astrophysique. *Mettre en œuvre une démarche expérimentale pour mesurer une vitesse en utilisant l'effet Doppler.*	Chapitre **3**
Analyse spectrale		
Spectres UV-visible Lien entre couleur perçue et longueur d'onde au maximum d'absorption de substances organiques ou inorganiques.	Mettre en œuvre un protocole expérimental pour caractériser *une espèce colorée.* Exploiter des spectres UV-visible.	
Spectres IR Identification de liaisons à l'aide du nombre d'onde correspondant ; détermination de groupes caractéristiques. Mise en évidence de la liaison hydrogène.	Exploiter un spectre IR pour déterminer des groupes caractéristiques à l'aide de tables de données ou de logiciels. Associer un groupe caractéristique à une fonction dans le cas des alcool, aldéhyde, cétone, acide carboxylique, ester, amine, amide. Connaître les règles de nomenclature de ces composés ainsi que celles des alcanes et des alcènes.	Chapitre **6**
Spectres RMN du proton Identification de molécules organiques à l'aide : – du déplacement chimique ; – de l'intégration ; – de la multiplicité du signal : règle des $(n+1)$– uplets.	Relier un spectre RMN simple à une molécule organique donnée, à l'aide de tables de données ou de logiciels. Identifier les protons équivalents. Relier la multiplicité du signal au nombre de voisins. Extraire et exploiter des informations sur différents types de spectres et sur leurs utilisations.	Chapitre **7** Chapitres **6** et **7**

COMPRENDRE – Lois et modèles

Comment exploite-t-on des phénomènes pour accéder à la mesure du temps ? En quoi le concept de temps joue-t-il un rôle essentiel dans la relativité ? Quels paramètres influencent l'évolution chimique ? Comment la structure des molécules permet-elle d'interpréter leurs propriétés ? Comment les réactions en chimie organique et celles par échange de proton participent-elles à la transformation de la matière ? Comment s'effectuent les transferts d'énergie à différentes échelles ? Comment se manifeste la réalité quantique, notamment pour la lumière ?

Notions et contenus	Compétences exigibles	Chapitres
Temps, mouvement et évolution		
Temps, cinématique et dynamique newtoniennes Description du mouvement d'un point au cours du temps : vecteurs position, vitesse et accélération[(1)].	Extraire et exploiter des informations relatives à la mesure du temps pour justifier l'évolution de la définition de la seconde.	Chapitre ❽
	Choisir un référentiel d'étude.	
	Définir et reconnaître des mouvements (rectiligne uniforme[(2)], rectiligne uniformément varié[(3)], circulaire uniforme[(4)], circulaire non uniforme[(4)]) et donner dans chaque cas les caractéristiques du vecteur accélération[(1)].	Chapitres ❽ à ❿
Référentiel galiléen. Lois de Newton : principe d'inertie[(5)], $\Sigma \vec{F} = \dfrac{\mathrm{d}\vec{p}}{\mathrm{d}t}$ et principe des actions réciproques.	Définir la quantité de mouvement $\vec{p}$ d'un point matériel.	Chapitre ❽
	Connaître et exploiter les trois lois de Newton ; les mettre en œuvre pour étudier des mouvements dans des champs de pesanteur et électrostatique uniformes. *Mettre en œuvre une démarche expérimentale pour étudier un mouvement.*	Chapitres ❽ et ❾
Conservation de la quantité de mouvement d'un système isolé.	*Mettre en œuvre une démarche expérimentale pour interpréter un mode de propulsion par réaction à l'aide d'un bilan qualitatif de quantité de mouvement.*	Chapitre ❽
Mouvement d'un satellite. Révolution de la Terre autour du Soleil.	Démontrer que, dans l'approximation des trajectoires circulaires, le mouvement d'un satellite, d'une planète, est uniforme. Établir l'expression de sa vitesse et de sa période.	Chapitre ❿
Lois de Kepler.	Connaître les trois lois de Kepler ; exploiter la troisième dans le cas d'un mouvement circulaire.	
Mesure du temps et oscillateur, amortissement	*Pratiquer une démarche expérimentale pour mettre en évidence :* *– les différents paramètres influençant la période d'un oscillateur mécanique ;* *– son amortissement.*	Chapitre ⓫
Travail d'une force. Force conservative ; énergie potentielle.	Établir et exploiter les expressions du travail d'une force constante (force de pesanteur, force électrique dans le cas d'un champ uniforme).	
Forces non conservatives : exemple des frottements. Énergie mécanique.	Établir l'expression du travail d'une force de frottement d'intensité constante dans le cas d'une trajectoire rectiligne. Analyser les transferts énergétiques au cours d'un mouvement d'un point matériel.	
Étude énergétique des oscillations libres d'un système mécanique. Dissipation d'énergie.	*Pratiquer une démarche expérimentale pour étudier l'évolution des énergies cinétique, potentielle et mécanique d'un oscillateur.* Extraire et exploiter des informations sur l'influence des phénomènes dissipatifs sur la problématique de la mesure du temps et la définition de la seconde.	
Définition du temps atomique.	Extraire et exploiter des informations pour justifier l'utilisation des horloges atomiques dans la mesure du temps.	
Temps et relativité restreinte Invariance de la vitesse de la lumière et caractère relatif du temps.		Chapitre ⓬
Postulat d'Einstein. Tests expérimentaux de l'invariance de la vitesse de la lumière.	Savoir que la vitesse de la lumière dans le vide est la même dans tous les référentiels galiléens.	
Notion d'événement. Temps propre. Dilatation des durées. Preuves expérimentales.	Définir la notion de temps propre. Exploiter la relation entre durée propre et durée mesurée. Extraire et exploiter des informations relatives à une situation concrète où le caractère relatif du temps est à prendre en compte.	
Temps et évolution chimique : cinétique et catalyse Réactions lentes, rapides ; durée d'une réaction chimique.	*Mettre en œuvre une démarche expérimentale pour suivre dans le temps une synthèse organique par CCM et en estimer la durée.*	Chapitre ⓭
Facteurs cinétiques. Évolution d'une quantité de matière au cours du temps. Temps de demi-réaction.	*Mettre en œuvre une démarche expérimentale pour mettre en évidence quelques paramètres influençant l'évolution temporelle d'une réaction chimique : concentration, température, solvant.* Déterminer un temps de demi-réaction.	
Catalyse homogène, hétérogène et enzymatique.	*Mettre en œuvre une démarche expérimentale pour mettre en évidence le rôle d'un catalyseur.* Extraire et exploiter des informations sur la catalyse, notamment en milieu biologique et dans le domaine industriel, pour en dégager l'intérêt.	

[(1)] *L'accélération est introduite dans le chapitre ❾.*
[(2)] *Chapitre ❽.*
[(3)] *Chapitre ❾.*
[(4)] *Chapitre ❿.*
[(5)] *Le principe d'inertie est traité dans le chapitre ❽. Les autres lois sont vues dans le chapitre ❾.*

Notions et contenus	Compétences exigibles	Chapitres
Structure et transformation de la matière		
Représentation spatiale des molécules Chiralité : définition, approche historique.	Reconnaître des espèces chirales à partir de leur représentation.	Chapitre ⑭
Représentation de Cram.	Utiliser la représentation de Cram.	
Carbone asymétrique. Chiralité des acides α-aminés.	Identifier les atomes de carbone asymétrique d'une molécule donnée.	
Énantiomérie, mélange racémique, diastéréoisomérie (*Z/E*, deux atomes de carbone asymétriques).	À partir d'un modèle moléculaire ou d'une représentation reconnaître si des molécules sont identiques, énantiomères ou diastéréoisomères. *Pratiquer une démarche expérimentale pour mettre en évidence des propriétés différentes de diastéréoisomères.*	
Conformation : rotation autour d'une liaison simple ; conformation la plus stable.	*Visualiser, à partir d'un modèle moléculaire ou d'un logiciel de simulation, les différentes conformations d'une molécule.*	
Formule topologique des molécules organiques.	Utiliser la représentation topologique des molécules organiques.	Chapitre ⑥
Propriétés biologiques et stéréoisomérie.	Extraire et exploiter des informations sur : – les propriétés biologiques de stéréoisomères, – les conformations de molécules biologiques, pour mettre en évidence l'importance de la stéréoisomérie dans la nature.	Chapitre ⑭
Transformation en chimie organique Aspect macroscopique : – Modification de chaîne, modification de groupe caractéristique. – Grandes catégories de réactions en chimie organique : substitution, addition, élimination.	Reconnaître les groupes caractéristiques dans les alcool, aldéhyde, cétone, acide carboxylique, ester, amine, amide.	Chapitre ⑥
	Utiliser le nom systématique d'une espèce chimique organique pour en déterminer les groupes caractéristiques et la chaîne carbonée. Distinguer une modification de chaîne d'une modification de groupe caractéristique. Déterminer la catégorie d'une réaction (substitution, addition, élimination) à partir de l'examen de la nature des réactifs et des produits.	Chapitre ⑮
Aspect microscopique : – Liaison polarisée, site donneur et site accepteur de doublet d'électrons. – Interaction entre des sites donneurs et accepteurs de doublet d'électrons ; représentation du mouvement d'un doublet d'électrons à l'aide d'une flèche courbe lors d'une étape d'un mécanisme réactionnel.	Déterminer la polarisation des liaisons en lien avec l'électronégativité (table fournie). Identifier un site donneur, un site accepteur de doublet d'électrons. Pour une ou plusieurs étapes d'un mécanisme réactionnel donné, relier par une flèche courbe les sites donneur et accepteur en vue d'expliquer la formation ou la rupture de liaisons.	
Réaction chimique par échange de proton Le pH : définition, mesure.	*Mesurer le pH d'une solution aqueuse.*	Chapitre ⑯
Théorie de Brönsted : acides faibles, bases faibles ; notion d'équilibre ; couple acide-base ; constante d'acidité K_a. Échelle des pK_a dans l'eau, produit ionique de l'eau ; domaines de prédominance (cas des acides carboxyliques, des amines, des acides α-aminés).	Reconnaître un acide, une base dans la théorie de Brönsted. Utiliser les symbolismes →, ← et ⇆ dans l'écriture des réactions chimiques pour rendre compte des situations observées. Identifier l'espèce prédominante d'un couple acide-base connaissant le pH du milieu et le pK_a du couple. *Mettre en œuvre une démarche expérimentale pour déterminer une constante d'acidité.*	Chapitre ⑰
Réactions quasi-totales en faveur des produits : – acide fort, base forte dans l'eau ; – mélange d'un acide fort et d'une base forte dans l'eau.	Calculer le pH d'une solution aqueuse d'acide fort ou de base forte de concentration usuelle.	Chapitre ⑯
Réaction entre un acide fort et une base forte : aspect thermique de la transformation. Sécurité.	*Mettre en évidence l'influence des quantités de matière mises en jeu sur l'élévation de température observée.*	
Contrôle du pH : solution tampon ; rôle en milieu biologique.	Extraire et exploiter des informations pour montrer l'importance du contrôle du pH dans un milieu biologique.	Chapitre ⑰
Énergie, matière et rayonnement		
Du macroscopique au microscopique	Extraire et exploiter des informations sur un dispositif expérimental permettant de visualiser les atomes et les molécules.	Chapitre ⑱
Constante d'Avogadro.	Évaluer des ordres de grandeurs relatifs aux domaines microscopique et macroscopique.	
Transferts d'énergie entre systèmes macroscopiques Notions de système et d'énergie interne. Interprétation microscopique.	Savoir que l'énergie interne d'un système macroscopique résulte de contributions microscopiques.	
Capacité thermique.	Connaître et exploiter la relation entre la variation d'énergie interne et la variation de température pour un corps dans un état condensé.	
Transferts thermiques : conduction, convection, rayonnement. Flux thermique. Résistance thermique. Notion d'irréversibilité.	Interpréter les transferts thermiques dans la matière à l'échelle microscopique. Exploiter la relation entre le flux thermique à travers une paroi plane et l'écart de température entre ses deux faces.	
Bilans d'énergie.	Établir un bilan énergétique faisant intervenir transfert thermique et travail.	

Notions et contenus	Compétences exigibles	Chapitres
Transferts quantiques d'énergie Émission et absorption quantiques. Émission stimulée et amplification d'une onde lumineuse. Oscillateur optique : principe du laser.	Connaître le principe de l'émission stimulée et les principales propriétés du laser (directivité, monochromaticité, concentration spatiale et temporelle de l'énergie). *Mettre en œuvre un protocole expérimental utilisant un laser comme outil d'investigation ou pour transmettre de l'information.*	Chapitre **19**
Transitions d'énergie : électroniques, vibratoires.	Associer un domaine spectral à la nature de la transition mise en jeu.	
Dualité onde-particule Photon et onde lumineuse.	Savoir que la lumière présente des aspects ondulatoire et particulaire.	
Particule matérielle et onde de matière ; relation de Broglie.	Extraire et exploiter des informations sur les ondes de matière et sur la dualité onde-particule. Connaître et utiliser la relation $p = h/\lambda$. Identifier des situations physiques où le caractère ondulatoire de la matière est significatif.	Chapitre **20**
Interférences photon par photon, particule de matière par particule de matière.	Extraire et exploiter des informations sur les phénomènes quantiques pour mettre en évidence leur aspect probabiliste.	

AGIR – Défis du xxıᵉ siècle

En quoi la science permet-elle de répondre aux défis rencontrés par l'Homme dans sa volonté de développement tout en préservant la planète ?

Notions et contenus	Compétences exigibles	Chapitres
Économiser les ressources et respecter l'environnement		
Enjeux énergétiques Nouvelles chaînes énergétiques.	Extraire et exploiter des informations sur des réalisations ou des projets scientifiques répondant à des problématiques énergétiques contemporaines.	
Économies d'énergie.	Faire un bilan énergétique dans les domaines de l'habitat ou du transport. Argumenter sur des solutions permettant de réaliser des économies d'énergie.	
Apport de la chimie au respect de l'environnement Chimie durable : – économie d'atomes ; – limitation des déchets ; – agro ressources ; – chimie douce ; – choix des solvants ; – recyclage. Valorisation du dioxyde de carbone.	Extraire et exploiter des informations en lien avec : – la chimie durable ; – la valorisation du dioxyde de carbone pour comparer les avantages et les inconvénients de procédés de synthèse du point de vue du respect de l'environnement.	Chapitre **21**
Contrôle de la qualité par dosage Dosages par étalonnage : – spectrophotométrie ; loi de Beer-Lambert ; – conductimétrie ; explication qualitative de la loi de Kohlrausch, par analogie avec la loi de Beer-Lambert.	*Pratiquer une démarche expérimentale pour déterminer la concentration d'une espèce à l'aide de courbes d'étalonnage en utilisant la spectrophotométrie et la conductimétrie, dans le domaine de la santé, de l'environnement ou du contrôle de la qualité.*	Chapitre **22**
Dosages par titrage direct. Réaction support de titrage ; caractère quantitatif. Équivalence dans un titrage ; repérage de l'équivalence pour un titrage pH-métrique, conductimétrique et par utilisation d'un indicateur de fin de réaction.	Établir l'équation de la réaction support de titrage à partir d'un protocole expérimental. *Pratiquer une démarche expérimentale pour déterminer la concentration d'une espèce chimique par titrage par le suivi d'une grandeur physique et par la visualisation d'un changement de couleur, dans le domaine de la santé, de l'environnement ou du contrôle de la qualité.* Interpréter qualitativement un changement de pente dans un titrage conductimétrique.	Chapitre **23**
Synthétiser des molécules, fabriquer de nouveaux matériaux		
Stratégie de la synthèse organique Protocole de synthèse organique : – identification des réactifs, du solvant, du catalyseur, des produits ; – détermination des quantités des espèces mises en jeu, du réactif limitant ; – choix des paramètres expérimentaux : température, solvant, durée de la réaction, pH ; – choix du montage, de la technique de purification, de l'analyse du produit ; – calcul d'un rendement ; – aspects liés à la sécurité ; – coûts.	Effectuer une analyse critique de protocoles expérimentaux pour identifier les espèces mises en jeu, leurs quantités et les paramètres expérimentaux. Justifier le choix des techniques de synthèse et d'analyse utilisées. Comparer les avantages et les inconvénients de deux protocoles.	Chapitre **24**
Sélectivité en chimie organique Composé polyfonctionnel : réactif chimiosélectif, protection de fonctions.	Extraire et exploiter des informations : – sur l'utilisation de réactifs chimiosélectifs ; – sur la protection d'une fonction dans le cas de la synthèse peptidique, pour mettre en évidence le caractère sélectif ou non d'une réaction. *Pratiquer une démarche expérimentale pour synthétiser une molécule organique d'intérêt biologique à partir d'un protocole. Identifier des réactifs et des produits à l'aide de spectres et de tables fournis.*	Chapitre **25**

Notions et contenus	Compétences exigibles	Chapitres
Transmettre et stocker de l'information		
Chaîne de transmission d'informations	Identifier les éléments d'une chaîne de transmission d'informations. Recueillir et exploiter des informations concernant des éléments de chaînes de transmission d'informations et leur évolution récente.	
Images numériques Caractéristiques d'une image numérique : pixellisation, codage RVB et niveaux de gris.	Associer un tableau de nombres à une image numérique. *Mettre en œuvre un protocole expérimental utilisant un capteur (caméra ou appareil photo numériques par exemple) pour étudier un phénomène optique.*	
Signal analogique et signal numérique Conversion d'un signal analogique en signal numérique.	Reconnaître des signaux de nature analogique et des signaux de nature numérique.	
Échantillonnage ; quantification ; numérisation.	*Mettre en œuvre un protocole expérimental utilisant un échantillonneur-bloqueur et/ou un convertisseur analogique numérique (CAN) pour étudier l'influence des différents paramètres sur la numérisation d'un signal (d'origine sonore par exemple).*	Chapitre 26
Procédés physiques de transmission Propagation libre et propagation guidée. Transmission : – par câble ; – par fibre optique : notion de mode ; – transmission hertzienne.	Exploiter des informations pour comparer les différents types de transmission.	
Débit binaire.	Caractériser une transmission numérique par son débit binaire.	
Atténuations.	Évaluer l'affaiblissement d'un signal à l'aide du coefficient d'atténuation. *Mettre en œuvre un dispositif de transmission de données (câble, fibre optique).*	
Stockage optique Écriture et lecture des données sur un disque optique. Capacités de stockage.	Expliquer le principe de la lecture par une approche interférentielle. Relier la capacité de stockage et son évolution au phénomène de diffraction.	

Créer et innover

Notions et contenus	Compétences exigibles	Chapitres
Culture scientifique et technique ; relation science-société. Métiers de l'activité scientifique (partenariat avec une institution de recherche, une entreprise, etc.).	Rédiger une synthèse de documents pouvant porter sur : – l'actualité scientifique et technologique ; – des métiers ou des formations scientifiques et techniques ; – les interactions entre la science et la société.	Dans tous les chapitres.

Mesures et incertitudes

Notions et contenus	Compétences exigibles	Chapitres
Erreurs et notions associées	Identifier les différentes sources d'erreur (de limites à la précision) lors d'une mesure : variabilités du phénomène et de l'acte de mesure (facteurs liés à l'opérateur, aux instruments, etc.).	
Incertitudes et notions associées	Évaluer et comparer les incertitudes associées à chaque source d'erreur. Évaluer l'incertitude de répétabilité à l'aide d'une formule d'évaluation fournie. Évaluer l'incertitude d'une mesure unique obtenue à l'aide d'un instrument de mesure. Évaluer, à l'aide d'une formule fournie, l'incertitude d'une mesure obtenue lors de la réalisation d'un protocole dans lequel interviennent plusieurs sources d'erreurs.	Dans tous les chapitres et dans le dossier « Mesures et incertitudes ».
Expression et acceptabilité du résultat	Maîtriser l'usage des chiffres significatifs et l'écriture scientifique. Associer l'incertitude à cette écriture. Exprimer le résultat d'une opération de mesure par une valeur issue éventuellement d'une moyenne et une incertitude de mesure associée à un niveau de confiance. Évaluer la précision relative. Déterminer les mesures à conserver en fonction d'un critère donné. Commenter le résultat d'une opération de mesure en le comparant à une valeur de référence. Faire des propositions pour améliorer la démarche.	

Crédits photographiques

Preto Perola; **p. 320b**: Corbis/Roger Ressmeyer; **p. 321**: Getty Images/Flickr RF; **p. 322hg**: Rue des Archives/The Granger Collection NYC; **p. 322hd**: Collection GB; **p. 322bg**: Corbis/Hulton Archives; **p. 322bd**: Leemage/University of California/mp; **p. 328**: BSIP/PSU Etomology; **p. 329**: Andia/J.Kottmann/Wildlife; **p. 330h**: Cosmos/Martyn F. Chillmaid/SPL; **p. 331**: REA/Robert Galbraith/The New York Times; **p. 335**: Biosphoto/Claude Carre; **p. 337**: Photo12.com/Alamy; **p. 338h**: Photo12.com/Alamy; **p. 338b**: Shutterstock/Norma Cornes; **p. 339h**: Shutterstock/Matthew Benoit; **p. 339b**: Shutterstock/Raduga11; **p. 340h**: Photo12.com/Alamy; **p. 340b**: Biosphoto/André Maslennikov; **p. 341h**: BSIP/CMSP Kalab; **p. 342h**: Shutterstock/Alexey U; **p. 342b**: Phanie/Voisin; **p. 343**: REA/Jean Claude Moschetti; **p. 349b**: Fotolia/Schlierner; **p. 351h**: Photo12.com/Alamy/Mark Harmel; **p. 351b**: Corbis/Marco Cristofori; **p. 352**: SCHOTT® instruments; **p. 355**: BSIP/Dr David M Phillips; **p. 356**: Corbis/Atlantide Phototravel; **p. 357**: AGE Fotostock/SPL; **p. 358hd**: BSIP/Medicimage; **p. 358bg**: SIPA/JS Evrard; **p. 361**: Photo12.com/Alamy/Mark Harmel; **p. 363**: Richard Hawkes of HAWKES Architecture Ltd; **p. 364**: Cosmos/SPL/NASA; **p. 365ht**: Phanie/SPL/James King-Holmes; **p. 365b**: Dr Stefan Hembacher, Experimental Physics VI, University of Augsburg, Germany; **p. 368ht**: Cosmos/SPL; **p. 368b**: Photononstop/Image Source; **p. 370**: Rue des Archives/The Granger Collection; **p. 374**: Cosmos/SPL/Yazdani et Hornbaker; **p. 375g**: AGE Fotostock/Image Source; **p. 375d**: Shutterstock/Ruggieros; **p. 376**: Fotolia/Nougaro; **p. 378g**: AGE Fotostock/Corbis/Layne Kennedy; **p. 378d**: Collection Reynald Artaud; **p. 379**: Fotolia/Diter; **p. 381**: CEA/IRFU/J.J. Bigot; **p. 382**: NASA; **p. 383**: Tibor Agocs and the Isaac Newton Group of Telescopes, La Palma; **p. 384g**: Corbis/NASA/JPL Caltech/Albuquerque Journal; **p. 384d**: Cosmos/SPL/NASA/JPL-Caltech; **p. 388ht**: Kastler-Brossel Laboratory at Paris VI, Pierre et Marie Curie; **p. 388b**: Getty Images/Philip Rosenberg; **p. 389**: CEA/Philippe Labeguerie; **p. 393**: Fotolia/Photlook; **p. 396**: Jurvetson; **p. 398**: CEA; **p. 399**: Erwin Redl, Matrix II, 2000/2002/Riva Gallery, New York; **p. 403d**: Cosmos/Eye of Science; **p. 404**: Cosmos/SPL; **p. 405ht**: Electron; **p. 405b**: Cosmos/Eye of Science; **p. 407**: Cosmos/SPL; **p. 408**: Corbis/Bettman; **p. 410**: Cosmos/SPL/American Institute of Physics; **p. 412**: Phanie/SPL/Alfred Pasieka; **p. 415**: Phanie/SPL/Colin Cuthbert; **p. 416**: Corbis/Denis Scott; **p. 419**: Phanie/SPL/American Institute of Physics; **p. 420**: Corbis/Bettmann; **p. 423**: Phanie/Colin Cuthbert/SPL; **p. 425**: Saint-Gobain Glass France, QUANTUM GLASS™, photo Luc Boegly; **p. 426**: Shutterstock/T.W. van Urk; **p. 429b**: Fotolia/Ingo Bartussek; **p. 430**: Rue des Archives/Tal; **p. 431**: Getty Images/Ashley Cooper/Visuals Unlimited; **p. 433**: REA/Benoit Decout; **p. 434**: Diam Bouchage; **p. 435**: CEA/A.Gonin; **p. 436**: REA/Jerome Chatin/Expansion; **p. 437h**: Rue des Archives/Varma; **p. 437b**: Kharbine-Tapabor/Coll. Perrin; **p. 438**: François Lombard; **p. 439**: Alsthom; **p. 440**: Phileas photos/VNF; **p. 441**: Mix & Remix © Adagp, Paris, 2012; **p. 442**: Andrew Lambert/SPL/Cosmos; **p. 443**: Museum national d'Histoire naturelle, Dist. RMN-GP/image du MNHN, bibliothèque centrale; **p. 444**: Corbis/Tetra Images; **p. 445**: Sagaphoto/B.Compagnon; **p. 446**: INRA/Christian Slagmulder; **p. 451**: REA/Gilles Rolle; **p. 454**: Biosphoto/Martyn F.Chillmaid/SPL; **p. 457**: REA/Pierre Bessard; **p. 458**: Académie Nationale de Médecine; **p. 459**: Epicureans/Philippe Roy; **p. 460**: Shutterstock/Jugurta; **p. 462**: Biosphoto/J.-M. Labat & F.Rouquette; **p. 463**: REA/Richard Damoret; **p. 468**: REA/Benoit Decout; **p. 480**: Kharbine-Tapabor/Coll.Perrin; **p. 481**: Shutterstock/Dionisvera; **p. 482gb**: Owen Franken/Corbis; **p. 482dh**: REA/Pierre Bessard; **p. 483**: Cosmos/Andrew Brookes/NPL/SPL; **p. 484g**: Shutterstock/Blue Lemon Photo; **p. 484d**: Biosphoto/Robert Murray/SPL; **p. 492**: Shutterstock/crystalfoto; **p. 494**: Shutterstock/Madlen; **p. 496**: Shutterstock/Elena Schweitzer; **p. 497**: Corbis; **p. 498**: Biosphoto/Frédérique Bidault; **p. 499**: Getty Images/Fritz Goro/Time & Life Pictures; **p. 500h**: Getty Images/ArtBox Images RM; **p. 500mg**: Biosphoto/Jean-Claude Carton; **p. 500bg**: Shutterstock/Olga Miltsova; **p. 503**: Photononstop/Nathan Alliard; **p. 504**: BSIP/Phototake/Camazine; **p. 505**: Cosmos/Foto-Werbung/SPL; **p. 506h**: Leemage/LP; **p. 506b**: Getty Images/Fritz Goro//Time Life Pictures; **p. 509**: © The Andy Warhol Foundation for the Visual Arts, Inc/© Adagp, Paris 2012, photo: La Collection/Artothek/Collection particulière; **p. 510**: BSIP/Chassenet; **p. 512**: BSIP/Oliel; **p. 514**: REA/Francois Henry; **p. 515**: AGE Fotostock/Christin Gilbert; **p. 519**: Leemage/Photo Josse; **p. 521**: Gérard Rebmann/http://hal-sfo.ccsd.cnrs.fr; **p. 529htg**: www.mobilophiles.com; **p. 529bg**: Shutterstock/Joe Belanger; **p. 529bd**: Cosmos/SPL/Colin Cuthbert; **p. 532g**: AGE Fotostock/Iloveimages; **p. 532d**: AGE Fotostock/Mixa; **p. 533**: Cosmos/SPL/David Parker; **p. 538**: SIPA/Bruno Bebert; **p. 539**: AGE Fotostock/Zoonar/A. Pasdtukh; **p. 541**: Cosmos/SPL/Matthew Hurst; **p. 543**: Corbis/Mitsutoshi Kimura/amanaimages/Corbis; **p. 545**: Photo12/Alamy; **p. 552**: (A) Cosmos/SPL/NASA; (B) Cosmos/SPL/ESO; (C) ESA/ISO/Pilbratt; (D)NASA/JPL-Caltech/N. Flagey (IAS/SSC) & A. Noriega-Crespo (SSC/Caltech); **p. 553**: AGE Fotostock/Mixa; **p. 587**: NASA.

Les photographies non référencées ont été réalisées par Frédéric Hanoteau.

Nous remercions Christel Rosso et Abel Kharbach pour leur participation à la réalisation des photographies.

Nous avons recherché en vain les auteurs de certains documents reproduits dans ce livre. Leurs droits sont réservés aux éditions Nathan.